Pour ton anniversaire 1985
Papa et moi avons choisi ce
livre avec amour beaucoup
d'amour - Tendresse

la Maman

VICTOR HUGO

ALAIN DECAUX
de l'Académie française

VICTOR HUGO

Iconographie de Janine Knuth

Librairie Académique Perrin
8, rue Garancière
Paris

© Librairie Académique Perrin, 1984.

ISBN 2-262-00342-4

à Micheline

> Les écrivains qui n'aiment pas Victor Hugo me
> sont ennuyeux à lire, même quand ils n'en parlent
> pas.
>
> Jules RENARD.

CETTE édition-là des *Misérables* comportait neuf fascicules. Chacun, de grand format, était illustré recto et
verso d'une photographie tirée du film de Raymond
Bernard. Dix-huit images noir et blanc qui, chez le libraire de
Portrieux (Côtes-du-Nord), me fascinaient. Valjean prenait
les traits burinés et puissants d'Harry Baur, Javert ceux,
naturellement implacables, de Charles Vanel, Cosette portait
en une nuit d'épouvante un seau d'eau plus lourd qu'elle,
Fantine riait avec les dents de perle de Florelle, Max Dearly,
engoncé dans une cravate géante, dansait et ricanait le personnage de Gillenormand, cependant que le jeune Marius
arborait le sourire niais d'un Jean Servais peu servi par le
scénario.

Mon père, qui faisait la guerre — la drôle — vint en permission pour Noël. Je lui parlai avec tant de convoitise de ces
Misérables qu'il n'hésita guère. Les neuf fascicules s'amonce-
lèrent le soir même sur ma table de chevet. Je me souviens
qu'en ouvrant le premier, je tremblais un peu : d'avidité mais
aussi de bonheur.

J'avais quatorze ans. Je découvrais Hugo.

Je ne savais rien de lui. Au lycée je ne l'avais pas encore
étudié. Alors, pourquoi tant d'impatience à le lire ? Je dévo-

rais Dumas depuis l'âge de onze ans. Mais Dumas ne m'avait pas encore parlé de Hugo. Honnêtement, je crois mon attirance née de ces couvertures en forme de paraboles. J'ai égaré *mes* fascicules, lus, consultés, caressés si longtemps. Les photographies — œuvres à n'en pas douter d'un maître — je les revois, concerto où le noir l'emportait, véhicule idéal de scènes et situations qui, tant elles se révélaient en accord avec les rêves et les espoirs des générations, ont pris place dans la mémoire comme dans l'inconscient de quelques dizaines de millions d'hommes, de femmes — et d'enfants.

De cette lecture poursuivie sans relâche ni répit jusqu'à cette mort de Valjean qui me valut tant de larmes, je suis sorti anéanti, éperdu, brisé. Je ne savais pas que je venais de rencontrer le plus grand roman de la langue française. Mais je sentais que j'avais traversé quelque chose d'immense.

Je n'ai pas quitté Hugo depuis ce Noël de 1939. Notre exil de guerre se poursuivit pendant dix-huit mois. Il existait devant la plage de Saint-Quay-Portrieux une baraque en planches au fronton de laquelle on lisait : Bibliothèque paroissiale. Tout l'œuvre romanesque de Hugo s'y trouvait, classé au catalogue dans une catégorie que mon âge rendait hélas inaccessible ! Pour ces Bretons catholiques, Hugo restait inquiétant ; sans doute ne se trompaient-ils pas. Une lettre de ma mère fut le sésame qui m'ouvrit le paradis. De *Bug-Jargal* à *l'Homme qui rit*, j'ai tout lu. Tout. Quand je fus venu à bout de l'océan, il me resta *Victor Hugo raconté par un témoin de sa vie.* Après l'œuvre — juste après — je découvrais l'homme. Je le croyais du moins.

Connaître mieux Hugo. Ou plutôt le connaître. Tel fut le propos de ma vie entière. Aller plus loin que le « témoin », voire à son encontre, plus loin que la légende du poète de la République, de la barbe blanche et de l'art d'être grand-père. Répudier Épinal. Retrouver le quotidien au-delà du génie. Admettre la sincérité du révolutionnaire et le comprendre bourgeois. Croire à sa générosité totale et constater son amour de l'argent. Le voir vivre en leur absolu ses passions amoureuses et asservir la meilleure des amantes.

J'ai lu les lettres où il se met à nu, celles des hommes qui l'accompagnèrent, des femmes qui l'aimèrent. Je l'ai suivi dans *Choses vues* et l'ai découvert prodigieux journaliste. Je l'ai retrouvé dans les assemblées, l'ai admiré chantre de la

seule vraie cause, celle de l'homme, polémiste féroce pour
foudroyer les intérêts ou écraser les égoïsmes.

J'ai lu les travaux innombrables d'innombrables érudits.
J'ai salué la réussite incomparable d'une tentative a priori
impossible : l'édition chronologique par Jean Massin des
œuvres complètes de Hugo.

J'ai visité les lieux où il vécut, allant à Besançon aussi bien
qu'à Guernesey, voulant voir le sommet du Donon tout
autant que la Seine à Villequier, l'appartement de la place
des Vosges comme la maison de Juliette. Il m'était cher, il
m'est devenu proche.

De mon mieux, je l'ai servi, portant au théâtre *Notre-Dame
de Paris*, écrivant avec Stellio Lorenzi pour la télévision le
roman de sa vie [1], adaptant avec Robert Hossein *les Misérables* pour le cinéma. Il y a tant d'années qu'il ne me quitte
pas ! Au hasard de mes visites, au fil de mes recherches, des
détails inaperçus me sont apparus ; des lettres inédites, des
textes inconnus m'ont permis une compréhension souvent
renouvelée de mon héros. Le principal : les inestim'
manuscrits de sa femme, si curieusement ignorés des
graphes, mes prédécesseurs. On lira plus loin l'histoire
livre d'Adèle, le fameux *Victor Hugo raconté par un témoin
de sa vie*, trafiqué au-delà du possible. La consultation des
manuscrits, indemnes de toute censure, permet d'accéder au
témoignage brut, dans sa sincérité et dans son authenticité.

Ainsi ai-je vu se dessiner Victor Hugo — gigantesque eau-
forte — comme le reflet à l'identique et la projection *ne varietur* du XIXe siècle français tout entier. J'ai cherché ailleurs
une aussi totale conformité et ne l'ai point trouvée. Hugo
incarne son siècle mais on pourrait dire également que ce siè-
cle-là galope derrière Hugo. L'un et l'autre croient à l'avenir,
à ce radieux XXe siècle qui devait voir s'abattre les frontières,
mourir la guerre, la misère, l'ignorance, naître de la fraternité universelle ce bonheur des hommes qu'annonçaient les
utopistes, ces bien nommés.

A Guernesey, devant le chêne des États-Unis d'Europe qu'il
planta dans la certitude que ces États seraient unis quand
l'arbre serait grand, j'ai rêvé à ce qui fut de sa part illusion
majeure et de la nôtre péché mortel. L'arbre est immense —
et qu'avons-nous fait ?

---

1. Série non encore réalisée.

Ce livre, pourtant, j'ai hésité à l'écrire. Commencé, je l'ai abandonné. Il en était tant, déjà, et on en annonçait d'autres. Mais certains ouvrages s'imposent à l'écrivain telles des nécessités. Il *fallait* que j'aille plus loin avec Hugo. Et avec moi-même quant à Hugo.

Une hagiographie ? Certes non. Celer les défauts, les erreurs, les contradictions de Hugo serait le desservir. S'il a souvent déguisé la vérité en ce qui le concernait, n'a-t-il pas conservé toutes les preuves qu'il y avait travestissement, gardant jusqu'au plus dérisoire des chiffons de papier, comme s'il laissait lui-même aux biographes de l'avenir le soin de le démentir ?

Substituer Hugo à l'image de Hugo, sans indulgence inutile, mais en une constante et lucide volonté de compréhension, c'est toute l'ambition de ce livre.

A. D.

PREMIÈRE PARTIE

JE VEUX ÊTRE CHATEAUBRIAND OU RIEN

LA CHAISE DES ANCÊTRES

> Effacer le passé, on le peut toujours : c'est une affaire de regret, de désaveu, d'oubli. Mais on n'évite pas l'avenir.
>
> Oscar WILDE.

J'AI aimé Guernesey, son granit et son sable. Ses prairies qui s'achèvent en plages ; ses vaches qui paissent dans le fracas des vagues ; ses menhirs et ses églises ; ses rhododendrons et ses pommes de terre ; ses tomates en serres ; ses jardins, ses ravins, ses ruisseaux bordés d'autant d'herbe que de varech, ses arbres cernés de sel et de lichen ; ses caps déchiquetés par le vent autant que par la mer. J'ai aimé ses bruyères, ses ajoncs, ses hortensias, ses magnolias, ses orangers en pleine terre ; j'ai aimé les mirages semés par ses rochers, esquisses qui se dérobent dans l'écume, bas-reliefs qui s'affirment par l'agression des flots.

J'ai aimé Saint-Pierre-Port, bâti jadis autour de bois sculptés apportés de Saint-Malo. J'ai aimé cette colline que la ville semble prendre d'assaut, ses maisons comme tassées l'une sur l'autre, espalier de façades blanches ou grises, « Caudebec sur les épaules de Honfleur », disait un voyageur. Surtout, j'ai aimé cette grosse demeure en forme de cube qui domine tout de sa masse sans grâce. Je l'ai aimée parce qu'elle s'appelle *Hauteville House*.

Pourtant, rien de plus triste que les trois rangs de fenêtres à l'anglaise ouvrant sur la rue. Côté jardin, cela s'harmonise : la porte s'adoucit d'un perron de bois ; au premier étage un atelier vitré, prolongé par une terrasse, rompt la monotonie. Surtout, ce qui frappe, c'est ce balcon, sous le toit, qui court le long de la façade. De ce qui ressemble assez à une dunette de navire, on aperçoit tout Saint-Pierre-Port en bas, au-delà les îles de la Manche, certains jours le Cotentin. La France.

Il est inséparable d'une image, ce balcon : celle d'un homme qui, chaque matin, réveillé dès l'aube par le cri des mouettes et le canon de la citadelle, s'avançait sur les planches à claires-voies. Je le regarde.

Il n'est pas très grand, mais ce qui, au premier coup d'œil, émane de lui, c'est une impression de solidité, de force. Beaucoup de ceux qui l'ont rencontré à cette époque ont, sans se donner le mot, évoqué un vieux chêne. Nous les comprenons. Curieusement vêtu d'un costume de nuit rouge, les cheveux gris en broussaille, le visage creusé, comme fortifié de rides, ce n'est pas le château en pleine eau, là-bas, relié par une digue à la terre, qu'il regarde. C'est vers sa droite que les yeux de Victor Hugo cherchent quelque chose, ces yeux qui savent voir loin — et il en est fier. Il y a là une modeste maison, la Fallue, dont les fenêtres sont à la française, avec de petits carreaux.

Une de ces fenêtres, justement, vient de s'ouvrir. Une femme aux cheveux gris — elle a son âge, ou à peu près — est apparue. Elle agite la main, frénétiquement. Il lui répond. Il attache une serviette à la rampe du balcon, preuve que la nuit a été bonne — elle appelle cela son « torchon radieux ». Elle lui envoie des baisers. Il lève les bras. Un dernier signe. A regret, la femme va refermer sa fenêtre. Lui est entré dans cette pièce ménagée sous le toit, totalement vitrée, manière de serre en plein vent, belvédère face à la mer. Il a gagné l'une des deux tablettes de bois noir fixées au mur. Debout, il va entreprendre sa tâche quotidienne, bœuf de labour attelé à son sillon, mais bœuf inspiré. Trempant la plume d'oie dans l'encre — il la lui faut, cette plume à l'ancienne — Victor Hugo va ajouter, comme chaque matin, quelques dizaines de vers ou quelques pages de prose à son œuvre. Quand une page est achevée, couverte de la même écriture pleine et régulière, il la jette, derrière lui, sur la tapisserie de l'un des divans bas. Elle vole un instant, s'abat. Le tas grossit. A midi, il aura fini sa tâche de la journée, l'exilé de *Hauteville House.*

C'est pour elle, pour cette demeure que nous étions venus à

Guernesey. Tout à coup, après un tournant, elle nous a sauté aux yeux, derrière ses chênes verts, avec sa porte surmontée d'un drapeau tricolore, enclave française en cette île anglaise qui n'oublie pas la Normandie. On nous avait beaucoup parlé de *Hauteville House*. J'avais lu ce que Hugo en avait dit lui-même, les livres qui lui avaient été consacrés, j'avais regardé bien des photographies. Mais il faut y pénétrer, il faut y vivre.

Nous y sommes restés trois jours. Nous l'avons habitée comme s'il était là. Nous avons même, la nuit, écouté *son* silence. Rien n'a changé. Ils sont en place, les meubles qu'il cherchait dans l'île, qu'il démembrait, transformait, adaptait, y sculptant lui-même tant de figures bizarres. Elles sont aux murs, aux plafonds, les tapisseries découpées, enclouées, recomposées. Elles rutilent, les chinoiseries du salon rouge ; ils paraissent clignoter, les lustres de bois noir de la chambre de Garibaldi ; ils éclatent, ces VH dont il a semé sa maison et qui nous ont confondus par leur abondance. La voilà, *Hauteville House*, sans exemple, poème lyrique, onirique, fantastique.

Chaque jour à midi, par un escalier étroit et roide, il descend de son cabinet vitré — il l'appelle son *look-out*. Pendant des heures, tous ont fait silence. Quand on entend son pas — plus lourd que léger, ce pas — le silence meurt, d'un seul coup. Regardez l'aquarelle peinte par son petit-fils Georges, vous le voyez descendre son escalier, vous entendez le soupir de soulagement de la maisonnée.

Au sous-sol, la cuisinière sait que l'heure est venue. Les plats préférés de Monsieur mijotent sur le gros fourneau. Chacun, celui-ci de sa chambre, celle-là du jardin, celui-ci de la salle de billard, se hâte vers la salle à manger. Il n'est pas question que le maître de maison attende. Surtout pas.

Je suis entré, je me suis assis. D'ailleurs la table est mise. Le couvert de Hugo, celui des siens. Enserré, abasourdi par l'extravagant foisonnement d'objets et de paroles — car, ne vous méprenez pas, ce sont des *paroles* que ces objets accumulés, ces devises accolées aux murs —, tout à coup je les ai sentis près de moi, les Hugo. Je les ai vus, entendus. Là, Adèle, la fille — Adèle comme sa mère, mais surnommée *Dédé* — triste et fermée, vieille fille avant l'âge. Là, Charles, trente ans, mou, sanguin, qui ronge son frein dans l'île. Là, François-Victor, plus « en esprit », perdu dans Shakespeare qu'il traduit : trente-six drames, cent vingt mille vers. En arri-

vant à Jersey — qui a précédé Guernesey — François-Victor a
demandé à son père : « Comment rempliras-tu l'exil ? » Le
père a répondu : « Je regarderai l'océan », puis à son fils : « Et
toi ? — Moi, a dit le fils, je traduirai Shakespeare. » Alors,
Hugo : « Il y a des hommes-océans. »

Mais celle que j'ai vue surtout, c'est l'épouse. Mme Victor
Hugo. La maison renferme ses portraits. A tous les âges. Au
temps de Guernesey, des peintres indulgents l'ont montrée
autoritaire, altière, encore belle. Malheureusement pour elle,
des photographes ont aussi opéré à *Hauteville House*. Impitoyable, la photographie. A travers ces plaques et ces
épreuves jaunies, j'ai vu, à la table de cette salle à manger,
Adèle alourdie, envahie par une graisse malsaine, surtout
devenue si laide qu'on n'ose en croire les images de sa jeunesse pendues à d'autres murs. Qu'est devenue la grâce de
ses vingt ans, où sont ces épaules alanguies, ces grands yeux
noirs, cette bouche si petite dont le dessin et le rouge, irrésistiblement, évoquaient une cerise ? Où est cette « beauté espagnole » qui tant faisait rêver les amis du poète ? Est-ce l'exil
qui à ce point l'a changée ? Le chagrin, la maladie ?

Le repas a commencé. Hugo mange. Vite, beaucoup, glou-
tonnement. Charles parle des journaux de France arrivés le
matin par le bateau à vapeur. Ou bien, par habitude, hasarde
un calembour. On aime les calembours à *Hauteville House*.
Si, dans *les Misérables*, Hugo fera dire que « le calembour est
la fiente de l'esprit », il placera le mot dans la bouche d'un
personnage solennel et ridicule. C'est Charles — parce qu'un
certain Mauger, maître maçon, travaillant avec dix ouvriers
douze heures par jour, avait mis un an à terminer cette salle
à manger — qui s'est écrié que l'on avait enfin une *salle à
Mauger*.

Ce maçon n'était qu'un exécutant. Le concepteur du décor
— c'en est un — c'est Hugo. Il a voulu ces carreaux de Delft
qui cernent la cheminée monumentale incrustée de plats de
faïence, cette cheminée en forme d'un H immense. Je me souviens : pudiquement, le conservateur de la maison, M. Robert
Sabourin, voulait me persuader que ce H pouvait évoquer
Hauteville House [1]. Allons donc ! il s'agit de l'H de Hugo.

1. Comment ne pas remercier M. Sabourin de l'inépuisable complaisance
— doublée de tant de science — qu'il a mise à nous accueillir, hors de l'afflux
des visiteurs, et à nous guider.

Dans cette maison, il crie qu'il est chez lui — et il le crie partout. Prodigieux culte de la personnalité imposé par lui-même avec un écrasant naturel.

Il a voulu, inscrits dans le bois au-dessus de la porte, ces trois mots qui disent tout :

EXILIUM VITA EST[1]

Il a voulu, dans cette même salle à manger, entre les deux fenêtres, que fût placée cette « chaise des ancêtres », sorte de cathèdre, en quoi ses contempteurs — Dieu sait s'il en a eu ! — ont voulu voir un trône. En fait nul ne peut s'y asseoir, pas même lui, puisqu'une chaîne, tendue entre les deux bras, en interdit l'accès. Au milieu, il a voulu que fussent peintes les armoiries des Hugo, avec cette date : 1534, et sa propre devise :

EGO HUGO

Sur l'accoudoir droit, le nom du premier des Hugo : *Georges 1534*. Sur l'accoudoir gauche, le nom du dernier, son père : *Joseph Léopold Sigisbert 1828*.

Une jeune servante passe les plats. Elle regarde souvent — trop — du côté de Hugo. Mais nul ne paraît s'apercevoir d'un manège pourtant évident. La conversation tombe un peu. Alors l'épaisse Mme Hugo pose une question à son mari. Elle a trait à un point précis de la jeunesse de Victor. Les autres font silence. Il ne s'agit plus de ces propos de table qui meublent l'heure passée en commun. La gravité de chacun, la curiosité attentive de tous — sauf peut-être de *Dédé* perdue dans son rêve — montrent que l'on vient de passer à quelque chose de sérieux. Hugo, quelque peu rassasié par le premier plat englouti, prend son temps, interroge sa mémoire — infaillible, cette mémoire —, n'a aucun mal à retrouver le souvenir sollicité. Il parle, raconte, se raconte. D'évidence il y trouve du plaisir. Mais ce qui, pour d'autres, ressemblerait à de la complaisance, n'est pris ici par la famille Hugo que pour ce que cela est : un exercice, toujours difficile, parfois périlleux, un moment de travail de plus, dans cette maison tout entière consacrée au travail. Les fils, la fille savent — bien sûr — que, tout à l'heure, Mme Hugo retranscrira ce que vient de dire le père. Ils savent que, depuis de longs mois, elle a entrepris d'écrire la vie de Victor Hugo. Or, à *Hauteville*

1. La vie est un exil.

House, rien de ce qui touche à Victor Hugo n'est pris à la légère. Jamais. Nul ne méconnaît qu'ici l'on côtoie le génie. Tous communient dans un culte de chaque instant, accepté et qui, curieusement, n'est de la part d'aucun nuancé d'hypocrisie.

Ce livre, Adèle Hugo en a eu l'idée peu après le coup d'État de Louis-Napoléon. Dès leur arrivée à Jersey, elle s'est mise au travail. L'essentiel, c'est à Guernesey qu'elle l'écrira. François-Victor s'est souvenu : « Victor Hugo racontait les faits que Mme Hugo désirait connaître, dans un récit minutieux qui se prolongeait jusqu'à la fin du repas. Le déjeuner fini, Mme Hugo remontait dans sa chambre et fixait, par des notes très brèves, ce qu'elle avait entendu. Le lendemain matin, elle se faisait éveiller de bonne heure, faisait ouvrir les épais rideaux de sa chambre, faisait apporter un pupitre qu'elle posait sur son lit, se mettait sur son séant et, tout en buvant une tasse de chocolat, relisait ses notes, puis se mettait à écrire la narration définitive qui a été publiée. »

Le résultat, après cinq années d'un travail maintes fois interrompu, sera la publication en 1863 de *Victor Hugo raconté par un témoin de sa vie*, mis en vente en même temps à Paris et à Bruxelles — sans nom d'auteur.

Un livre irremplaçable. Comment connaîtrions-nous dans ses détails les plus intimes l'extrême jeunesse du poète, ses premières sensations, ses joies, ses chagrins, ses espoirs, les impressions ressenties au contact des premiers lieux visités, jusqu'à ses « mots » d'enfant ? Victor Hugo a parlé ce livre ; Adèle — qui souvent avait partagé les jeux de cette enfance — l'a écrit ; il s'agit d'un témoignage au sens le plus vrai du mot. Tous les biographes de Hugo s'en sont abondamment servis. Ainsi, l'image du poète qui s'est imprimée dans le public est celle-là même qu'il souhaitait, puisque c'est celle que, selon sa volonté, Adèle a tracée de lui. L'image la plus authentique qui soit.

Authentique ? Voire.

Le *Victor Hugo raconté* n'est qu'une supercherie parfaitement calculée. Réussie au-delà du possible, admirable à bien des égards — mais une supercherie. Ceci pour plusieurs raisons qu'il faut connaître.

La première : ce n'est pas le texte d'Adèle qui a été livré au public. Il a été réécrit entièrement, affadi pour le rendre plus exemplaire. Le « correcteur » s'appelle Auguste Vacquerie, l'un des plus fidèles parmi les disciples de Hugo, préoccupé plus que Hugo lui-même de l'image du poète qu'il fallait imposer à la postérité. Pour comprendre l'importance des modifications opérées, des passages amputés ou modifiés du tout au tout, il a fallu pouvoir disposer du manuscrit d'Adèle — ou plutôt des manuscrits — longtemps gardés sous le boisseau [1].

Vrais et sincères ces souvenirs ? Sûrement. Déjà, par rapport au *Victor Hugo raconté*, le progrès est immense. Mais il s'agit de la sincérité d'Adèle. N'oublions pas qu'Adèle est un reflet, une sorte de magnétophone intelligent. Le problème essentiel qui se pose à nous est celui de la sincérité de Hugo. N'hésitons pas un instant : Hugo n'est pas sincère, *lui*.

La volonté de transcendance est évidente. Mais elle l'est chez tous les mémorialistes. Si Hugo prétend avoir lu Tacite à huit ans, alors qu'en fait il lisait Virgile — ce qui déjà n'était pas si mal — c'est parce qu'un jeune génie est censé préférer la grandeur selon Tacite, au bucolique selon Virgile. Péché véniel après tout et auquel je me garderai de jeter la première pierre.

L'important — l'essentiel — est ailleurs. Le *Victor Hugo raconté* reflète une enfance qui n'a pas existé. L'enfance de Victor n'est rien d'autre qu'un drame pathétique, un roman noir avant la lettre. Un désastre. Elle devient, dans le *Victor Hugo raconté*, une sorte de conte allègre, l'histoire d'un petit garçon comblé, grandissant heureux entre l'amour de sa mère et la gloire de son père. En fait — et c'est cela qui bouleverse — l'enfance que Hugo a racontée à Adèle n'est pas celle qu'il a vécue, mais celle qu'il a rêvée. Beaucoup d'enfants malheureux en ont usé ainsi, mais celui-ci est écrivain, l'un des plus grands que le monde ait portés. Dans sa recomposition, il ne jette pas seulement l'amertume de ses regrets mais l'inspiration de sa sensibilité poétique. Son invention devient *une œuvre*, d'autant plus poignante que chaque ligne acquiert une double signification, le sens caché ne se devinant qu'en le comparant au sens avoué, lequel est faux. Cette enfance inventée, il finira par y croire. En dissimulant de

---

1. Désormais, quand je citerai *Victor Hugo raconté par un témoin de sa vie* — dont beaucoup de passages gardent leur valeur — je dirai le *témoin*. Quand il s'agira du brouillon original inédit, ce sera le *manuscrit d'Adèle*.

toutes ses forces les insupportables face à face de son père et
de sa mère, les affreuses altercations de ces époux haineux,
ce n'est pas tant le lecteur qu'il voudra tromper, mais lui-
même.

En marge du manuscrit d'Adèle, une note évidemment dictée par Hugo lève un coin du voile. Il s'agit des enfants
Hugo : « Près leur mère, près leur père malgré la division,
leurs cœurs se chauffaient, ils sentaient la douceur du nid, la
famille vite s'échappait, l'orage venait, leur mère était amère,
leur père irrité. Quand ils avaient le père, ils n'avaient pas la
mère : jamais les deux ! Jamais qu'un tronçon de famille —
une idée à peine formée s'évanouissait, l'une chassait
l'autre. » Mais cette note est restée inédite. Elle n'a pas été
reprise dans le texte publié des souvenirs d'Adèle. Il ne fallait
pas proposer au public une image dont Hugo lui-même ne
supportait pas l'évocation.

De ce désastre dont il a tant souffert, il a donc décidé de ne
retenir que les bonheurs — vrais ou faux. Soyons nets : ceux
qui le lui ont reproché — cuistres impénitents, censeurs sans
entrailles — ont ignoré l'évidence d'un enfant malheureux. Ils
ont oublié que le paroxysme de la souffrance humaine, c'est
dans l'enfance qu'il peut être ressenti.

Est-ce chronologiquement qu'Adèle a engagé et poursuivi
ses entretiens avec Victor ? Impossible de le savoir. De toute
façon, le jour est venu où elle a dû poser la question :

— A propos, que dois-je dire des origines de la famille ?

J'imagine la gravité de Victor, tout à coup. Je le vois prendre son temps. Il sait qu'il parle pour Adèle, donc pour son
public, ses lecteurs d'aujourd'hui et de demain. Mais il
s'adresse aussi à ses fils. Je ne crois pas me tromper en
disant qu'il attache autant d'importance à convaincre ses fils
de l'antiquité de leur famille qu'à en persuader la postérité.
Sa famille est ancienne, il en est sûr, et ce qu'il énonce, lentement, presque laborieusement, il le croit. Demain, assise
dans son lit — combien de tasses de chocolat, ce matin-là ? —
Adèle mettra au point ce qu'il lui a confié. Et nous, ses lecteurs, nous lirons : « Le premier Hugo qui ait laissé trace,
parce que les documents antérieurs ont disparu dans le pillage de Nancy par les troupes du maréchal de Créqui en 1670,
est un Pierre-Antoine Hugo, né en 1532, conseiller privé du
grand-duc de Lorraine, et qui épousa la fille du seigneur de

Bioncourt. Parmi les descendants de Pierre-Antoine, je remarque : au seizième siècle, Anne-Marie, chanoinesse de Remiremont ; au dix-septième siècle [1]... » Cela continue jusqu'à ce « Louis-Antoine que M. Abel Hugo disait être le conventionnel Hugo exécuté pour modérantisme ».

Moi, lisant cela, je me souviens de la salle à manger de Guernesey, la chaise des ancêtres, je revois les armoiries peintes au dossier, la date de 1534. Et je soupire. La voilà déjà, la première supercherie ! Car, bien sûr, il n'y a pas un mot de vrai dans tout cela. Devant ce grand homme changé en M. Jourdain, les biographes se croient ici obligés d'afficher de l'indulgence. Ils s'efforcent à modérer leur dédain. Qu'avait-il besoin, Hugo, de se chercher des ancêtres imaginaires ? Il n'avait qu'à imiter Napoléon qui, aux héraldistes trop prompts à lui fabriquer une ascendance élevée, avait superbement répondu :

— Ma noblesse remonte à Montenotte !

Certes. Mais ici Hugo pourrait plaider non coupable. L'auteur de la fausse généalogie, ce n'est pas lui, mais son père.

Dans une note rédigée le 16 avril 1825 pour le Conseil du Sceau, le général Hugo affirmait être issu d' « une famille très ancienne en Lorraine où elle a compté des branches illustres, dont l'une dans le dix-septième siècle a donné le savant Louis Hugo, abbé d'Estival, évêque de Ptolémaïde ». En 1828, trois ans plus tard et deux ans avant *Hernani*, Victor rédigeait de sa main une note autobiographique, tout entière inspirée par les dires de son père, dans laquelle il se disait né d' « une famille de Lorraine, anoblie en 1535 dans la personne de Georges Hugo, capitaine des gardes du duc de Lorraine ». La gloire du poète ayant provoqué, quant à de telles origines, des controverses parfois fort peu aimables, il s'acharna. En 1867 encore, l'auteur des *Misérables* persistait et signait : « Les Hugo dont je descends sont, je crois, une branche cadette, et peut-être bâtarde, déchue par indigence et misère. Un Hugo était déchireur de bateaux sur la Moselle. Mme de Graffigny (Françoise Hugo, femme du chambellan de Lorraine) lui écrivait : *Mon cousin.* »

Rien de plus vrai : il y eut un Georges Hugo anobli, un Hugo évêque de Ptolémaïde, une Hugo épouse du chambel-

---

1. Le *témoin*.

lan de Lorraine. L'ennui c'est qu'aucun d'entre eux ne possédait le moindre point commun avec nos Hugo. Le général Hugo l'a cru, ou voulu le croire, ou voulu le faire croire. Il a parlé de leurs « ancêtres » à ses enfants. Ceux-ci l'ont cru à leur tour. On croit volontiers ces choses-là. Et Victor Hugo, bien plus que d'autres, se devait de croire son père. Parce que, ce père si imparfait, de qui il avait essuyé tant d'injustes souffrances, il avait choisi d'en faire une figure idéale. Un Bayard napoléonien qui eût été, en plus, un père exemplaire. Bayard ne peut mentir. Tout s'explique de ces Hugo blasonnés dont le seul tort est de ne pas avoir été parents du nôtre. Acquitté, Victor Hugo, pour cause de crédulité filiale.

La généalogie, science exacte, nous dit que Hugo, patronyme d'origine germanique, est un nom fort commun en Lorraine. A son ami Dumas, Victor confiera que « Hugo veut dire souffle ». Le premier ancêtre connu de Victor est un Claude Hugo dit « le Hollandais », engagé comme fossoyeur pendant une épidémie de peste, le 20 août 1631, par la ville de Mirecourt (Vosges) qui y met d'ailleurs le prix. Claude Hugo, cela sonne comme le Claude Frollo de *Notre-Dame de Paris*. Et son métier, même épisodique, nous conduit à ses pareils qui hantent, alliés objectifs des bourreaux, les pages noires du très sombre *Han d'Islande*. Ce Claude fut le grand-père de Jean Hugo, cultivateur à Domvallier, lequel eut pour fils Jean-Philippe, cultivateur à Baudricourt, ce qui enchantait Barrès. Celui-ci cherchait dans ce « village immobile dans la solitude du plateau lorrain » la route qui mène à Domrémy, les prairies mosellanes où naquit Claude Gelée, le chemin de la petite ville de Mirecourt où Pierre Fourier vit le jour : « qu'un même canton ait produit de telles plantes humaines, Jeanne d'Arc, Pierre Fourier, Claude Gelée et cette puissante famille des Hugo d'où jaillit Victor Hugo, c'est un grand sujet de méditation ».
Le Hugo de Baudricourt s'est marié le 1er janvier 1707 avec Catherine Grandmaire, dont il a eu sept enfants. L'un de ceux-ci, Joseph, naîtra le 24 octobre 1727.
Ici nous quittons les silhouettes sans contours esquissées par les généalogistes autour d'un nom, d'un métier, d'une résidence. Ce Joseph, nous le suivons à la trace. Un homme dur, nous dit-on, et de caractère : litote pour signifier mauvais caractère. On le voit, en sa jeunesse, répondre aux mirifiques promesses des sergents recruteurs, s'engager, devenir

cornette de chevau-légers, autrement dit adjudant. Son temps accompli, la charrue le rebute alors que le rabot le tente. Nous le retrouvons maître menuisier, bientôt doté du privilège des bois flottés sur la Moselle.

Ainsi, Joseph est un homme qui a pignon sur rue. Puisqu'il est maître menuisier, c'est qu'il fait travailler des ouvriers. Il a épousé en premières noces la fille d'un maître cordonnier, en secondes la gouvernante des enfants d'un comte. Ses deux épouses lui ont donné douze enfants dont sept filles. L'inventaire dressé après le décès de sa première épouse, Dieudonnée Béchet, le 8 août 1768, révèle un actif de 2 420 livres, une maison à Lunéville, une autre à Nancy, rue des Comptes, et une remise dans la même ville, rue de la Mort-qui-Trompe. C'est dans sa maison de Nancy, au 29 de la rue des Maréchaux, quartier des échoppes et du négoce, que va naître, le 11 novembre 1773, Joseph Léopold Sigisbert, alors que Joseph achevait à peine de payer sa maison de la rue des Maréchaux.

Car, malgré les apparences, on ne roule pas sur l'or, chez les Hugo. Léopold devra interrompre tôt des études dont lui-même a dit qu'elles avaient été poursuivies « avec distinction » au collège royal de Nancy : son père n'a pas « les moyens d'y pourvoir longtemps ». Que l'on n'imagine point pourtant un garçon inculte. L'enseignement de ce temps marquait très vite et très profondément un jeune cerveau. En 1794, quand le général Moreau notera le capitaine Hugo, il écrira : *beaucoup d'instruction*. Car, à l'exemple de son père, il s'est engagé : à quinze ans, le 16 septembre 1788. Dès que l'on a découvert qu'il avait triché sur son âge, on l'a renvoyé dans ses foyers. Mais il est tenace, le jeune Léopold. De nouveau, au lendemain de la prise de la Bastille, il s'engage. On le congédie derechef : trop jeune. Son premier engagement valable — prime à l'entêtement — sera du 23 avril 1791, au 3ᵉ régiment d'infanterie.

Retenons bien la date : avril 1791. La Révolution déferle sur la France. On met la dernière main à la Constitution de 1791 qui a établi la souveraineté nationale sur les ruines de l'absolutisme. Plus de roi de France, mais un roi des Français. Les grands clivages que fera naître la guerre déclarée l'année suivante par Louis XVI ne se sont pas encore produits. L'immense majorité des Français a adopté les idées nouvelles. Dans la France entière, les gardes nationales, les gardes citoyennes regroupent l'élite des zélateurs de la liberté. La même année 1791, le maître menuisier Joseph Hugo, soixante-quatre ans, s'enrôle à Nancy dans les rangs de la compagnie Saint-Epvre. Six ans plus tard, quand on le fêtera officiellement en raison de sa nombreuse progéniture, le rapport le désignera comme « très excellent républicain ».

Donc, au sein même de la famille, un climat. Quand la patrie sera en danger, il se passera chez les Hugo quelque chose de rare : les quatre frères de Léopold le rejoindront dans les armées de la Révolution. Sur ces cinq Hugo, deux furent tués à Wissembourg, les trois autres devinrent officiers : Léopold général de division, Louis-Joseph général de brigade, Francis-Juste major d'infanterie. Certains, découvrant cet épisode à la Plutarque, douteront ou souriront. Ils auront tort.

En ce temps-là, l'histoire va au pas de course. A l'armée du Rhin, Léopold accomplit des merveilles, il est blessé devant Mayence : une balle dans le cou. Le voilà capitaine, puis adjudant-major. En compagnie de son ami le commandant Muscar — un Basque bon vivant de trente-quatre ans —, ce n'est pas seulement au feu que Léopold célèbre la République. On voit les deux amis dans les clubs, ils pérorent, ils s'enflamment et, sous leur commandement, le 8e bataillon du Bas-Rhin devient le bataillon de l'Union. Bientôt les deux compères se feront franc-maçons.

La Vendée s'insurge. Parmi les troupes que l'on achemine pour réprimer la révolte, vont marcher le commandant Muscar et le capitaine Hugo. Un détail : Hugo a oublié qu'il s'appelait Léopold. Il signe désormais Brutus. Substitution de prénom qui nous en dit long sur ses choix et options. Le 11 juillet 1793, Brutus Hugo entre en Vendée militaire.

« Cette guerre, écrira Victor Hugo, mon père l'a faite, et j'en puis parler. » Rien de plus vrai. Il l'a faite et bien faite. Seulement il est sûr que ce n'est pas de la façon racontée par son fils. Le père et la mère *recomposés* par Victor Hugo sont des êtres parfaits, il faut que nous l'admettions une fois pour toutes. Que Brutus Hugo se soit courageusement battu, qu'il ait été blessé à la bataille de Vihiers et de nouveau sur le Maine, nous n'en disconvenons pas. Mais que, dans cette « guerre des géants » — en fait une lutte affreuse où, de part et d'autre, on s'est livré aux pires des atrocités — Brutus Hugo se soit affirmé toujours un parangon d'humanité, le plus tolérant des Bleus, prompt à pardonner, ne songeant qu'à épargner l'adversaire, c'est tout autre chose.

A la table de l'exil, il parle, le poète. Puisque son père est en question et qu'en exil il est convenu qu'il aime son père — cela n'a pas toujours été le cas, oh ! non — son admiration ne doit connaître aucune faille. On en est à la Vendée. Hugo s'émeut. Le lendemain, transcrivant ses notes, Adèle, à propos de Léopold, s'exaltera : « Partout le dévouement s'attachait au jeune officier. C'est qu'il avait ce qui est aimé de tous, ce qui, seul, est pleuré par tous : la bonté, cette grande absolution humaine. En toute occasion on retrouve des preuves de cette bonté [1]. » A travers le récit enregistré par Adèle on ne voit Léopold Hugo — Brutus ? quel Brutus ? — que solliciter des grâces, recueillir des enfants abandonnés, multiplier les actes de charité. Il va jusqu'à sauver vingt-deux femmes de rebelles promises au peloton d'exécution !

Tout cela est beau. Surtout, cela est nécessaire à la conception hugolienne édifiée sous le second Empire d'un héros républicain. Il doit être évident qu'un soldat de la Révolution, selon Victor Hugo, réprouve la terreur et toutes les formes de violence. Il apporte à la défense de l'unité nationale le courage, la noblesse, et surtout la tolérance. Toutes qualités qui conviennent parfaitement à ce père idéalisé qu'il défend. Malheureusement les érudits vendéens ont travaillé. Ils ne méconnaissent nullement les actes d'indulgence que l'on doit à certains officiers bleus. Tous, ils ont été recensés, narrés. Ceux qu'attribue Adèle à son beau-père n'ont laissé aucune trace. Du vivant de Victor Hugo, nombre d'acteurs de la grande guerre étaient encore à même de témoigner. Certains auraient pu trouver profit à confirmer les dires d'un poète illustre. Aucun ne l'a fait.

Ce que l'histoire nous dit, simplement, c'est que Brutus Hugo a fait le travail qu'on lui demandait. La guerre a changé de sens et de forme. On n'en est plus aux grandes batailles. Les chouans tiennent la campagne, établissent partout leurs camps et en changent sans cesse. Soudain ils se démasquent, frappent d'autant plus cruellement qu'on ne les soupçonnait pas là. Pas de quartier : les faux fouaillent et éventrent. On en est à la guerre de mouvement, anticipation de ces guérillas

---

1. *Manuscrit d'Adèle*, chapitre I.

italiennes et espagnoles que connaîtra aussi Brutus Hugo — redevenu Léopold. Les paroisses se sont vidées. Les femmes, les enfants accompagnent les maris et les pères, font à l'occasion le coup de feu. D'évidence, il faut que les Bleus répondent. Les représailles sont le corollaire des guérillas. Le bataillon de l'Union, composé de 1 141 recrues, augmenté de gardes nationaux de Nantes, va être chargé de cette sale besogne. On peut parler d'opérations implacables : œil pour œil, dent pour dent. On bat le pays, on occit ou l'on capture tout ce que l'on rencontre de « brigands ». Tantôt on fusille sur place, tantôt on ramène des prisonniers que l'on exécutera après un jugement sommaire. *Muscar à Haxo, 8 décembre 1793 :* « Huit brigands ont été fusillés hier et deux en ce moment. Je veux ménager désormais vos précieux moments. » *Muscar à la Commission militaire de Nantes, 28 décembre :* « Encore sept brigands de fusillés hier. Tous les jours, ce jeu patriote va se reproduire, bien décidé à donner la chasse à tous ceux qui infectent encore ces environs ; j'espère qu'aucun n'échappera à mon activité et à ma haine implacable. »

Et Brutus ? Il suffit de le citer lui-même : « Je pris part à *toutes* les petites affaires qui se succédèrent tant sur le Tenu qu'au Port-Saint-Père. »

A la table de Guernesey, Hugo a raconté à Adèle que son père, en tant que chef d'état-major, avait « pris part à l'expédition de Quiberon ». Pieusement, elle l'a retranscrit. Or Brutus n'a pas été promu chef d'état-major et il ne s'est pas battu à Quiberon. La tâche qui lui a été réservée se révèle beaucoup moins glorieuse : il a pourchassé les chouans qui s'enfuyaient de la presqu'île. L'histoire a montré que bien peu purent échapper à ce rabat, véritable chasse à courre humaine. Image, pour Victor Hugo, insoutenable. Il a donc décidé qu'elle n'existait pas.

La vérité, c'est que, le 26 novembre 1795, Muscar et son bataillon se portent à Châteaubriant. Qu'ils vont y séjourner pendant six mois, ceci jusqu'au 5 juin 1796. Il s'agit de protéger la ville et les forges voisines, très importantes pour l'économie, des incursions des chouans qui, en quasi-impunité, battent la campagne. Afin de leur assener des coups que toujours on espère définitifs et qui ne le sont jamais, Muscar a créé deux colonnes mobiles. Il confiera la seconde à Hugo quand celui-ci le rejoindra. Alors Hugo tue ou fait tuer, ou encore il procède à des réquisitions de vivres qui rendent ces paysans encore un peu plus exsangues. Un militaire qui fait ce travail-là ne peut l'accomplir efficacement que s'il le prend au sérieux. Par voie de conséquence, Hugo s'est mis à haïr ces rustauds opiniâtres, à détester cette menace qui renaît chaque jour de ses cendres [1].

Quant aux idées nouvelles, Brutus n'a pas varié d'un pouce depuis les débuts de la Révolution. Au contraire, il se scandalise de la stupidité des Bretons qui l'entourent, lesquels n'arrivent pas à « comprendre les bienfaits » de cette République qu'il idolâtre. Cela dit, gardons-nous de le voir toujours prêt à prêcher ou moraliser. N'oublions pas qu'en 1796 il a vingt-trois ans. C'est un bon garçon qui, avant toute chose, aime s'amuser. Le rire est le propre de Hugo. En toute occasion il s'esclaffe. Pour un peu, il indisposerait des camarades plus enclins à la gravité. Mais il a si bon caractère ! Sa jovialité est si sincère que nul ne peut lui en vouloir. Muscar composera — pour rire lui aussi — son épitaphe.

> *Hic jacet* le major de notre bataillon :
> Universel rieur, il mourut de trop rire,
> Gai jusque sur le Styx il fit rire Pluton,
> Oh ! pour le coup les morts vont aimer leur empire !

Les hommes qui rient font rire. Et ceux qui font rire les femmes leur plaisent. Pas question que Brutus réfrène ce *tempérament* qui lui a été donné en partage. Nous sommes en un temps de morale facile. A l'armée, Brutus traîne une certaine Louise Bouin dont le corsage est épanoui autant, nous dit-on, que sa cervelle est légère. Il l'aime bien. Elle tient à lui. Dans une lettre, il fera l'éloge des deux « sphères » qui se dressent sous son corsage et auxquelles il aime rendre visite le plus souvent qu'il peut.

Charette vient d'être capturé au terme d'un affrontement

---

1. Quand on lit son récit rédigé vingt ans plus tard, on s'étonne à lui voir soudainement revivre ses haines et ses colères d'antan. Les chouans, pour lui — il écrit sous la Restauration ! —, sont tous des « détenus, des forçats arrachés à la justice », ou encore des « étrangers apatrides » *(sic)*, ou au mieux « des misérables habitués au pillage ». Toutes accusations qui nous paraissent familières tant nous les avons nous-mêmes entendu adresser à tous les résistants du monde.

sans merci ; on le fusillera à Nantes en mars 1796. Brutus Hugo a pris sans rechigner sa part de ce combat. Mais il l'a fait en riant aux éclats et en caressant les « sphères » de Louise Bouin. Ne nous voilons pas la face : il a raison. Pourquoi aurait-il mauvaise conscience, s'il se sent fort de son bon droit ? La guerre est son métier et il fait la guerre. Il fait aussi l'amour. Est-il le premier à aimer en même temps la guerre et l'amour ?

Pourtant, dans un instant, pour Brutus l'amour va peutêtre changer de visage. A Châteaubriant, il va rencontrer Sophie Trébuchet.

Nous y sommes. Plutôt, c'est Adèle qui va franchir une nouvelle étape. A la table des Hugo, chacun a dû sentir que l'on abordait un moment capital. Il s'agit de cette grandmère qu'aucun de ces jeunes gens, garçons et fille, n'a connue. Mais Adèle a approché Sophie Trébuchet. Elle en conserve un souvenir ambigu. Sa plume ne risque-t-elle pas d'errer ? On devine qu'elle va se montrer aussi prudente que vigilante, plus fidèle que jamais à la dictée de son mari. Elle va donc écrire que le père de Sophie, Jean-François — le grand-père maternel de Hugo —, était un armateur : « Les Trébuchet étaient de Nantes, des armateurs de père en fils, et de très bonne bourgeoisie. Toutes leurs racines étaient à Nantes, ils étaient de ces piliers de pays qui voient un exil quand ils ne voient plus leur clocher, c'est pour eux une terre promise, une élection que d'y être [1]. » Le père de Sophie — grand-père maternel de Hugo — « continuait l'idée séculaire de la famille, l'ardeur au culte et aux rois [2] ».

C'est à ce père armateur que Léopold Hugo — Brutus ? quel Brutus ? — aurait été demander la main de Sophie Trébuchet : « Comment le soldat de la Convention était-il entré chez le fidèle de Louis XVI ? Et comment y était-il venu ? Je l'ignore ; mais je sais bien ce qui l'y avait fait revenir et ce qui l'y avait fait rappeler. » Bien sûr, sous la plume d'Adèle, la raison s'appelait Sophie. Sophie dont Brutus était tombé amoureux : « L'armateur hésitait fort à donner sa fille à un militaire, obligé de courir le monde et de laisser sa femme seule ou de la traîner sur les routes. Il objectait encore les

---

1. *Manuscrit*, chapitre I, seconde version.
2. *Manuscrit*, chapitre I, première version.

opinions du major, qui seraient une contradiction dans la famille et qui pourraient devenir une brouille dans le ménage. Mais il n'y a pas de meilleur avocat que l'amour [1]. » Et Adèle va montrer l'armateur, vaincu, donnant sa fille à Brutus.

Belle histoire. Elle est *totalement fausse.* Quand Brutus a rencontré Sophie, le père de celle-ci — qui n'avait jamais été armateur — était mort depuis douze ans ! Raisonnons : si Adèle l'a écrit, c'est que son mari le lui a dit. Mais pourquoi l'a-t-il dit — puisque c'était faux ?

« Ma mère vendéenne », dit Victor Hugo.

Il l'a montrée, cette mère, « pauvre fille de quinze ans, en fuite à travers le bocage ». Il a fait d'elle « une brigande, comme Mme de Bonchamp et Mme de La Rochejaquelein [2] ». Plus tard, évoquant sa propre formation politique, il s'est dépeint égaré par la formation qu'il devait à sa mère :

> J'ai trop peu vu la France et trop vu la Vendée...

Cette Vendée, il l'identifiera à sa mère :

> Parce que ma mère, en Vendée, autrefois,
> Sauva en un seul jour la vie à douze prêtres [3].

Au soir de sa vie, il parlera encore de Sophie et se dira « fils d'une Vendéenne amie de Mme de La Rochejaquelein [4] ». Il a tant dit et redit que sa mère était vendéenne et royaliste qu'on l'a longtemps admis sans discussion. Il a fallu que récemment des brassées de documents sortent des archives pour que la légende soit d'abord conduite à l'agonie, puis au trépas. Sophie Trébuchet était tout, hormis une Vendéenne royaliste. Mais voilà, il fallait qu'elle le fût. D'abord parce que l'antithèse est le pléonasme de Hugo : une mère royaliste répond à un père républicain. Ensuite parce que le royalisme de sa mère, éclos tardivement sous l'Empire pour cause

1. Je cite ici le *témoin* qui a fort intelligemment condensé les diverses versions retenues par Adèle dans ses manuscrits successifs et qui, pour dire le vrai, nous apparaissent fort embrouillées.
2. Préface des *Feuilles d'automne* (1831).
3. *Les Contemplations* (1854).
4. *Actes et paroles* (1875).

d'amour assassiné, avait besoin d'être ennobli. La Vendéenne efface la conversion de circonstance. Cette identité d'emprunt met la dernière touche à un portrait inachevé.

Les Trébuchet appartenaient à une famille de fondeurs. On les trouve au nord d'Ancenis et autour de Châteaubriant. Jean Trébuchet, maître fondeur à la Forge Péan, près de Moisdon, fils d'un autre maître fondeur, a épousé Françoise Louvigné, elle-même fille d'un maître fondeur. Ils ont eu treize enfants. Le dernier-né, Jean-François Trébuchet, a préféré — peut-être justement parce qu'il était le dernier — se faire marin ; il est bien le seul. Engagé à dix-huit ans, en 1749, comme simple pilotin, dans la marine de commerce, il sera lieutenant, puis capitaine en 1767. Cette année-là, il épouse Renée-Louise Lenormand du Buisson dont il aura huit enfants. La troisième, prénommée Sophie, est celle qui nous intéresse. Jean-François Trébuchet naviguera la moitié de sa vie et mourra, en 1783, dans l'océan Indien.

Sophie avait huit ans à la mort de sa mère, onze lorsque disparut son père. La famille l'avait confiée à sa tante Françoise Robin, sœur de son père, veuve d'un notaire. A soixante ans, celle-ci vivait chichement d'une petite rente. Elle se voulait fort adepte des idées nouvelles, lisait les philosophes, idolâtrait Voltaire. Elle voulait bien croire à l'Être suprême mais regardait les prêtres de haut. Comme il était prévisible, Sophie avait adopté les idées de sa tante. D'autant plus que son grand-père maternel, René-Pierre Lenormand du Buisson, surveillait son éducation. Un notable, procureur fiscal, puis sénéchal, enfin procureur au présidial de Nantes. Comme maint bourgeois de Nantes, il n'en flambait pas moins pour le « changement ». C'est chez lui, en 1788, que fut conçu et rédigé le cahier de doléances de la ville de Nantes. Déjà en ce temps-là, il appelait les prêtres des tyrans et stigmatisait « le joug qu'en compagnie des nobles ils ont durant des siècles fait peser sur le peuple ». Il allait applaudir à la mort de Louis XVI et accepter le poste de juge au tribunal révolutionnaire, sa nomination étant due à Carrier. Comme tel, l'arrière-grand-père de Victor Hugo allait envoyer à la mort un grand nombre de paysans, de prêtres, de religieuses. Il entérinera même la décision de Carrier — injustifiable — de faire exécuter des prisonniers sans jugement. Décision qui justement conduira aux affreuses noyades de Nantes. Auteur de remarquables travaux sur la famille Trébuchet, Mme

Simone Loidreau a pu souligner que parmi les gens envoyés à la guillotine par Lenormand du Buisson, il y eut ceux qui provenaient des rafles du château d'Aux : le père de Victor Hugo les avait arrêtés et son arrière-grand-père les avait condamnés. Le fils de René-Pierre, François, oncle de Sophie, ira plus loin encore. Il laissera, en toute simplicité, sa femme devenir la maîtresse de Carrier. Heureux, content, il obtiendra du noyeur en chef une place de commissaire de guerre qui rapportait 10 000 livres par an. Ce qui ne l'empêchera pas, après que Carrier fut monté sur l'échafaud, de demander le divorce — *pour cause d'immoralité de son épouse !* — et de l'obtenir.

Pour parachever cet édifiant tableau de famille, n'oublions pas Marie-Joseph Trébuchet, frère de Sophie, lui aussi lieutenant de Carrier en 1794.

Extraordinaire climat en vérité, et c'est celui au milieu duquel vit Sophie pendant les premières années de la Révolution. Certes on a rappelé que deux de ses sœurs étaient ursulines et que, d'ailleurs, René-Pierre Lenormand du Buisson les avait chassées de chez lui pendant la Terreur. Mais ces sœurs-là n'avaient pas été élevées par la tante Robin.

Tout porte à croire que de 1789 à 1794 — années qu'elle passe à Nantes — Sophie a vibré à l'unisson de son grand-père, de son oncle et de son frère. Pourtant, en février 1794, la tante Robin et sa nièce quittent Nantes pour Châteaubriant ou plutôt pour Mortagne-sur-Chère, nom nouveau. Est-ce la Terreur que fuit la citoyenne Robin ? On peut penser au contraire qu'elle s'éloigne pour échapper à une réaction anti-Carrier que l'on sent parfaitement venir et qui logiquement menacera la famille Trébuchet si complètement compromise aux côtés du Conventionnel. D'ailleurs, Châteaubriant, quand les deux femmes s'y réfugient, s'affiche comme une ville totalement acquise à la Révolution.

Bien sûr, il y a, non loin de là, la maison de famille des Trébuchet, la Renaudière, simple demeure campagnarde : une salle carrelée et une cuisine au rez-de-chaussée, trois chambres à l'unique étage. Mais c'est une autre branche de la famille qui en est devenue propriétaire. Elles sont donc, la tante et la nièce, comme retranchées dans une ville muée en bastion. Les églises et le château sont devenus casernes. On a installé ailleurs un service d'intendance et un hôpital militaire. L'état-major loge à l'hôtel de la Bothelière. On est entre

soi. Mais, à tout nouvel arrivant, on recommande de ne pas
s'éloigner seul : les environs grouillent de rebelles. Dans cette
ville, l'armée républicaine — celle de Muscar et Hugo —
ronge son frein. Les lettres de Muscar ne sont qu'une longue
plainte : « Nos troupes ne sont pas assez nourries. Aussi, chaque jour, suis-je désolé par les plaintes du pillage... » Ou
encore : « Toutes nos troupes ont la fièvre ; elles souffrent
aussi de la faim. »
    Ces troupes, elles sortent quand on le leur commande.
Elles battent, à la recherche des « brigands », ce pays de
Lamée, monotonie verte brisée au printemps par l'or des
ajoncs et, l'été venu, par un autre or, celui des blés. Plat pays
où les seuls reliefs sont les clochers des églises et les moulins
à vent dont les ailes trop souvent n'ont plus rien à moudre.
Quand il le faut, ces troupes sèment aussi l'horreur. A quoi
répond une autre horreur. La pire va se produire alors que
Sophie vit à Châteaubriant.
    Que s'est-il passé ? Ceci.
    Sous le commandement du général Humbert — Ponsard
en fera son « lion amoureux » — une colonne a investi le
Petit-Auverné, enfoncé les portes de la maison commune,
brûlé les rôles des contributions, lacéré les registres d'état
civil. On a mis à sac les maisons et leurs caves, on a brisé les
meubles, on a détruit les linges, dispersé les provisions. Et
surtout on a tué, violé dans des conditions que rien n'excuse.
Après quoi — satisfaite ? — cette troupe a pris ses quartiers à
la Renaudière. Oui, chez les Trébuchet ! On a bu beaucoup de
vin, chacun s'est endormi dans la maison et ses dépendances.
Quelle erreur ! Sous le commandement de Terrien, dit Cœur
de lion, un parti de chouans va fondre sur les Bleus endormis
que l'on surprend au gîte. Bilan : cent soixante tués parmi les
Bleus, plus de trois cents grands blessés. Un acharnement
qui épouvante.
    Pourquoi taire l'affaire du Petit-Auverné qui montrait dans
sa nudité la réalité de la « guerre des géants » ? Il est un
détail dont la parole de Hugo, la plume si vive d'Adèle eussent su tirer un parti remarquable : au lendemain du massacre de la Renaudière, les paysans ont découvert que, dans les
ruisseaux qui descendaient le long du domaine, coulait du
sang...
    Rien. Pas un mot dans le récit du *témoin* ni dans le *manus-
crit d'Adèle*. Pour une raison simple : narrer un tel épisode,

admettre que Sophie l'avait connu, revenait à rendre impossible la confrontation prochaine de la « vendéenne » Trébuchet et du républicain Hugo. Brutus ne participait pas à l'affaire du Petit-Auverné mais il était le frère d'armes de ceux qui s'y trouvaient. Évoquer après cela une rencontre, des amours, des fiançailles, c'était amener à douter des véritables sentiments de la Vendéenne. Et il fallait que nul n'en doutât.

Car nous y voici. Pour la première fois, Brutus et Sophie vont se trouver face à face.

En 1796, à Châteaubriant, Sophie et sa tante fréquentent assidûment deux familles : la première, les Ernoul de La Chenelière, cousins des Trébuchet, dont la fille a figuré la déesse Raison dans une cérémonie patriotique ; la seconde, celle du citoyen Demangeat, maître de forge désigné par le département et qui a pour adjoint un parent des Trébuchet. Des parents, des alliés — mais des partisans de la Révolution. En ce temps de haines mortelles, les tenants d'un camp se feraient plutôt crever les yeux que supporter la vue d'un « suppôt » du camp d'en face. Nouvelle preuve des options révolutionnaires de la tante Robin et de sa nièce.

De leur côté, Muscar et Hugo sont souvent les hôtes de ces deux familles éminemment républicaines. Comment douter ? C'est chez les Ernoul ou chez les Demangeat que Sophie Trébuchet a dû rencontrer Brutus Hugo. Ceci, à une date postérieure à mars 1796.

Je les regarde, Brutus et Sophie. Je les vois dans ce salon de province, au milieu de meubles simples mais cossus et bien cirés. Je les vois sous les inévitables portraits de famille. Il n'est pas très grand, le capitaine — 1,70 m — mais large d'épaules et de torse, trapu bien qu'athlétique, avec un cou de taureau, un visage rond, des yeux à fleur de tête, le front trop bas, un nez trop gros, des lèvres trop fortes, le teint trop rouge. De sa part, j'entends une plaisanterie un peu lourde ponctuée d'un énorme éclat de rire. A quoi ne répondent qu'un signe de tête, un silence et un regard trop grave.

Avec le sans-gêne de soldats qui n'ont aucune raison de faire des manières chez des amis, Muscar et Hugo s'ébrouent. Pourquoi Brutus, comblé par Éros, s'attarderait-il à considérer longuement cette Bretonne de taille petite — 1,56 m — point particulièrement belle qui, avec ses vingt-quatre ans, selon les concepts du temps, n'est plus de la première jeunesse ? Lui n'en a pas encore vingt-trois. Au moins si elle avait quelque bien ! Brutus apprendra vite — tout se sait dans une petite ville — que Sophie n'apportera pas la moindre dot, ce qui même en République demeure un défaut majeur.

Et pourtant, c'est un fait que Brutus viendra frapper bientôt chez la citoyenne Robin — et qu'il y reviendra. Muscar aussi d'ailleurs.

Qu'est-ce donc qui l'attire ? Pour le *témoin*, c'est « cette indépendance d'esprit et cette personnalité décidée des filles sans mère, obligées d'être femmes plus tôt que les autres ». Peut-être. Et aussi « l'extrême finesse de sa physionomie » tout autant que « son regard intelligent ». La suite ? Sophie aurait découvert avec émotion que Brutus « avait été humain dans la guerre, il avait eu pitié des femmes et des enfants. Et puis, c'était un grand et fier garçon, bien fait, vivant, et ayant dans l'expression de son visage cette beauté supérieure, la bonté ». Après quoi, le *témoin* court la poste, il enchaîne allégrement : « L'intelligence et la bonté sont faites pour s'entendre. Elles s'étaient entendues si bien qu'il y avait eu promesse de mariage. »

Si vite, vraiment ? Si facilement ? Avec une telle réciprocité ? N'éprouvons aucun doute : nous sommes encore une fois au plein de l'enfance recomposée de Victor Hugo. Il n'est pas mauvais ici, pour remettre le *témoin* à sa place, de citer quelques lignes du *manuscrit d'Adèle*, retirées de la version définitive. Le portrait de Sophie Trébuchet, le portrait *sincère* — et comme on comprend qu'on ne lui ait pas permis de le publier ! — nous laisse bien perplexes quant au coup de foudre, que, selon la tradition, Brutus aurait éprouvé à l'égard de sa « Sophie de Châteaubriant ». Lisons ensemble : « Leurs natures étaient opposées, mon beau-père était tendre de tempérament et de cœur, ma belle-mère était (*biffé :* de glace) froide, sa sensibilité ne s'exprimant pas... pour moi du moins... à la surface du moins... Mon beau-[père] n'était ni commun ni abrupt, mais il était primitif, il aurait fallu à ma belle-mère (*biffé :* une culture d'esprit) ou du moins plus de prestige d'esprit... Ils (*biffé :* ne se touchaient) par aucun côté. Je sais qu'il est bon qu'il y ait des différences... mais il faut se retrouver par quelque point. » Voilà beaucoup d'indulgence pour le beau-père, guère d'enthousiasme pour la belle-mère.

Encore est-ce là le brouillon d'une seconde ou d'une troisième version. Le *manuscrit d'Adèle* — première version — m'apparaît pire encore : « La future épousée était sans beauté, petite, grêlée, clignotant des yeux. Un nez aigu s'abaissait sur sa bouche... » On comprend que le censeur soit passé par là !

De ce qu'ont pu se dire Brutus et Sophie, on ne sait rien. Tout ce dont nous sommes sûrs, c'est qu'est née entre eux, au cours des semaines qui ont suivi, une sorte d'intimité. Un peu plus tard, Hugo, séparé de Muscar et lui écrivant, lui donnera des nouvelles de leurs connaissances de Châteaubriant. Il lui parlera de « Sophie ». On n'appelle pas — surtout en ce temps — une étrangère par son prénom.

Et puis le jour est venu où le bataillon a dû quitter Châteaubriant. Le *témoin* n'a noté, à propos de la séparation de Sophie et de Hugo, qu'un échange de promesses : Brutus ne serait pas parti « sans laisser et sans emporter le serment de tout faire pour hâter l'union désirée ». Un serment de Brutus ? Qui avait à gagner à un tel mariage ? Lui, capitaine à vingt ans, débordant de liesse comme d'appétits et qui regardait l'avenir avec cette confiance que l'on accorde aux certitudes ? Elle, glissant peu à peu vers l'état de vieille fille, piètre parti désargenté, sans appel compromise par les options de sa famille ? Qui en Bretagne voudrait épouser la petite-fille, la nièce, la sœur de complices du noyeur de Nantes, réprouvé par Robespierre lui-même et que sa condamnation à mort avait officiellement voué à toutes les exécrations ? Restons lucides : l'arrivée dans sa vie du capitaine adjudant-major Brutus Hugo, Sophie Trébuchet aurait pu l'accueillir comme un miracle si elle y avait cru, mais ce n'était pas le cas. Du moins, elle a dû frémir d'espoir, un espoir mal contenu.

Et Brutus ? Ce qu'il a pu apprécier chez Sophie, c'est sans doute un rang social supérieur au sien, une tradition de bourgeoisie que lui, le « primitif », a dû lui envier, une distinction naturelle quoique enrobée de trop de froideur. Mais franchement, celui qui proclame avec tant de flamme et de gaieté le contentement que lui procurent si souvent les « jolies sphères » de Louise Bouin, celui qui célèbre à tout instant son « teint de lis » et ses « lèvres de rose », cet homme-là aurait pu se muer en cet amoureux de Sophie, fervent et transi, qu'ont dépeint trop de biographes ?

S'il y a eu serment, ou demande de serment, l'initiative ne

peut être venue que de Sophie, tout éperdue à l'idée que s'éloigne, en la personne de Brutus, le seul avenir enfin tolérable qu'elle ait pu entrevoir.

Inlassablement, Adèle a repris la plume. Elle évoque l'arrivée de Brutus Hugo dans la capitale : « La Vendée pacifiée, l'amoureux vint à Paris accompagnant sa demi-brigade. Comme adjudant major il remplit les fonctions de rapporteur au conseil de guerre. Une intimité s'établit entre le rapporteur et le greffier, Monsieur Foucher. Monsieur Foucher était de Nantes, était breton, l'était d'idées comme de naissance. Il y avait un peu de Mademoiselle Sophie dans le greffier et probablement l'amour aida à cette intimité. »

Entre donc en scène ce Foucher qui n'est autre que le père d'Adèle. La rencontre s'est faite à l'Hôtel de Ville, alors siège des conseils de guerre, où Hugo et Foucher étaient logés l'un et l'autre.

Il faut que nous imaginions, face à l'athlète Hugo, ce tout petit homme aux cheveux « noir de corbeau » doux et cultivé qui, s'il ne s'avoue pas royaliste, se tait pour la seule raison que prudence est mère de sûreté. Ce conservateur, ce clérical n'en va pas moins se lier avec Brutus, un franc-maçon qui voue aux gémonies tout ce qui peut ressembler à un prêtre. Preuve de tolérance respective. Avec Foucher, Brutus pourrait parler de Sophie. Mais lui en parle-t-il ?

Ce qui est sûr, c'est que Brutus n'apprécie pas les progrès de l'opposition royaliste. Quand le Directoire fomentera le coup d'État du 18 fructidor, Brutus entonnera un chant de victoire : « Les amis de la patrie ont levé la tête ! Ils ont sapé, avec force et prudence, les fondements préparés de la plus sanglante aristocratie... Je fus un des acteurs... La République, au bord de l'abîme, fut arrêtée et arrachée du précipice par la main divine qui protège l'égalité ! »

Ce qui est sûr, encore, c'est que Louise Bouin, quelque temps plus tard, va quitter Brutus. Adieu aux « jolies sphères » ! La séparation ne semble pas avoir engendré de grands drames. Mais peut-être le célibat tout neuf de Brutus va-t-il être à l'origine, de sa part, de ce que nous pourrions appeler un « retour à Sophie ». Nous le connaissons assez, ce bon vivant : il n'est pas fait pour la solitude. Les amants abandonnés sont les plus vulnérables. Est-ce alors que lui est repassée par la tête l'image de cette Sophie de Châteaubriant, point si désagréable après tout? Ce souvenir a-t-il été avivé par une lettre de Sophie reçue à point nommé? Nous savons, nous, que la Bretonne était tenace. Nous savons aussi qu'elle a entre-temps envoyé un ami auprès de Brutus. Il n'a pas dû manquer de plaider sa cause. Soudain, Brutus décide de franchir le pas. Il épousera Sophie. Il l'annonce à Muscar dans une lettre qui part pour Ostende où le Nisus de cet Euryale sert d'ailleurs héroïquement.

Ah! la fièvre chez la tante Robin! Hugo épouse! Il faut partir, partir sur-le-champ. Mais quoi, voyager seule quand on est fille? Même sous le Directoire cela ne se fait pas. Donc, son frère Marie-Joseph — l'ex-lieutenant de Carrier — l'accompagnera.

Quel dommage que ni Hugo ni Adèle ne nous aient conté le départ de Sophie, son voyage sur les chemins incertains du Directoire! C'est le temps où, au bureau parisien des coches, on peut lire : *part quand il peut.* C'est le temps où, dans les ministères, les employés, depuis six mois, n'ont pas touché un sol. Le temps encore où les militaires ne sont guère mieux traités. En 1797, la dévaluation globale atteint 99,966 %. La France survit dans la ruine.

Pourtant, la voici, la diligence de Sophie. Et Brutus, à l'arrivée, attend. Il est là, plus athlétique, plus en chair, plus rouge que jamais. Et tout aussi rieur. Effusions, embrassades. A quand le mariage?

Suivons attentivement la chronologie. L'arrivée de Sophie à Paris date du 2 novembre 1797. Or, le 6 — quatre jours plus tard! — Brutus écrit à Muscar : « Je t'ai annoncé, dans ma dernière lettre, mon mariage avec Sophie. Il n'en peut rien être, mon cher Muscar. Sous quinze jours je t'apprendrai du nouveau. Je suis infidèle. Je te dirai le reste. »

Que s'est-il donc passé pour que Brutus ne veuille plus se marier? Il le dit, il l'avoue : il est tombé amoureux. Il est *infidèle.* Une jeune personne a succédé dans son cœur à Louise Bouin. Ceci dans le temps même où Sophie venant de Châteaubriant, est arrivée à Paris pour l'épouser! Sous la sécheresse de ces quelques lignes, on discerne un drame dont nul n'a parlé, ni le *témoin*, bien sûr, ni même les biographes qui n'ont eu que le tort de ne pas confronter les dates. Pour Brutus, c'est l'embarras extrême, l'impression de se débattre dans un cul-de-sac, le désir forcené de sortir du guêpier : il ne va tout de même pas épouser cette Bretonne qu'il n'aime pas alors qu'il s'est remis à en aimer une autre ! Et, pour Sophie, une humiliation sans exemple, un dépit non pas amoureux mais pire car il naît d'un amour-propre blessé. Le frère dans tout cela, jouant la mouche du coche. Des cris, des larmes, des mots irrémédiables. Voilà ce qu'ont été les *fiançailles* de Sophie Trébuchet et de Brutus Hugo.

Malgré tout, le 15 novembre — neuf jours après l'aveu de Brutus à Muscar — Brutus épouse Sophie. Comment a-t-il mis les pouces — et si vite ?

Nous voilà réduits aux hypothèses. Une ligne d'une lettre de Léopold apporte peut-être le début d'une solution. Elle est de septembre 1805, époque à laquelle les époux se verront séparés par la force des choses et surtout par un abîme d'incompréhension. Ici, chaque mot adressé par Léopold Hugo à Sophie compte : « Rappelez-vous, *quand je dus vous épouser,* vous me fîtes espérer qu'il vous revenait quelque chose de votre père. » Tournons et retournons cette phrase, nous ne pourrons tirer qu'un seul sens — évident : à savoir que l'adjudant major Hugo a *dû,* donc a été *contraint* d'épouser Sophie. Ce qui nous confirme tout aussitôt dans notre conviction que, pour faire aboutir ce mariage, c'est Sophie — elle seule — qui a enlevé la place. Quant à la raison qui a forcé ce brave à trois poils à franchir un pas qu'il ne tenait plus du tout à accomplir, là, nous ne savons rien. Des menaces du frère ? Le colosse Brutus l'eût étendu pour le compte. Des supplications de Sophie ? Léopold ne parle pas de prières mais de contrainte.

Alors ? Alors, il faut deviner. Se demander si Sophie, se trouvant seule avec Hugo et, mêlant pour une fois larmes et coquetterie, n'a pas tout à coup troublé ce sanguin ? Et si, quoique amoureux d'une autre, il ne l'a pas faite sienne en un instant, sans naturellement qu'elle y mette beaucoup d'opposition ?

Je le vois, le lendemain, Brutus Hugo. Je le découvre accablé, furieux contre lui-même mais conscient que son honneur l'oblige à « réparer ». Sophie est une jeune fille de bonne famille. En tout cas, une jeune fille. Impossible de la comparer à une Louise Bouin. S'il ne l'épouse pas, il la laisse déshonorée, condamnée à jamais au célibat.

Alors, il épouse.

Dans la lettre de septembre 1805, les lignes qui suivent laissent soupçonner des discussions sordides, un marchandage odieux. Pour emporter la décision, Sophie a dû parler d'*espé-rances* : « Vous me fîtes espérer qu'il vous revenait quelque chose de votre père. Il n'en a rien été ; si cela n'a point été de votre faute, tous les reproches ne peuvent non plus tomber sur moi. » Nous sommes loin décidément de ce mariage-passion qui aurait conduit enfin un couple enamouré au zénith du bonheur, ceci à la mairie du 9e arrondissement, quartier de la Fidélité. Pour nous qui connaissons l'avenir nous sommes tentés d'écrire : quartier de l'Infidélité.

De tout cela, bien sûr, pas un mot chez le *témoin*. Hugo est resté bouche cousue. D'ailleurs, l'a-t-il connue cette vérité-là ? Ce ne sont pas des choses dont les parents tiennent à parler à leurs enfants. *Manuscrit d'Adèle* : « Mme Hugo ne parlait guère de sa famille — elle était peu biographe. » Adèle se borne — en tout et pour tout — à souligner l'absence de tout mariage religieux : « Les églises étaient fermées dans ce moment, les prêtres enfuis ou cachés, les jeunes gens ne se donnèrent pas la peine d'en trouver un. La mariée tenait médiocrement à la bénédiction du curé, et le marié n'y tenait pas du tout. » Voilà qui est net — et parfaitement vrai.

Dans un de ses Carnets, Victor Hugo écrira plus tard : « Ma mère n'aimait pas les prêtres : cette forte et austère femme n'entrait jamais dans une église ; non à cause de l'église, mais à cause des prêtres. Elle croyait à Dieu et à l'âme ; rien de moins, rien de plus. Je ne crois pas l'avoir entendue plus de deux ou trois fois dans sa vie prononcer ce mot : les prêtres. Elle les évitait. Elle ne parlait jamais d'eux. Elle avait pour eux une sorte de sévérité muette... »

« Les enfants ne se firent pas attendre. » Cette phrase, dans le récit d'Adèle, enchaîne immédiatement avec les lignes sur le mariage civil. Belle ellipse, en vérité. Pourtant, avant l'arrivée des enfants, il eût fallu parler de Sophie — et de Brutus.

On l'entrevoit, Sophie, dès les débuts du couple, laissant peut-être plus souvent que de raison s'appesantir sur elle la tristesse. Pour Brutus, c'est le contraire : depuis son mariage, il a choisi, dans une virevolte qui lui ressemble bien, d'en prendre son parti. Toujours riant, toujours luron, toujours gaillard, il prouve désormais surabondamment sa flamme à sa jeune épouse. Et il trouve maintenant que l'on n'a rien inventé de mieux que le mariage.

Bref, Brutus se laisse aller au bonheur. Les ennuis d'argent ne l'atteignent même pas : « L'argent, s'exclame-t-il, n'est un nerf que pour la guerre. Pourvu que j'en aie assez pour vivre dans la paix, je suis sans dettes et sans soucis. » S'il se prend de querelle avec un camarade nommé Cathol, s'il réclame de lui les réparations qu'il juge indispensables à son honneur, sans les obtenir, s'il en accuse tout à coup ses chefs — car ce braillard, cet optimiste plonge parfois dans un véritable délire de la persécution — cela ne dure pas. Il est tout à Sophie, il est tout à l'enfant qui doit venir. Car cette grossesse qui s'annonce va décidément rendre Brutus tout à fait amoureux de sa femme.

Sophie accouche le 15 novembre 1798, un an jour pour jour après le mariage : exactitude toute militaire. C'est un fils, aussitôt prénommé Abel. Et Brutus se révèle un père émerveillé. Important.

Début 1799, Brutus va quitter ses fonctions de rapporteur au conseil de guerre. Le voici adjudant major au 3e bataillon. Comme tel, il change de résidence. Il est désormais logé à l'École militaire.

Je ne puis m'empêcher de revenir à Guernesey. Jusqu'ici j'ai surtout montré Adèle toute à la responsabilité qui lui a été confiée, sculptant avec constance — et volontairement sans riguer — la statue en pied de son mari. Mais le mari, justement ? Impossible que, le moment approchant de certains épisodes, il n'ait pas réfléchi à la version qu'il allait présenter à la table de famille. Impossible que, dans son travail du matin sous les vitres du *look-out*, il n'ait parfois traversé quelques instants de distraction.

Exemple : l'entrée en scène de Lahorie. Hugo sait très bien que Lahorie a été l'amant de sa mère. Adèle le sait aussi, ou tout au moins le soupçonne. Et tout à l'heure, à table, il va falloir aux fils parler de Lahorie d'un ton serein, il va falloir à Adèle questionner sans curiosité déplacée. Pas facile.

Le résultat ? *Manuscrit d'Adèle :* « C'est durant ce séjour aussi au conseil de guerre que Monsieur Hugo rencontra Lahorie, qui fut dans la suite le parrain de Victor Hugo, ce même Lahorie, complice dans l'affaire Mallet *(sic)* et condamné à être fusillé. La connaissance eut lieu dans ces mêmes conseils de guerre dont les registres réservaient une place pour inscrire cette condamnation. Ainsi tout d'avance

se prparait pour l'arrivée du poète, jusqu'à cette attache
sinistr qui rive le poète au malheur. »

Pas mal, n'est-ce pas ?

En fait, ce n'est pas une *connaissance* qu'Adèle aurait dû
évoquer, mais des retrouvailles. Brutus Hugo avait connu
Lahorie six ans plus tôt, en mars 1793. Il lui avait, raconterat-il, « rendu quelques services qu'il n'avait pas oubliés et qu'il
désirait connaître à son tour. J'étais capitaine adjudant-
major qu'il n'était pas encore sous-lieutenant ; il me retrou-
vait dans la même situation et voulait absolument acquitter
la vieille dette de la reconnaissance ».

Le moment est venu de nous demander qui est ce Victor
Fanneau de Lahorie. Ayant exactement la même taille que
Brutus, cinq pieds deux pouces, soit 1,70 m, il faut le voir,
mince, bien serré dans son uniforme bleu, portant au côté
l'épée de rigueur et sur la tête un bicorne à cocarde. Un rapport de police nous aide singulièrement à faire sa connaissance. On décrit en détail « ses cheveux noirs à la Titus, ses
sourcils noirs, ses yeux noirs, assez grands et ouverts, quoique enfoncés, le tour de ses yeux qui est jaune, son teint qui
est marqué de petite vérole ». Le policier minutieux qui a
tracé cette description va même jusqu'à évoquer le rire de
Lahorie qu'il juge « sardonique ». Il ajoute que, cavalier émé-
rite, on lui voit des jambes fortement arquées. Tel quel, sans
être beau, le colonel est séduisant. Malgré les prétentions
nobiliaires que les Lahorie afficheront — autant que les Hugo
— ils sont de toute petite extraction. D'abord, ils ne s'appellent que Fanneau. Lahorie est le nom d'une propriété. Ils
vivent de la terre, faisant commerce de chevaux, de bœufs et
pratiquant l'élevage. A la veille de la Révolution, à Javron,
dans la Mayenne, ils n'en sont pas moins fort à leur aise.

Tout enfant — il est né en 1766 et compte donc six ans de
plus que Sophie, sept de plus que Brutus — Victor a été placé
à Paris au collège Louis-le-Grand alors tenu par les Jésuites.
Il y a acquis une vaste culture et des manières dont les
contemporains ne cesseront de dire qu'elles étaient « aristo-
cratiques ». Le général Dessoles, qui l'a connu auprès de
Moreau et qui semble posséder l'art des formules, a tout dit
en écrivant à son propos : « Il avait de l'esprit et des plus
parés ; il savait le faire valoir. »

Cette intelligence, cette culture, cette finesse ont bien vite
désigné Lahorie pour les états-majors. Colonel en février

1799, il a été attaché à Moreau, lui-même inspecteur extraordinaire de l'armée d'Italie. Dès lors, il sera agent de liaison, galopant sans cesse entre l'Italie et la France. On le verra si rapide, si véloce que les soldats le surnommeront « la botte de sept lieues ». Peu à peu, ce messager se mue en négociateur, donne des avis que l'on écoute, des conseils que l'on suit.

C'est à cette époque que Hugo le retrouve à Paris. Retenons que Lahorie est célibataire. S'est-il intéressé à Sophie ? Nous n'en savons rien. S'est-elle intéressée à lui ? Hugo l'a-t-il seulement présenté à sa femme ? Nous n'en savons rien. Le mari, en tout cas, est ravi. Une lettre postérieure, adressée par lui à Lahorie, montre que celui-ci le traite en ami. Hugo aime l'amitié. Et puis, quand l'ami est un supérieur hiérarchique, cela ne gâte rien.

Manuscrit d'Adèle : « Lahorie demanda au major Hugo s'il ferait avec plaisir la campagne qui allait s'ouvrir. Jamais militaire ne se refusa à la chance d'être tué. Le major partit pour Bâle. »

C'est vrai, Hugo va de nouveau faire la guerre. Seulement, ici, Adèle brûle les étapes. Bâle, c'est pour plus tard. Ce qui attend d'abord Brutus, c'est l'armée du Danube. Auparavant, en juin 1799, il va mettre en lieu sûr sa femme et son fils : à Nancy, où le vieux menuisier Joseph Hugo vient de rendre à l'Être suprême son âme républicaine. A son beau-frère, Brutus confie que Sophie a préféré se rendre à Nancy plutôt qu'à Nantes parce que ainsi elle se trouvera plus près des champs de bataille. De toute façon, « comme elle y est connue et aimée, elle ne peut y être que bien. Abel a sept mois et dit papa, maman ». Il donne l'adresse de Sophie : « Citoyenne Hugo la jeune, chez sa mère, 81, rue des Maréchaux, ville vieille, Nancy ». Et lui : « A Worms, armée du Danube ».

J'ai vu à Nancy la rue des Maréchaux. Elle a peu changé, avec sa courbe légère, longue de cent mètres, large à peine de sept. C'est là, à deux pas de la place Stanislas, merveille sans égale, que Sophie s'est installée dans la maison où Brutus était né : trois étages à quatre fenêtres, un couloir étroit et obscur, une cour intérieure où le soleil ne pénètre jamais. Aujourd'hui, un restaurant s'y est installé et j'ai pu y déguster la « sole Hugo ». Tout autour, les façades jaunâtres de maisons toutes de même hauteur, cassées, à l'époque, par les devantures des échoppes.

C'est dans ce cadre que, très vite, le climat a viré au sombre pour bientôt devenir irrespirable. La belle-mère ? Au début, elle semble n'avoir point montré d'hostilité. Mais elle demeure, avec l'une des sœurs de Brutus, la citoyenne Martin-Chopine, prénommée Marguerite, dite Goton. Entre elle et Sophie, on en est sans délai venu à l'ère des discordes. Goton, sous prétexte qu'elle est chez elle, veut que chacun en passe selon ses volontés. Elle a des idées si arrêtées sur l'éducation des bébés qu'elle veut les imposer à Sophie, nullement disposée à se laisser faire. Sophie rêve du son pays natal, oppose amèrement les paysages bretons et nantais à ceux de Lorraine. Dans une lettre, faisant certainement état des confidences de sa femme, Léopold constate que celle-ci préfère « la Chaire marécageuse et dormante à la Meurthe rapide et tortueuse ». Il s'agit naturellement de la Chère qui coule à Châteaubriant. Bref, le mal du pays dans toute son évidence. Heureusement, voici que survient Brutus ! Oui, son séjour à l'armée n'a duré qu'un peu moins de deux mois. A Nancy, il vient d'être nommé — encore ! — rapporteur près un conseil de guerre. « Je crois, écrit Brutus, qu'à force de plaider, je finirai par en faire ma profession. » Du coup, l'harmonie règne de nouveau dans la triste maison de la rue des Maréchaux. C'est là que parviendra un beau matin la grande nouvelle : Bonaparte, de retour d'Égypte, a balayé le Directoire d'un revers de sabre. A Saint-Cloud, les grenadiers de Murat ont obligé les députés des Cinq Cents, leur toge rouge flottant derrière eux, à sauter par les fenêtres. Le soir même, une poignée de représentants terrifiés — une trentaine — ont voté la constitution d'un Consulat provisoire, confié à Bonaparte. Désormais la Révolution s'appellera Napoléon.

Léopold Hugo ? Il va applaudir, Léopold — car il semble que ce soit vers cette époque qu'il ait rangé son prénom de Brutus parmi les souvenirs d'un passé dont il ne tient pas à trop souligner les outrances. Un opportuniste ? Mais non. Un Français comme les autres, fâché depuis longtemps que la République tombe en quenouille et content que cette république-là — justement parce qu'il l'aime — se livre aux mains d'un bougre qui décidément va lui rendre sa toge virile. Les militaires aiment l'ordre. Que vaut une république sans ordre ? Léopold va même puiser dans cette approbation joyeuse de nouveaux élans voluptueux puisque, deux mois plus tard, Sophie lui annoncera qu'elle est enceinte.

Mais voici que reparaît Lahorie. Un hasard?

Lahorie a surgi à Nancy au début de l'an VIII, peu de temps après ce 18 Brumaire auquel il a non seulement adhéré mais donné son appui. Bonaparte vient de confier à Moreau le commandement en chef de l'armée du Rhin. *Récit de Léopold Hugo :* « L'adjudant général Lahorie, passant par notre quartier général pour se rendre à Bâle, me demanda si je ne ferais pas avec plaisir la campagne que Moreau allait ouvrir sur le Rhin. Jamais militaire n'avait répondu non à proposition pareille, cependant il me fallait le consentement de M. Mutelé, et ce digne chef ne me le refusa point. »

Au moment où va s'ouvrir une campagne capitale, Lahorie, adjoint de Moreau, n'est pas en situation de s'attarder. Chaque heure compte. Il est déjà à Bâle quand Léopold l'y rejoindra.

A Bâle, Hugo rencontrera Moreau, lui plaira. Nommé adjoint à l'état-major général de l'armée du Rhin, Léopold va se jeter dans la campagne de l'an VIII qui — cependant que Bonaparte remporte en Italie la fulgurante victoire de Marengo — écrase en Allemagne les ennemis de la République. Il est du passage du Rhin. Il est à Tiengen, Engen, Moeskirch, à Biberach. Avec Moreau, il passe le Danube. Avant que d'entrer à Dillingen, le voilà nommé chef de bataillon sur le champ de bataille — à titre provisoire il est vrai.

Comment ne pas le voir, le brave Hugo, tel que l'a immortalisé son fils, galopant à travers la mitraille pour porter les ordres de Moreau.

> Étant petit, j'ai vu quelqu'un de grand, mon père,
> Je m'en souviens ; c'était un soldat ; rien de plus...

Hugo combat avec La Tour d'Auvergne. Il entre dans Munich avec Moreau. Le *témoin* : « J'ai les lettres qu'il écrivait à sa femme les soirs de combat ; il y donne en détail les mouvements de troupes, les gains et les pertes ; il n'y oublie que lui. » C'est vrai : la bravoure du commandant Hugo n'a d'égale que sa modestie. Mais bientôt ces lettres vont parler de tout autre chose que de guerre et de combats. Ce qui est en train de naître à Nancy, c'est un drame, dont naturellement le *témoin* ne parlera pas.

Entre Sophie et Goton les relations se sont à ce point envenimées qu'elles ont atteint un point de non-retour. Sous le toit de la veuve du maître menuisier, Sophie, qui ne croit pas à l'enfer, le découvre. C'en est trop, elle n'en peut plus, elle écrit à son mari, l'implore d'accepter qu'elle vienne le rejoindre. Ce n'est pas une idée folle. Beaucoup d'officiers appellent au camp leurs épouses ou leurs maîtresses. Mais Léopold refuse tout net : les arrières des armées françaises ne sont pas sûrs. Alors Sophie, passant d'un extrême à l'autre, fait connaître à Hugo qu'elle va partir pour Nantes. Pour Hugo, il ne s'agit que d'une explicable aspiration vers les sources, de vacances en somme. Il s'incline. D'autant plus que Sophie lui a confié qu'elle se portait mal. Même, il envoie à Sophie les cent cinquante francs nécessaires à un voyage confortable. Deux jours plus tard — la somme n'a pu matériellement parvenir à Nancy — il reçoit une lettre de Sophie en forme d'ukase. C'est sur-le-champ qu'elle va partir. A l'égard de Nancy, de la veuve Hugo, de sa belle-sœur, sa haine déferle : « J'emmène Abel avec moi, je serais bien fâchée de l'abandonner dans un pays auquel je dis adieu pour toujours. »

Adieu pour toujours ! Quand Léopold, au quartier général de Memmingen, reçoit la lettre, il est 11 heures du soir. Depuis plusieurs jours, aucune lettre de sa femme ne lui est parvenue. Et celle-ci le jette dans un total désarroi.

Il ne s'agit donc plus de vacances à Nantes ! Mais d'un départ définitif ! Il va se jeter sur son lit de camp, tenter en vain de trouver le sommeil. Trois heures plus tard, il se relève :

« Je n'ai pu fermer l'œil, une fièvre brûlante m'a interdit tout sommeil ; le jour paraît et je me jette tout trempé de sueur à la table où j'ai commencé ma lettre. Cruelle et trop aimée Sophie, voilà l'effet de quelques phrases trop dures. »

A-t-il voulu vraiment se donner la mort ? Il le laisse entendre :

« Je me suis arrêté, non par la crainte, je n'en ressentis pas, mais parce que je crus penser que tu m'aimais encore, que tu n'avais écrit cette lettre qu'avec irréflexion et j'ai dit : Il faut attendre, il sera toujours temps quand j'aurai reconnu que j'ai perdu son cœur. Ne m'abuse donc plus, parle-moi franchement, m'aimes-tu encore ? Ma conservation t'est-elle de quelque intérêt et si je consens à te laisser dans ta famille, m'y conserveras-tu un cœur fidèle, penseras-tu à moi ? Me donneras-tu chaque jour de tes nouvelles ? M'y peindras-tu chaque jour le sentiment véritable de ton cœur ?... »

Ce feu, cet emportement, cette souffrance du jeune officier ne nous font pas sourire. Il est à croire que Sophie elle-même y a été sensible. Peut-être aussi n'y avait-il là que chantage. Elle s'est bien vite inclinée, Sophie. Elle a renoncé à son voyage. Et puis Léopold ne promettait-il pas de tout tenter pour se rapprocher d'elle ? On a dû signer rue des Maréchaux une sorte de transaction. Le surprenant baptême d'Abel — auquel n'avaient songé jusque-là ni Sophie ni Léopold — nous en fournit une confirmation. Quand la grand-mère et la tante ont découvert que leur neveu n'était pas baptisé, elles ont poussé les hauts cris. Alors, le 28 juillet 1800, Abel Hugo a reçu le baptême d'un prêtre constitutionnel. Mais sur le registre, Sophie — en signe sans doute de désapprobation — n'a pas signé.

Cinq semaines plus tard, le 16 septembre, elle donne naissance à un second fils. On l'appelle Eugène. Celui-là, on ne le baptise pas.

L'Autriche est à genoux. Elle demande l'armistice. A Partsdorf, des pourparlers s'engagent. Voici, face à l'Autrichien Dietrichstein, le Français Lahorie, maintenant général de brigade et chef d'état-major de Moreau. Lahorie dont Ségur écrit : « Il a les façons d'un royaliste. »

Or Lahorie a entraîné là Léopold Hugo. Durant les négociations, ils ne se quittent guère. Hugo n'est pas homme à garder un secret, surtout si celui-ci le concerne et le ronge. Comment n'aurait-il pas mis Lahorie dans la confidence des difficultés traversées par son ménage ?

Les deux parties décident qu'un congrès s'ouvrira. Une ville est choisie : Lunéville. L'Autriche y enverra son nouveau ministre, Cobenzl, et Bonaparte son frère Joseph. Sur toutes les lèvres, un seul mot : la paix. Même en Vendée, on chante des *Te Deum*. On ne parle plus que de Lunéville. Sophie, stupéfaite, va tout à coup apprendre que son mari est nommé adjudant de place, c'est-à-dire gouverneur militaire. Et de quelle ville ? De Lunéville !

Manifestement, il y a du Lahorie là-dessous. Bon bougre, il a dû recommander que l'attelage à deux, si efficace à Partsdorf, se trouvât reconstitué à Lunéville. Du même coup, il sauvait un ménage en péril.

Donc, les Hugo — mari et femme — délirent. Sophie va pouvoir quitter l'irrespirable atmosphère de la rue des Maréchaux. Léopold va — enfin — retrouver sa chère Sophie.

2 janvier — 9 février : la durée des négociations du traité de Lunéville. Le temps où *peut-être*, pour Sophie Hugo, le destin va s'infléchir dangereusement. Car, à Lunéville, voici donc réunis Léopold, Sophie — et Lahorie. Impossible, bien sûr, de demander au *témoin* quelque information là-dessus.

Lahorie ? Je rappellerai que nous ne savons même pas s'il a connu Sophie à Paris. Que, s'il y a eu rencontre entre elle et lui à Nancy, elle n'a pu durer que quelques heures [1]. Que d'ailleurs nous serions en peine de découvrir sur leurs relations une seule ligne dans aucune correspondance, une seule mention dans le moindre document d'archives.

Que peut donc représenter Sophie aux yeux de Lahorie quand il la retrouve — ou la découvre — à Lunéville ? Il la voit embellie par sa récente maternité. Surtout, s'il l'a connue à Paris, il a dû juger que les lustres des salons lui convenaient mieux que le casernement spartiate de l'École militaire. C'est que, pendant ce mois-là, de par la volonté bien marquée de Bonaparte, un ton nouveau règne à Lunéville. Adieu à la rigueur révolutionnaire ! Avec quelque surprise, les Autrichiens découvrent que les Français en sont revenus à un semblant de cérémonial, voire d'étiquette. Les uniformes des membres de la délégation française ne le cèdent en rien à ceux de leurs propres représentants. D'ailleurs n'est-ce pas, de la part du Premier Consul, s'avouer bien proche d'habitudes dynastiques que d'envoyer là son frère ? Joseph ne se contente pas de poser en « citoyen frère », il mène grand train, de même que Clarke, futur duc de Feltre, lequel en est déjà à « assortir les couleurs de sa livrée à celles de son écu ». On va de fête en fête et, bien sûr, on y convie l'adjudant de

1. Il suffit de consulter à cet égard le dossier de Lahorie aux Archives de la Guerre. Le séjour de Sophie à Nancy a duré de juin 1799 à septembre 1800. Durant ce temps on trouve Lahorie affecté à l'armée d'Italie (février-novembre 1799), puis à l'armée du Rhin. Le 9 novembre 1799, il est chef d'état-major de Moreau. Le 17 juillet 1800 — deux jours après avoir obtenu la suspension d'armes de Partsdorf — il est nommé général de brigade au Quartier général de Munich. Si nous nous souvenons que les négociations qui aboutiront à la paix de Lunéville ont duré de novembre 1800 à fin février 1801, nous nous convaincrons qu'il n'est pour Lahorie aucune possibilité de *séjours* à Nancy.

place Hugo. La Bretonne de Châteaubriant, sous les lambris redorés, découvre des entours et des allures auxquels jusque-là elle était restée bien étrangère. Sans trop de difficulté, elle s'est rappelée les bonnes manières apprises à Nantes au temps d'une adolescence qui lui semble remonter au déluge. Et puis elle est loin d'être sotte, Sophie. Lahorie a pu l'entendre répondre avec pertinence à Joseph Bonaparte, avec esprit à Clarke. Une autre Sophie ? Aux yeux de Lahorie, sûrement.

Et Léopold ? Ses fonctions ne sont nullement de simple apparat. Dès le premier jour, Joseph Bonaparte s'est senti en confiance avec ce brave tout d'une pièce. C'est Léopold qui est chargé des liaisons entre Moreau et le frère du Premier Consul.

Ce dont nous sommes certains, à Lunéville, c'est de l'iné-luctabilité de rencontres entre Lahorie et Sophie. Les fonctions du chef d'état-major de Moreau le conduisaient fatalement à assister à ces réceptions où Léopold Hugo se devait de conduire sa femme. S'est-on vu ailleurs qu'au sein de ces festivités ? Le lecteur se lassera — et peut-être sera déçu — de lire ici la même éternelle réponse : nous n'en savons rien. Ce qui est probable, mais non démontré, c'est qu'une certaine « amitié », comme on disait alors, a dû naître entre Sophie et Lahorie. N'est-ce pas le temps où, dans une lettre à son cher Muscar, Hugo s'enthousiasme sur « l'estimable Lahorie » et « l'adorable Sophie » ? Sophie ne parlera-t-elle pas des caresses dont Lahorie a comblé ses enfants, caresses qui n'ont pu être données qu'à Lunéville ?

Que Sophie ait rêvé, c'est possible. Que cela ait été plus loin, dans cette petite ville où tous regardaient tous, cela est difficile à croire. Aussi bien nul ne l'a cru.

Le traité est signé. La frontière de la France sera sur le Rhin, l'Italie jusqu'à Naples deviendra toute française, l'Autriche ne conservant que la Vénétie. A propos de ce traité, Cobenzl a soupiré : « Il est affreux ! » Les plénipotentiaires des deux camps vont s'égailler. Lahorie s'est éloigné. Une fois encore, tout au long de difficiles négociations, Hugo s'est distingué. Rien ne le prouve mieux que la lettre que Joseph Bonaparte va écrire, demandant pour lui le grade de général de brigade : « Le général Moreau m'a témoigné, à son passage à Lunéville, le désir de l'emmener avec lui. Il appréciait beaucoup sa bravoure, son activité et son intelligence. J'ai prié le général de le laisser à Lunéville et je me suis beaucoup applaudi de cette idée. Le c... Hugo a été très utile [1]. Vous comprenez, c... ministre, que mon intérêt pour lui est légitime et je vous demande, comme une chose personnelle, le grade de chef de brigade pour le c... Hugo. »

On n'en est qu'à la première année du Consulat. On a dû objecter à Joseph que Léopold Hugo venait d'être tout juste confirmé dans le grade de chef de bataillon et que consentir à un avancement aussi irrégulier serait ouvrir un précédent fâcheux. L'ex-Brutus restera chef de bataillon.

On ne lui en propose pas moins une promotion flatteuse : le poste de commandant d'armes à Clèves. Ah! non, pas l'Allemagne! Elle a failli lui coûter trop cher. *Récit de Léopold :* « Je quittai donc Lunéville dans le grade que j'y avais lors de mon arrivée au commandement de cette place, après y avoir épuisé mes économies, et je me rendis à la 20ᵉ demi-brigade où, sans me consulter, mes amis avaient cru devoir me faire, à tous événements, placer comme quatrième chef de bataillon. Cette destination, que j'aurais écartée si j'avais pu la prévoir, m'ouvrit un nouveau cours de chagrins et de dégoûts. »

Or la 20ᵉ demi-brigade tient garnison à Besançon.

Cette nouvelle résidence, les Hugo voudront la connaître avant d'aller s'y installer définitivement. Environ 200 km à parcourir vers le sud, mais les Vosges à traverser. Ce qui veut dire des chevaux qui peinent dans les montées, une « moyenne » à peu près digne des rois fainéants. Et quand tout à coup le Donon se dessine là, devant eux, le chef de bataillon Hugo, qui n'en peut plus d'immobilité, ordonne que l'on s'arrête.

Ce Donon n'est pas une bien haute montagne, son plus haut sommet — il y en a deux — ne s'élève qu'à 1 008 m. Je me suis engagé au milieu de ces grands pins qui tapissent toutes les pentes, escarpements civilisés, courbes sereines, ne suggérant à l'œil que douceur — à l'âme qu'apaisement.

Vers où, en cette fin de printemps de 1801, ont-ils porté

---

1. La lettre est adressée également au C... ministre. Il s'agit naturellement du mot citoyen. Le *témoin* commente avec justesse : « Je conserve l'orthographe comme caractéristique d'un moment où déjà le mot commençait à fatiguer les maîtres, où ils ne prenaient pas même la peine de l'écrire tout entier. »

leurs pas ? Nous ne pouvons que les imaginer s'avançant sur un sentier que les schistes rendent glissant et dont la terre garde l'humidité des neiges fondues. Le temps est beau, quelques nuages courent le ciel.

Un palier, une clairière ? On ne sait. Sophie reprend souffle. Léopold que rien ne fatigue — jamais — et que l'air vif au contraire fustige se sent tout à coup d'humeur folâtre. Plutôt qu'à la ligne bleue des Vosges son regard a dû s'arrêter à celle, blanche et vaporeuse, que forme le bas du pantalon de lingerie de Sophie, bien dégagé comme le veut la mode du temps. Expéditif, le commandant Hugo. Et puis l'herbe est trop tendre. Il demande, il exige. S'il est sanguin, avide en amour, doté de ce tempérament formidable dont ses lettres à sa femme portent l'aveu sans cesse renouvelé, est-ce sa faute ? Cette voracité pourrait faire leur bonheur à tous les deux. Elle causera le drame de Léopold Hugo.

Probablement n'a-t-elle pas même eu le temps de dire non. Est-il pour rien officier des armées de la République ? Vingt ans plus tard — presque jour pour jour — le général Hugo écrira à son fils Victor : « Créé, non sur le Pinde, mais sur un des pics les plus élevés des Vosges, lors d'un voyage de Lunéville à Besançon, tu sembles te ressentir de cette origine presque aérienne. »

Décidément, ces Hugo ne font rien comme tout le monde. Mon père n'a pas cru devoir m'informer quant aux conditions dans lesquelles j'ai été engendré. Le vôtre non plus, je suppose. Le général Hugo, si. Tant mieux. Ainsi saurons-nous pour l'éternité que Victor Hugo a été conçu en plein air.

II

LA COUR, LE PUITS ET L'AUGE

> Ce n'est pas la souffrance de l'enfant qui est révoltante en elle-même, mais le fait que cette souffrance ne soit pas justifiée.
>
> Albert CAMUS.

Au temps de la plus grande Rome, la voie qui, partant d'Italie, permettait de gagner les villes du Rhin passait par Besançon. Aujourd'hui encore l'actuelle Grande Rue, grise, noble et austère, en suit à peu près le tracé. Peu avant de s'engager sous une porte romaine de fière allure, elle s'élargit en une petite place carrée, marquée par une belle fontaine. Là, au numéro 140, s'élève une demeure reconstruite en 1761 par l'architecte Colombot pour l'apothicaire Joseph Baratte [1]. Un homme riche et un homme de goût, ce Baratte. Il avait fait si superbement décorer son officine que ce travail d'art a tenté, en 1910, un collectionneur qui se l'est approprié. On peut présentement l'admirer au musée Lascaris de Nice.

Je l'ai vue, cette maison, large et de belle apparence, se déployant de part et d'autre de sa porte d'entrée que surmonte un linteau de pierre sculptée. Au rez-de-chaussée, deux boutiques occupées par l'Association franc-comtoise de culture ; l'une a pris la place de la pharmacie de M. Baratte.

Deux étages à cette « maison Baratte », cinq fenêtres à cha-

---

1. Sur cette place sont nés Auguste et Louis Lumière, inventeurs du cinématographe. Hugo et les frères Lumière : que d'images !

que étage, trois mansardes dans le toit de vieilles tuiles rouges. Curieusement, sur ce toit, j'aperçois une haute serre de verre : qui se souvient de Guernesey reste libre de voir là l'annonce singulière, en cette maison natale de Hugo, du fameux *look-out* où s'élabora *la Légende des siècles*.

Car c'est là, au premier étage, dans un appartement loué, qu'il est né. Une fois la porte de la rue franchie, on s'engage dans un long corridor sombre qui débouche dans une cour peu harmonieuse où abondent coins et recoins. A droite, il y a un escalier extérieur, comme on en trouve beaucoup dans les vieux immeubles de Besançon. Celui-ci s'orne jusqu'au premier palier — le nôtre — d'une rampe de fer à laquelle, pour l'étage supérieur, succède une rampe en bois peint d'une assez laide couleur marron.

Inutile de chercher de nos jours, dans l'appartement du premier étage, une trace de la présence de la famille Hugo. Nous savons seulement que Léopold et Sophie ont occupé les pièces donnant sur la rue : un salon éclairé par trois fenêtres, une chambre à coucher avec deux fenêtres. Nous savons aussi qu'en 1879 les boiseries de la chambre restaient à peu près intactes et que subsistait une glace à deux feuilles et cadre de bois sculpté : Sophie a pu y chercher son image ingrate et Léopold camper sa taille avantageuse.

Il fait froid, l'hiver, à Besançon. On peut supposer que, le 26 février 1802, on a allumé un grand feu dans la cheminée. C'est probablement ce qu'ont vu d'abord les deux frères Hugo quand on les a poussés dans la chambre. De l'aîné, Abel, trois ans, la famille dit qu'il est « beau comme un amour ». Eugène — quinze mois — a, lui, « la beauté de la force ». Adèle, retranscrivant les paroles de sa belle-mère, le montre dans son manuscrit comme « un garçon rose, frais, aux larges épaules, aux larges poignets ayant de gros os, le solide de la maison ». Saisis, les enfants aperçoivent, là, près du lit, l'uniforme, les épaulettes, les bottes, le sourire ému de leur père. Surtout, dans ce lit, leur mère tout alanguie, ne quittant pas des yeux un petit paquet emmailloté, posé sur un fauteuil. Devant leur hésitation, on déclare aux enfants que ce paquet est leur frère. « Il tenait si peu de place, devait raconter Sophie, qu'on eût pu en mettre une demi-douzaine comme lui. » Elle dira encore qu'il « n'était pas plus long qu'un couteau » et qu'il « ressemblait si peu à un être humain » que le gros Eugène « qui parlait à peine, s'écria en l'apercevant : " Oh ! la bébête ! " ».

Quant à Abel, à qui l'on a seriné depuis des semaines qu'il aurait bientôt une petite sœur et qu'elle s'appellerait Victorine, il a bien dû admettre que cette Victorine était devenue Victor.

A vrai dire, Victor a failli s'appeler Arnaud. Tel était le prénom de l'ami Muscar à qui tout naturellement Léopold s'était adressé dès que son « troisième » s'était annoncé : voulait-il, lui, un brave, devenir le parrain du fils ou de la fille d'un autre brave, le plus cher de ses anciens camarades ? Mais Muscar s'était dérobé : Ostende était trop loin, ses responsabilités trop absorbantes.

Merci Muscar. Qu'aurions-nous été faire de cet Arnaud Hugo ? A notre héros il aurait manqué quelque chose, non d'essentiel mais de nécessaire. Elles eussent fait défaut, « ces quatre syllabes, Victor Hugo, parfaitement symétriques deux à deux comme pour mieux entrer, sur le rythme, dans la mémoire de la postérité [1] ».

Alors, si Muscar refuse, qui acceptera ? Les Hugo ont pensé à Victor de Lahorie. « Citoyen général, lui a écrit Sophie, vous avez toujours témoigné tant de bontés à Hugo, fait tant de caresses à mes enfants, que j'ai beaucoup regretté que vous n'ayez pu nommer le dernier. A la veille d'être mère d'un troisième enfant, il me serait très agréable que vous fussiez le parrain de celui qui va venir. Il ne faut pour cela qu'un léger effort de votre amitié pour nous... »

La marraine est déjà choisie : c'est l'épouse d'un aide de camp de Moreau en résidence à Besançon, une Mme Delelée. « Victor ou Victorine, écrit Sophie à Lahorie, sera le nom de l'enfant que nous attendons. Votre consentement sera un témoignage de votre amitié pour nous. »

Sans s'être autrement fait prier, Lahorie a accepté. Une semaine plus tard, le 14 ventôse an X, Léopold lui mande que Sophie « a été délivrée plus heureusement qu'elle ne s'y était attendue, ayant été singulièrement gênée pendant sa grossesse. Je vous aurais écrit plus tôt, mon cher Général, si je n'avais voulu vous dire comment se portaient l'accouchée et l'enfant. Nous sommes au huitième jour, l'un et l'autre se portent aussi bien qu'il est possible de le désirer. Nous avons nommé l'enfant Victor-Marie, ce dernier nom étant celui de

1. Fernand Gregh.

Mme Delelée. Vos intentions et les nôtres sont donc remplies ».

Gratitude. Effusions. En tout cas, Lahorie est parrain. Parrain républicain s'entend. Car nul ne songe, chez les Hugo, à faire de Victor un chrétien par le baptême. Quoique Bonaparte ait d'ores et déjà signé le Concordat, et bien que les églises soient rouvertes, Léopold se souvient d'avoir été Brutus. Quant à Sophie, son aversion pour les prêtres ne s'est pas atténuée, loin de là.

Reste que ce petit Victor n'a que le souffle et que la sagefemme a déclaré qu'il ne vivrait pas. En le portant à la mairie, comme le veut la loi de l'époque — on a enregistré la présentation d'un garçon né à dix heures et demie du soir septidi ventôse an X de la République, sous les prénoms et nom de Victor-Marie Hugo — Léopold s'est demandé s'il le ramènerait vivant à la maison [1]. Seulement, Sophie n'entend pas que son troisième fils donne raison à l'augure de triste figure.

Manuscrit d'Adèle : « Elle l'avait toujours près d'elle, dans ses bras, suivant son souffle. Lorsqu'il dormait, elle penchait sa tête sur son oreiller, l'écoutait dormir. A son réveil, elle lui donnait vite son lait, regardait chaque fois qu'elle le démaillotait ses petites jambes et ses petits bras qui n'avaient que des *peaux qui pendaient*, comme disent les nourrices. Elle lui donnait, et encore, son lait pour remplir ses membres vidés. Ils ne se remplissaient pas vite, mais les jours passaient ; chaque jour passé augmentait l'espérance. »

Victor lui-même a rappelé « que de lait pur, que de soins, que de vœux, que d'amour » l'avaient fait « deux fois l'enfant de sa mère obstinée ».

Jusqu'à ce qu'il ait eu six semaines, oui.

Parce que, à Besançon, l'incorrigible Léopold va se précipiter dans une nouvelle querelle avec un chef de brigade nommé Guestard. Parce qu'il va vertueusement dénoncer ce supérieur dont certains agissements s'apparentent, certes, à des trafics, mais qui n'en reste pas moins un supérieur. Parce qu'une enquête confiée à l'honnête général Lecourbe va donner tort à Hugo, qualifié, dans un rapport envoyé aux bureaux de Paris, d'*intrigant*. Parce qu'une disgrâce immé-

---

1. L'acte de naissance est actuellement conservé à la Bibliothèque de Besançon où j'ai pu le consulter.

diate va s'abattre sur l'*intrigant*: il est muté à Marseille en même temps que tout le régiment. Pour faire cesser ce tumulte qui eût été acceptable sous le Directoire, mais devenu anachronique sous Bonaparte, rien de mieux qu'un changement d'air.

Il faut partir sans délai. Les Hugo ont à peine le temps de boucler leurs malles et l'on se met en route, parents et enfants, sans excepter le petit dernier, d'une faiblesse toujours inquiétante.

L'arrivée à Marseille est un soulagement. Mais il faut découvrir une nouvelle demeure, s'habituer à des meubles qui ne sont point à soi, engager une servante que l'on ne connaît pas. Hugo n'est guère plus riche qu'avant, mais depuis Bonaparte, on paie un peu plus régulièrement les officiers.

Les autorités, en déplaçant la 20e demi-brigade de Besançon à Marseille, n'ont fait que changer le lieu de l'affrontement Guestard-Hugo. A certains signes, Hugo comprend que ses supérieurs sont décidément en train de donner raison à son chef de brigade. Va-t-il passer pour un séditieux? Il est trop lucide pour méconnaître les risques qu'il courrait alors : avancement compromis, voire conseil de guerre. Il s'affole, sent qu'il perd pied. Alors il songe aux relations nouées à Lunéville. Seul Joseph Bonaparte peut le tirer de là. Le rêve serait d'aller expliquer au frère du Premier Consul lui-même la situation où il s'est si imprudemment jeté. Mais il sait qu'on lui refusera toute permission. Où est passé le bon vivant, le jovial, le tonitruant Léopold? Il n'est plus que l'ombre de lui-même. Tout à coup, Sophie le voit littéralement ressusciter. L'idée, que ne l'a-t-il eue plus tôt? C'est sa femme qu'il va envoyer à Paris pour plaider sa cause! *Récit de Léopold Hugo :* « Je fis partir mon épouse de Marseille pour Paris, afin d'aller supplier Joseph Bonaparte de m'arracher une seconde fois à la vingtième demi-brigade. »

Victor vient juste d'atteindre ses neuf mois. Certes, il semble hors de danger, mais il reste fragile, délicat. *Manuscrit d'Adèle :* « Il n'avait rien des autres poupons rebondis — la gloire des nourrices —, rien de leur pétulance, de leur ramage joyeux. Sa petite tête, qu'il ne portait pas encore, tombait sur son épaule ; il était tout rechigné, et loin que sa figure fût un rire, on y voyait tomber de temps en temps quelques larmes plaintives. » Sophie n'a pas dû manquer d'objecter à Léopold : *et Victor ?* L'étonnant est que Léopold ait passé outre à ces justes appréhensions. Pourtant ses lettres nous le montrent tel un père moderne, très proche de ses fils, tenant à s'occuper d'eux dans toutes les occasions de la vie et débordant d'amour pour eux. D'où la raison sans doute de cette apparente insensibilité : s'il est cassé de son grade, peut-être condamné, comment élèvera-t-il ses enfants ?

Le 28 novembre 1802, Sophie, convaincue, quitte Marseille pour Paris.

Jamais, depuis le 18 Brumaire, la popularité de Bonaparte n'a été aussi évidente. En juillet, par un plébiscite aux résultats écrasants, les Français l'ont porté au Consulat à vie. La nouvelle Constitution a fait de lui un véritable souverain. Le 15 août — date de sa naissance — a été décrété Fête nationale. « Voici le second pas vers la royauté », s'est exclamée Mme de Staël.

C'est dans ce climat nouveau, face à un avenir tissé d'espoir, que Sophie va chercher de son mieux à accomplir sa mission. Difficile, la tâche qui lui incombe. A part les rares relations qui lui restent de son précédent séjour à Paris — entre autres ses amis Foucher —, elle ne connaît pas grand monde. Une lettre de Léopold à Sophie, du 18 mars 1803, lui recommande d'aller remercier « les généraux, nos amis ». Lahorie est l'un de ces généraux-là.

Des biographes ont évoqué ces retrouvailles, montré l'amour qui est né entre elle et lui, et qui bientôt va se muer en passion. Les détails piquants ne nous sont pas épargnés : par exemple cette lune de miel exaltée qui se serait passée au château de Saint-Just, près de Vernon, propriété de Lahorie. Il faut revenir sur terre. Des relations entretenues à cette époque entre Sophie Hugo et Victor de Lahorie, nous ne savons rien. Pas la plus petite lettre, pas même l'esquisse d'un témoignage. Tout ce que l'on nous raconte provient en filiation directe d'un unique ouvrage [1]. Ses lecteurs ont cru avoir affaire à un travail d'historien — d'autant plus que le livre est truffé de documents de valeur — alors que l'auteur, publiant à la pire époque de l'histoire romancée, n'a voulu proposer au public qu'un roman né de l'histoire.

Faut-il pour autant conclure qu'il n'ait existé aucune liai-

---

1. Louis Guimbaud : *la Mère de Victor Hugo* (1930).

son entre Sophie et Lahorie ? Naturellement non. Ce qui le démontre, c'est la suite. Pour l'amour de Lahorie, Sophie affrontera de grands périls. Elle se fera sa complice, le cachera par deux fois à la police, la seconde pendant de longs mois. Elle bravera la morale admise en vivant avec lui sous le même toit. Les documents inédits que le lecteur trouvera plus loin la montreront si étroitement liée avec Lahorie que le doute n'est plus permis : elle l'a aimé. Autant qu'une femme puisse aimer un homme, puisque pour lui elle a risqué sa vie.

Comment, après cela, ne pas découvrir ici une évidence ? Venue seule à Paris rencontrer ceux qui pouvaient aider son mari, elle a retrouvé Lahorie, naguère si bienveillant, si amical. Une tendresse esquissée s'est changée peu à peu en un sentiment plus profond. Émerveillée, la froide Sophie Hugo s'est découverte amoureuse — bien mieux : aimée par l'homme qu'elle aimait. Dès lors, on s'explique que Sophie, partie pour quelques semaines, soit restée treize mois éloignée de son mari et de ses enfants. Treize mois ! Pour accomplir des démarches, vraiment, c'est beaucoup ! A cet interminable séjour, il n'est qu'une explication et celle-ci se résume en un seul nom : Lahorie.

Léopold ? L'absence a exalté la force des sentiments qu'il voue à sa femme. Lui-même écrit sans cesse à sa femme. Il évoque pour elle des images riantes, hélas enfuies, celles de Sophie et lui bondissant, en amoureux, sur les rochers rouges, face à la mer de Marseille. La tristesse le mine, il parle douloureusement de ses enfants : « Ton Abel, ton Eugène, ton Victor prononcent tous les jours ton nom... Le dernier appelle plus souvent sa maman, sa " ma maman " et cette pauvre maman n'a pas le bonheur de l'entendre. » C'est donc à neuf mois que Victor a dit maman pour la première fois. « Si une larme coule à chacune de mes paupières, si maintenant elles inondent mon visage, elles feront des larmes de sympathie quand tu vas me lire. N'est-ce pas, ma Sophie ? Ton Victor entre, il m'embrasse, je l'embrasse pour toi et lui fais baiser cette place... »

Si nous lisons un peu vite, nous ressentons l'impression d'un petit garçon qui entre en courant, se jette dans les bras de son père pour l'embrasser. Nous devons nous résigner à comprendre que Victor — dix mois — ne peut que se trouver dans les bras de la servante Claudine. Et s'il embrasse la place blanche laissée sur la lettre, c'est que Léopold a dû poser la feuille sur les lèvres du bébé. Il l'a fait, explique-t-il à Sophie, « pour que tu y recueilles au moins, dans ton éloignement, quelque chose de lui ; j'y joins aussi le baiser le plus ardent. Je viens de lui donner du macaron, dont j'ai soin d'avoir une provision dans mon tiroir et il s'en va courir, avec Nicolas, en le suçant... ». Décidément, l'adjudant-major raffole des images hardies. Si le petit Victor Hugo court, c'est bien sûr dans les bras du domestique Nicolas.

Sur le chapitre de Victor, Léopold est intarissable. « Je n'ai pu retenir une larme quand Victor, apporté par Claudine, a fixé les yeux sur ta place, et promené ensuite ses regards, avec inquiétude, sur tous les coins de la chambre. Le cher enfant n'a cessé de regarder partout et n'a été distrait de ses idées ni par les agaceries de ses frères, ni par mes caresses. »

Ce qui se dessine pour le premier bataillon, c'est un départ. Et quel départ : la plus grande partie de la 20e demi-brigade s'embarque pour Saint-Domingue. Hugo, parce qu'il est en disgrâce, sera envoyé à Bastia. Tous ses camarades, ou presque, perdront la vie aux Caraïbes. Cette malchance apparente de l'ex-Brutus se mue en veine insolente.

C'est en février que l'on doit embarquer. Et Sophie est toujours à Paris. Que fera-t-on des enfants ? Après avoir songé d'abord à les laisser à Marseille, où Sophie les rejoindrait, Léopold s'est décidé à les emmener avec lui en Corse. Il a confiance dans la servante qui s'occupe d'eux : « Claudine les aime ; elle paraît fidèle. »

Si l'on devait raconter Victor Hugo en images, l'une d'elles le montrerait à Bastia, dans l'appartement de fonction aux hautes et vastes pièces carrelées, presque sans meubles, affecté à son père et cherchant partout si sa mère n'y est pas. Il vient d'avoir un an.

Un jour, grande nouvelle :

« Nous allons passer à l'isle d'Elbe. C'est un bruit généralement répandu et qui m'afflige singulièrement. Ce sera un grand retard pour nos lettres. L'hyver on n'y en reçoit aucune et si la guerre a lieu, j'y serai bloqué. Si je l'étais seul, au moins ; mais si j'y suis assiégé avec mes enfants !... Et puis, comment t'envoyer de l'argent ? Va, ton absence me cause bien des peines.

« J'ai donné à Victor une promeneuse. Ce pauvre enfant ne pouvait la sentir dans les premiers jours ; il était triste et on aurait dit qu'il se plaignait d'être envoyé avec une femme qui ne parlait pas notre langue. Il s'y habitue. Il m'a beaucoup inquiété pour ses dents. Rapporte au moins du vaccin... »

Nouvelle image de Victor Hugo : le cadre est celui de Porto Ferrajo, gros village appelé à être un jour la capitale du royaume dérisoire de l'empereur Napoléon vaincu. Voici, sous les tuiles rousses et craquelées par le soleil, un bâtiment d'une rusticité conforme à l'environnement. Au premier étage, quelques chambres en enfilade que l'on partage avec la domestique du propriétaire. Là, entre ce père et Claudine, bonne aux deux sens du mot, Victor va apprendre à marcher et prononcer ses premiers mots. Dans les notes rédigées sous la dictée de Hugo, Alexandre Dumas écrira : « La première langue qu'il parle est l'italien. Après papa et maman, le premier mot qu'il prononce est pour se plaindre d'une bonne *cattiva*. »

Sophie ? Elle est à Paris. Toujours. Ses lettres se font de plus en plus rares. Quand elle écrit, c'est pour demander des nouvelles des enfants. Avec quel empressement Léopold lui répond !

« Victor est bien-portant, mais faible : la dentition est pour lui une opération très difficile, et je crains qu'il n'ait des vers. J'ai demandé de l'herbe grecque dont les Corses font le plus grand cas, et en ce moment il doit m'en être arrivé de Bastia. Il a encore quelques croûtes à la tête, mais elles sont peu de chose. Du reste, il dit le nom de ses frères, beaucoup d'autres petits mots, le sien entre autres. Il fait quelques pas seul, mais avec trop de précipitation pour les continuer plus longtemps. Toujours content, je l'entends rarement crier ; c'est le meilleur enfant possible. Ses frères l'aiment beaucoup. »

Excellent Léopold. Je relis Sainte-Beuve qui a si bien parlé de lui : « On dirait quelque guerrier gigantesque qui a recueilli dans son casque trois bambins aux chairs rebondies, aux bonnes figures d'angelots, et qui les porte légèrement, tout au long de l'étape, avec des précautions de maman. » Au vrai, le brave à trois poils est changé en nourrice sèche.

La lettre à Sophie est du 18 juillet 1803. Victor va sur ses dix-sept mois. Léopold, après s'être affirmé toujours fidèle, ajoute : « Tout le monde me gronde de ce que je sors peu ; tout le monde s'étonne que tu ne viennes pas et que j'aie avec moi les enfants. Cela fait jaser. Il m'en revient quelque chose et je ne dis mot... »

La vérité, c'est qu'il ne comprend plus. Faut-il à sa femme tant de temps pour mener à bien des démarches ? Ce qui tenaille maintenant Léopold, c'est le doute. Il faut prendre garde à un homme qui écrit : « Ne pense pas que je sois en proie à la jalousie ; je te respecte trop pour en avoir, quoique j'aime avec idolâtrie. »

Elle a dû sentir que certaines bornes étaient dépassées. Elle quitte Paris. Par Marseille et Livourne, elle s'est enfin décidée à rejoindre ce mari auprès duquel il lui faudra s'expliquer. Et ses enfants.

Inutile de revenir sur les difficultés d'un tel voyage. Immanquablement, on en sort accablé, rompu, d'une humeur exécrable. Léopold, lui, a frété une canonnière pour aller attendre sa chère Sophie à Livourne. Il ne tient plus en place, il rêve de l'instant où il serrera dans ses bras cette épouse que l'absence a idéalisée. La réalité de la rencontre a-t-elle correspondu à ce qu'il en espérait ? Le caractère de Sophie n'a jamais été commode. Sans doute les fatigues du voyage l'ont-elles encore aigrie. Et puis il y a Lahorie.

On s'embarque pour Elbe. Pour Sophie, une image neuve que celle de cette mer, du long sillage qu'y trace sous la caresse du soleil, toutes voiles gonflées, le navire bondissant dans le bleu de l'eau, sous le bleu du ciel. Il n'est pas sûr qu'elle ait apprécié. Un gros bâtiment barbaresque attaque la canonnière. On dégage les canons, la poudre jaillit, les boulets volent. On se défend avec vigueur. Léopold fait merveille. Les pirates maghrébins déguerpissent. On voit d'ici Léopold tourné vers Sophie et quêtant des applaudissements. Il n'est pas sûr qu'elle ait applaudi.

Impossible que Nicolas et Claudine n'aient pas amené, le 11 décembre 1803, les trois petits Hugo sur le quai de Porto Ferrajo, afin qu'ils puissent, au milieu des filets qui sèchent, des pêcheurs qui débarquent et des soldats qui veillent, embrasser plus vite leur mère. Sur la rencontre, pas un texte, pas une ligne. Sur les réactions de Victor face à cette femme qu'il ne connaît pas et qui est sa mère, pas un mot.

Que s'est-il passé à l'île d'Elbe entre Léopold et Sophie ? S'il faut en croire cette dernière, elle aurait appris par la rumeur publique que son mari, profitant de son absence, l'avait trompée. Horreur ! Scandale ! La mauvaise femme, une certaine Catherine Thomas, serait la fille de l'économe de l'hôpital de Porto Ferrajo dont il venait — jurera Sophie —

« d'être chassé pour malversations ». Qui plus est, dira encore Sophie, dévoilant délibérément un trait en forme de stigmate, la fille Thomas « ne possédait rien au monde [1] ! ». Ce serait à cause de la fille Thomas que Hugo, après avoir semblé la « recevoir avec affection », l'aurait invitée, « peu de jours après son arrivée », à repartir avec ses enfants, « lui donnant pour raison qu'il fallait les mettre en sûreté, la forteresse où elle se trouvait étant menacée par les Anglais ».

Prenons garde. Cette dignité offensée, cette douleur d'honnête femme trompée avec une *créature* par le mari qu'elle aime, c'est le récit que Sophie compose en 1814. De fait, elle n'est guère restée à Porto Ferrajo qu'un seul mois. Est-ce parce qu'il lui a été impossible de tolérer davantage le scandale d'un Léopold vivant ouvertement avec la fille Thomas, qu'elle a préféré céder sa place ? Elle-même, en 1814, se contredit. Elle convient qu'à Porto Ferrajo elle n'a rien su de la liaison de Léopold : « Cependant, Madame Hugo ignorait la conduite de son mari. » Son départ ? Elle « se décida à repartir, ne se doutant guère que son mari désirait son absence afin de vivre plus en liberté avec sa maîtresse ». Ce n'est donc pas parce qu'elle est trompée qu'elle s'en va si vite. Elle n'en sait rien. La véritable explication, c'est Léopold qui nous la fournit dans une lettre postérieure — de peu, elle est du 8 mars 1804 :

« Adieu, Sophie. Rappelle-toi quelquefois que rien ne peut me consoler de ton absence ; que j'ai un ver rongeur qui me mine, le désir de te posséder ; que je suis dans l'âge où les passions ont le plus de vivacité et que ce n'est pas sans murmurer contre toi que je sens les besoins de te serrer contre mon cœur. Prégusse est bien heureux, il est aimé de sa femme et il la possède. Moi, je ne possède que le chagrin, la douleur et l'ennui. Adieu, je suis tout à toi. »

Nous y sommes. En arrivant à Porto Ferrajo, Sophie s'est refusée à Léopold. Est-ce parce qu'elle ne voulait pas trahir Lahorie ? Ou bien parce qu'elle s'était à l'avance promis de ne plus s'abandonner à ce désir marital auquel elle ne s'était en vérité jamais résignée ? Peut-être les deux raisons se sont-elles ajoutées. A Léopold, elle s'est contentée de fournir l'explication dont tant de femmes se sont si longtemps fait une arme absolue : elle ne voulait pas d'un quatrième enfant.

---

1. Requête adressée par Sophie Hugo aux président et juges du Tribunal de première instance de l'arrondissement de Thionville (1814).

Une lettre, encore de Léopold — du 11 juin 1805 — nous éclaire là-dessus : « Je suis trop jeune pour vivre seul, trop bien-portant pour ne pas être porté aux femmes ; j'aime, je dirai plus, j'adorerai encore la mienne, si la mienne veut se convaincre que j'ai besoin de son amour et de ses complaisances. Mais je ne puis être sage qu'avec ma femme ; ainsi, ma chère Sophie, je crois qu'il vaudrait mieux que je te fisse un enfant de plus que de te délaisser pour une autre... » Dans la même lettre : « Je n'ai vu dans ton départ qu'une volonté ferme de me fuir, d'éviter les caresses qui t'étaient importunes, de te soustraire à des scènes de ménage que ta tête bretonne rendait beaucoup trop longues. »

Tout est dit : Sophie, au lit comme ailleurs, ne supportait plus Léopold. Usant avec habileté de tous les prétextes — faux et vrais —, mettant en avant la guerre qui reprend et menace l'île d'Elbe, elle a arraché à son mari l'accord espéré, peut-être prémédité dès son départ de France : elle quittera Porto Ferrajo pour Paris. Elle ne repart pas seule. Son voyage lui aura au moins fait gagner de rentrer avec ses enfants.

Au moment où Victor quitte l'île, il va avoir deux ans. On ne trouve, ni dans un texte écrit par lui plus tard, ni dans le *manuscrit d'Adèle*, aucune trace du chagrin qu'il a dû nécessairement ressentir en se séparant de son père. Ne confondons pas l'absence de souvenirs — il est rare que les premiers soient antérieurs à l'âge de quatre ans — et la réalité des impressions. J'écris ceci en présence d'un petit garçon de deux ans. Elle me frappe, elle m'émeut, la violence de l'amour — pourquoi avoir peur du mot ? — qu'il manifeste pour sa mère, pour son père. Or, pendant plus d'un an, Léopold Hugo, pour le petit Victor, a tenu lieu à la fois de père et de mère.

Quel vide aussi pour Léopold ! Quel accablement, pour cet être si sensible, si « nature » ! Certes, Sophie lui donne des nouvelles. Ses lettres sont suffisamment affectueuses pour qu'il les couvre de « mille tendres baisers ». Elle lui parle des enfants, des progrès d'Abel, des tentatives du bon Eugène, des farces du petit Victor. J'aime assez que Victor, à deux ans, soit présenté comme un farceur.

Elles continueront, les lettres de Léopold, d'abord pleines d'élans, de passion, d'illusions. Il espère toujours que sa femme le rejoindra, qu'ils ne se quitteront plus jamais, lui, elle, les trois garçons. Qu'elle abdiquera ses préventions et renoncera à ses froideurs. S'il se laisse aller à un aveu, c'est plus pour la provoquer que pour créer l'irrémédiable : « On peut bien à mon âge et avec mon tempérament malheureusement trop ardent, avoir pu s'oublier quelquefois, mais la faute ne fut jamais qu'à toi. » Il le pense — et il espère. Encore.

L'enfant perçoit dès le premier jour de sa vie. Entre les impressions, il choisit, accepte ou refuse, voilà tout. A fortiori s'il a deux ans : la personnalité est déjà établie. Nous avons vu Victor s'acclimater à l'île d'Elbe moins aisément que ses frères. Nous l'avons vu marcher à dix-huit mois. Nous l'avons trouvé, à cet âge, « toujours content, ne pleurant que rarement, le meilleur enfant possible ». Nous l'avons suivi des yeux, à Bastia, puis à Porto Ferrajo, promené devant la mer par l'excellente Claudine. Nous savons que ce bébé a subi la chaleur de l'été méditerranéen. Que son cerveau a saisi ces outrances de la nature qui, pour tant d'hommes et de femmes, s'associent à l'image du bonheur : trop crus, le bleu de la mer, celui du ciel ; trop verts, les pins jaillis de rochers trop rouges. La découverte de sa mère a signifié pour Victor un adieu à cette lumière.

Le long voyage de Livourne à Paris ? Ce sont les aînés qui l'ont saisi comme un spectacle, kaléidoscope d'images et de sensations. Le petit a surtout enduré le supplice de tous ces jours à rester immobile, ankylosé entre les jambes de sa mère. Et maintenant on est parvenu en un lieu mystérieux et sombre qui ne ressemble à rien et qui s'appelle Paris. Deux syllabes prononcées devant lui dix fois par jour. Cette maison du 24, rue de Clichy, nous n'en savons que ce que Hugo en a dit lui-même : « Je me rappelle qu'il y avait dans cette maison de la rue de Clichy une cour où était un puits ; près de ce puits était une auge, et un saule dont les branches tombaient dans l'auge [1]. » Bien sûr, ces souvenirs ne datent pas de 1804. Sophie et ses fils habiteront la rue de Clichy jusqu'en décembre 1807. A cette époque, Victor aura cinq ans. Alors, réellement, il se souviendra. Mais la cour, le puits, l'auge étaient là en 1804.

Pour Victor, une fois achevée la première exploration, la

1. *Manuscrit d'Adèle.*

rue de Clichy, ce pourrait être les ténèbres après la lumière —
antithèse déjà hugolienne — s'il ne trouvait là cette femme
dont la présence compense tout : sa mère. Il l'a tant réclamée ! Il a tant répété son nom ! Voir sa mère auprès de lui a
été son premier vœu conscient. Privilège de l'enfance : l'oubli.
Le grand chagrin né de la séparation d'avec son père s'est
atténué, a disparu. Maintenant, Victor ne quitte plus Sophie.
Bonheur qui devrait suffire à compenser la perte du soleil
blanc et de la mer indigo. Et pourtant, on ne le voit pas souvent rire, Victor. *Manuscrit d'Adèle :* « Le petit Victor était
encore languissant. Mon père me disait : quand j'allais chez
Madame Hugo, je trouvais toujours Victor dans un coin,
pleurnichant et bavant sur son tablier. »

Un soir, grand mystère. Un homme apparaît que Victor ne
connaît pas. Timidité. L'enfant se cache dans les jupes de sa
mère. Vaguement, il entend Sophie parler de parrain. Mot
neuf, lourde perspective insondable.

C'est donc Lahorie ? C'est Lahorie.

Pendant l'absence de Sophie, l'histoire s'est remise à galo-
per. Derrière la redingote grise et le petit chapeau, elle ne
s'essoufflera qu'en 1815. Au début de l'année 1804, il a semblé
que les opposants se retrouvaient tous pour porter à Bonaparte un coup qu'ils voulaient décisif. Au mois d'août précédent, le chouan Georges Cadoudal a débarqué près de
Dieppe, il a retrouvé à Paris Pichegru évadé du bagne de
Cayenne. Les deux hommes ont rencontré le général Moreau.
Tous trois poursuivent un seul et même but : chasser Bonaparte du pouvoir. Le tuer ? Peut-être.

Sophie est restée très discrète sur ce qu'elle a pu connaître
de cette intrigue. Pas un mot dans les écrits de son fils. Le
témoin n'en dit rien. Mais le *manuscrit d'Adèle*, déjà, nous
fait dresser l'oreille. Peu de lignes, mais elles valent d'être
lues et relues : *Madame Hugo connaissait les généraux ; elle
était absorbée dans l'événement qui, mettant en cause l'usurpateur, agitait les opinions.* Il apparaît que non seulement
elle a été dans le secret le plus complet, mais qu'elle a joué,
dans la conspiration, un rôle extrêmement actif. Une lettre
d'elle, *inédite*, au secrétaire d'État à la Guerre Davout, écrite
en 1815, nous livre à cet égard de bien curieux détails. Il
s'agit d'une supplique, d'où le fait qu'elle soit écrite à la troisième personne : « Les généraux Pichegru, Moreau, Georges
et Lahorie se rassemblèrent trois fois chez elle pour conférer,

et ils la chargèrent de suivre une liaison formée aux Tuileries par le général Lahorie et qui ne pouvait être continuée par lui sans beaucoup de danger. Cette liaison était fort importante, puisque c'est l'indécision de cette personne au moment d'agir qui a fait manquer toute l'affaire et causer la mort de tant de braves serviteurs du Roi ; après la découverte de la conspiration, le général Pichegru fut trois jours caché [chez] elle [1]. »

Surprenant récit. Les sceptiques ne manqueront pas d'observer qu'au moment où Sophie écrivait cette lettre, ni Pichegru, ni Moreau, ni Georges, ni Lahorie n'étaient plus là pour la contredire. Que, par ailleurs, son intérêt, alors qu'elle sollicitait une faveur d'un ministre de Louis XVIII, était de se présenter comme engagée personnellement dans le plus dangereux des complots menés contre Napoléon. Peut-être, mais pour nous qui la connaissons si déterminée, si absolue, une participation semble non seulement vraisemblable mais logique. Amoureuse de Lahorie, comment n'aurait-elle pas épousé les passions politiques de son amant ? Pourquoi ne lui aurait-elle pas offert son appui, voire sa complicité ? Bien sûr, elle courait de grands risques. Quelle amoureuse sincère voudrait y penser ?

Ce qui est certain, c'est que Lahorie, définitivement déçu par Bonaparte, est passé de la bouderie à l'opposition déclarée, et de l'opposition à la conspiration. En 1803 et 1804, il s'est fait, auprès d'un Moreau encore réticent, l'avocat des royalistes. Moreau l'a chargé de suivre les démarches du Premier Consul « pour mettre les conjurés sur ses traces ». Ce qui correspondait très exactement à l'affirmation de Sophie : à cette tâche précise confiée à Lahorie de chercher à connaître l'emploi du temps de Bonaparte, elle a précisément apporté sa collaboration.

Elle aura donc partagé les espoirs et les illusions de Moreau, Pichegru, Cadoudal — et Lahorie. Pas longtemps. La police de Fouché est la meilleure du monde. Le 15 février, le général Moreau, appréhendé sur la route de Grosbois, est conduit au Temple. Le 27 février, on se saisit de Pichegru dans sa cachette de la rue Chabanais. Le 9 mars, le plus redoutable de tous, Georges Cadoudal, est arrêté à son tour

1. *Maison de Victor Hugo*, Correspondances, n°9752. Communiqué par Sheila Gaudon.

sur la place de l'Odéon. Dès lors, ce qui intéresse Fouché, ce sont les complices. Il en est un qui lui a été désigné comme fort dangereux : Lahorie. Alors, la police le cherche partout. Six agents — pas un de moins — sont lancés sur sa piste. On investit son domicile. On saisit ses papiers. On court à son château de Saint-Just. Lahorie reste introuvable.

Pour Sophie, c'est l'angoisse, un chagrin jusque-là jamais éprouvé. Son amant est devenu un homme traqué. Elle rêve de l'aider. Mais comment ? Un soir, on sonne à sa porte.

Elle va ouvrir. Dans la pénombre du palier, elle aperçoit deux hommes qui portent un brancard. Sur ce brancard, Lahorie !

Sainte-Beuve a connu — assurément de la bouche de Hugo — l'explication de ce coup de théâtre. Lahorie était parvenu à se dérober aux poursuites « en se cachant chez un ami », La Mothe-Bertin, qui habitait 19, rue de Clichy. Cette adresse nous aide à comprendre. Car, chez cet ami, Lahorie est tombé malade. « Un jour, dit Sainte-Beuve, qu'il avait entrevu quelque inquiétude sur la physionomie de son hôte, craignant de lui être un sujet de péril, et dans l'exaltation de la fièvre qui l'enflammait, il se fit transporter le soir même, sur un brancard, rue de Clichy, où Mme Hugo logeait alors. »

Elle s'empresse, elle accueille en même temps les porteurs et le malade : « Mme Hugo, généreuse comme elle était, n'hésita pas à recueillir l'ami de son mari, et le garda deux ou trois jours. »

Est-ce seulement parce qu'elle est généreuse que Sophie va garder Lahorie auprès d'elle ? Est-ce seulement par prudence que Lahorie, n'ayant qu'à traverser la rue, s'est fait transporter chez elle ? Assurément non. On ne consent à ce genre d'audace, on ne se jette dans ces sortes de folies — c'en est une — que si des liens profonds et réciproques unissent les êtres qui s'y précipitent ensemble.

Ainsi Victor a-t-il découvert pour la première fois l'existence et la personne de son parrain, conduit sur une civière, aussitôt couché dans le meilleur lit de la maison, tendrement soigné par sa mère. Victor est trop petit pour savoir s'il est jaloux. Il est trop petit pour comprendre. A cet âge on se contente de ressentir. Et il ressent.

Ils sont rue de Clichy lorsque la France se donne un empereur. Quand le pape Pie VII vient à Notre-Dame sacrer le

« Corse aux cheveux plats ». Ils sont encore rue de Clichy lors du couronnement de Napoléon à Milan, roi d'Italie. Quand il entre dans Vienne. Quand il vainc à Austerlitz. Quand, à son retour à Paris, il accepte le titre de « Grand ».

Ils sont toujours rue de Clichy lorsque Napoléon annonce qu'il a résolu de ressusciter l'Empire d'Occident et qu'il va conquérir Naples pour en livrer le trône à son frère Joseph : « Ce sera, ainsi que l'Italie, la Suisse, la Hollande et les trois royaumes d'Allemagne, un de mes états fédératifs formant véritablement l'empire français. »

Justement, Léopold Hugo est de ceux qui vont prendre Naples. Depuis que Sophie l'a quitté, il est passé de l'île d'Elbe en Corse, et de Corse en Italie où, sous Masséna, il a mené son bataillon au combat. La victoire de Caldiero lui doit beaucoup, peut-être tout. Parce que le sort a trop souvent contraint Léopold à des opérations de contre-terrorisme, l'histoire oublie que chaque fois qu'il fait une vraie guerre, il s'y conduit fort bien. L'affaire de Naples n'a pas été une partie de plaisir. Outre les Napolitains, les Français ont eu à combattre les Anglais et les Suisses.

Vis-à-vis de Sophie, Léopold est passé d'un extrême à l'autre. D'abord, après son départ, il est convaincu qu'il ne s'agit que d'un malentendu. Il garde l'espoir qu'elle reviendra à de meilleurs sentiments et qu'elle le rejoindra, prête enfin à ne plus se rebeller contre une fougue dont elle devrait au contraire s'enchanter : « Je n'aime, et je dis bien vrai, je n'aime toujours que toi seule » (18 juin 1804). Il passe ensuite au désenchantement : « Né avec un caractère qui ne m'a point créé d'ennemis, et qui a attaché beaucoup de personnes, je t'ai vue malheureuse avec moi, rechercher de t'en éloigner pour des prétextes spécieux et m'abandonner au feu des passions de mon âge » (16 novembre 1804). Contre toute évidence, c'est à nouveau l'espoir : « Pourquoi ne pas hasarder un dernier voyage, je dis un dernier voyage, car je ne veux plus de fantaisies, ni d'espérances. » Et en même temps l'aveu : « Je ne cherche de femmes que par le besoin, mais mon cœur est tout à toi » (11 juin 1805). Puis la feinte indifférence : « Il y a bientôt un siècle que je n'ai reçu de tes nouvelles, je désire que ce soit une preuve que tu t'amuses » (10 avril 1806). Enfin l'irritation : « Donne-moi donc de tes nouvelles, ou dis-moi avec franchise que tu ne veux plus m'en donner ; je saurai alors quel parti prendre. J'ai dans ce

moment plus d'inquiétude de ton silence que d'humeur et de
mécontentement... Adieu, Sophie, je désire n'avoir aucun
reproche à te faire » (19 août 1806).

Des reproches ? Sans doute préférerait-elle les mériter.
Mais Lahorie, toujours en fuite, vient si rarement sonner à sa
porte ! Du coup, Sophie — logique de femme qui aime un
autre homme — s'est mise à en vouloir très fort à son mari.
Ses lettres l'irritent. Ses silences l'irritent. Tout ce qui vient
de lui l'irrite. Alors, elle n'écrit plus. Ou seulement pour donner des nouvelles des enfants, à moins que ce ne soit pour
réclamer de l'argent.

C'est en ce temps-là que Sophie s'est peu à peu desséchée
dans ce rôle de femme sévère, peu avenante, dure aux autres
comme à elle-même dont ceux qui l'ont connue ont gardé le
souvenir. Toute la tendresse qui lui reste, elle l'adresse à ses
enfants. L'image que Victor gardera toujours de sa mère ne
saurait être qu'une vision idéalisée. Il aimera cette mère au-
delà de tout. Certaines analyses le montreront même atteint
d'un complexe d'Œdipe. Une mère sans amour ne fait pas
naître un tel complexe.

De la rue de Clichy, on a un jour conduit Victor pour la première fois à l'école, rue du Mont-Blanc. L'école, c'est beaucoup dire. En fait, il s'agit d'une manière de garderie. Comme
il est le plus petit des élèves et qu'on ne sait guère comment
l'occuper, on le mène, chaque matin, dans la chambre de la
fille du maître d'école, Mlle Rose. Or Mlle Rose aime à faire
la grasse matinée. Volontiers, elle prend le petit bonhomme
dans son lit. Quand elle se lève, elle met ses bas. Il regarde —
il aime regarder. A Guernesey, Victor Hugo évoquera encore
cette vision innocente et qui peut-être ne l'était pas tant.
L'épisode des bas apparaît à ce point conforme aux descriptions freudiennes de la sensualité enfantine — et du complexe spectaculaire — qu'à première vue on pourrait la croire
forgée pour les besoins de la psychanalyse. Mais, en 1806, Sig-
mund Freud n'était pas né. On s'est plu à rechercher, dans
l'œuvre de Hugo, les allusions aux pieds, assimilés à une partie interdite du corps féminin : elles sont innombrables. Pour
Hugo, la vue d'un pied nu est coupable. Preuve d'un souvenir,
à quatre ans, qu'il ressent déjà comme le viol d'un interdit.

Pour la fête du maître d'école, on va donner une représentation théâtrale. On joue *Geneviève de Brabant*. Victor se souviendra que la classe était séparée en deux par un rideau.

Mlle Rose s'était distribué le personnage de Geneviève. Victor, comme le plus petit de l'école, s'était vu confier le rôle du fils de Geneviève. « On me mit un maillot, par-dessus un maillot une peau de mouton ; à cette peau pendait une griffe en fer... Pendant que Geneviève disait son rôle, je m'amusais à lui piquer les jambes avec cette griffe. Geneviève interrompait son débit et me disait : " Veux-tu bien finir, petit vilain [1] ! " »

Autre souvenir encore : dans la classe, on le place devant une fenêtre qui donne sur le chantier de l'hôtel en construction du cardinal Fesch, oncle de l'empereur Napoléon. Ce jour-là, un cabestan hisse une pierre de taille sur laquelle a pris place un ouvrier. Soudain la corde casse. Dans sa chute, l'ouvrier est broyé par la pierre.

« Et votre papa, mon petit ami ? — Mon papa n'est pas là, Monsieur. »

De temps en temps une lettre, imprégnée de ce grand soleil qui manque aux aînés, arrive de Naples. Là Léopold a retrouvé la faveur d'un Bonaparte, pas Napoléon mais Joseph. Le prince, en attente d'être roi — et qui s'en avoue le premier étonné — s'est souvenu de Lunéville et a accueilli le mieux du monde l'ex-gouverneur.

Lorsque le prince Joseph devient roi, il nomme Léopold major du Royal-Corse que son nouveau chef, en un tournemain, réorganise et met sur pied. De son palais de Portici, il va lui donner l'ordre de délivrer le royaume de Fra Diavolo. Un *brigand*. Il se nomme en fait Michel Pezza. Il terrorise les campagnes entre le Volturne et les États du Saint-Père, cela au nom de Ferdinand IV qui l'a fait général et duc de Cassano. Ce qui explique la véritable dimension du personnage. Impossible de raconter ici la campagne du mari de Sophie qui, à la tête de 8 à 900 soldats, cherche et affronte les 1 500 hommes de Fra Diavolo. Cette poursuite dure plusieurs jours. On escalade les Apennins, on redescend dans la plaine, on traverse les torrents gonflés par des pluies récentes. On finit par capturer un Fra Diavolo blessé, malade, à bout de forces. Naturellement, il sera mis à mort. Il n'est pas de lois de la guerre pour les *brigands*. Voilà décidément Léopold Hugo en faveur auprès du roi de Naples. En 1807, il sera

1. *Manuscrit d'Adèle.*

nommé gouverneur d'Avellino et, en 1808, colonel du Royal-
Corse. Ce que le *témoin* traduit ainsi : « Le premier soin du
gouverneur fut d'écrire à sa femme de venir le rejoindre. Il y
avait plus de deux ans qu'il était séparé d'elle et de ses
enfants. Maintenant que l'Italie était pacifiée, il allait pouvoir
être mari et père. »

En réalité, c'est de sa propre initiative que Sophie s'est
résolue à partir pour Naples. Est-ce donc que ses rancœurs se
soient apaisées, que son hostilité soit atténuée ? Nullement.
Ce n'est pas l'épouse qui a voulu rejoindre Naples, mais la
mère. Léopold lui avait fait part de son espoir d'obtenir pour
Abel une place à l'École militaire du royaume de Naples,
peut-être également une pour Eugène : « Dis à Eugène que,
s'il est bien sage, il pourra obtenir la même faveur, et à Victor qu'il aura beaucoup de bonbons » (9 janvier 1807). C'était
le temps où, manifestement, bien peu d'argent parvenait rue
de Clichy. Sophie avait-elle le droit de condamner ses enfants
à la médiocrité, presque à la pauvreté ? Ce royaume de
Naples, elle le voit bien plus comme un rêve d'or que comme
un pays sous le soleil. Elle imagine ses trois fils obtenant de
la faveur royale un éclatant présent et un avenir radieux.

C'est dit. Elle partira.

Or elle choisit le plus mauvais moment. La liaison de Léopold avec Catherine Thomas, nouée à l'île d'Elbe, s'est fortifiée de garnison en garnison. Née sous un consul, elle se
poursuit sous un roi. Maintenant la *fille Thomas* — comme
ne cessera de le dire Sophie — réside au palais d'Avellino
auprès de son amant. Pour être précis, la cohabitation publique avec sa maîtresse signifie que Léopold a renoncé à
Sophie. Nullement de gaieté de cœur. La vérité est que Catherine Thomas l'a consolé de ses malheurs conjugaux.

Après tout, la fidélité de cette *fille Thomas* finit par nous
toucher comme elle a dû l'émouvoir, lui, le premier. Nous ne
savions à peu près rien de Catherine Thomas avant que des
recherches récentes ne lèvent un coin du voile, à commencer
sur ses origines. Son père, Nicolas Thomas, est né en 1756, à
Ligny-en-Barrois. Il est lorrain. Pour des raisons que l'on
ignore, il est venu se fixer en Corse, à Cervione, un gros
bourg situé à 40 kilomètres au sud de Bastia, siège de l'évê-
ché et de la juridiction royale d'Aleria. Il a épousé Lina
Saettoni, de laquelle est née à Cervione, le 5 novembre 1783,
Maria-Catalina : celle qui deviendra Catherine Thomas. La

profession du père ? Curieusement, il est connu comme
« coiffeur faisant fonction d'huissier ». Il semble que Léopold
Hugo l'ait rencontré en 1803 à Bastia, probablement par
l'intermédiaire d'un chef qu'il a nécessairement fréquenté, le
général de brigade Casalta, présent à Bastia à cette date et
cervionais d'origine. A cette époque, Maria-Catalina avait dix-
neuf ans.

Nicolas a-t-il suivi l'armée française à Porto Ferrajo ? Est-il
devenu, comme l'affirmera Sophie Hugo, économe à l'hôpital ? L'a-t-on vraiment « révoqué pour malversations » ? Nous
n'en savons rien. Elle-même se présentera comme fille d'un
propriétaire terrien qu'elle anoblira plus tard, de même
qu'elle décernera une particule tardive à sa mère. Elle dira
avoir été mariée avec un officier d'état-major de l'armée espagnole. On la verra même soudainement comtesse de Salcano.
Convenons que cela sent quelque peu l'aventurière. Refusons
pourtant de nous fier aux apparences. Ces identités
d'emprunt de plus en plus ronflantes, elle ne les a prises que
pour figurer plus avantageusement auprès de l'homme dont
elle partageait la vie. Pour lui faire honneur, en quelque
sorte. Ce qu'il nous faut constater, c'est qu'elle donne à Léopold tout ce que Sophie lui a refusé : fidélité, amour, soutien,
sûrement équilibre sexuel. Que Catherine ait eu du cœur, et
du meilleur, cela est évident. Dans ce couple, la fidélité
n'apparaît d'ailleurs pas unilatérale. Léopold se garde pour
Catherine. Léopold est l'homme d'une seule femme, toujours. Son éternel regret — et qui expliquera tout de son attitude postérieure — sera que cette femme-là n'ait pu être
Sophie.

Donc, Catherine et Léopold vivent ensemble au palais
d'Avellino. Une première fois, en février 1806, Sophie avait
exprimé le désir de rejoindre son mari. Léopold avait catégoriquement refusé :

« Quand tu parles de me rejoindre, oublies-tu donc ce qu'il en coû-
terait pour un tel voyage, ignores-tu que je ne saurais où prendre
l'argent pour le faire ? Et quand, dans une supposition, je m'en trouverais assez, n'aurais-je pas à craindre que tu me retrouvasses cette
foule de défauts qui t'ont si promptement décidée à me quitter et
que tu ne me quitterais pas une seconde fois ? »

D'où un conseil exprimé sans ambages :

« Il vaut donc mieux que tu donnes à Paris tes soins à l'éducation des enfants et, quand des temps plus heureux luiront pour nous, nous pourrons songer à nous réunir. Tu es tranquille, rien ne te tourmente ; tu es encore une fois plus heureuse que moi... »

Sophie l'a si bien compris que, vers la fin de 1807, lorsqu'elle transforme ses velléités en résolution et décide de se mettre en route, elle n'avertit pas Léopold. A peine parvenons-nous à le croire, mais c'est ainsi. Voilà qui nous démontre que l'énergie de la petite Sophie de Châteaubriant ne s'est pas gâtée au fil des années. Rappel utile : en 1807, Léopold a trente-quatre ans, Sophie, trente-cinq. Et Catherine Thomas, vingt-quatre.

Au moment où l'on va quitter la rue de Clichy, Victor, lui, aura bientôt six ans. Cette fois, devant les curiosités du voyage, il va pouvoir ouvrir l'œil, regarder, comprendre, absorber — plus tard restituer. Entre cinq et six ans tout enfant devient parfaitement capable d'ordonner ses sensations. Mais celui-ci s'appelle Victor Hugo, lequel a toujours privilégié le regard. N'oublions jamais ce vers, l'un des plus fameux des *Contemplations* :

Deviens le grand œil fixe ouvert sur le grand tout.

Les dessins de Hugo, en leur originalité flamboyante, prouvent qu'avant tout il *voit* en peintre. Ce qui domine, sous son pinceau comme dans sa vision, c'est l'art d'appréhender les contours. Une montagne, un vieux château, une mer lui inspireront des images identiques ; il parlera de *haillons* d'écume aussi bien que de *haillons* de pierre. Il y verra des déchirures, des guenilles. Il jouera de la flamme, de la lumière, de l'ombre. Une lucarne deviendra un œil borgne. Il parlera de joue à propos d'une muraille, il la verra « ridée et dartreuse » [1]. L'enfant Hugo va vivre en images le voyage de Naples.

Il quitte son puits, son auge et son saule. Il part pour un voyage — aller et retour — qui durera un an. S'étonnera-t-on que l'enfant Victor en ait — selon ce que l'adulte Hugo a confié plus tard à Sainte-Beuve — rapporté « mille sensations fraîches et graves, des formes merveilleuses de défilés, de gorges, de montagnes, des perspectives gigantesques et féeri-

1. Charles Baudouin.

ques de paysages, tels qu'ils se grossissent et qu'ils flottent dans la fantaisie ébranlée de l'enfance » ?

Les vitres cinglées par une pluie battante, la diligence quitte Paris. Le souvenir de cette pluie a marqué Victor, ainsi que celui du cuir luisant de la voiture. Tout au long du voyage, pour Victor, s'installe la hantise de verser. Jusqu'au Mont-Cenis, tout au moins. Pour le franchir, Abel — neuf ans — et Eugène — sept ans — se sont vu attribuer des mulets. Mais, c'est sur un traîneau que Sophie et Victor escaladent le col pour ensuite en descendre. Un traîneau fermé, ouvert sur l'extérieur non par des vitres, mais — cinquante ans plus tard Victor s'en souviendra — par des plaques de corne. Victor se rappellera aussi, une fois le col passé, les toits de Suse. Des toits gris, précisera-t-il.

Au vrai, pour Victor comme pour ses frères, la diligence s'est muée en prison. Comme le froid reste vif, on a placé de la paille sous les pieds des voyageurs. Alors les enfants ramassent de cette paille et en confectionnent des petites croix qu'ils collent aux vitres, guettant impatiemment le moment où l'on rencontrera des paysans. Ceux-ci, imman-quablement, apercevant les croix de paille, font eux-mêmes le signe de la croix. Et les trois petits garçons de s'esclaffer. Baptisés ou non, les petits Hugo savent à quoi s'en tenir sur la « superstition ». Sophie est passée par là.

Si les premiers souvenirs du voyage ne représentent guère pour Victor qu'une mosaïque éclatée, l'arrivée à Rome le ravit. Après tant d'étapes de glace ou de pluie, on trouve « un temps charmant ». *Manuscrit d'Adèle :* « Ce fut une fête pour les enfants, pour le petit poète surtout [1]. Cette ville lui sem-bla rayon et clarté. Le pont Saint-Ange, orné de statues, cette magnifique entrée de Rome, fut le couronnement de cet éblouissement. »

Par rapport au trajet parcouru, Naples peut paraître à por-tée de main. Il faut croire que Sophie en a pris conscience. C'est de Rome, semble-t-il, qu'elle s'est décidée — enfin — à écrire à son mari pour lui annoncer qu'elle et leurs enfants étaient en route pour le rejoindre. Ici, l'audace s'accompagne

---

1. Cette cocasse distraction de plume d'Adèle me fait souvenir de cet histo-rien bonapartiste qui, évoquant la jeunesse de Napoléon, écrivait : « le petit empereur ».

de ruse. Impossible à Léopold de lui répondre, de lui inter-
dire par exemple l'accès du royaume de Naples. La lettre parviendrait à Rome après qu'elle-même, Sophie, aurait quitté la
Ville éternelle !

De sorte que Léopold, au reçu de la fameuse lettre, va
devoir bon gré mal gré se préparer à accueillir ses trois fils —
de cela seul il est ravi — et celle qui reste sa femme, détail qui
ne l'enchante guère.

Elle approche, la famille Hugo. Victor évoquera pour Adèle
ces « têtes coupées déjà desséchées ou saignant encore », ces
mains et ces bras « cloués à d'autres arbres, affreux épouvan-
tails disant aux tueurs des grandes routes : " Voilà ce que
vous serez ! " ». Preuve que cette vision l'a suivi, poursuivi, il
parlera aussi à Dumas des « têtes coupées plantées le long
des routes et qui, brûlées par le soleil, lui semblent des têtes
à perruques ». A l'adresse de Dumas, encore, il précisera également : « Une fois entrés dans les Abruzzes, une escorte de
sept ou huit carabiniers. Môle de Gaëte, puis le golfe de
Naples, le port de Naples, le Vésuve. » C'est à Adèle qu'il a
confié une image qui, en deux lignes, dit tout : « Naples sem-
bla au petit Victor une robe blanche bordée d'une mer
bleue. »

Émerveillement d'un monde neuf, redécouverte de cette
lumière depuis Elbe enfouie au plus profond de soi, bouche
ouverte devant le volcan.

Pour Victor, l'éblouissement se double de fièvre et
d'espoir : il va rencontrer son père, ce père dont il ne sait plus
rien.

Est-il venu à Naples au-devant des siens, le colonel Hugo ?
Les a-t-il attendus en son palais d'Avellino ? Hugo a cru se
souvenir qu'à Avellino, son père s'était mis en grand uniforme pour les recevoir. Il s'est rappelé aussi les embrassements. *Manuscrit d'Adèle :* « Il fit grimper ses fils sur son
habit de colonel pour les mieux serrer dans ses bras. » Assurément, le colonel, plein d'élans et de tendresse, a dû étreindre très fort ses garçons contre cette poitrine dorée qui faisait mal aux joues enfantines lorsqu'on s'y frottait de trop
près. On croit entendre la grosse voix se récrier. On croit voir
le sourire s'épanouir sur la bouche lippue perdue dans le
visage rebondi. Et les petits qui courent et sautent, tâchant
de capter l'attention de ce père que, d'emblée, ils se sont mis
à admirer éperdument.

Il n'est pas que les enfants. Elle est là, Sophie. Muette, sévère, déjà réprobatrice. Lui, après les premières effusions destinées aux garçons, la regarde à la dérobée, presque timidement, comme s'il cherchait à la deviner. Bien sûr, on imagine. On est contraint d'imaginer. Sur cette rencontre, nous ne possédons pas le moindre document convaincant. Il semblerait plutôt que Léopold soit venu attendre les siens à Naples où l'un de ses frères, Louis Hugo — qui s'est distingué à Eylau — se trouve déjà. Il aurait alors affirmé à Sophie que son palais n'était pas digne d'elle et que seul un soldat comme lui pouvait s'en contenter. Il lui aurait aussitôt loué un appartement à Naples.

Certes, Victor s'est souvenu du palais d'Avellino. Il l'a même décrit à Adèle qui transcrit cela d'une manière charmante. Il suffisait à Victor de fermer les yeux et de revoir ce « palais de marbre à vents coulis ». Il s'est souvenu des crevasses qui s'ouvraient aux murs, dues « au temps et aux tremblements de terre ». Les détails lui revenaient en foule : « Les crevasses dont se plaignait tant leur mère étaient pour eux un sujet d'amusement. Il y en avait justement au-dessus du lit du petit Victor. Depuis son réveil jusqu'au lever, il regardait la campagne à travers... Derrière le palais était un ravin assez profond tout couvert de noisetiers. Ces noisetiers et ce ravin à monter et à descendre faisaient la joie des enfants... » C'est en janvier que Sophie et ses fils sont arrivés à Naples. Ce n'est qu'au printemps ou à l'été — plusieurs mois plus tard ! — que Victor et ses frères ont fait la connaissance de cette résidence où — Catherine Thomas ayant consenti à s'éclipser — ils n'ont dû séjourner que quelques jours. Pas plus de quelques jours. Léopold n'aurait pas toléré de se séparer davantage de sa chère maîtresse. Après quoi, Sophie et les enfants ont regagné la capitale du roi Joseph. Tristement. Amèrement. Et quand, un demi-siècle plus tard, Hugo racontera le voyage de Naples à sa femme, il dira que sa mère, ses frères et lui ont passé « quatre mois » à Avellino. Quatre mois !

Des enfants Hugo tels qu'ils étaient au temps du séjour napolitain, une lettre de Léopold à sa mère nous livre un croquis certainement fort exact. Elle nous montre Abel « grand, poli, posé, plus qu'on ne peut l'être à son âge » ; Eugène avec « la plus belle figure du monde, il est vif comme la poudre ». Quant à Victor, « il est posé, réfléchi, peu parleur et ne disant jamais qu'à propos. Ses réflexions m'ont plus d'une fois frappé. Il a une figure très douce. Tous trois sont de charmants enfants, s'aimant beaucoup entre eux et aimant bien leur cadet ».

Naples, pour Victor et ses frères, ce n'en seront pas moins, sur fond de Vésuve, des grandes vacances inespérées, presque illimitées : plus d'école, plus d'emploi du temps obligé. Ce sera l'insolite de Naples, ses couleurs outrées, ses ruelles peuplées des criailleries des *lazzaroni* et du chant de mandolines. Naples et ses odeurs fortes. Naples et ses églises prises d'assaut comme une place publique ou un marché. Naples et ses enfants dépenaillés, s'agenouillant pour une piécette, mais plus fiers qu'un duc d'être napolitains. Naples et ses palais, immenses et baroques, souvent divisés en appartements dénués du moindre confort ; c'est l'un d'eux qu'habitent Sophie, Abel, Eugène et Victor. Naples et sa vermine. Naples et son armée de prêtres noirs qui, selon les ordres auxquels ils appartiennent, glissent le long des murs ou marchent fièrement au milieu des rues. Naples, en un mot.

Sophie n'aime pas Naples. C'est encore Adèle qui le dit : « La mère, elle, était insensible à la nature. Elle n'était occupée que d'une seule chose, des mauvais gîtes qu'elle avait chance de rencontrer et de la puce qu'elle était sûre de trouver. » A Naples, elle restera donc dans sa chambre une grande partie de la journée et attendra que le soleil soit tombé pour conduire en calèche ses enfants jusqu'au bord de la mer.

Ce n'est pas seulement parce qu'elle perçoit mal les beautés de la nature et l'architecture que Sophie n'aime pas Naples. C'est parce que, dès le premier instant, elle a compris que ce long périple, elle l'avait effectué pour rien.

On ne refait pas l'histoire. Malgré tout, je reste persuadé que si Sophie s'était, dans un élan spontané, jetée dans les bras de Léopold, la charmante Catherine Thomas n'aurait pas fait long feu. Mais Sophie n'a ressenti aucun élan. Ce qu'elle n'éprouve pas, elle est incapable de le feindre — ce qui d'ailleurs est tout à son honneur. Elle n'a jamais aimé Léopold. L'amour, elle l'a découvert trop tard. Avec un autre. Quant à Léopold, il a renoncé à elle. Parce qu'il a enfin admis — il y a mis le temps — que sa femme avait elle-même à jamais renoncé à lui. Mais nous le connaissons, Léopold.

Bien sûr, il y a Catherine Thomas. Cependant peut-on imaginer que, voyant paraître devant lui cette jeune femme — qui est la sienne — et qu'il a tant espéré retrouver un jour, il n'ait pas tenu à lui manifester aussitôt qu'il était toujours son mari ? Comme elle a dû logiquement protester, tenter de se dérober, il est probable qu'il soit allé de force jusqu'au bout de son désir. Sanguin Léopold.

Imagination ? Cette étreinte, peut-être fugitive et pour Sophie révoltante, semble avoir laissé des traces. Que l'on veuille bien découvrir les lignes suivantes adressées d'Avellino par Léopold à Sophie :

« La seconde lettre aurait dû m'offrir quelques passages agréables ; elle en contient quelques-uns, mais la nouvelle que tu me donnes les efface tous. J'aime à croire que tes inquiétudes sont sans fondement ou seront sans suite. Le mal dont tu me parles est sans contredit bien à craindre, mais il ne l'est pas dans son principe, et des soins donnés par quelqu'un d'habile peuvent t'en débarrasser promptement. J'aimerais beaucoup à l'apprendre et surtout savoir que tu es dans le cas de ne rien négliger pour le rétablissement de ta santé. »

Quel sens peut-on donner à un tel passage ? Il ne s'agit pas d'une maladie. Une femme qui parle d'*inquiétudes* sait très bien ce qu'elle veut dire. Le mari qui espère que ces inquiétudes « sont sans fondement ou seront sans suite » s'exprime avec une indéniable clarté et quand il parle de « soins » donnés par quelqu'un « d'habile », il est allé jusqu'au bout de sa pensée.

Si nous admettons ce nouvel épisode — et comment ne pas l'admettre ? — nous sentons d'autant mieux, dépassant l'indifférence qu'elle a vouée jusque-là à Léopold, la haine que Sophie ne manquera pas de lui porter désormais. Non seulement elle a dû subir une manière de viol, mais il l'a engrossée et finalement contrainte aux démarches humiliantes, aux risques — et peut-être aux remords — d'un avortement. L'horreur. La fureur. La haine.

Il vit donc à Avellino. Elle est à Naples, délivrée de ses « inquiétudes ».

Mais les enfants ? Mais Victor ? Pour retrouver *papa*, ils ont accompli cet épuisant, cet effrayant voyage ; « exposer des enfants aussi jeunes, écrira Léopold, par une saison pareille, et pour une aussi longue route, était en quelque

sorte les vouer à la mort ». Pendant des semaines, ils n'ont
pensé qu'à l'instant de la rencontre. La vue du superbe uniforme a couronné leur rêve. Et puis, adieu l'uniforme. Adieu,
papa. Le vieux palais lézardé d'Avellino, on n'a fait que
l'entrevoir. Ces enfants-là ne seraient pas comme les autres
s'ils n'avaient le cœur lourd, très lourd.

Certes, Victor est petit. Il n'entend pas grand-chose à tout
cela. Mais il y a ses frères, surtout l'aîné, qui comprennent
mieux. Il y a des conversations devant lui. Des silences. Des
questions à leur mère où le nom de *papa* revient sans qu'elle
réponde.

Nul doute que, pour Victor, le souvenir napolitain ne soit
peuplé d'autant de tristesse que pour Sophie d'amertume. Il
n'en dira rien. Pas un mot à Sainte-Beuve, pas un mot à
Dumas. A Adèle, c'est un souvenir enchanteur qu'il confie. Il
montre ce père qui, la guerre à peine achevée, est tout au
bonheur de pouvoir appeler près de lui sa femme et ses
enfants. Il évoque les embrassades chaleureuses et émues, le
vieux palais dont les lézardes cuisent au soleil. Et quand il
faudra partir, il dira que ce sont les plus belles vacances de
sa vie qui s'achèvent.

Le plus déchirant peut-être, ce n'est pas l'épisode vécu à
Naples par un Victor de six ans. C'est le travestissement
volontaire qu'il s'est imposé à lui-même.

Après avoir cru éternel le partage du monde esquissé avec
le tsar Alexandre — les conquérants sont souvent des naïfs —
Napoléon s'est tourné vers l'Espagne. Quand, le 4 mai 1808,
Léopold écrit à sa mère que, si ce n'étaient les enfants, il se
séparerait définitivement de sa femme, il ne peut savoir que,
deux jours plus tôt — le *Dos de Mayo* —, les Madrilènes ont
levé l'étendard de la révolte contre les Français de Murat et
que, paradoxalement, ce soulèvement réprimé à la manière
forte va décider de son propre avenir. Le roi d'Espagne
Charles II abdique sa couronne en faveur de Napoléon
qui s'en dessaisit aussitôt au profit de son frère Joseph.
Mais Joseph n'oublie pas ses amis. Le 3 juillet 1808, Léopold
Hugo quitte Naples pour l'Espagne où l'appelle le nouveau
roi.

Sophie n'a plus rien à faire en Italie. Sans doute va-t-elle
retenir une voiture pour les jours qui suivent ? Pas du tout.
Elle reste sur place jusqu'en décembre. Impossible d'expli-

quer la bizarrerie d'une telle attitude si ce n'est par l'espoir
de pouvoir mieux bénéficier là du pactole qui va assurément
fondre sur son mari. « Tout bonheur matériel repose sur des
chiffres », dira Balzac. Les lettres que lui adresse désormais
Léopold — la première étant de Vittoria, le 10 octobre — ne
parlent à peu près que d'argent. Quant à l'état de leurs relations, quelques lignes suffisent pour que nous soyons fixés :
« Les enfants recevront une éducation qui me permettra de
pousser leur carrière et de cette manière ils ne se ressentiront point de la rupture que nous avons établie entre nous. Il
faudra qu'ils ignorent cette rupture et être assez prudents
pour ne pas les en rendre participants par des éclats injurieux contre l'un ou l'autre. Nous nous sommes prouvé que
nous ne pouvions pas vivre ensemble, mais l'intérêt de nos
enfants l'ayant emporté sur la nécessité d'un acte public de
séparation, tu devras les élever dans un égal respect pour
moi comme pour toi. »

La page est tournée. Le 22 décembre 1808, Sophie passe
marché avec un *vetturino* du nom de Luigi Bugamali. Il lui en
coûtera 30 louis et 24 francs de France et Luigi s'engagera à
la conduire, elle, sa femme de chambre et ses « trois enfants
mâles », de Naples à Milan, en dix-huit jours. Il s'engage également à lui assurer la nourriture, « le coucher dans trois lits
propres », la sécurité. Il promet que les malles seront atta-
chées par des « chaînes de fer » et jure que la place libre, près
du conducteur, ne sera occupée que « par une personne honnête ».

Ce Luigi se révélera homme de parole. Victor va revivre ses
angoisses de l'aller, mais la voiture ne versera pas. Le 10 janvier 1809 on sera à Bologne, à Milan le 15. La malle-poste de
Lyon les déposera à Paris, le 7 février, dans la cour de l'*Hôtel
des Postes*.

III

GOYA

> D'ordinaire les empires conquérants meurent d'indigestion.
>
> Victor HUGO.

O ù se loger au retour à Paris ? A Avellino, pour parler d'études sérieuses, Léopold s'était composé un visage sévère. Il répétait et Victor s'en souviendra : « Ah ! ça, mes chers garçons, il va falloir travailler... Il n'y a pas à plaisanter avec l'éducation des hommes. Le moment est venu d'apprendre. » Un soir, « comme le petit Poucet entendant la détermination de ses parents de le perdre, lui et ses frères », les enfants ont écouté à travers la porte les paroles de leur père exigeant de leur mère que l'on « mît Abel, son aîné, dans un lycée et les deux plus petits dans une école [1] ».

L'habitation qui doit remplacer l'appartement de la rue de Clichy, Sophie va donc la chercher dans le quartier des écoles. Elle tient à une maison avec un jardin. « Elle était indifférente au grand côté de la nature, dit Adèle, mais elle adorait les fleurs et par conséquent les jardins. » Découvrant au numéro 250, rue Saint-Jacques, une maison à louer avec jardin, elle signe sans visiter. Certes le jardin est une réalité, mais le logis se révèle si exigu que, faute de chambres en suffisance pour les enfants, il devient impossible de vivre là bien longtemps. De nouveau, Sophie se met en quête. Un jour de septembre 1809, elle rentre : elle a trouvé — qui plus est tout à côté.

1. *Manuscrit d'Adèle.*

Abel, déjà pensionnaire au lycée, ne peut être informé séance tenante. Mais, le lendemain matin, Sophie entraîne Eugène et Victor — neuf et sept ans — découvrir la nouvelle maison. Un jardin ! La merveille se situe impasse des Feuillantines au numéro 12. Pour pénétrer dans cette impasse, on se glisse entre les numéros 261 et 263 de la rue Saint-Jacques. Et les voilà figés, les deux frères, bouche bée, yeux écarquillés. Pour mesurer l'éblouissement ressenti aussitôt par Victor, il n'est que de rêver avec lui :

> Le jardin était grand, profond, mystérieux,
> Fermé par de hauts murs aux regards curieux
> Semé de fleurs s'ouvrant ainsi que des paupières,
> Et d'insectes vermeils qui couraient sur les pierres,
> Plein de bourdonnements et de confuses voix ;
> Au milieu, presque un champ ; dans le fond presque un bois [1]...

Les Feuillantines étaient un couvent. Sous la Révolution, un certain Lalande l'a acheté comme bien national. Il en occupe une partie, loue l'autre qui deviendra l'asile béni des Hugo. En tout, une superficie d'environ 200 mètres de long sur 60 mètres de large. Au fond de l'impasse une grille donne accès à une cour assez large. De plain-pied, on entre chez Mme Hugo. « Quelque chose d'assez sombre — un palier ou une antichambre — menait à une salle à manger qui avait le salon à sa droite. » Les deux pièces « donnaient sur le jardin. Elles étaient au midi, boisées, avec de hautes fenêtres pleines de ciel et de chants d'oiseaux ». Cela, c'est Adèle qui l'écrit. Petite fille, elle a bien connu les Feuillantines : « Elles ont pour moi le charme de tout ce qui est loin... Je me rappelle les plates-bandes garnies de fleurs, proches de la maison, le puisard et la grande allée du fond, où l'on avait installé une balançoire qui était d'une grande ressource pour les amusements de notre petit monde. On en usait sans discrétion, les arbres où elle était attachée s'en ressentaient, leur écorce était toute rongée... »

A la première visite, seule la présence de M. Lalande, le propriétaire, a empêché les petits de s'élancer. Un geste, un sourire et les voilà qui se précipitent à la découverte de ce jardin qui déjà leur semble un parc immense, mieux : une forêt vierge. Car des enfants, dans l'enchevêtrement des

1. *Les Rayons et les Ombres.*

branches non taillées, des buissons retournés à l'état de nature, des herbes folles, peuvent se croire aussitôt plongés dans le mystère d'une jungle. Ils se récrient, ils s'appellent : « Par ici ! Par ici ! »

Et voilà l'allée de marronniers où l'on sait déjà que l'on accrochera une balançoire. Et voilà le puisard à sec, admirable forteresse pour jouer à la guerre et donner l'assaut. Et puis, surgissant d'espaliers à demi brisés, quelque chose qui ressemble à un reposoir, des vestiges de croix et des niches de saints. S'effaçant sur un mur, cette inscription : PROPRIÉTÉ NATIONALE.

Une surabondance de fleurs sauvages, des arbres flanqués de surgeons jamais entrevus, des branches qui ploient sous les fruits, à ce point que les deux petits garçons seraient incapables même de ramasser ceux qui gisent à terre. Quand ils découvrent des treilles chargées de raisin, l'envie folle les saisit d'en dévorer des grappes entières. M. Lalande, s'avançant en compagnie de Sophie, les voit soudain arrêtés par la convoitise. Bonhomme, il leur crie qu'ils peuvent manger autant de raisin qu'ils voudront. Victor se rappellera que son frère et lui en sont revenus « ivres ». Proposition à soumettre à la faculté : un enfant peut-il s'enivrer avec du raisin frais ?

Le dimanche suivant, c'est Abel, surgi de son lycée en uniforme à boutons dorés, qui paraît. Abel à qui Eugène et Victor, gravement, présentent « leur » jardin. Et vient le jour de l'emménagement. Victor et Eugène ont emballé les soldats de plomb, les canons miniatures. Ils ont empaqueté les toupies, les billes. Ils ont serré dans des cartons leurs images les plus précieuses. Surtout, a dit Sophie, n'oubliez rien ! Que l'on n'ait pas à revenir ! De l'ancien logis au nouveau paradis, on est allé à pied. Il n'a fallu que cinq minutes. Pour la première fois, on y a couché. Pour la première fois, on va s'y réveiller. Des Feuillantines Hugo dira un jour : « C'est le soleil levant de ma vie. »

Dans l'œuvre de Hugo, certains thèmes seront, sous des formes différentes, traités à plusieurs reprises. Aucun autant que celui des Feuillantines. Sans cesse il y revient. Et sans cesse il revient à Sophie.

Durant toutes ces années, pour le petit Victor, Sophie incarne aussi bien le père absent que la mère d'autant plus présente. L'amour, c'est à la mère qu'il le voue. L'obéissance, c'est à la mère qu'il la doit. Elle gouverne sa vie, tout entière. Tous ses gestes, toutes ses pensées lui sont adressés. C'est Sophie, naturellement, qui a décidé de l'époque où les deux « petits » — dans toutes les familles on appelle ainsi ceux qui ne sont pas l'aîné — iront à l'école. Il en est une, rue Saint-Jacques, où un couple, brave homme, brave femme, apprend aux fils d'ouvriers à lire, écrire, compter. Victor a cru long-temps que ce La Rivière était un ancien prêtre de l'Oratoire, défroqué pendant la Révolution. D'érudites recherches ont montré qu'il n'en était rien. La Rivière à Paris, comme Fou-ché à Nantes, servait à l'Oratoire sans avoir reçu les ordres. Le futur duc d'Otrante était professeur, La Rivière une manière de répétiteur. Est-elle vraie l'histoire à laquelle crut Victor? La Révolution aurait épouvanté La Rivière et, pour fuir l'échafaud auquel il était convaincu que son célibat le conduisait tout droit, il aurait épousé sa servante; au temps des Feuillantines, assisté par sa femme il n'en apprend pas moins fort bien le B A-BA aux gamins du quartier. Il est suffi-samment frotté de latin et de grec pour pouvoir les ensei-gner, ce qu'il fera plus tard aux frères Hugo, obtenant des résultats si remarquables qu'ils plaident pour la science du professeur.

Voilà donc Victor dans sa première véritable école. On l'assied à un pupitre. La Rivière s'approche pour lui montrer ses lettres. Le petit garçon l'arrête. Il déchiffre à livre ouvert la page que La Rivière commençait à épeler. Ainsi découvre-t-on que Victor sait lire. Il a appris tout seul en regardant les lettres.

L'écriture viendra très vite, et aussi l'orthographe. Durant le premier semestre, la mère La Rivière — comme les enfants l'appellent sans respect — pourra, d'un trait, lui dicter un Évangile entier. Il ne fera qu'une seule faute : bœuf sans o.

L'école ne prend qu'une partie de la journée. Le matin, avant de s'y rendre, Victor et Eugène courent au jardin. A peine, l'après-midi, sont-ils rentrés qu'ils s'y précipitent dere-chef. Ils salissent leur chemise, ils déchirent leur culotte. Sophie, en femme qui doit compter, les habille en hiver de gros drap marron, en été de forte toile. Mais quelle est la toile, quel est le drap qui résisteraient à des jeux d'enfants en bonne santé?

Sophie a-t-elle su quelque chose du *sourd*? Les enfants ont leurs mystères auxquels rarement participent les parents. Si

l'on veut savoir ce qu'était le *sourd*, il suffit d'ouvrir *les Misérables*. Le *sourd*, c'est un « monstre fabuleux qui a des
écailles sous le ventre et qui n'est pas un lézard, qui a des
pustules sur le dos et qui n'est pas un crapaud, qui habite les
trous des vieux fours à chaux et des puisards desséchés, noir,
velu, visqueux, rampant, tantôt lent, tantôt rapide, qui ne crie
pas, mais qui regarde, et qui est si rapide que personne ne l'a
jamais vu ».

A peine rentré de l'école, aussitôt poussée la grille du cul-
de-sac, Victor lance à Eugène :

— Allons au *sourd* !

Ils jettent leurs cahiers à la volée, ne permettent pas à leur
mère de les embrasser, s'élancent, courent vers le puisard,
écartent les ronces, ôtent les briques, fouillent les trous :

— Je le tiens !

Mais on ne trouve jamais le *sourd* ! On voudrait que les
journées ne finissent pas. Mais l'heure arrive, fatale, désespérée, où il faut s'aller coucher. Encore cinq minutes ! Non,
c'est l'heure.

Vite au lit. Une prière et le petit Victor s'endort dans
l'attente d'une autre journée au paradis des Feuillantines.

Une prière ? Tout démontre — et un avenir proche le prouvera plus encore — que Sophie s'est refusée à donner une
éducation chrétienne à ses enfants. Pourtant, on ne peut nier
la réalité de cette prière du soir, car Hugo lui-même s'en est
souvenu : « Dans mon enfance, j'avais au-dessus de mon lit
un petit tableau entouré d'un cadre noir que je ne sais quelle
servante allemande avait accroché au mur. Il représentait
une vieille tour isolée, moisie, délabrée, entourée d'eaux profondes et noires, qui la couvraient de vapeurs, et de montagnes qui la couvraient d'ombre. Le ciel de cette tour était
morne et plein de nuées hideuses. Le soir après avoir prié
Dieu et avant de m'endormir, je regardais toujours ce
tableau [1]. »

L'intérêt de cette citation, c'est que la prière n'y vient que
par allusion. Avant tout Hugo nous parle du tableau et de son
sujet, la Maüseturm. Le détail n'en sonne que plus vrai. Au
fait, peut-être la prière n'était-elle dite que par l'inspiration
clandestine de l'excellente servante Claudine. Nous savons
aussi par un poème des *Contemplations* qu'un jour, sur le

1. *Le Rhin*, XX.

haut d'une armoire, les frères Hugo ont trouvé un gros livre noir : une Bible. Ils l'ont ouvert, se sont aperçus avec ravissement que le volume était illustré d'estampes.

> Nous lûmes tous les trois ainsi, tout le matin
> Joseph, Ruth et Booz, le bon Samaritain
> Et toujours plus charmés, le soir nous le relûmes.
> Tels des enfants, s'ils ont pris un oiseau des cieux
> S'appellent en riant et s'étonnent, joyeux,
> De sentir dans leur main la douceur de ses plumes.

Le dimanche, avec l'apparition d'Abel, l'aîné, le savant, les jeux prennent un tour nouveau, plus sérieux. On ne se juge cependant réellement au complet que lorsque Mme Foucher conduit ses enfants aux Feuillantines. Pour longtemps, les Foucher deviendront les meilleurs amis de Sophie. Victor Foucher, du même âge que Victor Hugo, Adèle qui a une année de moins, sont faits pour être compagnons de jeux des jeunes Hugo. La petite fille, surtout. Parce que son frère, ataviquement, est ce que l'on appelle une bonne pâte : il ne sait pas riposter. Et l'autre Victor, le fils de Sophie, en profite. Adèle nous livre un portrait du jeune Victor Hugo bien loin de la biographie qu'a voulu tracer le *témoin* : « Mon mari, qu'aucune agression ne pourrait faire sortir de son aménité, était un tortureur dans son enfance. Il donnait *des manchettes,* amusement qui consiste à désarticuler les os des poignets. » La désarticulation dont parle Adèle aurait conduit les victimes à l'hôpital. On vous pardonne votre erreur, Adèle. Votre *manuscrit* démontre d'ailleurs qu'il s'agit bien de l'une de ces torsions que, pour ma part, sans savoir pourquoi, j'ai toujours appelée « norvégienne » : ce frottement autour du poignet, auquel nous nous sommes tous livrés sur le poignet d'un frère ou d'un camarade, et qui, de plus en plus rapide, conduit à une douleur aussi vive qu'éphémère, mais insupportable au plus endurci. « Il s'exerçait sur ses camarades ; les poignets de mon frère en étaient bleus. » Le pauvre Victor Foucher se laissait faire et ne disait rien. Une voisine, Mme Delon, l'en grondait. Elle se fâchait contre le cadet des Hugo :

— Comment peux-tu faire tant de mal à ce pauvre petit Foucher qui est bon comme le pain ?

Et la balançoire des Feuillantines ! Adèle n'oubliera pas :

Victor, « en vrai petit garçon qu'il était, mettait son amour-
propre à aller très haut. Il montait debout sur l'escarpolette,
se tenait raide et tendu ainsi que la corde qu'il avait dans les
mains, puis il donnait de vigoureux élans jusqu'à ce que son
corps se perdît dans les panaches verts des arbres que la
balançoire faisait onduler de haut en bas... Chacun allait à
son tour dans la balançoire. Je m'y mettais lorsque mon tour
arrivait. Je préférais me balancer seule que d'être balancée,
parce que les garçons, qui ont du plaisir à la force, me faisaient aller trop haut. Pourtant, quelquefois, je me laissais
faire. Après avoir posé mes conditions. Mais, je me refusais à
ce que le petit Victor prît la corde parce que lui ne cédait
jamais à mes prières — et, quoique je lui dise, poussait la
corde de toutes ses forces... »

Grande rivale de la balançoire : la brouette. Elle est antique, son unique roue grince et tressaute. Quelle importance !
Qu'elle le veuille ou non, on y assied Mlle Adèle et on lui
bande les yeux. Les garçons la voiturent dans les allées, lui
intimant l'ordre de dire où elle est. Chaque fois qu'elle se
trompe, c'est une rafale de rires. Mais de temps en temps,
elle dit juste. Arrêt immédiat. Les soupçons déferlent. On inspecte le bandeau et l'on s'aperçoit qu'elle a triché. Les garçons se fâchent : il faut recommencer ! On serre tant le mouchoir qu'il laisse une profonde trace noire. Quand ils sont las
de jouer avec une fille, les garçons passent à quelque chose à
leurs yeux de beaucoup plus important. Ils déracinent les
échalas du jardinier et, décrétant que la niche à lapins sera
une forteresse, choisissent ceux qui vont la défendre et ceux
qui, du bas, l'attaqueront. Fatiguée de soigner les écorchures,
Sophie, dictateur obéi, interdira les échalas.

Il arrive aussi que Victor et Adèle non seulement courent
ensemble, mais s'empoignent. On se dispute la plus belle
pomme du pommier. Victor frappe Adèle pour un nid
d'oiseaux. Elle pleure. Victor, méchamment, crie que c'est
bien fait. Elle et lui, de concert, s'élancent vers leurs mères
qui tout haut leur donnent tort et raison tout bas [1].

Je n'ai pas encore parlé de la chapelle. Car, au fond du jardin, derrière les massifs, ce qui se perd sous les lierres et les

---

1. *Dernier jour d'un condamné*, chapitre XXXIII. Les souvenirs d'enfance
que Hugo prête au condamné ne sont autres que les siens.

branches, et derrière l'inscription PROPRIÉTÉ NATIONALE, c'est bien une chapelle.

Imaginez un édifice à l'abandon, deux pièces. Dans l'une on devine un fragment d'autel. L'autre est une sacristie. En somme une chapelle devenue cabane de jardin, envahie par les bêches, les pelles, les rateaux, les arrosoirs. Ce que le temps a le moins endommagé, c'est la sacristie.

On y va rarement. Pourtant, un jour, non sans étonnement, les enfants voient Sophie, aidée de la servante, débarrasser la pièce des outils de jardinage. On balaie, on frotte, on lave. Plus surprenant encore, on apporte là un lit, une table, une « toilette », deux chaises. Quelqu'un va donc vivre dans cette chapelle ? Oui, quelqu'un : Lahorie.

C'est le propre de l'enfance : tantôt elle imagine des mystères là où il n'en existe pas, tantôt elle les refuse quand ils sont évidents. Victor n'a pas dû s'étonner de voir la petite bande des Feuillantines s'accroître en une seule nuit d'un élément de plus. Son parrain, il ne l'a jamais connu, rue de Clichy, que surgissant de la nuit pour rentrer dans la nuit. De telles visites ont doté son personnage de contours acceptés : ceux de l'homme que l'on voit devant soi à l'instant même où on ne l'attendait pas. On n'attend pas Lahorie aux Feuillantines. Le voilà. Il s'installe. Fort bien.

Une question se pose : la location de la demeure et de son jardin a-t-elle été préméditée par Sophie, non seulement pour y fixer sa propre habitation et celle de ses enfants, mais aussi pour recevoir Lahorie ? Adèle nous dit que c'est « en 1809 » que Lahorie est venu loger aux Feuillantines. Dans un récit des *Actes et Paroles*, Hugo précise : « C'était un soir d'été. » Rappelons-nous que la première visite des Feuillantines se situe en septembre, puisque les enfants font une orgie de raisin ce jour-là, et que le raisin ne mûrit pas à Paris avant septembre. Il est de très beaux mois de septembre et cela correspond donc au souvenir de Hugo : « C'était un soir d'été. » Quand on lit le récit du *témoin*, on ressent l'impression que la famille Hugo est établie depuis longtemps aux Feuillantines lorsque survient Lahorie. Une fois de plus, nous sommes en présence d'une transposition volontaire. En fait, Lahorie est venu s'établir auprès de sa maîtresse dans les tout premiers jours de leur installation. Le premier soir, il dîne avec Sophie et les enfants. Ceux-ci le revoient le lendemain, le surlendemain. Et tous les jours qui suivent.

Ces jeux, ces courses éperdues, ces amitiés enfantines, ces disputes éphémères, ce vert paradis, nous procurent une sensation de paix immense et de bonheur presque idéal. Nous nous sentons loin, très loin dans l'espace et le temps. En fait, tout cela se déroule pendant que Napoléon et sa Grande Armée galopent d'un bout à l'autre de l'Europe. Les aigles, la redingote grise, les bonnets à poils écrivent ensemble une histoire que les *Te Deum* à Notre-Dame, les fanfares et les défilés offrent aux Parisiens comme des présents de gloire.

Ce Victor qui grandit n'échappera jamais à l'épopée, même au temps de sa foi légitimiste. Quand il haïra le neveu de Napoléon, la grande ombre de l'oncle l'accompagnera encore. Il n'oubliera pas ces jours de fête où tonnait le canon des Invalides, où, le soir venu, les lampions s'allumaient aux fenêtres cependant que l'on tirait des feux d'artifice : « La cité avait une auréole, comme si les victoires étaient une aurore ; le ciel bleu devenait lentement rouge. » Il se souviendra de ces deux dômes qui dominaient le jardin : celui du Val de Grâce, tout près, avec la flamme flottant à son sommet, lui semblait « une tiare qui s'achève en escarboucle » ; à l'autre, plus loin, celui du Panthéon, « gigantesque et spectral », il voyait « autour de sa rondeur un cercle d'étoiles comme si, pour fêter un génie, il se faisait une couronne des âmes de tous les grands hommes auxquels il est dédié ». Il se souviendra que la lumière de la fête, « clarté superbe, vermeille, vaguement sanglante, était telle qu'il faisait presque grand jour dans le jardin [1] ».

Mais ces fêtes parviennent jusqu'à lui comme un écho assourdi, la trajectoire amortie d'une flèche au bout de sa course. Il entrevoit plus qu'il ne voit. « Je vivais dans ce jardin des Feuillantines, j'y rôdais comme un enfant, j'y errais comme un homme. »

C'est l'enfant qui accueille Lahorie. L'homme donnera tout son sens à sa présence aux Feuillantines.

Donc, en septembre 1809, Victor Fanneau de Lahorie, las de chercher éperdument de nouveaux refuges, accepte l'offre de Sophie. La chapelle l'attend. Il y vient. Pour le bonheur de Victor et de ses frères. Cela, il faut le dire. Aucun homme avant Lahorie n'aura produit sur Victor une impression aussi

1. *Actes et Paroles.*

forte, aussi durable. Rien de fictif cette fois dans ces images neuves qui vivront si longtemps, si fortement en lui. Lahorie levant de terre Victor à bras tendus, le lançant en l'air très haut, le recevant dans ses bras, « à la grande terreur de la mère, mais à la grande joie de l'enfant ». Lahorie encore accourant de la chapelle, à la fin de l'après-midi, quand Victor et Eugène reviennent de l'école. Lahorie refermant le livre qu'il lisait, le plus souvent un auteur latin — car en ce temps-là les militaires lisaient le latin couramment. Lahorie tout entier appartenant aux enfants.

L'été, pour le dîner, Sophie n'exige aucun protocole. Les petits s'assoient sur les marches du perron. On pose là plats et assiettes. C'est Lahorie qui découpe et sert. Il se hâte, car les enfants ont grande envie d'aller s'amuser encore. Mais, si d'aventure, pendant le repas, Lahorie commence une histoire, les garçons restent cloués sur leur marche. Jouer ? Il n'en est plus question tant sont belles les histoires que conte le général. Mais, le soir, Lahorie se manifeste encore. Il demande qu'on lui apporte les devoirs préparés pour l'école. Il les lit, les commente, les corrige s'il le faut. L'année suivante, quand La Rivière mettra Victor au latin — à cette époque les enfants apprenaient le latin à huit ans — Lahorie l'aidera à expliquer Virgile.

Ce qui intrigue Victor, c'est, lorsqu'ils vont se promener au-dehors, que leur grand ami ne les accompagne jamais. Les enfants ont beau le supplier, il se découvre toujours quelque nécessité qui le tient cloué à la maison. En fait, Lahorie ne sort jamais du jardin. Autre étonnement de Victor : cet hôte qu'il voit comme le plus sociable, le plus liant des hommes, devient tout à coup sauvage et misanthrope quand il s'agit de quelqu'un d'autre. Un coup de sonnette, et il court s'enfermer dans sa sacristie. Lorsque les garçons lui demandent pourquoi il agit ainsi, il répond qu'il déteste le monde, qu'il n'aime que les livres, les jardins et les enfants. Seul M. Foucher est au courant de sa présence aux Feuillantines. De lui seul Lahorie accepte les visites.

Victor a-t-il *su* ? Sous l'Empire, assurément non. Il a sept ans quand Lahorie s'installe aux Feuillantines, moins de neuf ans quand le sort les séparera. Mais plus tard ?

Sous la dictée de son mari, Adèle explique à ses lecteurs pourquoi Mme Hugo a offert sa maison : « La même loi qui frappait le condamné atteignait le receleur. Il fallait donc plus que de la générosité. Madame Hugo avait ce plus, elle était brave. » C'est un certain général Bellavesne qui lui aurait demandé de procurer un refuge à Lahorie. Elle lui aurait répondu qu' « elle offrait sur l'heure sa maison à Lahorie. Cette offre lui paraissait d'autant plus naturelle qu'elle le connaissait d'ancienne date, qu'il avait toujours été plein de grâce pour elle et pour les siens et qu'il avait rendu service à son mari. Son devoir vis-à-vis de Lahorie proscrit se doublait de ce qu'elle lui devait ». C'est cela, justement, qui nous éclaire. Hugo s'acharne à faire croire que, depuis l'armée du Rhin et sa propre naissance, sa mère et Lahorie n'ont plus eu de contacts. A-t-il oublié ce qu'il a confié à Sainte-Beuve : que Lahorie a passé trois jours rue de Clichy chez sa mère ? Il l'a oublié. Ignore-t-il que, dans une lettre à Sophie du 9 septembre 1806, Léopold Hugo a attribué les ennuis qu'il rencontrait relativement à son avancement à leurs « liaisons » avec Lahorie ? Il ne l'ignore pas. Quand il égare Adèle pour qu'elle égare le public, il connaît les lettres de son père, mais n'imagine pas qu'elles soient lues par d'autres que lui. Le travestissement apparaît si fort qu'il démontre le mensonge. Et le mensonge prouve que Hugo adulte a *su*.

En 1875, il reviendra sur les Feuillantines. Parlant de lui à la troisième personne, il écrira : « L'enfant voyait aller et venir, entre deux guerres dont il entendait le bruit, revenant de l'armée et repartant pour l'armée, un jeune général qui était son père et un jeune colonel qui était son oncle ; ce charmant fracas paternel l'éblouissait un moment ; puis, à un coup de clairon, ces visions de plumets et de sabres s'évanouissaient, et tout redevenait paix et silence dans cette ruine où il y avait une aurore. »

C'est beau. Mieux que beau. Mais Léopold Hugo n'est pas venu aux Feuillantines. Le « charmant fracas paternel », ce sont les Feuillantines telles que Hugo les a rêvées. Habitées par un père qui n'y fut jamais.

Un matin, le général Bellavesne accourt aux Feuillantines. L'un des rares de qui Lahorie ne fuit pas le coup de sonnette. Triomphant, il raconte. Il a dîné la veille au ministère de la Police. Le titulaire ne s'appelle plus Fouché, hélas, mais Savary. Après le dîner, le ministre a pris Bellavesne à part et lui a dit :

— Vous savez où est Lahorie. Voici longtemps qu'il se cache. Je comprenais cela dans les premiers mois, il faisait bien alors de se soustraire à la justice. Le gouvernement n'était pas encore solide et ne pouvait pas se laisser toucher. Maintenant l'Empire est fort, il est maître en France et en Europe, il est épousé par les vieilles monarchies, de quoi voulez-vous que nous ayons peur ? Sa Majesté est heureuse et n'en veut plus à personne. Dites donc à Lahorie qu'il n'a plus rien à craindre et qu'il peut sortir librement.

Devant de tels propos, Bellavesne s'est contraint à la prudence. Il a dit qu'il ne savait nullement où était caché Lahorie, que d'ailleurs il le croyait en Angleterre.

— Il n'est pas en Angleterre, a dit Savary de son ton tranchant habituel. Il est à Paris. Je le sais. Et vous le savez aussi. Je ne vous demande pas où. Est-ce que je ne le saurais pas dans une heure, si je voulais ? Si je vous en parle, c'est uniquement par amitié pour lui qui doit souffrir de toute cette gêne inutile. Répétez-lui ce que je vous ai dit et qu'il en fasse ce qu'il voudra.

Comme il est tenté, Lahorie ! Et comme elle se méfie, Sophie Hugo ! Pour elle, c'est un piège. Lahorie ne veut pas croire qu'un vieux camarade montrerait tant de duplicité. Sophie comprend qu'il va céder, se livrer. Elle élève la voix, obtient au moins que Bellavesne retourne au ministère de la Police. Cette fois, Savary va droit au but :

— Il a besoin d'air, ce troupier ! Allons, dites-lui donc qu'il n'a plus rien à craindre et que je l'attends.

Bellavesne court de nouveau aux Feuillantines. Lahorie écoute attentivement. Bellavesne lui demande ce qu'il compte faire, il répond qu'il verra. Sophie se récrie : « On n'est pas assez simple pour croire à la parole d'un homme de police ! » Lahorie ne répond pas.

Le lendemain matin, à l'heure du déjeuner, la servante vient dire à Sophie qu'il n'y a plus personne dans la sacristie. Sophie sursaute, court à la vieille chapelle. Personne en effet.

Au moment où elle rejoint la maison, alarmée au plus haut degré, un cabriolet s'arrête à la grille de la cour. Par la fenêtre elle voit Lahorie sauter de voiture. Il accourt à elle, lui saisit les mains :

— Faites-moi compliment, je suis libre ! Je peux aller, venir, vivre, me voilà redevenu un homme, je suis ressuscité !

Il n'a pu résister. De grand matin, il s'est rendu chez

Savary qui l'a reçu, lui a sauté au cou, a rappelé leurs anciennes campagnes, juré que tout danger était éteint pour lui. Après trois quarts d'heure d'entretien le plus cordial, il l'a congédié avec une vigoureuse poignée de main :

— A bientôt !

Jamais peut-être Lahorie n'a déjeuné avec autant d'entrain. On achève, voici la cuisinière tout alarmée : elle vient de voir des hommes « à mine suspecte » traverser la cour. On sonne. Lahorie va lui-même ouvrir :

— Le général Lahorie ? demande un des hommes.

— C'est moi.

— Je vous arrête.

A peine pourra-t-il dire adieu à Sophie. C'est la prison qui l'attend.

L'histoire, telle que l'a racontée Hugo à Adèle, s'arrête là. Pas un mot sur la réaction des enfants, l'après-midi, à leur retour de l'école. Pas un mot de leurs cris certains, de leurs pleurs probables. Ces enfants sans père avaient, en la personne de Lahorie, découvert un substitut de paternité. Dans l'espace d'une journée, ils le perdent. Curieux que Hugo, si subtil à revivre ses sensations d'enfance, n'ait pas parlé de celle-là. En revanche, un thème revient sans cesse dans l'œuvre de Hugo : celui du proscrit, celui du caractère sacré de l'asile. L'homme qui se livre et devient victime de sa conscience, il le traitera maintes fois. De même celui de l'arrestation. Voyez par exemple celle de Gwynplaine dans *l'Homme qui rit.*

Dans la mémoire de Hugo, Lahorie deviendra l'un des mythes essentiels. Lorsque, plus tard, il prêtera à Lahorie les propos que l'Enjolras des *Misérables* tiendra à Marius — prenons garde que, dans la pensée politique de Hugo, ces derniers sont essentiels —, il situera exactement son parrain à la place qu'il veut lui réserver : la première. Je ne me sens pas obligé de croire que Lahorie fut ce saint laïque dont Hugo voudra nous imposer l'image. Mais je reste frappé par cette parole que lui fait prononcer le fils de Sophie dans le jardin des Feuillantines. Lahorie se tourne vers Victor, le regarde fixement et lui dit :

— Enfant, souviens-toi de ceci : avant tout, la liberté.

Il pose sa main sur la petite épaule, « tressaillement que je garde encore ». Et il répète :

— Avant tout la liberté.

Cette idée de liberté a éclairé la vie entière de Hugo. Il l'attribue à Lahorie et je ne puis me convaincre — ici — qu'il invente. De Lahorie, il dit : « Tel est le fantôme que j'aperçois dans les profondeurs de mon enfance. Cette figure est une de celles qui n'ont jamais disparu de mon horizon. Le temps, loin de la diminuer, l'a accrue. En s'éloignant, elle s'est augmentée, d'autant plus haute qu'elle était lointaine, ce qui n'est propre qu'aux grandeurs morales. L'influence sur moi était ineffaçable. Ce n'est pas vainement que j'ai eu, tout petit, de l'ombre de proscrit sur ma tête, et j'ai entendu la voix de celui qui devait mourir dire ce mot du droit et du devoir : Liberté. » Un mot a été le contre-poids de toute une éducation. »

Donc, dans le jardin des Feuillantines, un grand vide. Sur la maison des Hugo, une chape de chagrin. Comment Sophie serait-elle à même d'apporter aux enfants quelque réconfort que ce soit, alors que sa propre souffrance est plus vive que la leur, quoique d'une autre nature ?

Une seule manière de sortir les fils Hugo de leur mélancolie : leur parler de leur père. Malheureusement, l'occasion ne s'en produit pas souvent. Parfois des lettres arrivent d'Espagne. Sophie s'enferme pour les lire et les petits ne savent rien de ce qu'elles contiennent. Seul Abel, lors de sa sortie du dimanche, a droit parfois à ce privilège inouï : sa mère lui remet une lettre personnelle de Léopold Hugo. Si les petits savent quelque chose de ce personnage lointain et un peu mystérieux qu'est devenu leur père, c'est par Abel.

Un jour, cependant, Sophie va leur donner des nouvelles de ce père. Précieux *manuscrit d'Adèle*. Celle-ci nous retrace ce moment-là avec la précision d'un miniaturiste qui aurait lu Proust. C'est un matin. Victor et Eugène, désœuvrés, traînent dans la chambre de leur mère, tandis que la servante — toujours la fidèle Claudine — fait le lit, un lit Empire en acajou dont le chevet et le pied se terminent en haut par un boulet, dont les montants arrière sont surmontés par des coupes de bois couleur bronze et les montants du devant par deux étoiles de cuivre. Claudine s'acharne à retourner les deux énormes matelas de laine lorsque surgit Sophie. Elle s'approche des enfants et, avec un peu de solennité :

— Soyez bien contents, votre père est nommé général.

Manuscrit d'Adèle : « Général est un mot qui tinte fort à

des oreilles de petit garçon. Le lit empire, les colonnes, les vases couleur bronze, les étoiles de cuivre, la femme de chambre tournant les matelas, ne se séparent pas dans la mémoire de Victor Hugo de cette phrase : *Votre père est nommé général.* »

C'est qu'il a fort bien mené sa barque en Espagne, l'ancien colonel du Royal-Corse. A peine arrivé auprès de Joseph, le nouveau roi l'a attaché à sa personne. Léopold l'a accompagné dans toutes les opérations de Biscaye et de Navarre. C'est lui que Joseph a envoyé pour accueillir Napoléon, en novembre 1808, venu apporter son « formidable appui » aux armées de Joseph harcelées de toutes parts. D'une décision de Napoléon il a reçu le commandement d'un nouveau régiment, baptisé Royal-Étranger et surtout composé de prisonniers suisses, wallons — et même français — capturés au Retiro. Chargé de veiller à la sûreté des communications impériales, il a dû faire face à la guérilla. Nouvelle fatalité du destin : après la Vendée, Fra Diavolo ; après les *brigands* de Naples, ceux d'Espagne.

Les traînards de l'armée impériale étant capturés, torturés, mis à mort, Léopold a dû faire enlever quelques Espagnols d'un village soupçonné d'avoir pris part aux assassinats. Il les a fait pendre. Leurs têtes coupées ont été placées au-dessus de la porte d'entrée de l'église, leurs corps accrochés à un gibet planté sur le point le plus élevé de la route de Valladolid à Madrid. *Mémoires de Léopold :* « Cet exemple indispensable et terrible n'eut pas besoin d'être renouvelé. »

Avila restait un point menaçant. Le 16 janvier 1809, avec 400 hommes, Léopold a pris la ville qu'il a aussitôt fortifiée, prêt à repousser les assauts d'un ennemi de plus en plus redoutable. Avila est devenue une place de première importance, sur laquelle va pouvoir s'appuyer Soult lors du mouvement qui contraindra Wellington à la retraite. Joseph a voulu récompenser tant de fidélité et d'efficacité : le 20 août 1809, à la demande du maréchal Jourdan, Léopold a été fait maréchal de camp, sans passer par le grade de brigadier général. Il a reçu un million de réaux en cédules hypothécaires, ce qui correspond à peu près à 260 000 francs de l'époque. Joseph l'a nommé en même temps inspecteur général de tous les corps formés et reformés. Il a créé Hugo commandeur de l'Ordre royal d'Espagne, dignité enrichie de 30 000 réaux de rente. Comme il était de plus majordome du palais, à bon droit Léopold Hugo a pu se considérer comme l'un des premiers officiers de la Couronne. C'est pourquoi :

— Soyez bien contents, votre père est nommé général.

Les relations entre Léopold et Sophie ? Les époux s'écrivent de loin en loin des lettres de glace. Ils ne parlent que d'argent et il nous paraît bien loin le temps où le colonel napolitain gêné parvenait à peine à envoyer de quoi vivre à sa famille. Outre la pension qu'il fait maintenant verser à sa femme — 4 000 francs par an, « payables d'avance par trimestre chez MM. Ternaux » — il lui fait passer régulièrement des sommes de plus en plus importantes. A partir du grade de général, l'occupation rapporte. Sophie n'en est pas pour autant satisfaite. Léopold juge cela un peu fort : « *D'Avila, le 9 mai 1809.* C'est par le principe qui me dirige et m'a toujours dirigé que j'ai calculé vos besoins et les dépenses que l'éducation des enfants doit nécessairement occasionner. J'ai doublé la somme que par écrit vous aviez exigée de moi et vous pensez m'obliger à l'augmenter par vos menaces ; vous vous trompez... Adieu. Je souhaite que votre santé soit bonne. »

Le 2 juillet, toujours d'Avila, il lui fait passer une lettre de change de 6 000 réaux, c'est-à-dire environ 1 600 francs : « Mon intention est que vous l'employiez à payer vos dettes et à faire aux enfants les cadeaux que je leur dois pour leurs progrès et leur bonne conduite. » Le 10 avril 1809, Hugo autorise MM. Ternaux Frères à remettre à sa femme les fonds qu'il leur a confiés. Le 14 mai, il lui annonce une lettre de change de 6 000 francs. Le 2 août, c'est une lettre-bilan : nous apprenons que le général a avancé à sa femme une somme d'une trentaine de mille francs et qu'il tient à sa disposition 18 000 francs. En fait, si Hugo fait verser tant d'argent à sa femme, c'est qu'il a le projet d'acheter un domaine en France : « Vous pourrez voir si vous pouvez payer de suite le domaine dont je vous ai parlé et s'il vous reste 20 000 francs (déduction faite des fonds dont vous avez besoin pour une année) vous pourrez tirer sur moi, à un ou deux mois de vue pour 20 000 autres et je vous enverrai le restant en lettres à trois mois. Je vous répète que le domaine peut être de 60 000 francs, payables en trois ou quatre mois. Si vous en trouviez un, un peu plus cher, il faudrait qu'il y eût un peu plus de temps pour le paiement. Vous pouvez donc conclure pour le premier, selon mes premières intentions ; je ne pense pas qu'il vous faille d'autre autorisation, puisque vous n'avez pas cessé d'être mon épouse. Je ne vous limite pas dans mes vues : votre intérêt est au moins égal au mien : c'est celui de nos enfants, mais je vous répète que votre acquisition doit être susceptible d'amélioration et d'augmentation. »

Dans la même lettre, il annonce qu'il a soumissionné en Espagne un bien de 20 000 livres de rente : « Sa Majesté me protège beaucoup pour que j'en sois le propriétaire, mais, malgré cela, je tiens à un domaine en France. » Pour la première fois depuis longtemps la lettre comporte une formule qui va plus loin que la stricte politesse : « Adieu, Sophie, portez-vous bien. Je vous embrasse, ainsi que les enfants. »

Le général Hugo est comblé d'honneurs, couvert d'argent. Tant mieux. Il veut devenir propriétaire en France : cela s'explique. L'ennui est qu'un tel souhait, s'il est connu, sera très mal vu par le roi Joseph. Convoiter un domaine en France, c'est avouer que l'on doute de l'éternité de la nouvelle dynastie. Si Joseph a fait don d'un million de réaux à Hugo, c'est pour qu'il s'établisse en Espagne, point ailleurs. Pour détourner les soupçons, il a donc, sans l'avoir vu, acquis ce domaine dans la province de Ségovie. Ce qui ne l'empêche pas, en sous-main, de persister dans son projet français. *Léopold à Sophie*, 21 septembre 1806 : « J'ai calculé qu'en réalisant toutes les lettres de change antérieures vous pouviez avoir, votre pension d'un an mise à part, 20 000 francs devant vous. Je vous en envoie 30 000 et vais incessamment vous compléter la somme de 60 par les 10 000 qui vous manquent encore... Je vous embrasse, ainsi que les enfants que je félicite de tout mon cœur sur leurs progrès. »

Impossible d'en douter : avec une confiance quasi aveugle et sans la moindre garantie, Léopold vient de faire passer entre les mains de sa femme une véritable fortune. Il charge Sophie d'un mandat précis : acheter un domaine sur les revenus desquels il escompte vivre quand l'âge de la retraite sera venu et qui, dans son esprit, représente l'héritage de ses enfants. Certes, il y a longtemps qu'il ne se permet plus aucune illusion sur les sentiments que peut lui vouer cette épouse. Mais il est sûr de son honnêteté. A-t-il raison ? Trois ans plus tard, dans une requête au tribunal de Thionville, Sophie Hugo écrira ou fera écrire : « Le général prétendit (en 1811), comme il le fait aujourd'hui, que sa femme avait à lui des fonds considérables qu'il lui avait envoyés pour acheter une terre en France. » Sophie le nie hautement. Or nous savons, nous qui pouvons lire les lettres de Léopold et en quelque sorte vérifier l'envoi de chaque somme, qu'elle a bien reçu ces fonds-là. Nous savons aussi qu'elle n'a acheté aucun domaine. Avait-elle donc des dettes si criantes qu'il eût fallu de telles sommes pour les combler ? A-t-elle procédé à des placements clandestins pour préserver son propre avenir ? C'est ce que nous ne savons pas. Mais nous pouvons mesurer la colère d'un homme qui, disposant, pour la première fois de sa vie, de sommes importantes, les dépose entre les mains de sa femme, et s'aperçoit, quelque temps plus tard que non seulement il n'a plus rien, mais qu'elle nie avoir reçu quoi que ce soit !

Au début de 1811, Sophie peut croire que le pactole continuera à couler vers elle, éternellement. Lahorie est au secret et, à son grand désespoir, elle ne peut obtenir de ses nouvelles. Curieusement, elle se retrouve dans la situation qu'elle a connue naguère, lorsque, après la découverte de la conspiration de Moreau, Lahorie avait dû disparaître. Recevant de Naples les nouvelles d'une ascension inespérée de Léopold, elle était partie sans prévenir pour le rejoindre. Vaguement, au début de 1811, elle médite une aventure similaire.

Un jour, les enfants, assis à leur déjeuner, voient entrer, « vivement et joyeusement, avec des broderies sur tout l'habit et un grand sabre brillant qui lui traînait aux jambes » un homme de haute taille tout bruni par le soleil. Sophie, l'air un peu rechigné, accompagne cet officier. Elle le leur présente : « Votre oncle. » Il arrive d'Espagne, l'oncle Louis, il est colonel. Il était à Avila avec son frère Léopold. Victor et Eugène le dévorent des yeux. Littéralement, ils sont éblouis. Victor, racontant l'irruption de son oncle aux Feuillantines, dira à Adèle :

— Il nous fit l'effet de l'archange saint Michel dans un rayon.

C'est Léopold qui a appelé son frère Louis en Espagne, et aussi son autre frère, Francis. Louis est gai, beau causeur, non dénué de charme. Il parle de l'Espagne avec éloquence. Il peint la péninsule avec ces couleurs et ce pittoresque que mettront les voyageurs du XIXᵉ siècle à décrire l'Afrique. Il montre les Français orgueilleux de leur toute-puissance, les

Espagnols héroïques dans leur fanatisme. Un problème, ce fanatisme, mais l'armée française en viendra à bout. Depuis vingt ans, partout et toujours, n'a-t-elle pas été victorieuse ? Les enfants rêvent. Ce rêve a les couleurs de l'Espagne, pourpre et or. Apprendre que votre père est gouverneur d'Avila et de Ségovie, qu'il commande la province de Guadalajara, et aussi bien la seigneurie royale de Molina ! Un détail : depuis peu le général est aussi comte de Siguenza. Le titre est espagnol, mais authentique.

L'oncle Louis s'en est allé, laissant aux Feuillantines la trace d'un songe ébloui et superbe. Il a fortement incité Sophie à rejoindre son mari.

Un matin, Eugène et Victor trouvent sur la table de leur chambre des livres neufs. Sophie explique :

— Voici un dictionnaire espagnol et une grammaire. Vous allez vous y mettre dès aujourd'hui. Il faut que vous sachiez l'espagnol dans trois mois.

Au bout de six semaines ils vont en savoir assez pour le parler entre eux, avec cette réserve — mais elle est de taille ! — qu'ils ignorent tout de la prononciation.

Manuscrit d'Adèle : « La maison prit cette physionomie et l'air vide et triste qui précèdent les voyages. Les armoires restaient ouvertes, les effets étaient épars, les meubles dérangés et poudreux, les pauvres fleurs abandonnées ; le millet du serin n'était pas renouvelé et le chat attendait longtemps sa pâtée. On ne s'occupait plus que d'emplir les malles qui, bouches béantes, étaient à terre ; on ne parlait plus que relais, postillons, route, voiture... »

Seule de la maisonnée, Sophie n'est pas dupe des beaux contes de l'oncle Louis. Elle est très exactement renseignée sur la situation en Espagne. Elle sait que, dans le gouvernement de Guadalajara par exemple, sévit la plus ardente, la plus exacerbée des guérillas. C'est en spécialiste de la répression que le général a été nommé là. Depuis la fin de 1809, aucun courrier, aucune estafette de Paris, quittant Madrid, ne parvient au but en sécurité. A moins d'un kilomètre des postes français, les guérilleros les enlèvent, les égorgent et livrent leurs dépêches aux Anglais qui les publient avec allégresse. Un courrier, entre Valladolid et Salamanque, a été cloué sur la porte de Tordesillas. Il s'agit là d'un supplice très ordinaire. Souvent, pour corser l'affaire, on crucifie le Français la tête en bas, et sous cette tête, on allume un feu — petit pour que cela dure. L'Église tout entière est sur le pied de guerre, les moines jaillissent de leurs couvents pour animer la rébellion.

Impossible pour un Français de voyager seul. C'est la mort certaine. Alors, pour gagner Madrid, une seule solution : le convoi. A intervalles devenus quasi réguliers, il faut que Napoléon renfloue les caisses endémiquement ruinées de son frère Joseph. Plusieurs fourgons transportent de Paris à Madrid l'or nécessaire à l'entretien des troupes et aux dépenses du gouvernement espagnol. Cela s'appelle *le trésor*. On l'achemine au milieu de forces si considérables que nul guérillero n'ose s'y frotter. On attendra donc que des militaires, des fonctionnaires civils, des ayants droit de toutes sortes se trouvent réunis en assez grand nombre. On leur désigne une place au sein de ce cortège si formidablement protégé. Et cette citadelle ambulante se met en route. Aux premiers jours du printemps, une lettre parvient aux Feuillantines. Qui d'autre que l'oncle Louis aurait pu la faire écrire ? Elle avertit la comtesse Hugo qu'un convoi partira bientôt de Bayonne et qu'elle doit s'y rendre sans tarder. Sur-le-champ, elle court prendre chez Ternaux 12 000 francs pour le voyage. On a bien lu : 12 000 francs ! Elle se fait établir un passeport au nom de Mme Hugo, née Trébuchet de la Renaudière. C'est la première fois — et la dernière — que surgit cette particule inattendue, entée tout entière sur une propriété qui ne lui appartient pas. Le 10 mars 1811, dix jours avant la naissance à Paris du roi de Rome, Victor grimpe, avec sa mère et ses frères, dans l'énorme diligence, complètement réservée à la famille Hugo, qui va les conduire à Bayonne. Ce qui attend l'enfant, c'est une découverte pour lui primordiale, celle de l'Espagne. C'est aussi la guerre à neuf ans.

Je le vois s'avancer sur les routes, le monument roulant, haut perché entre ses quatre gigantesques roues. A l'intérieur, six places, juste ce qu'il faut à Sophie, escortée de ses trois fils, de Claudine et du domestique Bertrand. Sur le toit, je découvre le coupé où, sous une capote de cabriolet, on peut tenir à deux, à condition de ne craindre ni pluie ni vent. Au-delà, c'est ce qu'on appelle la rotonde, où l'on entasse les bagages.

Je vois la diligence arrêtée au premier relais. Je vois Eugène et Victor tout engourdis qui sautent de leur prison et tout à coup jettent un regard de convoitise vers le cabriolet, tout là-haut sur le toit. Il ne fait pas chaud en ce début de mars ? Qu'importe à ces deux jeunes garçons qui n'ont qu'une envie : « jouir de la campagne, des chevaux, du postillon et des coups de fouet. » A leurs supplications, Sophie cède. Les deux petits garçons se lancent à l'assaut de leur nouveau domaine. La lourde machine s'ébranle. L'émerveillement commence.

Victor Hugo aura soixante ans lorsqu'il rassemblera ses souvenirs sur le voyage d'Espagne. Il n'a rien oublié. Les pages qui naissent sous la plume d'Adèle, on les sent restituées ici presque littéralement. Ce sont les plus frappantes, les plus vives, criblées de ces petits faits qui, ici, ont une odeur de printemps, d'enfance et de vérité.

Voici Blois, voici Angoulême où Victor remarque de vieilles tours. Elles lui resteront à ce point dans la mémoire qu'un demi-siècle plus tard il sera capable de les dessiner sans les avoir revues. Et puis voici Bayonne où l'on apprend que le convoi, dont on avait dit qu'il était pour le lendemain, ne partira qu'un mois plus tard.

On s'installe dans une maison qui appartient à une veuve. Cette femme a une fille qui, d'après Adèle, a dix ans ; selon une lettre, postérieure de trente ans, de Hugo au peintre Louis Boulanger, « quatorze ou quinze ans ».

Hugo à Boulanger, 26 juillet 1843 : « Je la vois encore, elle était blonde et svelte, et me paraissait grande. C'était un regard doux et voilé, au profil virgilien, comme on rêve Amaryllis ou la Galatée qui s'enfuit vers les saules. Elle avait le cou admirablement attaché et d'une pureté adorable, la main petite, le bras blanc et le coude un peu rouge, ce qui tenait à son âge ; détail que le mien ignorait alors. Elle était habituellement coiffée d'un madras thé à bordure verte, étroitement serré du sommet de la tête à la nuque, de façon à laisser le front à découvert et à ne cacher que la moitié de la chevelure. Je ne me rappelle pas la robe qu'elle portait. Cette belle enfant venait jouer avec nous. Quelquefois Abel et Eugène, mes aînés, plus grands et plus sérieux que moi, et " faisant les hommes ", comme disait ma mère, allaient voir l'exercice à feu sur le rempart... Alors j'étais seul, je sentais l'ennui venir. Que faire ? Elle m'appelait et me disait : *Viens, que je te lise quelque chose.* »

Nous la voyons, cette jeune beauté. Nous le voyons, ce petit garçon de neuf ans qui, naturellement impubère, ressent des impressions qui, d'être à ce point physiques, nous inquiètent un peu. Elles l'ont marqué sa vie durant : « Par moments, mes yeux se baissaient, mon regard rencontrait son fichu entrouvert au-dessous de moi, et je voyais, avec un trouble mêlé d'une fascination étrange, sa gorge ronde et blanche qui s'élevait et s'abaissait doucement dans l'ombre, vaguement dorée d'un chaud reflet de soleil. »

Elle lit, parfois elle lève les yeux et mécontente, s'écrie :

— Eh bien, Victor ! Tu n'écoutes pas ?

« J'étais tout interdit, je rougissais et je tremblais et je faisais semblant de jouer avec le gros verrou. Je ne l'embrassais jamais de moi-même ; c'est elle qui m'appelait et qui me disait : *embrasse-moi donc...*

« Qu'était-ce que cela, mon ami ? Qu'est-ce que j'éprouvais moi, si petit près de cette grande fille innocente ? Je l'ignorais alors. J'y ai souvent songé depuis [1]. »

Hugo dira que chacun peut retrouver dans son passé de ces passions d'enfant « qui sont de l'amour comme l'aube est du soleil ». Il appellera cela le « premier cri du cœur qui se lève » et — plus joliment encore — le « chant du coq de l'amour ». Bayonne restera dans sa mémoire comme un « lieu vermeil et souriant », comme le plus ancien souvenir de son cœur. En 1843, c'est tout cela qu'il reviendra chercher à Bayonne. C'est ainsi qu'il reverra la maison, avec sa façade inchangée, son balcon, la porte, la fenêtre de sa chambre. Il cherchera la jeune fille. En vain. Dans le voisinage, nul ne la connaissait plus. C'était comme si elle n'avait jamais existé. Alors il dessinera la maison et s'en ira. Déchiré.

On peut croire, aux premiers balbutiements de l'enfance, que tout être aspire inconsciemment à une lumière, à un climat, à des horizons. Obscurément, Hugo ressentait la nécessité du paysage espagnol et jusqu'aux sonorités de la langue. Même parvenu à son extrême vieillesse, ses carnets intimes seront criblés de notes en espagnol. Songeons à la place de l'Espagne dans son œuvre littéraire et dramatique. Songeons à *Hernani*, à *Ruy Blas*, aux pièces espagnoles des *Orientales*. Songeons aux trois séries de *la Légende des siècles* qu'il

1. *Pyrénées* (*En voyage*, II).

consacrera au *Cid*. Au vrai, une véritable obsession. Peut-être ne faut-il pas l'isoler de l'aspiration violente qui, dès sa première entrée en Espagne, le porte vers son père.

L'Espagne, c'est le pays où vit *son* héros. Non seulement le cadre ne le déçoit pas, mais, dans sa sauvage grandeur, l'âpre et violent éclat de ses couleurs, il le ressent comme s'il y avait toujours vécu. Même s'il ne lui déplaît pas que l'Espagne soit aussi le royaume de la peur. C'est tout juste s'il n'appréciera pas artistiquement ces gorges étroites d'où, à tout instant, la mort peut pleuvoir, ces escarpements et ces défilés dont chaque détour suggère une embuscade et peut dissimuler l'ennemi.

Au départ de Bayonne, Sophie a loué à un certain Marron, voiturier, pour 2 400 francs — et ceci le 14 avril 1811 — un « immense carrosse rococo comme il n'y en avait déjà plus que dans les gravures ». Là vont se tenir à l'aise Sophie, ses trois fils, les deux domestiques, le marquis de Saillant, chargé de l'escorte, sans compter « les bagages, des provisions de toutes sortes, une caisse de vin, une énorme boîte de fer battu à double couvercle pleine de viande cuite, et un lit de fer avec son matelas » : car Sophie se défie des lits espagnols. Ce n'est pas de Goya que ce carrosse semble sorti, mais de Vélasquez. Il faut pour le traîner au moins six chevaux ou mules. Sophie va appeler cet autre monument son *cabas* parce qu'elle en a vu qui, autrefois à Nantes, portaient ce nom. Grâce au ciel, ce cabas est, comme la diligence française, doté d'un cabriolet où Victor et Eugène vont s'installer avec l'assurance de vieux habitués.

On traverse la montagne de Biscaye, si trompeuse avec la grâce de ses courbes verdoyantes. Voici Irún d'où doit partir le fameux convoi : « C'est à Irún que l'Espagne m'est apparue pour la première fois et m'a si fort étonné, avec ses maisons noires, ses rues étroites, ses balcons de bois et ses portes de forteresse, moi l'enfant français élevé dans l'acajou de l'Empire. Mes yeux accoutumés aux lits étoilés, aux fauteuils à cou de cygne, aux chenets en sphinx, regardaient avec une sorte de terreur les grands bahuts sculptés, les tables à pied tors, les lits à baldaquin, tout ce monde vieux et nouveau qui se révélait à moi [1]. »

Il s'ébranle, l'incroyable convoi, dont l'épicentre est repré-

1. *En voyage*, II.

senté par le *trésor*, 12 millions d'or que l'Empereur envoie tous les trimestres à son frère et qu'escortent 1 500 fantassins, 500 chevaux et quatre canons : deux à l'avant-garde, deux autres derrière le trésor. Tous les voyageurs tempêtent pour que leur voiture soit au voisinage du trésor, c'est-à-dire des canons : « Chacun voulait être avant les autres ; l'ordre de la marche commença par un immense pêle-mêle d'hommes et de femmes qui se querellaient, de cochers qui s'injuriaient, de voitures qui s'accrochaient, de chevaux qui se mordaient. »

Je m'émerveille à voir le jeune Victor traverser le village d'Ernani — oui, Ernani ! — avec ses maisons mi-féodales, mi-paysannes. Le héros qu'il appellera Hernani sera lui aussi un seigneur ayant vécu comme un paysan. Il aura dormi sur l'herbe, bu aux torrents, affronté les nids d'aigles, caché sous ses haillons le plus illustre des blasons.

Plus loin, on verra cette ville que les soldats du général Lasalle ont réduite à l'état de ruines calcinées, lesquelles semblent donner raison à son nom de « tour brûlée », puisqu'on l'appelle Torquemada — oui, Torquemada ! On essuie quelques balles à l'approche de Silinas et les petits Hugo, avec un entrain qu'ils n'ont pas besoin de forcer, s'écrient que les bandits sont « bien gentils de leur envoyer des billes ». Silinas a si bien brûlé que ce n'est plus guère que de la cendre. Et toujours, au long des défilés, derrière les rochers ou les volets clos, l'oppressante présence de la haine, d'un pays tout entier soulevé contre l'envahisseur. Dans les villes ou les villages demeurés intacts, Victor voit une population qui, sur le passage des Français, détourne ostensiblement les yeux. Il observe aussi ces personnages dont il semble qu'ils n'appartiennent qu'à la seule Espagne, ces estropiés, ces nains, plus ou moins hommes, plus ou moins monstres. Les mendiants psalmodient leurs séculaires supplications. Ce sont là comme des « caricatures bariolées » qui toujours hanteront Victor Hugo. Et, aux étapes, les mêmes chambres, les mêmes lits grouillant de vermine, puces et punaises, dont les bataillons serrés semblent affirmer pour Sophie une prédilection quotidiennement renouvelée. Et, à mesure que l'on progresse vers la capitale, ce sont d'autres images, affreuses, écœurantes, hallucinantes d'hommes fusillés au bord des routes, ou achevant de pendre au bout d'une corde.

Mais d'autres visions vont bientôt l'emporter sur celles de la guerre. La cathédrale de Burgos : grandeur et sévérité, foisonnement de pierres, majesté austère. Ce qui frappe Victor, c'est cette horloge d'où, au sein du plus solennel des monuments, jaillit à chaque heure qui sonne un monstre fantastique, accoutré en bouffon, lequel fait le signe de la croix, frappe trois coups et disparaît. Hugo dira que ce contraste l'avait aidé à comprendre que le grotesque et le tragique pouvaient fort bien s'associer sans se contrarier. Et puis — enfin — après un voyage qui a duré trois mois : Madrid.

Une avenue bordée d'arbres, des maisons peintes de rose et de vert. Après tant d'aridité — celle du plateau de Castille — des feuilles et des fleurs qui réjouissent l'âme. Le carrosse s'engage dans la rue de l'Alcade, cahote dans la rue de la Reine. A l'angle des deux rues, se dresse un vieux palais. C'est là. L'intendant du prince Masserano, vêtu de noir, épée au côté, accueille ces hôtes imposés. C'est, depuis l'occupation française, la règle dans les maisons espagnoles. Le propriétaire ne se montre pas. On conduit Sophie et ses enfants à l'appartement qui, au premier étage, leur a été réservé. Devant tant de splendeurs Victor et ses frères restent muets : salon de damas rouge ; boudoir de damas bleu ; chambre à coucher dont le damas est tramé d'argent ; autre chambre de brocatelle moirée à fond jaune lamé de rouge ; immense galerie servant d'écrin aux portraits de famille — et comment ici encore ne pas penser à *Hernani* ? Une telle opulence, Sophie Hugo n'aurait pu imaginer qu'elle existât quelque part. Les petits garçons courent partout, éblouis. Ils admirent les dorures, les sculptures, les verres de Bohême, les vases de Chine, les lustres de Venise, les dessins de Raphaël et de Julio Romano. Jamais les fils Hugo ne se retrouveront tout à fait dans les couloirs et les salons de l'antique palais. Tant de faste soulève en eux des sentiments confus. Victor entend l'intendant appeler sa mère : Madame la Comtesse. Mais ce peuple de domestiques qui frôlent les murs et baissent les yeux sur son passage procure à Victor une impression déconcertante et déjà amère : il est fils d'un conquérant mais il se sent un intrus.

Léopold n'est pas à Madrid. Il est en mission. Ce qui pour Victor va se produire à Madrid, c'est identiquement le scénario de Naples. Un père que l'on est venu voir de très loin. Un

père qui, à l'arrivée, se dérobe. Avec une différence parfaitement mesurable : à Naples, Victor avait six ans ; à Madrid, il
va en avoir dix. Comment la cruelle déconvenue ressentie
n'aurait-elle pas imprégné sa mémoire ? Pourtant, à soixante
ans, quand il narre l'épisode à Adèle, voici ce qu'il trouve et
ce qu'elle écrit : « Huit jours après leur arrivée, Madame
Hugo reçut une lettre de son mari par un exprès. Il y avait
une si grande désorganisation partout que les postes ne fonc-
tionnaient même pas... Mon beau-père annonçait qu'il allait
venir sous deux ou trois jours. » Bien sûr, il n'y a pas eu de
lettre.

Privilège de l'enfance : la moindre occasion vient à
bout des tristesses. L'une de ces occasions s'appellera
Mme Lucotte, femme du général. A la cour du roi Joseph sa
beauté est légendaire. Devant la perfection de ce corps et de
ce visage, le petit garçon Victor Hugo va se laisser aller à une
admiration bien sûr platonique mais où l'on sent poindre ce
trouble — encore une fois — qui depuis sa prime enfance le
saisit au spectacle d'une femme qui le touche.

Une autre occasion aura pour nom Pepita. Il s'agit de la
fille de la marquise de Monte Hermoso — l'une des nombreuses maîtresses du roi Joseph. D'ailleurs le marquis, son
époux, s'est vu aussitôt promu Grand d'Espagne. Pour services rendus.

Victor n'a pas dix ans, Pepita en a seize. Mais l'adolescente
et l'enfant ne se quittent plus.

> Je palpitais dans sa chambre
> Comme un nid près du faucon ;
> Elle avait un collier d'ambre,
> Un rosier sur son balcon [1].

Quand il songe à Pepita, Victor s'émeut délicieusement.
Quand il pense à son père, ce sont des larmes qui lui viennent
aux yeux.

En fait, si Léopold se trouve dans son gouvernement de
Guadalajara, c'est en la compagnie de la chère Catherine Thomas qui se présente maintenant comme Catherine de Hugo,
comtesse de Siguenza, née de Salcano. Louis va se charger —

---

1. *L'Art d'être grand-père* : « Les fredaines du grand-père enfant. Pepita. »

non sans quelque appréhension — d'apprendre à son frère l'arrivée de Sophie à Madrid.

La colère de Léopold se lève dans l'instant. Une colère ? Une tempête, un ouragan. Louis tombe d'autant plus mal que le général souffre d'une vieille blessure qui vient de se rouvrir, laquelle « rejette des esquilles ». Tout se mêle, se croise, la douleur physique, les tourments endurés déjà du fait de cette femme qu'il croyait éloignée à jamais et qui reparaît sans crier gare ! Elle se réclame de sa position d'épouse ? Elle veut vivre auprès du mari que la loi, à défaut de Dieu, lui a donné ? Eh bien, elle va voir ! Le lendemain même — de grand matin — le général comte Hugo court chez Don Ricardo Arroyo, procureur, puis chez Don Antonio Pardo y Vara, alcade major de Sa Majesté et président du tribunal de première instance de Guadalajara. A midi, tout est accompli : le général Hugo a demandé le divorce.

Extraordinaire document que cette requête en bonne et due forme : onze pages *in-octavo*, bien entendu écrites en espagnol et sur papier timbré aux armes de « S M José Napoléon, par la grâce de Dieu, roi de l'Espagne et des Indes ».

Quelles raisons le demandeur a-t-il invoquées ? Il stigmatise l'humeur « ambitieuse » et « impérieuse » de Sophie. Cette ambition l'a conduite à des dépenses intolérables engagées « sans permission, ni consentement de son respectable époux ». N'a-t-elle pas, pour venir à Madrid, pris chez le banquier du général comte la somme de 12 000 francs, en utilisant la procuration que son mari lui avait délivrée avec trop de confiance ? On doit voir là une injustifiable atteinte à l'autorité maritale. Par ailleurs, le mari vient d'apprendre que son épouse était à Madrid avec ses enfants et ses domestiques, alors qu'il la croyait à Paris. De quel droit a-t-elle, sans autorisation, entrepris un tel voyage ? Il s'agit là encore d'une injure grave, prévue par le code civil. La requête conclut au divorce et à la remise des trois enfants sous la garde du mari. C'est le 10 juillet 1811 qu'elle va être signifiée à Sophie. Trois semaines après l'arrivée de celle-ci au palais Masserano. Trois semaines pendant lesquelles Victor s'est demandé quand il verrait paraître enfin son général de père.

Dans le récit d'Adèle, pas un mot — je dis bien pas un mot — de cette requête en divorce qui s'est abattue sur le sombre palais madrilène. Nous la connaissons bien, Sophie. Des larmes ? Ce n'est pas son genre mais comment n'aurait-elle pas pris ses fils à témoin de la vilenie paternelle ? Comment une nouvelle blessure — plus profonde encore — ne se serait-elle pas ouverte au cœur de Victor ?

Donc, entre Léopold et Sophie, la guerre est ouverte.

La requête en divorce a été signifiée à Sophie le 10 juillet 1811. Le 11 au matin, un cavalier de la garde royale se présente au palais Masserano. Il est porteur d'une lettre aux armes d'Espagne. Voici ce que Sophie va pouvoir lire :

« Madame,

« M. le Général Hugo désire faire placer dans un collège les trois enfants mâles qu'il a eus de son mariage avec vous. M. Ricardo Arroyo, procureur de Guadalaxara, est chargé par lui de retirer ces enfants et de leur chercher une maison d'éducation.

« Je ne puis vous taire que M. de Hugo *(sic)*, prévoyant des difficultés de votre part, a invoqué l'autorité des lois et qu'elles ont parlé en faveur de ses désirs. Je suis dans l'obligation de contribuer s'il est nécessaire à leur exécution. Je vous prie instamment, madame, de ne pas vous opposer aux volontés de votre mari et de remettre de bonne grâce les enfants à un chargé de pouvoirs. Époux et père moi-même, je remplis avec regret un pénible devoir. J'espère que vous ne l'aggraverez pas par une opposition qui, dans l'état où sont les choses, serait aussi inutile que fâcheuse. »

Cette lettre, c'est le général gouverneur de Madrid, Lafon-Blaniac, qui l'a écrite. Visiblement, il n'approuve pas. Mais les lois sont formelles et le code Napoléon est tout sauf féministe. La seule autorité, dans un ménage, appartient au mari.

Révolte, colère. Les enfants de nouveau pris à témoin. Un sentiment qui naît, sous les hauts plafonds du palais Masserano, et qui ressemble à de l'horreur. N'hésitons pas : ce qu'entreprend Léopold Hugo est détestable. Qu'il ait voulu user de ses propres fils comme de pions sur l'échiquier conjugal, voilà qui ne grandit pas le « héros au sourire si doux ».

Oui, l'horreur. L'horreur de la séparation quasi immédiate annoncée aux enfants. Ils n'avaient pas de père, ils n'auront plus de mère. A l'exception d'Abel, destiné à devenir page à la cour du roi Joseph, les deux plus petits seront jetés dans un collège dont à l'avance ils se font l'idée d'une prison. Pour Victor, c'est le désarroi absolu, une douleur telle qu'il n'en a pas connu jusque-là de semblable, une angoisse proche de la terreur. Et c'est Sophie, dans l'énorme voiture de style pira-nèse du prince Masserano, qui va conduire elle-même Eugène et Victor au collège des Nobles, expressément désigné par leur père pour les recevoir.

Ce collège va se révéler exactement tel que Victor et Eugène pouvaient l'imaginer. Des moines, en grande robe noire, en rabat blanc et en sombrero. Des couloirs peints à la chaux dont on n'aperçoit pas la fin, où l'on s'entend marcher et où la voix fait écho. De rares ouvertures en haut des murs d'où perce un jour trop discret. Des cours si étroites que, même en été, on n'y découvre de lumière que dans l'un des angles.

Deux petits garçons qui se jettent dans les bras de leur mère et contiennent tant qu'ils peuvent leurs larmes. Mais, quand on les conduit dans la cour, quand un moine leur dit que leurs études commenceront le lendemain, qu'ils ont le reste de la journée pour jouer, deux petits garçons qui se mettent à sangloter convulsivement.

Le soir, ils n'ont pas faim. Ils promènent leurs regards mornes sur cet immense réfectoire, fait pour cinq cents convives, où ils ne voient que vingt-quatre élèves. Tous les autres ont été retirés du collège par leurs parents en signe d'opposition au roi intrus. Victor décrira à Sainte-Beuve la chaire élevée au milieu du réfectoire où un sous-maître faisait la lecture en espagnol cependant que l'on mangeait en silence.

Même impression d'un vide qui serre le cœur lorsqu'on les mène au dortoir. Dans ce dortoir des petits, sur cent cinquante lits, il n'y en a pas dix d'occupés. Sur ce désert, veille un bossu vêtu d'une veste de laine rouge, d'une culotte bleue et de bas jaunes. Les petits Hugo sauront vite qu'on le nomme *Corcovita*, ce qui veut dire « petite bosse ». Chaque matin, la messe. A tour de rôle, tous les élèves doivent la servir, sauf les petits Hugo. Pourquoi ? Parce que, voltairienne impénitente, Sophie, pour que ses fils échappent à l'appareil de toute « superstition », a déclaré au régent du collège que ses fils étaient protestants !

Ils ne seront pas maltraités. Les moines n'oublient pas que le père est puissant. On a voulu les mettre à l'*Epitome*, au *De viris*. On s'est aperçu que Virgile et Lucrèce n'avaient pas de secret pour eux.

Les enfants qui les côtoient sont les fils d'Espagnols ralliés à Joseph. Officiellement. Parce que — *tous* — ils souhaitent la défaite de Bonaparte, ils méprisent Joseph, qualifié par eux d'ivrogne et de poltron.

Placés le premier jour dans la division des petits, Victor et Eugène ont montré une telle supériorité qu'on leur a le lendemain fait sauter une classe, le surlendemain une autre et ainsi de suite, passant en une semaine de la septième à la rhétorique. Voilà le petit Victor — d'une taille inférieure à celle de la moyenne — qui rencontre de grands élèves de seize ou dix-sept ans. Tout d'abord, il n'a eu droit qu'à des regards de dédain. Quand on l'a entendu lire à livre ouvert des auteurs que ces adolescents en étaient à ânonner, on l'a considéré avec une sorte de respect. Sur le plan des études, uniquement. En politique, des discussions journalières opposent les fils des occupés et ceux des occupants. Victor et Eugène jurent que Napoléon était dans son droit en faisant de son frère Joseph le roi d'une Espagne que lui avait cédée légalement Ferdinand VII. Les jeunes Espagnols crient que cette cession n'a été obtenue que par la fraude — ce qui d'ailleurs n'est pas vrai. Ce débat ne reste pas toujours verbal. Un jour, un certain Frasco, comte de Belverana, se jette sur Eugène en brandissant des ciseaux et le blesse profondément au visage. Victor s'empoignera avec un grand gaillard d'une saleté redoutable, difforme, hargneux, du nom de Elespuru. Bien plus tard, Victor Hugo saura se souvenir : Elespuru est le nom d'un des fous de *Cromwell*.

Il n'empêche qu'à son insu, Victor s'espagnolise. Il finira par prendre au sérieux le titre de comte de son père, acceptera que ses professeurs et ses condisciples l'appellent, lui troisième fils d'un comte, baron. Même, il griffonne sur ses livres de classe un prénom espagnol suivi d'une particule imaginaire : « Bittor de Hugo ». Eugène l'imite qui signe : « Eugenio de Hugo ».

L'hiver venu, on trouve le collège plus sinistre encore. Il fait froid, l'hiver, à Madrid. Aucun chauffage. Dans la Sibérie des classes, du dortoir, du réfectoire, Eugène gagne des engelures et Victor les oreillons. Le cou démesurément enflé, il souffre le martyre. Il faut reconnaître qu'on tente de le soigner. On décide de lui appliquer un remède populaire à Madrid : on lui fera prendre du lait de femme. Encore faut-il découvrir la « donneuse ». Il se trouve que la femme du majordome du collège vient d'accoucher. On place Victor près d'elle. Est-ce le lait qu'il partage avec le bébé de la dame, ou l'appartement chauffé où on le conduit ? Il guérit.

La seule lumière dans cette nuit : les visites de Sophie. Au

parloir, les petits se jettent dans ses bras, ce qui étonne fort
les Espagnols que leur propre mère autorise seulement, dans
d'exceptionnelles occasions, à lui baiser la main. Une fois
seulement, Abel viendra les voir, mais elle sera mémorable !
Il paraît devant les petits dans son costume de page bleu de
roi, rehaussé à l'épaule par des aiguillettes d'argent et d'or.
Sous le bras, il tient son chapeau d'officier et une épée bat à
son côté.

Ce qui frappe aussi Victor, ce sont les visites de cette générale Lucotte, déjà délicieusement remarquée et qui parfois
accompagne Abel. Quand il l'aperçoit, fort parée, d'une élégance toute parisienne, l'enfant tressaille de bonheur. Il la
trouve encore plus belle que naguère. Lorsqu'elle se penche
vers lui pour le complimenter d'une voix dont il dira qu'elle
était « argentée », il tremble d'un plaisir qui, assez étrangement si l'on considère son âge, ne lui est plus tout à fait
inconnu.

Tels auront été les mois de collège vécus à Madrid par
Eugène et Victor Hugo. Un été triste suivi d'un hiver lugubre.
Pendant ce temps, leur père et leur mère ont poursuivi leur
duel. Impitoyablement.

Ayant tenu son rôle de figurant aux festivités parisiennes
du baptême du roi de Rome, Joseph, le 18 juillet 1811, a regagné Madrid. Sur son bureau, comme à l'accoutumée, des péti-
tions. Parmi elles, il s'étonne d'en découvrir plusieurs de la
main de la générale Hugo. Elle se plaint — avec habileté et
éloquence — du comportement de son mari. On imagine
Joseph fronçant les sourcils : a-t-il besoin d'une contrariété
de plus ? Mais doit-il croire cette femme en colère ? Il a fait
appeler la pétitionnaire, l'a écoutée avec cette bienveillance
qu'ont louée en lui tous ceux qui l'ont connu. Après quoi —
Salomon madrilène — il a convoqué Léopold auprès de lui.
Que lui a-t-il dit ? Nous ne le savons pas. Mais nous pouvons
augurer qu'il a dû le tancer, sinon selon la morale, du moins
au nom de l'ordre public. L'espagnol est, de tous les peuples,
celui qui s'attache le plus aux apparences. La discorde si
bruyamment affichée entre l'un de ses plus chers serviteurs
et son épouse ne peut que servir d'argument aux ennemis de
la présence française. Général, que comptez-vous faire ?

Le ton de l'aîné des Bonaparte a dû être suffisamment cas-
sant pour que Léopold ait senti, dans l'air brûlant de juillet,

voler un vent de disgrâce. Or Léopold, après tant d'années obscures, a vu tout à coup sa carrière prendre un essor inespéré. Trois ans plus tôt, alors qu'il quittait Naples, pouvait-il imaginer un jour être général, gouverneur, comte ?

Quitter tout cela ? Rentrer dans l'anonymat ? Même la vie commune avec Catherine Thomas, si exquise à ses yeux, n'eût pas compensé une perspective aussi consternante. Alors, Léopold Hugo, sourire aux lèvres, a dû se faire tout miel. Le roi se trompe. La situation n'est point aussi compromise que Sa Majesté le croit. Lui, Léopold, s'affirme tout prêt à un rapprochement avec Madame la générale Hugo.

Et l'on assiste au plus étonnant des retournements. Cet homme qui, implacable, exigeait quelques jours plus tôt le divorce, rend visite à sa femme, l'entoure d'un flot de paroles apaisantes. Elle se dit sans argent — ce qui est bien improbable après ce qu'elle a prélevé à Paris. Il jure qu'il va l'aider sans retard. La tragédie espagnole devient comédie italienne.

Le ton est donné par la lettre tout amicale que Léopold, le 5 août, adresse à Sophie : « Je n'ai fait que courir depuis ce matin, et j'aurais été te voir, si je ne devais me trouver de bonne heure à la Casa del Campo. J'ai vu le général Lafon-Blaniac et il donnera l'ordre pour que les fonds soient de suite versés à tes soins. Le Roi est informé que nous sommes contents ; je l'ai vu et lui ai parlé. Ce soir, après le dîner de Sa Majesté, j'irai te voir. Je t'envoie une caisse de bougies. Crois à mon attachement. »

Nous avons compris. L'unique raison de cette lettre se résume à cette phrase : « Le Roi est informé que *nous sommes contents.* » Pauvre Sophie !

Léopold ira jusqu'à faire présenter officiellement « la comtesse de Siguenza » à la Cour. D'où le souvenir — point imaginaire celui-là — conservé par Victor « des étoffes éclatantes », de « ces satins pailletés, de ces soies plombées et de ces dentelles espagnoles d'une épaisseur si souple » portés par sa mère et qu'il a pu contempler grâce à un congé extraordinaire.

Mais Catherine Thomas ? Elle qui, après avoir été à la peine, venait de découvrir l'extrême jouissance d'être à l'honneur ? S'il faut en croire Sophie, devant le péril extrême où elle s'est vue, elle a su combattre avec toutes les armes dont peut disposer une femme qui se sait aimée. *Requête de Sophie Trébuchet, femme Hugo, aux juges du tribunal de*

Thionville : « Le général se trouvait depuis trois jours loin de cette femme et de son funeste ascendant ; il revint franchement à sa femme, avoua ses torts, promit de vivre à l'avenir en bon époux et bon père et de renvoyer la cause de tous les malheurs de sa femme. Malheureusement un événement militaire l'obligea de quitter subitement Madrid. Il retrouva cette malheureuse et ses horribles conseils. »

Elle aurait donc été bien forte, Catherine Thomas. Mais les « horribles conseils » sont-ils la seule cause du nouveau revirement de Léopold ? Il semble bien qu'un « officieux » soit venu tout à coup lui révéler cette liaison que sa femme avait poursuivie, depuis si longtemps, avec Lahorie. Lequel officieux pourrait bien d'ailleurs avoir été Louis Hugo.

Question : Léopold ignorait-il *vraiment* l'existence de cette liaison ? On peut penser qu'il l'avait au moins soupçonnée, mais que, pour avoir la paix, et n'étant pas lui-même sans reproche — oh ! non — il avait feint de ne rien sàvoir. Dès le moment où on l'avertit officiellement, Léopold se doit d'ouvrir les yeux. D'où des cris, une colère peut-être plus bruyante que sincère, une dénonciation portée aussitôt à Joseph. Non seulement, Sire, ma femme me trompe, mais elle me trompe avec un traître, un conspirateur, présentement prisonnier d'État !

Voilà Sophie au comble des alarmes. Il lui faut se justifier sur-le-champ, ou alors elle est perdue. *Sophie Hugo au roi Joseph* : « Quel raffinement de cruauté, afin de me perdre ! M. Hugo a été l'adjoint du général La Horie ; il lui doit une partie de son avancement militaire. Peu de jours avant sa proscription, La Horie venait encore de rendre un service important au sieur Hugo, en arrangeant une mauvaise affaire que celui-ci s'était attirée dans son régiment et qui l'aurait certainement fait destituer. Cet infortuné, poursuivi par la police, vint se réfugier chez moi. Je n'ai pas cru pouvoir refuser un asile à un homme auquel je devais tant de bienfaits. »

Elle œuvre si bien, Sophie, qu'elle parvient à ébranler Joseph. Après tout, si elle disait vrai ? Si elle n'avait eu que le tort d'accueillir un ami dans le malheur ? D'autant plus que Léopold, nommé chef d'état-major du maréchal Jourdan, ce qui l'oblige à résider à Madrid, a acquis en toute hâte, dans la Carrera San Gerunimo, une charmante demeure, tout environnée de roses et de glycine. Il y a installé Catherine, comtesse de Salcano, et y a fait transporter, en « cinq chariots de déménagement », tout ce qu'il possède de meubles et d'effets. Ses domestiques, ses chevaux, sa voiture, viennent occuper les communs. Nous sommes fixés : Léopold a choisi.

On verra désormais « Mme la comtesse de Salcano », en arrogant équipage, faire sa promenade quotidienne au Prado. Dans la calèche de noble allure, on apercevra parfois le général Hugo se prélassant à ses côtés. Même — jurera Sophie — le couple illégitime aura l'outrecuidance, aux jours de congé, d'aller quérir Eugène et Victor en leur collège — et de les faire asseoir face à eux sur les coussins de la voiture !

Au mois de septembre 1811, Sophie, se promenant « près de la porte d'Alcala », apercevra ainsi ses enfants servant d'escorte à la concubine. Du moins l'écrira-t-elle au roi Joseph. Devons-nous douter d'une telle affirmation et la ranger au nombre des exagérations coutumières d'une épouse en colère ? Peut-être pas, si nous prenons connaissance d'une lettre du roi au général Hugo, en date du 30 janvier 1812 :

« Mon désir le plus constant est que vous vous arrangiez de manière à être heureux. Je n'ai rien négligé pour cela. L'attachement que je vous porte m'en a fait un devoir. Mais, si mes vœux ne se réalisent pas, je ne dois pas vous cacher que ma volonté est que vous ne donniez pas ici un exemple scandaleux, en ne vivant pas avec Mme Hugo, comme le public a le droit de l'attendre d'un homme qui, par sa place, est tenu à donner un bon exemple... Quel que soit le regret que j'aurais de vous voir éloigné de moi, *je ne dois pas vous cacher que je préfère ce parti au spectacle qu'offre votre famille depuis trois mois* [1]. »

Elle a gagné, Sophie. Sur tous les plans. Non seulement Joseph lui donne raison, mais il accepte ses autres plaintes et celles-ci sont d'ordre pécuniaire. Elle gémit que son mari, hors un cadeau de 3 000 francs reçu en août 1811, ne lui a versé que 1 750 francs en huit mois. Calculons : cela fait près de 600 francs par mois, ce qui n'est pas si mal pour une femme logée aux frais de l'État, n'ayant d'autres débours que les siens propres et l'entretien de deux domestiques payés

1. Souligné par moi.

aux misérables tarifs du temps. Mais Sophie ne manque pas d'énumérer les sommes qu'encaisse annuellement son époux : 18 000 francs en tant que général, 6 000 comme gouverneur de province, 18000 comme sous-inspecteur général de l'infanterie, 12000 comme majordome de Sa Majesté. En tout 108000 francs. Admirons.

Joseph tranche encore : la générale Hugo percevra désormais directement la solde de majordome de son mari, soit 12000 francs par an. Triomphe ultime : Sophie rentre en possession de ses enfants. De Victor et d'Eugène, du moins, car Abel, page du roi, restera auprès de celui-ci. Il est bien entendu, si Sophie récupère les plus jeunes de ses fils, que c'est pour quitter l'Espagne où elle n'a plus rien à faire. Victor a été conduit au collège des Nobles un jour d'été. C'est un jour d'hiver que leur mère vient leur rendre leur liberté.

L'Espagne de 1811 et 1812 restera, dans l'infaillible mémoire de Victor Hugo, l'image d'un malheur public auquel il reviendra sans cesse, et celle d'un malheur privé dont — fidèle à lui-même — il ne parlera jamais.

Le maréchal duc de Bellune rentre lui aussi en France. Il abandonne cette Espagne qui fait eau de toute part, le « commencement de la fin », dira Talleyrand pourtant responsable au premier chef de l'erreur de Bayonne. La résistance des Espagnols était acharnée ; elle est devenue inexpiable. Les troupes françaises n'agissent plus que sur la défensive, sans cesse en mouvement pour faire face aux guérillas, de jour et de nuit sur le qui-vive, de semaine en semaine plus démoralisées. Madrid est devenue un bastion assiégé où règne la famine. De sorte que la nomination de Léopold, le 3 mars 1812, comme commandant de la place ne doit pas nous apparaître comme le signe d'une faveur retrouvée. Le général Hugo, dans sa lutte contre les guérilleros, le fameux Empecinado notamment, a marqué tant de points que l'on a recours à lui comme à un ultime espoir.

C'est précisément le 3 mars que le duc de Bellune quitte Madrid, au milieu d'un convoi digne de ce puissant personnage, c'est-à-dire formidable. A l'abri des canons, des soldats, des cavaliers, ont pris place la générale Hugo et ses plus jeunes fils. Lentement, on remonte vers le nord. Victor redécouvre le pays déjà traversé, bâillonné de silence à l'aller, criant sa rage au retour. A Burgos, les Hugo croisent le cortège d'un homme lié sur un âne, ahuri de terreur, escorté de pénitents gris aux cagoules baissées. On leur dit que cet homme va être « garrotté », c'est-à-dire étranglé. On leur montre l'estrade où l'on va procéder à l'affreux supplice. Victor dira que ce fut là sa première rencontre avec l'échafaud. Capital. Ils s'enfuient.

A Valladolid, leur voiture passe au pied d'une croix sur laquelle sont cloués les membres sanglants d'un adolescent coupé en morceaux. On a poussé le raffinement jusqu'à « reconstituer » le cadavre. L'Espagne des dix ans de Victor Hugo restera peuplée de ces images à la Goya. Car c'est le nom qui — sans cesse — nous rejoint quand nous songeons au jeune Hugo en Espagne. Ce Goya qui, pour l'éternité, nous montrera l'Espagnol en chemise blanche et tête nue, invectivant les bourreaux français, étendant les bras devant eux, en signe grandiose de refus ; et, dans l'ombre, ces autres visages espagnols furieux, ces bouches tordues par l'injure ; et le peloton groupé, avec ses shakos, ses havresacs. Et cette lanterne qui, pour éclairer la mise à mort, perce la nuit de sa lueur blafarde. Les horreurs de la guerre, la barbarie des hommes, les échafauds et les bourreaux, tout cela hantera le poète Hugo et nourrira une œuvre qui laissera Baudelaire pétrifié : « L'excessif, l'immense, sont le domaine naturel de Victor Hugo. Le génie qu'il a de tout temps déployé dans la peinture de *toute la monstruosité* [1]. »

Mais il se souviendra aussi d'une autre Espagne. Il en rapportera des noms, des personnages, une sombre et flamboyante toile de fond. La duchesse de Benavente, mère de l'un de ses condisciples au collège des Nobles, se retrouvera dans *Bug-Jargal*. Le comte de Belverana, autre condisciple, revivra dans *Lucrèce Borgia*. C'est du séjour de 1811-1812 que sont nés Ruy Blas et Don Salluste, Ruy Gomez de Silva et Hernani.

De cette Espagne-là, encore, il emportera l'image de Pepa, la petite Andalouse, fille de marquis et qui « dansait dans un rayon d'or ». L'Espagne de Hugo, déjà, est faite de sang, de mort — et de volupté.

1. Souligné par Baudelaire.

L'essentiel, peut-être, c'est que le petit garçon n'est pas loin de se sentir responsable de ces horreurs qu'il a traversées.

> Moi, je me croyais un homme
> Étant en pays conquis.

Ces horreurs-là étaient nées de la volonté de tout un peuple de reconquérir sa liberté. « Avant tout, la liberté », avait dit Lahorie.

IV

LES SOULIERS VERTS

> Pendaison et mariage,
> questions de destinée.
> William SHAKESPEARE.

Aux Feuillantines, tout est prêt à recevoir Sophie Hugo et ses enfants. Le bon La Rivière à qui l'on avait remis les clés, a veillé à tout. Volets et fenêtres sont restés soigneusement clos, la poussière a été tenue à distance et les meubles abreuvés d'encaustique. « Les vers n'avaient rien enlevé, les souris rien déposé. » Au soir de l'arrivée, la « mère » La Rivière va donner aux voyageurs à bout de force la surprise émerveillée d'un rôti à la broche.

En apparence, rien de changé dans leur vie de chaque jour. Seulement les frères Hugo ont grandi. Mieux que grandi, ils ont vieilli. Ce qui les étonne le plus, c'est de découvrir différents leurs propres amis. Adèle, par exemple, la fille de M. Foucher va sur ses dix ans. Depuis quelque temps, on lui dit : « Heureusement que vous avez changé, en grandissant ; quand vous étiez petite, vous étiez noire ! noire ! Comme vous étiez laide [1] ! » Il est bien vrai que le petit pruneau devient joli. Certes, elle reste très brune de cheveux et d'yeux, la peau du fin visage est toujours mate, on parle de sa « beauté espagnole », ce qui à l'époque n'est pas un compliment. Mais de toute sa personne émane un charme singulier. Ce qui ne l'empêche pas d'être, de son propre aveu, « gâtée et volon-

1. *Manuscrit.*

taire » : « Devant une petite amie, je donnai un soufflet à ma bonne. Je n'ai jamais rencontré cette amie qu'elle ne m'ait rappelé ce soufflet ! » Plus grave : invitée avec une petite fille de son âge à un bal d'enfants et d'adolescents, elles ne dansent pas une seule fois, les jeunes gens préférant les cavalières de quinze ans. Quittant, furieuses, la salle du bal, elles aperçoivent au vestiaire « deux pelisses de satin rose garnies de cygne » ; assurément celles-ci appartiennent à ces « grandes » qui leur ont pris leurs cavaliers : « Nous crachâmes sur les pelisses, beaucoup, de façon à les rendre impossibles. » Qui aurait cru cela de la petite fille à l'escarpolette ?

M. Foucher n'est plus greffier. Il a été nommé chef du Bureau de recrutement au ministère de la Guerre, mais il loge toujours à l'hôtel de Toulouse, siège du conseil de guerre. Le rapporteur auprès de ce conseil est maintenant un certain Delon, lequel a un grand fils, Édouard, tout récemment admis à l'École polytechnique. Malgré la différence d'âge, cet Édouard — autorisé deux fois par semaine à sortir de l'école — a pris le petit Foucher en amitié. Comment ne deviendrait-il pas aussi l'ami d'Eugène et de Victor ? Chaque fois que cet Édouard Delon se présente aux Feuillantines, il est accueilli par des cris, on accourt au-devant de lui. Il a si fière allure avec son uniforme de polytechnicien ! Il est si vif, si gai, si chaleureux ! Bref, on l'adore. Avec lui, les jeux multiplient leur élan, la balançoire vole quasi vers le firmament. Quant à la niche aux lapins, on l'attaque désormais avec le même art tactique dont avait usé l'armée qui a pris Saragosse. Quand vient le temps de la fatigue, Édouard Delon, les petits Foucher, les petits Hugo s'en vont s'asseoir autour du puisard. Delon leur narre des histoires que les enfants écoutent comme s'ils étaient aux Mille et Une Nuits. Nouveaux souvenirs.

N'imaginons pas un jeu perpétuel. Sophie entend que ses fils travaillent. Le lundi qui a suivi le retour, elle les a remis au latin. Un problème : au collège des Nobles, ils étaient en rhétorique. Va-t-on les contraindre à retourner en sixième ? Sophie s'en est entretenue avec La Rivière. On est convenu que le mieux serait qu'il vînt leur donner des leçons à domicile.

Nous devons de la gratitude à ce La Rivière. C'est auprès de lui que Victor a « balbutié » ses premiers vers. Adèle, fille du poète, notera dans son journal — ils écrivent tous, ces Hugo — que les deux premiers vers de Victor Hugo ont été :

> Le grand Napoléon
> Combat comme un lion.

Cependant Adèle, la mère, si elle cite les mêmes vers, affirme que d'autres les avaient précédés, inspirés ceux-là par la chevalerie, « des vers paladins ». Les règles ? Victor les ignorait. Jamais il n'avait lu le moindre ouvrage de prosodie. Lors de ses premiers essais, il inscrivait une rime féminine à la suite d'une rime féminine. Il relisait, disait : « Cela ne va pas. » Il cherchait, raturait jusqu'à ce que les vers sonnent bien à l'oreille. « L'oreille lui apprit à croiser ses rimes. »

Plus proche de l'indulgence que de l'admiration, Sophie observe ces balbutiements. Elle sort rarement de sa maison et de son jardin. Elle ne voit guère que les Foucher. Comme elle lit beaucoup, elle envoie ses enfants choisir pour elle des livres chez le propriétaire d'un cabinet de lecture, nommé Royol, figé une fois pour toutes dans une tenue Louis XVI, culotte courte et bas chinés. Ce Royol est cité dans *les Misérables* et désigné comme ami du candide M. Mabeuf.

Je les vois, ces deux enfants de douze et dix ans, errant en toute liberté dans la boutique du libraire, plongeant des heures durant dans de mauvais romans aussi bien que dans des chefs-d'œuvre. L'érotique *Faublas* et Diderot, l'équivoque Restif de la Bretonne et Jean-Jacques. Mlle de Scudéry et Mme Bournon-Malarne, Mme de La Fayette et Mme Barthélemy-Hadot. Il est effaré par cette liberté de choix, M. Royol. Lire *Faublas*, classique du libertinage, à dix ans ! Il ignore que Victor dévore aussi les *Voyages du capitaine Cook*, évident antidote aux scènes d'alcôve décrites sans génie par Louvet. Un autre va se scandaliser : Pierre Foucher.

— Vous êtes imprudente que de tout laisser lire à vos fils, dit-il à Mme Hugo.

— Bah ! a répondu Sophie. Ils ne comprennent pas ce qui est au-dessus de leur âge, et ce qu'ils comprennent leur développe l'esprit.

Elle n'a pas changé, décidément, cette Sophie que Foucher a observée à son retour de Madrid : « Aucune femme, à ma connaissance, n'avait un caractère aussi prononcé que le sien. Elle était inébranlable dans ses opinions comme dans

ses affections... Elle était inexorable pour le libéralisme français, pour cette secte, disait-elle, dont le règne n'a été et ne
sera jamais qu'une tyrannie appuyée sur des passions viles,
sur les baïonnettes et sur le bourreau. » Deux mots, d'après
Foucher, caractérisent Mme Hugo : « L'âpreté et la roideur. »

Lahorie avait été mis au secret dans l'une des prisons de
Paris. Cette rigueur avait duré cinq mois. En juin 1811, on a
levé la mise au secret. Il semble que Lahorie ait pu donner de
ses nouvelles à Sophie, alors en Espagne [1]. Savary l'a autorisé
à recevoir des parents et amis, chaque dimanche et fête, pendant deux heures. A peine rentrée d'Espagne, Sophie a couru
à Vincennes. Quels regards, quels soupirs ils ont dû échanger
dans ce parloir public qui leur ôtait toute possibilité d'effusions ! Depuis l'arrestation de Victor de Lahorie, elle a cru sa
vie de femme achevée. Elle s'est tout entière absorbée dans
ses responsabilités de mère. Tout à coup, elle revit. Sa passion, contrariée par la séparation, exaltée par la captivité de
son amant, ne se veut plus de bornes. Elle ne vit plus que
pour les visites à Vincennes.
    C'est le temps où décidément s'obscurcit l'étoile napolé-
onienne. La Grande Armée va s'enfoncer dans les steppes de
Russie. A Paris, on célébrera comme une victoire l'entrée
dans Moscou. Aussitôt les plus avertis évoqueront Pyrrhus.
Ils ont raison.
    Comment les opposants à l'Empire ne donneraient-ils pas
enfin libre cours à des espoirs si longtemps déçus ? A Vincennes, chaque prisonnier se mue en conspirateur. Lahorie,
dans des conditions que nous connaissons mal, semble avoir
pris contact avec un certain général Malet, lui-même prisonnier d'État et admis, en tant que tel, à la maison de santé du
docteur Dubuisson, faubourg Saint-Antoine. Or ce Malet, qui
se donne pour républicain, est occupé, en compagnie d'un
abbé royaliste nommé Lafon, à mettre en forme la plus ahurissante des conspirations de l'histoire. Il est parti d'une idée
simple : on profitera de l'éloignement de l'Empereur et on
annoncera qu'*il est mort*. L'effet produit sera tel que le pou-

_____

    1. Une curieuse lettre reçue par Sophie à Madrid de la part du comman-
dant de la Gendarmerie impériale, un certain Charnier, fait état d'une somme
de 14 000 piécettes plus 2 000 réaux qui devait lui être versée par une « personne qui n'aimerait pas que vous fussiez dans le besoin ». Seul Lahorie, à
cette époque, était susceptible d'un tel geste.

voir impérial s'effondrera sur-le-champ, laissant la voie libre pour Malet [1].

Sophie Hugo a-t-elle servi de lien entre Malet et Lahorie ? Pour le penser, on ne disposait jusqu'ici que de quelques lignes de Pierre Foucher, très curieuses il est vrai. Il faut les lire avec attention : « Je ne sais si feue Mme Hugo était pour quelque chose dans la téméraire entreprise de Malet... Cette dame, qui avait passé sa première jeunesse parmi les Vendéens, s'entendait merveilleusement à garder un secret politique. Elle ne m'aurait d'ailleurs pas mis, moi, employé du gouvernement, dans la confidence d'une conspiration contre lui. Toutefois, quelques particularités parvenues à ma connaissance, après les événements de 1814, me font conjecturer qu'elle avait eu connaissance du projet des ennemis de Napoléon et, dès lors, je ne serais pas éloigné de croire qu'elle goûta l'idée, si elle ne la donna pas, de faire écrouer Savary, à son tour, dans cette vilaine prison de la Force. » C'est tout. Remarquons que Pierre Foucher ne veut que *conjecturer*. Cet homme sérieux ne se croit pas autorisé à aller au-delà. Mais nous sentons bien qu'au fond de lui-même il est convaincu.

Un document inédit va nous permettre de lui donner raison. Depuis plus d'un siècle, les historiens napoléoniens ont en vain recherché la preuve éventuelle d'une participation de la mère de Victor Hugo à la conspiration de Malet. Ils ont inutilement fouillé les cartons des Archives nationales et ceux des Archives de la Guerre. Ils n'ont pas songé à interroger les correspondances de la famille Hugo. Là gisait la vérité.

A une date inconnue — entre juillet et le 13 novembre 1815 — Sophie Hugo a préparé, à l'adresse du maréchal Clarke, duc de Feltre, secrétaire d'État à la Guerre, une supplique dont subsiste seulement le brouillon [2] et dont on a pu lire plus haut déjà un extrait. Sophie sollicite une « demande de retenue sur les appointements de M. Hugo qui laisse sa femme dans le dénuement le plus absolu » et, après avoir évoqué certains épisodes de la carrière de son mari et de sa propre vie, elle ajoute, parlant d'elle à la troisième personne :

1. Voir *la Conspiration du général Malet*, du même auteur (1950).
2. Maison de Victor Hugo, *Correspondances*, nº 9752. Lettre communiquée par Jean et Sheila Gaudon.

« Après la découverte de la conspiration, le général Pichegru fut
trois jours caché [chez] elle, le général Lahorie y trouva un asile
pour beaucoup plus de temps et il y fut arrêté en 1811 ; Mad. Hugo
devait l'être aussi, mais elle dut son salut à la connaissance qu'elle
avait de certains faits dont Savarie *(sic)* craignait la révélation. Mad.
Hugo n'est point une femme intrigante ; occupée uniquement de
l'éducation de ses enfants, d'un caractère timide à l'excès, elle craint
par-dessus tout ce qui peut la mettre en scène et faire parler d'elle,
elle n'a dû qu'à des liaisons d'amitié, de reconnaissance, qu'à des circonstances impérieuses enfin, la part qu'elle a prise et la connaissance qu'elle a eue de beaucoup de choses. C'est ainsi qu'elle a
connu tous les détails de la conspiration de Mallet *(sic)*, elle doit
même dire à ce sujet à Votre Excellence qu'on a trompé Sa Majesté
et qu'il serait peut-être nécessaire que le Roi fût informé du rôle
que certain personnage y a joué, et surtout du but qu'on se proposait. Mad. Hugo croyait l'an dernier que cela était indifférent, et
elle était bien décidée à emporter le secret avec elle, mais ce
qui s'est passé depuis, ce qui se passe encore la fait penser autrement. »

Comment douterions-nous désormais ? Sophie Hugo, principale intéressée, non seulement admet qu'elle a connu *tous
les détails* de la conspiration, qu'elle y a pris une part, mais
elle est prête à éclairer Louis XVIII sur le rôle qu'y a joué
— pour l'appuyer ou plus probablement l'écraser — un personnage qui, au moment où elle écrit, reste certainement
mêlé aux affaires publiques. Une telle proposition de témoignage nous est garante de la sincérité de Sophie. Pouvait-elle
courir le risque, si le roi l'avait reçue, d'être confondue de
mensonge ?
Donc, elle a tout su. Et d'abord la date arrêtée pour la
conspiration : 22 octobre 1812. Ce soir-là, Malet et l'abbé
Lafon s'évadent de la maison de santé du docteur Dubuisson.
La nouvelle prétendue de la mort de Napoléon produit l'effet
espéré. La 10e cohorte se range aux ordres de Malet qui, se
rendant à la prison de la Force, où a été transféré Lahorie, le
fait mettre en liberté, ainsi d'ailleurs qu'un autre général du
nom de Guidal et un certain Boccheciampe. Lahorie, nommé
séance tenante par Malet ministre de la Police, s'en va aussitôt arrêter Savary, lequel — vaudevillesque retour des choses
— prend sa place en prison ! Pendant une nuit, Paris est aux
mains des conspirateurs. A l'aube tout se dévoile, Malet et
ses complices sont arrêtés et, dès le 28 octobre, jugés en cet
hôtel de Toulouse où résident toujours les Foucher. Le rap-

porteur n'est autre que ce Delon, père d'Édouard, l'ami des petits Hugo.

Le jour du procès, tôt le matin, Sophie est accourue chez ses amis Foucher. Elle a vu la cour de l'hôtel regorger de troupes et une nombreuse cavalerie, sabres nus, barrer la rue du Cherche-Midi. En compagnie de Mme Foucher, elle attend. Les heures passent. De temps en temps, la porte bat : c'est M. Foucher qui vient donner des nouvelles. Elle se tait. Apprenant que l'audience est suspendue, elle traverse les couloirs de cet hôtel familier et se présente à Delon. Mais celui-ci ne se cache pas d'être un bonapartiste intransigeant. Le danger que les conspirateurs ont fait courir à l'Empire l'a indigné. Quand Sophie le supplie de ménager le parrain de son fils Victor, c'est tout juste s'il ne lui impose pas silence. Son réquisitoire sera implacable.

Le jugement est rendu à 4 heures du matin. Sophie n'a pas un instant quitté l'appartement des Foucher. La porte s'ouvre une dernière fois. M. Foucher paraît. Sophie, qui le regarde, l'entend énumérer les peines édictées par les juges militaires : Malet est condamné à la peine de mort. Pour complicité sont condamnés à la même peine treize inculpés dont Guidal, Boccheciampe — et Lahorie. Cette nuit-là, personne ne s'est couché chez les Foucher. Pas même la petite fille de neuf ans, Adèle. Elle se souviendra que Sophie, lorsqu'elle a appris la condamnation à mort de Lahorie, est restée muette. Mais *« ses genoux tremblaient »*[1].

Les condamnés seront fusillés dans l'après-midi.

Ce jour-là, Eugène et Victor passent devant l'église Saint-Jacques du Haut-Pas. Il pleut, une de ces pluies d'automne, « fine et pénétrante ». Les deux enfants doivent s'abriter sous la colonnade de l'église. A cet âge-là, on ne tient pas en place. Alors ils jouent, ils rient. Soudain, une affiche attire l'attention de Victor. C'est une liste de noms parmi lesquels se lit celui de Soulier. Comment l'enfant saurait-il que le capitaine Soulier est l'une des dupes de Malet et qu'il va payer sa naïveté de sa vie ? Peut-on s'appeler Soulier ! Victor se met en devoir de lire l'affiche tout entière. Il s'agit de l'arrêt qui condamne à mort « Malet, Lahorie et leurs complices ». Lahorie ? Le nom ne dit rien à Victor. Sa mère leur a présenté

1. *Manuscrit.*

l'hôte des Feuillantines comme M. de Courlandais. L'attention tombe, on s'éloigne en sautant, en criant. En riant.

Une mère désespérée et qui ne peut rien dire à ses enfants de son chagrin. Ils la découvrent un peu plus repliée sur elle-même. Plus austère, plus silencieuse. Ils ne comprennent pas. Si proches qu'ils puissent se sentir de leurs parents, les enfants entrent rarement dans les malheurs de ceux-ci. Le bon La Rivière vient toujours donner ses leçons aux Feuillantines. Sophie le paye 24 francs par mois. Au printemps, pour mieux expliquer *les Géorgiques*, il se promène avec les enfants dans le jardin. Hugo dira plus tard que cette éducation si libre a représenté pour lui un bienfait sans égal. Je les vois, Victor et Eugène, tenant leur Virgile grand ouvert, et cheminant auprès du vieil homme. Je la vois, Sophie, observant du perron cette démarche.

> Ainsi parlaient, à l'heure où la ville se tait,
> L'astre, la plante et l'arbre, — et ma mère écoutait [1].

Tout se mêlera, à l'heure des souvenirs. Les herbes folles, les marronniers, l'allée aux boutons d'or, le vieux puisard, les murs croulants, les jeunes roses — et le chant des vers latins.

> Et les prés et les bois, que mon esprit le soir
> Revoyait dans Virgile ainsi qu'en un miroir.

La Rivière enseigne surtout du latin, un peu de grec, guère d'histoire. Mais, à travers le latin, les enfants découvrent le passé romain. Comment, étudiant Cicéron, ignorer Catilina ? Les connaissances historiques de Hugo n'en resteront pas moins fragmentaires, sans unité, sans cohésion. « Mon mari, écrira Adèle à Guernesey, s'élève contre l'éducation bornée qu'on donnait alors aux enfants. On s'en tenait aux côtés purement littéraires ; de géographie et d'histoire pas un mot. Les deux écoliers sortirent des bancs n'en sachant absolument rien. » Et, non sans malice, elle ajoute : « Cette ignorance a fait commettre à mon mari de grossières erreurs : dans les *Odes et Ballades*, il a confondu Ivry-sur-Seine avec Ivry-la-Bataille ; dans *Cromwell*, les habitants du canton de

---

1. *Les Rayons et les Ombres,* XIX — *Ce qui se passait aux Feuillantines vers 1813.*

Vaud avec les Vaudois, sectataires de Valdo. » Inutile de préciser que le *témoin* s'est bien gardé de reprendre cette notation, forme évidente du crime de lèse-Hugo.

Si on parle peu d'histoire aux Feuillantines, n'est-ce pas aussi parce que l'histoire se fait chaque jour ? Quand l'Europe tout entière se lève contre le maître d'hier, quand en France tout se cherche et s'apeure, comment aurait-on aux Feuillantines d'autre héros que le Corse devenu César ?

Un homme refuse les inquiétudes de l'heure ; le principal du lycée Napoléon. L'été de 1813, il se présente aux Feuillantines. Hugo a dessiné de l'importun un portrait en forme de caricature. Il l'a dépeint fort laid et stupide, chauve et noir, avec un « front pauvre », un maintien solennel. Il a montré sa mère d'abord effrayée par l'intrusion du pédagogue. Celui-ci multiplie les « humbles attitudes ». Il déclare qu'il a appris que l'enfant n'était pas dirigé, qu'au travail il préférait le rêve et qu'à cet âge rêver librement représentait un grave danger. Bref, aimable et triomphant, il propose le collège.

> Ses bancs de chêne noirs, ses longs dortoirs moroses,
> Ses salles qu'on verrouille et qu'à tous les piliers
> Sculpte avec un vieux clou l'ennui des écoliers [1].

L'homme s'en est allé. Sophie reste triste, préoccupée. A-t-elle eu raison d'accorder sa confiance entière à ce vieux La Rivière ? Hugo dira que c'est le jardin des Feuillantines qui a répondu à sa mère. Elle y a porté son regard, a vu Victor et Eugène, les a entendus déclamer leurs vers latins sous les arbres et parmi les fleurs. Elle les y a laissés.

C'en est fini des espoirs espagnols de Napoléon. Les Anglais, secondés par les guérilleros, repoussent les Français vers les Pyrénées. Trois jours après Vitoria, Joseph acculé a nommé Léopold Hugo premier aide de camp. Le 17 mars 1813, sous le regard de Goya, le roi quitte Madrid. Il laisse derrière lui une division française — et le général Hugo qui va organiser la retraite des derniers soutiens et partisans de Joseph. Juste le temps d'entasser dans des voitures un ultime butin : des Raphaël, des Titien et, le 27 mai 1813, il n'y a plus à Madrid un *Gavacho*, c'est-à-dire un Français.

---

1. *Les Rayons et les Ombres.*

Sait-on par quel col l'armée française passera d'Espagne en France? Par celui de Roncevaux. Chateaubriand : « Nos grands souvenirs faisaient le fond des scènes de nos nouvelles destinées. » Léopold et son fils Abel sont à Pau.

Sophie Hugo à Abel, 24 septembre 1813 : « J'ai pleuré souvent sur ton sort, sur celui-même de ton malheureux père qui, s'il nous fait beaucoup de mal, s'est fait et s'en fait encore plus à lui-même. Espérons, mon Abel, un meilleur temps et surtout que nos malheurs communs te servent de leçon. Vois où peuvent conduire le défaut de principe et des passions extravagantes. Quelle belle destinée ton père a gâtée ! Tous les avantages qu'il pouvait retirer de son service d'Espagne sont perdus pour sa famille et pour lui-même. Il revient de là avec des dettes, car je crois bien qu'il n'a pas achevé de payer la maison qu'il avait achetée à cette femme. Et comment les paiera-t-il aujourd'hui qu'il rentre au service de France (comme tous ses camarades) dans le grade qu'il avait en entrant au service du Roi, car tu sais qu'il était chef de bataillon. Comment pourra-t-il payer 30 ou 36 000 francs qu'il doit encore devoir à M. Marie, avec 3 600 francs par an ; la moitié de ses appointements sera nécessaire seulement pour payer ses intérêts. Et comment vivra-t-il, et nous aussi, avec le reste ? »

C'est vrai : d'ordre de l'Empereur, les titulaires de grades espagnols se voient rétrogradés dans leur grade français. Le chef de bataillon Léopold Hugo, à sa demande, va rejoindre la Grande Armée en Allemagne — pour l'accompagner dans sa retraite jusqu'en France. On lui rendra alors les insignes ainsi que les rations de brigadier général et il recevra le commandement de la place de Thionville.

Ils ressemblent à bien des familles françaises d'alors, ces Hugo dispersés, chacun vivant une attente à la fois identique et différente. A la fin de septembre, voici Abel aux Feuillantines. Comme il a changé ! Tous se récrient, Sophie, les amis, les voisins : un homme, vraiment ! Il est vrai qu'Abel, à quinze ans, ressemble à un athlète. L'école des pages de Madrid l'a rompu aux exercices du corps et de l'esprit. Les deux petits frères admirent.

Victor vit la fin d'un monde. Celui d'un règne, mais il n'y croit pas encore. Celui de son enfance, mais il ne le sait pas encore. On le voit souvent avec Adèle. Mais leurs jeux prennent un tour neuf dont il se souviendra aussi longtemps qu'il vivra :

Victor Hugo en 1829. Lithographie de Devéria.

Le général Hugo.
Sophie Trébuchet, comtesse Hugo.

Conçu sur le Donon...

La maison natale de Victor Hugo à Besançon.

Le collège des Nobles à Madrid.

La maison qu'habita Victor Hugo au 44 de la rue du Cherche-Midi, vue par Dignimont.

Hugo à dix-sept ans, vu par Legenisel.

Hugo à dix-huit ans. Attribué à Adèle Hugo.

Adèle Foucher lors de ses fiançailles avec Victor Hugo.

La maison de Gentilly où Victor et Adèle se firent l'aveu de leur amour.

La maison de la rue Notre-Dame-des-Champs.

Adèle Hugo avec le petit Charles, par Devéria.

LES AMIS

Alexandre Dumas.

ALEX. DUMAS.

Alfred de Vigny. *Charles Nodier.*

Sainte-Beuve.

Abel Hugo, par Devéria.

LES FRÈRES

Eugène Hugo.

Théophile Gautier, par Auguste de Chatillon.

La bataille d'Hernani.

Adèle Hugo, par elle-même.

« Elle me dit : *Courons !* et elle se mit à courir devant moi, avec sa taille fine comme le corset d'une abeille et ses petits pieds qui relevaient sa robe jusqu'à mi-jambe. Je la poursuivis ; elle fuyait ; le vent de sa course soulevait par moments sa pèlerine noire et me laissait voir son dos brun et frais. J'étais hors de moi. Je l'atteignis près du vieux puisard en ruine ; je la pris par la ceinture, du droit de la victoire, et je la fis asseoir sur un banc de gazon ; elle ne résista pas. Elle était essoufflée et riait. Moi, j'étais sérieux et je regardais ses prunelles noires à travers ses cils noirs.

« " Asseyez-vous là, me dit-elle. Il fait encore grand jour ; lisons quelque chose. Avez-vous un livre ? "

« J'avais sur moi le tome second des *Voyages* de Spallanzani. J'ouvris au hasard, je me rapprochai d'elle, elle appuya son épaule à mon épaule et nous nous mîmes à lire chacun de notre côté, tout bas, la même page. Avant de tourner le feuillet, elle était toujours obligée de m'attendre. Mon esprit allait moins vite que le sien.

« " Avez-vous fini ? " me disait-elle, que j'avais à peine commencé.

« Cependant, nos têtes se touchaient, nos cheveux se mêlaient, nos haleines peu à peu se rapprochèrent, et nos bouches tout à coup. Quand nous voulûmes continuer notre lecture, le ciel était étoilé. »

Ce soir-là, Victor restera silencieux et sa mère s'en étonnera :

« " Tu ne dis rien ? me dit ma mère. Tu as l'air triste. "
« J'avais le paradis dans le cœur... [1] »

Rien de plus chaste que ces amours dont il ne sait pas qu'elles sont amour. Le sort va rapprocher encore ces enfants. La municipalité de Paris ayant résolu de prolonger la rue d'Ulm, le jardin des Feuillantines se trouve exproprié. Que faire d'un logis que l'on n'avait pris que grâce au jardin ? Sophie va louer, tout à côté de l'hôtel des conseils de guerre, au numéro 2 de la rue des Vieilles-Thuileries — qui prolonge la rue du Cherche-Midi — le rez-de-chaussée d'une vieille demeure, plus modeste que grandiose. Fidèle à sa passion, Sophie a trouvé là quelques mètres — dix de large sur quinze de profondeur — d'herbes et d'arbustes. Rien de plus que de la verdure où reposer les yeux. La générale Lucotte, elle aussi rentrée d'Espagne avec les siens, va suivre le train, s'installer au premier étage. Quand il se révélera que le rez-de-chaussée est devenu trop petit, Sophie louera aussi le second qu'habiteront ses enfants. N'importe, chacun pleure les Feuillantines. Les pièces sont trop exiguës, le jardin trop chétif, d'ail -

1. *Le Dernier Jour d'un condamné.*

leurs Sophie l'interdit aux enfants. Heureusement, la maison a une cour, et la cour une remise, où le général Lucotte a abrité sa voiture et ses chevaux. Les enfants « imaginèrent de monter sur le toit et de se laisser tomber sur le foin. Pour peu qu'ils se fussent trompés d'une ligne dans leurs calculs, ils se tuaient. On leur fit une si verte défense qu'ils ne recommencèrent plus ». Les petits Hugo, les petits Foucher décrètent alors que la voiture du général Lucotte est devenue leur bien. Ils la prennent d'assaut, s'allongent sur les coussins. Ô volupté des voyages immobiles ! « Les petits Lucotte s'ajoutaient. Ils étaient empilés à la faire crever. Ils travaillaient la voiture en tous sens. Ils la balançaient de droite à gauche, la secouaient derrière et devant. La pauvre voiture grinçait, gémissait si bien qu'on accourait y voir. On prit la bande sur le fait, l'on mit des cadenas aux portières [1]. »

La cour devient alors champ clos. On s'affronte au jeu de balle. Un des joueurs se place le ventre contre le mur, un autre lui envoie la balle dans le dos. « Le petit Victor, dit malicieusement Adèle, envoyait plus souvent la balle qu'il ne tendait le dos. » Et puis, « il y avait je ne sais quel jeu où le vaincu devait recevoir des manchettes. Victor était le grand donneur de manchettes ». Voilà donc revenues les manchettes et ce goût singulier qu'affiche pour elles le jeune Hugo. C'est encore l'infortuné petit Foucher qui en fait les frais. Il pousse des cris atroces. Adèle s'est souvenue que, tout étonnée, elle a un jour demandé à son frère :

— Cela te fait donc bien mal ?

Aussitôt, avec un empressement dont elle aurait dû se méfier, le jeune tortionnaire lui a proposé :

— Voulez-vous changer ?

« Je voulus faire l'épreuve et présentai mon poignet. Au début de l'épreuve, les manchettes me semblèrent un tel supplice que je dégageai violemment ma main ! »

Et les malles de Mme Lucotte ! La plus élégante des Françaises de Madrid en a rapporté tant qu'il a fallu les réunir dans la remise. Les enfants les empilent les unes sur les autres, reconstituent une forteresse, avec tours, bastions, plates-formes. Merveille des escalades, de l'attaque, des défenses. Jusqu'au jour où, tremblant pour ses trésors, Mme Lucotte ferme à clé la porte de la remise. Il ne restera plus aux garçons et à Adèle, écœurés, que les jeux de carte et leur sagesse obligée.

1. *Manuscrit.*

L'indiscipline et l'anarchie, pour l'enfance dont les valeurs sont brutalement remises en question, représentent un défoulement logique. Je me souviens de juin 1940. D'autres armées déferlaient sur la France. Nos pères étaient absents. Ce qui régnait dans notre lycée breton, c'était comme un immense refus. Nous manquions les cours sans nous faire excuser. Nous refusions toute autorité. Je revois ce professeur de français, une femme, incapable de dominer notre vacarme absurde et qui, tout à coup, s'est mise à pleurer. Dans l'instant, nous nous sommes tus. Pour refuser la honte, nous choisissions le chahut. Il avait pris un goût de cendres.

Face à la petite bande de la rue des Vieilles-Thuileries, Sophie, déchirée, ne s'est guère senti le goût de sévir. Napoléon est devenu pour elle l'homme qui a fait mourir son amant. Sa chute qu'elle entrevoit devrait la combler de joie. Mais, épouse d'un général d'Empire et tenant de lui ses seules ressources, que deviendra-t-elle s'il n'y a plus d'Empire ? Mme Lucotte raisonne de même. On a de longs conciliabules avec Pierre Foucher qui, chef du Bureau de recrutement, est à même de connaître tous les mouvements de troupes. Haletantes, les deux femmes se penchent sur les cartes d'état-major du général Lucotte. On suit la progression de ceux que, déjà, on n'appelle plus l'*ennemi* mais les *Alliés*. Déconcertante progression. Chaque fois que ces Alliés-là croient tenir une ville, Napoléon — redevenu Bonaparte — les en déloge. Victor se souviendra d'avoir vu les longues charrettes chargées de soldats assis dos à dos, jambes pendantes qui, au grand trot de leurs chevaux, quittent Paris chaque jour, rappelés par l'Empereur, poussés vers les points que Prussiens, Russes, Autrichiens croient décidément en leur pouvoir. A chaque fois, pour l'ennemi, c'est la surprise, l'effroi, l'échec. Napoléon vient d'inventer la guerre-éclair. Nous aussi, en juin 1940, à l'écoute de la radio, nous devenions sérieux. Passionnément, Victor plonge dans les belles cartes du général Lucotte. Il apprend la géographie par l'invasion.

Le 29 mars, Eugène et Victor sont réveillés par un vacarme dont ils discernent mal l'origine. Est-ce le toit qui tombe sur leurs têtes ? Ils ouvrent la fenêtre, regardent dans la cour. Impossible de percevoir d'où vient ce bruit sourd, ce roulement qui évoque le tonnerre. Au petit matin, ils courent dans la chambre de leur mère, la questionnent. Réponse de Sophie :

— C'est la canonnade des Russes et des Prussiens.

Stupeur des enfants. Il y a des semaines que l'on parle ouvertement de la chute imminente de Paris. Mais ces étrangers aux portes, c'est trop. Ils n'ont connu que les Français entrant dans les capitales des autres.

Paris se défendra, non sans héroïsme. Les Alliés pénétreront dans la ville, soulevant des regards de haine et des murmures de colère dans les quartiers populaires et des applaudissements dans les beaux quartiers. Pour la première fois depuis de bien longues années, les amis de Sophie la découvrent rayonnante. En une nuit elle a rajeuni ! On multiplie les fêtes publiques ; elle y court. La douceur du printemps l'invite à sortir en robe de percale blanche, en chapeau de paille de riz garni de tubéreuses. La mode de ce temps-là s'applique même aux souliers qu'il faut avoir verts. Parce que le vert est la couleur de l'Empire. Avec de telles chaussures, c'est à chaque instant que le règne de Napoléon est foulé aux pieds ! Sophie n'aura plus que des souliers verts.

A tous les coins de rue se sont postés des marchands de cocardes blanches. Dûment chapitrés par Sophie, les trois fils Hugo vont en acheter chacun une qu'ils font coudre à leur chapeau. Lors de l'entrée solennelle de Louis XVIII, toute la famille ira se placer à une fenêtre du palais de justice obtenue par M. Foucher. Follement, Sophie acclame le vieux roi en habit bleu à épaulettes, étalé dans une immense calèche fleurdelisée, ayant près de lui la duchesse d'Angoulême vêtue de blanc. Devant et derrière marchent les mousquetaires. La Vieille garde suit, humiliée, mâchant ses moustaches. Victor s'est attaché un lis d'argent à la boutonnière. Immense est sa fierté : n'a-t-il pas été autorisé à donner le bras à Mlle Adèle ? Fier mais empêtré. « On dit à Victor de m'offrir le bras. Il était si novice qu'il mit son bras dans le mien. On rit beaucoup du dadais de garçon qui laissait la petite fille être le cavalier. »

La frénésie royaliste de Sophie Hugo ne resterait qu'anecdote si le biographe n'y découvrait une conséquence aussi imprévue qu'essentielle. La fièvre de Sophie va passer à son fils cadet. Quand il aperçoit le podagre Louis XVIII, Victor a douze ans et trois mois. Il est à l'âge où l'enfant, point encore adolescent mais sur le point de l'être, se croit en droit de se forger des idées personnelles. C'est ailleurs qu'il les recueille.

Il croit choisir et ne fait qu'enregistrer. Victor a grandi dans la lumière d'un phare : sa mère. En son inconscient, son père n'est qu'un regret et une blessure.

Hélas ! le père absent, c'est le fils misérable [1].

Certes, ce père suscite en lui des rêves de gloire : « Mon père avait une escorte, nous habitions un palais. » Mais cette gloire reste vague, informulée, elle aussi en forme de regret. Pendant l'Empire, il ne semble pas que Sophie ait beaucoup parlé de politique à ses enfants. La police impériale avait de grandes oreilles. Elle n'a pas contrarié l'élan juvénile qui conduisait ses fils à s'intégrer dans l'adulation générale. Étourdis par les victoires, enivrés par le fracas et l'encens levés autour d'un seul homme, ils se sont laissé investir par la grandeur. En 1814, il eût suffi d'une mère qui prônât la fidélité — elles ont existé — pour que l'enfant se rangeât au nombre des opposants farouches qui, sans faiblir, allaient refuser les Bourbons. Ce n'est pas à la fidélité qu'appelle Sophie mais à son contraire. Elle s'exclame qu'elle est vendéenne et qu'elle a vibré avec les Blancs. C'est faux, mais comment Victor ne le croirait-il pas ? Voilà une nouvelle grandeur à admirer, une nouvelle gloire à vénérer. Et puis, il y a la déception. Après tout, ce Napoléon a déçu. Pourquoi a-t-il fait croire que nul ne le battrait jamais ? *Malheur aux vaincus* pourrait être un mot d'enfant. Tout conduit Victor vers le drapeau blanc. C'est l'époque où Chateaubriand se rallie la jeunesse en identifiant les Bourbons à la liberté. Le temps où Benjamin Constant rêve d'une monarchie constitutionnelle à l'anglaise, d'où naîtraient enfin pour les Français ces droits sacrés refusés par l'ancienne monarchie, promis par la Révolution, dérobés par l'Empire. Certes, le gros Louis XVIII n'apparaît guère exaltant, mais ces Bourbons qui se perdent dans la nuit des temps, n'y a-t-il pas là quelque chose de sublime ? Comme Victor — déjà — n'entreprend rien à demi, ce n'est plus seulement monarchiste qu'il va se proclamer, mais légitimiste. Il est un mot qu'il veut oublier : l'empereur. Désormais, il est tout au roi.

Qu'un enfant de douze ans se forge une opinion politique, voilà généralement qui ne prête pas à conséquence. Des

1. *La Légende des siècles : la Paternité.*

enfants de mon âge ont applaudi le maréchal Pétain qui sont
peut-être aujourd'hui à l'extrême gauche. La différence, ici,
c'est que l'enfant s'appelle Victor Hugo. Et que le grand tournant qu'il vient de prendre va inspirer la quasi-totalité de son
œuvre poétique et littéraire pendant quinze ans. Le poète Victor Hugo va naître et s'épanouir dans les plis de ce drapeau
blanc qu'il vient d'adopter, croit-il, à jamais. Plus tard il
reviendra au bonapartisme, scandera, avec d'inégalés
accents, Napoléon et les aigles impériales. Son rêve l'ayant
déçu, il répudiera toutes les dynasties et verra dans l'État
républicain la seule sauvegarde des droits du peuple. Vieillissant, il prônera la République universelle des socialistes et
de Garibaldi. Il mourra vénéré par les révolutionnaires du
monde entier. Tout cela est vrai. Mais à douze ans, parce que
sa mère haïssait Bonaparte, Victor Hugo a choisi de vivre
quinze années de sa jeune vie dans l'ombre des Bourbons de
la branche aînée.

Léopold a défendu Thionville jusqu'au bout. Et bien
défendu. Kellermann lui écrira : « Vous avez prouvé qu'il n'y
avait rien d'impossible au dévouement et au courage et votre
conduite a été tout ce qu'elle devait être. » Au nom de
Louis XVIII, le comte de Damas a envoyé ses félicitations au
général Hugo qui est nommé, le 21 novembre 1814, maréchal
de camp. Le 1er novembre, il reçoit la croix de Saint-Louis et,
le 14 février 1815, il est fait officier de la Légion d'honneur.

A-t-il oublié les siens, Léopold ? On pourrait le croire, à le
voir installé dans une des belles maisons de Thionville, celle
de Me Alexandre, notaire, en compagnie de la prétendue
Mme d'Almeg. Il semble content de son sort, quoiqu'il soupire après une solde qui ne lui a pas été versée depuis le
1er janvier 1812 — ce qui en dit long sur les désordres qui ont
marqué la fin de l'Empire. Quand il lit dans les gazettes que
sans doute Thionville sera rendue à la France, il se sent fier
car c'est grâce à lui si son pays a conservé cette place. Grand
lecteur devant l'Éternel, il s'est remis à étudier ses classiques. Ce qui ne l'empêche pas, le 7 mai, d'écrire à Abel une
longue lettre lui annonçant, entre autres, la mort de sa mère
et ajoutant : « Embrasse tes frères pour moi, j'aurais eu bien
de la satisfaction à recevoir de leurs nouvelles. » Flèche du
Parthe adressée à Sophie qui n'a pas cru devoir faire écrire
les deux petits à leur père. Comment aurait-il pu prévoir

qu'au moment où la lettre arriverait à Paris, la générale Hugo serait en route, précisément en compagnie d'Abel, pour Thionville !

Elle est décidément la femme des voyages en forme de coups d'État. Elle agit par surprise et ses attaques ont la soudaineté de l'éclair. Après Naples, puis Madrid, elle n'a pas changé de tactique. Elle fait irruption à Thionville sans s'être annoncée. Pourquoi ? Dans une requête présentée au tribunal de Thionville le 4 juin — déjà citée ici — elle va s'expliquer : « L'exposante, accompagnée de son fils aîné, s'est rendue dans cette ville pour vivre avec son mari ; elle espérait y être traitée maritalement et obtenir la protection et l'assistance que la loi prescrit aux époux. » Voilà qui est sibyllin. Comment Sophie, qui hait son mari qui le lui rend bien, aurait-elle pu souhaiter reprendre paisiblement à ses côtés la vie conjugale ? En vérité, ce qui la guide, c'est une fois de plus la question financière. Une lettre de Léopold à sa sœur, la veuve Martin, nous informe que Sophie est venue à Thionville pour lui réclamer 3 000 francs, somme qu'il n'a pas voulu verser, venant d'être averti qu'elle avait prélevé 4 000 francs, chez son banquier Anceaux : « Cette femme est insatiable d'argent. »

Je regarde le portrait du général Hugo, ce visage jovial aux joues fortement arrondies, ces grosses lèvres gourmandes, ces yeux où pointe de la malice. Ce portrait-là est celui d'un brave homme, je suis prêt à en jurer. Bien sûr, il est un peu hâbleur, un peu facilement content de lui. Méchant, non. *Sauf en ce qui concerne Sophie.* Le traitement qu'il va lui faire subir à Thionville, nul ne pourrait l'excuser. J'ouvre de nouveau le dossier de la requête présentée au tribunal de Thionville. Voici ce que j'y trouve. Je rappelle que c'est Sophie qui parle :

« Elle a été reçue avec dédain et mépris, mise à coucher dans l'antichambre, tandis que la fille [Thomas] occupait la chambre à coucher de l'appartement et se renfermait toutes les nuits sous clé avec le général dans cette partie du logement. Mme Hugo fut assujettie les premiers jours à manger à la même table que la fille Thomas et forcée sous peine de mauvais traitements de lui faire accueil. Mme Hugo se plaignit avec ménagement, elle exposa avec modération le danger auquel s'exposait son mari de vivre avec une concubine dans la maison conjugale, qu'il oubliait sa dignité, que c'était un attentat aux mœurs, et qu'il se rendait passible des peines prononcées par l'article 339 du Code Pénal. Les démarches de l'exposante devinrent infructueuses et la médiation des amis du général inutile. Le sort de Mme Hugo devint chaque jour plus déplorable. Son mari ne quitta plus la chambre où couchait cette fille, il s'y enfermait souvent sous clé, seul avec elle plusieurs heures dans la journée, au grand scandale de toute la maison, et lorsque quelques affaires pressantes rendaient la présence du général nécessaire, après avoir essayé d'ouvrir, on l'appelait, et comme souvent il ne répondait pas, alors on lui disait à travers la porte qui le demandait et pourquoi ; et s'il jugeait que cela en valût la peine, un instant après il sortait. Cette scène scandaleuse s'est renouvelée plusieurs fois avant l'arrivée de Mme Hugo et depuis, notamment le 1er juin dernier. Au reste il mangeait dans cette chambre et y faisait manger ceux qu'il invitait à sa table. Son épouse fut congédiée, obligée avec son fils de manger à une table particulière, servie par les domestiques qui ne recevaient d'ordre que de cette fille Thomas et à qui elle avait déclaré qu'elle était seule maîtresse dans la maison et qu'ils ne devaient point obéir à Mme Hugo qui, ayant un jour demandé qu'on fît son lit, reçut pour réponse qu'on ne pouvait le faire sans la permission de Mme Almeg. »

On se trouve ici en présence d'une situation que Balzac lui-même n'eût pas imaginée. Bien sûr, il s'agit d'une requête en séparation. Il suffit d'avoir étudié, chez un avocat, les dossiers de divorce, pour ne plus s'étonner des termes qu'employaient, avant les dernières réformes, les époux qui cherchaient à démontrer l'injure grave. Mais ici ? Il n'est pas possible que Sophie ait inventé tout cela. Il faut qu'elle ait eu des témoins et que ceux-ci se soient déclarés prêts à déposer devant le tribunal. D'ailleurs, elle n'en a pas fini : « L'intérêt qu'elle porte à son mari, celui de ses enfants, l'empêche de présenter le tableau de tous ses malheurs, auxquels son mari a mis le comble, en l'abandonnant avec son fils, sans pourvoir en aucune manière à ses besoins dans le logement, qu'il a quitté en lui faisant les menaces les plus violentes si elle essayait de le suivre, et cela pour aller vivre au château d'Hus avec sa concubine, qui est censée avoir loué le château ; la justice connaîtra facilement la fraude puisque cette malheureuse ne possède rien au monde. »

Une question : pourquoi Sophie, se voyant en butte à d'aussi inqualifiables offenses, n'a-t-elle pas, dès le premier jour, quitté la maison de Me Alexandre pour aller s'installer à l'auberge ? Il lui suffisait d'envoyer un huissier constater l'entretien de la concubine au domicile conjugal. Pourquoi a-t-elle accepté de subir tout cela pendant tant de jours ? Comme on l'a dit, « il faudrait entendre l'avocat du général ». N'a-t-elle pas choisi, avec la froide volonté que lui ont connue tous ses amis, de pousser à bout son mari ? L'autre son de cloches, celui de Léopold, nous le découvrons dans sa lettre à la veuve Martin, sa sœur :

« Mme Tréb. m'ayant attaqué le 4 juin devant les tribunaux pour obtenir une provision de 3 000 francs, je l'ai attaquée le 11 en divorce et elle s'est sauvée le lendemain 13, sans que personne ne sache rien... Quant aux preuves pour le divorce, je n'en manquerai pas, mais je veux bien encore faire ce sacrifice et l'ajouter à ceux sans nombre que j'ai déjà faits. Aussi je me bornerai à une simple demande en séparation si je la trouve raisonnable. Quant au conseil de vivre avec elle, tu sais bien que cela est impossible : je ne l'ai jamais tant abhorrée. »

Nous voici fixés. Sophie est remarquablement arrivée à ses fins. Avant d'en finir avec le lamentable épisode de Thionville, je veux penser à Abel. Je songe que ce garçon de quinze ans et demi a dû assister, dans la maison de Mᵉ Alexandre, aux scènes intolérables qui ont opposé ses parents. Qu'il a subi, en même temps que sa mère, les humiliations auxquelles celle-ci s'était exposée. C'est l'enfer qu'a traversé Abel. Or nous ne connaissons pas un mot de lui qui permette de penser qu'il ait cessé de respecter ses parents. Pas un seul.

Restés à Paris, Victor et Eugène ne soupçonnent rien de tout cela. Ils n'ont de compagnie, rue des Vieilles-Thuileries, que celle des domestiques, Claudine et Bertrand. Victor souffre cruellement de l'absence de sa mère. Ce qui nous vaut une lettre, la première de lui que nous connaissons. Signée Victor Hugo, une immense correspondance nous est parvenue. Des milliers et des milliers de lettres qui ne cesseront de nous éclairer sur son personnage. Donner à lire la première de toutes, voilà un événement que le biographe ne peut manquer de ressentir fortement. Cette lettre est du 23 mai 1814 :

« Ma chère maman,
« Depuis ton départ, tout le monde s'ennuie ici. Nous allons très souvent chez M. Foucher, ainsi que tu nous l'as recommandé. Il nous a proposé de suivre les leçons qu'on donne à son fils ; nous l'avons remercié. Nous travaillons tous les matins le latin et les

mathématiques. Une lettre cachetée de noir et adressée à Abel est
arrivée le soir de ton départ. M. Foucher vous la fera passer. Il a eu
la bonté de nous mener au Muséum. Reviens bien vite. Sans toi,
nous ne savons que dire et que faire ; nous sommes tout embarrassés. Nous ne cessons de penser à toi. Maman ! Maman !

« Ton fils respectueux. Victor. »

Dans sa requête en divorce, Léopold n'y est pas allé par
quatre chemins. Bousculant les préjugés et les règles, il a carrément fait état d'une liaison de sa femme. Coup droit à
Sophie qui, à l'évidence, se défend très mal dès qu'on l'attaque sur ce point précis. Elle continue à représenter Lahorie
comme un « homme respectable », bienfaiteur de son mari.
N'ira-t-elle pas, dans l'une de ses requêtes, jusqu'à parler de
lui comme d'un vieillard *qui avait servi de père au sieur
Hugo*? « Tout ce qui est exagéré est insignifiant », répétait
volontiers Talleyrand.

Si en toute hâte Sophie a quitté Thionville, c'est parce
qu'elle a été avertie que Mme Martin, sœur de Léopold, se
prévalant d'une procuration de ce dernier, avait fait apposer
les scellés sur son appartement de Paris. Une personne dont
nous ne connaissons pas l'identité l'avait prévenue « que
l'intention de cette dame était de faire vendre tout le mobilier. Même, il se pouvait que la vente ait lieu sous quatre ou
cinq jours ». Ceci encore : « Mme Martin a enlevé vos deux
enfants à M. Foucher. Ils sont chez elle. »

Voilà Victor et Eugène confrontés directement à la vérité.
Comment ne pas *voir* la scène ? Ces deux petits garçons tranquilles, travaillant chaque matin avec le bon La Rivière, se
rendant régulièrement chez M. Foucher, jouant avec les
enfants de celui-ci : tout à coup la foudre s'abat sur eux. Cette
tante qu'ils connaissent à peine — et qu'ils persisteront à
appeler *Madame* — surgit, accompagnée du juge de paix du
10ᵉ arrondissement. Le magistrat appose les scellés sur les
placards et les tiroirs. Mme Martin annonce à ses neveux
qu'ils doivent la suivre. Questions, protestations, larmes, rien
n'y fait. Le juge est là qui confirme et approuve. Il faut partir.
Tout cela a dû faire du bruit puisque Pierre Foucher, « le
cœur brisé », en écrit dès le lendemain à Léopold : « Oh ! mon
général, si vous étiez le témoin du désespoir de vos malheureux enfants, si vous pouviez entrevoir le sort qui les attend,
vous arrêteriez le cours désastreux que prend une désunion

dont vous serez la principale victime... Ce n'est point l'éclat
fâcheux, le mauvais effet de cette scène qui m'afflige le plus.
J'envisage le sort de vos jeunes garçons livrés à Mme Martin,
dont vous connaissez mieux que moi le caractère, les
manières et surtout le cœur. » Pierre Foucher supplie le général d'annuler sa requête en divorce, de renoncer au procès
qu'il veut intenter à sa femme : « Que rien ne ternisse, mon
général, la belle réputation militaire que vous vous êtes
faite. »

Elle ne semble pas avoir changé, la veuve Martin. Toujours
aussi dure, autoritaire, vulgaire. Chez elle, les deux petits rongent leur frein, appelant de tous leurs vœux le retour de leur
mère.

Quand, le 23 juin, sautant de la diligence, Sophie accourt
rue des Vieilles-Thuileries, elle trouve le juge de paix occupé
à apposer les scellés, cette fois sur les portes extérieures de
son appartement. Elle se réfugie chez les Foucher, court chez
un avocat qui conseille un référé. Ces formalités durent dix
jours, Victor et Eugène étant toujours chez la veuve Martin —
Madame — Sophie et Abel chez les Foucher. De part et
d'autre, le chagrin, la colère, l'exaspération. Lisez l'œuvre
entière de Victor Hugo : pas un mot de l'épisode.

Le président du tribunal de la Seine donne raison à
Sophie. Le 5 juillet, elle peut réintégrer son appartement.
Joie infinie : Victor et Eugène rejoignent leur mère. Tout cela
est dûment annoncé à Léopold. On vient de mettre fin à ses
fonctions de commandant de Thionville. Escorté de Catherine Thomas, dont on ne sait plus bien si elle est comtesse de
Salcano ou veuve d'Almeg, il accourt à Paris où, dans le courant de septembre, il s'installe, 12, rue du Pot-de-Fer, logement officiellement loué par la dame d'Almeg. Mais il arrête
en son nom propre — général comte Hugo — un appartement, tout près de là, 35, rue des Postes. Sa rage souffle en
tempête. Faute d'un autre champ de bataille, c'est une guerre
judiciaire qu'entame le général. D'abord, il réclame d'être
mis en possession de tout ce qui garnit l'appartement de la
rue des Vieilles-Thuileries. Sophie s'y oppose. Nouvelle
requête de Léopold. Tout cela prend des mois. On est au
plein de cet étrange hiver de 1814-1815 au cours duquel, du
fait des sottises accumulées comme à plaisir par la famille
royale et le ministère, les Français s'éloignent chaque jour
davantage des Bourbons.

Les jeunes Hugo, un peu rassérénés de se retrouver auprès de leur mère, ont découvert un jeu nouveau. Ils ont acheté un théâtre de carton et une troupe complète de petits comédiens en bois. Il a été décidé que Victor et Eugène écriraient chacun leur pièce. C'est ainsi que Victor va composer un *Palais enchanté*. A peine finie, il met l'œuvre en répétitions. On s'achemine vers la représentation. L'auteur traverse toutes les affres des créateurs. Quel sera le jugement du public — composé exclusivement d'Eugène ? Cette représentation n'aura jamais lieu.

Le 26 janvier 1815, un référé donne raison au général Hugo : il peut entrer en possession des biens de la communauté. Ce jugement est exécutoire le 10 février. Le même jour, Léopold se présente rue des Vieilles-Thuileries, il enlève « dix chemises, vingt-quatre paires de bas, dix-neuf mouchoirs de batiste, toute l'argenterie, une lorgnette de spectacle en vermeil » qu'il transporte en son domicile de la rue du Pot-de-Fer. Cela encore n'est rien. Il somme sa femme de se rendre à l'appartement qu'il a loué, rue des Postes. Sophie s'incline, elle ne peut qu'accepter, la loi l'y oblige. Elle demande seulement que ses meubles soient portés à ce nouveau domicile. Le pire est à venir : le général signifie à Sophie qu'elle n'est pas digne de conserver la garde de ses enfants. Il ordonne à Victor et Eugène de rassembler leurs affaires et de l'accompagner sur-le-champ. Désarroi, épouvante. Mais où, papa ? A la pension Cordier, rue Sainte-Marguerite, numéro 41. Ils n'ont qu'un court répit pour réunir leurs effets, leurs reliques d'enfance, leurs livres les plus précieux. Éperdus, ils se jettent dans les bras de leur mère — et emboîtent le pas à ce père presque inconnu.

Toujours, Victor se souviendra de leur arrivée à la pension Cordier. Devant, le général qui marche d'un bon pas. Derrière, deux petits garçons silencieux qui s'efforcent à le suivre. Elle n'est pas bien engageante, cette rue courte, étroite, montrant à l'une de ses extrémités la prison de l'Abbaye et à l'autre le passage du Dragon. Victor a jeté un bref coup d'œil sur la porte dressée à l'entrée de ce passage, ornée du dragon qui lui a donné son nom. Bref intérêt archéologique vite retombé, car le passage entrevu est si sombre ! Il en vient un vacarme perpétuel, celui des marchands de ferraille qui, tout au long du jour, battent leur fer. Et ce bruit, ce jour-là, n'a

pas paru très gai à Victor. L'état d'esprit des deux petits
Hugo ? « Les pauvres garçons étaient profondément tristes »,
note Adèle. On s'est arrêté devant la porte de la pension. Elle
ne se compose que d'un corps de bâtiment — un rez-de-chaussée, un étage, plus un étage mansardé — entre deux cours.
Suivant toujours le général, les enfants traversent la première cour et sont surpris d'y voir quelque lumière ; du coup
ils la trouvent gaie. *Manuscrit d'Adèle* : « Ils furent reçus par
un vieux bonhomme ayant sur la tête un bonnet polonais
dont les pointes rabattues étaient garnies de fourrures. Il
portait une houppelande polonaise également garnie de fourrures. Son nez était plein de tabac. Il en mettait une si
grande quantité que, son nez ne pouvant contenir tout, le
trop-plein tombait en cascades de ses narines à sa chemise et
de sur sa chemise sur sa houppelande. » Ce bonhomme
s'appelle Cordier. Victor sera toujours convaincu qu'il avait
été prêtre et s'était défroqué. Nous savons déjà que cela fait
partie de sa mythologie ordinaire. Cordier semble avoir été
plutôt un dignitaire de la franc-maçonnerie. Les enfants
apprendront vite que la tabatière n'est pas destinée seulement à recevoir plusieurs fois par jour son trop-plein de
tabac, mais que son propriétaire la voue à un autre usage :
volontiers Cordier en frappe les têtes des élèves récalcitrants.
Ils sauront aussi que Cordier dispose d'un adjoint, un certain
M. Decotte, professeur de mathématiques. Si Cordier n'est
pas tendre, Decotte est carrément brutal. Victor se souviendra de lui comme d' « un monstre aux ongles noirs de
crasse », d'un « pédant gonflé de morgue et bouffi de cou ».
Tous, nous avons accoutumé notre mémoire à changer en
repoussoirs les professeurs dont nous croyons avoir eu à
nous plaindre.

Toujours en compagnie de leur père, les petits Hugo vont
visiter la pension sous la direction de M. Cordier. D'abord, au
rez-de-chaussée, les classes et le réfectoire. Puis, à l'étage, les
dortoirs. Le général demande, pour le bien des études de ses
fils qu'il destine à préparer Polytechnique, que le dortoir
commun leur soit épargné.

Plein de componction, M. Cordier a consenti et affirmé que
l'on mettrait tout de suite ces deux élèves d'exception à l'algèbre et à la géométrie. Après quoi il leur a montré la seconde
cour, celle qui appartient en propre aux élèves. Surprise : Victor et Eugène y aperçoivent de la verdure et même — en plein

hiver ! — des fruits. Ils tendent leur jeune cou et poussent le
même cri d'étonnement : les arbres fruitiers sont peints sur
le mur du fond : « Des arbres, des gazons, des berceaux de
feuillage, tout un parc complet, jusqu'à des jets d'eau. »

Glacés, les petits Hugo vont entendre leur père dicter à
Cordier des instructions implacables. Celles-là mêmes qu'il
résume dans une lettre à sa sœur, le 31 mars 1815 : « Je te
confie le soin de mes deux jeunes enfants, placés chez M. Cordier, et sous aucun prétexte je n'entends qu'ils soient remis à
leur mère ni sous sa surveillance. C'est à toi seule que je les
confie et c'est à toi que M. Cordier doit en répondre. Je te
donnerai souvent de mes nouvelles ; donne m'en des leurs... »

Une lettre postérieure d'Abel à son père nous apprend que
Léopold est allé plus loin encore : il a expressément interdit
au maître de pension de laisser Sophie voir ses fils. Où s'est-
elle enfuie, la bonté naturelle de Léopold ? L'ex-Brutus
retombe dans la même barbarie qu'à Madrid.

Quelle impression Victor peut-il conserver de son père ? Il
était trop petit en Corse et à l'île d'Elbe pour se souvenir de
ce guerrier qui lui servait à la fois de père et de mère. Il lui a
fallu attendre le voyage de Naples pour découvrir à six ans
un géniteur quasi légendaire. Encore savons-nous qu'il n'a
fait que l'entrevoir. Quatre années encore et, à Madrid, le
père invisible reparaît. Conséquence pour l'enfant : la prison.
Trois années de nouveau, et c'est un père enragé qui surgit
rue des Vieilles-Thuileries, arrache ses fils à leur mère pour
les conduire à la pension Cordier. Pour Victor, le général
Hugo n'est rien d'autre que l'agent du malheur. Cependant,
nulle révolte de sa part, apparente du moins. La force de la
tradition y est pour beaucoup. On se doit de traiter un père
avec déférence, quel que soit ce père et quoi qu'il ait pu faire.
Il est de règle d'accompagner ce respect d'un sentiment qu'il
est convenu d'appeler amour. Si on ne le ressent pas, on feint
de l'éprouver. Mais aussi, l'enfance a besoin d'admirer. Aux
yeux de Victor, son général de père est un héros. Malgré tout
ce qu'il a subi de lui, il reste fier de ce héros.

Autre difficulté qu'a fort bien soulignée Adèle : « Ce qu'ils
voyaient, entendaient, leur éducation entière était une
contradiction continuelle. Leur père, soldat de 92, leur parlait *Révolution*, la mère, Vendéenne, *Droit divin.* » La même
contradiction se poursuit sur le plan de la religion. Victor et
Eugène quittent l'enseignement des Jésuites de Madrid pour

entrer sous la férule d'un Cordier qui érige la philosophie en programme d'études autant qu'en règle de vie. Rien ne doit être accepté par ces enfants qui ne soit démontré. L'obscurantisme doit être pourchassé et la superstition écrasée à l'égal de *l'infâme* de Voltaire. C'est ce que résume drôlement Adèle: « L'écart pour les enfants était profond; ils quittaient les Jésuites, ils tombaient de la superstition à l'incrédulité. » Le miracle, au milieu de ce flux et de ce reflux perpétuel d'idées, de prédications et d'objurgations, c'est que ces enfants aient gardé la tête froide. Au moins Victor.

L'affreux drame qui va se jouer chez sa mère, le samedi 13 février 1815, Victor l'a-t-il connu ? A l'époque, sans doute non. Les témoins auront eu, espérons-le, l'élégance de se taire. Mais plus tard ? Le jour choisi pour le déménagement de Sophie, Léopold se présente chez celle-ci.

Requête de Mme Hugo au Président du tribunal civil de la Seine : « Le samedi 13 du présent mois, il revint chez sa femme, rue des Vieilles-Thuileries, et lui dit, du ton le plus impérieux et le plus grossier, qu'il fallait qu'elle se rendît sur-le-champ, sans les meubles convenus, dans le logement de la rue des Postes, que son fils ne l'y accompagnerait pas, qu'il voulait qu'elle fût seule, dans cette maison sans domestiques et au même moment il chassa brutalement la Dlle Constance qui venait servir le déjeuner de Mme Hugo; il agit de la même manière vis-à-vis d'une amie de la dame Hugo, Mme Delon, femme d'un lieutenant-colonel adjoint à l'état-major et rapporteur au conseil de guerre; il la mit à la porte de l'accablant d'injures et lui dit que sa femme ne verrait personne, etc. A Mme Hugo qui, indignée d'une telle conduite, lui demandait quel sort il lui réservait, il répondit qu'elle le saurait plus tard, mais qu'elle se mît bien en tête qu'il ne lui devait que du pain, de l'eau et le couvert; et, sans la plus légère provocation, il poussa l'outrage jusqu'à cracher trois fois au visage de l'exposante, en lui disant que c'était pour prouver à tout le monde l'estime qu'il avait pour elle; comme un furieux, il se jeta sur l'exposante, la saisit à la gorge, se répandit contre elle en invectives des plus grossières et des plus outrageantes, l'accusa d'avoir eu des enfants pendant son absence, d'avoir mené une vie débordée. Cette dernière scène s'est passée en présence de M. et Mme Delon, de M. le général Lucotte et sa femme, du portier de la maison, de beaucoup d'autres personnes qui avaient été appelées par les cris et les vociférations du sieur Hugo [1]. »

1. Ce passage est donné ici pour la première fois dans son intégralité. Bibliothèque nationale, Mss, NAF, 23777.

Cette profusion même de témoins nous incline à penser que la scène s'est bien déroulée de la façon dont Sophie l'a décrite : le gros homme devenu tout à coup fou furieux. La servante qu'il chasse. Le général Lucotte et sa jolie femme, Mme Delon revenue en la compagnie de son mari, le portier accouru, les voisins — ce qui semble indiquer que la fin de la scène s'est déroulée sur le palier. L'homme hors de lui qui crache devant tous au visage de sa femme, la serre à la gorge et peut-être l'étranglerait sans l'intervention épouvantée des autres.

De telles voies de fait ne peuvent être excusées. Pas un instant je ne chercherai au général Hugo de circonstances atténuantes. Je constate seulement ceci : pour qu'un homme en arrive à de telles extrémités à l'égard d'une femme, il faut que cet homme-là ait été bien malheureux. Pour que la haine l'aveugle à ce point, il faut aussi qu'il se souvienne d'avoir beaucoup aimé cette femme.

Le tribunal va juger que Léopold, cette fois, a outrepassé les droits pourtant exorbitants que le Code accordait alors au mari sur sa femme. Un référé décide que Sophie demeurera en possession du logement et des meubles de la rue des Vieilles-Thuileries. Une ordonnance du président du tribunal fixe un domicile particulier à chacun des deux époux. Il est enfin décidé que Sophie recevra de Léopold une pension de 100 francs par mois, qu'Abel Hugo poursuivra sa carrière militaire, mais qu'Eugène et Victor resteront à la pension Cordier, sous le seul contrôle et aux seuls frais de leur père.

C'est fini. Léopold et Sophie ne se reverront plus. Jamais.

Comment, à la pension Cordier, Victor n'aurait-il pas recueilli les échos des démêlés judiciaires qui ont si âprement opposé son père et sa mère ? Nouveaux chagrins, nouvelles amertumes. Heureusement il y a la promenade du dimanche. Victor et Eugène sont depuis seize jours les hôtes forcés de M. Cordier quand, le dimanche 26 février 1815, on les conduit, en rangs aussi sages qu'ordonnés, au Champ-de-Mars. On suit, le long de la Seine, le chemin de halage. On passe sous le pont d'Iéna. Tout à coup, un élève s'arrête, se raidit. Il montre à ses camarades une large inscription sur une arche : *1er mars 1815. Vive l'Empereur !* On s'étonne. Pourquoi le 1er mars, alors que l'on n'est qu'au 26 février ? La promenade s'achève dans cette interrogation. Or, le 1er mars, Napoléon débarquera à Golfe-Juan.

De clocher en clocher, l'Aigle va voler jusqu'aux tours de Notre-Dame. Le 20 mars — dans le jardin des Tuileries, depuis le matin les marronniers sont en fleur — Napoléon rentre en son palais, environné d'un triomphe qui est plus encore une ivresse. Le 31, Davout, nouveau ministre de la Guerre, fait savoir à Léopold Hugo qu'il lui appartiendra de commander de nouveau la place de Thionville. Léopold part aussitôt. Il a confirmé à sa sœur qu'il n'était pas question que ses fils vissent leur mère. L'histoire vient ici se mettre au travers de la barbarie. Quand une révolution s'annonce, l'ordre tremble toujours sur ses bases. La France s'arme, les ennemis s'assemblent, l'inquiétude monte : demain sera-t-il fait d'un empereur ou d'un roi ? Les murs de la pension Cordier sont à ce point traversés par l'interrogation générale que les cerbères en oublient de fermer les portes. Victor et Eugène les franchissent et courent se jeter dans les bras de leur mère.

Il n'est que d'ouvrir *la Légende des siècles*, ou encore *la Fin de Satan*, pour rencontrer un Hugo fasciné par les chutes, que celles-ci concernent les anges ou les hommes. Nul n'a mieux montré les cimes d'où plonge soudain, dans un infini sans appel, l'être hier idolâtré. Comment l'enfant Hugo n'aurait-il pas ressenti la chute de Napoléon comme quelque chose d'immense ? Le voyant revenir de l'île d'Elbe, il a retenu son souffle, ainsi que presque tous les Français, comme devant un chef-d'œuvre. Le voyant anéanti, il n'a pu qu'éprouver l'impression d'un vide démesuré. Mais Victor Hugo, jeune royaliste, va vite revenir à d'autres certitudes. Le 15 juillet 1815, Napoléon est monté à bord du *Bellérophon*. Le 17, sur sa grammaire latine, Victor écrit : *Vive le Roi !*

Le 11 novembre, Léopold Hugo, pour ne pas avoir à remettre les clés de Thionville aux Alliés, quitte la ville. Geste qui ne manque pas d'allure. Il sait, il est vrai, que toute carrière lui sera désormais interdite. Le régime ne pardonne pas à ceux qui, pendant les Cent Jours, ont opté pour l'usurpateur. Du jour au lendemain, Léopold a pris rang parmi les « demi-solde ».

Le 10 février, « Mme Veuve d'Almeg » va acheter une maison à Blois, 73, rue de Foix. Manière commode pour Léopold d'éviter que ce bien ne rejoigne la communauté qui subsiste entre Sophie et lui. Il semble qu'il ait quitté Paris sans prendre congé de ses fils, d'où une lettre étonnée, un peu triste, en date du 31 mars, que lui adressent Eugène et Victor : « Nous voulions t'écrire, mais Mme Martin a refusé jusqu'ici de nous dire où tu étais. Ce n'est qu'hier qu'elle a consenti à nous l'apprendre, sans cependant vouloir nous laisser ton adresse ; en sorte que nous sommes forcés de la charger de cette lettre où, comme elle-même nous y a invités, nous renfermons la note de tout ce qui nous est absolument nécessaire en ce moment. » Les petits affirment qu'ils font tous leurs efforts pour contenter leurs maîtres. Après quoi : « Adieu, mon cher papa, nous attendons ta réponse avec impatience, tant pour avoir de tes nouvelles que pour être soulagés dans nos besoins. Nous t'embrassons de tout cœur. Porte-toi bien et aime toujours tes fils soumis et respectueux. E. Hugo. Victor. »

Hormis la perte de la liberté dont ils ne se consoleront jamais, les deux frères finiront par s'accoutumer à la pension Cordier. L'enfance a ce génie de s'adapter partout. Ils se feront des amis, notamment ce Jules Claye qui, devenu imprimeur, publiera les plus belles éditions des *Contemplations*, de *la Légende des siècles*, et des *Misérables*. De même que Léopold a exigé pour ses fils une chambre à part, il a prescrit de leur faire apprendre le dessin. Ils recevront donc des leçons particulières d'un M. Cadot. Cet inconnu aura donc été le premier à voir des formes et des traits surgir du crayon de Victor. Les deux frères travaillent d'ailleurs avec plaisir. Ils aiment apprendre. L'erreur serait de croire — chose tentante — qu'un petit génie du nom de Victor Hugo grandit à la pension Cordier escorté d'un frère réduit à la vocation de faire-valoir. L'intelligence d'Eugène est vive, très vive même. Il n'est pas sûr que les lettres adressées à Léopold par les deux frères soient toujours écrites par Victor. N'oublions pas qu'Eugène est l'aîné des deux. Naturellement, il prend le pas sur son cadet. Ces deux garçons n'en sont pas moins rayonnants de vivacité, d'esprit, d'initiative, d'appétit de vivre. Le goût du théâtre ne leur a nullement passé. Ils imaginent de représenter, « des pièces guerrières, des représentations à la Franconi ». Là-dessus, Adèle fournit des détails très évocateurs :

« Les tables des élèves rapprochées les unes des autres exhaussaient suffisamment les acteurs et simulaient le théâtre, les bancs rangés systématiquement pouvaient bien faire l'illusion d'un parterre de théâtre. Quant aux costumes, il n'y en avait que d'une sorte. On acheta beaucoup de carton, de papier d'or et d'argent, puis on se procura des lattes, on fit des casques en carton, sur lesquels était collé ce papier or et argent. On recouvrit les lattes de ce même papier. Là s'arrêtait le costume. Les guerres si récentes emplissaient encore les esprits. Le jeune Victor composait des pièces guerrières. En qualité d'auteur, il se donnait le plus beau rôle. Les sujets pris dans l'Empire représentaient les grandes victoires : Austerlitz, Marengo. Les écoliers étaient heureux quand l'étranger était battu, c'était à qui jouerait les Français. Eugène et Victor — Eugène collaborait — avaient les premiers rôles dans l'apothéose impériale. Ils étaient tour à tour : Duroc, Lannes, Murat. La particularité, c'est qu'ils représentaient ces héros avec leur décoration du Lys au côté. On voyait bien, par là, cette contradiction d'idées. Victor allait même quelquefois jusqu'à s'appeler Napoléon. Les spectateurs rangés avec le plus grand ordre sur les bancs applaudissaient. »

Le théâtre, les deux frères vont tenter de le faire passer dans la réalité. Ils vont imaginer deux peuples dont chacun se composera d'une partie — inégale d'ailleurs — des élèves de la pension. Bon gré mal gré, chacun devait se ranger sous l'autorité — le despotisme plutôt — soit du *roi* Victor, soit du *roi* Eugène. Un seul, le petit Vivien, a protesté. Désormais, on l'a vu errer, mélancolique, seul dans les cours, n'appartenant à aucune de ces bandes qu'on appelait peuples. Le plus curieux était le nom que chacun des rois avait accordé à leur peuple respectif. « Les suivants de Victor s'appelaient des chiens, ceux d'Eugène, des veaux. L'armée d'Eugène était beaucoup moins nombreuse, il n'avait guère qu'une dizaine de gamins sous ses ordres ; de ce nombre étaient les deux neveux du général Lecourbe, compagnon d'armes du général Hugo. Eugène et Victor exerçaient sur leurs troupes une autorité absolue, c'était le pouvoir le plus autocrate qui fût. Un des neveux commit une infraction quelconque au règlement. Eugène lui dit gravement : " Tu n'es plus mon veau. " Lecourbe pleura jusqu'à ce qu'il fût rentré en grâce. » Chaque frère a doté son peuple d'un code, dicté des lois et naturellement prescrit des peines. La pire de toutes ? La privation des droits civiques et celle de la nationalité. En outre, chacun des souverains décerne des décorations de carton, rehaussées de papier d'argent ou d'or : découverte par Victor de la vanité en tant qu'instrument du pouvoir.

Une autre image de la pension Cordier soigneusement gommée par le *témoin* : pour pallier l'ordinaire, insuffisant et mauvais, Victor donnait mission à l'un de ses « chiens », qui avait la chance d'être externe, de lui acheter du fromage d'Italie. Il s'agissait d'un joli petit garçon, nommé Léon Gatayes qui, plus tard, devait devenir un artiste célèbre. Il était pâle, délicat, doux, timide, craintif. Sa mère l'habillait si joliment qu'il ressemblait à un petit Anglais. Attention ! La croûte du fromage d'Italie devait être noire, calcinée. Malheur au petit Léon si elle ne l'était pas. Adèle passe aux aveux : « Victor donnait à Léon des coups de pied dans les mollets. » En somme, le petit garçon si tendre, si rêveur des Feuillantines, est devenu une terreur de collège. Pourquoi pas ?

Ce qui n'exclut pas, une fois tombée l'excitation des jeux, une fois éteints les grands cris des chiens et des veaux s'interpellant, une fois remisée jusqu'au lendemain la passion d'apprendre, que le cœur des petits Hugo soit souvent redevenu bien lourd.

La pension Cordier, c'est toujours l'absence du père, mais ce n'est pas nouveau. C'est la privation de la mère, et de cela ils souffrent cruellement. C'est la guerre ouverte avec la tante Martin, les lettres de plus en plus impertinentes que les deux frères adressent au sujet de celle-ci à leur père. Les colères sans cesse renouvelées que ce persiflage suscite chez Léopold. Les mois qui passent. Et les années. Au-delà des murs de la pension, se profilent, de plus en plus imprécis, les contours d'un monde extérieur que l'on est réduit à imaginer. Quand on n'étudie pas, on rêve. Le jour approche où Victor découvrira qu'au-delà même du rêve existe l'évasion suprême. « La poésie convient plus particulièrement à l'enfance des peuples », soliloquait Chateaubriand. Peut-être aussi à l'enfance des hommes.

V

ADÈLE

> Aimer c'est la moitié de croire.
> Victor HUGO.

ENTRE le père assigné à résidence à Blois et la mère exilée dans Paris, une seule interlocutrice pour les jeunes Hugo : la tante Martin. Régulièrement elle se présente à la pension Cordier, interprète inflexible autant qu'intolérante des volontés paternelles. Le drame de cette femme naît de sa bêtise. Comme elle sent les enfants hostiles, elle s'enferme elle-même dans une cuirasse de convention, qu'elle pense autoritaire et qui n'est que mesquine. Ce qui la perd définitivement, aux yeux de ses neveux, c'est sa vulgarité. Quand elle crie ou plutôt criaille, là, dans le parloir, ils ont honte. Et pourquoi se croit-elle autorisée à insulter ce qu'ils ont de plus précieux, leur mère ? Ils détestaient cette tante, maintenant ils la haïssent.

Eugène et Victor à Léopold, 12 mai 1816 : « Tu nous as dit qu'elle était chargée de pourvoir à tous nos besoins, tu lui as sans doute laissé des instructions, mais nous ne pouvons croire que tu lui aies prescrit de traiter tes fils comme elle voudrait les traiter. Nous ne pouvons rien lui demander, *pas même des souliers*, qu'elle ne se récrie aussitôt après nous, sans ménager ses termes, sans penser au respect qu'elle se doit à elle-même. Si nous voulons lui prouver que nous avons raison, il nous faut essuyer un torrent de basses injures, quittes, quand nous nous y dérobons à nous entendre appeler sots et impertinents, etc., etc. »

Victor gardera de cette femme un souvenir furieux. « Une
femme dont le nom ne souillera pas ma plume, la demi-sœur
de mon malheureux père », écrira-t-il en 1821 à Pierre Foucher. Et quand dix ans plus tard, elle tentera de renouer avec
ce neveu devenu célèbre, il lui répondra avec une sécheresse
calculée : « Ne réveillez plus des souvenirs pénibles d'une
époque où mon père a tout compromis, sa fortune et celle de
ses enfants. L'en avons-nous moins aimé ? »

Les deux garçons manquent à ce point du nécessaire qu'ils
n'ont pas de vêtements de rechange.

Eugène et Victor à Léopold, 24 octobre 1816 : « Nous allons quatre
fois par jour au collège, par la pluie et par la neige ; tu sens qu'il faut
bien laisser à nos habits, à nos souliers le temps de sécher : comment le faire, si nous n'avons pas de quoi changer ? »

Tout en assaisonnant sa réponse de nouvelles attaques
contre leur mère, Léopold offre à ses fils vingt-cinq louis par
an pour leur entretien. A quoi Eugène et Victor rétorquent
froidement qu'ils acceptent ces louis pourvu qu'ils leur
soient « remis en main propre ». Ils sont tristes, amers :

« Quant à la fin de ta lettre, nous ne pouvons te cacher qu'il nous
est extrêmement pénible de voir traiter notre mère de malheureuse,
et cela dans une lettre ouverte qui ne nous a été remise qu'après
avoir été lue... Nous avons vu ta correspondance avec maman ;
qu'aurais-tu fait dans ces temps où tu la connaissais, où tu te plai-
sais à trouver le bonheur près d'elle, qu'aurais-tu fait à la personne
assez osée pour tenir un pareil langage ? Elle est toujours, elle a toujours été la même, et nous penserons toujours d'elle comme tu en
pensais alors. Telles sont les réflexions que ta lettre a fait naître en
nous. Daigne réfléchir sur la nôtre, et sois assuré de l'amour
qu'auront toujours pour toi tes fils soumis et respectueux. »

Constatons que l'amour des deux garçons pour leur mère
demeure inchangé. Cette mère, il leur est toujours interdit de
la voir. Le 26 décembre 1816, Eugène et Victor écrivent au
général qu'ils doivent « se résigner à passer ce Jour de l'An
comme les autres, c'est-à-dire depuis deux ans sans voir nos
parents ». Cependant, Abel, dans une lettre qui est une explosion, où d'un seul élan il crie ce qu'il a sur leur cœur, laisse
envisager que l'interdit a été transgressé : « Tu veux qu'on
défende à une mère de voir ses enfants, comme si cela était

possible, et comme si l'on pouvait trouver un maître de pension assez hardi pour oser le faire. » La preuve nous est fournie par le fragment d'un journal que Victor a également tenu à la pension Cordier ; il est éloquent : « On rentre de récréation à 9 heures. M. Cadot vient, nous prenons notre leçon de dessin jusqu'à 10. Maman vient sur les deux heures... Elle sort sur les trois heures. On n'ira pas se promener aujourd'hui. » Preuve que même le code Napoléon ne pouvait empêcher la loi de nature de s'exercer.

Dans ce désert affectif de la pension, un peu de chaleur cependant : la rencontre d'un jeune maître d'étude. De septembre 1815 jusqu'aux premiers mois de 1817, Jean-Baptiste Biscarrat a présidé la classe d'étude. Hugo se souviendra de lui comme d'un *ami* : le mot est dans le manuscrit d'Adèle qui ajoute : « Il était leur consolation, le confident, à cause de lui ils supportaient la pension. Il n'était pas très beau, très marqué de petite vérole, mais d'une figure riante et loyale. Il était ce qu'il paraissait ; il avait la nature droite de ces natures sans aucun dessous... » Dès son arrivée à la pension Cordier, Biscarrat a pris Victor et Eugène en amitié. Nous savons que la fille de la lingère de la pension, Mlle Rosalie, aimait fort Biscarrat. Or Mlle Rosalie connaissait un employé de la Sorbonne, ce qui fait qu'elle a conduit son soupirant, ainsi que les deux jeunes amis de celui-ci, contempler le second siège de Paris du haut d'un observatoire peu commun : « Le dôme de la Sorbonne domine Paris, on voit les environs : Meudon, Sèvres, Saint-Cloud, Vaugirard par où justement entraient les alliés... La montée du dôme n'était pas facile ; on y parvenait par des échelles escarpées. Mademoiselle Rosalie avait grand peine, elle craignait de se casser les jambes et de montrer ses jambes. Elle faisait aller Biscarrat devant mais, pour les petits Hugo, elle ne s'inquiétait pas. Ils étaient des enfants, ils n'y connaissaient rien ! Ces enfants regardaient, trouvaient drôle ce que laissait voir la demoiselle et pouffaient de rire [1]. »

Sophie et Biscarrat. Biscarrat et Sophie. L'un des tout premiers poèmes écrits par Victor sera dédié à sa mère, pour le jour de sa fête. Il doit dater de la fin septembre 1815 :

---

1. *Manuscrit d'Adèle.*

> C'est en vain que le soir, le malheur qui m'oppresse
> M'ôte la liberté
> Je vais faire éclater la joie et la tendresse
> De ce cœur enchanté.

Car il écrit des vers, Victor. Nous voilà au cœur du problème : pourquoi écrit-il des vers ?

En 1816, il achève sa rhétorique. En octobre de la même année, en compagnie d'Eugène, il entre en classe de philosophie. Les deux frères, tout en demeurant internes chez Cordier, vont aller suivre les cours du lycée Louis-le-Grand. Ne nous leurrons pas quant au sens du mot philosophie. Noble par définition, il recouvre en ce temps toutes les disciplines. En fait, Victor s'est orienté vers les mathématiques élémentaires. Une fois encore, la volonté paternelle est passée par là. Le général entend toujours que ses fils se présentent à Polytechnique. Ce n'est nullement en amateur que Victor s'est jeté dans les études scientifiques. Après une année, il se trouvera parfaitement à l'aise en mathématiques spéciales. N'obtiendra-t-il pas un accessit de géométrie en 1817, un accessit de physique en 1818 ? Dans la préface des *Rayons et les Ombres* il constatera qu'il n'existe « aucune incompatibilité entre l'exact et le poétique » et précisera : « Toute son enfance à lui poète n'a été qu'une longue rêverie mêlée d'études exactes. » Il est à l'aise dans l'étude de l'algèbre comme dans celle de la physique, et même il y prend un vif plaisir.

> Il n'est point de brouillards, comme il n'est point d'algèbres,
> Qui résistent, au fond des nombres ou des cieux,,
> A la fixité calme et profonde des yeux [1].

Pourquoi ce goût avoué pour les sciences l'éloignerait-il de la poésie ? Nous quittons à peine ce XVIIIe siècle où l'esprit humain pouvait encore embrasser, sans s'y perdre, la totalité de ce qui était connu. Voltaire et Mme du Châtelet passaient avec allégresse de l'astronomie à la physique, des mathématiques à la chimie. Après quoi, sans étonner son entourage, Voltaire composait une tragédie. Ce sont les grandes lectures de l'enfance qui donnent le goût d'écrire. Mais le goût ne suffit pas. D'aucuns à dix ans ont composé des pièces pour un

---

1. *La Légende des siècles.*

théâtre d'enfants sans pour autant devenir plus tard auteur dramatique. D'autres au même âge ont griffonné quelques vers pour leur mère sans entrer jamais au panthéon de la poésie française. Le jour est venu où le jeune Victor Hugo a ressenti l'impérieux désir de versifier pour son propre compte. Ce désir s'est mué en besoin, ce besoin en nécessité. J'ai vu sous mes yeux naître un jeune peintre. A tout instant, le crayon était dans sa main. Il cherchait, esquissait, jouissait du seul fait que des formes naissent de ses doigts. Le poète est le peintre des mots. Son ivresse ne vient pas des couleurs mais des rythmes et des sons confrontés.

Manuscrit d'Adèle : « C'est quand il était dans son lit que Victor se livrait à son entraînement poétique. Dans son lit il était délivré, plus de cloche à répondre, plus de récréation forcée, de devoir exigé. Dans le lit, si l'on s'entend avec le sommeil, on s'appartient. Avant de se coucher, il ne manquait jamais d'apprendre vingt-cinq ou trente vers de Virgile ou d'Horace, quelquefois de Lucrèce. En s'éveillant, au petit jour, il faisait la traduction des vers qu'il avait appris la veille. Cela lui était une excellente gymnastique, il luttait ainsi avec l'expression et prenait l'habitude de la faire entrer dans les vers, et son inspiration s'en aidait, c'était le jouet de l'idée. »

Victor versifie, Eugène en fait autant. A la pension Cordier, ce n'est pas bien vu. On vit sous l'autorité d'un édit de M. de Fontanes, grand maître de l'Université de Napoléon qui, en 1812, a défendu les exercices de versification française, pour la raison que ceux-ci ne seraient « pour les écoliers de seize à dix-sept ans, qu'une dangereuse distraction ou un tourment stérile ». Quel interdit a jamais jugulé l'inspiration des poètes ? Toute la France fait des vers. On rime au quartier Latin comme dans le faubourg Saint-Germain, dans les ateliers, les bureaux et jusque dans l'armée. M. Decotte lui-même rime en secret.

Après une journée pleine de chiffres, Eugène et Victor retrouvent leur mansarde. Comme le bâtiment ne comporte qu'un étage, les quatre pensionnaires — pas un de plus —, qu'elle héberge en août 1817, n'ont droit qu'aux combles. On a mis les Hugo dans une petite chambre toute tendue de « sparterie » des Indes — sorte de fibre tressée — qu'un maître d'étude nommé Vivien avait rapportée d'Asie. Fier de sa décoration, le maître d'étude avait exigé que son fils fût logé dans la même chambre que les Hugo. Hugo retrouvera le petit Vivien député sous Louis-Philippe, ministre sous Cavaignac. Du vasistas on aperçoit les bras du télégraphe Chappe sur les tours de Saint-Sulpice, mais le pittoresque n'efface pas la fournaise l'été, la banquise l'hiver. C'est sur le sommeil que l'on prendra pour assouvir ce goût devenu en peu de temps, au grand dam de Vivien, forcené. Entre les deux frères, c'est comme une compétition, vive mais tendre, qui s'engage. De l'émulation, non de la rivalité.

Abel Hugo a confié à Philibert Audebrand : « Quand nous habitions les Feuillantines, le grand homme de la famille, ce n'était pas Victor, mais Eugène. » La remarque va loin. A-t-il existé chez Victor, dès sa petite enfance, le désir de rejoindre, puis de dépasser ce grand frère trop admiré ? A l'âge de huit ans, lorsque La Rivière leur donnait à traduire deux pages de latin, Eugène en traduisait trois, et Victor alors, sans le dire à son frère, en traduisait quatre. Indication précieuse qui nous conduit dans ces zones obscures d'où peut tout naître un jour — et mourir. Que Victor et Eugène se soient, chez Cordier, constitués les chefs de deux partis rivaux, voilà qui à première vue nous touche, mais devrait tout aussitôt nous inquiéter. Et plus encore ces deux frères travaillant à la lumière de la même chandelle aux mêmes thèmes poétiques et les soumettant aux mêmes arbitres : le répétiteur Biscarrat et leur mère. Eugène n'a-t-il pas ressenti avec quelque humiliation, lui qui a deux ans de plus que Victor, la nécessité de suivre à Madrid, puis à la pension Cordier, les mêmes classes et les mêmes cours ?

Eugène écrira, comme écrira Abel — comme a écrit et écrira leur père. Mais il ne sera jamais que le second d'un capitaine appelé Victor, plongeant dans l'embarras Biscarrat et Sophie. Ayant à juger lequel, du *Déluge* de Victor et de celui d'Eugène est le meilleur, le maître d'étude se livre à d'infinies contorsions épistolaires, multipliant les excuses jusqu'à l'amphigouri, pour enfin accorder la palme à Victor. Quand les deux frères soumettent à leur mère l'épître qu'ils ont chacun adressée à Baour-Lormian — d'abord maître à penser et bientôt bête noire — celle-ci se voit forcée de renvoyer les deux concurrents dos à dos, quitte à décevoir Victor, fâché qu'elle ne se soit pas « prononcée » sincèrement entre son poème incontestablement supérieur — il le savait — et celui d'Eugène.

Sainte-Beuve a montré le frère de Victor « adolescent

mélancolique, plus en proie à la lutte, plus obsédé et moins triomphant de la vision qui saisit toutes les âmes au cœur du génie et l'épanche, échevelé, à la limite du réel sur l'abîme de l'invisible ». A la pension Cordier, nous n'en sommes pas là. A la lumière d'une chandelle achetée au prix de rudes économies, les frères Hugo font des vers, sont heureux de les composer — et c'est très bien ainsi.

Le premier véritable poème de Victor — qui a douze ans — est du 1er janvier 1814. Il est adressé à cette générale Lucotte de qui le petit Victor a admiré, tout enfant, la coquetterie et le charme, la grâce et la frivolité. Il ne s'agit de rien moins que d'un madrigal !

> Madame, en ce jour si beau,
> Qui nous annonce un an nouveau,
> Je vous souhaite de bonnes années,
> Des jours de soie et d'or filés
> Et surtout en votre vieillesse
> De bons enfants et des richesses.
> Ainsi, Madame, pour en finir,
> C'est avec bien du plaisir
> Que je vous présente en ce jour
> Et mon hommage et mon amour.

De 1815 à 1818, Victor compose des vers réunis dans des cahiers dont trois ont été publiés par M. Géraud Venzac. Le premier date de 1815 et 1816 : un cahier d'écolier, sans cartonnage ni reliure, qui compte 32 feuillets, soit 64 pages. Au deuxième feuillet, on lit : *Cahier de vers français. Traits d'histoires, fables, portraits, épigrammes, etc.* par Victor-Mary Hugo, 1815. Avec, en épigraphe, ce vers de Virgile :

> *Forsan et haec olim meminisse juvabit.*

Le second cahier comprend 55 feuillets, soit 110 pages. Sur la première page : « *Poésies diverses* / Victor / 1816-1817. » En épigraphe, ce vers de Saint-Just : « J'ai quinze ans, j'ai mal fait, je pourrai faire mieux. » Référence d'un grand intérêt. Lire Saint-Just en 1816 ne devait pas être à la portée de beaucoup de jeunes gens de quatorze ans.

Le troisième cahier est daté de 1818-1819. Sur la première page — à demi déchirée — on trouve ces mots, de l'écriture de

Hugo, celle des années 1860 : « Les bêtises que je faisais avant ma naissance. » Adèle a eu ces cahiers entre les mains, avec d'autres qui ont été brûlés. Elle s'est souvenue qu'au-dessous de cette curieuse appréciation se trouvait un dessin, datant lui aussi des années 1860. Il représentait un œuf « dans lequel on voit quelque chose d'informe et d'horrible au bas de quoi il y a : un *oiseau* ». Dans l'œuf on peut prévoir l'oiseau. Dans l'oiseau l'envol.

Rien de plus excitant pour l'esprit que de suivre, de cahier en cahier, l'évolution d'un jeune poète. A l'âge où écrit Victor, impossible d'espérer découvrir de l'originalité. Il est évident que Hugo s'inspire surtout de ce qu'il a lu. Il a lu Parny — et cela se sent. Il a lu Lemercier — et cela se sent. Il a lu Fontanes, Lebrun — et cela se sent. L'influence la plus heureuse qu'il ait subie reste celle de Jean-Baptiste Rousseau, auquel il emprunte volontiers la strophe de dix vers, les huit pieds et en général toute la prosodie. La forme est déjà très sûre. Dans les trois *Cahiers de vers français*, on ne relève qu'une demi-douzaine d'erreurs prosodiques. Ce qui n'est pas si mal pour un si jeune poète et ce sur plusieurs milliers de vers. Au reste, il a son âge. Les plaisanteries scatologiques des collégiens l'inspirent quand il faut : une fois c'est un pot de chambre, une autre un pet. Un ballon dont le jet malencontreux brise une corniche lui est sujet d'inspiration. Aussi la camaraderie. Et encore sa mère.

Soudain, l'enfant de quatorze ans sort de sa gangue. Pour la semaine sainte de 1816, il s'affronte aux « derniers jours du monde ».

> Tremblez méchants, tremblez ! Vos âmes criminelles
> Subiront dans l'enfer les peines éternelles
>   Pour prix de leurs forfaits.
> L'Éternel a parlé. Le monde est dans l'attente.
> Seule de Gabriel la trompette éclatante
>   Trouble la paix des cieux.

Viennent aussi des poèmes d'inspiration politique. Dès 1815 :

> Le Corse a mordu la poussière ;
> L'Europe a proclamé Louis
> L'aigle perfide et meurtrière
> Tombe devant les fleurs de lis.

Un an plus tard, l'inspiration antibonapartiste se fait lyrique :

> Mais du sang des Français cimentant tes malheurs,
> Ta chute même, hélas, nous fit verser des pleurs.
> Champs de Waterloo, bataille mémorable,
> Jour à la fois pour nous heureux et déplorable.

Donc il faut haïr Napoléon, mais on peut pleurer sur lui. Et la défaite de Waterloo peut susciter aussi bien des espoirs que des joies. De ses productions, est-il orgueilleux ? Ce n'est pas sûr. Il suffit de lire ce qu'il écrit à son frère aîné :

> Je crois, Abel, qu'en mon déluge
> Je me suis moi-même noyé.

Porté par cette facilité qui entraîne sa plume, il s'est en 1816 essayé à la tragédie. Voici *Irtamène* — 1508 vers, beaucoup plus un pastiche de Voltaire que de Racine — qui se situe à Memphis où l'usurpateur Actor a détrôné le roi Zobéir. Ce qui nous vaut ces rimes prévisibles :

> O mon roi ! Zobéir
> Épargnez-moi l'horreur de vous désobéir.

A se demander si le patronyme n'a pas été choisi uniquement pour en venir à ce vers ! L'analogie est évidente, assez puérile : Actor est Napoléon, Zobéir Louis XVIII. Le dernier vers de cette tragédie, qui nous déconcerte par sa facile abondance, est : « Quand on hait les tyrans, on doit aimer les rois. » Logique charmante parce qu'elle est enfantine.

Parmi la production de l'élève Victor Hugo, il faut mentionner *Athelie ou les Scandinaves*, esquisse de tragédie en cinq actes et en vers, et encore un mélodrame en prose : *Ines de Castro*. Tout cela se presse dans ces cahiers à bon marché, brochés par lui-même d'une ficelle et d'un nœud. Dans la marge, de temps à autre des dessins et l'on a pu évoquer une hardiesse qui fait parfois songer à Rembrandt. Songeons qu'il s'agit d'un adolescent qui suit des cours de 8 heures du matin jusqu'à 5 heures du soir. Que, de 6 heures jusqu'à 10, il est occupé, soit aux leçons de mathématiques données par M. Decotte, soit à ses rédactions et devoirs. Songeons que cette œuvre poétique considérable — par la quantité tout au moins — a été volée à la nuit dans une mansarde. Constatons et étonnons-nous. Le fleuve Hugo a pris sa source. Largement.

Un poète n'écrit jamais pour lui seul. Certes, Victor a Eugène pour lecteur. Cela n'est pas suffisant. Comment le maître d'étude de la pension a-t-il surpris le secret des frères Hugo ? Nous l'ignorons, mais le fait est là. Ce qui les a rapprochés, c'est leur commune haine envers la pension Cordier et ses propriétaires. *Manuscrit d'Adèle* : « Biscarrat partageait leur dégoût. Il était pion, ces pauvres êtres n'aimaient pas plus les maîtres que les écoliers, leurs despotes d'en haut que leurs despotes d'en bas ; aussi quand ils étaient ensemble, ils en disaient gros. » L'important est que Biscarrat aime la littérature. Il fait lui-même de la poésie. Très vite, il a obtenu la confiance des frères Hugo. « Les jeunes gens lui montraient tout ce qu'ils écrivaient et le prenaient pour juge. Il était minutieux, passait tout au crible, épluchait vers à vers. » De mois en mois il a constaté les progrès du jeune Victor, s'en est réjoui, mais n'a pas relâché sa sévérité. Aussi sur les cinq cents vers du *Déluge*, il en a désigné dix *mauvais*, deux *faibles*, cinq *passables*, trente-deux *bons*, quinze *très bons*. Mais les quatre cent trente-six autres vers ?

A la pension Cordier, l'hygiène tient une grande place. Non seulement on conduit régulièrement les élèves se baigner — Abel a souhaité partager cette faveur — mais on les emmène parfois jouer au bois de Boulogne. Un jour, au cours d'un combat entre « veaux » et « chiens », une pierre lancée par un veau « très rageur » frappe Victor au genou et le blesse assez grièvement. Il faut le porter jusqu'à la pension Cordier. Là, il prend le lit, la fièvre monte, le genou devient énorme. Le médecin appelé ordonne un long repos. Bien des années plus tard, au chevet de son père mort, Hugo retrouvera ce médecin qui lui dira : « Je me nomme Monsieur Rivalier, et je vous ai soigné pour une blessure au genou quand vous étiez écolier dans la pension Decotte [1]. »

Joie ! Cette immobilité obligée lui permet de versifier tout à son aise. Nouvelle preuve que l'interdit du général Hugo est oublié : sa mère vient le voir tous les jours. Comme Sophie

---

1. *Manuscrit d'Adèle.*

s'enquiert de ce qu'a dit le médecin, Victor répond, « avec une parfaite insouciance » :

— Il paraît que je ne vais pas bien, le médecin parle de me couper la jambe.

Au fait, une jambe coupée, cela ne permettrait-il pas d'écrire tout à son aise ? En janvier 1817, la blessure n'est plus qu'un mauvais souvenir. L'année qui commence va marquer pour l'adolescent de quinze ans un tournant essentiel de son destin.

Hugo avait raison d'écrire : « C'est de la physionomie des années que se compose la figure des siècles. » De cette année 1817, fort obscure par ailleurs, ce que retient le biographe, c'est le concours de poésie proposé par l'Académie française, sur le thème : *le bonheur que procure l'étude.* Simple péripétie, mais qui devient essentielle dès lors que, du fond de sa pension, Victor va décider de concourir. Par cette résolution, le fils de Léopold et de Sophie devient Victor Hugo.

Par Adèle, nous savons que, en ce temps-là, « la poésie avait fini par déborder chez le jeune homme. On avait beau agir, prôner les mathématiques, parler du père, de son désir — un autre père, la vocation, l'emportait ». Quand Victor réussit à se procurer un journal — chose rare, les journaux sont chers — c'est pour y chercher tout ce qui a trait à la littérature, « les feuilletons de théâtre, les vers, les nouvelles ». Ainsi a-t-il eu connaissance du thème proposé par l'Académie. Il s'en est souvenu avec tant de précision que sa femme a pu nous rapporter ses paroles :

— Si je concourais, se dit-il, voilà une idée. Si je concourais pour ce prix, si je faisais un poème ? Mais je n'en veux rien dire à personne, il ne faut pas surtout que ma mère le sache, ait le moindre soupçon. Elle s'agiterait, se tourmenterait et je ne voudrais pas lui donner cette préoccupation. Si je n'obtiens rien, elle n'aura aucun chagrin. Si j'ai quelque chose, elle sera heureuse. Je vais concourir sans rien dire [1].

Hugo sera toujours ainsi : dès qu'il conçoit, il agit. Sur le thème proposé par ces messieurs du quai Conti, il va donc composer 334 vers.

---

1. *Manuscrit d'Adèle.*

> Mon Virgile à la main, bocages verts et sombres
> Que j'aime à m'égarer sous vos paisibles ombres !
> Que j'aime, en parcourant vos aimables détours,
> A pleurer sur Didon, à plaindre ses amours.

Bien sûr, l'inspiration est classique, les allusions fourmillent à la lyre de Tibulle, et c'est, juste quand il le faut, le zéphir qui frémit. Bien sûr, les ruines d'Athènes sont prises à témoin ainsi que « les restes éloquents de son grand Demosthène ». Le malheureux Darius rime avec le cruel Marius. Mais cela est exprimé avec une agilité qui étonne. Pas la moindre pompe. Ce classicisme même, cette convention acceptée prennent comme une allure de jeunesse qui ne trompe pas. L'idée de base ne manque pas d'ingéniosité. Hugo n'oublie pas qu'il s'agit de vanter l'étude mais, rêvant de suivre l'exemple d'anciens tels que Démosthène ou Cicéron, il découvre que ces grands hommes n'ont en fin de compte connu que la disgrâce. Que l'amour de l'étude soit donc désintéressé, que celui qui veut en retirer des joies se préoccupe avant tout de fuir les vanités !

> Le ciel ne m'a créé que pour l'obscurité,
> C'est sous un chaume obscur qu'est la sécurité ;
> C'est là qu'exempt de maux, exempt d'inquiétude,
> Je parerai de fleurs les autels de l'étude.

C'est donc en vantant la modestie que Victor recherche le premier honneur de sa vie. Mais il n'oublie rien : les vers sont dédiés au bon La Rivière.

C'est un lundi — le 7 avril 1817 — que les vers ont été achevés et l'on annonce pour le jeudi suivant la date limite du dépôt des manuscrits. Comment le reclus de la pension Cordier pourra-t-il se rendre quai Conti ? Seul Biscarrat a reçu « l'importante confidence ». Il se mue en bon samaritain. Il est chargé de guider la promenade des élèves. Ruse touchante : le jeudi suivant, le maître d'étude choisit de montrer le palais de l'Institut aux élèves de MM. Cordier et Decotte. Pourquoi pas ? A peine est-on parvenu devant le palais élevé par Mazarin, que Biscarrat, attirant gravement l'attention des jeunes gens sur les détails de la façade, les invite à une observation détaillée. Pas un instant à perdre : Victor et lui s'engouffrent dans la cour, se font indiquer le secrétariat de l'Académie, gravissent l'escalier quatre à quatre et, hors d'haleine, déposent le poème entre les mains d'un certain Cardot [1], que Victor aussitôt juge « majestueux et redoutable ». Ce n'est qu'un brave homme d'huissier qui, avec application, note sur le manuscrit le chiffre 15. Alors Biscarrat et Victor dévalent l'escalier, traversent de nouveau la cour en courant pour rejoindre le pensionnat abandonné à lui-même. Ils tombent sur Abel venu ce jour-là travailler à la bibliothèque ! Incrédule, l'aîné dévisage son frère.

— Comment se fait-il que je te trouve ici ?

Victor se contente de rougir. L'aveu vient de Biscarrat.

Quelques semaines plus tard, Abel surgit dans la cour de la pension Cordier. Victor, qui jouait aux barres, ne le voit même pas. L'aîné hèle le cadet :

— Viens ici, imbécile !

Victor s'approche. Alors, Abel : « Qui est-ce qui demandait ton âge ? L'académie a cru que tu voulais la mystifier. Sans cela tu avais le prix. Quel âne tu es ! Tu as une mention. » C'est vrai. Victor a écrit :

> Moi, qui, toujours fuyant les cités et les cours,
> De trois lustres à peine ai vu finir le cours.

Dans la langue classique, un lustre, c'est cinq ans. En fait, Victor a été classé neuvième et il est faux que ce soit pour cette raison que le prix lui ait échappé. Le secrétaire perpétuel, Raynouard, s'était contenté, dans son rapport, de noter : « Si véritablement il n'a que cet âge, l'Académie a dû un encouragement au jeune poète. » Le lundi 25 août, dans son discours public, il citera avec éloge le nom de Victor Hugo qui, entre-temps, lui a envoyé son extrait de naissance. De l'événement la presse rendra compte. On lit dans le *Journal du commerce* du 26 août : « Et quel est le grave censeur qui ne se laisserait pas dérider par un enfant de quinze ans qui envoie ingénument sa pièce à l'Académie, et fait peut-être, sans le savoir, des vers que tout le monde regarderait comme une bonne fortune poétique. » Raynouard avait adressé à Victor une lettre aimable, mais qui prouve que l'on peut être académicien sans connaître l'orthographe : « Je *fairai* avec plaisir votre connaissance. »

---

1. Tel est du moins le nom que donne le *témoin*. Adèle écrit : Causat.

Cette fois, plus question de se rendre clandestinement à l'Institut. Victor s'en va montrer la lettre à M. Cordier qui, conscient de la gloire soudainement jetée sur sa pension, accorde aussitôt à Victor l'autorisation de sortir au jour de son choix. Sans le savoir, Victor choisit un jour de séance. On le fait attendre dans la bibliothèque. Longtemps. Enfin paraît M. Raynouard. Hugo se souviendra de lui comme d' « un monsieur à figure froide et revêche, la chevelure comme de la soie blanche et le teint couleur de suie ». Le secrétaire perpétuel regarde le visiteur avec un étonnement mêlé d'hostilité. Cette jeunesse, cette petite taille, cette voix fluette, tout cela mériterait-il vraiment une récompense ? *Manuscrit d'Adèle* : « Il resta debout comme un homme qui veut en finir vite. Il dit à Victor son regret de n'avoir pas su son âge, que c'était heureux peut-être : le prix, un pareil succès l'aurait probablement gâté et empêché de travailler. Il termina en disant : " Notre incrédulité vous servira ", puis il tourna le dos. Victor trouva que Monsieur Raynouard ignorait autant la politesse que l'orthographe. »

Rien ne manque décidément au succès de Victor. La pension Cordier elle-même est, comme dit Adèle, « inondée de splendeur ». Cordier et Decotte déclarent sentencieusement qu'on ne peut « entraver une pareille vocation ». L'existence de Victor « était transfigurée. Il sortait, rentrait à sa fantaisie, il visitait les académiciens qu'il voulait... Il s'épanouissait, il était libre, applaudi, il voyait se lever sa renommée. C'était son aube ».

Par chance, tous les académiciens ne ressemblent pas à M. Raynouard. Le doyen, François de Neufchateau — il avait lui-même été sacré poète à treize ans par Voltaire — lui adresse des vers charmants et même l'invite à déjeuner. On imagine à la pension Cordier l'émotion qui croît, le petit Victor brossant de son mieux l'un de ses deux habits, cirant ses chaussures jusqu'à user sa brosse et partant fièrement s'asseoir à la table de l'ancien jacobin, devenu directeur avec Barras, comte avec Napoléon et qui s'est sincèrement affligé que Louis XVIII ne le fît pas pair de France. Le vieux monsieur parle longuement à l'adolescent de la pomme de terre, sujet principal de ses préoccupations. Il évoque ses longs et vains efforts pour qu'elle fût baptisée parmentière. A sa table, on ne sert, sous les travestissements les plus ingénieux, que le « légume sacré ». Neufchateau raconte le 18 Brumaire en se donnant le rôle principal, ce qui révèle à Victor le vice essentiel du mémorialiste. Il finit par lui confier une recherche sur les sources espagnoles du *Gil Blas* de Lesage.

Impossible de mener à bien cette étude sans se rendre à la Bibliothèque nationale. Nouvelle autorisation de M. Cordier. Quelque temps plus tard, Victor porte son travail à M. de Neufchateau qui l'insérera sous son nom, sans en changer un seul mot, dans la nouvelle édition de *Gil Blas* qu'il va publier. Ce qui apprend à Victor que, lorsqu'on est arrivé, on peut tout se permettre.

Eugène, lui aussi, s'est présenté au concours de l'Académie française — et n'a rien obtenu. En apparence il ne fait que se réjouir du succès de son frère. Mais nous découvrons de l'amertume dans le refus obstiné qu'il opposera à Biscarrat de lui communiquer ses propres vers.

Victor prend-il tout à fait au sérieux cette gloire relative où il vient d'entrer ? Le 10 juillet 1816, à quatorze ans, il a écrit dans son journal : *Je veux être Chateaubriand ou rien*. Cela s'explique. Ces années-là, Chateaubriand domine tout. Sa gloire est immense. Victor a lu avec passion *Atala*, cependant que sa mère préférait la parodie du chef-d'œuvre : *Ah ! la la !* ce dont s'affligeait son fils. Surtout, le souffle de René, si neuf dans la littérature française, si puissant qu'il rejetait au rang de balbutiements les chants des néoclassiques, ne pouvait que séduire « l'enfant du siècle » qu'est Victor Hugo. Qui plus est, le personnage vaut le prosateur. Les libraires vendent des lithographies qui montrent le génie campé dans sa grandeur. Face à l'adversité, il a fait front. Il a bravé la tyrannie, triomphé des tempêtes, foudroyé ses ennemis. Grâce à lui, le christianisme est sorti des ténèbres où la Révolution avait cru pouvoir l'enfermer. Cette famille des Bourbons, si oubliée en 1815, il lui a tout à coup donné une réalité, la recouvrant de tous les prestiges de la fidélité. Louis XVIII l'a appelé au ministère. Il s'y est montré noble et dédaigneux, se retirant sur l'Aventin dès lors qu'on voulait l'obliger à transiger avec lui-même. Écrire *Chateaubriand ou rien*, c'est vouloir atteindre au génie de l'écrivain ; c'est souhaiter n'être point inférieur à l'homme.

Les vacances de 1817 ? Elles seront, pour Victor, selon ce qu'il dira à Adèle, « une fête perpétuelle ». Les amis de sa mère célèbrent à qui mieux mieux sa mention à l'Académie.

Une preuve de plus que les ukases de Léopold sont maintenant dédaignés de plus en plus allégrement. M. Cordier a pris sa retraite. L'odieux M. Decotte lui a succédé, mais l'Académie française l'a définitivement réduit au silence. Sans que nul ne cherche plus à l'en empêcher, Victor se rend chez son frère Abel qui a renoncé à l'armée et se consacre, dit-il, « aux affaires », sans que celles-ci apparaissent bien définies. Abel habite seul, reçoit des amis, les fait connaître à Victor. Certains font de la littérature et ont même organisé, le 1er de chaque mois, chez un restaurateur de la rue de l'Ancienne-Comédie nommé Edon, un « banquet littéraire ». Cachant mal sa fierté, Victor y est admis.

Parfois Victor emmène Eugène qui d'ordinaire refuse. « Il avait, dit Adèle, le goût de la solitude, des instants sombres, de la bizarrerie en beaucoup de choses. » Première mention des difficultés psychologiques d'Eugène. Pourtant, présentant en mai 1818, aux Jeux floraux de Toulouse, son ode sur la *Mort du duc d'Enghien*, Eugène obtiendra un prix, c'est-à-dire mieux que la mention décernée l'année précédente à Victor par l'Académie française. Lequel Victor, candidat aux mêmes Jeux floraux avec une ode sur le *Désir de la gloire* et une autre sur la *Mort de Louis XVII*, a connu le désagrément de ne rien obtenir.

Hugo ne parlera pas à Adèle de la candidature d'Eugène au concours de l'Académie française, il ne fera aucune allusion à leur rivalité aux Jeux floraux de Toulouse. Ce silence est un aveu. Pour Victor le souvenir d'Eugène en 1817 et 1818 reste une blessure.

Le 3 février 1818 — Victor aura seize ans dans quelques jours — le long combat qui, depuis tant d'années, opposait Léopold et Sophie Hugo s'achève enfin. Le tribunal prononce un jugement de séparation de corps et de biens. Le bon Biscarrat, qui a dû quitter Paris pour Nantes et qui entretient avec les deux frères une correspondance hebdomadaire, va leur écrire tout naturellement : « Vous avez gagné vos procès. Vous n'auriez jamais dû craindre de les perdre si la bonne cause prévalait toujours. » Vos procès ! C'est vrai qu'ils sont concernés au premier chef : arguant que le général ne réside pas à Paris, le tribunal accorde à Mme Hugo la garde de ses enfants. De plus, Sophie obtient une provision de 3 000 francs, à charge pour elle de participer à l'éducation, à la nourriture et à l'entretien de ses fils. Ce que viennent de conquérir les frères Hugo, c'est tout simplement la liberté. *Biscarrat aux frères Hugo* : « Votre bonheur est le mien. Chacun de vous va se livrer aux occupations auxquelles son goût et ses talents l'appellent et lui présagent un plein succès. » Le même Biscarrat vit maintenant dans une admiration de Victor aussi réfléchie que définitive. Sa *Mort de Louis XVII* l'a enchanté :

« Ce délire, cette extase poétique m'ont confirmé dans l'idée que j'ai toujours conçue de vous, que vous seriez mis un jour au rang de nos meilleurs poètes. J'en augurais déjà une pièce d'une force supérieure ; la lecture a surpassé mon attente... Quelles ressources offre notre langue quand elle est maniée par une main habile !... Je n'ai jamais lu une ode sur un sujet historique plus belle que la vôtre... Eugène sait bien quoi penser dans le fond de son cœur mais il se donnera bien garde de vous le dire : le vrai n'en est pas moins le vrai. »

Chaque jour, Eugène et Victor quittent ensemble la pension Cordier pour le lycée Louis-le-Grand. Sans surveillance. « On aurait craint de blesser Victor », écrit naïvement Adèle. Hugo se souviendra de son professeur de mathématiques : « un petit bonhomme appelé Guillard ». Mais « Victor était bien plus à la littérature qu'aux mathématiques, sa pensée plus aux rimes qu'au tableau. Il était occupé d'un opéra-comique dont les personnages s'appelaient Saint-Léger, d'Harcourt, Dorval, Céline, et bien d'autres choses. Il faisait des stances au sommeil, traduisait l'*Enéide*, il adressait des vers au duc d'Angoulême... ». Au moment où elle écrivait cela, Adèle avait sous les yeux l'ensemble des œuvres de jeunesse de son mari, soigneusement conservées. Une règle chez Hugo : garder tout. Elle les juge, et elle juge bien : « Ce n'est qu'une œuvre d'enfant... Son cerveau souple d'enfant s'était tout assimilé. Tout a son échantillon dans ces recueils : tragédies, fables, satires, chansons, portraits, odes, jusqu'à des madrigaux et à des impromptus. Il y a des notes intéressantes, pointilleuses, effarouchées, austères. On sent la crainte de ne pas être tout à fait dans le vrai, de se laisser prendre à faux. C'est l'éveil d'une conscience. Tout est scrupule. »

Le Victor de ce temps-là — n'oublions pas qu'elle l'a bien

connu — elle le voit tel qu'il a dû être : « Un garçon sérieux, mélancolique, un Didier. » Didier, le sombre héros de *Marion de Lorme*. Cet adolescent triste manifeste heureusement des traits d'enfance. En classe de philosophie, il s'est installé tout en haut de l'estrade, à côté d'une fenêtre, le plus loin possible du professeur, M. Maugras, un ancien prêtre — encore un ! — dont la prétention était de ressembler à Mirabeau. Il écoute peu mais n'en noircit pas moins son cahier de cours, ceci non pour se pénétrer de la théorie des sensations, mais pour le plaisir de commencer chaque ligne par la même lettre : « Quand il parvenait, en espaçant les mots ou en les rapprochant, à écrire dix lignes commençant par la lettre T ou la lettre M, il était ravi. Lorsque ces combinaisons étaient épuisées, il prenait une autre lettre. »

Chaque jour, avant de rentrer à la pension Cordier, les deux frères courent embrasser leur mère. Ils n'ont que cinq minutes, mais ils ne les vendraient pas au prix de l'or. Au bout de six mois, les deux frères prendront l'habitude de manquer les cours de M. Maugras, préférant de plus longues visites à Sophie que l'étude de la philosophie et des philosophes. Pas une fois, M. Maugras n'a adressé la parole à Victor. Il n'a exigé de lui aucun devoir. Au mois de juillet, il semble découvrir sa présence :

— C'est bien vous, monsieur, qui avez remporté une mention l'année dernière, à l'Académie ?

— Oui, monsieur, c'est moi.

— Eh bien, je vais vous mettre du concours. Quand on a une mention à l'Académie, on peut avoir un prix à l'Université. Qui peut le plus, peut le moins.

Le sujet du concours de cette année-là : l'existence de Dieu. Voilà qui va comme un gant à Victor : « Il n'avait à faire qu'avec l'esprit, il volait en plein horizon. » Dans la grande salle sombre de l'ancien collège des Irlandais, il s'est assis près d'un élève qui n'est autre que le fils de Chauveau-Lagarde, défenseur de Marie-Antoinette. « Il fit son devoir, en garda copie comme toujours, et la donna à M. Maugras qui le trouva si bien qu'il crut au prix. Victor n'eut rien. Le professeur qui voyait une injustice lui fit avoir le second prix de philosophie au collège. »

Lucide, Biscarrat voit de loin grandir l'âpre jalousie d'Eugène. D'abord, ne voulant pas donner trop d'importance à la chose, il en plaisante. En juin, seul Victor lui fait parve-

nir deux envois. Rien d'Eugène. Pourquoi ? A la question du
maître d'étude, Victor répond franchement : il se dit très
inquiet quant à la santé mentale d'Eugène. *Biscarrat à Victor,
14 juillet 1818* : « Sa pauvre tête... hein ! entre nous, ne revient
pas vite. Son timbre, je crois, se brouille chaque jour davantage. Ce vertigo soudain, qui lui fait garder un silence si
absolu, n'annonce rien de bon. Sa position vraiment critique
m'afflige beaucoup pour lui, pour sa famille, pour vous surtout. Observez-le ; faites bien en sorte qu'il ne lise pas cette
triste peinture de sa maladie. L'irritation qu'elle lui causerait
pourrait bien le faire retomber dans ses lubies, hélas ! trop
fréquentes. Ce que c'est que de nous, mon ami, ce que c'est
que de nous ! Il est vrai que le pauvre diable n'a jamais eu la
tête entièrement à lui : j'étais loin de présumer cependant
qu'il tomberait si promptement en démence. »
   Démence : le mot est prononcé. Il suivra Eugène jusqu'à sa
mort. Comment ne pas rapprocher de ce jugement impitoyable un fragment du manuscrit d'Adèle ? L'épisode remonte à
l'époque de la rue des Vieilles-Thuileries et par conséquent se
situe en 1814 ou au début de 1815 : « Je me souviens d'un incident qui m'a frappée beaucoup, parce que je n'avais jamais
été punie. Nous dînions chez madame Hugo, c'était rue des
Vieilles-Thuileries. On servit des pommes cuites au dessert.
Je ne sais quelle idée biscornue passa dans le cerveau
d'Eugène, il lança une pomme cuite contre le mur. Sa mère
ne fit que le regarder. Il s'en alla à la cuisine et ne reparut
pas de la soirée. »
   Pauvre Eugène.

Donc, Victor va seul au banquet du restaurateur Edon. Le
banquet coûte deux francs par tête, vin compris. Pour cette
somme, M. Edon s'estime en droit de ne proposer que des
portions congrues. On s'en contente : l'insuffisance est com-
pensée par une poésie variée. Au dessert, chacun est tenu de
montrer ce qu'il a écrit dans le mois. Comme les commen-
saux sont tous — sauf Abel — adolescents, ils prennent la
chose très au sérieux. Le problème essentiel de ces soirées,
c'est l'instant où M. Edon présente la note. Un profond
silence plane tout à coup sur cette table si bavarde. Embarras que dissipe aussitôt l'excellent Abel, baptisé pour ce fait
« le Rothschild de la bande » : c'est lui qui paye ! Un jour, un
des dîneurs lance une idée : et s'ils écrivaient un livre collec-

tif ? Pourquoi ne pas supposer que des officiers, pour tuer le temps à la veille d'une bataille, se confient les uns aux autres un épisode de leur vie ? Que chacun se mette dans la peau d'un officier, « et le public sera délicieusement surpris de trouver dans un seul livre toutes les espèces de talent ». La table crie bravo, le plan est adopté. On discute sur le délai qu'il faut se fixer. Victor intervient : « J'aurai fini dans quinze jours ! » On le croit si peu que les autres parient le contraire. Quinze jours plus tard, il a fini *Bug-Jargal*.

Le thème ? Un épisode — imaginaire — de la révolte des esclaves noirs à Saint-Domingue. Plus tard, il remaniera profondément cette première version, mais le texte original nous surprend par la fermeté du style, la sûreté de la narration, le dosage — parfaitement sobre — des effets. Deux hommes dominent le récit, le narrateur, un certain Delmar, neveu d'un colon, et Bug-Jargal, l'esclave de ce colon, un Noir « d'une taille presque gigantesque ». L'oncle est dépeint comme l'un de ces négriers furieux tels que les montrera Mrs. Beecher-Stowe. Ce qui nous intéresse fort, c'est que le narrateur plaint ces Noirs si maltraités : « La moindre hésitation de la part d'un esclave était punie des plus durs traitements, et souvent l'intercession de ses enfants[1] ne servait qu'à accroître sa colère. Nous étions donc obligés de nous borner à soulager en secret des maux que nous ne pouvions prévenir. » Première contradiction entre le conservatisme politique affiché par l'élève de la pension Cordier et un souci de justice dont les fortes têtes du parti ultra non seulement se seraient moquées, mais qu'ils auraient, au nom de l'efficacité, sévèrement condamné.

Aucun des autres convives du banquet de chez Edon n'aura, dans un si court délai, non seulement achevé mais entrepris sa part du livre collectif. Le pari est perdu par ces auteurs en herbe au profit d'un seul. Le banquet littéraire n'y survivra pas.

Les débris de galions espagnols — et aussi un sens bien compris de l'utilisation du crédit — avaient permis au général Hugo d'acheter, non loin de Blois, le château de Saint-Lazare. Sous le nom de sa compagne, Léopold avait acquis cet ex-bien national pour 36 000 francs. Ils vivaient là tous les

1. Ceux de l'oncle.

deux, dans cette grande maison de maître, flanquée d'un logement de « closier » et de jardinier, d'un pressoir, d'une cour, d'une basse-cour, de jardins, de promenades, de charmilles, de bosquets, de vignes et de terres labourables, tout cela clos de murs et « contenant 9 hectares 72 ares 48 centiares ». Aujourd'hui, un tel domaine marquerait, pour le fisc, un dangereux signe extérieur de richesse. Point au début du XIXᵉ siècle. On payait peu ou prou le personnel, les impôts n'accablaient personne. Bref, on pouvait vivre dans une grande demeure avec de petits moyens.

C'était le cas de Léopold Hugo.

Il peut compter sur 7 840 francs par an dont 6 400 sont destinés à éteindre ses dettes, à verser la pension qu'il doit à sa femme — 100 francs par mois — et celle qu'il verse à ses fils. Habiter un château avec 1 440 francs par an ? Est-ce possible ? C'est possible.

Cette exiguïté de moyens permet d'expliquer — sans l'excuser — la rigueur avec laquelle il a élevé ses enfants, les échanges tantôt amers tantôt furieux qui l'ont opposé à eux, l'habitude trop fréquente de Léopold de ne leur accorder que des épithètes injurieuses.

A ses ordres, il a bien fallu qu'ils se plient. Ils l'ont fait sans humilité inutile, avec au contraire une dignité qui force l'estime. Une fois, une seule, leur colère a éclaté. Eugène s'étant adressé à Decotte sur un ton qui n'a pas plu à celui-ci, le maître de pension a donné un soufflet à cet élève de dix-huit ans. Averti, le général a donné raison à Decotte, affirmant que, si cela se reproduisait, il faudrait mettre le coupable en prison et son frère aux arrêts pendant un mois. Cette rigueur toute militaire lui a valu, de la part d'Abel, une volée de bois vert.

Abel à Léopold, 26 août 1817 : « Où tout autre se glorifierait de tels enfants, tu ne vois que des misérables, des polissons, prêts à déshonorer un nom que tu as rendu recommandable par ta " carrière " militaire. Lis tous les journaux, lis les rapports du secrétaire perpétuel de l'Académie, lis surtout le *Journal du Commerce*, l'ex-*Constitutionnel* du 26 août, tu verras qu'il est d'autres carrières de gloire que la carrière militaire, tu y verras que le plus jeune de tes fils a débuté dans la carrière par un triomphe. Eugène n'a pas été si heureux, mais le mérite de Victor ne lui ôte pas le sien. O mon père, voilà pourtant les enfants que tu poursuis avec tant de fureur, des enfants qui, loin de chercher à déshonorer ton nom, voudraient te faire hommage de leurs couronnes. Non, mon père, je te connais, tu as écrit cette fatale lettre mais ton cœur ne l'a pas dictée. Tu aimes encore tes enfants ; un mauvais génie, un démon de l'enfer, auquel tu devrais plutôt attribuer tes malheurs qu'à notre respectable mère, un démon qui sans cesse attaché à tes pas fascine tes yeux et ne te montre que des signes de haine où tu trouverais des preuves d'amour si tu osais t'approcher de cœurs qui te chérissent, un être familiarisé avec la calomnie et le mensonge a empoisonné à tes yeux l'action de mes frères... Un jour viendra que tu nous connaîtras mieux, tu verras dans tout son jour hideux l'infernale créature dont je veux te parler, l'heure de notre vengeance sera arrivée, nous retrouverons notre père, et l'artisan de malheur tremblera à son tour. »

Depuis, Léopold, profondément blessé, n'a plus voulu correspondre avec Abel. Quant à ses deux autres fils : « Je n'écris jamais que peu de lignes à ses frères, parce que tous, ainsi que lui, sont sourdement du parti de leur mère et que je n'ai que de mauvais procédés à espérer pour les énormes sacrifices qu'ils me coûtent tous et qui me ruinent. »

Puisqu'ils sont maintenant maîtres de leur destin, Eugène et Victor fomentent à la fin de l'année scolaire 1817-1818 un de ces coups d'État qu'affectionnait leur mère : adieu Polytechnique ! Ils le font savoir à leur père pour qui la nouvelle a dû représenter une amertume de plus. Grande question : quelle profession embrasser ? Ah ! ils sont malins, les frères Hugo ! Ils jurent qu'en faisant leur droit, en trois années ils auront accès à une « carrière lucrative ». C'est sûr, archisûr. Seulement, il faut que papa paye. *20 juillet 1818* : « Nous te proposons de nous donner 800 francs à chacun pour nos dépenses. Nous voudrions te demander moins, mais tu sentiras que cela nous est impossible, si tu considères que tu nous donnes déjà 300 francs pour notre entretien et qu'avec 500 francs de plus nous ne pourrons, sans la plus stricte économie, subvenir aux frais de notre nourriture, à l'achat de nos livres, au paiement de nos inscriptions et diplômes, etc. » Léopold se résigne. Va donc pour le droit : « Je ne trouve point vos prétentions exagérées... Je vous ferai compter à chacun, et par douzièmes, 800 francs par an... »

Le 17 août, Victor obtient le 5e accessit de physique au Concours général en traitant de la « théorie de la rosée ». Pour cette ultime confrontation avec l'Université, la science rejoint la poésie. Officiellement Victor n'achève que ses études secondaires. Il ne franchira plus jamais le seuil d'une école.

Joie infinie : le 8 septembre, Eugène et Victor quittent la pension Cordier pour aller demeurer chez leur mère. Sophie n'habite plus rue du Cherche-Midi. Elle s'en est allée loger au troisième étage du n° 18 de la rue des Petits-Augustins, un immeuble qui naguère a fait partie d'un couvent. Fatalité des lieux de culte chez l'incrédule Sophie Hugo. Là, point de jardin, mais une consolation : des fenêtres on aperçoit les beaux restes du parc de l'ancien hôtel La Rochefoucauld. Aussitôt entrés dans l'appartement, Victor et Eugène se sont mis en quête d'un cabinet de travail. Pour étudier le droit ? Non, bien sûr. Pour faire des vers. Sophie leur a assigné une petite pièce dont la fenêtre unique donnait sur une cour encombrée par un étrange amoncellement de pierres tombales : celles des rois de France chassés de Saint-Denis par la Révolution.

Ces monuments vont exercer sur Victor une véritable fascination. Vivre dans la familiarité des sépulcres de ceux qui avaient si longtemps régné sur la France l'enivre littéralement. Quand Louis XVIII décidera de reconstituer à Saint-Denis la nécropole dérobée, quand les déménageurs emporteront les pierres pour les replacer dans la basilique, il éprouvera comme un déchirement. Il sentira alors que, pour exister, méditer, écrire, une certaine pesanteur lui était nécessaire : celle qui nous vient des siècles et que nous appelons l'histoire. C'est donc assis sous les voûtes d'un ancien couvent, en contemplant les vestiges de trois dynasties que l'adolescent enfin libre va composer ses adieux à l'enfance :

> O temps ! Qu'as-tu fait de cet âge ?
> Ou plutôt qu'as-tu fait de moi ?
> Je me cherche, hélas ! et ne vois
> Qu'un fou qui gémit d'être sage [1]....

L'année 1818 marque pour Victor Hugo l'accès à la liberté, certes, mais surtout l'engagement dans cette carrière des lettres qu'il appelle depuis tant d'années de ses vœux. Ce qu'il ressent — nous en sommes sûrs — c'est cette sorte d'appétit dévorant, cette boulimie intellectuelle qui a concerné tous les hommes au moment d'accomplir une vocation.

1. *Odes et Ballades*

Je le cherche, ce Victor Hugo de seize ans. Je me souviens de ce petit garçon peint par Adèle : « dans un coin, pleurnichant et bavant sur son tablier ». Je me souviens de Pierre Foucher si frappé de le voir « dans sa première enfance, malingre, chétif et ne paraissant pas vouloir de la vie ».

Dois-je penser qu'au sortir de la pension Cordier, le garçon reste débile, physiquement s'entend ? Il a voulu lui-même en imposer l'image :

> Quand je sortis du collège, du thème,
> Des vers latins, farouche, espèce d'enfant blême,
> Et grave, au front penchant, aux membres appauvris [1]...

Je préfère me reporter au même M. Foucher qui nous dépeint Victor à sa sortie de pension : « C'était un jeune homme florissant de santé et vivant dans la plénitude de ses hautes facultés. » Avec cela, un adolescent précocement mûri. Bientôt, il écrira à Adèle : « Tout jeune que je suis, la douleur est pour moi une vieille connaissance avec laquelle il me serait maintenant bien cruel de renouer [2]. »

Est-ce d'un naturel — et farouche — désir de revanche que lui est venue cette habileté de se « promouvoir » lui-même dont nous constatons qu'il use déjà remarquablement ? Je n'ai pas voulu alourdir ce récit, mais les citations étaient tentantes de toutes ces lettres qu'il a écrites de sa pension aux académiciens, de ces remerciements trop empressés aux uns et aux autres, de ces fleurs — aux bouquets trop parfaitement composés — dont il accable tous ceux à qui il croit devoir quelque chose, mais dont il espère obtenir plus encore. Il sait qu'il s'engage dans une carrière plus que difficile : périlleuse. Il pense que ce n'est pas un crime de vouloir aider le talent par l'habileté.

Politiquement, où en est-il ? Royaliste, toujours, et même à la pointe du royalisme. Biscarrat, fort à droite, trouve qu'il va trop loin ! Dans ces années-là, la jeunesse des écoles est libérale, elle lit Benjamin Constant, elle applaudit le député Manuel, bientôt elle sera dans la rue. Pour comprendre Hugo, il faut revenir à sa mère. Il ne cesse de dire qu'il est du parti de sa mère. Cela s'expliquait quand il avait douze ans.

---

1. *Les Contemplations*, I, VII.
2. *Lettres à la fiancée*, 22 mars 1822.

Mais à seize ? Il s'acharne à mettre de la logique dans son choix politique. Ses poèmes royalistes — singulièrement ceux de 1818 : *la Mort de Louis XVII, les Vierges de Verdun* — s'affirment comme une condamnation sans appel des excès de la Terreur. Il faut dire que 1793 est très proche encore, qu'il ne faut pas chercher bien loin pour rencontrer des témoins qui, sous le couperet de la guillotine, ont perdu un père, une mère, un mari, une épouse. La peine de mort infligée pour combattre une idée correspond pour Hugo à une inexplicable aberration. C'est en cela peut-être qu'il nous est si proche. Pour détester la peine de mort en matière politique — et bientôt toute peine de mort — il ne lui a pas été nécessaire, comme Louis-Philippe d'Orléans, de se souvenir d'un père mort sur l'échafaud. Il a senti, voilà tout. Parce que Hugo sent. Mieux, plus vite, plus profondément que d'autres. Nous-mêmes avons grandi en admettant souvent une justification raisonnée de la Terreur. « La révolution est un tout », nous disait-on. Il a fallu, pour nous convaincre qu'il n'est pas de « bonne » terreur, de gigantesques équivalences contemporaines. J'aime aujourd'hui que les condamnations les plus sévères des tribunaux de 1793 soient formulées par de jeunes historiens de gauche.

L'ultraroyalisme de Hugo est de son âge. Pour lui, les libéraux sont les héritiers des guillotineurs. Donc, guerre aux libéraux qui

> Voudraient nous rendre égaux en abattant nos têtes [1].

Cela est simpliste ? Bien sûr. Mais Hugo a seize ans. Et puis, il y a Chateaubriand, son idole. Il épouse ses querelles, ses indignations. Il hait Decazes parce que Chateaubriand méprise Decazes. Il frémit quand il l'entend s'écrier, justement cette année-là : « Je suis la voix du prophète qui annonçait sa ruine à Jérusalem. » Dans ces moments, il rêve de s'atteler lui aussi, au service de l'État, à un char que conduirait Chateaubriand. Biscarrat, fin comme l'ambre, tout en le moquant d'aller si loin, lui jure qu'il sera un jour ministre. Est-il sincère en se récriant ?

Une femme a retrouvé le bonheur, c'est Sophie. Elle s'est

---

1. *Réponse à Ourry, Cahier de vers français,* III.

battue, longuement, durement avec cette « âpreté » que
remarquait en elle Pierre Foucher. Elle a gagné. Ses fils sont
à ses côtés. Si Eugène l'inquiète, elle voit grandir l'autre, en
génie et en beauté. Dès les premiers essais littéraires de Victor, Sophie a eu la certitude que le talent de cet enfant force-
rait toutes les admirations. Victor sera un grand homme :
voilà une chose qu'elle ne songe même pas à discuter, ni que
l'on discute devant elle. Les inscriptions à l'école de droit que
Victor va prendre le 19 novembre 1818, le 15 janvier 1819 et le
15 août de la même année ? Fichaises. Elles sont bonnes pour
tromper le bourreau de Blois. Pour elle, l'important, c'est
que Victor — et aussi Eugène — s'assoient chaque matin à la
table de leur cabinet, face à la cour où s'amoncellent les
débris des tombeaux des rois. Ce qui compte, c'est qu'ils écrivent des vers. Et puis, quand vient le soir, Sophie s'habille,
elle revêt sa robe de mérinos amarante que recouvre un
cachemire jaune à palme, se coiffe de son chapeau de paille
orné d'une « frisure ». Escortée de ses deux grands fils, elle
quitte la rue des Petits-Augustins pour s'en aller à pied
jusqu'à la rue du Cherche-Midi. Là où habitent toujours ses
amis Foucher. Ceci, chaque soir.

« Aussitôt le dîner, écrit Adèle, tous les trois arrivaient.
Les deux grands garçons allaient devant se donnant le bras,
madame Hugo marchait derrière. »

Sophie trouve là, au coin de la cheminée, à droite, un fauteuil toujours prêt. Sans ôter son châle ni son chapeau, elle
s'assoit, tire un ouvrage de son sac. Le maigre et jaune
M. Foucher se tient de l'autre côté de la cheminée, gardant
soigneusement à portée sa tabatière et sa bougie. A quelque
distance, autour d'une table où l'on a posé la lampe, se placent, sans oser hasarder jamais la moindre modification à ce
rituel, Mme Foucher, sa fille Adèle, Eugène et Victor.

Manuscrit d'Adèle : « Mon père passait sa soirée à lire. Ses livres
n'étaient pas des livres de louage, il ne lisait que des livres de bibliothèque, ce qu'on appelle des bouquins. En lisant, il brûlait ses bas,
c'était systématique. Il en avait quatre ou cinq paires les unes sur les
autres. Il mettait ses pieds sur les tisons, c'était aussi accepté que de
les mettre sur les chenets, les trous faits par le feu aussi simples que
des trous d'usure.

« Madame Hugo regardait pétiller le bois, sa prise de tabac entre
les doigts. Elle prisait aussi. De temps en temps, elle disait à mon
père : " Monsieur Foucher, voulez-vous une prise ? " ou bien mon

père offrait sa tabatière. C'étaient souvent les seules paroles et les seuls mouvements de la soirée, ma mère toute à ses aiguilles ne disait mot, moi j'étais pensive, et Madame Hugo avait élevé ses enfants à ne jamais parler sans être interrogés. Je me suis souvent demandé depuis pourquoi Madame Hugo se dérangeait : changer un coin de feu pour un autre coin de feu ne valait pas beaucoup la peine. »

En fait, ces mornes heures auraient paru insupportables à Victor et Eugène s'il n'y avait eu Adèle. En 1819, elle n'a pas seize ans. Il faut la voir telle que l'a peinte à cette époque Julie Duvidal, sa maîtresse de dessin, « élève du baron Gérard, et de Mlle Godefroid ». C'est ainsi, en écoutant crépiter le feu de bois, que la voient Victor et Eugène. Ils la contemplent qui tire l'aiguille, adorable sous la lampe, le front bombé, les sourcils arqués et un peu trop fournis, le nez droit, les grands yeux noirs aux paupières dorées, la bouche comme gourmande, prête à sourire. Ils la regardent, sa tête enveloppée par ses cheveux noirs aux reflets bleus, bouclés mais sans artifice, assemblés en grappe de part et d'autre d'oreilles exquises.

Elle est belle, Adèle Foucher. L'étrange de l'affaire, c'est que les parents Foucher, fort austères l'un et l'autre, vigilants au-delà du possible sur le chapitre de la morale et des convenances, n'aient pas senti le risque qui pouvait découler de ces soirées où tant de beauté était offerte à tant de jeunesse ; c'est qu'ils n'aient rien surpris de ce qui était flagrant : à chaque instant, Victor quittait son livre des yeux, à chaque instant, c'est Adèle qu'il regardait.

Où en est-il, Victor, avec les femmes ? Nulle part. Nous avons surpris chez lui, depuis l'enfance, la continuité d'un intérêt qui ressemble à de l'avidité. Ces jeunes femmes qui mettent leurs bas, ces chevilles entrevues, ces jarretelles qui frémissent et le font frémir, ces dos nus, la peau mate de Pépita, les élans mal contrôlés que lui inspire Mme Lucotte, tout cela n'est pas seulement le signe que Victor est intéressé par la femme, mais celui qu'elle le fascine. *Odor di femina.*

Nous qui connaissons l'avenir et savons que l'octogénaire Hugo restera doté d'un tempérament flamboyant, nous pouvons facilement imaginer les élans d'un adolescent tourmenté par la puberté. Dans ses *Adieux à l'enfance*, il y a ces vers :

> Je soupire et je dis toujours :
> Le bonheur passe avec l'enfance ;
> Tel le cherche dans les amours,
> Qui le perd avec l'innocence.

Ce qui lui attirera, de la part d'Eugène, une critique féroce :
« On croit entendre un vieux libertin. Quelle honte d'avouer
qu'on a perdu son innocence à seize ans ! »

La vérité, c'est qu'il ne l'a nullement perdue. Les femmes,
il se contente de les dévorer des yeux — de loin.

> Jeannette avait quinze ans, c'est en mai que rimeur
> Et lycéen, je vis passer cette primeur... [1]

La vérité, nous la trouvons dans cet aveu : « J'ai toujours
redouté d'aborder une femme. » Elle est aussi dans *les
Contemplations* :

> Je ne savais que lui dire ;
> Je la suivais dans le bois,
> La voyant parfois sourire
> Et soupirer quelquefois.
>
> Je ne vis qu'elle était belle,
> Qu'en sortant des grands bois sourds
> — Soit, n'y pensons plus ! dit-elle
> Depuis, j'y pense toujours.

Il n'ose pas. Et il ne tient pas à oser. Pourquoi ? Parce que
sa mère n'a cessé de lui montrer, de lui répéter que le plaisir
illégitime est un vice. Les drames de sa propre jeunesse sont
nés de ce vice-là, c'est-à-dire des amours irrégulières de son
père, qu'il connaît, et de celles de sa mère, qu'il soupçonne.
Les sociologues, qui dressent des statistiques à propos de
tout, ont remarqué que les enfants de divorcés se mariaient
plus tard que les autres. A seize ans, Victor a « programmé »
sa vie professionnelle. Il en fait autant pour sa vie sentimentale. S'il brûle de désirs — comment en serait-il autrement ?
— il les réfrène. Et même, il demandera à sa mère de le préserver des tentations :

1. *Pierres.*

> Toi qui de mon enfance heureuse
> Soutenais les pas chancelants,
> Viens de ma jeunesse fougueuse
> Contenir les écarts brûlants [1].

Alors, rien ? Rien. Dans l'inestimable document que représentent les lettres qu'il adressera à Adèle durant leurs fiançailles, il revient sans cesse sur sa pureté. Il est vierge et il en est fier parce qu'il se garde pour celle qu'il aime. Le don qu'il attend d'elle, il juge équitable qu'elle le reçoive de lui : « Absente, présente, je t'ai toujours aimée, et c'est parce que j'ai voulu en tout temps te rendre un culte aussi pur que toi, que je suis inaccessible à ces tentations, à ces séductions auxquelles l'immorale indulgence du monde permet à mon sexe et à mon âge de succomber » (15 octobre 1820). « O mon Adèle, je conserverai, comme toi, sois-en sûre, jusqu'à la nuit enchanteresse de nos noces, mon heureuse ignorance. Je t'apporterai des caresses aussi neuves que celles que je serais si heureux de recevoir de toi » (28 août 1822).

En attendant, chaque soir, rue du Cherche-Midi, il regarde Adèle. Elle est élevée sévèrement, bourgeoisement, quitte peu sa mère. Celle-ci, excellente ménagère, lui enseigne à bien tenir une maison. Quand elle se promène dans les rues de Paris — jamais seule — Adèle, comme toutes les jeunes filles de son temps, doit marcher les yeux baissés. De là, quelle surprise de la voir, pendant les soirées de l'hôtel de Toulouse, lever parfois les yeux de son travail d'aiguille ! Quelle surprise de la surprendre jetant un regard vers les garçons ! Elle néglige Eugène. Elle ne voit que Victor, sa beauté plus châtaine que blonde, son front mat. Victor dont il n'est pas sûr, pas sûr du tout, qu'elle ait lu le moindre vers. Mais Victor, déjà, dans leur petit cercle, célèbre.

Un garçon de dix-sept ans qui occupe des soirées entières à regarder une fille. Une fille de seize ans, croyant n'être pas devinée, qui regarde ce garçon : voilà qui promet des lendemains auxquels le destin peut associer soit des chagrins accablants, soit des joies sans limite. Tout dépend évidemment du destin.

En janvier 1819, Sophie doit s'aliter avec de la fièvre. Le médecin appelle cela une fluxion de poitrine, mais un avenir

---

1. *Adieux à l'enfance.*

proche prouvera qu'il s'est trompé. Victor, qui ne fait jamais rien à demi, se consacre de jour et de nuit à soigner sa mère.

Cette année-là, l'Académie de Toulouse met au concours pour son prix de poésie un thème qui ne plaide pas pour son indépendance politique : « le Rétablissement de la statue de Henry IV ». Elle faisait depuis longtemps partie du paysage parisien, cette statue du bon roi, à la pointe de l'île de la Cité. La Révolution l'avait déboulonnée ; le cheval et son cavalier avaient fini en canons. A la demande de Louis XVIII, et à la suite d'une souscription publique, le sculpteur Lemot venait d'achever une nouvelle statue équestre. Elle ne manquait pas d'allure, mais elle pesait très lourd. A ce point que les chevaux chargés de tirer le char sur lequel on l'avait posée n'avaient pas suffi à la tâche, il avait fallu que les passants s'y missent, prouvant en même temps la force de leurs bras et leur fidélité monarchique. Victor passait par là. Il avait poussé comme tout un chacun.

Ce souvenir lui est revenu en mémoire et l'idée de concourir lui est passée par la tête. Quand sa mère est tombée malade, il n'y a plus pensé. Un soir que la fièvre laisse un peu de répit à Sophie, elle interroge son fils : cette ode, l'a-t-il envoyée ? Il répond qu'il ne l'a même pas commencée. Sophie se désole : le délai pour l'envoi du manuscrit tombe le lendemain. Fâché d'avoir peiné sa mère, Victor attend que celle-ci s'endorme. Dans la nuit, tout en la veillant, il compose l'ode entière. Au matin, ouvrant les yeux, Sophie en trouve le texte sur son lit. Nous imaginons sans peine son émotion. La nôtre est moins évidente. Rien que de prévu dans la facilité qui éclate presque à chaque vers. L'alexandrin se mêle à l'octosyllabe avec une incroyable aisance. Hélas, l'infaillibilité formelle ne débouche que sur une sorte de chant néoclassique, fort réussi mais qui ne nous trouble à aucun moment.

L'ode est mise à la poste. Accompagnée, pour faire bonne mesure, par deux autres pièces : *les Derniers Bardes*, et *les Vierges de Verdun*. Quelques jours plus tard, Victor reçoit cette lettre de Toulouse :

« Depuis que nous avons vos odes, monsieur, je n'entends parler autour de moi que de votre beau talent et des prodigieuses espérances que vous donnez à notre littérature. Si l'académie partage mes sentiments, Isaure n'aura pas assez de couronnes pour les deux frères. Vos dix-sept ans ne trouvent ici que des admirateurs, presque des incrédules. Vous êtes pour nous une énigme dont les muses ont le secret.

« Agréez, etc...

« SOUMET. »

Cet Alexandre Soumet — on disait couramment « notre grand Alexandre » — avait connu la gloire à Paris. Il avait lui-même obtenu aux Jeux floraux de Toulouse en 1811 la « grande amarante d'or » pour une *Ode sur la naissance du roi de Rome*. Les temps ayant changé, il vient de composer un *Éloge de Louis XVI*. Il s'est d'ailleurs expliqué : « Il est permis d'y voir un effet des événements politiques. » Bien sûr. Soumet s'est montré bon prophète : *les Derniers Bardes* vont obtenir une mention ; *les Vierges de Verdun* l' « amarante réservée ». Quant au *Rétablissement de la statue de Henry IV*, il se voit attribuer le « lys d'or », la plus haute récompense décernée par l'Académie de Toulouse !

Le « lys d'or » à dix-sept ans, voilà qui dépasse — et de loin — la mention décernée deux ans plus tôt par l'Académie française. L'ode paraît en juin, dans le *Recueil de l'Académie des Jeux floraux*. On en parle — et beaucoup. Surtout, Soumet va mettre en rapport le jeune Victor avec certains de ses amis, lesquels vont se révéler fort utiles. C'est par Soumet que Victor va faire la connaissance d'un haut fonctionnaire des Domaines, Jacques Deschamps de Saint-Amant, vieil homme doté de deux fils poètes : Émile et Antoni Deschamps. Autour d'eux, Victor va prendre l'habitude de rencontrer un certain nombre d'écrivains et de poètes, monarchistes comme lui : notamment Henri de Latouche, Jules Lefèvre, Belmontet. Dans ce même salon de la rue Saint-Florentin, Victor va connaître un jeune officier féru de poésie, un certain Alfred de Vigny. Il l'y verra souvent accompagné de deux de ses amis de la Maison militaire du Roi, à laquelle il appartient lui-même : Gaspard de Pons et le comte d'Oudetot. Tout ce monde oscille du libéralisme à l'ultraroyalisme, mais communie dans une même certitude : c'est le catholicisme qui sauvera la France.

Hugo, toujours loin de toute religion, glisse vers une conviction nouvelle : l'État royal n'assurera une authentique liberté qu'en proscrivant les idéologues toujours enclins à jeter la France dans une dictature révolutionnaire. Il n'assoira définitivement son autorité qu'en s'appuyant sur une religion nécessaire. Ainsi Victor, fidèle du Trône, s'affirme partisan de l'Autel. Proclamation toute politique, où la foi n'a rien à faire mais seulement la raison. L'équivalent du mot trop célèbre de Voltaire : « Si Dieu n'existait pas il faudrait l'inventer. » Vigny se souviendra avec un peu de nostalgie du Victor Hugo de ce temps-là : « Il était un peu fanatique de dévotion et de royalisme, chaste comme une jeune fille, un peu sauvage aussi, cela lui allait bien. »

Les nouveaux amis de Victor, s'ils sont en quête — comme tous les Français de cette époque — d'un avenir pour cette France qui se cherche depuis 1789, ne sont nullement des adeptes du « politique d'abord ». Ils sont à l'écoute d'une autre France, celle qui donne à la chose littéraire une place qui ressemble à une primauté. En s'enfiévrant pour les vers et pour la prose, on se venge de l'assoupissement public où 1815 a plongé la France. Jamais les cabinets de lecture n'ont eu tant de clients [1]. La place que donnent les journaux à la littérature pourrait s'expliquer par l'impossibilité où l'on se trouve de discuter librement de politique. En fait, elle correspond tout simplement aux exigences des lecteurs.

De quoi parlent, rue Saint-Florentin, les nouveaux amis de Victor ? Avant tout de Chateaubriand. Mais ils distinguent mal ce qu'il y a de neuf chez l'auteur de *René*. Peut-être, comme un jeune homme qu'ils ne connaîtront que plus tard et qui se nomme Sainte-Beuve, ont-ils « frémi » en lisant *René*. Si cela est, ils seraient en peine d'expliquer pourquoi. Ils lisent Goethe aussi bien que Byron, Schiller aussi bien que cet André Chénier si inconnu et que justement Latouche vient de révéler au public ; mais ils se proclament toujours classiques. Ces hommes de trente ans se gardent de traiter en protecteurs l'adolescent Victor Hugo. S'ils en éprouvaient la tentation, le sérieux dont le jeune homme enveloppe toutes ses attitudes leur en ôterait l'envie. Car le joli Victor est grave, nous dirions trop grave. Peut-être parce qu'il sent la nécessité de se conserver le respect que son œuvre — et non sa jeunesse — lui a acquis.

On ne savait pas ce qu'était le « lys d'or », rue du Cherche-Midi. On l'a appris très vite. Au printemps de 1819, les Foucher louent quelques pièces flanquées d'une tourelle à Gen-

---

1. Voir la révélatrice étude de Françoise Parent-Lardeur : *les Cabinets de lecture sous la Restauration*, 1982.

tilly, la campagne en ce temps-là. Chaque dimanche, les quatre Foucher s'y rendent, pour respirer le bon air. Sophie Hugo va prendre l'habitude de les rejoindre et de partager leur repas de midi, appelé alors dîner. Comme, dans ces villages perdus, on manquait de fruits, Sophie en apporte régulièrement. Adèle se souviendra d'un beau panier de fraises que « le bon Eugène avait dans les mains en arrivant, et du visage rouge de Mme Hugo. Il faisait très chaud et elle avait fait la route à pied ». Mais l'important, le voici : « Un matin, Madame Hugo avait donné à Victor une commission pour la maison. Ce devait être l'été. Les jalousies étaient baissées et les fenêtres ouvertes, ce détail m'est bien présent. Victor me remit un papier plié. J'avais une appréhension de l'ouvrir devant lui, je le dépliai seulement après son départ. Il contenait des vers, un madrigal, une façon de vers à Chloris, ce que les jeunes filles appellent des vers amoureux. Je me rappelle de celui-ci :

> Et le pupitre égare l'écrivain.

« A quoi cela avait-il trait ? Lui avais-je prêté aide pour écrire ? La raison m'échappe. Ces vers de vaudeville, cette note badine, préludaient à un sentiment sérieux. »

En croyant se rappeler que cela se passait en été, Adèle se trompait. Hugo ne nous a pas seulement fourni la date de ce grand événement, il nous en a fait connaître le déroulement : « C'est le 26 avril 1819, un soir où j'étais assis à tes pieds, que tu me demandas mon plus grand secret, en me promettant de me dire le tien. Tous les détails de cette enivrante soirée sont dans ma mémoire comme si c'était d'hier, et cependant depuis il s'est écoulé bien des jours de découragement et de malheur. J'hésitai quelques minutes avant de te livrer toute ma vie, puis je t'avouai en tremblant que je t'aimais, et après ta réponse, mon Adèle, j'eus un courage de lion. »

Comme ces Hugo — pour le plus grand bonheur du biographe — ont pris l'habitude de tout nous confier d'eux-mêmes, Adèle prend le relais.

Manuscrit : « Je ne veux point analyser, raconter, m'arrêter sur ce grand amour tombé sur moi, pauvre enfant de la foule. Ces souvenirs me sont sacrés, j'en suis heureuse et ils me rendent confuse. Je

voudrais ensevelir dans mon cœur cette aurore, cette pensée hermine, voiler ce rayon blanc. Et pourtant, puisque c'est la vie de mon
mari que je raconte, il faut bien dire son mariage... Un feuillet de la
vie est terminé, on a un passé, déjà, on peut dire " autrefois ". Ces
pleurs sans raison, ces joies de rien, ces mélancolies maladives, ces
rêves de l'impossible, ces défaillances d'un mot, cet agenouillement
pour un regard, ces petits bras tendus à la mère, l'enfance, l'adolescence, ces parfums, ces effluves de frais amours remontent dans les
clartés, et tout cela ne reviendra plus. C'est un commencement de
mort, le premier point mis à la vie. »

Arrêtons-nous. Selon Adèle, c'est Victor qui a pris l'initiative en lui remettant un message assez sibyllin. Selon Victor,
Adèle, la première, lui a demandé de lui confier son « plus
grand secret ».
Pourquoi les deux versions ne seraient-elles pas complémentaires ? Hugo a d'abord remis à Adèle ce madrigal qu'elle
a cru comprendre sans en être sûre. Alors, le soir venu, elle
l'a questionné sur son « grand secret ».
Ce soir-là, ils se séparent, ivres tous deux — mais elle avec
plus de retenue que lui — du bonheur le plus pur, celui de
l'amour sincère, avoué, partagé. Le premier. « Après ta
réponse, mon Adèle, j'eus un courage de lion. »

Adèle et Victor vont s'écrire régulièrement. Ces lettres ont
été précieusement conservées dans une grosse enveloppe sur
laquelle Adèle a écrit : « Confiées à la piété de mes enfants.
Lettres que m'a écrites mon mari avant mon mariage. » C'est
trop de modestie. Dans la même enveloppe, les lettres
d'Adèle voisinent avec celles de Victor. Ce qui les rapproche,
c'est que chacun a écrit sur le papier qui lui est tombé sous la
main. Les missives de Hugo sont de toutes dimensions, l'écriture court, cherchant comme avec acharnement tous les
endroits libres du papier. Adèle utilise aussi des feuillets disparates, souvent dérobés dans le secrétaire du bon M. Foucher. L'écriture de Hugo est nerveuse, rapide. Celle d'Adèle
appliquée, mais se déformant tout à coup pour traduire
l'inquiétude : « Adieu, maman revient. » Ces lettres-là s'éche-
lonnent de janvier 1820 à octobre 1822, célébrant d'abord des
fiançailles pour s'achever par un mariage. Un mot les recouvre toutes, ces lettres : *secret.*
Car il n'est pas question de confier cet amour-là à leurs
parents. En 1819, cela ne se fait pas. Ce sont les parents qui

choisissent à une jeune fille son futur mari, à un jeune homme sa future femme.

Seraient-ils tentés de tout avouer qu'ils entendent déjà les exclamations sur leur jeunesse, leur imprudence condamnable, l'impossibilité à leur âge de sentiments durables. Ils savent aussi qu'un tel langage leur serait insupportable. Donc, on feindra. Il faut, en apparence, que rien ne soit changé. Ce n'est pas facile.

Manuscrit d'Adèle : « Victor m'avait dit : " Je vous aime. " Pour lui, c'était dire : " Vous êtes ma femme. " Il allait travailler, gagner de l'argent, afin de pouvoir se marier. La littérature devait subvenir aux besoins, soutenir seule le ménage. J'avais mon père, ma mère, des frères [1] ; l'appartement était resserré et nous pouvions rarement nous parler. Quand il avait quelque chose à me dire, un conseil à me donner, une plainte à faire, et c'était souvent, il m'écrivait. Une épingle de moins à ma guimpe le fâchait, la plus petite licence de langage le choquait. On peut imaginer ce que pouvaient être ces licences dans un intérieur si chaste que ma mère ne pouvait admettre qu'on prêtât un amant à une femme mariée. Elle n'y croyait pas. Il voyait des périls, prenait à mal une infinité de choses où je n'apercevais rien de mal. Sa pensée allait loin, et je ne pouvais tout prévenir. J'étais simple et la simplicité ne prévoit pas l'imagination. »

Rien de plus vrai : cet amant vierge est un fiancé peu commode. Ses lettres nous apparaissent souvent comme des cris de jalousie qui nous sembleraient puérils s'ils n'étaient si sincères. Le 4 mars 1822, à 10 heures et quart du soir, il lui écrit :

« Je voudrais, Adèle, que tu craignisses moins de crotter ta robe quand tu marches dans la rue. Ce n'est que d'hier que j'ai remarqué avec peine les précautions que tu prends... Je n'ignore pas que tu ne fais en cela que suivre les opiniâtres recommandations de ta mère, recommandations au moins singulières, car il me semble que la pudeur est plus précieuse qu'une robe, bien que beaucoup de femmes pensent différemment. Je ne saurais te dire, chère amie, quel supplice j'ai éprouvé hier et aujourd'hui encore dans la rue des Saints-Pères, en voyant les passants détourner la tête et en pensant que celle que je respecte comme Dieu même était, à son insu et sous mes yeux, l'objet de coups d'œil impudents. J'aurais voulu t'avertir, mon Adèle, mais je n'osais, car je ne savais quels termes employer pour te rendre ce service. Ce n'est pas que ta pudeur doive être

---

1. A quarante-cinq ans, Mme Foucher avait donné naissance à un second fils.

sérieusement alarmée. Il faut si peu de chose pour qu'une femme excite l'attention des hommes dans la rue. Toutefois je te supplie désormais, bien-aimée Adèle, de prendre garde à ce que je te dis ici, si tu ne veux m'exposer à donner un soufflet au premier insolent dont le regard osera se tourner vers toi... »

Quand Adèle répond, elle le fait avec un bon sens qui, avouons-le, enchante : « J'étais bien loin de penser que ma tenue avait quelque chose de peu convenable, et, quoique j'eusse la prétention du contraire, je n'en accueille pas moins ton avis avec reconnaissance. Maman a raison lorsqu'elle me dit d'être propre et de ne pas laisser traîner ma robe dans la boue. Toutes les femmes ont cette précaution et on ne les remarque pas. Mais moi qui fais toutes ces choses d'une manière ridicule, je ne m'étonne pas si je me fais remarquer. Je t'assure que j'y ferai attention. »

Heureusement, la prose de Victor est aussi un long cri d'amour :

« Il est donc vrai que tu m'aimes, Adèle ? Dis-moi, est-ce que je peux me fier à cette ravissante idée ? Est-ce que tu crois que je ne finirai pas par devenir fou de joie si jamais je puis couler toute ma vie à tes pieds, sûr de te rendre aussi heureuse que je serai heureux, sûr d'être aussi adoré de toi que tu es adorée de moi ? Oh ! ta lettre m'a rendu le repos, tes paroles de ce soir m'ont rempli de bonheur. Sois mille fois remerciée, Adèle, mon ange bien-aimé. Je voudrais pouvoir me prosterner devant toi comme devant une divinité. Que tu me rends heureux ! Adieu, adieu. Je vais passer une bien douce nuit à rêver de toi. Dors bien et laisse ton mari te prendre les douze baisers que tu lui as promis et tous ceux que tu ne lui as pas promis (janvier 1820). »

Car il a suffi qu'ils s'avouent leur amour pour qu'il soit son *mari* et elle sa *femme*. Il déteste le mot fiancé, qu'il trouve conventionnel et douceâtre. Leur amour demeure pur, comme au premier jour. Lui se consume en désirs, mais ne demande rien. Elle, pieuse, convaincue de ses devoirs, se croit coupable alors même qu'elle vit dans l'innocence. Un baiser lui semble un péché. D'où la lettre qu'on vient de lire. Pour un poème qu'il lui a dédié, elle a promis des baisers : douze. Sur les joues bien entendu. Puis elle est revenue sur sa promesse, n'en a accordé que quatre. Cette pureté de Hugo, Vigny à tort l'appellera dévotion : « Il était dévot au point qu'un jour au bal il détourna les yeux en voyant de jeunes personnes décolletées comme on l'est pour danser et me dit : " Ne sont-ce pas là des sépulcres blanchis ? " » Le Hugo de ce temps-là, c'est très exactement le Marius des *Misérables*. Un véritable autoportrait : « Il était à cette saison de la vie où l'esprit des hommes qui pensent se compose, presque à proportions égales, de profondeur et de naïveté. Une situation grave étant donnée, il avait tout ce qu'il fallait pour être stupide, un tour de plus, il pouvait être sublime. Ses façons étaient réservées, froides, polies, peu ouvertes. Comme sa bouche était charmante, ses lèvres les plus vermeilles et ses dents les plus blanches du monde, son sourire corrigeait ce que toute sa physionomie avait de sévère. A de certains moments, c'était un singulier contraste que ce front chaste et ce sourire voluptueux. Il avait l'œil petit et le regard grand. »

Jusqu'à la description physique de Marius qui correspond à celle de Hugo [1] : « Marius à cette époque était un beau jeune homme de moyenne taille... un front haut et intelligent, les narines ouvertes et passionnées, l'air sincère et calme, et sur tout son visage je ne sais quoi qui était hautain, pensif et innocent. Son profil dont toutes les lignes étaient arrondies sans cesser d'être fermes, avait cette douceur germanique qui a pénétré dans la physionomie française par l'Alsace et la Lorraine... [2] » Même la Lorraine y est.

Un détail, mais qui compte : nul, à part les membres de sa famille, n'a jamais tutoyé Hugo. Comment ses lettres d'amour de ce temps-là ne se ressentiraient-elles pas de cette raideur ? Elles sont passionnées, bien sûr, mais l'on y cher- cherait en vain cette légèreté, ces fantaisies dont les amants aiment à semer leur correspondance. Ce paroxysme va durer près de trois ans : « Un amour pareil à celui que j'ai pour toi, mon Adèle, élève tous les sentiments au-dessus de la miséra- ble sphère humaine. » Il pare Adèle de toutes les vertus, de toutes les perfections : « Je vois Dieu en toi. Je l'aime en toi » ; « Je suis une chose qui est à toi » ; « Tu es pour moi tout ton sexe parce que tu m'offres l'ensemble de tout ce qu'il y a de parfait ». Anticipant Ruy Blas, il se jette à ses pieds : « Pardonne-moi d'être si peu de chose et d'avoir levé les yeux

---

1. M. Jean-Luc Mercié y voit à juste titre une « copie conforme ».
2. *Les Misérables*.

si haut. » En fait, ce qui lui advient est arrivé à bien d'autres :
il aime, certes, il aime follement, mais Adèle représente à ses
yeux bien plus une image qu'une réalité. Elle en a conscience,
elle le détrompe sans cesse, jurant qu'elle ne ressemble en
rien au portrait qu'il ne cesse de tracer d'elle.

Ses lettres à elle ? Je ne partage pas l'opinion de ceux qui,
les lisant, ont cru pouvoir l'accabler. Certes, elle fait des
fautes d'orthographe, et de grosses. Elle use d'une langue
souvent pauvre — ce n'est qu'après quarante ans de vie commune avec Hugo qu'elle deviendra écrivain, preuve que cela
s'apprend. Elle recourt trop souvent aux clichés. Mais comment oublier que, devant l'incompréhension de ses parents,
elle ira jusqu'à envisager de fuir avec lui ? Ce qui ne
l'empêche pas de souffrir mille morts : « On est bien malheureuse, Victor, quand on désire l'absence de sa mère... Je suis
désolée, quand je veux faire ma prière, de ne pouvoir adresser à Dieu que des oraisons de bouche et que toute mon âme
soit portée vers toi. C'est certainement une chose bien
triste... Quand ma pauvre mère a le dos tourné, je prends ma
plume en cachette et la trompe... »

Elle garde ses lettres dans une boîte de carton à comparti-
ments. Elle les cache sous ses dessins. Ce qui accroît son
angoisse, c'est que ses parents ont fini par soupçonner qu'il y
avait anguille sous roche. D'où une vigilance tardive qui
embarrasse aussi bien Victor que sa « femme ». Aux réunions
de la rue du Cherche-Midi comme aux dimanches de Gentilly,
on les voit embarrassés, contraints. Ce qui désespère Adèle :
« Ce n'est pas assez pour moi d'être malade de chagrins et de
peine ! Il faut encore que je t'ennuie dans le peu d'instants
que tu es avec moi... » Elle insiste : « L'ennui, il est peint sur
ton visage et jusque dans tes moindres paroles... »

Il n'en peut plus, il craint de la perdre. Une idée lui traverse l'esprit qui nous rappelle que nous sommes à l'aube du
romantisme : pourquoi ne l'épouserait-il pas secrètement ? Il
passerait une nuit avec elle et se tuerait le lendemain : « Personne n'aurait de reproches à te faire. Tu serais ma veuve...
Un jour de bonheur vaut bien une vie de malheurs... » Une
phrase, dans cette prose où s'opposent violence et sagesse :
« Maintenant, tu es la fille du général Hugo. Ne fais rien
d'indigne de toi ; ne souffre pas qu'on te manque d'égards ;
maman tient beaucoup à ces choses-là. » L'invite m'apparaît
d'autant plus importante qu'il lui avoue par ailleurs, chaque

fois qu'il écrit à son père, éprouver du remords : il a l'impression de trahir sa mère. Il n'en ordonne pas moins à Adèle d'être digne du général. Ce père qui lui a fait tant de mal et dont, malgré tout, il est si fier.

Ce ne sont plus seulement les parents qui formulent des soupçons, ce sont les commères du quartier qui jasent sur les visites de Victor. Et Mme Foucher qui naturellement l'apprend, et qui tranche : « Adèle, si tu ne cesses pas, si les propos que l'on tient sur ton compte continuent toujours, je me verrai forcée de parler à M. Victor, ou plutôt à sa mère, et tu seras cause, ma fille, que je me brouillerai avec une personne que j'aime et que j'estime beaucoup... »

Affolée, Adèle supplie Victor d'être prudent. Il promet et, la rage au cœur, convient qu'il sera opportun de ne plus se voir qu'une fois par mois. On en est là quand, le 26 avril 1820 — un an exactement après l'aveu —, la foudre s'abat sur eux.

Ce jour-là, devant Mme Foucher, Adèle laisse tomber une lettre de Victor. Sa mère aperçoit la feuille blanche, couverte d'une fine écriture. D'un air irrité que sa fille ne lui connaissait pas, elle s'écrie :

— Qu'est-ce que cela ? Dis-le-moi. Je le veux.

Manuscrit d'Adèle : « Je lui racontai tout. Je n'ai jamais trop su mentir. Je ne m'en fais pas une vertu. Ma paresse en est cause un peu. Combiner une histoire me fatigue, je m'empêtre dans les calculs, j'éprouve comme un poids, j'ai le besoin d'en finir et de dire vite ce qui est. Je lui dis l'amour de Victor, que je l'aimais, que nous étions convenus de nous marier. Elle me répliqua " que ce n'était pas de mon âge de penser au mariage et de recevoir des billets doux. Il lui fallait aller au fond, parler à Mme Hugo, savoir ce que cela voulait dire ". Soit qu'elle fût étourdie de la révélation, soit par discrétion, elle ne demanda pas à lire la lettre. »

Malgré Victor qui précisait : « c'est d'un 26 avril que dataient mes espérances, c'est d'un 26 avril que data mon désespoir », les biographes de Hugo ont longtemps cru qu'il s'agissait d'une clause de style, que M. et Mme Foucher avaient pris leur temps pour s'en aller parler à la générale Hugo. Le manuscrit d'Adèle donne raison à Victor. Tout s'est passé en une seule journée. *Adèle* : « Quand mon père rentra, elle [ma mère] lui apprit la chose. Tous deux coururent après le dîner, chez Madame Hugo. Elle crut que ce n'était qu'un badinage, une affaire d'enfant. " Je vais appeler Victor, dit-elle, vous allez voir que ce n'est rien. " Elle questionna son fils. Il répondit que c'était vrai, qu'il aimait et il ajouta à mon père qu'il était résolu de m'épouser et lui demanda ma main. Madame Hugo était consternée. Elle dit à Victor : " C'est bien, allez ! " Elle causa après, se reprochait son imprudence, d'avoir manqué de clairvoyance. Elle ne s'était aperçue de rien, si ce n'est de l'inégalité dans l'humeur de son fils qu'elle attribuait à tout autre cause. »

Rien de plus simple : depuis les succès de Victor, l'admiration que lui porte Sophie s'est hissée à des hauteurs incommensurables. Le fond de son caractère a toujours été l'orgueil. Toutes les humiliations, les épreuves, les chagrins qu'elle a traversés, Victor lui en apportera la revanche : elle en est convaincue comme un chrétien l'est de la divinité de Jésus-Christ. Pour son fils, elle prévoit un avenir éblouissant. Son talent, son génie le lui mériteront. N'étant pas à l'abri du paradoxe, elle qui a rayé de sa vie Léopold Hugo ne manque pas en l'occurrence de rappeler qu'il est général et comte. Héritier de ces titres, Victor peut prétendre à un grand parti, alliant nom et fortune. Cette *petite Foucher*, comme elle dit, elle ne l'a toujours vue que muette dans son coin, n'ouvrant la bouche que pour murmurer des propos ordinaires, ou courbée sur son travail d'aiguille, ou bien encore à la cuisine cherchant avec sa mère la recette d'une crème à la vanille. Comment pourrait-elle envisager de donner à son éblouissant Victor une petite fille si effacée ? Donc, elle est catégorique : « Jamais, moi vivante, un tel mariage ne se fera. » En outre, elle se sent humiliée, furieuse contre elle-même. S'être ainsi laissé duper, avoir manqué à ce point de discernement ! *Manuscrit d'Adèle* : « Ce fils qu'elle conduisait, qui avait la subordination d'un enfant, à sa discrétion entière, dont elle tenait les actions, se faisait homme, décidait son mariage. Elle avait pourtant surveillé. La surveillance était si grande qu'elle comptait le temps de ses fils quand ils sortaient. Elle les attachait à ses jupons pour s'assurer d'eux. Elle craignait les rues, les dangers grossiers, elle n'avait qu'un œil, elle ne voyait pas cet autre danger d'amener chaque jour deux jeunes gens, absolument sevrés de distractions, près d'une jeune fille. La moins agréable, dans ces conditions, devenait séduisante. »

M. Foucher l'écrira : « Mme Hugo est inébranlable dans ses décisions. » Au tour des Foucher d'être humiliés. Est-ce

ainsi qu'on traite leur fille chérie ? Qu'on reconduit leur
famille au rang d'utilités ? D'autant plus que les Foucher,
dans le premier instant, n'ont pas accueilli défavorablement
cette idylle. Bien sûr, ces deux enfants sont jeunes. Victor n'a
ni fortune ni moyens d'existence. Il faudra attendre. Mais
Adèle et Victor ont été élevés ensemble, les familles se
connaissent depuis toujours : pourquoi pas ? Depuis que les
cancans se sont abattus sur la rue du Cherche-Midi,
Mme Foucher n'a cessé de répéter à sa fille : « Je veux que tu
jouisses de ta jeunesse. Les soucis viennent toujours trop
tôt. » *Manuscrit d'Adèle* : « Elle faisait sa distribution, ma
mère ; elle classait la douleur, elle croyait à un âge pour la
souffrance. »

Les biographes ont cru aussi que la rupture s'était produite, définitivement, ce soir-là. Nouvelle erreur. Adèle nous
révèle qu' « il y eut deux ou trois pourparlers afin de s'entendre sur ce qui était à faire ». Le dernier entretien aura lieu
chez les Foucher. « Je n'avais pas vu Mme Hugo depuis les
explications. Je me croisai dans l'appartement avec elle.
J'avais un bonnet qui venait de tomber. J'en étais contente :
j'étais embarrassée, la recherche de mon bonnet me donnait
une contenance. Elle me dit, d'un air triste et doux — le
contraire de celui de ma mère à la découverte de la lettre —
" je viens de voir ton bonnet, Adèle ", elle me désignait le bonnet. » Cette fois, tout est consommé. *Victor à Adèle, 26 avril
1821* : « Tu ne sais pas, Adèle, et c'est un aveu que je ne puis
faire qu'à toi, tu ne sais pas que, le jour où il fut décidé que je
ne te verrai plus, j'ai pleuré, oui, pleuré véritablement,
comme je n'avais point pleuré depuis dix ans, comme je ne
pleurerai sans doute plus. Je supportai une discussion pénible, j'entendis même l'arrêt de notre séparation avec un
visage d'airain ; puis, quand tes parents furent partis, ma
mère me vit pâle et muet, elle devint plus tendre que jamais,
elle essaya de me consoler ; alors je m'enfuis et quand je fus
seul, je pleurai amèrement et longtemps. »

Dans le gros dossier des « Lettres à la fiancée », on ne
trouve plus de lettre pour l'année 1820, non plus que pour les
deux premiers mois de 1821. J'ai une révélation à faire au lecteur : en ce temps-là, les enfants obéissaient à leurs parents.

Discuter avec sa mère, la convaincre, la fléchir, rien de tout
cela n'est venu à l'esprit de Victor. Il connaît le caractère de

Sophie. Il sait trop, ayant pris un parti, qu'elle s'y est toujours tenue. Il l'a confié lui-même : dans un premier temps, la
séparation avec Adèle a signifié pour lui « la nécessité de
mourir ». Après quoi, il s'est dit que son devoir était de lui
« conserver un défenseur » tant qu'elle pourrait « en avoir
besoin ». Alors : « Depuis ce jour, je ne respire, je ne parle, je
ne marche, je n'agis qu'en pensant à toi ; je suis comme dans
le veuvage ; puisque je ne puis être près de toi, il n'y a plus de
femme au monde pour moi que ma mère ; dans les salons où
j'ai été jeté, on me croit l'être le plus froid qu'il y ait, nul ne
sait que j'en suis le plus passionné. »

Et elle ? Elle ne pourrait avoir des nouvelles de Victor que
par ses parents. Or M. et Mme Foucher ne lui parlent jamais
de Victor. Elle n'ose pas les questionner. Elle pleure. *Manuscrit d'Adèle* : « On dirait que c'est partout la loi à la nuit de
suivre le jour. Nous nous aimions et la désunion est venue.
L'amour a délié la longue amitié, notre jeunesse a séparé les
vieux amis. »

Entre elle et lui, l'ignorance de ce que fait l'autre, de ce
qu'il pense. L'attente, la souffrance. Le silence.

VI

LES MARIÉS DE SAINT-SULPICE

LE général Hugo, au doyen de la faculté de Droit, 28 avril 1820 : « Monsieur le Doyen. Je paie depuis deux ans à mes jeunes fils Eugène et Victor une pension pour qu'ils étudient en droit à l'université de Paris. Mais je n'ai jamais pu apprendre d'eux s'ils suivent les cours avec exactitude et quelque distinction. J'ignore même si une entreprise littéraire que les journaux seuls m'ont apprise, et des motifs de laquelle l'un d'eux avait fait l'éloge le plus touchant et le plus mensonger (puisque je paie régulièrement une autre pension à la personne pour le prétendu soutien de laquelle cette entreprise aurait lieu) ; j'ignore, dis-je, si l'entreprise dont je parle n'a pas entièrement arraché mes fils à leurs études. Aurez-vous l'obligeance, Monsieur le Doyen, de me faire connaître le nombre des inscriptions déjà prises et celles encore à prendre pour eux, ainsi que votre opinion sur la manière dont ils se disposent à subir les premiers examens qui auront lieu ? »

Le voilà qui rentre en scène, le général Hugo. Précisément deux jours après le verdict familial qui a séparé Victor et Adèle. Du fond de son prieuré blésois, au milieu de ses bois, de ses labours et de ses vignes, le général a bien raison d'être inquiet. Victor a pris sa quatrième inscription le 21 novembre 1819, la cinquième le 14 janvier. Tout au long de l'année 1820, il persévérera. Sa dernière inscription sera du 15 janvier 1821. Mais il n'a acquis aucun grade à la faculté de Droit. Pour cela, il aurait fallu suivre les cours, ce dont il s'est bien gardé.

Peut-être Hugo a-t-il pensé d'abord qu'il pourrait conju-

guer l'état d'avocat et la carrière des lettres. Au début de
1820, il ne le croit plus. C'est l'époque où il déclare tranquillement à Soumet qu'il entend vivre de sa plume et qu'il deviendra pair de France. L'époque où, avec ses frères, il vient de
lancer une revue, *le Conservateur littéraire*.

Ce périodique tout neuf est à l'origine de la nouvelle colère
du général Hugo. Si elle éclate, c'est que se trouve en cause la
personne qu'il hait le plus : sa femme. Le 3 mars précédent,
le journal *le Conservateur* fait paraître un article saluant la
naissance d'une nouvelle revue publiée par de jeunes écrivains dévoués à la bonne cause. Cet article expliquait que
« ces intéressants jeunes gens » s'étaient donné un but extra-
littéraire : subvenir aux besoins d' « une mère distinguée »,
laquelle les avait dotés de « bons principes ». Le rédacteur
mettait le comble à son dithyrambe en concluant : « Heureux
jeunes gens d'avoir une mère qui ait senti le prix de l'éducation ! Heureuse mère de voir ainsi couronner ses soins ! »

Pour Victor, l'apparition du *Conservateur* a tout à coup
conforté des positions dont la fermeté restait plus pragmati-
que que théorique. En ce temps, il se compare à un « jeune
jacobite ». Comprenons qu'il veut être assimilé aux partisans
de Jacques II d'Angleterre, adversaires farouches du changement de dynastie qui devait porter au pouvoir Guillaume III
de Hanovre. Victor ne veut pas du duc d'Orléans, fils de Philippe-Égalité, derrière lequel il sait que s'engouffreraient tous
les libéraux honnis. Pour lui *le Conservateur* de Chateaubriand est donc l'organe des « jacobites », bien plus que celui
des ultras au nombre desquels il ne se reconnaît pas. « Être
Ultra, se souviendra-t-il dans *les Misérables*, c'est aller au-
delà, c'est être partisan des choses au point d'en devenir
l'ennemi, c'est être aussi fort pour, qu'on est contre. » Convenons que le jugement vaut pour tous les temps.

Le titre même du *Conservateur littéraire* est un hommage à
Chateaubriand. On s'inscrit dans sa foulée, on se propose
d'être le reflet, dans le domaine des lettres, de ce que le
grand homme exprime en politique. Si le titre est de Victor,
l'idée de publier une revue appartient à Abel. Un ami de
celui-ci a imprimé l'ode de Victor *A la Vendée*, ainsi que la
satire du *Télégraphe*. Cela s'est vendu « passablement ».
Puisque l'on peut ne pas perdre d'argent avec la littérature et
peut-être en gagner, l'entreprenant Abel a pensé à une revue
où les trois frères Hugo écriraient et, s'il le fallait, quelques

amis. La première livraison va paraître le 11 décembre. En fait, c'est Victor qui, de décembre 1819 à mars 1821, alimentera presque seul la revue, Abel, pris par ses affaires, s'occupera surtout, hors quelques études hispaniques non sans intérêt, de l'administration et de la diffusion de la publication. D'ailleurs, il n'est pas d'homme plus modeste que l'excellent Abel. Il répète sans la moindre aigreur : « Moi, je n'ai pas de talent [1]. » Eugène, de plus en plus sombre, de plus en plus lointain, doit se faire arracher quelques vers par ses frères, cependant que Biscarrat, toujours à Nantes, s'alarme de cette inactivité. Il faut à tout prix le faire travailler : « Faute de quoi, c'est un jeune homme perdu... » Mais comment rendre la vie à celui qui la refuse ? Alors Victor écrit, écrit. Il ne s'accorde aucun loisir. Il piaffe, s'acharne, explose. En seize mois, voulant donner au public l'impression d'une rédaction nombreuse, il écrit sous onze pseudonymes et livre au *Conservateur littéraire* cent douze articles, longs comme on les faisait en ce temps-là, solidement charpentés, allant au fond des choses. Sans compter vingt-deux poèmes inédits.

D'emblée, on s'interroge : certes, Victor a reçu une solide formation classique, mais pouvait-on soupçonner qu'il eût engrangé une érudition aussi vaste ? On ressent l'impression qu'il a tout lu, tout vu, tout compris. Rendant compte d'un livre qui vient de paraître, les comparaisons fusent, les références à l'Antiquité, aux littératures espagnole, anglaise, allemande. Ce qui frappe tout autant, c'est l'intelligence de l'analyse, la force de la pensée, la fermeté du style. Il marche armé d'une certitude tranquille, la même qu'il exprimera dans la préface des *Odes* de 1824 : « Les plus grands poètes sont venus après de grandes calamités publiques. » Il s'interroge : « Quand donc ce siècle aura-t-il une littérature au niveau de son mouvement social, des poètes aussi grands que ses événements ? » Toujours le paradoxe : il répudie la Révolution et l'Empire mais sans cesse leur grandeur l'obsède. Raison de plus, s'écrie-t-il, « haro sur la littérature plate », devenue intolérable « puisqu'il n'y a plus là de Bonaparte pour résorber le génie et en faire des généraux ».

Contrairement aux espérances d'Abel, *le Conservateur littéraire* ne va pas enrichir ses fondateurs. Il ne va pas non plus

1. *Manuscrit d'Adèle.*

les ruiner. On lit la revue des Hugo. On en parle. Et bien
davantage on parle du principal rédacteur, ce Victor Hugo si
jeune, si jeune, et dont tout le monde, désormais, répète
qu'étant à dix-huit ans parvenu si loin, il est impossible de
savoir jusqu'où il ira.

Cette époque de la Restauration, qui nous semble si paisible, dément à chaque instant son propre cliché. Deux camps
s'opposent, inexpiablement, comme ils continueront de
s'affronter tout au long du XIXᵉ siècle. L'un veut que l'histoire
soit figée comme les rois réunis en Sainte-Alliance, l'an 1818
à Aix-la-Chapelle, ont, avec une belle assurance, décidé qu'elle
devait l'être ; l'autre veut qu'on brise tous les liens, que
l'autorité appartienne à tous et que plus rien, jamais, ne soit
immobile. En 1819, les tensions se sont exacerbées. « L'année
1820, écrit *le Constitutionnel*, commence sous de tristes aus-
pices. Tout le monde se plaint. » Le 13 février, coup de tonnerre : un certain Louvel assassine le duc de Berry, fils du
comte d'Artois et dernier héritier du trône. Berry n'ayant pas
de fils, Louvel a cru éteindre définitivement la dynastie des
Bourbons. C'est seulement un peu plus tard que l'on apprendra que la duchesse est enceinte. La naissance du duc de Bordeaux, futur comte de Chambord, accréditera le mythe :
« l'enfant du miracle ».

Dans les milieux ultras, la colère gronde. On en est assuré :
le poignard qui a tué le duc de Berry ne peut être que libéral !

Je ne suis pas sûr que Victor Hugo ait éprouvé un profond
attachement pour ce prince un peu niais, qui, de façon maladroite, avait tenté de se rallier les grognards de Napoléon,
comme *l'autre*, en leur tirant l'oreille. L'ennui est qu'il
n'avait pas la manière. Le prince laissait une jeune femme
charmante et des petites filles que l'opinion plaignit. Si
l'homme était indifférent à Hugo, le principe lui tenait trop à
cœur pour qu'il ne réagît point violemment. Le résultat sera
l'*Ode sur la mort du duc de Berry*, écrite dans les heures qui
ont suivi l'annonce de l'assassinat et qui va paraître dans le
numéro de mars du *Conservateur littéraire*. Elle fera grand
effet. Louis XVIII, fort ému, aimera à en réciter quelques
vers à ses courtisans :

> Monarque à cheveux blancs, hâte-toi, le temps presse ;
> Un Bourbon va rentrer au sein de ses aïeux ;

Viens, accours vers ce fils, l'espoir de ta vieillesse ;
Car ta main doit fermer ses yeux...

Sans doute ces vers reflètent-ils un sentiment sincère, mais nous souscrirons plutôt au jugement postérieur de Hugo, reconnaissant que l'esprit de parti avait guidé sa plume, au point de l'amener à composer des vers où « la douleur va jusqu'à la rage, l'éloge jusqu'à l'apothéose, l'exagération dans tous les sens jusqu'à la folie et au fanatisme ». Comparer la duchesse de Berry à la Vierge Marie était tout de même un peu fort, surtout — et c'était le cas — si cela était dit sérieusement ! Victor ira jusqu'à demander que l'on soit impitoyable pour l'assassin, ce qui nous choque chez un homme déjà hanté — nous le savons — par le problème de la peine de mort.

Ce n'est pas insulter à la douleur des Bourbons de penser qu'une telle prise de position d'un jeune poète déjà connu était une aubaine pour le pouvoir. Louis XVIII témoignera de sa satisfaction en faisant verser 500 francs de gratification à l'auteur. Ils viendront à point pour combler les manques quotidiens laissés par la maigre pension du général Hugo. De même que les 361 francs 50 centimes que lui vaudra, le 8 mai suivant, son ode *Moïse sur le Nil*, primée par l'Académie des Jeux Floraux. Chateaubriand a lu l'*Ode sur la mort du duc de Berry* et en a entretenu l'un de ses familiers, un certain M. Agier. Il lui a dit que l'auteur était un *enfant sublime*. Agier va s'empresser, dans un journal, de rapporter le mot de Chateaubriand. On juge si cette parole du grand écrivain fut répétée partout. Selon Adèle, c'est de ce moment que Victor entra dans « la vraie célébrité ». Plus tard, Chateaubriand croira devoir jurer que jamais il n'avait dit cela. Cela en un temps où Hugo lui-même sera devenu libéral alors que son ancien maître à penser restait légitimiste. En fait, il n'existe aucune raison sérieuse de considérer le mot comme apocryphe. En 1820, tout le monde l'a connu, chacun l'a répété et Chateaubriand n'a nullement démenti.

Victor est allé remercier Agier, lequel lui a vraiment conseillé de se rendre sans retard chez Chateaubriand. Hugo hésite, il craint de balbutier devant l'idole. Il faut que sa mère lui intime quasiment l'ordre d'y aller, cette Sophie qui, dit drôlement Adèle, « ne riait plus d'Atala depuis qu'Atala admirait son fils ». Le lendemain, à 7 heures du soir, M. Agier vient chercher Victor. Les voilà tous les deux chez Chateaubriand, au numéro 27 de la rue Saint-Dominique. On les introduit chez le grand homme. Victor voit un salon meublé simplement, avec des sièges recouverts de housses grises. Il découvre aussi, assise sur une causeuse, une dame qui n'est autre que Mme de Chateaubriand et qui ne se dérange pas plus que « si c'était un automate qui venait d'entrer ». René, marqué par l'âge, est debout, adossé à la cheminée, avec je ne sais quoi de militaire dans l'allure, engoncé dans une énorme cravate noire qui dissimule le col de la chemise, cependant que son petit corps voûté s'enveloppe d'une redingote noire, boutonnée jusqu'en haut. Ce qui frappe le jeune poète, c'est le nez, d'une ligne ferme et impérieuse, l'œil fier, le sourire charmant, « mais ce n'était qu'un éclair et la bouche reprenait vite l'expression sévère et hautaine ». Courtois, il se dit enchanté de voir l'auteur de ces vers qu'il a aimés :

— Il y a, surtout dans les derniers, des choses qu'aucun poète de ce temps n'aurait pu écrire. Mes vieilles années et mon expérience me donnent malheureusement le droit d'être franc, et je vous dis sincèrement qu'il y a des passages que j'aime moins ; mais ce qui est beau dans vos odes est très beau.

Victor devrait planer au comble de la béatitude, « pourtant il y avait dans l'attitude, dans l'inflexion de voix, dans cette façon de distribuer les places, quelque chose de si souverain, que Victor se sentit plutôt diminué qu'exalté. Il balbutia une réponse embarrassée et eut envie de partir ». L'arrivée de deux disciples du maître le détourne de cette idée. Il restera jusqu'à la nuit et ne partira que lorsque Chateaubriand, ayant omis de demander de la lumière et se taisant lui-même, aura signifié qu'il était temps de prendre congé. Un mot aimable cependant pour Victor : il souhaite le revoir, précisant qu'on le trouve chez lui tous les jours de 7 à 9 heures du matin. Horaire propre à frapper d'admiration un adolescent à qui, depuis l'âge de raison, on a seriné que l'avenir appartient aux gens qui se lèvent tôt.

Victor hésite à donner suite à l'invite. La condescendance le gêne décidément aux entournures. Encore une fois, c'est sa mère qui le tance. Il s'en va sonner chez M. de Chateaubriand, est cette fois plus aimablement reçu, prend l'habitude des visites qui finissent par l'enchanter. Le vieil écrivain se confie. Un jour, il lui dit, d'un air de mystère, que dans son jeune temps, il a composé des vers. Il tient même à en lire quelques-uns à Victor. Celui-ci juge *in petto* que l'idole a bien fait de ne pas persévérer. Au beau milieu de l'entretien, un domestique apporte une immense cuvette remplie d'eau. Devant Victor, Chateaubriand laisse tomber successivement tous ses vêtements, se met nu comme un ver, entre dans un bassin où son domestique le lave et le frictionne. Après quoi, il fait la toilette de ses dents, « qui étaient fort belles et pour lesquelles il avait toute une trousse de dentiste ». Comme ragaillardi par ce nettoyage à fond, il reprend ses propos, ceci avec une liberté qui sidère Victor. Quand il évoque la censure :

— Quel gouvernement ! Ce sont des misérables et des imbéciles. La pensée est plus forte qu'eux, et ils se blesseront à la frapper. S'ils ne comprommettaient qu'eux ! Mais ils perdront la monarchie à ce jeu-là.

Chateaubriand, nommé ambassadeur à Berlin, fera dire à ce Victor qui semble l'avoir définitivement conquis qu'il souhaite l'emmener dans la capitale prussienne. Étonné, le jeune homme vient avec effusion le remercier d'une proposition qu'il décline d'ailleurs, expliquant qu'il ne peut quitter sa mère.

— Est-ce seulement votre mère ? demande M. de Chateaubriand pour la première fois tout sourire.

Le bruit de la porte fait se retourner le visiteur : Mme de Chateaubriand vient d'entrer. Jusque-là elle n'a jamais paru le connaître ni même l'apercevoir. D'autant plus vive est la surprise de Victor de la voir venir à lui, plus amène encore que son époux.

— Monsieur Hugo, je vous tiens et il faut que vous m'aidiez à faire une bonne action. J'ai une infirmerie pour les vieux prêtres pauvres. Cette infirmerie me coûte plus d'argent que je n'en ai. Alors, j'ai une fabrique de chocolat. Je le vends un peu cher, mais il est excellent. En voulez-vous une livre ?

Victor a sur le cœur les grands airs de Mme de Chateaubriand. L'envie lui prend sur-le-champ de l'éblouir.

— Madame, j'en veux trois livres.

Le but est atteint. Mais Victor est ruiné.

Qu'importe pour lui la pauvreté ? La seule chose qui compte c'est l'interdiction continuelle de rencontrer Adèle. C'est qu'il meurt d'amour pour elle. Je dis bien : il meurt.

Aucune nouvelle de l'élue, de sa « femme ». Son désespoir, il le fera revivre par Marius lorsque celui-ci aura cru Cosette perdue : « Une idée douce lui restait, c'est qu'*Elle* l'avait aimé. » Il n'aurait qu'un mot à dire, trois lignes à écrire et ses affres se dissiperaient peut-être. Il n'ose. Les semaines passant, et les mois, il s'est persuadé qu'Adèle a dû s'éloigner de lui. Il ne se méprend pas totalement. Les Foucher répètent à leur fille que si ce M. Victor s'était présenté rue du Cherche-Midi, on l'aurait reçu. Suprême duplicité : les Foucher connaissent bien Victor et encore mieux Sophie.

Que faire ? Victor se hasarde à de petites ruses. Il envoie *le Conservateur littéraire* aux Foucher. En juillet, il y insère une élégie sur les malheurs d'un poète médiéval, Raymond d'Ascoli, qui lui ressemble comme un frère. Mais il est loin d'être sûr qu'elle aura compris, ou même qu'elle l'aura lu. Il était grave, il devient sombre. Est-ce pour cette raison que, dans ce même mois de juillet, Sophie l'encourage à se rendre au bal de Sceaux, alors fameux et dont parlera Balzac ?

Quand il y parvient, la fête bat son plein : odeurs fortes et flonflons, danseurs en cohue, couples qui tournoient. Lui, sévère à son accoutumée et que rien ne déride, promène son regard sur cette foule qui lui ressemble si peu. Tout à coup il tressaille. Cette jeune fille, au bras d'un autre, qui s'alanguit au rythme de la danse, quoi, c'est Adèle ! Jalousie, si familière à cet Othello en herbe, chagrin qui dans l'instant contrarie l'extraordinaire bonheur de la retrouver. Elle, à son tour, l'aperçoit. Et elle ne veut ni ne peut lui parler !

A cette époque, il tient un carnet où il griffonne aussi bien des vers, des réflexions, des notes pouvant servir à des écrits futurs — et qui serviront. Surtout, ce carnet est un journal d'amour, avec cette particularité qu'il ne s'y trouve pas un seul mot d'amour. Adèle en est le sujet principal, presque unique. C'est pour elle qu'il a ouvert ce journal. Or la première ligne nous dit ceci : « 16 juillet 1820 — Bal de Sceaux — *je t'en prie.* » Sur ces trois syllabes, on est libre d'échafauder un roman. Je le vois, entre deux danses, profitant de l'éloignement de Mme Foucher, esquisser des gestes qui sont des appels, multiplier les mimiques, tenter éperdument d'obtenir un entretien, si bref soit-il. Je vois Adèle, épouvantée, qui lui fait signe que sa mère va revenir : non, non, c'est impossible. Lui insiste : *je t'en prie.* Sans obtenir rien.

Il n'oubliera pas ce bal de Sceaux. Il y conduira même

Marius venu y chercher Cosette qu'il avait — lui aussi — perdue. Comme lui, Marius quitte le bal et s'en retourne « à pied, seul, las, fiévreux, les yeux troubles et tristes dans la nuit, ahuri de bruit et de poussière par les joyeux coucous pleins d'êtres chantants qui revenaient de la fête et passaient à côté de lui, découragé, aspirant pour se rafraîchir la tête l'âcre senteur des noyers de la route ».

Dans le carnet, aucune autre mention avant le 10 septembre : « Dimanche 10 7bre au Luxembourg. 1820. reciproqt ». Victor utilise une sorte de code, ou plutôt un système d'abréviations. Mme Hugo est là, vigilante, et ne se fait pas scrupule de fouiller dans les affaires de ses fils. Autant employer un langage qui — Victor l'espère — lui demeurera hermétique. L'abréviation *reciproqt*, donnée ailleurs sous la forme *Rt*, signifie que Victor a aperçu Adèle mais que Adèle, aussi, a vu Victor. Ce qui ne veut pas dire qu'ils se soient parlé.

Entre ces deux dates — juillet et septembre — Sophie a déménagé. Sa santé inquiète ses fils. Toujours cette toux, toujours cette fièvre. C'est au numéro 10 de la rue de Mézières que l'on est allé habiter : un rez-de-chaussée loué par Abel. Avec un jardin, cette fois. Une attention particulière des frères Hugo : ils espèrent que la vue d'un peu d'herbe, celle de quelques branches aidera leur mère à se rétablir. Elle s'essouffle si facilement ! Un rez-de-chaussée vaudra mieux que trois étages.

Il aime sa mère, Victor, et l'a prouvé cent fois. Mais il ne supporte plus l'absence d'Adèle. Il est à bout. Éperdument, il cherche une porte de sortie. Dans le cadre de ses fonctions au ministère de la Guerre, Pierre Foucher vient de publier un ouvrage parfaitement dénué d'intérêt et destiné seulement aux cadres de l'armée : un *Manuel du recrutement*. Merveilleuse occasion ! *Le Conservateur littéraire* ne propose-t-il pas la critique des livres nouveaux ? Les lecteurs de la revue n'auront pas dû trouver sans quelque étonnement, entre un portrait de Lamartine et des réflexions sur Chénier, un éloge ému des qualités littéraires du *Manuel* de M. Pierre Foucher. Comme entre-temps la duchesse de Berry a accouché d'un fils, Victor a cru devoir consacrer une ode à la *Naissance du duc de Bordeaux*. Les vers sont aussitôt envoyés rue du Cherche-Midi à M. et Mme Foucher. Avec l'espoir, encore, qu'Adèle en prendra connaissance. Ce qui vaut à Sophie une lettre qui n'a dû lui procurer qu'un plaisir mitigé.

Pierre Foucher à Sophie Hugo, 13 octobre 1820 : « Madame. J'avais à remercier M. V. Hugo de son article flatteur sur le *Manuel du recrutement.* J'ai de nouveaux remerciements à lui faire pour le don d'un exemplaire de son ode sur la *Naissance du duc de Bordeaux.* Ma femme est de moitié dans cette dette, car elle a pris sa bonne part du plaisir que ces vers nous ont fait. Les passages : *Tel un fleuve mystérieux ; oui, souris, orphelin,* ont été sentis d'un auditoire qui n'est cependant pas poétique. Vous le savez, personne chez nous ne sait juger les vers... »

Une solution, une seule : ne plus se contenter de suivre — de loin — les pas d'Adèle. L'approcher, lui parler. Pour le moment, Victor en est à guetter les occasions. Il épie la porte et la fenêtre de l'aimée, use des porches et des venelles, se fond dans les murailles, la suit de loin, l'âme en feu. Un soir à 7 heures et demie, il l'aperçoit — *Elle !* — en compagnie de sa mère. Le vendredi 29 septembre, il la surprend également à 7 heures et demie du soir escortée par un certain M. Tiollet. Le carnet indique : *reciproqt.* Donc, s'il l'a vue, elle l'a vu aussi ! Le mercredi 4 octobre, à 5 heures et demie du soir, toujours rue du Cherche-Midi, elle donne le bras, nous ne savons à qui : *reciproqt.* Lui qui ne fréquente pas les offices, il assiste à la messe de Saint-Sulpice, le dimanche 8 octobre, ce qui lui permet d'entrevoir Adèle avec sa mère, cela à midi et demi. Ce dimanche est tout entier consacré à la bien-aimée : il la suit en fiacre jusqu'au numéro 2 du cul-de-sac Desvignes ; toujours en fiacre, et à 2 heures et demie, il la revoit au numéro 37 de la rue Bourbon-Villeneuve ; à 3 heures, il est encore sur ses traces, tandis qu'elle visite le Musée (probablement du Louvre) avec Pierre Foucher ; il est là sans relâche, à 4 heures un quart, cependant que le père et la fille arpentent ensemble le jardin du Palais-Royal, comme Valjean et Cosette le feront du Luxembourg. Quelques lignes non rédigées, la sèche mention des lieux et des heures. Et comme nous le voyons, ce Victor de dix-huit ans, éperdu d'amour, courant sur les traces de celle en qui il a placé toute son espérance. Devant tout ce passage, une grande accolade, un seul mot, perpendiculaire : *réciproquement.* Ainsi à Saint-Sulpice, au cul-de-sac Desvignes, rue Bourbon-Villeneuve, au musée, au Palais-Royal, donnant le bras tantôt à sa mère, tantôt à son père, chaque fois, Adèle la futée a aperçu son amoureux !

Le mercredi 11 octobre, le carnet porte cette mention : « r. du dragon *(parlé)* S à 4 h du soir ». Comprenons qu'elle est seule (S). L'essentiel n'est d'ailleurs pas le lieu, mais le fait. Oui, *il lui a parlé* et surtout il a osé le faire. Quand il l'a abordée, il craignait qu'elle ne l'eût oublié ou qu'elle lui en voulût. Or elle ne l'a pas éconduit, mais lui a répondu dans des termes qui ne lui ont laissé aucun doute : elle l'aime toujours ! Il va désormais noter tous les mercredis — ou presque — une rencontre rue du Dragon ou dans l'une des rues avoisinantes. Tantôt le matin vers 10 heures, tantôt l'après-midi vers 5 heures. Et, du même coup, nous comprenons toute l'affaire. Victor connaît depuis longtemps le goût d'Adèle pour le dessin. Elle suit des cours chez un professeur nommé Julie Duvidal. Ces cours l'occupent toute la journée du mercredi. Et ils se donnent rue du Dragon.

Bienheureux carnet [1]. Il coupe court aux errances des biographes et nous précise, sans hésitation possible, que Victor et Adèle ne se sont pas *parlé* une seule fois entre le 26 avril et le 11 octobre 1820. Il a tenu six mois !

Prenons garde que cette petite Adèle, en acceptant des entrevues clandestines, montre une fois encore une audace immense. Si les parents apprennent ce comportement sans exemple, ils la jetteront dans un couvent : elle le dit dans une lettre à Victor. Son amour ne peut donc faire de doute ni son courage. D'autant plus que les entrevues se multiplient.

Incroyable, ce qu'il passe de temps à l'observer ou à chercher à la voir ! Ils se *parlent* le jeudi 14 à 10 heures et quart du matin. Ils se retrouvent le samedi 16 — à 5 heures moins dix minutes du soir — (il note jusqu'à l'heure précise) rue Sainte-Marguerite. Il la guette le mardi 19 à 4 heures et demie du soir et l'aperçoit rue du Cherche-Midi donnant le bras à son frère. *Recipt.* Il la retrouve le mercredi 20 à 10 heures et demie du matin — seule — et donc peut lui parler. Avec cette mention : *Sans adieu.* Ils se sont donc séparés fâchés. Elle est partie sans un mot, sans dire au revoir. Tout cela dépasse ses forces, Adèle.

Elle lui a proposé de revenir chez ses parents. Il a répondu qu'il le ferait volontiers, à condition que ce retour puisse se faire « honorablement ». Elle n'a pas aimé ce mot. Même en

---

1. Bibliothèque nationale, département des manuscrits, n.a. fr. 1341.

1819, les filles ne devaient pas apprécier tellement les garçons de dix-huit ans qui font passer l'obéissance à leur mère avant toute chose. La course contre la montre n'en continue pas moins. Le lundi, jour de Noël, il est à Saint-Sulpice, la voit en compagnie de Mme Foucher. Le même jour, à 6 heures et demie, sans doute pour le salut, il est de nouveau à Saint-Sulpice, il l'épie encore — sans qu'elle le voie — et cette fois, damnation ! elle est avec sa mère et son frère. Il lui faut attendre le mardi 26 décembre (il note que c'est ce jour-là que Chateaubriand part pour son ambassade) : à 10 heures et demie du matin, il la rencontre rue de Seine, seule enfin, et l'aborde. Visiblement, ils se réconcilient, puisqu'il parvient à lui parler encore le mercredi matin, à l'apercevoir l'après-midi, donnant le bras à son frère, puis le jeudi 28, après-midi, encore avec son frère, pour la retrouver seule le samedi 30 à 11 heures et demie du matin — et lui parler !

Le 8 mars 1821, il brûle ses vaisseaux : il écrit à Adèle ! Sa dernière lettre était du 18 avril 1820. S'il se permet cette nouvelle audace, c'est que de nouveau il a rencontré la jeune fille dans un bal. Et que son attitude l'a navré.

Victor à Adèle, jeudi 8 mars 1821 : « Si tu ne m'aimes plus, si tu en aimes un autre que moi, sois heureuse ; car je n'ai de droits sur toi que ceux que tu as bien voulu me donner. Sans doute celui que tu aimes alors est plus digne que moi, je te pardonne donc : mais je ne me consolerai jamais. Si nos deux destinées doivent ainsi être désunies, souviens-toi, quel que soit notre avenir à tous deux, que, dans toutes les situations possibles, tu trouveras toujours en moi un appui certain, un défenseur heureux de te servir. Si tu es heureuse, oublie-moi : si tu es malheureuse, ne m'oublie pas. Adieu... Si tu ne m'aimes plus, tu ne me répondras pas ; mais si tu m'aimes encore, tu me répondras. Adieu, je t'embrasse, mon Adèle, car je me crois encore ton mari. »

Cette lettre, il ne pourra la lui remettre que le 12 mars. Deux jours plus tard, Adèle lui répond :

« Je t'écris à la hâte ce mot pour te tranquilliser, pour te dire que je t'aime toujours, pour t'engager à compter constamment sur moi. En écrivant, je trompe maman : cette idée m'est insupportable, tu vois à quel point tu as de l'ascendant sur moi. Tu es toujours mon ami, mon mari ; tout ce que je puis te dire, c'est d'avoir de la patience, d'être soumis aux volontés de ta mère, de tâcher de l'amener doucement, de travailler avec courage... Je travaille de mon côté beaucoup. Je tâche d'avoir du talent, je voudrais être digne de toi. Adieu, j'ai peur d'être surprise. Adieu, Victor. »

Les fiancés se sont donc réconciliés. Cela ne dure guère. Victor souhaiterait qu'Adèle lui écrive plus souvent mais Adèle tremble toujours que leurs relations secrètes se découvrent dans ce quartier où tant de gens la connaissent : « Il est impossible qu'on ne me rencontre pas te parlant, d'autant plus qu'on sait que tu ne viens plus chez nous, et alors que deviendrais-je ? » Voilà Victor au comble de la contrariété : « Ton billet m'a profondément affligé. J'avais écrit quelques lignes amères, je les ai brûlées ; de quoi ai-je droit de me plaindre ? Ta lettre est prodigieusement raisonnable. Moi, je t'aimais assez pour en perdre la raison. Je suis un fou, un cerveau brûlé. Je me serais jeté pour toi dans un précipice ; tu m'as arrêté avec une main de glace. » Il jure de ne plus lui écrire, de ne plus lui parler, de ne plus la voir. Jamais ! « Sois contente. Il n'y aura que moi de puni, comme il n'y eut que moi de coupable. Cependant, tant que ton bonheur ne sera pas à jamais assuré, je veux vivre, car il faut que si jamais tu as besoin de moi, tu puisses encore me trouver là. Adieu. »

Rassurons-nous, la correspondance reprendra et ils se reverront. Et puis ils se fâcheront de nouveau, se réconcilieront encore. François Mauriac : « Quand un homme se souvient d'une époque où il aimait, il lui semble que rien ne s'est passé pendant ce temps-là [1]. »

Il s'est passé que Victor s'est mis à composer un roman. Oui, un roman. Il l'a intitulé *Han d'Islande*. Un livre plus frénétique que fantastique, bien dans le goût de l'époque où l'on réédite les œuvres d'Ann Radcliffe et où Nodier investit la scène française avec ses vampires. Ce n'est pas un hasard si, dans le mois où il commence à écrire *Han d'Islande*, le fameux Frankenstein, flanqué de sa Créature, vient de faire son entrée chez les libraires français. *Han d'Islande* vient à point. Le jeune Hugo a fait bonne mesure : le sang se déverse

1. *Journal*, t. I.

à longs flots sur chaque chapitre et un père assoiffé va
jusqu'à boire dans le crâne de son fils.

En fait, le roman tout entier n'a été entrepris que pour
compenser l'absence d'Adèle. Toujours elle !

Victor à Adèle, 16 février 1822 : « J'avais une âme pleine d'amour,
de douleur et de jeunesse, je ne t'avais plus, je n'osais en confier les
secrets à aucune créature vivante ; je choisis un confident muet,
le papier. Je savais de plus que cet ouvrage pourrait me rapporter quelque chose ; mais cette considération n'était que secondaire quand
j'entrepris mon livre. Je cherchais à déposer quelque part les agitations tumultueuses de mon cœur neuf et brûlant, l'amertume de
mes regrets, l'incertitude de mes espérances. Je voulais peindre une
jeune fille qui réalisât l'idéal de toutes les imaginations fraîches et
poétiques, une jeune fille telle que mon enfance l'avait rêvée, telle
que mon adolescence l'avait rencontrée, pure, fière, angélique ; c'est
toi, mon Adèle bien-aimée, que je voulais peindre, afin de me consoler tristement en traçant l'image de celle que j'avais perdue, et qui
n'apparaissait plus à ma vie que dans un avenir bien lointain. »

Reconnaissons que, dans *Han d'Islande*, au milieu de
l'incroyable bric-à-brac d'une épouvante préfabriquée, des
caractères insensés, des paysages outrés, des patronymes
imprononçables, Hugo a glissé deux héros charmants : Ordener qui était lui-même — et Ethel qui était Adèle.

Victor destinait *Han d'Islande* au *Conservateur littéraire*.
Mais la revue des frères Hugo s'éteint en mars 1821. Plus
exactement, elle fusionne avec les *Annales de la Littérature et
des Arts.* Quand on s'unit à plus puissant que soi, on se donne
la mort. Ce qui s'achève, dans la vie de Hugo, c'est, comme l'a
dit Sainte-Beuve, « une période décisive : amour, politique,
indépendance, chevalerie et religion, pauvreté et gloire, étude
opiniâtre, lutte contre le sort en vertu d'une volonté de fer,
tout en lui a paru et grandi à la fois, à ce degré de hauteur qui
constitue le génie ».

Avec Adèle, il en est toujours à la phase douce-amère où se
mêlent et se contrarient l'espoir et le désespoir ; *Victor à
Adèle, 26 avril 1821* : « Voici la seconde année du malheur qui
commence. Arriverai-je à la troisième ?... Adieu pour ce soir,
mon Adèle. La nuit est avancée, tu dors et tu ne songes pas à
une boucle de tes cheveux que, chaque soir, avant de t'endormir, ton mari presse religieusement sur ses lèvres. » *Adèle à
Victor* : « Voici la dernière fois que je t'écris. Je te donnerai ce

mot à la hâte parce que j'ai toute la maison Duvidal sur le dos. Ainsi je ne te verrai plus du tout, cela est impossible, et je ne recevrai plus de tes nouvelles. Je ne tromperai plus maman, mais m'en aura-t-elle plus d'obligations ? Je ne sais pas. » C'est une lave incandescente qui soutient la passion de Victor et Adèle songe surtout aux convenances familiales. Ce qui ne l'empêche pas d'aimer Victor de tout son cœur. Qui d'elle ou de lui est le plus déchiré ?

Ce silence dont elle menace Victor tombe au pire des moments. Sophie Hugo va mal, très mal. Un jour qu'elle a voulu terminer les aménagements d'une plate-bande de son petit jardin, elle s'est sentie assoiffée et elle a bu un verre d'eau. *Manuscrit d'Adèle* : « Elle eut le frisson, puis la fièvre. Une seconde fluxion de poitrine se déclara et les fils de veiller de nouveau la chère malade. On la tira de la période aiguë, mais les poumons étaient engagés ; elle traîna quelques semaines dans une fausse convalescence et reprit le lit à la fin de mai. Le médecin trouva la rechute grave mais conserva l'espérance. Il n'y avait aucune aggravation apparente dans l'état de Mme Hugo et on ne douta pas autour d'elle de la guérison. »

Des fils qui aiment leur mère comme Victor et Eugène aiment la leur ne veulent pas en tout cas douter. Victor conçoit pour Sophie une passion puissante, ardente, quasi brûlante. Elle s'est accrue depuis l'enfance à mesure qu'il a vu sa mère souffrir du fait de son père. L'enfant s'est peu à peu senti protecteur : fils, père, mari en même temps. De là, quand il a fallu choisir entre Adèle et Sophie, l'absence de toute hésitation. Choisir Adèle, c'eût été courir le risque non seulement de perdre sa mère, mais — surtout — que sa mère le perdît, lui, son plus ferme appui.

Le médecin a dit : point d'aggravation. De toute sa foi, Victor espère. Le 27 juin, son frère et lui sont seuls avec Mme Hugo, doucement assoupie. Heureux de la voir si calme, Eugène et Victor ne la quittent pas des yeux.

— Regarde, dit Eugène, comme maman est bien ! Elle dort depuis hier soir, il n'y a pas de trace de souffrance sur sa figure.

Victor opine : assurément, leur mère est sur la voie de la guérison. Il s'approche pour la mieux voir, l'embrasse au front. Il la trouve glacée. Sophie Trébuchet, comtesse Hugo, est morte, ce jour-là, à 3 heures après-midi. Rien, dans le carnet de Victor, n'exprime l'immense douleur dans laquelle il a tout à coup sombré. Mieux que des mots, ce qu'il a tracé sur une page, ce 27 juin, c'est une tête de mort, un point d'exclamation. Et le signe de l'infini.

Seule, Adèle, plus tard, a su ce qu'il avait ressenti. Seule, elle nous l'a dit en quelques phrases naïves, d'autant plus touchantes :

« La mère est morte ! plus rien ! est-ce possible ! Tout à l'heure elle semblait sauvée. Déjà on bâtissait des projets d'avenir avec le cher être et vous voilà, enfants, devant l'inflexible. Vous pleurez, vous criez, vous vous tordez, vous essayez de ranimer ce cadavre, il est de glace. Aucun souffle n'échauffera cette lèvre ; pas une larme ne mouillera cette paupière. Eh ! c'est vrai, vous devez souffrir ! Tout est âcre, présent et passé. Si vous remontez de l'homme à l'enfant, vous trouvez votre mère. Penchée sur vous, âme et corps, elle dirigea vos pas incertains et votre pensée balbutiante. Vous lui apportiez vos vers boiteux et vos rimes dissonantes ; jamais elle ne vous railla et gravement vous reprenait. Vous sanglotez à ces souvenirs. La mère grandit avec vous, la flamme s'affermit sur votre front... De la mère et du guide, rien, pas même le fantôme [1]. »

Anéantis, prostrés, les deux frères ne songent pas même à faire face aux détails obligés d'un décès. Il faut qu'Abel, accouru, s'occupe de tout. Le cercueil de cette incroyante est porté à l'église Saint-Sulpice. Les trois Hugo, quelques amis dont un jeune prêtre, le duc de Rohan, fort amateur des vers de Victor, la conduisent au cimetière de Vaugirard, sa dernière demeure. *Manuscrit d'Adèle* : « Cette terre, l'objet de ses soins, la couvrit ; son corps et les fleurs qu'elle avait tant aimées se confondirent avec elle. »

Jamais Victor n'a éprouvé l'impression d'une solitude aussi accablante. Revenant, l'âme glacée, du cimetière, il s'interroge : quelle raison lui reste-t-il d'exister ? Ce père qui vit à Blois ? Il ne sait rien de lui. Le bon Abel ? Il est bien lointain. Eugène ? Mieux vaut n'en pas parler. Sa fiancée ? Il sait qu'elle continuera de lui être refusée par les Foucher, meurtris pour toujours par l'affront qui leur est venu de Sophie.

Et pourtant, c'est vers Adèle qu'il ira. *Manuscrit d'Adèle* : « Souffrir seul est dur. La douleur, ainsi que le bonheur, veut être partagée ; qui écoutera cette angoisse ? Et Victor courut

---

1. *Manuscrit d'Adèle.*

au conseil de guerre, il y aurait là une jeune âme qui le comprendrait et lui répondrait. » Il fait nuit. Le voici devant l'hôtel de Toulouse. Il découvre les fenêtres des Foucher tout illuminées. Il entend de la musique, des bribes de conversation, des rires aigus qui montent de l'ombre du jardin. De *leur* jardin ! Il se glisse entre les arbres, va coller ses yeux à une vitre bien connue de lui. Il aperçoit Adèle en robe blanche, ses beaux cheveux noirs cernés de fleurs, et qui danse, et qui rit ! Choc affreux qu'il n'oubliera jamais.

Le lendemain, Adèle se promène dans le jardin. Elle voit soudain Victor devant elle. Il est si pâle qu'elle comprend aussitôt. Elle s'élance vers lui :

— Qu'y a-t-il donc ?

— Ma mère est morte. Je l'ai enterrée hier.

— Et moi, je dansais !

Ensemble, les sanglots montent de leurs gorges.

Vêtu de noir, M. Foucher va rendre rue de Mézières une très officielle visite de condoléances. A Victor, il conseille de quitter Paris. Un simple coup d'œil sur les deux jeunes gens lui a suffi : ils sont pauvres, très pauvres. Plus pontifiant que paternel, le chef de bureau rappelle à Victor et Eugène que la vie est moins chère en province. Quand il s'en va, Victor et Eugène se regardent : qu'a-t-il voulu dire avec sa province ? Est-ce donc qu'il les invite à rejoindre leur père à Blois ? La vérité est ailleurs et Victor l'a fort bien comprise : M. Foucher tient surtout que l'amoureux qu'il devine toujours aussi fervent inscrive le plus de lieues possible entre lui et sa chère Adèle.

Il a bien fallu que les trois frères annoncent la nouvelle à leur père. C'est Victor qui a tenu la plume :

Au général Hugo, 28 juin 1821 : « Notre perte est immense, irréparable. Cependant, mon cher papa, tu nous restes et notre amour et notre respect pour toi ne peuvent que s'accroître de ce qu'il ne nous reste plus qu'un seul être auquel nous puissions reporter la tendresse que nous avions pour notre vertueuse mère. Dans cette profonde douleur, c'est une consolation pour nous de pouvoir te dire qu'aucun fiel, aucune amertume contre toi n'ont empoisonné les dernières années, les derniers moments de notre mère. Aujourd'hui que tout disparaît devant cet horrible malheur, tu dois connaître son âme telle qu'elle était : elle n'a jamais parlé de toi avec colère et les sentiments profonds de respect et d'attachement que nous t'avons toujours portés, c'est elle qui les a gravés dans notre cœur...

Il ne nous appartient pas, il ne nous a jamais appartenu de mêler notre jugement dans les déplorables différends qui t'ont séparé d'elle, mais maintenant qu'il ne reste plus d'elle que sa mémoire pure et sans tache, tout le reste n'est-il pas effacé ? »

Victor précise que Sophie « ne laisse rien, que quelques vêtements, qui nous sont bien précieux ». Pour payer les frais de la maladie et de l'enterrement, ils ont dû vendre l'argenterie, la montre, etc. Il reste le médecin et quelques autres dettes à payer : « Si tu ne peux t'en charger, nous tâcherons par la suite de les acquitter du produit de notre travail. Le mobilier qui n'est rien appartient à Abel, chez qui maman demeurait avec nous, ne pouvant payer elle-même le loyer. Tout notre but, mon cher papa, est de cesser d'être à ta charge le plus tôt possible. » Victor affirme qu'Eugène et lui vont se hâter d'achever leur droit, « que la maladie de maman nous a fait suspendre pendant quelque temps. Nous gagnerons quelque peu de chose par nous-mêmes, afin de t'alléger le fardeau. Au reste, viens, si tu le peux, ou veuille nous mander tes intentions ». Un mot encore : « Adieu, mon cher papa, je t'embrasse au nom de mes frères abîmés comme moi dans la douleur. » En post-scriptum, quelques lignes de la main d'Abel qui précise : « Eugène n'est pas dans le cas de t'écrire. »

Léopold ne viendra pas à Paris. Lui-même se débat dans des difficultés d'argent qui rendent un tel voyage presque impossible. Pour lui, le seul résultat tangible de la disparition de « l'exécrable Trébuchet » sera de lui permettre d'épouser enfin Catherine Thomas. Le mariage — civil — sera célébré moins d'un mois après la mort de Sophie, le 6 septembre 1821 à Chabris (Indre). Sur le registre de l'état civil on lira que Léopold Hugo épouse « la dame Marie-Catherine Thomas y Sactoin, âgée de 37 ans, veuve du sieur Anaclet d'Almet, propriétaire ». Cependant qu'une lettre de faire-part annoncera, avec une désinvolture tout autant généalogique qu'orthographique, l'union du général avec « Mme Veuve d'Almé, comtesse de Salcano ».

Les fils Hugo vont choisir d'ignorer le mariage de leur père. Ils ne l'ont ni félicité ni d'ailleurs critiqué. Comment le pourraient-ils ? Ce n'est que grâce aux subsides du général qu'ils pourront tenter de survivre.

Comme l'a prévu Victor, la vindicte des Foucher ne s'est pas éteinte avec la mort de Sophie. Cette année-là, ils se gardent de louer, comme tous les étés, une maison dans les environs de Paris : le jeune Victor surgirait à toute heure du jour et de la nuit de derrière chaque arbre. Ils choisissent Dreux. Cérémonieusement, Victor est venu à l'hôtel de Toulouse rendre à M. Foucher sa visite de condoléances. M. Foucher s'est empressé de l'informer : les vacances se passeront à Dreux, chez le frère de leur belle-sœur Asseline. Ici l'arrière-pensée montre le bout de son nez. La diligence pour Dreux coûte 25 francs. M. Foucher sait que Victor ne les possède pas. Oui, il en est là.

Chez sa mère, il vivait pauvrement. Ce qui commence pour lui, c'est une ère de quasi-misère. Dans quelques semaines — en octobre — Eugène et lui devront rendre l'appartement de la rue de Mézières où est morte Sophie. Au deuxième étage de la même maison, le propriétaire leur proposera une mansarde qu'ils accepteront avec reconnaissance. Mais cette soupente se révélera encore trop chère pour eux. Ils la partageront avec un cousin Trébuchet, prénommé Adolphe, lui aussi venu à Paris faire son droit. Une fois de plus, c'est au Marius des *Misérables* que l'on pense :

« Il mangea de cette chose inexprimable qu'on appelle *de la vache enragée*. Chose horrible, qui contient les jours sans pain, les nuits sans sommeil, les soirs sans chandelle, l'âtre sans feu, les semaines sans travail, l'avenir sans espérance, l'habit percé aux coudes, le vieux chapeau qui fait rire les jeunes filles, la porte qu'on trouve fermée le soir parce qu'on ne paie pas son loyer, l'insolence du portier et du gargotier, les ricanements des voisins, les humiliations, la dignité refoulée, les besognes quelconques acceptées, les dégoûts, l'amertume, l'accablement. Marius apprit comment on dévore tout cela, et comment ce sont souvent les seules choses qu'on ait à dévorer. A ce moment de l'existence où l'homme a besoin d'orgueil parce qu'il a besoin d'amour, il se sentit moqué parce qu'il était mal vêtu, et ridicule parce qu'il était pauvre. A l'âge où la jeunesse vous gonfle le cœur d'une fierté impériale, il abaissa plus d'une fois ses yeux sur ses bottes trouées et il connut les hontes injustes et les rongeurs poignantes de la misère. »

Plus tard, quand ce bourgeois — qu'il est par toutes les fibres de son être — se dressera pour défendre ceux qui n'ont rien, pour dénoncer l'infamie d'une pauvreté devant laquelle

ses contemporains ferment délibérément les yeux, il faudra
se souvenir qu'il a lui-même touché le fond de cette misère.
Ce dont il parlera, il l'aura connu. Et bien.

Comment les 25 francs de la diligence de Dreux ne repré-
senteraient-ils rien d'autre qu'un rêve inaccessible ? Voilà de
quoi définitivement rassurer M. Foucher. Comment l'excellent chef de bureau, qui a vu grandir Victor, le connaît-il si
mal ? Les Foucher quittent Paris en voiture, le 15 juillet. Victor se met en route dès le 16. De quelle manière ? A pied naturellement !

Le 16, ce néophyte du marathon marche de Paris à Versailles où l'héberge son ami Gaspard de Pons. Il passe la journée du 17 en sa compagnie. Le lendemain avant de reprendre
la route, il s'attable dans un café. En attendant qu'on le
serve, il prend un journal qui traîne sur un guéridon. Le
geste a le malheur de déplaire à un garde du corps assis à la
table voisine. Il l'arrache au jeune homme. Furieux, Hugo se
dresse, fait face au malotru qui, goguenard, le dévisage :

— Vous n'êtes pas content ? Rien de plus facile à arranger.

— Vous m'en rendrez raison ! s'écrie Victor.

On convient de se battre le jour même dans la salle
d'armes d'une caserne voisine. Les témoins sont tout trouvés : ce sont Gaspard de Pons, officier de la garde royale, et
l'un de ses camarades.

Certains ont mis en doute la réalité de ce duel, raconté par
Richard Lesclide qui fut secrétaire de Hugo [1]. Il est vrai que
celui-ci ajoute : « il garda le lit quinze jours ». Nous sommes
sûrs que, dès le lendemain, Victor se rendra — toujours à
pied — de Versailles à Houdan, où il couchera chez M. Souillard, père du jeune poète Adolphe de Saint-Valry. Pourtant le
duel ne fait pas de doute. Hugo l'a raconté à Alexandre
Dumas d'abord, à Jules Claretie ensuite. Sous sa dictée,
Dumas a jeté sur le papier des notes à peine rédigées dont il
se servira dans ses *Mémoires*. Au bas de ces feuillets, une
ligne de la main du scripteur : « *Note dictée par Victor Hugo,
écrite par moi.* » Nous sommes donc en présence d'un document brut, ce qui en augmente prodigieusement l'intérêt. Or,
à propos de ce duel, que lisons-nous ? « Il avait perdu sa
mère, deuil éternel. Il était allé voir à Versailles Gaspard de
Pons ; il était très triste. Un officier nommé Vacheval lui prit

---

1. Richard Lesclide : *Propos de table de Victor Hugo* (1885).

un journal des mains ; on se battit à l'épée, il reçut un coup d'épée dans le bras. » Je remarque l'enchaînement chronologique de la mort de sa mère au duel.

Jules Claretie donne d'autres détails. C'est *la Quotidienne* que lisait Victor. Le garde du corps était un homme « très élégant et très impertinent ». Il s'appelait Vasserot — même consonance que ce Vacheval dont s'est souvenu Dumas. Il avait provoqué un jeune homme inconnu et, en apprenant qu'il s'agissait du jeune poète royaliste dont il connaissait les vers, s'était senti le plus malheureux des hommes. Impossible d'aller plus loin que de l'égratigner ! « A la fin, avec une adresse parfaite, il le blessa le plus légèrement du monde au bras gauche, et comme en s'excusant. » La cravate bleue de Victor servit d'écharpe à son bras blessé. Vasserot réclama l'honneur de la nouer lui-même.

Donc un duel. Donc une blessure bénigne, ce qui explique que Hugo ait pu aussitôt reprendre sa marche, ce qui ne l'en place pas moins au rang des héros amoureux. Le soleil brûle, il est fatigué, sans doute souffre-t-il un peu. Il va.

Victor Hugo à Alfred de Vigny, 20 juillet 1821 : « J'ai fait tout le voyage à pied, par un soleil ardent et des chemins sans ombre d'ombre. Je suis harassé, mais tout glorieux d'avoir fait vingt lieues sur mes jambes ; je regarde toutes les voitures en pitié ; si vous étiez avec moi en ce moment, jamais vous n'auriez vu plus insolent bipède. »

Donc il est à Dreux. Avant tout, découvrir l'adresse des Foucher. Que d'allées et venues, que de marches — encore ! — et de contremarches pour parvenir au but. Nous sommes en un temps où le pouvoir croit apercevoir des conspirateurs partout. Ce jeune homme un peu hagard, aux habits poussiéreux, qui court la ville à la recherche d'on ne sait qui ou d'on ne sait quoi, suscite tout à coup la méfiance de la police de Louis XVIII. Un commissaire se plante devant le jeune homme, lui demande ses papiers « d'un ton rogue et très impératif ». Des papiers, il en a bien sur lui, mais ce sont quelques vers griffonnés, des notes au crayon sur son voyage. Un passeport ? Non, il n'en a point.

— C'est bel et bon, mon petit ami, mais cela ne peut pas se passer ainsi, j'ai ordre d'arrêter toute personne étrangère à la localité qui n'est pas en règle, et vous allez me suivre.

Le suivre où ? En prison naturellement ! Hugo est sauvé par une parente de Saint-Valry qui, au dernier moment, veut bien répondre de lui.

Pas un instant, il n'a perdu de vue son but : rejoindre Adèle, se faire reconnaître d'elle. Le 10 au matin, il y parvient. Joie, allégresse ! Mais, du côté d'Adèle, stupéfaction et terreur lui répondent ! D'où ce billet au crayon, qu'elle réussit à lui faire passer en cachette : « Mon ami, que fais-tu ici, je n'en peux croire mes yeux. Je n'ai aucun moyen de te parler. Je t'écris à la hâte en cachette pour te dire que tu sois prudent, que je suis toujours ta femme. Si cela te sert à quelque chose je crois que nous part[ons] lundi (?) à 5 heures du matin. Tu n'as aucun moyen pour me répondre. Estime-moi, je fais tout cela car je t'aime. »

Le lot du joueur est de sans cesse doubler ses mises. Victor a beau se dissimuler derrière tous les pans de mur, le perspicace M. Foucher ne tarde pas à repérer la silhouette du plus déterminé des marcheurs amoureux. Le haut-le-corps et le regard irrité du père d'Adèle ne peuvent laisser aucun doute à Victor. Que faire ? Il prend le parti d'écrire. Une lettre ? Plutôt une merveille d'invraisemblance :

« Monsieur, j'ai eu le plaisir de vous voir aujourd'hui ici même, à Dreux, et je me suis demandé si je rêvais. Je ne crois pas que vous m'ayez vu, j'ai pris du moins mille soins pour que cela ne fût pas ; cependant comme il me serait possible que vous me rencontrassiez de manière ou d'autre ces jours-ci, et que ma présence ici fût diversement interprétée, je crois convenable et loyal de vous en avertir et de vous envoyer ci-incluse une lettre qui vous montrera combien elle est naturelle. Le motif de la vôtre ne l'est sans doute pas moins ; il ne nous reste qu'à nous étonner du plus bizarre de tous les hasards. »

Alors, il raconte qu'il est venu rendre visite à un ami qui habite — justement ! — près de Dreux. Hélas, cet ami, quand il est arrivé, était parti l'avant-veille. Pour Gap ! Il n'a pas voulu quitter la ville sans visiter les ruines intéressantes qu'elle contient et s'est même légèrement foulé le bras en les parcourant. (Bonne explication du bras en écharpe !) C'est au cours de l'une de ces visites archéologiques que le hasard — oui, le hasard — l'a fait rencontrer M. Foucher ! « J'ai été surpris par votre présence, qui aurait été pour moi un vrai bonheur, si je n'avais senti tout de suite dans quelle situation délicate elle me mettait. Je vous écris donc sans détours pour vous donner une preuve de candeur et vous informer en même temps de ce que je fais pour vous délivrer du déplaisir que vous cause sans doute ma présence involontaire. » Du reste, il serait parti dès le soir même et M. Foucher aurait toujours ignoré sa présence, s'il n'avait dû accepter « d'obligeantes invitations » qui le retardent quelques jours encore. « Ce qu'il y a de singulier, c'est que je n'ai quitté Paris qu'avec beaucoup de répugnance. Le désir que vous m'aviez montré de me voir absent pendant quelque temps a beaucoup contribué à me décider. Votre conseil a singulièrement tourné. Permettez-moi, Monsieur, de vous en remercier un peu, car je ne puis m'affliger de cette rencontre que parce qu'elle vous déplaît sans doute. » Il jure qu'il sortira le moins possible et que, si une nouvelle rencontre vient à se produire, il tâchera d'éviter le père d'Adèle. Au vrai, nous nous rendons compte que la plus ingénue des lettres n'a été écrite que pour la conclusion : « Adieu, Monsieur, ayez confiance en moi. Mon désir est de vivre digne de l'admirable mère que j'ai perdue ; toutes mes intentions sont pures. Je ne serais pas franc si je ne vous disais que la vue inespérée de Mlle votre fille m'a fait un vif plaisir. Je l'aime de toutes les forces de mon âme, et dans mon abandon complet, dans ma profonde douleur, il n'y a que son idée qui puisse encore m'offrir de la joie. »

La nature n'a heureusement pas doté le chef de bureau d'un cœur de pierre. Sa réponse peut se résumer ainsi : allons, viens nous voir, imbécile ! Reçu en présence de Mme Foucher et d'Adèle, le jeune poète se montre suppliant, enthousiaste, passionné.

Pierre Foucher observe gravement que l'état d'écrivain ne nourrit pas son homme. Hugo se fait son propre avocat, parle avec fougue du grand roman qu'il a commencé, *Han d'Islande*, et qui, composé dans la manière de Walter Scott, sera assurément un grand succès de librairie. Il évoque la pension qu'on lui laisse entrevoir, à lui poète légitimiste — l'un des rares de sa génération ! A tout cela, Pierre Foucher ne croit guère mais, devant tant d'amour si ardemment proclamé, il se laisse fléchir. Les deux jeunes gens se quittent fiancés. Cependant, pour rendre publiques ces fiançailles, on attendra que la position de Victor se révèle plus solide. Adèle et lui pourront se rencontrer toutes les semaines, mais jamais seuls. On se retrouvera au Luxembourg, mais jamais seuls. Parfois, on ira au spectacle, mais jamais seuls. Enfin M. Foucher autorise Adèle et Victor à s'écrire, ignorant bien entendu qu'ils n'avaient pas attendu sa permission. La clairvoyance des pères de famille est inversement proportionnelle à l'ingéniosité des amoureux.

Victor a repris le chemin de Paris. A pied, mais cette fois il a des ailes. Le 26 au matin, il est de retour. On le sent comme en ébullition, Victor. Adèle ! Adèle ! La brune fille des Foucher lui tient à ce point lieu de tout qu'il va faire au chef de bureau une incroyable proposition : il est prêt à *renoncer à la carrière des lettres* en vertu de son amour pour Adèle ! « Le sacrifice de mes desseins me coûtera peu, car je n'ai jamais été, je ne serai jamais ambitieux que pour elle. »

Pierre Foucher à Victor Hugo, 28 juillet 1821 : « J'ai reçu votre lettre ce matin. Elle nous a fait plaisir. C'est dans de pareilles dispositions que nous désirons vous voir marcher et persister. Donner à votre édifice une base large et moins d'élévation est chose prudente. Avant tout, *sécurité ;* point de bonheur ici-bas sans le repos de l'esprit. Ne négligeons rien pour nous rassurer nous-mêmes sur cet avenir qui n'est que trop menaçant dans un siècle où tout semble conduire à de nouveaux malheurs. Personne ici ne souhaite que vous abandonniez la littérature ; elle est et doit être votre principale ressource comme votre principale obligation... »

Merci M. Foucher.

Il ne tient plus en place, l'amoureux d'Adèle. Quand on tourne les pages de sa correspondance, quand on relit ses lettres à sa fiancée, celles qu'il adresse à ses amis, on le sent littéralement hors de lui. Mais, comme nul être au monde ne fut plus *double* que Hugo, il est capable dans l'instant de secouer ce tumulte et de retrouver cette sérénité grave qui, chez un garçon de son âge, impressionne tant ceux qui le rencontrent. Il s'en est drapé pour aller remettre à Chateaubriand, à la demande du secrétaire perpétuel Pinaud, le diplôme de Maître ès Jeux floraux qui vient d'être décerné au grand homme. Quoique l'auteur de *René*, à la suite des ultras les plus durs, vienne avec éclat d'abandonner les affaires publiques, ce qui navre Victor — un protecteur de moins ! —, c'est avec orgueil qu'il s'acquitte de sa mission. Il confie à Pierre Foucher : « J'ai été heureux de cet incident, parce qu'il établit un nouveau rapport entre Chateaubriand et moi. »

Aucun désarroi n'entamera jamais son sens de la carrière. Il n'est plus question de carrière lorsque, au cours de ce même mois de juillet 1821, il va rencontrer Lamennais.

Prenons garde que nous voici de nouveau à un tournant important — pourquoi ne pas le dire : essentiel — de sa vie. Voici le moment où Hugo, né et élevé en dehors de toute religion, se demandera s'il ne conviendrait pas de se faire catholique.

En 1831, Hugo dira de sa mère à Sainte-Beuve : « Le fond de sa philosophie était le voltairianisme. » Il ajoutera, avec cette lucidité sans indulgence qui lui vient de nature, que sa propre éducation a été fondée sur « un philosophisme religieux ». Hors les prières du petit enfant apprises en secret d'une servante — et vite oubliées —, on ne trouve en effet aucune trace, au cours de la jeunesse de Hugo, du moindre enseignement religieux. Il ne se souvient pas d'être entré dans une église pour y prier. Si on l'a conduit dans un édifice religieux, c'est pour le visiter, rien d'autre et rien de plus. Il ignore tout des élans ressentis en commun, lors d'un office où la ferveur de chacun soutient celle de tous, rien de l'apaisement éprouvé au sortir du confessionnal, rien de l'avidité précédant la communion, rien de l'intensité du dialogue intime avec Dieu qui la suit. Il n'a pas entendu les chants qui troublent l'âme, délicieusement, les grondements et les plaintes de l'orgue qui l'exaltent. Jamais, les genoux écorchés par la paille de sa chaise, il n'a senti tout à coup la certitude sans appel que Dieu est. « Et Dieu ? tel est le siècle, ils n'y pensèrent pas », soliloquait Vigny. Le régime, lui, y pensait. On invoquait Dieu dans les préfectures autant que dans les cathédrales. Cette alliance non seulement avouée mais proclamée pouvait troubler une jeune âme royaliste. Beaucoup des amis légitimistes de Victor se targuaient d'une foi propre à impressionner celui qui en avait été privé. Victor était trop subtil — toujours sa redoutable lucidité — pour ne pas percevoir, dans certains comportements, ces hypocrisies si bien analysées, à la même époque, par le jeune Julien Sorel. Mais d'autres rayonnaient d'une telle certitude qu'à leur spectacle il lui prenait des tristesses dont il ne savait point si la jalousie les avait engendrées ou plus simplement la frustration.

Donc il éprouve l'essentiel besoin de croire. Il *veut* croire. Il cherche la foi, celle-là qu'il définira si éloquemment :

« La foi vient de l'intuition, et la foi, c'est l'ancre de la raison humaine. La raison flotte, vogue, navigue, explore, découvre, va, et c'est là le voyage sublime. Elle dresse la carte de l'idée, elle éclaire toute la périphérie de ce problème éternel qui est pour notre pensée la mer ; mais c'est avec l'ancre seulement, avec la foi, avec l'intuition qu'elle peut en trouver le fond et s'y rattacher. Jamais de repos, jamais de mouillage, jamais de port pour ce navire, s'il n'a cette ancre. »

L'ancre, en 1821, ses amis catholiques se disputent, un peu maladroitement — zèle de catéchumènes —, l'honneur de la lui tendre le premier. Au premier plan de ceux-ci : le duc-abbé — ou l'abbé-duc — de Rohan. Il a trente ans. Possédant Josselin et Pontivy, le duc de Rohan-Chabot, duc de Montbazon, duc de Beaumont, prince de Léon, pair de France, apparaît en Bretagne comme un roi sans couronne. Six ans plus tôt, sa jeune femme qui se préparait pour un bal s'était par mégarde approchée d'une cheminée. Ses dentelles s'étaient enflammées. Elle était morte brûlée. Désespéré, Rohan avait cherché la paix dans la religion. Bientôt il était entré dans les ordres.

Dès 1820, encore séminariste, Rohan a tenu à confier à Victor l'enthousiasme soulevé chez lui par la lecture de ses vers. Il a ému le jeune poète en lui affirmant qu'il n'ambitionnait rien de plus que d'être curé de son village. Victor va de temps à autre le visiter au séminaire. Un soir, il a rencontré dans la cellule de Rohan un « vieux prêtre décrépit », si courbé que son bâton « dépassait de deux pieds son crâne dénudé ». Le malheureux était vêtu d'une redingote râpée et d'une culotte « dont on eût pu compter les fils ». Il était rayonnant.

— Vous paraissez bien joyeux, lui dit le duc. Il vous est donc arrivé bonheur ?

— Oui, dit le vieux prêtre. Je touchais, comme vicaire de Saint-Nicolas du Chardonnet, quatre cent cinquante francs par an ; mes appointements viennent d'être réduits à trois cent cinquante. Je remercie Dieu, je n'espérais plus avoir le temps d'être éprouvé, si près de mourir.

Contant plus tard la scène, Victor a reconnu s'être demandé si le vieillard parlait sérieusement. Mais « ce moribond n'aurait pas raillé avec la tombe ». Assurément, il était sincère.

Quelques jours plus tard, c'est Rohan qui vient rendre

visite à Hugo. Il trouve Victor « préoccupé et triste ». Il lui parle du vieux prêtre.

— Voyez, lui dit-il, il est vieux, il est infirme, il est misérable, il n'a qu'une bouchée de pain, on lui en arrache la moitié, et il est radieux ! Voilà la religion. Quand vous n'y verriez qu'une philosophie, la meilleure de toutes n'est-elle pas celle qui nous fait heureux du malheur ?

Victor le regarde un instant, en silence. Puis il répond par quatre mots qui prennent, dans le contexte où nous le voyons se débattre, un intérêt très vif : « *Mais je suis religieux.* »

Ce que Rohan — il est dans son rôle — traduit à tort, par : je suis pratiquant. En homme qui ne veut pas laisser passer une occasion, il enchaîne :

— Avez-vous un confesseur ?

— Non.

— Il vous en faut un, je m'en charge.

André Maurois n'a pas eu tort de voir dans l'abbé de Rohan, futur cardinal, un évêque de Stendhal. Dans les allées du pouvoir — et dans ses coulisses — la congrégation veille. Ne doutons pas de la foi réelle de Rohan mais soyons persuadés que celle-ci, en l'occurrence, s'est accompagnée d'un regard de convoitise : quel intéressant sujet que ce jeune Hugo qui chante si bien le trône, mais qui — pierre d'achoppement — semble ne pratiquer aucune religion. Victor va accepter de se laisser conduire chez l'abbé Frayssinous. Il se sent toujours en porte à faux : conscient que son agnosticisme s'inscrit en contradiction avec la foi monarchique telle qu'on l'affiche de son temps ; tenté par cette douceur qu'il voit dans les yeux de ses amis croyants, mais retenu par toutes les contraintes de son passé. Il aimerait tant faire de sa vie une harmonie ! D'où cette visite à l'abbé de Frayssinous qui, tout de go, lui explique que son devoir en ce monde est de parcourir une grande carrière, afin de dédier ses triomphes temporels au service de la religion. Le clergé d'ailleurs l'aidera. Plus l'entretien se prolonge et plus Victor sombre en un profond silence. M. de Frayssinous conclut par un vif éloge des jésuites et une diatribe contre M. de Chateaubriand qui est, selon lui, « un jacobin déguisé et plus dangereux sous son masque ».

En sortant, Victor dit doucement à l'abbé-duc que M. de Frayssinous ne sera jamais son directeur de conscience.

Perplexité de l'abbé : Hugo ne peut choisir un brave

homme de curé, c'est lui qui le dirigerait. Il lui faut « une intelligence ». Rohan se frappe le front :

— Voyons, vous voulez un prêtre austère, voulez-vous Lamennais ?

— Lamennais, à la bonne heure.

Trois jours plus tard, l'abbé de Rohan prend Victor au saut du lit pour le conduire chez son grand confrère. Un cabriolet est à la porte. Les deux amis y montent et l'on gagne le quartier Saint-Jacques. Tout à coup, là, dans une rue qu'il reconnaît, un arbre évoque pour Hugo une foule de souvenirs.

— Voici un arbre que je voyais bien souvent quand j'étais enfant et que j'habitais les Feuillantines. Est-ce que l'abbé de Lamennais demeure dans les environs ?

— Oui, et nous approchons de chez lui.

Un instant plus tard, la voiture s'engage dans le cul-de-sac des Feuillantines. Hugo s'étonne :

— Le cocher ne se trompe pas d'adresse ?

— Mais non.

— L'abbé de Lamennais loge donc aux Feuillantines ?

Réponse affirmative de l'abbé-duc. Aussitôt, de la part de Hugo, c'est l'émotion, la joie un peu inquiète, mêlée assurément de cette croyance aux rencontres du destin, aux décrets d'une puissance invisible qui l'a poursuivi tout au long de sa vie. La même porte bâtarde sert toujours d'entrée à l'habitation. *Manuscrit d'Adèle* : « Traversant la cour, Victor se trouva devant l'appartement qu'habitait jadis sa mère. Passant par le palier, il entra dans la salle à manger ayant toujours à sa droite le salon où autrefois se réunissait la famille. Les pièces, dont les meubles épars annonçaient un déménagement, étaient encombrées de malles et de paquets. »

Au milieu de ce branle-bas, va et vient un petit homme chétif, « aux yeux pers et inquiets, bilieux de visage », avec une « bouche naïve comme celle d'un enfant », vêtu d'une redingote de gros drap gris, d'une chemise de toile bise, avec une cravate noire qui n'est plus qu'une ficelle. *Manuscrit d'Adèle* : « Le pantalon écourté descendait à peine à la cheville amaigrie que recouvraient des bas bleus déteints. Les souliers, en harmonie avec l'habillement, étaient à triple rangée de clous. » Il a trente-neuf ans, ce hobereau breton à l'esprit si original que, tout imprégné de principes chrétiens, il a attendu d'avoir atteint l'âge de vingt-deux ans pour s'estimer digne de faire sa première communion. Ordonné prêtre en

1816, il a presque aussitôt commencé la composition d'un *Essai sur l'indifférence en matière de religion*, véritable apologie de l'église catholique, dépeinte comme la détentrice absolue de la vérité en tous domaines. En 1821, après de multiples éditions accueillies triomphalement, la renommée de l'auteur est devenue considérable.

Il est d'autant plus gêné, Hugo. « L'entretien fut court, conte Adèle. Victor lui dit qu'il reviendrait une autre fois aux Feuillantines. » Lamennais déclare qu'il quitte la maison.

— J'irai vous trouver où vous serez, dit Hugo.

Rohan, qui suit son idée, intervient doucement :

— Vous verrez aussi l'abbé comme pénitent.

— *C'est convenu.*

Cette dernière phrase se trouve dans le *manuscrit d'Adèle*. N'oublions jamais que ce texte est brut, qu'il est le premier jet de la transcription des entretiens qu'elle a eus avec son mari. Le paragraphe suivant acquiert d'autant plus d'importance que l'ensemble des biographes a nié que Hugo se fût jamais approché des sacrements : « *Victor se confessa.* Il était fort scrupuleux. » Hugo aurait évoqué une soirée au cours de laquelle il avait eu à subir les « agaceries » de deux actrices plus très jeunes. « Il dit son inquiétude à l'abbé de Lamennais. Le directeur, qui avait l'âge des dames, sourit et le rassura. Trouvant sans doute que les péchés du pudique jeune homme étaient insignifiants et sa conversation intéressante, l'abbé causa. Victor le vit souvent, mais à titre d'ami seulement. »

Nous voilà convaincus : cette « confession » ne fut en fait qu'un entretien. A l'encontre de l'abbé-duc, Lamennais n'était pas homme à vouloir prendre une âme de force.

Après leur première rencontre, Lamennais va écrire à l'un de ses correspondants :

« J'ai reçu la visite d'un jeune écrivain qui a déjà le bruit et qui aura la gloire. Mais ce n'est pas ce qui m'a doucement ému. Monsieur V.H. a l'âme la plus pure et la plus calme que j'aie rencontrée dans le cloaque de Paris. Il est confiant et simple. Il m'a rencontré pour la première fois dans la maison où il a vécu près d'une mère aimée. Cette circonstance a facilité nos premières paroles. D'ailleurs M. Hugo comprend la religion, ou plutôt y entre de plain-pied par l'arc divin de la poésie. Je souhaite qu'il soit toujours dans le sentiment qu'il a sur les choses spirituelles. Il donnera des ailes à la pensée catholique que nos écrivains pieux traînent souvent sur les pavés et même dans le ruisseau de la rue... »

D'évidence, Lamennais croit à l'adhésion de Hugo au catholicisme et même il voit en lui l'un des futurs porte-parole de la foi chrétienne. Est-ce donc que son interlocuteur a joué devant lui quelque chose qui ressemblerait à une comédie ? Si cela est, il faudrait penser que la comédie, Hugo se l'est jouée d'abord à lui-même.

Pourquoi n'a-t-il pas franchi le pas ? Ce qui l'a retenu au premier chef, c'est, en matière de religion, la double incroyance, voire l'hostilité de sa mère et de son père. La seule idée d'un acte qui pourrait ressembler à une trahison à l'égard de la mère bien-aimée, il l'a ressentie comme intolérable. Et puis, toute une part de lui-même se cabre devant ces « mystères » qu'il sait devoir accepter les yeux fermés. Cependant, nombre de ses amis les admettent. Alors ?

Il est là, hésitant, tiraillé, déchiré. Il n'en est pas à comprendre qu'au-delà de cette illusoire tentative de rencontre avec la religion catholique, c'est Dieu qu'il est en train de découvrir.

Le 31 juillet 1821, ô joie, il va se promener *officiellement* au bras d'Adèle au Luxembourg. Cela ne lui était plus arrivé depuis le 24 avril 1820. Le 1er août, il prend le chemin de Montfort-l'Amaury, reste un peu plus de dix jours auprès de Saint-Valry, son admirateur et ami. Ce jeune poète est né Adolphe Souillard. Il n'a pas jugé inutile d'embellir son patronyme. Il est si grand, si haut, si long qu'un jour où il se plaignait à Mme Charles Nodier d'un violent rhume de cerveau, Dumas lui a demandé si l'année précédente il n'avait pas pris froid aux pieds. Ce dont Saint-Valry lui a tenu rancune longtemps.

Si ce géant est fort catholique, sa mère l'est bien davantage. L'excellente femme tance affectueusement Victor : comment peut-il rester étranger aux pratiques d'une religion qui devrait le combler de ses biens ? Décidément, cet été-là, Hugo figure comme l'enjeu d'une chasse à courre où trop de gens sont prêts à sonner un hallali qui serait une conversion. Le 13, il est de retour à Paris et le lendemain écrit à Saint-Valry une lettre qui est peut-être la première page *romantique* de Hugo :

« Je suis donc retombé à Paris, mon cher ami. Je suis replongé dans cette atmosphère empestée. J'y avais donné rendez-vous aux soucis ; les voilà qui accourent à grands pas, mais j'ai, en les attendant, cette orgueilleuse consolation d'être arrivé le premier. C'est déjà, presque, avoir dompté le malheur que de n'avoir pas reculé devant lui. Moi, j'ai été au-devant.

« L'arrivée de mon père est encore dans le vague : le même vague règne partout dans mon avenir. Où cela me mènera-t-il ? Je suis dans la position d'un homme qui serait contraint de voyager sur un nuage.

« Ma pauvre machine est bien fatiguée. Je suis matériellement dégoûté de tout. Quelquefois, je pense que je vais faire quelque grande maladie qui me réunira à toutes mes belles ombres. Ma cage est encore bien neuve, mais il me semble que les fils en sont brisés, et mon âme ne cherche qu'une issue pour s'envoler.

« Il n'a pas tenu à vous que ma sérénité à Montfort n'ait été du bonheur et de la joie. Tant qu'on est près d'un véritable ami, il semble que rien ne manque, puis on se quitte et... c'est le rosier qui cache un gouffre.

« Ce n'est pas, mon ami, que le gouffre m'épouvante, mais je voudrais y tomber et non y descendre. Encore si la vie menait ailleurs qu'à la mort ! Mais c'est toujours là le but, et le grand chemin n'est pas si agréable qu'on ne désire quelquefois avec raison un chemin de traverse.

« Vous voyez que je suis rentré dans ma tristesse et dans mon orgueil en rentrant sous le toit où j'eus une mère. Ne montrez pas cette lettre à la vôtre ; elle m'a connu calme et riant, qu'elle ne me connaisse jamais autrement ; on aime mieux ceux qu'on voit sourire que ceux qu'on voit pleurer. Hélas ! Que ne puis-je pleurer !

« Me voilà seul, et j'ai toute ma longue vie à traverser, à moins que... O combien alors ceux qui m'aiment devraient se féliciter !

« Adieu, je ne sais trop ce que j'écris, mais je sais à qui j'écris et un ami peut voir le désordre de ma maison.

« Je vous aime, je vous embrasse et vous regrette. »

Une lettre *Sturm und Drang* : c'est ainsi que la perçoit Jean Massin. Certes. A ce point que l'on serait tenté de croire que le jeune Hugo, ici, prend la pose. Ce qui après tout serait de son âge ; n'oublions jamais : dix-neuf ans. On se prend à penser que ce pessimisme, cette humeur tout à coup si sombres, il a pu estimer que, venant d'un jeune poète s'adressant à un autre jeune poète, cela seyait bien. D'autant plus que — le même jour ! — il écrit à Pinaud, secrétaire perpétuel de l'Académie des Jeux floraux, une lettre d'un ton tout à fait différent. Tout y est si « convenable » que nous en sommes presque gênés. Ici le jeune carriériste montre le bout de l'oreille.

Ne nous étonnons pas trop. Des correspondances de ce genre, à cette époque et pour quelques années encore, nous en rencontrerons beaucoup. Que le jeune Hugo ait brûlé d'ambition, pourquoi vouloir le nier ? Qu'il se soit appliqué, avec une habileté qui le dispute à la persévérance, à se procurer les moyens de satisfaire cette ambition, tout le démontre. Mais le flatteur qui prodigue aux grands de ce monde les compliments et les éloges souffre en même temps mille morts pour l'amour d'Adèle. Et le fait de vouloir être en bons termes avec M. Pinaud ne doit nullement nous incliner à croire que son spleen n'est pas une réalité. Ce qui le prouve, c'est la lettre qu'il va adresser à Pierre Foucher, le 16 août 1821 :

> « Je meurs de toutes parts par l'incertitude ; tout mon avenir est replongé dans le vague. Rien de positif, rien de certain. Je voudrais être sûr de quelque chose, fût-ce du malheur, au moins pourrais-je marcher, sachant où je vais. Dans le moment actuel, il faut que j'attende ! La seule qualité que j'aie, l'activité et l'énergie pour agir, est paralysée ; les circonstances en revanche me demandent de la *patience*, vertu que je n'ai pas et que je n'aurai probablement jamais. J'ai tout perdu en perdant ma bonne mère. Oui, Monsieur, la position où je suis est très critique, j'aurais besoin d'épancher les douleurs que j'éprouve, mais une légitime délicatesse me l'interdit, et je dois souffrir tout seul, quoique je souffre pour les autres. »

A l'origine de cette morosité dépressive, il y a, c'est évident, la mort de Sophie Hugo. Le retour à Paris lui a fait retrouver les lieux où a vécu sa mère. La question d'argent s'est greffée là-dessus. Et puis, il en revient toujours au contrat moral qu'il a passé avec M. Foucher. Il a plastronné, affirmé sa conviction de gain rapide et certain. Aujourd'hui, il n'est plus sûr de rien.

Le 15 septembre, le roi Louis XVIII fait verser à Victor une nouvelle gratification de cinq cents francs. Un encouragement à aller de l'avant.

Écrire, certes. Écrire de plus en plus. Publier. Faire savoir qu'il publie. Mais il en revient toujours à Adèle. Les semaines passent, et les mois, et il lui écrit sans que se relâche un seul jour cette remarquable constance épistolaire. La vie de Hugo se déroule sur deux plans parallèles : le premier, sa carrière ;

le second, Adèle. Parfois, ces plans se rencontrent, s'interpénètrent. Disons-le : la chose est rare. Dans ses lettres à Adèle, c'est d'amour qu'il parle, presque exclusivement. Sur son œuvre, sur ses ambitions, la plupart du temps il reste muet. Cela pour une raison qu'Adèle elle-même a définie dans une lettre à son fiancé : « *Ce n'est pas, je l'avoue, ton esprit et le talent que tu peux avoir, que je ne sais malheureusement pas apprécier, qui ont fait la moindre impression sur moi* (10 novembre 1821). » Le plus curieux, c'est que Victor semble en prendre parfaitement son parti.

Ce dont s'effraie Adèle, c'est de ce paroxysme qui ne s'éteint jamais. A *Victor* : « La passion est de trop, ce n'est pas durable ; du moins je l'ai toujours entendu dire. » Elle lui répète qu'il se trompe en la prenant pour un ange ; qu'elle n'est « rien qu'une pauvre fille ». Convenons que sa position n'est pas commode. De plus en plus, Adèle entend prononcer chez elle, à l'égard de son fiancé, des paroles peu agréables, des critiques aigres-douces, des doutes injurieux quant à son avenir. Bien sûr, elle proteste, prend hautement la défense de Victor. Mais, à la longue, la petite fille influençable qu'elle est restée subit le contrecoup de ces offensives quotidiennes. Elle doute, elle s'afflige. Ces fiançailles dureront-elles toujours ? Épousera-t-elle un jour son cher Victor ?

Si, en janvier 1822, Victor n'a pas encore sollicité le consentement de son père, ce n'est nullement qu'il hésite à épouser Adèle. Entre Léopold et Victor Hugo plane toujours l'ombre de Sophie Trébuchet. Un trop rapide rapprochement avec le père semblait au fils une trahison à l'égard de sa mère. Donc, il hésite, il traîne. Il a dû prendre beaucoup sur lui pour entamer une correspondance avec le général. Cependant, de lettre en lettre, ce père lui apparaît bien différent de l'image amère conservée de son enfance et de son adolescence. Il découvre un brave homme, le cœur sur la main, lui-même amateur de poésie, qui occupe sa retraite, comme il dit, à taquiner les Muses. En secret, il écrit. Il lit les poètes et les aime. Stupeur de Victor : le général comte Hugo saurait donc ce qu'est la poésie ? Le fils se décide à accomplir un geste délibérément omis jusque-là : il envoie à son père ses œuvres publiées. Réponse de Léopold, ex-Brutus, à son fils : « Ta Muse est constamment sublime dans ce que j'ai vu. » Bien mieux : il comprend le penchant de Victor pour la poésie, ainsi que celui d'Eugène, « penchant qui m'a fait tant grondé votre oncle Juste parce qu'il le détournait des devoirs de son état ; penchant qui m'entraîne aussi bien souvent, mais que tu justifies par des vers vraiment admirables ». Se pourrait-il que tous les torts n'eussent pas été du côté de Léopold ? Victor refuse encore de se prononcer.

Pour l'instant, ce qui inquiète ensemble Léopold et Victor, c'est la santé d'Eugène. Santé psychique s'entend.

En fait, Eugène passe par d'alarmantes alternatives d'apathie et de violence. L'annonce des fiançailles de Victor lui a, semble-t-il, porté un coup fatal. N'oublions pas les veillées de l'hôtel de Toulouse, Victor et Eugène portant les mêmes regards vers la même jeune fille. N'oublions pas la rivalité littéraire des deux frères et l'évidence, à l'époque où nous sommes, du triomphe de Victor et de l'échec d'Eugène. Au vrai, à l'égard de son frère, il en est à la haine. Victor, qui n'a rien, possède un trésor : une mèche de cheveux qu'Adèle lui a donnée. Un soir, il découvre que la relique a été « outragée » par Eugène. Comment ? De quelle façon ? Nous ne le savons pas. Mais, pour Victor, il s'agit du plus mortel des péchés, d'un crime inexpiable.

Victor à Adèle, 30 novembre 1821 : « C'est hier, au moment où j'allais me coucher en pensant à toi et après avoir baisé tes cheveux, que j'ai découvert quel coup on a eu l'audace et la cruauté de me porter. Une lumière hideuse a été jetée sur le caractère d'un être pour lequel la veille encore je me serais dévoué, à l'avenir duquel j'avais immolé une partie de mon avenir, pour lequel j'avais sacrifié ce produit de mes veilles que j'aurais dû considérer comme ton bien. Jusqu'ici je lui avais tout pardonné ; je n'avais vu dans sa basse envie, dans ses lâches méchancetés que la singularité incommode d'un naturel atrabilaire. — Grand Dieu, Adèle, je frémis quand je songe à qui s'appliquent ces paroles qui ne sont encore que l'expression modérée d'un mépris trop justifié. Je suis bien malheureux ! Tu es bien loin toi-même, ma noble amie, de soupçonner de qui je veux parler ; si le souvenir de ce vil drôle se présente quelquefois à ton esprit, tu l'accueilles sans répugnance, si tu parles quelquefois de lui, c'est avec amitié. Dieu ! Si je te le nommais ! — Non, je ne te le nommerai pas ; je voudrais ne pas me le nommer à moi-même — Hé bien, je souffrais tout de lui, je le plaignais même, car j'ai longtemps cru qu'il t'aimait, et j'aurais tout donné pour lui, Dieu m'en est témoin, tout, excepté toi. Mais au ciel ne plaise que tu aies jamais été souillée de l'amour de ce misérable... Pourquoi ce misérable a-t-il osé toucher à ce que j'ai de plus cher et de plus sacré au monde ? Pourquoi m'ôter mon bien, ma vie, mon seul trésor ? Que ne m'est-il étranger ! — Je voudrais être calme, et je ne réussis qu'à être inintelligible pour toi, Adèle, et pour moi-même. Je ne sais où je m'égare, je voudrais tout te dire, tout te nommer, mais une sorte de pudeur m'arrête, et je renferme le motif de ma souffrance comme j'aurais dû peut-être renfermer ma souffrance elle-même... »

La lettre continue longuement sur ce ton. Certes, Hugo affirmera à Adèle qu'il a pardonné à son frère. Nous n'en sommes pas sûrs.

Un autre retour violent va le renvoyer à son enfance. Édouard Delon, l'ancien compagnon des Feuillantines et de la rue du Cherche-Midi, devenu républicain, s'est jeté dans l'agitation secrète et vient, durant l'hiver 1821-1822, de participer à l'une de ces conspirations qui, suscitées par la Charbonnerie, montent de la France qui refuse. La police a trouvé sa trace. Il est en fuite. Vive est l'émotion de Hugo. Les idées doivent-elles avoir le pas sur l'amitié ? Sur-le-champ, Victor écrit à la mère d'Édouard pour lui proposer de cacher son fils chez lui : « Je n'examine pas si mes opinions sont diamétralement opposées aux siennes. Dans le moment du danger, je sais seulement que je suis son ami et que nous nous sommes cordialement embrassés il y a un mois. S'il n'est pas arrêté, je lui offre un asile chez moi ; j'habite avec un jeune cousin qui ne connaît pas Delon. Mon profond attachement aux Bourbons est connu ; mais cette circonstance même est un motif de sécurité pour vous, car elle éloignera de moi tout soupçon de cacher un homme prévenu de conspiration, crime dont j'aime d'ailleurs à croire Delon innocent. » Il ajoute : « Il peut se fier à la loyauté d'un royaliste et au dévouement d'un ami d'enfance. »

Mme Delon ne répondra pas. Elle fera bien. La lettre naïvement jetée dans une boîte publique, a aussitôt été décachetée et lue par le « cabinet noir », forme anticipée des écoutes téléphoniques. Il faut l'incroyable inconscience de Hugo — et sa totale ignorance des réalités policières — pour avoir cru qu'une lettre ouvertement adressée à la mère d'un conspirateur recherché, pourrait passer inaperçue ! Le geste est là. Il est beau.

Six mois déjà que M. Foucher, à Dreux, consentait du bout des lèvres à des fiançailles officieuses. Six mois et rien de nouveau, rien de concret. Adèle doit faire face aux attaques de plus en plus malveillantes de l'oncle Asseline, aux harcèlements de son frère, aux clabaudages du quartier et l'on pense qu'elle se compromet pour un garçon qui n'en vaut pas la peine. Alors elle est triste, elle se plaint douloureusement. Lui se rebiffe, furieux : « J'irai chez tes parents et je leur dirai : " Vous m'avez rendu bien heureux en me permettant de voir votre Adèle. Lorsque vous m'avez accordé de vous-mêmes ce bonheur, je m'étais résigné à y renoncer pour un temps. Je ne sais pas si j'aurais vécu longtemps sans la voir, mais j'aurais essayé et, avec l'espoir de la posséder un jour, j'y serais peut-être parvenu. Aujourd'hui vous paraissez douter de mon avenir. Adieu, vous ne me reverrez qu'avec un sort indépendant et le consentement de mon père ou vous ne me reverrez plus. " »

Parfois elle se fâche. Le 16 février, excédée, elle dit à Victor : « Tu ne m'aimes pas. » Comme les amoureux se contredisent à chaque instant, dès que Victor, le 7 mars, lui annonce qu'il a écrit à son père pour lui demander son consentement au mariage, Adèle lui propose aussitôt, si le général refusait, de l'enlever !

On n'en viendra pas à cette extrémité puisque Léopold répond qu'il consent... avec des réserves cependant : « Je suis loin de blâmer ton attachement pour Mlle Foucher. Mais n'es-tu pas trop jeune pour songer à des liens aussi sérieux que ceux du mariage ? Et quand tu aurais à ton âge cette maturité qu'ils réclament, quel est ton état dans le monde pour soutenir une femme et élever des enfants ? » Le général rappelle qu'il a été dépossédé du million de réaux qui lui avait été accordé et de l'autre million qui lui avait été promis, ainsi que de ses biens en Espagne. Il est sans fortune. « De ce tableau, il résulte qu'avant de songer au mariage, il faut que tu aies un état ou une place et je ne considère pas comme telle la carrière littéraire, quelle que soit la manière brillante dont on y débute. Quand donc tu auras l'un ou l'autre, tu me verras seconder tes vœux auxquels je ne suis point contraire. Agis dès lors pour remplir cette condition et dis-moi si je puis concourir avec tes amis pour t'y faire arriver promptement. »

Cela suffit aux amoureux. Victor, qui avait délaissé la composition de *Han d'Islande*, s'y remet le jour même. Adèle arrache à ses parents l'autorisation pour Victor de venir les rejoindre à Gentilly où les Foucher ont loué de nouveau pour l'été. Décidément, tout est rose. Ces jours-là, Victor écrit son ode intitulée *Buonaparte*.

> Un sang royal teignit sa pourpre usurpatrice ;
> Un guerrier fut frappé par ce guerrier sans foi ;
> L'anarchie, à Vincenne, admira son complice,
>   Au Louvre, elle adora son roi.
> Il fallut presque un Dieu pour consacrer cet homme.
>   Le prêtre-Monarque de Rome
>   Vint bénir son front menaçant ;
> Car, sans doute en secret effrayé de lui-même,
> Il voulait recevoir son sanglant diadème
>   Des mains d'où le pardon descend...

Un an après la mort du prisonnier de Sainte-Hélène, pouvions-nous attendre rien d'autre de ce poète royaliste qui vient d'avoir vingt ans ?

Il n'éprouve plus aucun doute sur son avenir, si du moins il en a jamais ressenti. Ses lettres à Adèle sont pleines de proclamations dans ce sens : il écrira, il triomphera, ses amis politiques lui procureront bientôt pour deux ou trois mille francs de places : « Alors, avec ce que la littérature me rapporterait, ne pourrions-nous pas vivre ensemble doucement et paisiblement afin de voir notre revenu s'accroître à mesure que notre famille s'accroîtrait ?... » Cette sûreté n'est jamais exempte d'exaltation : « Un jour, Adèle, nous demeurerons sous le même toit, dans la même chambre, tu dormiras dans mes bras... Nos plaisirs seront nos devoirs et nos droits... »

Elle, elle en est toujours à se demander si l'on a le droit d'embrasser un homme avant d'être sa femme devant Dieu. Elle répond d'ailleurs qu'elle ne peut s'en empêcher. Baisers au demeurant parfaitement chastes, uniquement sur les joues, même s'ils doivent susciter chez cet adolescent aux sens exacerbés des tumultes qu'il jugule en d'harassants efforts. Il n'est pas question qu'il demande à sa fiancée aucune privauté. D'abord, en ce temps-là, car cela ne se fait pas. Surtout, parce que son amour s'accompagne d'un respect sans limite pour la femme qu'il aime. Quant à lui, il tiendra son serment de parvenir lui-même vierge au mariage.

« Je ne considérerais que comme une femme ordinaire (c'est-à-dire peu de chose) une jeune fille qui épouserait un homme sans être moralement certaine, par les principes et le caractère connu de cet homme, non seulement qu'il est *sage*, mais encore, et j'emploie exprès le mot propre dans toute sa plénitude, qu'il est *vierge*, aussi vierge qu'elle-même. »

Le mot vierge a offusqué Adèle. On n'emploie pas des vocables pareils avec une jeune fille. Ce qui lui mérite une nouvelle explosion du plus bouillant des fiancés :

« Il me semble, Adèle, que si j'étais femme, de pareilles confidences de la part de celui que j'aimerais seraient bien loin de me déplaire. Serait-ce que tu ne m'aimes pas ?... »

Oui, elle l'aime. Mais, comme toutes les femmes qui aimeront Victor Hugo, elle a du mal à le suivre.

Victor s'est transporté dans un nouveau logement. Il faut croire qu'il ne supporte plus de vivre sous le même toit qu'Eugène puisque seul Adolphe Trébuchet l'a suivi. Les voici au 30, rue du Dragon. A côté de ce taudis, la mansarde de la rue de Mézières pouvait passer pour un palais. Imaginez « un boyau mal éclairé et qui avait grand'peine à contenir deux lits ». Une armoire pour deux, ce qui sera beaucoup pour Victor qui possède en tout trois chemises. Le seul luxe : accroché au-dessus de la cheminée, le Lys d'Or des Jeux floraux. Victor comme le Marius des *Misérables* doit, pour sauver les apparences, accomplir des prodiges. Avec sept cents francs, il subsiste une année entière. Pourtant, il va dans le monde, fréquente, écrit-il à Adèle, des hommes de talent et des hommes de génie. Quand il paraît dans les salons, avec son unique habit bien brossé, et la moins élimée de ses trois chemises, il ne faut à aucun prix que l'on puisse se douter que ce jeune homme qui porte si beau ne sait pas s'il mangera le lendemain.

Cette pension qu'on lui a laissé entrevoir ? Elle ne vient pas. De même a-t-on parlé d'une « sinécure littéraire » qui lui serait confiée au ministère de l'Intérieur. Aucune nouvelle. Dire que son bonheur est à ce prix ! Et Victor piaffe. Et Adèle, à un degré moindre, piaffe. Victor supporte de moins en moins la petitesse d'esprit des Foucher. Il comprend mal comment de cette famille a pu sortir l'idéale fiancée : « Il me semble voir une colombe parmi ces canes... Il y a bien des espèces d'animaux dans les hommes. » Pourtant, le 6 avril 1822, quelle joie quand il rejoint les Foucher à Gentilly ! Grande nouveauté : il s'agit bien d'un *séjour*. C'est donc qu'on le traite en fiancé officiel.

Gentilly ! Pour Victor et Adèle, le lieu demeurera dans leurs souvenirs comme une halte délicieuse. La maison, un ancien presbytère remis à neuf, appartenait à une vieille avare aux airs de souris blanche. Par souci d'économie, elle utilisait comme domestiques des fous de l'asile voisin de Bicêtre. Ils venaient fendre son bois ou sarcler son jardin. Vaste et profond, il était bordé de deux avenues de peupliers. D'un côté, un grand potager ; de l'autre, des fleurs. La Bièvre coulait près de là. Si l'on s'avançait sur ses bords, on découvrait la vallée, verte et gaie. Mais surtout, ce qui restera dans leurs souvenirs, c'est la tourelle, vestige de l'ancienne construction. Il ne s'y trouvait qu'une chambre, « vrai nid d'oiseau ou de poète ». Quatre fenêtres recevaient le soleil à toute heure. Chaque soir les fiancés se promenaient dans le jardin et regardaient le soleil disparaître derrière la colline.

Un jour, avec des airs mystérieux, Victor apporte à sa fiancée un paquet soigneusement plié et fermé. Elle croit à quelque cadeau, et l'ouvre avec précaution. Déployant ses ailes noires et membrées, une chauve-souris s'en échappe ! Terreur d'Adèle qui ne pardonne qu'en lisant les vers écrits sur le papier : *la Chauve-Souris*. Cette chauve-souris, Victor l'avait rencontrée dans *sa* tourelle où elle habitait avec lui. S'il faut en croire Hugo, celui-ci lui parlait :

> Attends qu'enfin la vierge, à mon sort asservie,
> Que le soleil comme un ange envoya dans ma vie,
> De ma longue espérance ait couronné l'orgueil...

Gentilly n'est qu'une maison de fin de semaine. Les Foucher eux-mêmes n'y habitent pas en permanence. Victor quitte souvent sa tourelle pour retrouver ce qu'il appelle « ses affaires ». Ce qui le préoccupe toujours, c'est son frère Eugène. De plus en plus fantasque — le mot est faible — celui-ci quitte tout à coup Paris. Il s'est mis en route pour Blois. Est-ce pour revoir son père, lui confier ses angoisses ? Non. Il veut s'assurer que le général Hugo s'est bien remarié. Pauvre Eugène ! Parti sans papiers, il est arrêté en route, à vingt et une lieues de Paris. Il doit implorer son père de le faire libérer : « Je te prie d'écrire à M. le Procureur du roi à Chartres pour déclarer que je suis ton fils et me réclamer. » Le général intervient. Ce qui n'empêche pas Eugène de lui écrire une lettre si insultante que Léopold refusera d'avoir désormais le moindre rapport avec ce fils qu'il croit plus ingrat que malade. Le général informe Victor qu'il a décidé de ne plus verser de pension à Eugène. Mais comme l'excellent homme ne veut pas la mort du pécheur, il enverra à Abel et Victor une somme égale à la totalité de celle qu'il réservait naguère à ses trois fils. A eux de rétrocéder à Eugène ce que celui-ci touchait auparavant. Bien sûr, ils n'y manquent pas.

De ce nouveau tourment, seules les heures passées à Gentilly peuvent consoler Victor. Certes, il faut supporter les soirées en famille. Elles se déroulent, dira Hugo, « dans une gêne perpétuelle ». Mais quel bonheur quand il advient qu'Adèle, le soir, se glisse dans sa tourelle. Ce sont alors de longs entretiens, d'enivrants frôlements, parfois un baiser — sur la joue. Pourquoi le vrai bonheur, celui de la vie commune et de la possession leur est-il refusé ? Il n'est décidément pour Victor qu'une issue : la réussite. Des odes qu'il a composées depuis quelques années, le nombre est assez grand pour faire un volume. Mais quel éditeur se hasarderait à publier le livre d'un débutant ?

Un matin, le bon Abel paraît, l'air tout mystérieux. Il porte un paquet sous le bras. Qu'est-ce donc ? Rayonnant, Abel ouvre le paquet : ce sont des épreuves. Victor se penche. Émerveillé, il découvre, imprimées, ses odes. Abel en a dérobé le texte manuscrit, a fait imprimer les vers, a passé un contrat avec le libraire Pelicier qui les vendra place du Palais-Royal.

Sous le titre *Odes et Poésies diverses*, le volume va paraître en juin, tiré à 1 500 exemplaires. Toujours grâce à Abel, il est convenu que l'auteur recevra cinquante centimes par volume, donc en tout 750 francs. Le premier exemplaire, sous sa couverture gris-vert, va être porté à la seule destinataire qui, aux yeux de Victor, ait de l'importance. Dédicace : « A mon Adèle bien aimée, l'ange qui est ma seule gloire, comme mon seul bonheur. — Victor. » Adèle a pu découvrir une préface qui commence ainsi : « Il y a deux intentions dans la publication de ce livre, l'intention littéraire et l'intention politique ; mais, dans la pensée de l'auteur, la dernière est la conséquence de la première, car l'histoire des hommes ne présente de poésie que jugée du haut des idées monarchiques et des croyances religieuses. » Hugo estime que « le domaine de la poésie est illimité » ; il précise : « la poésie, c'est tout ce qu'il y a d'intime dans tout ».

Quelques jours avant, Adèle et Victor s'étaient une fois de plus disputés. Adèle avait menacé de se donner la mort. Peu de temps après, elle avait récidivé. La paisible et obéissante Adèle a-t-elle rejoint Victor dans ses paroxysmes amoureux ? Belle réplique à celui qui lui répète : « Tu me réponds en souriant et d'une voix calme. Oh ! non, tu ne connaîtras jamais la violence de mon amour... » Et encore : « Tu n'as jamais répondu à mes caresses, le plus souvent tu parais *souffrir* mes baisers... » Peut-être. Mais elle a voulu se tuer.

Du coup, Victor tombe malade. Passant d'un extrême à l'autre, Adèle tremble pour sa vie. Elle est prête à tout. Elle le prouve. Quatre jours plus tard elle monte l'escalier de la rue du Dragon ! Elle vient chez son fiancé — seule ! Mis en goût par cette grande « première », Hugo la supplie de le rejoindre de nouveau. Épouvantée elle-même de ce qu'elle a osé, elle refuse. Alors, il pleure.

La presse parle peu des *Odes et Poésies diverses.* Pas même la presse royaliste. La publication comporte tout de même un résultat, et de taille. La promesse d'une pension semble ne plus pouvoir être différée. *A Adèle* : « Ils traitent l'affaire de ma pension comme une affaire, sans soupçonner qu'ils devraient la traiter comme un bonheur... » C'est Rohan qui, intervenant auprès de la duchesse de Berry, fera balayer tous les obstacles. Le 18 juillet, deux lettres de Léopold et de Victor se croisent. Le général écrit à son fils : « Je relis tes *Odes.* Tâche d'avoir une teinte moins mélancolique » ; quant à Victor, c'est un bulletin de victoire qu'il expédie :

« Je suis dans la joie, et je m'empresse de t'écrire pour que tu sois heureux de mon bonheur, toi qui y as contribué, toi à qui il est réservé de l'achever. J'ai enfin obtenu mon traitement académique. Le roi m'accorde, ainsi qu'à mon honorable confrère, M. Alex. Soumet, une pension de 1 200 francs sur sa cassette. Je te transmets cette heureuse nouvelle *sous le secret* parce qu'une autre pension va m'être incessamment donnée au ministère de l'Intérieur (j'en ai l'assurance positive de M. de Lourdoueix) et il serait à craindre que la publicité de l'une ne gênât l'émission de l'autre. Reçois donc ici, mon bien cher papa, tous les remerciements de ton fils pour ce que tu as fait pour lui dans cette occasion et pour ce que tu vas faire encore ; car c'est maintenant que j'attends tout de ton cœur et de ta bonté. »

Il tient parole, le général Hugo. Compte tenu des délais de la poste, on peut même dire qu'il ne perd pas une minute. Le 22 juillet, il écrit à Pierre Foucher : « Je connais à Victor une sensibilité exquise, un excellent cœur, et tout me porte à croire que ses autres qualités morales répondent à celles-là. C'est ce cœur, ce sont ces qualités que j'ose mettre aux pieds de votre aimable fille. Victor me charge de vous demander la main de cette jeune personne dont il prétend faire le bonheur et dont il attend le sien... »

Insidieusement, le général a fait savoir à son fils Victor qu'il serait bon pour lui de paraître s'apercevoir que son père s'est remarié. Tant pis pour la mémoire de Sophie : Victor va « reconnaître » la seconde comtesse Hugo.

Victor et Adèle vivent dans l'attente du mariage. Sans attendre la confirmation de la pension royale, Victor s'est préoccupé des démarches à entreprendre pour entrer en possession de son acte de naissance et de son extrait de baptême. Il en a écrit à son père. Le général répond aussitôt, c'est un homme ponctuel. Pour l'extrait de naissance, il conseille de s'adresser au capitaine chargé du dépôt de recrutement pour le département du Doubs. Mais le paragraphe suivant va faire tomber Victor littéralement des nues : « Quant à l'extrait baptistaire, la chose est plus difficile, car si ta mère ne t'a pas fait donner le sacrement qui fait le chrétien, je suis parfaitement sûr que tu ne l'as pas eu. Je vais donc remédier à cette omission, qui pourrait arrêter quelque temps le cours de tes espérances et prier M. Llorente, à qui j'adresse le billet ci-joint, de te faire baptiser en chambre comme si la chose avait été faite à Madrid sur la fin de 1811. En Espagne, les extraits de baptême étant faits sur papier libre et sans beaucoup de cérémonies, M. Llorente pourra légaliser la signature du prêtre en sa qualité ecclésiastique supérieure, si le patriarche des Espagnes et des Indes, mon très ancien et très respectable ami, n'était plus à Paris. »

Victor sait très bien qu'on ne lui a jamais fait pratiquer de religion. De là à apprendre qu'il n'a jamais été baptisé, le coup est rude ! Quand on relit ses lettres à Adèle, on s'aperçoit que, les jours suivants, il traverse une crise grave. Que faire ?

La solution d'un baptême clandestin, « en chambre » comme a dit le général Hugo ? Victor n'en veut pas. Lamennais le comprend fort bien. Ce genre de secret est toujours éventé à un moment ou à un autre. On imagine les petits journaux libéraux révélant que le plus ferme soutien du trône et de l'autel, le poète royaliste par excellence, le pensionné de Sa Majesté n'était pas baptisé ! Oui, quel parti prendre ?

La lettre que, le 13 septembre, Victor adresse à son père marque la fin de ce débat : « Si je n'ai pas été baptisé à Besançon, je suis néanmoins sûr de l'avoir été, et tu sais combien il serait fâcheux de recommencer cette cérémonie à mon âge. M. de La Mennais, mon illustre ami, m'a assuré qu'en attestant que j'ai été baptisé en pays étranger, cette affirmation, accompagnée de la tienne, suffirait. Tu sens combien de hautes raisons doivent me faire désirer que tu m'envoies cette simple attestation. »

Puisque « l'illustre » Lamennais s'y associe, pourquoi le général Hugo qui, en ces matières, continue à cultiver l'incroyance sarcastique qui était de règle à l'armée du Rhin, se camperait-il en gêneur ? On lui demande d'attester. Il atteste tout ce qu'on veut. Il suffit maintenant à Lamennais d'établir le bulletin de confession qui fera s'ouvrir toutes grandes les portes de l'église Saint-Sulpice. Il signe. Le tour est joué. Pour *de hautes raisons:*

La salle de la cour d'assises au Palais de justice. Une chaleur accablante. Pressée sur les bancs de bois usés, une foule si dense que l'on se croirait, aux heures de la Terreur, au procès de Danton ou de Marie-Antoinette. De fait, c'est aussi un procès politique qui se plaide. Celui de quatre jeunes gens qui, recrutés dans la Charbonnerie, ont cru venue l'heure de chasser ces Bourbons ramenés, comme dit le cliché, « dans les fourgons de l'étranger ». Ils sont soldats, sergents. C'est parce qu'ils ont voulu soulever leur régiment en marche vers l'Atlantique qu'on les appelle les *quatre sergents de La Rochelle.* Le soulèvement projeté n'a pas eu lieu. Dénoncés, ils ont été arrêtés, avec d'autres, alors qu'ils ne méditaient qu'un projet. Assis au banc des accusés, ce qu'ils risquent, c'est la mort.

Parmi la foule, voici deux jeunes gens, presque des enfants : Victor et Adèle. Qu'est-ce donc qui les a conduits là ? Assurément, déjà, il y a l'immense curiosité de Hugo pour tout ce qui concerne son temps. Le prodigieux journaliste des *Choses vues*, on peut dire qu'il débute ce jour-là. Mais la curiosité n'est pas la seule raison de sa présence. Le chef de bureau Pierre Foucher a dû obtenir des cartes d'entrée pour ce procès qui mobilise l'actualité. Sermonnée par Victor, Adèle a dû manifester un intérêt de commande qu'elle n'éprouvait sûrement pas. Aussitôt, Hugo a dû se proposer pour l'escorter. *Victor à Adèle* : « Je vais aller voir où en sont les débats des assises, s'ils pouvaient durer jusqu'à vendredi ! Une journée entière près de toi ! C'est encore une chose singulière de notre position que d'être contraints pour trouver quelques instants de doux entretiens, de nous réfugier dans la salle d'un tribunal. Personne ne se doute pourquoi je désirerais la prolongation de ce procès. »

Au-delà de ces « doux entretiens », comment un Victor Hugo de vingt ans ne ressentirait-il pas dans toute sa plénitude tragique la grandeur de cet instant ? Dans *le Dernier Jour d'un condamné*, il prêtera à son narrateur cette réflexion à propos de Bories, l'un des sergents : « Pauvre jeune homme, pour une idée, pour une rêverie, pour une abstraction, cette horrible réalité qu'on appelle la guillotine ! » Comment n'aurait-il pas senti se lever une amère réprobation, celle du cœur, en entendant l'avocat général, M. de Marchangy — un écrivain, l'auteur de *la Gaule poétique* ! — réclamer durant cinq heures d'horloge, la mort, la mort, et encore la mort ? Comment n'aurait-il pas ressenti une émotion violente en entendant Bories déclarer, avant que le jury ne se retirât pour délibérer :

— Monsieur l'Avocat général n'a cessé de me présenter comme chef du complot. Eh bien, messieurs, j'accepte, heureux si ma tête en roulant sur l'échafaud peut sauver celle de mes camarades !

Alors, sa main a dû serrer plus encore celle d'Adèle, et ses yeux peut-être se sont emplis de larmes. Bien sûr, les accusés sont des adversaires politiques, des gens qui ont conspiré contre la monarchie. Hugo ne peut que les haïr. Mais tant de jeunesse, tant de sincérité ! Et puis, quand les quatre têtes tomberont place de Grève, sous le couperet de la guillotine, comment ne pas ressentir de l'horreur ? Huit jours plus tôt, l'ami Édouard Delon a été une seconde fois condamné à mort — par contumace — pour complicité avec le général Berton, autre conspirateur impénitent. Delon est loin : il passera en Grèce pour soutenir avec Lord Byron la cause de la liberté et y trouvera la mort. Mais cette condamnation abstraite n'a rendu, aux yeux de Hugo, celle des jeunes sergents que plus concrète.

Alors Hugo doute. De plus en plus, il acquiert une certitude : la vie vient de Dieu. C'est lui seul qui peut reprendre ce qu'il a donné. L'homme, en infligeant la peine de mort, dérobe un bien qui ne lui appartient pas.

Une angoisse, un moment, l'a taraudé : il va être concerné par la loi sur le recrutement. S'il a le malheur de tirer un mauvais numéro, il sera, pour plusieurs années, embrigadé. Inutile alors de songer au mariage. Inutile d'espérer poursuivre sa carrière. S'acheter un remplaçant ? Avec quel argent ? Affolement. Désespoir. Tout à coup, une idée lui vient — ou on la lui souffle. Il écrit à Pinaud, l'un de ses plus fidèles soutiens à l'Académie des Jeux floraux :

« La loi sur le recrutement accorde l'exemption du service militaire à tous ceux qui auront remporté l'un des grands prix de l'Institut, voire même le *prix d'honneur de l'Université*. L'oubli fait par le législateur des prix de la seconde académie du royaume est ici réparé par l'esprit de la loi, et, d'après les informations que j'ai prises, j'ai acquis la certitude que cet article avait été interprété favorablement jusqu'ici, sur la réclamation des secrétaires perpétuels, pour des palmes décernées par des académies bien moins importantes que celle des Jeux Floraux. »

Habile Hugo. La manœuvre réussit. Flatté, Pinaud intervient. Victor est exempté. Aucun nuage n'assombrira plus l'horizon. Ni celui du poète ni celui du fiancé. La pension a été confirmée. Seulement elle a été réduite de 1 200 francs à 1 000 francs. Va-t-on s'arrêter à ce détail ? Les Foucher vident leur bourse. Au lendemain du mariage, M. Foucher sera obligé de demander une avance de 1 000 francs à son ministère. Il ne commencera à la rembourser que le 1er mars 1823. Adèle aura pour dot 2 000 francs « en nippes, meubles et espèces ». Quant à Victor, il se souviendra avec précision d'avoir utilisé les 700 francs que lui avait procurés la vente des *Odes* à l'achat d'un cachemire des Indes. « Car pour un cachemire français, il n'y avait pas à y songer, c'eût été trop cher... A cette époque, il n'y avait pas de corbeille de mariée sans cachemire. »

Le jeune ménage va donc débuter dans l'existence avec la seule pension de Victor, 83 francs par mois. Seul commentaire de Victor dans la dernière des lettres qu'il écrit à sa fiancée : « Notre histoire aura été une preuve de plus de cette vérité que vouloir fermement, c'est pouvoir. »

A l'hôtel de Toulouse, dans la salle du Conseil — cette même salle où Lahorie, parrain de Victor, s'est entendu condamner à mort — on a dressé une grande table autour de laquelle la noce a pris place. On a voulu respecter la tradition : un dîner suit toujours la messe de mariage. A Saint-Sulpice, ce 12 octobre 1822, c'est l'abbé de Rohan qui a reçu le consentement des jeunes mariés. Les témoins de Victor : Alfred de Vigny et Félix Biscarrat, accouru tout exprès de Nantes. Les témoins d'Adèle : son oncle Asseline et le marquis Duvidal de Montferrier. Le général Hugo est resté à Blois. Il n'a pas voulu venir sans sa femme et Victor l'a préféré absent qu'accompagné.

Le repas est achevé. On danse. Il faut reconnaître qu'elle est bien jolie, dans ses voiles blancs, Adèle Hugo, son visage radieux cerné par les torsades noires. Et mince, si mince ! Au fait, n'est-il pas beau, lui aussi, le marié ? Les invités, à qui mieux mieux, répètent que ce bonheur fait plaisir à voir. Il n'y a que Biscarrat pour remarquer, au cours de la soirée, l'agitation étrange d'Eugène. Il soliloque, se laisse aller à de grands gestes véhéments. Va-t-on vers un esclandre ? Biscarrat, tout bas, est allé prévenir Abel. A eux deux, ils ont convaincu Eugène de les suivre. Dans la nuit, le malheureux sombrera dans une crise de folie furieuse. Ce n'est pas, comme on l'a tant écrit, le spectacle du bonheur de son frère qui l'a rendu fou. Sa maladie était ancienne et profonde. Il franchit définitivement la limite qui sépare la raison, même blessée, de la folie.

Ni Victor ni Adèle n'ont remarqué le départ de leur frère. Le bonheur rend égoïste. Et puis, on s'est gardé d'attirer leur attention sur un incident resté inaperçu de la plupart. La fête s'achève. Les parents Foucher ont décidé de leur accorder l'hospitalité à l'hôtel de Toulouse puisque le petit ménage Hugo ne possède pas de quoi même acheter un lit. On les a conduits à leur chambre. Ils sont seuls.

Enfin !

DEUXIÈME PARTIE

CAR LE MOT C'EST LE VERBE

I

LE PRINTEMPS

> Si l'homme calculait son existence par le bonheur
> et comptait ses heures de joie pour des années de vie
> — dites! compterait-il jusqu'à soixante?
>
> Lord BYRON.

NOUS savons tout de Hugo. Ce qu'il n'a pas dit sur lui-même, d'autres s'en sont chargés. Même ses nuits d'amour nous sont connues en détail. A commencer par la première : celle du 12 au 13 octobre 1822. Serrant pour la première fois contre son corps celui de la bien-aimée, il lui a prouvé neuf fois son désir [1].

C'est beaucoup. C'est trop. Songeons à cette interminable lune de miel qu'a traversée Adèle. Songeons que, jamais, au grand jamais, Hugo ne s'est permis avec elle un geste « déplacé ». Il a fallu attendre le 11 septembre 1822 — un mois seulement avant le mariage! — pour qu'elle acceptât de se laisser embrasser sur les lèvres. La passion, que depuis tant d'années lui a portée Victor, se situe dans l'éther, nulle part ailleurs. Douze jours auparavant encore, Victor ne parlait à Adèle que de l'amour le plus virginal, « le plus chaste [2] ». En ce temps-là, la règle absolue est d'épargner aux jeunes personnes la peinture des réalités dont on juge qu'elles ne les découvriront que trop tôt. Tout juste Mme

---

1. Il l'a confié à Juana Richard Lesclide, épouse du secrétaire de Hugo. Voir *Victor Hugo intime*, page 197.
2. Lettre du 1er octobre 1822.

Foucher a-t-elle dû, la veille ou l'avant-veille, en termes aussi obscurs que confus, laisser entendre à sa fille qu'il faudrait faire son devoir, tout son devoir. En tout cas être courageuse. La petite a dû hausser les épaules. Décidément, cette pauvre mère n'a rien compris. Pourquoi faudrait-il du courage pour vivre cette heure que tous les deux appellent de tant de vœux éperdus ?

Et là, tout à coup, dans son lit, ce qu'elle découvre, c'est un homme déchaîné, un « vendangeur ivre », comme dira Lamartine. Pour l'excuse de Victor, on est tenté d'admettre qu'il rattrapait le temps perdu. Mais lui qui avait attendu près de quarante mois aurait bien pu étaler son impatience sur deux ou trois nuits. C'est sur une jeune épouse stupéfaite, éperdue, physiquement meurtrie, qu'il s'acharne. Elles sont éloquentes, les confidences d'Adèle à Sainte-Beuve : « en ces bras de fer brisée, évanouie... ». Il faut penser qu'elle a « gardé de cette découverte, très brutale, de la sexualité une espèce d'horreur [1] ». Il ne semble pas que, de cette expérience, Hugo ait tiré quelque leçon. Vers 1828, il écrivait : « L'homme a reçu de la nature une clef avec laquelle il remonte sa femme toutes les vingt-quatre heures. » Ce qui était manquer à la fois de psychologie et de délicatesse. Mais, parmi les maris, était-il le seul ?

« Là où il y a vraiment mariage, c'est-à-dire là où il y a amour, l'idéal s'en mêle. Un lit nuptial fait dans les ténèbres un coin d'aurore [2]. »

On préférerait retenir cette vision idéalisée si, précisément, l'aurore qui va suivre n'avait marqué le début d'une tragédie. Ils dorment. On frappe à leur porte. C'est Biscarrat, blême, au désespoir. En quelques mots, il raconte ce qui s'est passé la veille au soir à propos d'Eugène. L'état du malheureux s'est aggravé pendant la nuit. D'abord il a illuminé sa chambre « comme pour un mariage ». Après quoi, poussant des cris inarticulés, il a saisi un sabre et s'est mis à se battre avec les meubles, décapitant les chaises, éventrant l'armoire. Quel lendemain de noce !

Victor, laissant là Adèle, court chez Eugène. Désormais, il va se relayer auprès de son frère avec Abel, Victor Foucher et

1. Henri Guillemin.
2. *Les Misérables.*

le cousin Trébuchet. De ce drame affreux, on ne croira pas
utile d'informer le général Hugo. L'étrange de l'affaire, c'est
que sept jours après son mariage, Victor adresse à son père
une lettre qui fait état d'une joie que rien n'aurait ternie :

« Depuis le 12 de ce mois, je jouis du bonheur le plus doux et le
plus complet... Si je ne t'ai pas écrit dans les premiers jours de mon
bienheureux mariage, c'est que j'avais le cœur trop plein pour trouver des paroles... Je suis absorbé dans un sentiment profond
d'amour, et pourvu que toute cette lettre en soit pleine, je ne doute
pas que ton bon cœur ne soit content. »

Le 19 novembre, Adèle, écrivant à son beau-père, se présente comme « la plus heureuse des femmes » qui lui doit
« tout son bonheur ». Une seule explication possible : Victor,
espérant que l'état de son frère n'était que provisoirement
compromis, a préféré ne rien dire à son père, déjà fort prévenu contre Eugène, et ne s'est décidé à lui faire connaître la
vérité que lorsque les médecins l'ont convaincu du caractère
incurable de la maladie, ou quand il a pu craindre que son
père n'apprît par un autre la folie d'Eugène. Autour d'eux, on
commençait à beaucoup en parler, comme le montre le journal d'un contemporain, Evariste Boulay-Paty :

« Je m'en suis revenu avec Soulié qui est venu passer une heure
chez moi. Il m'a dit qu'Eugène Hugo avait tellement aimé Mme Victor Hugo que, deux ou trois jours après le mariage de son frère, il
était devenu fou. C'était un jeune homme qui annonçait le plus beau
talent. Fou par sève de chasteté, ô Charenton [1]. »

En décembre, il n'est plus possible d'éluder.

Victor à Léopold, 20 décembre 1822 : « C'est auprès du lit d'Eugène
malade et dangereusement malade que je t'écris. Le déplorable état
de sa raison, dont je t'avais si souvent entretenu, empirait depuis
plusieurs mois d'une manière qui nous alarmait tous profondément,
sans que nous puissions y porter sérieusement remède, puisque
ayant conservé le libre exercice de sa volonté, il se refusait obstinément à tous les secours et à tous les soins. Son amour pour la solitude poussé à un excès effrayant a hâté une crise qui sera peut-être
salutaire, du moins il faut l'espérer, mais qui n'en est pas moins

1. Publié par le docteur Dominique Caillé, dans les *Annales de la société
académique de Nantes*.

extrêmement grave et le laissera pour longtemps dans une position bien délicate. » *Adèle à Léopold, 22 décembre 1822* : « Depuis que mon Victor vous a écrit, il a eu un jour, et surtout une nuit très calme, mais ce calme n'était que le prélude d'une crise très violente qui a duré hier quelques heures et qui a repris tellement fort cette nuit qu'il fallait deux hommes, et de plus la femme qui le garde, pour le contenir un peu... Ses frères, le mien, son cousin Trébuchet et un autre de ses amis se relayaient pour le veiller, mais déjà deux de ces messieurs sont malades de la crise de cette nuit. Enfin, mon cher papa, nous sommes plongés dans la douleur la plus vive. »

Que faire d'Eugène ? Abel soulèvera la question financière. Ni lui ni Victor ne sont à même de payer les frais d'un traitement onéreux. On va faire jouer le grade du général et obtenir l'hospitalisation d'Eugène à l'établissement du Val-de-Grâce. Pour faire soigner son fils, il semble que le père ait vidé sa bourse, pourtant guère enflée. Au début de 1823, le général Hugo vend le prieuré Saint-Lazare. Grave décision, qui a dû lui coûter. Mais cette demeure était son seul bien ; il savait qu'il allait avoir besoin d'argent et ne pouvait s'en procurer qu'à ce prix. Désormais, il habitera Blois, 73, rue du Foix, dans la petite maison que sa seconde femme y possède depuis 1816. Lui qui avait refusé de paraître au mariage de Victor annonce qu'il part pour la capitale afin de s'occuper d'Eugène. Voilà donc à Paris le gros homme sanguin. Naturellement escorté de son épouse.

Si, retrouvant cette belle-mère qu'il n'a pas vue depuis l'Espagne, il y a eu gêne de la part de Victor, il a su parfaitement la cacher. Il a *décidé* — tout est chez lui choix délibéré — de prendre son parti de la seconde comtesse Hugo. Ce n'est pas par inadvertance qu'Adèle a écrit à son beau-père : « Si notre belle-mère savait combien j'ai été sensible à tout ce qu'elle a bien voulu faire pour accélérer notre mariage, j'espère qu'elle voudrait bien recevoir mes remerciements. » On accueillera donc à Paris ladite belle-mère, sans empressement excessif, mais avec une courtoisie à laquelle le général sera sensible.

Les premiers moments seront tout à Eugène que Léopold retrouve avec chagrin. Comment oublierait-il le petit garçon blond et joufflu, primesautier et si gai, qui lui sautait dans les bras à Naples et riait dans les rigueurs du collège de Madrid ? Mais le séjour de l'ex-familier du roi Joseph sera surtout marqué par une découverte réciproque : le général fait la connais-

sance de son poète de fils et Victor, déjà à demi conquis par les
lettres de son père, lui ouvre définitivement son cœur. On verra
presque chaque soir le général venir dîner chez son fils. Adèle,
belle-fille observatrice, dans des lignes qui n'ont naturellement
pas été retenues par le *témoin*, a montré l'excellent homme à
table : « C'était là surtout que l'entrain lui venait... Il fronçait
sa narine à la façon des lapins, ce qui est une grimace des
Hugo, clignait de l'œil comme s'il avait une nouvelle drôlerie
à dire et finissait par accoucher de ce qu'il avait dit cent fois. »

Avec un attendrissement grandissant, Victor va découvrir
le secret que son père cachait jalousement. Jusque-là, en
quelques lignes un peu sibyllines, Léopold s'était contenté de
lui confier qu'il s'intéressait aux belles lettres, qu'il avait
même gribouillé quelques petites choses. A table, il se livre
davantage. Avec la timidité d'une jeune fille, le général révèle
qu'il a toujours écrit, que dès l'âge de dix-huit ans, il composait un *Projet d'entretien des routes par des hommes inhabiles
au service actif*. Que trois ans plus tard, il en était aux *Moyens
de détruire dans ses larves le ver rongeur de l'olivier en Corse*.
Qu'en 1806, il proposait les *Moyens pour l'Espagne de se
débarrasser de Gibraltar*. Que même il avait étudié les *Moyens
de rendre potable l'eau de mer*. En vérité que de moyens ! Au
milieu de cette avalanche, ce qui a peut-être touché l'auteur
de *Bug-Jargal*, c'est la brochure de son père sur les *Moyens de
suppléer à la traite des nègres par des individus libres, et
d'une manière qui garantisse pour l'avenir la sûreté des
colons et la dépendance des colonies*, opuscule publié à Blois,
en janvier 1818, sous un pseudonyme. Le général n'a pas
oublié de parler de son *Journal historique du blocus de
Thionville en 1814 et en 1815* et de ses Mémoires pour lesquels il cherche un éditeur : œillade à Victor suivie d'un probable hochement de tête de celui-ci. Avec plus de confusion
encore, le général a parlé de ses romans encore inédits, de
son poème en 14 chants et 1 400 vers : *la Révolte des enfers*.
Peut-être en a-t-il récité des extraits :

Gabriel accourez, s'écrie l'Éternel,
Allez à Lucifer dans les abymes sombres
Annoncer qu'aujourd'hui mon amour paternel
Va changer les destins des infernales ombres.
Deux enfers au lieu d'un, voilà ma volonté !
— Seigneur, dit Gabriel ! — Taisez-vous, mon bel ange,

Écoutez jusqu'au bout, admirez ma bonté,
C'est toujours pour le bien que ma volonté change !

Étonnement de Victor : son père est écrivain ! Il est poète !
Émotion.

Dans les débuts de la Restauration, lors de l'un de ses
rares voyages à Paris, Léopold avait rencontré ses fils chez le
général Lucotte. Victor, avec l'impétuosité et l'impudence de
l'enfance, n'avait parlé que de la monarchie sainte et du roi
bien-aimé. Léopold l'avait écouté en silence. Il avait dédaigné
de répondre à la provocation, s'était simplement tourné vers
Lucotte :

— Laissons faire le temps. L'enfant est de l'opinion de la
mère, l'homme sera de l'opinion du père.

En janvier 1822, il n'en est pas là. Écoutant son grognard
de père, Victor découvre seulement — mais c'est beaucoup —
que les plis du drapeau blanc n'ont pas été seuls à envelopper
la gloire de la France. Pendant vingt ans, des millions
d'hommes, au nombre desquels était son père, ont parcouru
l'Europe derrière les trois couleurs devenues l'emblème de la
liberté. Il découvre que ces hommes, décorés volontiers par
la presse ultra du nom de brigands, n'étaient rien de plus ni
rien de moins que des géants.

Ce qui achève définitivement la conquête, c'est l'annonce
faite un jour par Léopold d'un ton bourru qui cache mal
son émotion : puisque l'état d'Eugène s'est amélioré, il a
résolu de l'emmener avec lui à Blois. Il le soignera si bien,
ce diable d'Eugène, que bientôt il sera complètement
guéri. On ira donc le chercher en son hôpital. Le général
Hugo et sa comtesse, escortés par un fils un peu pâle, un
peu contraint, monteront dans la diligence de Blois. Léopold
a fait jurer à Victor et à Adèle de venir bientôt leur faire
visite. Bientôt !

Le jeune ménage a confié au général et à son épouse une
grande nouvelle : Victor n'a pas perdu de temps, Adèle est
enceinte.

Il s'est marié. Il a occupé d'interminables heures au chevet
de son frère fou. Il a retrouvé son père. Il a vibré quand il a
su que M. de Chateaubriand, revenu aux affaires, se préparait
à exécuter la mission que les rois lui avaient confiée à
Vérone : restaurer la monarchie absolue en Espagne. Il s'est

ému quand il a appris, la guerre faisant fuir le crédit, la faillite de l'éditeur de ses *Odes*, Persan. Voilà beaucoup d'événements propres à arracher un poète de sa table de travail. Nous connaissons déjà suffisamment Hugo pour être sûrs qu'il n'en est rien.

Qu'écrit-il ? Des odes encore. En décembre, *Louis XVII* :

> C'était un bel enfant qui fuyait de la terre ;
> Son œil bleu du malheur portait le signe austère ;
> Ses blonds cheveux flottaient sur ses traits pâlissants
> Et les vierges du ciel, avec des chants de fête,
> Aux palmes du Martyre unissaient sur sa tête
>   La couronne des innocents.

Le même mois, une autre ode : *Jéhovah* où, pour la première fois peut-être, on voit s'esquisser l'idée hugolienne de Dieu :

> Gloire à Dieu seul ! son nom rayonne en ses ouvrages.
> Il porte dans sa main l'univers réuni ;
> Il mit l'éternité par delà tous les âges,
> Par delà tous les cieux il jeta l'infini !

Des articles aussi. En février 1823, une critique sur le *Parricide*, de Jules Lefèvre, qui vaut d'être retenue. A propos de ce poète aujourd'hui bien oublié, fort médiocre mais que Hugo couvre légitimement d'éloges parce qu'il est son ami, il s'en prend à ceux qui pensent que la littérature et la poésie seraient une fois pour toutes figées : « Cette opinion aride, héritage légué à notre époque par le siècle de Voltaire, ne veut marcher qu'escortée de toutes les gloires de Louis XIV. » Il répudie totalement cette opinion « décourageante et injuriante » qui « poursuivrait du nom de Racine mort Racine renaissant » et qui « condamne toute originalité comme une hérésie ». Il salue ces « jeunes têtes pleines de sève et de vigueur, qui ont médité la Bible, Homère et Chateaubriand, qui se sont abreuvées aux sources primitives de l'inspiration et qui portent en elles la gloire de notre siècle ». Lisons très attentivement la suite : « Ces jeunes hommes seront les chefs d'une école nouvelle et pure, rivale et non ennemie des écoles anciennes, d'une opinion poétique, qui sera un jour aussi celle de la masse. En attendant, ils auront bien des combats à livrer, bien des luttes à soutenir ; mais ils supporteront avec le courage du génie les adversités de la gloire. » Hugo prophète ?

Le début de l'année 1823, c'est avant tout la rédaction de la préface de *Han d'Islande*, l'achèvement et bientôt la publication du roman.

J'ai lu *Han d'Islande* à quinze ans. L'impression me fut profonde. Les patronymes prétendument norvégiens, les situations absurdes, les outrances de chaque page, le côté haletant du récit, tout cela m'enchanta. L'enfant que j'étais se rencontrait avec les élucubrations superbes d'un écrivain adolescent. Comment n'aurais-je pas frémi en découvrant que Éthel, l'héroïne, ignore que son cher Ordener est le fils de l'ennemi de son père ? Comment n'aurais-je pas cessé de respirer en comprenant que le frère de Musdaemon et le bourreau n'étaient qu'un seul et même personnage ! Comment me serais-je pas émerveillé de voir Han sauvé par l'ours et l'ours sauvé par Han ! Comment n'eussé-je pas frémi en lisant des phrases de ce genre : « La porte s'ouvrit enfin lentement, et Ordener se trouva face à face avec la longue figure pâle et maigre de Spiagudry qui, les habits en désordre, l'œil hagard, les cheveux hérissés, les mains ensanglantées, portait une lampe sépulcrale, dont la flamme tremblait encore moins visiblement que son grand corps. » *La maîtrise dans le hagard*, dira Jules Renard. Hugo lui-même a su, dix ans plus tard, juger *Han d'Islande* : « *Han d'Islande* est un livre de jeune homme et de très jeune homme... Aussi *Han d'Islande*, en admettant qu'il vaille la peine d'être classé, n'est-il guère autre chose qu'un roman fantastique [1]. » Alfred de Vigny écrira pourtant à Hugo que ce *Han d'Islande* « est bien grand dans mon opinion ». Aucune réserve dans son éloge : « Mon ami, je vous le dis, et vous êtes le centième à qui je le dise, quoique je sois à Orléans, c'est un beau et grand durable ouvrage que vous avez fait là... Vous avez posé en France les fondements de Walter Scott. Votre beau livre sera pour nous comme le pont de lui à nous et le passage de ses couleurs à celles de France. » Suivait néanmoins un conseil qui marquait une réticence : « Faites un pas ; naturalisez le génie que vous avez jeté sur la Norvège, changez les noms et les décorations, et nous serons plus fiers que des Écossais. » Tradui-

---

1. Préface à l'édition de 1833.

sons : vous avez été un peu loin. Lamartine sera du même avis. *A Victor Hugo, 8 juin 1823* : « Nous relisons vos ravissantes poésies et votre terrible *Han*. Soit dit en passant, je le trouve aussi trop terrible : adoucissez votre palette ; l'imagination, comme la lyre, doit caresser l'esprit ; vous frappez trop fort. » A peu près seul, un article de *la Quotidienne*, tout en regrettant le goût quelque peu morbide de l'auteur pour les monstruosités, ainsi que pour ces « anomalies dégoûtantes et auxquelles les langues humaines ont à peine accordé un nom : la morgue, l'échafaud, la potence, l'anthropophage, le bourreau », va louer le pittoresque, la vivacité, la nervosité du style, et encore « cette délicatesse de tact et cette finesse de sentiment qui sont aussi des acquisitions de la vie ». Commencer par des *erreurs* de cette qualité, concluait le journaliste, n'est donné qu'à un très petit nombre d'écrivains. Hugo, lisant cet article inespéré, a bien sûr couru à la signature. C'était celle de Charles Nodier.

Une génération entière s'est enchantée du personnage de Nodier, de cet esprit charmant, léger et profond à la fois, en tout cas le plus original de son temps. Hugo croyait avoir tout lu. Nodier le battait de plusieurs longueurs. Nul n'aurait pu le prendre en défaut, ni sur Homère, ni sur Montaigne, ni même sur Goethe et Shakespeare. Son goût des livres avait fait de lui un bibliothécaire, à Besançon d'abord, puis à Laybach en Illyrie, pays si lointain que certains, au dire de Dumas, croyaient qu'il n'existait pas. Curieux de tout et d'abord des traditions populaires, il en avait rapporté une infinité de contes étranges et d'autant plus attachants. Devenu journaliste aux *Débats*, puis à *la Quotidienne*, il s'affirmait le plus ferme soutien des écrivains.

Éperdu de reconnaissance, Hugo se procure l'adresse de Nodier, et se précipite chez lui, rue de Provence. Il grimpe trois étages, sonne. Une ravissante jeune fille brune aux yeux rieurs lui ouvre.

— Papa est sorti, monsieur.

Hugo laisse un mot. Le lendemain, c'est Charles Nodier qui se présente chez Hugo : « figure anguleuse, œil vif et las, démarche fantasque et pensive ». Il a vingt-deux ans de plus que Victor et pourtant le contact s'établit aussitôt.

Il est touché, Charles Nodier, par le spectacle de ce couple encore enfant, hébergé par les parents Foucher. Il est frappé par l'amour qui les unit, il s'émeut à considérer la taille d'Adèle qui s'arrondit doucement. A Nodier, Adèle réserve le même accueil qu'à toute cette jeunesse qui désormais envahit l'hôtel de Toulouse. La jeune Mme Hugo donne à tous une image curieusement mêlée de paix apparente et d'une effervescence intérieure qu'elle dissimule de son mieux. Les inconnus la trouvent froide, parce qu'elle est timide. Les autres ne parlent que de son charme, de sa beauté « espagnole », de ses grands yeux noirs. Lui, Charles Nodier, est définitivement séduit. Il invite le couple à assister sans tarder à l'une des soirées qu'il offre chez lui à ceux qu'il aime. Il sent que les Hugo seront bientôt de ceux-là. Les Hugo le sentent aussi.

Le printemps venu, les Foucher ont loué de nouveau la maison de Gentilly où le jeune ménage va les rejoindre. Les peupliers, le potager, les fleurs, la Bièvre aux eaux vertes. Calme et repos. Mme Foucher entend éviter à sa fille, avant l'accouchement, toute fatigue inutile. Mais, cette fois, la chambre de la tourelle restera vide. Pour Victor et Adèle, un seul lit. Une inquiétude au moins vient de leur être ôtée, celle du lendemain. Victor, quant à sa carrière, va décidément de bonheur en bonheur : il vient de se voir décerner, sur les fonds littéraires du ministère de l'Intérieur, une pension de 2 000 francs qui s'ajoutent aux 1 000 francs de la munificence royale.

Une seule ombre à ce tableau idyllique : Eugène. Hugo a beau afficher partout un air d' « officier de cavalerie qui enlève un poste », la plaie fraternelle le ronge en secret. Affectueusement accueilli à Blois, le second des fils Hugo a adressé à Victor une lettre sensée, quoique comportant des traces d'aigreur. Un mois plus tard, Léopold confiait que l'on avait essayé sur Eugène un traitement à l'électricité mais que le résultat n'était guère probant. En avril : « Le temps influe beaucoup sur Eugène et je vois qu'il me faudra recourir à M. Esquirol. » Il s'agit d'un aliéniste fameux à Paris.

Léopold à Pierre Foucher, 5 mai 1823 : « Hier, mon cher Foucher, Eugène, dont j'observai depuis quelques jours les manières sombres et farouches, étant à dîner avec ma femme, une demoiselle et moi, s'élança tout à coup sans rien dire de sa place, un couteau à la main, se porta sur cette demoiselle, lui arracha son assiette qu'il brisa par terre et courut frapper sa belle-mère à la poitrine. Je fus heureusement assez prompt pour arrêter sa main au moment où elle allait sans doute porter le second coup, et assez fort pour pousser le furieux contre le mur de la salle à manger, mais ne pouvant lui arracher le couteau des mains, je pris le parti de lui en tordre la lame sous les yeux, ce qui l'intimida assez pour le lui faire lâcher ; alors, il se laissa lier par moi seul et je ne le gardai qu'un moment dans cet état pénible pour mon cœur, parce que je le vis abattu et incapable d'entreprendre une lutte avec moi. »

Le couteau, arrondi par le bout, n'avait fait que déchirer le *schal* et le fichu de la générale Hugo. Le médecin, appelé sur-le-champ, juge très grave l'état d'Eugène. Léopold ne peut plus garder son fils.

Le malheureux a dit froidement qu'il avait voulu tuer sa belle-mère « parce qu'elle lui faisait prendre des bouillons, des cochonneries et que d'ailleurs elle n'était pas sa mère ». Il a dit aussi qu'il savait que son père avait apporté beaucoup d'argent d'Espagne dont il avait spolié sa mère. Beaucoup d'argent ! Le gros homme a cru avoir un coup de sang. Ce n'en est donc pas fini des accusations d'autrefois, des calomnies qui lui avaient fait tant de mal ! Il se sentait le cœur en paix, il revit sa haine. Il retrouve le ton dont il usait pour parler de *l'exécrable Trébuchet* : « Fallait-il farcir de jeunes têtes de tous ces détails ! N'était-ce pas provoquer un jour de ma part des révélations que je voulais éviter, car enfin ce n'est qu'avec des révélations que je puis me défendre de tout ce qui a été dit, écrit ou mentionné contre moi. Or combien n'en ai-je pas à faire ? » On comprend pourquoi la lettre est adressée à M. Foucher. Il sait, lui. Si l'on attaque encore le général sur ce point précis, si l'on rouvre sa blessure, il racontera tout de Lahorie. Une phrase qui en dit long : « Communiquez, je vous prie, la présente à mes deux fils ; qu'elle leur serve à l'avenir de gouverne envers leur frère, leur belle-mère et moi. »

Eugène sera finalement interné à l'établissement Saint-Maurice que dirige le docteur Royer-Collard. Victor a frappé à la porte de personnages haut placés et a obtenu gain de cause : Eugène sera soigné aux frais du gouvernement. Le cœur se serre à lire la lettre, si volontairement sage, que l'infortuné garçon adressera à son père, le 16 novembre suivant. Ne perdons pas de vue qu'il est interné depuis le 7 avril. Il se dit profondément heureux qu'un « Monsieur » soit venu

le voir et que par ce canal il ait pu recevoir des nouvelles de
son père :

« Il paraît que ta santé est toujours bonne et que tu ne m'as pas
oublié... J'ai lieu de croire que mes deux frères, Abel et Victor, se
portent également bien, car j'eusse été certainement informé de
leurs nouvelles s'il leur était arrivé quelque accident. Monsieur le
Directeur et les personnes employées dans cette maison ont beaucoup de bontés pour moi. »

Près d'un mois s'écoule encore et c'est à Victor qu'Eugène
cette fois s'adresse :

« Il y a déjà longtemps que j'ai reçu deux lettres de toi. J'ai tardé
certainement à te répondre. Tu n'en seras pas trop affecté. J'espère
que ta santé est toujours bonne. Je ne sais quelle raison t'empêche
de venir me voir. Depuis plus de sept mois que je suis ici, je ne t'ai vu
qu'une fois, et mon frère Abel que deux. Il faut nécessairement que
tu viennes me voir le plus tôt qu'il te sera possible... Tu dois éprouver quelque désir de me voir et tu dois avoir des facilités pour le
satisfaire. Je pense que tu viendras me voir incessamment, et que tu
ne montreras pas moins d'affection en cela que je ne t'en ai toujours
témoigné. »

Dix-neuf jours plus tard, Victor écrira à son père : « J'ai
reçu une lettre assez raisonnable de notre Eugène. » Dans sa
correspondance, il ne parlera plus d'Eugène. Jamais. Si, une
seule fois, le 5 mai 1832. Dix ans plus tard ! Il écrira à son
oncle Louis, un peu étonné sans doute d'une telle abstention,
que le docteur Esquirol lui a interdit de visiter son frère. *Exit*
Eugène. « Vivre, avoir tant d'ambition, souffrir, pleurer, combattre et, au bout, l'oubli... l'oubli... comme si je n'avais
jamais existé [1]. »

La grossesse d'Adèle s'achève. Adolphe Trébuchet, en visite
à Blois, ira dire à Léopold que sa bru est décidément « très
enflée ». Léopold, sentencieux, préconisera « de courtes et
très fréquentes promenades ». Le 16 juillet, enfin, c'est
l'accouchement. Difficile, la mise au monde de ce petit garçon que l'on va baptiser Léopold — main tendue à ce père
dont on vient de sentir qu'il peut redevenir redoutable. Vic-

---

1. Marie Bashkirtseff.

tor a souffert les remords et les angoisses qu'ont traversées tous les pères en de telles occasions. Il a tremblé pour la vie de la mère et de l'enfant. La longueur de l'accouchement et ses suites vont laisser Adèle blessée, affaiblie.

Elle n'a pas assez de lait pour nourrir le bébé. Le petit hurle nuit et jour parce qu'il a faim. Il faut se résigner à prendre une nourrice. D'abord Adèle a refusé. Mais on lui a juré que la vie de son fils était en jeu. Alors elle s'est résignée. Victor trouve « une fort belle nourrice habitant notre quartier ». Une semaine après la naissance, Victor peut donner enfin de bonnes nouvelles à son père : « Mon Adèle bien-aimée se rétablit à vue d'œil : nous avons l'espoir que le lait sera bientôt passé ; l'enfant, fortifié par une nourrice saine et abondante, va très bien et promet de devenir un jour grand-père comme toi. » Cette euphorie dure peu. On découvre que la nourrice est « d'un caractère méchant et faux », il faut d'urgence lui retirer le petit Léopold. Que faire ? Preuve de la réelle intimité qui s'est établie entre Victor et son père, le jeune ménage songe à s'adresser au général et son épouse. Ne pourraient-ils pas trouver, à Blois ou dans les environs, demande Victor à Léopold, une nourrice « dont le lait n'ait pas plus de quatre ou cinq mois, et dont la vie et le caractère présentent des garanties suffisantes ; d'ailleurs, nous serions tous deux tranquilles, sachant notre Léopold sous tes yeux et sous ceux de ta femme. C'est ce qui nous a décidés à le placer à Blois plutôt que partout ailleurs ».

On reste étonné de la rapidité d'un courrier acheminé par la seule poste à chevaux. La lettre de Victor à Léopold est du 29 juillet. Le 30, à 2 heures de l'après-midi, le général l'a entre les mains. Le 31, il a trouvé la nourrice. Elle est jeune, vive et propre. Elle partira le lendemain, 1er août, par la diligence et sera à Paris le 2, entre 7 et 8 heures du matin. Le général annonce qu'il lui a remis 5 francs au départ et qu'il conviendra que Victor lui verse la même somme à l'arrivée : « Cette petite somme est pour elle, c'est l'usage du pays. »

Chez les Victor, on respire. La nourrice convient parfaitement. Quelques jours plus tard, le général et son épouse feront à leur tour le voyage de Paris : le moment est venu de baptiser le petit Léopold. Nul ne semble avoir hésité quant au principe de la cérémonie. Victor a dû penser que ses propres problèmes religieux suffisaient et qu'il était inutile d'en infliger pour l'avenir à ce nouveau-né. D'ailleurs, les Foucher n'eussent pas toléré qu'on se privât de ce sacrement essentiel. Pas davantage la générale Hugo, devenue fort dévote.

Cependant que l'armée française s'empare du fort du Trocadéro, le général comte Hugo, ancien d'une autre guerre d'Espagne, porte sur les fonts baptismaux le second Léopold Hugo. Dans ses bagages, le vieux brave a apporté un volumineux paquet : le manuscrit de ses Mémoires. Il va le faire lire à Abel et Victor. L'ouvrage se révèle suffisamment intéressant pour que le cadet n'ait point trop à se forcer quand il en fait l'éloge auprès du libraire Ladvocat. Résultat : un contrat pour Léopold.

Au fait, que devient-il, Abel ? On ne le voit plus guère chez Victor. Vigny écrit à son ami : « Adieu, mon bon Victor, embrassez Abel, si vous pouvez le rencontrer quelquefois dans le monde. » *Adèle à son beau-père* : « Nous ne savons pas ce que fait Abel en ce moment, il est plus gros que jamais. » Ce n'est pas à proprement parler une brouille, mais au moins de l'éloignement. Peut-être celui-ci est-il né de points de vues opposés sur les soins à donner à Eugène. Il est possible que des paroles regrettables aient été échangées. Peut-être enfin Abel, lui aussi, a-t-il considéré avec quelque amertume voilée l'envol du cadet. Rien de comparable à ce qu'a éprouvé Eugène. Abel est sain d'esprit et il l'est solidement. Tout au long des premiers pas poétiques de Victor, il l'a admiré sans réserve, soutenu continûment. Tout à coup, il sent le petit Victor lui échapper. Il est bon, Abel, cette bonté se lit sur le dessin de Devéria que conserve le musée Victor-Hugo ; elle surgit du regard gai, moqueur, de la lippe ironique et tendre. C'est vrai qu'il est bien en chair et qu'il ressemble assez au général, en plus débraillé. Impossible de penser que cet excellent garçon soit jaloux. Mais confusément, il regrette un passé encore proche et qu'il sent définitivement révolu. Victor n'aura plus jamais besoin de lui. Il est un peu triste. Alors, il s'éloigne.

Ce mois d'août, Victor ne compose pas moins de six grandes odes qui toutes figureront dans ses futures *Odes et Ballades*. Parmi elles, celle qu'il intitule *A mon père*.

> Je rêve quelquefois que je saisis ton glaive,
> Ô mon père ! et je vais, dans l'ardeur qui m'enlève,
> Suivre au pays du Cid nos glorieux soldats,

Ou faire dire aux fils de Sparte révoltée
Qu'un Français, s'il ne put rendre aux Grecs un Tyrtée,
   Leur sut rendre un Léonidas.

Non seulement, ce père-là est adopté, mais le voici intégré à l'inspiration poétique de Victor. Il n'en sortira plus. Et comme ce père a été soldat de Napoléon, c'est autrement que Hugo va regarder désormais Bonaparte. Cette fois, il parle d'un « chef prodigieux », attelant les rois « au char de ses victoires ».

   L'univers haletait sous son poids formidable.
   Comme ce qu'un enfant a tracé sur le sable,
   Les empires confus s'effaçaient sous ses pas.

Mais sa gloire, Victor tient à proclamer que Bonaparte la devait à des hommes comme son père :

   Courbés sous un tyran, vous étiez grands encore.

On avait trop négligé les soldats du despote. En accablant légitimement ce dernier, on s'était montré injuste à l'égard des premiers. Hugo proclame que sa tâche, désormais, sera de faire rendre à ceux-ci ce qu'on leur a ôté :

   Toi, mon père, ployant sous ta tente voyageuse,
   Conte-nous les écueils de ta route orageuse...
   Lègue à mon luth obscur l'éclat de ton épée ;
   Et du moins qu'à ma voix, de ta vie occupée,
   Ce beau souvenir prête un charme solennel.
   Je dirai tes combats aux muses attentives,
   Comme un enfant joyeux, parmi ses sœurs craintives,
   Traîne, débile et fier, le glaive paternel.

Ravi, comblé de toutes parts, Léopold, en compagnie de sa femme, reprend la diligence de Blois. Ils emmènent avec eux le petit Léopold et sa nourrice, ainsi que le jeune Paul Foucher. La nourrice avait le mal du pays. Ce n'est qu'en la reconduisant chez elle que l'on pourra la conserver à son nourrisson. La générale a tant insisté qu'Adèle et Victor ont cédé. Malgré les larmes qu'elle a versées, Adèle se sent totalement rassurée. Elle sera bientôt détrompée. Un mois encore et Léopold annonce qu'il a fallu renvoyer la nourrice. Celle-ci était hébergée, avec son mari et ses enfants, dans un pavillon de la propriété. Elle négligeait le petit Léopold au profit de ses propres rejetons.

Sur les conseils de la Supérieure de l'Hôtel-Dieu, on renonce à la nourrice. La Mère Supérieure a affirmé que « si l'enfant buvait et mangeait bien, il ne fallait pas se presser ; qu'il s'élèverait comme deux cents autres qui étaient dans le même cas et ne courrait aucun des dangers que les mauvaises nourrices font courir à ces pauvres petits êtres ». Bulletin de victoire du général : « Voilà le sixième jour que le nôtre est élevé de la sorte ; loin de dépérir, il se colore, ses mollets s'arrondissent et aux petites coliques près de son âge, et du changement de saison, il se porte très bien, grâce aux soins vraiment maternels de ma femme... » Malgré tout, le médecin que le général a fait appeler estime qu'il faudra le renfort d'une chèvre. Il l'a fait lui-même chercher. Deux jours plus tard, « notre belle chèvre vient déjà chercher son nourrisson avec plaisir et celui-ci, que ma femme tient alors et met par terre sous ses jambes, prend parfaitement le pis. Il a très bien dormi cette nuit et ce matin il a enchanté sa bonne maman par ses sourires que l'on serait tenté d'appeler reconnaissants... Ce pauvre enfant est tout à fait joli, aussi ma cuisinière l'appelle-t-elle, avec toute la tendresse possible, son cher petit roi de France et Aimée [1] dit, elle, qu'elle ne pourrait plus le quitter. Ma femme le gâte et je lui pardonne... Le pauvre petit a déjà été si malheureux ! »

Je pense à l'île d'Elbe. Je pense au guerrier abandonné par sa femme et qui soignait ses trois fils — dont le bébé Victor — comme s'il eût été lui-même leur mère. Je ne puis manquer d'être touché par ce retour du vieux soldat, vingt ans plus tard, à d'identiques effusions paternelles.

Paul Foucher est rentré à Paris, n'a point tari d'éloges sur les soins donnés à son neveu par la « grand-mère » — on en est là. Deux jours plus tard, c'est la tragédie : une lettre de Blois annonce que l'enfant est au plus mal. Aussitôt le désespoir d'Adèle éclate, sans retenue, effrayant. Elle veut partir pour Blois. Son médecin s'y oppose catégoriquement. Elle n'est pas remise, le voyage pourrait la tuer, peut-être ne le supporterait-elle pas. Elle va, vient, totalement égarée. Hugo, qui voudrait bondir à Blois, n'ose quitter sa femme. Pour

_____
1. La femme de chambre.

comble, on vient apprendre à Adèle que son grand-père paternel vient de mourir. Larmes ajoutées aux larmes.

Le lendemain, les nouvelles sont plus rassurantes : le petit Léopold a bien tété. La comtesse Hugo l'a voué à la Vierge pendant
un an : il ne devra porter que du blanc. Espoir éphémère.

Léopold à Pierre Foucher, 10 octobre 1823 : « Mon cher ami, il a
fallu hier en faire le douloureux sacrifice ; à 3 heures après-midi, ce
cher enfant a expiré sous un baiser de ma femme. Je suis monté aux
cris et aux sanglots qu'elle jetait et j'ai mêlé mes larmes aux siennes ;
il le méritait bien ! Il était si beau et déjà si intelligent ! La bonne l'a
emporté dans sa chambre pour le revêtir de ses derniers habits,
mais non pour l'ensevelir, ma femme ne l'a pas voulu. J'ai permis
que, sur les 7 heures du soir, elle allât le revoir. C'était un ange
endormi, elle l'a pris dans son berceau, elle l'a couvert de caresses et
l'y a replacé en apparence avec beaucoup de calme et de résignation.
Mais, remontée chez elle, ce n'a plus été la même chose ; ses sanglots
ont obligé à couper ses lacets et toute la soirée s'est passée en soins
affectueux de notre part, de la sienne en divagations très alarmantes... Voilà les désirs qu'elle a exprimés hier : que son cher
enfant soit embaumé entier dans une petite caisse de chêne, que
nous le portions à la Miltière, qu'on y bâtisse un petit emplacement ;
c'est là où elle veut que l'on entretienne des fleurs et qu'il sera
l'objet d'un culte de sa part. Ce vœu était dans mes intentions, et
tout va se disposer en conséquence. »

Que de douleur, à l'hôtel de Toulouse ! Que de gratitude
pour le général et sa femme !

Victor à Léopold, 13 octobre 1823 : « Tout le monde est ici plongé
dans la stupeur, comme si Léopold, comme si cet enfant né d'hier,
cet être maladif et délicat n'était pas mortel. Hélas, il faut remercier
Dieu qui a daigné lui épargner les douleurs de la vie. Il est des
moments où elles sont bien cruelles. Notre Léopold est un ange
aujourd'hui, cher papa, nous le prierons pour nous, pour toi, pour sa
seconde mère, pour tous ceux qui l'ont aimé pendant sa courte apparition sur la terre. Il ne faut pas croire que Dieu n'ait pas eu son des-
sein en nous envoyant ce petit ange, si tôt rappelé à lui. Il a voulu
que Léopold fût un lien de plus entre vous, tendres parents, et nous,
enfants dévoués. Mon Adèle au milieu de ses sanglots me répétait
hier que l'une de ses douleurs les plus vives était de penser à celles
que toi et ton excellente femme avez éprouvées... »

Hugo va tenter de soulager sa douleur par un poème : *A
l'ombre d'un enfant*. Il se demande si, dans l'au-delà, « parmi

les soleils, les sphères, les étoiles, les portiques d'azur, les
palais de zéphir »,

> Parmi les jeux sans fin des âmes enfantines,
> Quand leurs soins, d'un vieil astre, égaré dans les cieux,
> Avec de longs efforts et des voix argentines,
> 　Guident les chancelants essieux...

quand « quelque vierge ravie » prend l'enfant mort tout juste
arrivé de la terre entre ses bras, quand

> Jésus pour accomplir ce qui fut dit au monde,
> 　Les place le plus près de lui ;
> Ô ! dans ce monde auguste où rien n'est éphémère,
> Dans ces flots de bonheur que ne trouble aucun fiel,
> Enfant ! Loin du sourire et des pleurs de ta mère,
> 　N'es-tu pas orphelin au ciel ?

Le paradis, le « trône étincelant » de Dieu, Jésus : à l'instant où Hugo écrit, soyons assurés que ces images, ces idées,
cette divinité n'ont pas été mises là par un vain souci de
forme ou le désir de plaire. Elle est loin d'être achevée, la
crise religieuse que Victor a traversée l'année précédente.
Tout à coup, dans le paroxysme de cette douleur, c'est naturellement qu'il s'ouvre à l'espoir chrétien.

Il pleure.

Depuis quelques années, comme l'a si bien compris Sainte-
Beuve, « sous la double influence directe d'André Chénier et
des *Méditations*, sous le retentissement des chefs-d'œuvre de
Byron et de Scott, au bruit des cris de la Grèce, au fort des
illusions religieuses et monarchiques de la Restauration », il
s'était, parmi quelques écrivains, formé « un ensemble de
préludes, où dominaient une mélancolie vague, idéale,
l'accent chevaleresque et une grâce de détails souvent
exquise ». On est pour la monarchie selon la charte. On répudie les « grivoiseries païennes » de l'Empire au profit du merveilleux chrétien de Chateaubriand. En amour, on donne la
préférence au platonisme plutôt qu'à la sensualité. On commence à regarder du côté du Moyen Age. On a beaucoup de
choses à dire que l'on croit originales. On se sent une infinité
de besoins communs. Bref, on se trouve très exactement

dans les conditions qui préludent en général à l'idée d'une revue.

Soumet — le grand Alexandre —; Guiraud — dont les cheveux sont si roux —; Émile Deschamps — l'ami de Victor — n'y tiennent plus : cette revue, il faut la faire. Ils sollicitent Desjardins, Saint-Valry et Vigny de figurer avec eux au nombre des fondateurs. Avec, bien entendu, Lamartine et Victor Hugo.

Fondateurs ? Qu'est-ce à dire ? Émile Deschamps explique qu'il suffit que chacun verse 1 000 francs. Où Victor les prendrait-il ? Lamartine, qui fuit les clans et les cliques, offre, magnanime, à Hugo de verser pour lui sa quote-part : « Entrez comme fondateur, et moi, qui ne puis y mettre ni nom ni esprit, j'y mettrais bien volontiers les 1 000 francs convenus. Cela restera entre nous deux : vous me les rendrez quand ils seront couverts, et au-delà, par les bénéfices de l'ouvrage. » Blessé, l'ombrageux Victor ne répondra pas. Les autres, qui tiennent fort à sa collaboration et savent déjà ce qu'elle représente par rapport au public, acceptent une exception en sa faveur : il figurera parmi les fondateurs de *la Muse française* sans rien avoir versé. A *la Muse française*, on saura vite que le centre de gravité s'appelle Victor Hugo. La revue insérera en bonne place ses poèmes et ses articles.

Ce n'est plus *le Conservateur littéraire*, revue de trois frères où Victor régnait en roi, mais on trouve ici Hugo sur un pied de quasi-égalité avec Alexandre Soumet, ce qui à vingt et un ans n'est pas mal, convenons-en. Parmi les autres collaborateurs, on trouve Delphine Gay, Jules Lefèvre — celui du *Parricide* —, Jules de Rességuier, Gaspard de Pons, Marceline Desbordes-Valmore, ce Baour-Lormian au patronyme cocasse dont s'amusera tant Hugo, et le cher Charles Nodier. Le *témoin* n'a gardé qu'un souvenir mitigé de *la Muse française*, estimant que « la critique modérée et pacifique de ses collaborateurs n'avait pas l'âpreté et l'audace passionnée qu'il faut dans les époques de révolution littéraire ». C'était comme un lieu de congratulations mutuelles. « L'initiation, dit Sainte-Beuve, se faisait dans la louange ; on était reconnu et salué poète à je ne sais quel signe mystérieux, à je ne sais quel attouchement maçonnique et, dès lors, choyé, fêté, applaudi à en mourir. » En fait, Hugo regrettera que l'on n'y ait toujours abordé les questions que de biais.

On se souviendra de bons moments à *la Muse française*.

Surtout ceux où l'on se réunissait chez Charles Nodier, d'abord rue de Provence, ensuite à la Bibliothèque de l'Arsenal. Il en était devenu conservateur par le fait d'un ministre touché par son charme et ébloui par son esprit. Hugo n'oubliera jamais cet escalier à rampe massive que l'on gravissait pour aller chez Nodier. Au premier palier, on trouvait, à gauche, une porte joignant assez mal et ouvrant sur un corridor carrelé. Dans la bibliothèque servant aussi de cabinet de travail et de chambre à coucher, Nodier attendait ses amis. Tous, ils le voyaient tel que Dumas l'a lui-même découvert : « C'était le savant aux prises avec le poète ; c'était la mémoire en lutte avec l'imagination. Non seulement Nodier était amusant à entendre, mais encore il était charmant à voir ; son corps long efflanqué, ses longs bras maigres, ses longues mains pâles, son long visage, plein d'une mélancolique sérénité, tout cela s'harmoniait *(sic)*, se fondait avec sa parole un peu traînante, et avec cet accent franc-comtois... » Nodier éblouissait Victor comme il émerveillera tous ses contemporains, à commencer par le bon Dumas : « Il savait tout, puis encore une foule de choses au-delà de ce tout. D'ailleurs Nodier avait le privilège des hommes de génie : quand il ne savait pas, il inventait, et ce qu'il inventait, il faut l'avouer, était bien autrement probable, bien autrement coloré, bien autrement ingénieux, et j'oserai dire bien autrement vrai que la réalité. » Ne dirait-on pas que Dumas parle pour lui-même ? Ah ! les dimanches à l'Arsenal ! Les intimes — dont les Hugo — viennent pour le dîner. Point d'invitation. Si on se présente, on est accueilli. Malheur cependant à celui qui arrive le treizième : impitoyablement, on le relaiera à une petite table. Tout cela est bon enfant, libre et gai. Dès le potage, Nodier parle. C'est cela que l'on attend de lui : « Le plus charmant causeur qu'il y eût au monde », dit Dumas qui est orfèvre. Dès que Nodier ouvre la bouche, tous se taisent. Le dîner peut durer des heures — cela arrive — nul ne s'en rendra compte, car on n'a fait qu'écouter Nodier. Quand on apporte le café à table, Mme Nodier se lève avec sa fille Marie — dont tous sont secrètement amoureux — pour s'occuper de l'éclairage du salon. Si Saint-Valry est là, il est aussitôt requis à cause de sa grande taille. Il va allumer le lustre et les candélabres. Mais quand plus tard Dumas, autre géant, fera son apparition chez Nodier, il y aura chaque fois compétition entre Saint-Valry et lui.

Devant les lambris peints en blanc avec des moulures d'époque Louis XV, face au piano de Marie relégué dans un enfoncement pareil à une alcôve, installés sur douze chaises et fauteuils, sur un canapé recouvert en casimir rouge et complété par des rideaux de même couleur, voici le baron Taylor, Sophie Gay et sa fille Delphine, bien sûr Alexandre Soumet et Lamartine, Guiraud, Vigny, Gaspard de Pons, les frères Deschamps, Bixio, Dauzats, le peintre Tony Johannot, Louis Boulanger et le sculpteur Barye. Et, plus tard, Alexandre Dumas.

Tantôt, s'il est fatigué, Nodier va s'étendre dans son fauteuil à côté de la cheminée. Tantôt, et c'est le plus souvent, il va s'adosser au chambranle de la cheminée, les mollets au feu, le dos au miroir. Chacun fait silence. On sait qu'il va conter. Des visiteurs entrent, saluent de la main et vont s'asseoir sans faire de bruit. On est sous le charme. Le récit finit toujours trop tôt. Mais Nodier sourit, il se tourne vers Lamartine ou vers Hugo :

— Assez de prose comme cela, dit-il ; des vers, des vers, allons !

Sans se faire prier, Hugo ou Lamartine « mains appuyées au dossier d'un fauteuil, ou les épaules assurées contre le lambris », obtempèrent. Les alexandrins succèdent aux octosyllabes. Leurs vers, ils les disent plus qu'ils ne les récitent. Ce qui gagne l'assistance, c'est le rêve. Après quoi, l'adorable Marie va se mettre au piano. On danse. Victor, toujours sérieux, préfère discuter de littérature. Nodier s'est installé à la table de jeu. « Longtemps, il n'avait voulu jouer qu'à la bataille, et s'y prétendait d'une force supérieure ; enfin, il avait fait une concession au goût du siècle et jouait à l'écarté. »

Tous ceux qui auront fréquenté le salon de l'Arsenal en conserveront le même souvenir extasié. C'était le temps de *la Muse française*, mais c'était surtout le temps de Nodier.

Au fait, elle se fait de plus en plus timide, *la Muse française*. Alors qu'il n'est bruit que de la grande guerre qui s'engage entre romantisme et classicisme, *la Muse* se trouve enfin du courage... pour affirmer qu'elle veut rester neutre.

Romantisme : le grand mot est prononcé. Il est bien évident que Victor Hugo, lui, ne va pas rester neutre.

La Préface de *Cromwell*, le poignard d'*Antony*, la bataille d'*Hernani*; le gilet rouge de Théophile Gautier; Hugo galopant à la tête d'un bataillon composé entre autres de Lamartine, Dumas, Balzac, Vigny et brandissant — sur une caricature célèbre — une devise en forme d'étendard : « Le laid, c'est le beau »; de la passion, du sang répandu, des imprécations, des répliques foudroyantes : « Elle me résistait, je l'ai assassinée! » « Êtes-vous mon démon ou mon ange? Je ne sais, mais je suis votre esclave! » Autant d'images ou de mots qui revivent dans notre imagination, autant de souvenirs des bancs de l'école ou de nos premières lectures. A quinze ans, nous avons aimé les romantiques comme des gens tout à coup plus accessibles, plus près de nous que les classiques. Est-ce à dire que le romantisme aura toujours quinze ans?

Jusque-là, le classicisme s'était survécu. On en était toujours aux ukases de Boileau : « Aimez donc la raison » et de Pascal : « Le moi est haïssable. » Malherbe avait fixé les règles de la poésie et elles exerçaient toujours leur empire. Voltaire n'avait pas conçu ses tragédies autrement que celles de Racine. Au vrai, depuis longtemps, cette façade néo-classique se lézardait. Jean-Jacques Rousseau, choisissant de se raconter sans cesse, avait oublié les impératifs pascaliens. Au théâtre, Beaumarchais avait usé d'une inspiration et d'une forme singulièrement audacieuses. Diderot ne pouvait se rattacher à aucune école. Et quand s'était révélée la grande prose de Chateaubriand, chacun avait pu respirer un souffle qui ne devait plus rien au passé. De toute son ardeur frémissante, Mme de Staël s'était jetée dans un fleuve dont peut-être elle ne savait pas que déjà il était romantique. Ainsi naissent les écoles, avant que l'on en murmure les règles.

Aussi, il y avait eu l'étranger. Depuis le XVIIIᵉ siècle, l'esprit niait les frontières. L'Europe de la Révolution avait grandi à l'heure française. Mais nos compatriotes, voyageant sans cesse derrière nos drapeaux, recevaient à leur tour des impressions fortes. Jamais peut-être les Français n'ont tant aimé l'Allemagne que lorsqu'ils l'occupaient. Appréciant les qualités du peuple, ils ont été tentés, la paix revenue, d'en connaître les œuvres. Ce fut le temps chez nous où Schiller fut à la mode, et Goethe dont le *Werther* fit pleurer tant d'yeux féminins et — pourquoi pas? — masculins.

On regardait aussi au-delà de la Manche. Dès le début du siècle, on s'était engoué d'Ossian, de Richardson. On avait cru découvrir Shakespeare mais, à travers Ducis, on n'avait fait que l'entrevoir. L'explosion byronienne avait tout balayé. On s'était émerveillé à la lecture de *Childe Harold* et de *Manfred*. Rémusat voyait en Byron le « Bonaparte de la poésie ». Certains affirmaient hautement que, pour régénérer notre littérature, il ne fallait pas craindre de s'inspirer de ces grands exemples. *La Muse française* elle-même, pour une fois moins timide, imprimait en 1823 : « Un patriotisme étroit en littérature est un reste de barbarie. »

L'affrontement romantique est une bataille de génération. Le romantisme, dès sa naissance, c'est une jeunesse qui s'ennuie, qui ne peut se satisfaire d'une vie politique réduite sous la Restauration à presque rien, et même de la paix intérieure qui, appelée par tant de vœux, lui paraît maintenant dérisoire après les orages de la Révolution et de l'Empire. Musset, *l'enfant du siècle*, ressent cela d'une façon aiguë : « Un sentiment de malaise inexprimable commença donc à fermenter dans tous les jeunes cœurs. Condamnés au repos par les souvenirs du monde, livrés aux cuistres de toute espèce, à l'oisiveté et à l'ennui, les jeunes gens voyaient se retirer d'eux les vagues écumantes contre lesquelles ils avaient préparé leurs bras... » Hugo est parfaitement à l'unisson, quand, en juin 1824, il va écrire et publier, dans un article nécrologique sur Byron :

« On ne recommence pas les madrigaux de Dorat après les guillotines de Robespierre, et ce n'est pas au siècle de Bonaparte qu'on peut continuer Voltaire. La littérature *réelle* de notre âge, celle dont les auteurs sont proscrits à la façon d'Aristide ; celle qui, répudiée par toutes les plumes, est adoptée par toutes les lyres ; celle qui, malgré une *persécution* vaste et calculée, voit tous les talents éclore dans sa sphère orageuse, comme ces fleurs qui ne croissent qu'en des lieux battus des vents ; celle enfin qui, réprouvée par ceux qui décident sans méditer, est défendue par ceux qui pensent avec leur âme, jugent avec leur esprit et sentent avec leur cœur ; cette littérature n'a point l'allure molle et effrontée de la muse qui chanta le cardinal Dubois, flatta la Pompadour et outragea notre Jeanne d'Arc ; ... son imagination se féconde par la croyance. Elle suit les progrès du temps, mais d'un pas grave et mesuré. Son caractère est sérieux, sa voix est mélodieuse et sonore. Elle est, en un mot, ce que doit être la commune pensée d'une grande nation après de grandes calamités, triste, fière et religieuse. »

C'est là très exactement ce que sentait un jeune colonel quand il disait à Stendhal : « Il me semble que, depuis la campagne de Russie, *Iphigénie en Aulide* n'est plus une si belle tragédie. »

Ce mot de romantisme revient à Stendhal, dans son essai *Racine et Shakespeare*, précisément publié en 1823, et complété en 1825. Il a d'abord employé le mot romanticisme, qui deviendra romantisme : « Le romanticisme est l'art de présenter aux peuples les œuvres littéraires qui, dans l'état actuel de leurs habitudes et de leurs croyances, sont susceptibles de leur donner le plus de plaisir possible. »

Racine et Shakespeare, c'est le premier manifeste romantique. En 1824, Émile Deschamps va rompre de nouvelles lances en publiant *la Guerre en temps de paix*. Hugo, malgré sa prise de position sur la nécessité d'une évolution de la littérature et de la poésie, se refuse encore à prendre parti. Dans la préface de ses *Odes et Ballades*, publiée en 1824, il déclare ignorer « profondément ce que c'est que le *genre classique* et le *genre romantique* ». Il ne veut reconnaître que « le bon et le mauvais, le beau et le difforme, le vrai et le faux ». Il jure que « le beau, dans Shakespeare, est tout aussi classique (si *classique* signifie : *digne d'être étudié*) que le beau dans Racine ». Sans doute. L'ennui, c'est qu'il y a effectivement les *Odes et Ballades*, déjà loin du classicisme, avec leurs vers souvent concis, frappés et légers à la fois, leurs libres images, le fréquent refus des périphrases, le jeu neuf des images et des mots. Bien sûr, on n'en est pas encore à une forme entièrement libérée. Les allusions mythologiques ou antiques montrent toujours le bout pointu de leurs oreilles. Delille se profile plus souvent que Baudelaire. Mais si nous relisons certains de ces vers, nous découvrons que Baudelaire n'est pas loin de faire son entrée.

Surprenant dialogue : le préfacier affirme qu'il se gardera de se jeter dans un mouvement qui ne peut prétendre qu'à une place sans importance face à un état de choses entre tous respectable. Mais le poète dément le préfacier. Sa raison lui enseigne la défiance, l'inspiration la lui fait oublier.

Elle est consommée, la faillite de Persan, l'éditeur. Victor y laisse 650 francs. Va-t-il se désoler, se morfondre ? Il enrage plutôt... mais signe déjà un contrat avec un autre éditeur, Ladvocat, pour la publication de *Nouvelles Odes*. Curieux : c'est justement avec Ladvocat que Léopold Hugo avait traité pour ses Mémoires. Pour avoir le fils, cet astucieux commerçant n'aurait-il pas privilégié le père ? Ce que Victor engrange à cette époque, ce sont des odes, toujours des odes. Parfois, il lui vient une sorte de frénésie d'inspiration. Dans le seul mois de décembre 1823, il n'en compose pas moins de dix. En janvier 1824, trois nouvelles.

Le même mois, deux lignes dans une lettre de Victor — qui va avoir vingt-deux ans — à son père : « Tout porte à croire que notre Léopold est revenu. — Chut. » Confirmation le 27 mars : « Ma femme avance dans sa grossesse sans se porter aussi bien que je le voudrais ; nous ne sommes cependant pas inquiets ; mais tout en m'affligeant, je ne puis m'empêcher d'approuver la défense que lui ont faite les médecins d'aller en voiture. Cela nous prive d'un bien grand bonheur que nous nous promettions pour le printemps ; mais qui, nous l'espérons, n'est que retardé de six mois. »

Toutes ces semaines-là, Hugo se multiplie en faveur de son père qui voudrait reprendre du service ou tout au moins être promu au grade de lieutenant-général. Léopold croit que les puissants amis de son fils peuvent beaucoup. Il n'a pas tort. Le marquis de Clermont-Tonnerre laisse entrevoir « au moins une inspection générale ». *Victor à Léopold, 27 mars 1824* : « M. de Clerm.-Tonn., avec qui j'ai déjeuné avant-hier, m'a chargé de t'écrire que M. le duc d'Angoulême lui a parlé de toi et de tes Mémoires *qu'il a lus avec le plus haut intérêt*, qu'il regrettait que tu n'eusses pas été employé dans la dernière guerre d'Espagne. » Au fond, c'est de Chateaubriand que l'on pourrait tout espérer. *Victor à son père, 27 juin 1824* : « Si mon illustre ami revient aux affaires, nos chances triplent. Nos rapports se sont beaucoup resserrés depuis sa disgrâce ; ils s'étaient fort relâchés pendant sa faveur. »

Bien sûr, Victor continue à collaborer à *la Muse française* que sa pusillanimité n'empêche pas d'être considérée de plus en plus comme l'organe quasi officiel de la littérature romantique. Ce qui ne manque pas d'agacer des hommes comme Lamartine qui mande à l'un de ses amis : « Je reçois quelquefois cette *Muse française* qui vous amuse tant ; elle est en vérité fort amusante. C'est le délire au lieu du génie... » Si Lamartine prend ses distances, n'est-ce pas plutôt qu'il s'est mis à songer à l'Académie française ? Il n'est pas le seul. Alexandre Soumet, lui aussi, convoite l'habit vert.

Or, le 24 avril 1824, sous la coupole, l'excommunication

solennelle a été fulminée. Du haut de la tribune, l'académicien Auger a tonné et foudroyé : le romantisme est une déviation du goût, il porte atteinte à la raison, il est lugubre et d'ailleurs malsain. Coup douloureux pour des candidats en puissance qui justement collaborent à *la Muse*, organe du romantisme ! D'autant plus que Frayssinous — le confesseur raté de Hugo —, devenu grand maître de l'Université, attaque avec une violence égale, lors de la distribution des prix du Concours général, la nouvelle école. Lamartine, qui s'est éloigné de Hugo à temps, ne se sent nullement atteint. Mais Soumet, cofondateur de *la Muse*, n'en dort plus ! Une candidature à l'Académie suppose toujours un état psychologique particulier. Le postulant refait chaque jour l'addition de ses possibles partisans et de ses probables adversaires. Il sait que chaque voix compte et que ces voix, hors celles d'amis irréductibles — ils sont rares — peuvent fluctuer au hasard d'une lecture, d'une conversation, d'un on-dit, voire d'un mauvais rêve. Toute la rédaction de *la Muse* subit le contrecoup des angoisses de l'infortuné Soumet qui ne tend plus l'oreille que vers le secrétaire perpétuel. Émile Deschamps soupire : « Nous osons à peine respirer sous ce régime de terreur littéraire. Le climat s'alourdit de jour en jour. » *La Muse* n'ayant pas accueilli les *Nouvelles Méditations* de Lamartine avec tout l'empressement souhaitable, Soumet, inquiet que l'on ne voie là un mauvais coup porté à un autre candidat — ce qui est très mal vu parmi les Quarante — écrit, furieux, à Guiraud : « M. de Lamartine est un géant et vous êtes des polissons littéraires de l'avoir méconnu. » Lamartine lui-même accuse Hugo : « Les oiseaux chantent et les serpents sifflent ; il ne faut pas leur en vouloir de mal... » ; ce qui agace fort Victor. La leçon de tout cela est tirée par Vigny : « C'est une chose infâme que la littérature. »

Chateaubriand a soutenu *la Muse* qui a si bien chanté *sa* guerre d'Espagne. On l'a chassé du ministère. Chute grandiose mais qui indirectement va sonner l'arrêt de mort de *la Muse*. Hugo, dans le dernier numéro de la revue, adresse à son grand homme un salut qui ne manque pas d'allure :

> Chacun de tes revers pour ta gloire est compté
> Quand le sort t'a frappé, tu dois lui rendre grâce,
>   Toi qu'on voit à chaque disgrâce
> Tomber plus haut encor que tu n'étais monté !

C'est le 15 juin 1824 que *la Muse* s'est sabordée. Le 20 juillet, Alexandre Soumet que les sondages, quelques semaines
plus tôt, donnaient perdant, est élu sans coup férir. Impossible de ne pas voir là un marchandage : égorgez *la Muse*, vous
aurez un fauteuil. Le 29 juillet, Victor écrit à son père : « C'est
une histoire singulière que je ne peux te conter par lettre. »
Le même jour, il fait insérer dans *la Quotidienne* une mise au
point : « Je suis absolument étranger à la disparition du
recueil *(la Muse)* à la fondation duquel je m'honore d'avoir
pris part et dont la publication vient d'être inopinément
interrompue au milieu de son succès. »

Les derniers jours de *la Muse* ont été semés de tractations
un peu sordides au milieu desquelles Hugo, par son intransi-
geance distante, sèmera la gêne, le dépit, quelque chose qui
ressemble à du remords. Il s'est donné sans réserve à l'entreprise. Mais vite il s'est aperçu, parmi ces écrivains en général
ses aînés, dotés d'une renommée plus ancienne et de ressources financières plus évidentes, qu'il représentait une
force. Pourquoi n'essaierait-il pas ses griffes ? Jusqu'au dernier jour, on a compté avec lui, on l'a redouté et même il a
fait trembler.

Il ne se mêlera plus à aucune coterie littéraire, à aucun
groupe organisé. Il sait très bien qu'il aura beaucoup à se battre — et bientôt. Il sait aussi qu'il ira seul au combat.

Un journaliste du nom de Magalon avait de plein fouet
attaqué l'ordre des Jésuites. On l'en avait puni : treize mois
d'emprisonnement. Ce Magalon n'est rien à Victor Hugo. Le
jeune légitimiste devrait applaudir à cette condamnation qui
sanctionne, dans l'esprit du règne, une attitude intolérable.
Mais Victor ne se veut pas un légitimiste conséquent. Dans la
condamnation de Magalon, quelque chose le froisse directement, intimement. Un gouvernement a-t-il le droit d'envoyer
en prison un citoyen pour s'être borné à formuler un jugement qui ne cadre point avec les opinions en faveur ? Victor
ne le pense pas. Il le dit, l'écrit. Il s'entremet auprès de ceux
qu'il appelle « ses amis influents ». Il plaide avec une telle
chaleur que l'on finit par libérer Magalon. Aussitôt, Hugo lui
écrit sa joie de le savoir libre et de l'espérer heureux :
« J'étais à votre égard dans une incertitude d'autant plus
pénible que peu de malheurs m'ont intéressé comme le
vôtre. » Magalon, bouleversé, lui exprime une gratitude éper-

due. Hugo souffre à ce moment-là d'une inflammation de l'œil gauche qui durera plus de six semaines. Il répond :

« Soyez convaincu que je prends une part aussi vive à vos joies qu'à vos peines. C'est de ces sentiments que j'irai vous assurer moi-même sitôt que mes occupations nombreuses et un mal d'yeux qui me tourmente en ce moment me le permettront ; et je vous prierai surtout de ne point me parler de reconnaissance ; soyez assuré que vous ne m'en devez aucunement. Je n'ai rien fait pour vous qui ne fût dans ce que je considère comme la ligne rigoureuse de mes devoirs ; et si l'un de nous doit des remerciements à l'autre, c'est moi, Monsieur, qui vous en dois pour le plaisir que m'a fait votre noble façon de sentir. »

Donner, au temps de Louis XVIII, la priorité à la liberté d'opinion, reste la prérogative du mouvement libéral. Le légitimiste Hugo déteste officiellement les libéraux. Pourtant il raisonne et agit exactement comme l'un d'eux. Pourquoi ?

L'affaire de Magalon, celle de *la Muse française* se sont déroulées pendant un déménagement. Le premier qu'ait connu Victor en tant que chef de famille. Parce qu'il était matériellement impossible de faire autrement, le ménage a vécu pendant un an et demi sous le toit des parents d'Adèle. Les jeunes époux n'en pensaient pas moins et faisaient contre mauvaise fortune bon cœur. Les temps ont changé. Les arrières sont suffisamment assurés. La nouvelle grossesse d'Adèle a emporté la décision. Victor a loué un petit appartement, 90, rue de Vaugirard. Le 24 juin, on y est installé. *Manuscrit d'Adèle* : « L'appartement au premier donnait sur la rue. L'escalier de l'étage étroit et raide comme une échelle nuisait à l'élégance du logis ; mais les jeunes gens livrés à eux-mêmes pour la première fois étaient si heureux que le paradis eût envié leur perchoir. » Aussitôt, les amis affluent. Le colosse Saint-Valry s'attendrira : « Rien de plus intéressant à voir que ce jeune couple, écrira-t-il à Jules de Rességuier. Ce sont là les amours des anges, et beaucoup plus poétiques encore que sous la plume de Thomas Moore... »

Le ventre d'Adèle s'arrondit. Elle et Victor ont fait choix de la marraine : ce sera la générale Hugo. Suite des grandes manœuvres de la séduction. Mais l'ex-Catherine Thomas se situe elle-même de plain-pied sur ces hauteurs : elle déclare que si l'enfant est une fille, elle souhaite qu'on la nomme Léopoldine.

Scrupuleusement, Adèle fait ses comptes. Victor y tient beaucoup. Elles sont touchantes et bien utiles à consulter, ces liasses et ces factures aujourd'hui conservées à la Maison de Victor Hugo. Recettes et dépenses s'étalent sous nos yeux, reflet exact de la vie quotidienne du jeune ménage. Au chapitre recettes : les 175 francs par mois de la pension du ministère de l'Intérieur, les 250 francs par trimestre de la pension de la Maison du Roi, les rentrées des libraires Ladvocat, Lecointe et Duny. Au chapitre dépenses, des prêts, notamment à Mme Foucher et au général Hugo — bizarre ! —, les gages de la bonne (16 francs par mois), l'achat d'argenterie. On prépare l'arrivée de Léopoldine en faisant blanchir, le 11 août, une robe de baptême, un bonnet, un fichu, un col (8 francs 10) et en achetant, le 15 août, de « l'avoine pour berceau » (18 sous).

Le 28 août 1824, c'est bien une petite Léopoldine qui fait son entrée au domicile des Hugo. Joie sans mélange, revanche contre la mort du frère regretté. Dans l'instant, Victor expédie à son père une lettre qui résonne comme un bulletin de victoire :

« Tu as une petite-fille, une Léopoldine ! Mon Adèle, après cinq heures de souffrances héroïquement soutenues, vient de mettre au monde une grosse fille qui est aussi vivace que notre pauvre cher Léopold était débile ; ce matin à trois heures et 1/2, ce bonheur nous est arrivé. Je me hâte de t'en faire part, afin que tu en réjouisses ton excellente femme. Nous ne pourrons mieux la payer de ses mille attentions pour nous que par cette bonne nouvelle. Dis-lui que le plaisir de la savoir contente ajoute beaucoup à la joie de notre pauvre et charmante mère. Autre bonheur ! Cela va sans doute presser votre arrivée. Adieu, je suis épuisé de fatigue, mais au comble de la joie [1]. »

Par ses cris qui percent les murs, la petite fille prouve qu'elle tient fort à la vie. Très vite, on va l'appeler Didine et Hugo parfois la surnommera « le pipi à son papa » ! Le 12 novembre, Adèle écrira à Blois : « Léopoldine se porte très bien et a été vaccinée il y a dix jours ; le vaccin a très bien pris et elle supporte les petites souffrances inséparables de cet état avec beaucoup de gentillesse. »

1. Maison Vacquerie, Musée Victor-Hugo, Villequier. INV. n° 1342.

Une naissance, une mort. Trois semaines après la venue de Léopoldine, un grand changement va se produire en France : le roi Louis XVIII expire. Le comte d'Artois, son frère, lui succède sous le nom de Charles X.

Comment Victor oublierait-il le juvénile enthousiasme auquel, avec tant de force persuasive, l'a naguère convié sa mère ? En ce roi podagre se sont incarnés ses espoirs et ses idéaux politiques. S'il a été déçu, il n'en est jamais convenu, fût-ce vis-à-vis de lui-même. Les vers se pressent sous sa plume pour évoquer les *Funérailles de Louis XVIII* :

> Le sépulcre est troublé dans ses mornes ténèbres.
> La Mort, de ces couches funèbres,
> Resserre les rangs incomplets.
> Silence au noir séjour que le trépas protège ! —
> Le Roi Chrétien, suivi de son dernier cortège,
> Entre dans son dernier palais [1].

Mais à peine a-t-il évoqué l'entrée du catafalque royal à Saint-Denis qu'aussitôt — voilà l'étonnant — l'image d'un *autre* s'impose à lui. Les dix premiers vers, consacrés au roi disparu — dix seulement — sont suivis par soixante autres qui évoquent Napoléon !

> Dans ses étreintes foudroyantes,
> Son aigle aux serres flamboyantes,
> Eût étouffé l'aigle romain ;
> La Victoire était sa compagne ;
> Et le globe de Charlemagne
> Était trop léger pour sa main.

En fait, Hugo s'est complu dans sa déjà chère antithèse. Il montre Bonaparte ayant rêvé de faire de Saint-Denis l'asile de la dynastie nouvelle :

> A ce sépulcre, que je fonde,
> Il faut des ossements nouveaux.

A la fin du poème, le dictateur expie ses illusions à Sainte-Hélène, cependant que l'héritier de nos rois, si longtemps et injustement exilé, retrouve le tombeau de ses pères. La

1. *Odes et Ballades.*

morale et le trône royal triomphent. On n'en est pas moins frappé, comme à l'époque le critique du *Figaro*, de constater que « chaque fois que le poète rencontre Bonaparte sur son passage, sa verve s'échauffe, et son style devient aussi élevé que la fortune ou la disgrâce de son héros ».

Il y a d'ailleurs, dans les entours de Hugo, un nouvel ami. Il se nomme Alphonse Rabbe. Une atroce maladie l'a défiguré. Lentement, son visage s'est rongé : plus de paupières, plus de narines, plus de lèvres, plus de barbe. Mais des dents noires et un œil unique. Rabbe s'est tenu dans l'ombre tant qu'Adèle a été grosse. Il redoutait que sa seule apparition fût néfaste à l'enfant attendu. Or Alphonse Rabbe figure parmi les libéraux, et l'un des plus avancés. Ce qui n'a pas empêché Hugo, recommandant un livre de son ami au directeur du *Drapeau blanc*, d'écrire : « M. Rabbe, dont la conviction politique diffère de la nôtre, est un homme d'un beau talent et d'un beau caractère. » Comment ne pas penser à l'ancienne prophétie de Léopold, et reconnaître avec le *témoin* : « Ce que le général Hugo avait prédit au général Lucotte se réalisait peu à peu ; les opinions que la mère avait mises dans l'esprit de l'enfant s'en allaient une à une de l'intelligence de l'homme. »

De Blois, ce même Léopold appelle à cor et à cri son fils à le rejoindre. Une promesse a été faite, elle doit être tenue. Comme la petite Léopoldine croît en force et en beauté, aucune raison ne permet plus de refuser l'invite. De cette Léopoldine, Victor se montre littéralement fou. Adèle nous dit que, dès sa naissance, il a « connu la paternité dans toute son extension et donné à son nouveau-né tout l'amour qu'il multiplia ensuite sur ses autres enfants ». Il a exigé que le berceau, dans la chambre des parents, fût placé à côté du lit conjugal. Il y restera de longs mois, Victor ne pouvant se résoudre à ce qu'on le prive de son bébé. A moins d'un an, Didine — ainsi que l'on commence à la nommer — parviendra à se glisser du berceau au lit de ses parents « et de son doigt naïf », raconte Adèle, tentera « d'ouvrir les yeux de sa mère pour lui faire comprendre qu'il était l'heure de s'éveiller. La mère résistait à la ténacité de son nourrisson, puis cédait ; et c'était alors des joies et des rires à trois ». Dès que l'on sort, Hugo exige que l'on emmène Didine. Le bébé, porté par la bonne, va devant, le visage tourné vers le couple heureux. « Cette douce vue ne suffisait pas au père, il prenait sa fille dans ses bras pour la posséder tout entière. Il lui parlait, elle souriait, gazouillait et avait à peine un an qu'elle jasait. Sa tête venait à la hauteur du coussin d'une causeuse, qui est restée comme une relique dans la famille. »

On va donc retenir des places dans la diligence de Bordeaux, laquelle passe par Blois. Le jour du départ, Victor et Adèle, celle-ci portant le bébé, vont monter dans le coupé, lorsqu'un commissionnaire accourt, tout essoufflé, et remet à Hugo une grande lettre cachetée de rouge. M. Foucher a pris sur lui de le faire suivre jusqu'à la diligence. Victor l'ouvre : la lettre contient un brevet de chevalier de la Légion d'honneur. Le nouveau légionnaire a vingt-trois ans.

J'ai vu à Blois la petite maison qu'habitait le général Hugo. J'ai vu, au cœur de cette vieille ville dont chaque voie semble écrire une histoire et chaque fenêtre engendrer un rêve, cette rue peu large, aujourd'hui encore si paisible. On s'engage dans une allée qui, un peu plus loin, s'élargit en jardin et l'on découvre cette maison, « blanche et carrée, épanouie entre deux vergers », dont il est question dans *les Feuilles d'automne*. La maison frappe, non par sa modestie, mais par sa petitesse. On passe directement du jardin à des pièces minuscules. Un escalier étroit donne accès à des chambres plus étroites encore. On imagine Léopold, encore épaissi par la retraite, se heurtant à chaque instant — au moins par la pensée — à ces murs trop rapprochés.

Ce matin-là, le général a surgi, radieux, de chez lui. Il a couru au bureau de la diligence. Quand la grosse voiture s'est arrêtée devant lui, il a donné libre cours à son émotion. Il n'est pas sûr, quand il a vu descendre de la portière son fils, sa belle-fille et sa petite-fille, qu'il n'ait pas retenu une larme. D'autant plus que Victor n'a pu différer d'un instant la nouvelle qui lui brûlait les lèvres : « Papa, je suis chevalier de la Légion d'honneur ! » Nouvelle émotion, nouvel orgueil pour le vieux brave.

Victor, s'il a précisé que Lamartine était décoré en même temps que lui, n'a probablement pas cru devoir révéler que les deux poètes avaient, chacun de son côté, sollicité le ruban rouge. Le principal n'est pas la manœuvre, mais la victoire.

On s'installe chez la comtesse. Sur le plan des sentiments, le temps est au beau fixe. De son côté, Léopold a reçu l'annonce qu'il était nommé lieutenant-général (général de

Division) à titre honoraire ; il éclate de bonheur. Ce n'est pas tout : une lettre officielle du vicomte Sosthène de La Rochefoucauld, chargé des Arts dans leurs rapports avec la Maison du Roi, vient informer Victor que le roi Charles X l'invite à son sacre. Pie VII avait consacré Napoléon empereur à Notre-Dame. Mais c'est à Reims, comme tous les rois ses prédécesseurs, que Charles X, niant par là délibérément les vingt années de la Révolution et de l'Empire, a choisi de recevoir l'onction, démontrant une méconnaissance prodigieuse et un dédain absolu de l'opinion.

Victor, l'invité du roi à Reims ! Cette seule idée l'émeut délicieusement. Il se voit sur les routes, puis dans l'antique cathédrale au milieu de tout ce que la France compte de célébrités. Il s'enchante, il piaffe. Bref, il réagit comme un enfant qu'il reste, à vingt-trois ans, malgré cette dignité et cette sévérité dont il s'enveloppe trop souvent au gré de ses amis. Au reste, c'est à l'un de ces amis-là qu'il songe. Il sait que Nodier figure parmi les invités. Et si l'on faisait route ensemble ?

Le climat d'harmonie familiale lui a semblé si évident qu'il a décidé de laisser Adèle et Didine aux soins de son père et de sa belle-mère. Depuis leur mariage, les jeunes époux ne se sont pas séparés. Ce qui est charmant, c'est que, s'écrivant de nouveau, ils retrouvent le ton des fiançailles. Dès la première étape, à Orléans, il faut que déjà Victor adresse une lettre à Adèle :

« J'ai vraiment le cœur si plein de douleur qu'un peu d'épanchement me fera du bien, mon Adèle. Tu ne saurais croire combien, depuis que je t'ai quittée, bien-aimée, le temps me semble long et la distance énorme. Je ne pense qu'avec un grand abattement aux quatorze lieues qui me séparent déjà de toi, aux huit heures que je viens de passer sans te voir. Que sera-ce donc demain ? que sera-ce après-demain, et après ? et après ? Vraiment, mon Adèle, ma bien-aimée Adèle, prie Dieu qu'il me donne du courage, j'en ai besoin, et ces quinze jours me font l'effet de l'éternité. »

Un fil mystérieux relie les amants, même mariés. Avant d'avoir reçu la lettre de son mari, Adèle lui avait écrit : « Je ne puis résister, mon Victor, au plaisir de t'écrire, et de te raconter comment j'ai passé ma journée ; hélas ! mon ami, elle a été bien triste, je n'avais pas auprès de moi mon bien-aimé, je le cherchais partout, je ne le trouvais pas ; je l'appe-

lais, nul ne me répondait... » Ils s'écriront chaque jour et avec
tant de hâte que la lettre de l'un croisera toujours la lettre de
l'autre.

A Paris, Victor retrouve la chambre conjugale. Seul.
Devant le lit — leur lit — il rêve mélancoliquement. Victor ou
Werther ? Ce qui le sauve, c'est que le temps presse. Reims
exige une tenue de rigueur. M. Foucher s'est occupé des bas
de soie, des souliers à boucles, de l'épée. Il manque la
culotte ! Une visite à point nommé au tout récent académicien Soumet apporte la solution de cette grave question :
Alexandre, bon prince, offre la sienne.

Nodier a déjà bouclé son sac de voyage. Les deux amis ont
comparé leur impécuniosité. Le roi est bien bon mais tout
cela va coûter fort cher ! Hugo a l'idée de rendre visite à son
nouvel éditeur, Ladvocat. Il lui fait miroiter les profits que
celui-ci tirera immanquablement de la publication de sa
future *Ode sur le sacre de Charles X.* Ici, l'avocat, c'est lui.
L'autre n'hésite pas : il avance les fonds nécessaires au
voyage.

Nodier et Hugo ont loué une sorte de grand fiacre à quatre
places où se tiendront avec eux deux amis : un certain M.
Cailleux, et le peintre Alaux que l'on appelle le Romain, parce
que naguère il a obtenu le prix de Rome. Nodier déborde
d'allégresse : « On ira à petites journées, on s'arrêtera où l'on
voudra, on couchera la nuit dans des lits, ce sera charmant. »

On s'est engagé sur la route de Paris à Reims que l'on a eu
la surprise de découvrir « sablée et ratissée comme une allée
de parc ». Même, de place en place, on a aménagé sous les
arbres des bancs de gazon. S'allonge un cortège quasi ininter-
rompu de diligences, de calèches armoriées, de coucous, de
carrioles : « toutes les espèces de véhicules se hâtaient et donnaient au chemin l'animation bruyante d'une rue ».

A chaque étape, Nodier se précipite chez les libraires,
Hugo, lui, cherche les monuments. Le quatrième jour, à
Reims, on ne trouve à coucher que par miracle, et encore
s'agit-il d'un minuscule salon dans la maison d'une actrice,
Mlle Florville. L'un des voyageurs prend possession du
canapé. Les autres se contentent de matelas jetés sur le tapis.

Victor à Adèle, 27 mai 1825, 7 heures du matin : « Sans même
attendre qu'on rangeât mes malles, j'ai couru à la poste. Ta troisième lettre y était... J'ai voulu t'écrire à toutes les heures depuis

notre arrivée, mais les mille affaires et les mille devoirs qui se disputent nos moments dans cette ville ne m'ont pas laissé le temps de respirer. Je comptais t'écrire avant de me coucher, mais nous sommes quatre dans la même chambre, nous nous couchons tous à la même heure, et nul ne prend la liberté de garder sa bougie allumée. Figure-toi d'ailleurs le désordre de ces quatre lits, de ces quatre bagages d'hommes dispersés dans une pièce grande comme les deux tiers de la chambre de Blois. »

Quelle presse, quelle impatience ! Lors de l'arrivée à Reims, il pleuvait. C'est sous cette pluie que Victor a dévoré les lettres de sa femme retirées à la poste. L'eau trempait les feuillets et délavait l'encre sans qu'il se rendît compte qu'il se trouvait devant le portail de la cathédrale. Il ne l'a aperçu que dix minutes plus tard, une fois sa lecture achevée. Nodier était au désespoir : sa malle s'était défoncée, tous ses effets étaient couverts de poussière, il avait perdu trois cols !

Victor à Adèle : « Tout est hors de prix. Après le dîner, il a fallu aller au spectacle. Quelle corvée !... Nous sommes rentrés à onze heures, couchés à minuit, éveillés à six heures, et je t'écris... Adieu, mon Adèle, embrasse tes beaux-parents. Dis à papa que Nodier veut absolument qu'il soit pair de France, et dit que cette dignité ne peut manquer à un homme aussi honorable. Si Nodier était roi ! Adieu, encore, chère ange ; je t'embrasse comme tu sais, comme je baise tes adorables lettres. »

Naturellement, quand d'aventure on dispose d'une heure, on écoute Nodier. Comment à Reims ne parlerait-il pas d'autre chose que de la cathédrale ? Hugo, passionnément, l'écoute. Déjà Chateaubriand l'avait conduit au gothique. Reims parachève la conquête. Victor se sent tout à cet art qu'il dira « vraiment fils de la nature. Infini comme elle dans le grand et le petit. Microscopique et gigantesque... ».

Chaque jour, il court à la poste. Quelle déception quand il n'y trouve pas de lettre ! Que de bonheur quand le préposé lui en tend une ! Le 28 mai, il tombe de haut. Adèle lui confie qu'elle est malheureuse à Blois. Certes, le général reste toujours pour elle le meilleur des beaux-pères. Mais la comtesse Hugo se révèle froide comme de la glace. Elle traite sa bru avec brusquerie, s'en va se coucher sans même dire bonsoir, persifle quand la jeune femme lui parle des terreurs qui lui sont venues d'un orage. Tout cela ne nous semble pas d'une

gravité extrême. Adèle souffre surtout d'être séparée de son
cher Victor. Elle croyait trouver dans l'ex-comtesse de Salcano une aide ou tout au moins une confidente. Elle n'a
découvert que la sécheresse, un refus évident de communiquer. C'est à tout le moins ce qu'elle a cru sentir. La seconde
lettre est plus explicite encore.

Adèle à Victor, 26 mai 1825 : « Mon bien adoré, j'ai appris
aujourd'hui des choses qui me prouvent que Mme Hugo nous supporte avec peine et qu'elle s'en plaint. Tout cela serait long à te
raconter et te distrairait du but de ton voyage ; cette femme est fort
extraordinaire, mais elle est fausse. Je suis mal ici, nous ne pouvons
y rester, mais comme il faut qu'elle ne s'en doute nullement, et surtout ton père qui ne me le pardonnerait pas, il faut que tu écrives
que des affaires que tu ne prévoyais pas te forcent à rentrer à Paris,
et qu'alors tu n'as que le temps de venir me chercher, que du reste
tu conserveras toujours le doux souvenir de la manière dont ils nous
ont reçus, écris cela parce que ça les engagera à avoir des soins pour
moi... »

Au chagrin de Victor succède la colère :

« Comment ! On te laisse seule, seule dans ton isolement ! On est
froid et inattentif pour mon Adèle bien-aimée dans la maison de
mon père ! Je ne suis pas indigné, chère ange, je suis profondément,
oui, bien profondément affligé. Moi qui connais l'admirable douceur
de ton caractère et la bonté sans bornes de mon père, je suis atterré
de ce qui se passe là-bas. Ce ne sont pas des soins, des attentions que
tu as droit de réclamer, c'est la tendresse et la sollicitude paternelle,
c'est quelque chose de plus peut-être que mes propres soins. Mon
pauvre et excellent père ! Que ne lit-il ce qu'il y a dans mon cœur en
ce moment, il y verrait quelle douleur inexprimable se mêle à mon
dévouement infini pour lui, à mon profond amour pour toi ! »

Il est si bouleversé, Hugo, que c'est à peine s'il a la force
de rapporter à Adèle que le roi vient d'entrer à Reims, « que
M. de La Rochefoucauld m'attend ce soir, qu'il faudra être
debout cette nuit à trois heures, que je suis fatigué d'avoir
couru tout le jour. Rien de tout cela ne m'occupe. Je suis
triste, plus triste que jamais. Mais tranquillise-toi. Nous
arrangerons tout cela. Ton Victor, ton mari, ton protecteur
va revenir, et que te manquera-t-il alors ? »
Il lui faut bien pourtant se rendre au sacre. Sosthène de La
Rochefoucauld lui a remis lui-même son invitation : « Il m'a

dit que le roi avait demandé si j'étais ici. Je suis effrayé de ce qu'ils attendent de moi. J'ai la tête si malade et le cœur si triste. Comment chanter une joie ?... Adieu, bien-aimée, je t'embrasse sur tes yeux, pour qu'ils ne pleurent plus. »

Hugo et ses trois amis, un peu empruntés dans leur habit à la française, se présentent, l'épée au côté, à la porte de la cathédrale. On leur indique leur place. Suivant une mode démente qui parcourra une grande partie du XIXe siècle, on a cru devoir recouvrir de carton peint l'admirable architecture. Des ogives de papier cachent les sculptures de pierre ! « Nous avons vu le sacre, mon Adèle : c'est une cérémonie enivrante. » Ce n'est pas tant le fourmillement d'hommes chamarrés et de femmes éclatantes de pierreries qui a frappé Hugo ; pas plus que l'anachronisme de la tenue de Charles X, comme héritée d'un autre âge, une camisole de satin rouge galonnée d'or sous une robe de satin blanc, la tête surmontée d'une toque de diamants ornée de plumes blanches et noires ; mais plutôt le contraste entre les pairs placés à la droite du roi et les députés rangés à sa gauche. Les pairs lui sont apparus vêtus d'habits de velours bleu ciel brodé, enveloppés de manteaux de velours bleu ciel semés de fleurs de lys, avec des chapeaux à la Henri IV, garnis de plumes blanches. Les députés, eux, n'ont droit qu'à un habit de drap boutonné jusqu'en haut, avec pour unique ornement une broderie de soie verte au revers. Ces députés ne sont-ils pas les élus du peuple français ? Pourquoi a-t-on voulu les humilier ? Malgré tout, « la lumière de mai brillait dans l'église. L'archevêque était couvert de dorures et l'autel de rayons... ». Quand s'achève l'interminable cérémonie, Hugo s'en va saluer Chateaubriand chez lui. Il le trouve furieux !

— J'aurais compris, dit-il, le sacre tout autrement. L'église nue, le roi à cheval, deux livres ouverts, la charte et l'évangile, la religion rattachée à la liberté. Au lieu de cela, nous avons eu des tréteaux et une parade.

Pendant la cérémonie, quelqu'un avait fait don à Nodier d'un livre : « Je viens d'acheter ça six sous. » Il s'agissait d'un volume dépareillé de Shakespeare — en anglais. Le soir, dans l'exigu salon converti en dortoir, Nodier va traduire « à la volée » *le Roi Jean*. Stupéfait, émerveillé, Hugo écoute. Il dira : « Je trouvai cela grand. »

Adèle, traversant cette courte dépression qui suit souvent

les maternités, ne s'est décidément plus supportée chez ses beaux-parents.

Le général Hugo à Victor, 29 mai 1825 : « Elle s'est déterminée, après avoir beaucoup raisonné le pour et le contre de sa démarche, à repartir pour Paris et conséquemment à hâter l'heureux instant de votre réunion. Nous avons vainement cherché à la détourner de sa résolution ; elle nous a vaincus par la solidité de ses réflexions et nous avons dû nous y rendre. Elle et votre charmante Didine emportent tous nos regrets, mais nous espérons que les plus tôt libres iront voir les autres... »

Ouf ! les parents Hugo n'y ont vu que du feu. Du reste, les choses s'étaient fort arrangées entre la belle-mère et la belle-fille, ainsi qu'Adèle, l'avant-veille de son départ, l'avait mandé à son mari : « Mme Hugo est revenue à moi bien tendrement. Cette pauvre femme a une maladie de nerfs qui la tourmente beaucoup. Cher Victor, écris à papa que tu les remercies bien tendrement, car alors, mon ami, elle était malade. Oh ! Je lui pardonne de bon cœur, pauvre femme ! »

Didine se porte à ravir. Une seconde dent va percer, elle ne s'en plaint même pas. Deux jours plus tard, Hugo est rue de Vaugirard et ouvre ses bras à ses bien-aimées.

Le général, de plus en plus préoccupé de la chose littéraire — son roman *l'Aventurière tyrolienne* va paraître et il en a terminé un autre, *Johann Schlups* — exhorte Victor à réussir l'ode que le gouvernement lui a commandée : « Prépare ton travail, ne désespère de rien, une grande gloire t'attend. M. de Lamartine a publié trop à la hâte ce qu'il a fait et ce que j'ai vu ne dit pas grand'chose. » Victor s'est mis au travail dès son retour et bientôt l'ode s'est trouvée achevée. Elle est pompeuse et conformiste à souhait. Mais non sans flamme ni talent.

> Entre, ô peuple ! — Sonnez, clairons, tambours, fanfare !
> Le prince est sur le trône ; il est grand et sacré !
> Sur la foule ondoyante il brille comme un phare
>   Des flots d'une mer entouré.
> Mille chantres des airs, du peuple heureuse image,
>   Mêlant leur voix et leur plumage,
>   Croisent leur vol sous les arceaux ;
> Car les Francs, nos aïeux, croyaient voir dans la rue
> Planer la Liberté, leur mère bien connue,
>   Sur l'aile errante des oiseaux.

Dès le 18 juin, l'ode est publiée. Plusieurs journaux la reproduisent en même temps. Les éloges pleuvent. Décidément le régime a trouvé son chantre. Sosthène de La Rochefoucauld demande — et obtient — que l'on verse à Hugo 1 000 francs pour les frais de son voyage à Reims. Le roi souscrit cinq cents exemplaires de l'ode et ordonne qu'on la réimprime — dit *le Moniteur* — « avec tout le luxe typographique par les presses de l'Imprimerie royale ». Ce n'est pas tout : Sa Majesté offre au jeune poète un service de table en porcelaine de Sèvres d'une valeur de 500 francs. Une vaisselle qui vaut bien davantage que l'armoire dans laquelle Adèle l'enferme.

Au sacre, Hugo avait retrouvé Lamartine qui avait fait promettre de lui rendre visite à Saint-Point. Lamartine avait invité aussi Nodier.

— Non seulement nous irons, avait répondu le conservateur de l'Arsenal, mais nous vous conduirons nos femmes et nos filles.

Après quoi, Nodier avait confié mystérieusement qu'il connaissait un moyen pour que le voyage ne coutât rien.

— Quel moyen ? avait demandé Victor.

— C'est de profiter de l'occasion pour voir les Alpes.

— Et puis ?

— Et puis, nous raconterons ce que nous aurons vu. Si ça vous ennuie, je m'en charge ; vous me donnerez seulement quelques vers ; Lamartine aussi, s'il veut en être. Nous trouverons bien quelqu'un pour nous faire des dessins. Et ce sera l'estimable éditeur Urbain Canel qui paiera notre voyage.

Le cher Nodier a vu juste. Convaincu, Canel prépare un traité selon lequel MM. de Lamartine, Victor Hugo, Charles Nodier et Taylor se réunissent pour publier un ouvrage provisoirement intitulé : *Voyage poétique et pittoresque au Mont-Blanc et à la vallée de Chamonix.* Lamartine doit toucher 2 000 francs pour chaque « méditation », Hugo 2 000 pour quatre odes, Taylor 2 000 pour huit dessins qu'il se charge non de faire, mais de fournir, Charles Nodier 2 250 francs pour l'ensemble du texte.

Déception : fin juillet, quand il s'agit de passer de la théorie à la pratique, Lamartine refuse de participer au livre projeté. Il n'ira pas au Mont-Blanc. Il n'en attendra pas moins les voyageurs à Mâcon, chez lui. Au dernier moment, Taylor déclare forfait.

Rue de Vaugirard, Adèle fait les bagages et rassemble, pour Didine, mille choses inutiles. Adèle nourrit encore et il n'est pas question de sevrer la petite fille qui va avoir un an. Victor se fait délivrer un passeport pour la Suisse et le royaume de Sardaigne. A noter que, sur son passeport du 20 avril précédent, ses yeux étaient qualifiés de bruns et que, le 29 juillet, on les signale gris. Pour nous rassurer, la taille demeure la même : un mètre soixante-dix.

Au dernier moment, tout est remis en question. Quelques jours avant le départ, fixé au 2 août, Victor est pris d'un torticolis « très aigu » — dit Adèle — accompagné de fièvre. « Le 31 juillet, il n'allait pas mieux ; il écrivit à Nodier qu'étant malade, il ne pouvait l'accompagner, et qu'il le rejoindrait le plus tôt possible. Avant d'envoyer la lettre, il prit l'avis de son médecin. Le docteur Labrie, fort intelligent, lui conseilla de partir : la distraction, le grand air, le guériraient plus sûrement que les ordonnances. La lettre fut déchirée et on fit les malles [1]. »

Le 2 août, à 7 heures du matin, les deux voitures sont à la barrière de Fontainebleau. Nodier a loué pour lui et sa femme une calèche où trouve place l'illustrateur du livre, Gué, un familier de l'Arsenal. Quant à Victor, à cause de la petite Didine, de son berceau et de la servante qui la soigne, il lui a fallu une berline. Faire à cette époque voyager un si petit enfant est une gageure. Les parents ne se sont-ils pas infligé une charge redoutable ? Pas du tout. Adèle se souviendra que « la chère petite fut un des enchantements du voyage... Elle avait son berceau dans la voiture, se réveillait en riant et ne pleurait jamais. Elle semblait déjà comprendre qu'elle ne devait pas troubler le plaisir commun. M. Nodier lui racontait dans ses heures de causerie des histoires qu'elle écoutait gravement et lui montrait les étoiles... ».

Merveilleux voyage, villes découvertes, ruines exaltées, campagnes en majesté. Et les incidents de rigueur. Deux gendarmes veulent arrêter Victor qui, pour soulager les chevaux, a mis pied à terre sur la côte de Vermanton. Il est nu-tête, mince, simplement vêtu de coutil gris. Il ressemble à un écolier en vacances. Des gendarmes lui font face tout à coup qui

---

1. *Manuscrit d'Adèle.*

sévèrement lui demandent ce que signifie le ruban rouge
qu'il porte à la boutonnière. Hugo répond tout naturellement
qu'il s'agit de la Légion d'honneur. Les gendarmes se
récrient : on ne donne pas la croix aux enfants ! Ils intiment à
Hugo l'ordre de présenter son passeport ; s'il dit vrai, sa
décoration doit y être inscrite. Hugo a oublié son passeport
à Paris ! Sans ménagement, les gendarmes se saisissent de
lui. En prison, l'usurpateur de décoration ! Du haut de sa
calèche, Nodier a considéré tout cela. Il saute à terre. Lui,
il a quarante ans. Il n'est pas sérieux mais, ce qui est
mieux, le paraît. D'un air important, il annonce aux gendarmes :

— Monsieur est le célèbre Victor Hugo.

Les gendarmes n'ont jamais entendu prononcer ce nom-là.
Mais l'assurance de Nodier leur en impose. Voilà le jeune
poète rendu à la liberté. Sans demander son reste, il saute
dans la berline. Les voitures seront loin que les gendarmes
interloqués entendront encore les éclats de rire des voyageurs. Ô jeunesse.

Pour allécher Victor et le convaincre de répondre à son
invitation, Lamartine lui avait dépeint son château de Saint-
Point, merveille romantique avant la lettre. En vers, naturellement. Rien n'y manquait : deux « tours accouplées », vestige d'un vieux château

> Dont les ruines mutilées
> Jettent de loin sur le hameau
> Quelques ombres démantelées... ;

des pierres médiévales où se posaient corbeaux et vautours ;
de sombres créneaux ; les soupirs du vent du soir ; les doux
concerts d'une harpe mélancolique

> Dont une brise ossianique
> Vient par moments ravir les airs
> A travers l'ogive gothique...

On a emporté le poème, on l'a lu et relu. On attend un château digne de Walter Scott. On approche. Les voyageurs tendent le cou. Quand on aperçoit une grande maison banale
peinte en jaune, Hugo croit à une méprise. Mais le châtelain

s'avance, sourire aux lèvres : c'est bien Lamartine. Quoi ! Ce serait là Saint-Point ? Les « cimes crénelées », dont parlait l'épître, sont des toits plats. Du « lierre touffu », pas le moindre vestige, la « teinte voilée par les ans » est un affreux badigeon. Hugo ne peut cacher sa déception :

— Où donc est le château promis par vos vers ?

— Il a existé tel que je vous l'ai décrit. La maison que vous voyez avait des toits pointus où couraient les lierres dont je parle. Nous avons trouvé que ces pierres grises étaient tristes, elles ont été abattues ; le lierre en s'attachant aux murs y laisse son humidité, ce qui est aussi nuisible aux bâtiments qu'aux santés ; l'antique végétation a disparu aussi.

Victor ne peut s'empêcher de laisser éclater son indignation :

— Mais vous avez agi en vandale !

Ce qui ne semble pas susciter le moindre complexe chez son hôte qui, sentencieusement, conclut :

— Gardons, croyez-moi, les anciens monuments pour les descriptions de notre poésie et vivons comme nos contemporains !

Attitude, chez une des têtes de file du romantisme, qui nous laisse un peu perplexes. On annonce le dîner. On se retire pour changer de toilette. Les voyageuses, habillées dès le matin avec leur unique robe de soie et « n'en ayant pas d'autre à lui substituer », sont bien vite prêtes. Lamartine pénètre dans la salle à manger avec un costume constellé de taches. Mme de Lamartine, qui est anglaise, a gardé les usages de son pays : « La châtelaine et ses belles-sœurs, dit Adèle, arrivèrent à table décolletées et enrubannées. »

D'où un repas, malgré les efforts des hôtes, pesant et gêné. Au sortir de table, Mme Nodier prend à part Adèle :

— Je m'en vais ce soir. Je ne couche pas au château.

Drame. Adèle, Victor, Charles plaident. Rien n'y fait.

— Pour rien au monde je ne resterai ici deux heures de plus !

Il faut, malgré les chambres préparées, pour que l'on puisse repartir sur-le-champ, que Nodier trouve un prétexte aussitôt offert par sa riche imagination. Lamartine — qui n'est pas dupe — n'en raccompagne pas moins les visiteurs jusqu'à Mâcon. Le pays que l'on traverse est superbe, le ciel pur, le soleil qui se couche empourpre l'horizon. Nodier croit le moment venu — peut-être pour détendre l'atmosphère — d'improviser un compliment. Avec emphase, il s'écrie :

— N'est-ce pas un incident rare, un moment solennel que celui qui réunit trois hommes illustres devant ce magnifique spectacle et dans le plus beau lieu du monde !

Victor renchérit. Un peu trop haut. Lamartine approuve avec un sourire contraint. Il prend congé. Ombre sur le pré-romantisme.

Les Alpes seront pour Hugo une stupeur et un éblouissement. A Chamonix surtout, il laissera son enthousiasme s'exalter devant cette mer de Glace qui, « dépassant le Montanvert comme un bras qui se recourbe, penche et précipite ses blocs marmoréens, ses lames énormes, ses tours de cristal, ses dolmens d'acier, ses collines de diamants, dresse à pic ses murailles d'argent et ouvre dans la plaine cette boucle effrayante, d'où l'Arveyron naît comme un fleuve, pour mourir un mille plus loin comme un torrent ». L'écrasante présence de ce Mont-Blanc surgi des âges où la terre existait à peine et les merveilles qui l'entourent lui procurent l'impression d'entrer « dans le cabinet de curiosités de la nature, dans une sorte de laboratoire divin où la Providence tient en réserve un échantillon de tous les phénomènes de la création, ou plutôt dans un mystérieux sanctuaire où reposent les éléments du monde visible ».

Explorant la mer de Glace, Victor sera à deux doigts de glisser au fond d'une crevasse. Le soir, à l'étape, il écrira sur le livret de son guide : « *Je recommande Michel Devouassous qui m'a sauvé la vie.* »

La vérité, c'est que, dans ces immensités, il s'est senti parfaitement à son aise. Ici, la nature le devançait. A chaque tournant de chemin, elle lui proposait une de ses chères antithèses : « En ce moment, le nuage se déchira au-dessus de nous et cette crevasse nous découvrit, au lieu du ciel, un chalet, un pré vert et quelques chèvres imperceptibles, qui paissaient plus haut que les nuées. Je n'ai jamais rien éprouvé d'aussi singulier. A nos pieds, on eût dit un fleuve de l'Enfer ; sur nos têtes une île du Paradis. »

Mais l'avance versée par l'éditeur — Nodier et Hugo ayant reçu chacun 1 750 francs — commence à donner des signes de faiblesse. Allons, il faut rentrer ! On ne s'y résout pas sans tristesse. On revient sans hâte. Comme lors du voyage de

Reims, on s'arrête partout où il y a une ruine — à la demande de Hugo — ou une bibliothèque, sur l'invite de Nodier.

— Mon cher, répète Nodier à Hugo, vous êtes possédé par le démon Ogive.

— Et vous par le diable Elzevir !

Quand on rentre à Paris, le 2 septembre, Charles Nodier fait les comptes : il ne lui reste que 22 francs et à Victor 18. A la barrière, non sans émotion, on se serre la main. La calèche gagne le Marais et la berline le faubourg Saint-Germain.

Ceux qui, à vingt-trois ans, n'ont pas vécu de tels départs et de tels retours, n'ont pas connu le bonheur de vivre. Le livre déjà payé par Canel ne verra jamais le jour : l'éditeur, après de mauvaises affaires, devra déposer son bilan. Hugo publiera en 1829, dans *la Revue de Paris*, puis en 1831 dans *la Revue des Deux Mondes* les textes écrits par lui pour l'album mort-né.

Il n'oubliera jamais ce voyage, « le plus doux souvenir de ma vie », confiera-t-il en 1837, associant sans nul doute aux souvenirs de sa jeune gloire la présence d'Adèle et de Didine. « Souvenirs lumineux », dira-t-il encore de ce « doux voyage de Suisse ». Et il est vrai que tout s'y mêlait : l'amour de sa femme, aussi tendre qu'aux premiers jours, l'amour d'une petite fille qui faisait battre son cœur d'une fièvre inconnue. L'amour de soi.

II

LA JEUNESSE ET L'ESPRIT

> Les hommes pensent leur destin plutôt qu'ils ne le gouvernent, mais c'est là déjà une grande dignité.
>
> André THÉRIVE.

Rue de Vaugirard, la vie de Victor s'écoule, « rude et douce », c'est ce qu'il écrira cinquante ans plus tard. Sur la cheminée du salon brille toujours le lys d'or des *Jeux floraux* cependant qu'une pendule, qui restera dans son souvenir celle des *Odes et Ballades*, rythme les heures de travail. Pour évoquer ce bonheur de 1825 et 1826, il usera de l'adjectif « rayonnant ». Il est amoureux, toujours, amoureux parce qu'« un ange sur mon cœur ploie aujourd'hui ses ailes », ce qui lui rend les heures suaves comme le miel et chaudes telle une caresse.

C'est le temps où Sophie Gay l'appelle « l'ange Victor ». Le temps où le directeur du journal *le Globe*, Paul-François Dubois, est venu le voir comme on visite une curiosité — et a été séduit : « Rue de Vaugirard, dans l'entresol d'un atelier de menuiserie, j'ai vu, dans un tout petit salon, un jeune poète et une jeune mère, balançant dans ses bras un enfant de quelques mois et lui enseignant à joindre ses petites mains pour la prière, en face de quelques gravures de madones et des enfants Jésus de Raphaël. Bien que toujours un peu arrangée, la scène, naïve et sincère, m'a touché et ravi. »

Didine a grandi. Non seulement elle marche, mais en promenade, elle court devant ses parents. Si elle disparaît un instant, ce sont aussitôt de la part de Victor « des craintes et

des terreurs ». Adèle s'en amusera plus tard : « A la plus simple toux, à la moindre altération de la voix, on appelait le
médecin dans l'effroi du croup. Le médecin pour prévenir le
mal, probablement imaginaire, prescrivait l'émétique. Il faisait boire à la petite malade un litre d'eau chaude. Chaque
fois qu'on lui présentait une tasse de ce breuvage insipide, la
martyre disait à sa mère : " Je t'assure, ma petite maman, que
je n'ai pas soif. " Les pauvres parents souffraient alors du
supplice imposé à l'innocente enfant. »

Assis chaque jour de longues heures dans son minuscule
cabinet de travail, aux odes il fait succéder les odes. Insensiblement sa forme s'est modifiée. La sensibilité, longtemps
claquemurée sous l'enveloppe formelle héritée du passé,
rejoint souvent la seule virtuosité et parfois la gagne de
vitesse. Les beaux vers deviennent aussi de beaux cris. Quand
il chante l'amour, il ne se croit plus tenu de se référer à la
mythologie. S'il parle d'une inspiratrice, il ne se cache plus
de dire qu'il s'agit de sa femme devant Dieu et les hommes. Il
ose peindre son « œil noir et doux » et revivre les instants
précieux où sa robe l'effleure avec un bruit léger. Il ose écrire
qu'envers cette épouse qui est la sienne, il déborde d'amour
jusqu'à parfois répandre des larmes.

> Hélas, je t'aime tant qu'à ton nom seul je pleure !

Quand il brandit la petite Léopoldine dans ses bras, trophée vivant qui rit et gazouille, c'est tout juste s'il n'étouffe
pas de bonheur. Cette allégresse quotidienne s'accompagne
d'une impression de liberté si intense que, la plume à la
main, il ne peut se défendre d'inventer d'énormes farces. Surtout n'oublions pas que ce jeune homme qui paraît si sévère
aux inconnus retrouve son âge — vingt-quatre ans — quand,
seul avec lui-même, il compose un poème. Lui faut-il une épigraphe ? Il la cherche, ne la trouve pas. Pourquoi ne pas en
inventer une, de toutes pièces, à laquelle les aristarques ne
verront que du feu et que peut-être ils assaisonneront de
doctes commentaires ? L'apocryphe le délivre de toute
contrainte et cela donne une petite pièce délicieuse :

> Au soleil couchant
> Toi qui vas cherchant
> Fortune,

Prends garde de choir ;
La terre, le soir,
   Est brune,
L'océan trompeur
Couvre de vapeur
   La dune,
Vois à l'horizon,
Aucune maison ;
   Aucune !

Le seul point sombre : sa vue. A plusieurs reprises, pendant des semaines, l'inflammation des yeux s'accompagne d'une gêne douloureuse qui inquiète son entourage. Le plus étrange est que lui-même s'y attarde peu. Il se souviendra des crises éprouvées si souvent et si longtemps, du temps notamment où des taches venaient obscurcir son regard : « Ces taches allaient s'élargissant et noircissant. Elles semblaient envahir lentement la rétine. Un soir, chez Charles Nodier, je contai mes taches noires, que j'appelais mes papillons, à Sainte-Beuve qui, étudiant en médecine et fils d'un pharmacien, était censé s'y connaître et s'y connaissait en effet. Il regarda mes yeux et me dit doucement : — *C'est une amaurose commençante. Le nerf optique se paralyse. Dans quelques années la cécité sera complète.* Une pensée illumina subitement mon esprit. — *Eh bien,* lui répondis-je en souriant, *ce sera toujours ça.* Et voilà que je me mis à espérer que je serais peut-être un jour aveugle comme Homère et comme Milton. La jeunesse ne doute de rien [1]. »

Le général Hugo, lui, n'est naturellement pas de cet avis. *A Victor, 23 février 1826* : « Je pense que tu feras bien de commencer de bonne heure à te servir de conserves [2] vertes pour le travail du cabinet, mais de laisser tes yeux à leur force naturelle pour le reste du temps... Je te l'aurais écrit plus tôt si tu n'eusses défendu à ton Adèle de nous apprendre la cause d'un silence qui m'étonnait. » Le silence en question ne concernait rien de moins qu'une nouvelle grossesse dont Victor, superstitieux, ne voulait rien dire avant qu'elle se trouvât confirmée. Un nouvel enfant ? Vive Dieu, décidément !

Entre deux odes, Victor s'est même payé le luxe de réécrire *Bug Jargal* qu'il a publié sans nom d'auteur. *Le Drapeau*

1. Note de 1863.
2. Nom que l'on donnait encore souvent à cette époque aux lunettes.

blanc s'est empressé de lever cet anonymat qui n'est qu'une coquetterie : « S. M. a daigné faire prendre pour sa bibliothèque particulière vingt-cinq exemplaires de *Bug Jargal* par M. Victor Hugo. La première édition de ce roman, tiré à un grand nombre d'exemplaires, est sur le point d'être épuisée. La deuxième paraîtra la semaine prochaine. »

Mais le grand événement de tous ces mois, c'est cette pièce nouvelle dans laquelle il s'est jeté à corps perdu : « J'ai commencé *Cromwell* le 6 août 1826, deux mois avant la naissance de Charles [1]. »

Hugo a parlé de quatre-vingts ou cent volumes qu'il a dû consulter avant d'écrire *Cromwell*. Il nous apparaît significatif que Balzac ait rêvé lui aussi de composer un *Cromwell.* Le *Cinq-Mars* de Vigny s'achève par le nom de Cromwell. Et Hugo écrira à l'auteur, son ami : « J'ai fait du dernier mot de votre roman le premier de mon drame. » Rien de plus explicable que cette unanimité dans l'intérêt. A travers la Révolution anglaise, un lecteur des années 1820 ne pouvait que revenir à la Révolution française. Cromwell reconduisait à Napoléon.

Hugo l'a senti plus encore que ses contemporains. De plus en plus Napoléon le hante. Il y revient sans cesse. Son ode *les Deux Iles* qu'il compose en ce temps-là le montre libéré de sa haine et sans retenue se laissant aller à la fascination que lui inspire le colosse.

> En Corse, à Sainte-Hélène encore
> Dans les nuits d'hiver, le nocher,
> Si quelque orageux météore
> Brille au sommet d'un noir rocher,
> Croit voir le sombre capitaine,
> Projetant son ombre lointaine,
> Immobile, croiser les bras ;
> Et dit que, pour dernière fête,
> Il vient régner dans la tempête,
> Comme il régnait dans les combats !

Il faut se souvenir qu'entre-temps le *Mémorial de Sainte-Hélène* a paru et que d'emblée l'ouvrage de Las Cases a remporté un succès bien inattendu si l'on se rappelle que, depuis

1. En fait trois mois.

la mort du duc de Berry, le régime, soutenu par sa presse, continue à s'acharner dans la plus obstinée des réactions. Sous le ministère Villèle, l'année 1826 nous semble battre une manière de record. En février, le gouvernement n'a-t-il pas voulu rétablir le droit d'aînesse ? En décembre, n'a-t-il pas présenté un projet de loi sur la presse, intitulé — ce n'est pas une plaisanterie — « loi de justice et d'amour » ? Il s'agit de museler les journaux comme ils ne l'ont jamais été. Cette loi, les *Débats* vont la baptiser « loi vandale » tandis que Casimir Perier s'écrie : « Autant avouer que l'imprimerie est supprimée en France. »

On va même jusqu'à donner à l'ex-place de la Révolution, future place de la Concorde, le nom de Louis XVI, « roi martyr ». Entouré de tout ce qui compte dans le monde officiel, Charles X va l'inaugurer ; procession expiatoire. Mais ceux qui lisent le *Mémorial* sont ailleurs : ce sont les cent mille personnes qui, le 28 novembre, accompagnent le général Foy à sa dernière demeure. Cent mille ! Le libéral Barante, stupéfait, commente : « Nous sommes bien plus forts que nous ne croyons. »

Entre le renforcement sans cesse proclamé de l'alliance entre le trône et l'autel — officiellement la doctrine de Hugo — et l'image du Petit Caporal clandestinement distribuée dans les campagnes par les colporteurs, Victor sait-il bien lui-même où il en est ? Ce qui me frappe, c'est cette note qui date des derniers mois de 1826 ou des premiers de 1827 ; dans la liste des « drames que j'ai à faire », il prévoit : *la Mort du duc d'Enghien,* avec cette éloquente précision : « Justification de Bonaparte. » Il croit encore n'être attiré que par un personnage. On n'est pas Hugo sans brûler pour les personnages. Il n'a pas compris que, insensiblement, il glisse vers l'idée.

D'où *Cromwell.*

Parce que nous avons lu la préface en même temps que la pièce, nous avons tendance à considérer *Cromwell* comme une sorte de brûlot voulu. Comme s'il se fût agi d'emblée, pour Hugo, d'enfoncer les barrières. Erreur. La préface n'a été écrite qu'une fois la pièce achevée. Elle n'a fait qu'ériger en théorie — après coup — une création dramatique qui s'était épanouie dans une inspiration sans préméditation. Quand Hugo laissait entendre, dans cette préface, qu'il avait toujours su la pièce injouable, il n'exprimait rien d'autre qu'une contre-vérité. Dès le début, il avait songé à un acteur, le plus grand de son temps : Talma.

Le baron Taylor, ami de longue date, est alors commissaire royal pour le Théâtre-Français. Hugo lui a fait lire cette pièce écrite à dix-sept ans : *Inès de Castro.* Taylor a jugé — rêve de tous les directeurs — qu'il tenait là *un auteur.* Il lui a demandé une pièce pour son théâtre. Taylor, très favorable au romantisme, flairait « l'événement ». Hugo lui a répondu :

— J'y pense. J'ai même commencé un drame sur Cromwell.

Commencé, c'était beaucoup dire. Accompagnant un ami à la diligence, Hugo, tandis qu'il traversait le Luxembourg pour revenir chez lui, s'était borné à faire ces vers, les premiers du drame :

> Demain vingt-cinq juin mil six cent cinquante-sept
> Quelqu'un que lord Broghill autrefois chérissait
> Attend de grand matin le dit lord aux Trois Grues
> Près de la Halle aux vins, à l'angle de deux rues.

A quelque temps de là, Taylor invite Hugo à dîner au Rocher de Cancale. Parmi les invités : Talma. Victor, placé à côté du grand tragédien, cause naturellement avec lui. Talma a soixante-trois ans. On le voit malade, fatigué. Hugo a été frappé par l'amertume de ses propos. Talma estimait que la société ne vouait que du mépris aux acteurs. Presque ami de Napoléon, celui-ci n'avait pas osé lui décerner la Légion d'honneur. Surtout, il jugeait n'avoir jamais eu un « vrai rôle ». Il avait incarné tous les héros de la tragédie, pas un *rôle.* Hugo lui a demandé ce qu'il entendait par là. Il s'est expliqué :

— Un personnage qui eût la variété et le mouvement de la vie, qui ne fût pas tout d'une pièce, qui fût tragique et familier, un roi qui fût un homme. Tenez, m'avez-vous vu dans Charles VI ? J'ai fait de l'effet en disant : *Du pain ! Je veux du pain !* C'est que le roi n'était plus là dans une souffrance royale, il était dans une souffrance humaine ; c'était tragique et c'était vrai ; c'était la souveraineté et c'était la misère ; c'était un roi et c'était un mendiant. La vérité ? Voilà ce que j'ai cherché toute ma vie.

Les pièces, affirme Talma, ont manqué à son talent. Il lui aurait fallu des œuvres se rapprochant des créations de Shakespeare, « dans lesquelles se rencontraient le familier et le terrible, les larmes et le rire ».

— J'ai demandé, ajoute-t-il, un rôle comme je viens de vous l'indiquer, à Casimir Delavigne, il a écrit *l'École des vieillards* et a fait un bourgeois trompé par sa femme. La poésie manquait au drame et l'idéal ne sauvait pas la vulgarité du sujet. J'ai joué Lemercier, mais il est plus trouble qu'ému et plus bizarre que dramatique. Je n'ai pas eu ce que je rêvais. Mais vous, Monsieur Hugo, dont le jeune talent a tant de promesses, pourquoi ne pas vous tourner vers le théâtre et me faire un rôle ?

— Mais je suis en train d'écrire un drame sur Cromwell !

Il a donc existé une conjonction entre Taylor, qui souhaite pour la Comédie-Française une pièce de Hugo, et Talma lui demandant de lui écrire un « rôle ». L'instigateur essentiel — le *manuscrit d'Adèle* est formel là-dessus — aura été Talma.

— Dépêchez-vous de finir votre drame, a dit l'acteur, j'ai hâte de le jouer.

Dépêchez-vous. Hugo, à la lettre, va obéir. Le 6 août 1826, il commence le premier acte ; le 28 octobre, il entre dans le cinquième et dernier acte de ce qui est, ne l'oublions pas, une énorme machine ! Le 3 novembre, il s'interrompt dans la scène 2 de cet acte. Pourquoi ? Parce que Talma est mort. Le décès du grand tragédien remonte au 19 octobre. Il a fallu à Hugo quelques jours pour apprendre la nouvelle, la méditer et tout à coup éprouver la lassitude qui naît toujours d'une grande déception. Il s'arrête parce que son interprète n'est plus.

Au vrai, tout s'est mêlé. Le 2 novembre est pour lui une autre date importante. Adèle a donné naissance à un petit garçon que l'on a baptisé Charles. Abel Hugo sera choisi comme parrain et Mélanie Foucher, épouse de Victor, belle-sœur d'Adèle, comme marraine. En d'autres temps, Hugo, galvanisé par ce nouvel enfant, eût repris sa plume dès le lendemain. Il n'en fait rien. Le moteur n'est plus là qui s'appelait Talma. Hugo attendra le 9 décembre pour se remettre à *Cromwell*. N'en doutons pas : en ce temps-là il brûle littéralement pour le théâtre. Bientôt il va s'écrier que le drame est la « sommité poétique des temps modernes ». Cette fièvre le ramène à *Cromwell* qu'il achève enfin le 1er janvier 1827.

Mais entre-temps, son nouveau volume de poèmes, les *Odes et Ballades*, a paru. Et il a envoyé un exemplaire à Paul-François Dubois.

Les bureaux du journal *le Globe*. Des plafonds bas, des vitres sales, une lumière avare, des meubles sans âge, une poussière si ancienne qu'on la croirait sacrée, des livres en avalanche, et, sur les tables, sur les chaises, par terre, du papier imprimé : à travers Balzac, nous croyons les avoir visités, ces bureaux des journaux de la Restauration.

Ce jour-là, Paul-François Dubois, directeur du *Globe*, considère d'un air perplexe le livre nouveau parvenu à son adresse.

Il entre à point nommé, le collaborateur qui vient de pousser la porte. Il s'agit d'un certain Sainte-Beuve, prénoms : Charles Augustin. Dubois se saisit d'*Odes et Ballades*, lui tend l'exemplaire et lui dit :

— C'est de ce jeune barbare, Victor Hugo, qui a du talent... Je le connais et je le rencontre quelquefois.

Qui est-il, ce Sainte-Beuve ?

Le moins qu'on puisse dire de lui est qu'il n'est pas beau. Tout jeune — il a deux ans de moins que Hugo — quelque chose dans son maintien et son expression évoque une sorte de vieillard prématuré. Petit — un mètre soixante — malingre, voûté, affligé d'une tête trop grosse, d'un nez trop long, de cheveux roux agressifs, timide et bafouilleur qui plus est, il n'a pour lui que son talent — qui est grand. Il s'est toujours su laid et jamais n'a osé regarder une femme en face. En fait de femmes, d'ailleurs, il n'a connu que des prostituées. Ce qu'il traîne dans la vie, c'est une tristesse qui peut-être lui vient de naissance. Il écrira : « Ma mère a perdu mon père la première année de son mariage, elle était enceinte de moi, elle m'a donc porté dans le deuil et la tristesse ; j'ai été abreuvé et baigné de tristesses dans les eaux mêmes de l'amnios ; eh bien, j'ai souvent attribué à ce deuil maternel la mélancolie de mes jeunes années et ma disposition à l'ennui. »

Il a grandi à Boulogne-sur-Mer, ville impériale. Il se rappellera la façon dont il était vêtu jusqu'en 1813 — en hussard — et dont il a vu Napoléon. Il dira même aux Goncourt l'unique souvenir qu'il gardait de Napoléon : il l'a aperçu en train de pisser. Et les deux frères de commenter : « N'est-ce pas un peu dans cette posture-là qu'il a vu et jugé depuis tous les grands hommes ? » Un élève brillant en tout cas, ce qui ne nous étonne guère. Les études commencées à Boulogne se sont poursuivies à Paris au collège Bourbon, où Dubois a été son professeur. Devant opter pour le droit ou la médecine, il a choisi la seconde. En fait, c'est la fondation du *Globe* qui a fixé son destin. Passionné de littérature, grand dévoreur de poètes, leur demandant sans cesse des élans lyriques que venaient, avec leur positivisme, contrebattre Helvétius ou Hobbes, l'étudiant en médecine a voulu se confier à son ancien maître. Ce matin-là, Dubois était malade, alité. Le jeune Sainte-Beuve l'a ému. Il a vu en ce garçon de vingt ans un être tourmenté, déchiré. Sainte-Beuve voulait écrire ? Pourquoi pas ? Dubois s'est souvenu de Goethe. Là, du fond de son lit, il lui a cité l'exemple du grand Allemand, libéré par son *Werther* de ce que nous appellerions ses complexes douloureux. Du reste, le directeur voulait voir l'aspirant critique au travail. Il n'a pas été déçu. Il va louer son style tout imprégné de liberté et de grâce, « précis, ferme » et sobre.

Le jeune Sainte-Beuve ne fait jamais rien à demi. On lui demandait un article sur les *Odes et Ballades*, il en donnera deux. En fait, c'est la même étude, trop longue pour tenir en un seul numéro qui paraîtra en deux livraisons, les 2 et 9 janvier 1827.

Le nom de Sainte-Beuve et le mot indulgence sont antinomiques. Le premier article, éclatant d'intelligence, a certainement paru à Hugo une manière d'éreintement. Même, du 2 au 9 janvier, attendant la seconde livraison, Victor a dû passer une bien mauvaise semaine. Après avoir cherché les raisons qui ont fait naître la nouvelle école de poésie, Sainte-Beuve en vient à ce *M. Hugo* selon lequel « l'histoire des hommes ne présente de poésie que jugée du haut des idées monarchiques et des croyances religieuses ». Il évoque l'apparition de ses premières poésies, saluées à grand bruit, mais « dans le cercle, malheureusement trop étroit, où il se produisit ». Il rappelle les prix précoces qu'il a mérités et l'inspiration de son premier volume d'*Odes* : « A chaque page une haine violente contre la Révolution, une adoration exaltée des souvenirs monarchiques, une conviction délirante, plus avide encore de la palme de martyr que du laurier de poète et, pour peindre ces sentiments de feu, un style de feu, étincelant d'images, bondissant d'harmonie ; du mauvais goût à force de grandiose et de rudesse, mais jamais par mesquinerie ni calcul. » Malheureusement, dit Sainte-Beuve, il n'y avait pas là de quoi faire un chantre populaire. « Hugo s'était présenté l'injure à la bouche, et ne fut pas écouté. »

A propos du second volume d'odes publié par Hugo, voici
une nuance nouvelle : « Lorsque M. Hugo parle en son nom
dans ses poésies, qu'il ne cherche plus à déguiser ses accents,
mais qu'il les tire du profond de son âme, il réussit bien
autrement. » Et de citer « les pièces délicieuses intitulées
Encore à toi et _Son nom_ ». Après quoi un éloge qui ressemble
à de la perfidie : cette tristesse qu'il a respirée dans ce second
volume, Sainte-Beuve l'explique par « la défaillance du poète
à la vue des amertumes qu'il a rencontrées sur le chemin de
la gloire ». Il précise : « On comprend que le premier accueil
l'a blessé au cœur, et qu'il avait mieux espéré de la vie. Il ne
lance plus ses vers qu'avec défiance et comme par devoir. »
Sainte-Beuve annonce que, la semaine suivante, il traitera du
troisième volume : _Odes et Ballades_. On imagine l'impatience
qui a dû régner rue de Vaugirard, l'irritation de Victor,
l'anxiété d'Adèle. Tous les écrivains sont passés par de telles
épreuves. Mais cette fois le poète concerné doit ses angoisses
à un critique de vingt-deux ans !

Le 9 janvier, le second article paraît. Il commence par une
analyse des différents chapitres de l'ouvrage, reconnaît que
l'auteur, s'il ne s'est pas élevé en politique — à propos de
Napoléon par exemple — au-delà de ce que pense le commun
des mortels, a su exprimer avec un certain bonheur les idées
de tous : « Que, cédant enfin à ces innombrables sensations
qui l'inondent, l'âme se mette à les répandre au-dehors, à les
chanter ou à les peindre, là est le signe, là commence le privilège du poète. » Et voici de nouveau la sévérité : « En poésie,
comme ailleurs, rien de si périlleux que la force : si on la
laisse faire, elle abuse de tout ; par elle, ce qui n'était qu'original et neuf est bien près de devenir bizarre ; un contraste
brillant dégénère en antithèse précieuse ; l'auteur vise à la
grâce et à la simplicité, et il va jusqu'à la mignardise et à la
simplesse ; il ne cherche que l'héroïque et il rencontre le
gigantesque ; s'il tente jamais le gigantesque, il n'évitera pas
le puéril. » Bien sûr, « l'inspiration première en est constamment vraie et profonde ». Tout le mal « vient de comparaisons outrées, d'écarts fréquents ; de raffinements d'analyse ».

Où en est-on, rue de Vaugirard ? On imagine Adèle proche
des larmes, Victor consterné. Plus avidement encore, ils
continuent de lire et découvrent tout à coup un passage où
l'admiration ne se limite plus, où l'approbation se déclare
entière et sans réserve : « Lorsque M. Hugo n'a pas à sortir

de lui-même, et qu'il veut rendre seulement une impression personnelle, nous avons déjà remarqué que ses défauts disparaissent. Plus de divagations alors, plus d'exagération ; il ne perd point de vue, il n'altère point ce qu'il sent ; le tableau se compose sans effort et chaque idée apporte avec elle sa couleur. Telles nous semblent les stances à cette *Jeune fille* que le poète engage à jouir de son enfance et à ne pas envier un âge moins paisible. Il n'y a que vingt vers mais ils sont parfaits de naturel et de mélodie : on dirait le doux et mélancolique regard par lequel l'homme qui a souffert répond aux caresses d'un enfant. Quand on a fait ces vingt vers, on doit comprendre qu'il est un moyen de laisser voir la pensée, sans s'épuiser à la peindre. »

Rue de Vaugirard, on ne sait vraiment plus à quoi s'en tenir. Hugo court s'enquérir auprès de Dubois : qui donc a écrit ces deux articles non signés ? Il veut connaître non seulement le nom du critique mais son adresse. Car il tient à aller le remercier. Ici nous comprenons mal. Un certain nombre de biographes de Hugo — qui n'ont pas dû prendre la peine de lire les deux articles de Sainte-Beuve — expliquent tranquillement cette démarche en affirmant que l'approbation du jeune critique était si chaleureuse que Hugo ne pouvait faire autrement que de courir lui exprimer sa gratitude. Nous venons de voir qu'il n'en est rien. Alors ?

La vérité est que jamais une étude d'une telle ampleur n'a été consacrée à la jeune œuvre de Hugo. Que, pour celui qui s'en voit l'objet, c'est là une manière d'événement. La preuve, c'est qu'un lecteur allemand du *Globe* — et quel lecteur ! — le prendra exactement ainsi. Goethe va déclarer à son ami Eckermann : « Victor Hugo est un vrai talent, sur lequel la littérature a exercé de l'influence. Sa jeunesse poétique a été malheureusement amoindrie par le pédantisme du parti classique, mais maintenant le voilà qui a *le Globe* pour lui : il a donc partie gagnée... »

Sainte-Beuve grince, siffle, exécute. Mais parmi les plus douloureuses des flèches qu'il pointe, on sent l'immense intérêt qu'il porte au « phénomène Hugo ». Sans doute l'orgueilleux Victor a-t-il, dans le secret de son cœur, conscience des pas qu'il lui reste encore à franchir. D'où le désir de rencontrer l'auteur.

Ce n'est pas la seule raison ; dans la bataille littéraire, Hugo — nous l'avons déjà vu à l'œuvre — ne négligera jamais

la stratégie. Ce critique inconnu, mais à la redoutable lucidité, voilà quelqu'un dont il ne serait pas mauvais de s'assurer la sympathie. Or Dubois va lui révéler que le critique
s'appelle Sainte-Beuve : « Il habite à côté de chez vous, rue de
Vaugirard, au numéro 94. » Voilà l'extraordinaire de
l'affaire : les Hugo logent au 90 de la même rue ! Sur-le-
champ, Victor se rend chez Sainte-Beuve pour le remercier. Il
ne le trouve pas chez lui, laisse sa carte. *Récit de Sainte-
Beuve* : « J'allai lui rendre visite le lendemain vers midi, et je
le trouvai à déjeuner. »

Émotion, gêne réciproque, sourires contraints. Très
empressé, Hugo retrouve le premier son aisance coutumière,
il remercie avec chaleur, il parle, parle, parle. Sainte-Beuve,
subjugué, l'écoute mais ne peut s'empêcher de regarder
Adèle :

« La conversation, dès les premiers mots, roula en plein sur la
poésie : Mme Hugo me demanda à brûle-pourpoint de qui donc était
l'article un peu sévère qui avait paru dans *le Globe* sur le *Cinq-Mars*
de De Vigny : je confessai qu'il était de moi. Hugo, au milieu de ses
remercîments et de ses éloges pour la façon dont j'avais apprécié
son recueil, en prit occasion de m'exposer ses vues et son procédé
d'art poétique, quelques-uns de ses secrets de rythme et de couleur.
Je faisais dès ce temps-là des vers, mais pour moi seul et sans m'en
vanter : je saisis vite les choses neuves que j'entendais pour la première fois et qui, à l'instant, m'ouvrirent un jour sur le style et sur la
facture du vers... »

Mais lui continue à regarder Adèle. Occupée aux soins du
ménage, elle est loin, perdue dans quelque rêve. A tel point
que c'est Hugo qui, insistant, doit la tirer de sa songerie. Elle
a dû rougir, murmurer une excuse. Sainte-Beuve l'a-t-il seulement entendue ?

Il est vrai que, depuis quelque temps, Adèle rêve beaucoup.

Il faut le voir, Hugo, en ce temps-là. Il travaille souvent en
même temps qu'il marche. Sortant de chez lui, il gagne volontiers le boulevard Montparnasse. Là, il va et vient, pensif, à la
recherche de vers ou de répliques, donnant de temps à autre
un regard amusé aux passants attirés par les cabarets des
barrières, les boutiques en plein vent, les parades foraines.
D'autres fois, Victor s'en va, sous les arcades de l'Odéon,
lire les journaux. Le 25 janvier 1827, ouvrant un journal libé-

ral, il y découvre la relation d'un incident qui s'est produit la veille chez l'ambassadeur d'Autriche. Ce soir-là, il y avait un bal. Les maréchaux de Napoléon, presque tous devenus dignitaires à la cour des Bourbons, se sont vus naturellement conviés. Mais quand le duc de Tarente en grand uniforme, bardé de tous ses cordons, s'est présenté, il a eu la surprise d'entendre l'huissier annoncer : M. le maréchal Macdonald. Pour le duc de Dalmatie, l'huissier a glapi : M. le maréchal Soult. Le duc de Trévise n'a eu droit qu'à : M. le maréchal Mortier. On a de même refusé son titre au duc de Reggio. Nul doute : il y a eu préméditation. On veut bien laisser aux maréchaux leur grade mais on leur refuse leur titre impérial. Outrés, les maréchaux sont sortis ensemble de l'ambassade.

Victor va rentrer fort échauffé rue de Vaugirard. Jamais il ne s'est autant senti le fils du général Hugo. Il n'hésite guère. Il vengera les maréchaux comme il vengerait son père. Il écrira une ode — d'un seul élan comme il entreprend tout dès lors qu'un sentiment fort le soulève. Commencée à midi, nous révèle Adèle, l'ode est achevée... à 6 heures du soir ! Le 9 février, *le Journal des débats* la publie. Il s'agit de l'*Ode à la colonne.*

Deux cents vers à peine. Pourtant, « elle pèse aussi lourd qu'un recueil entier dans l'itinéraire de Victor Hugo [1] ». Politiquement, nous découvrons ici un tournant décisif. Non pas que Hugo ait voulu rompre avec les Bourbons. Il reste habile et le souligne. De la colonne Vendôme, il dit :

Au bronze de Henri mon orgueil te marie.

Il parle des victoires que « les Bourbons ont toujours adoptées ». Mais, lors de la publication, nul ne s'y trompera. Ce qui frappe, dès les premiers vers, c'est le ton enflammé, la fougue, ce que nous appellerions la force de frappe. Tout au long des strophes, nous voyons un poète furieux qui crie, un poète frappé en plein cœur. Un poète qui ne veut plus larmoyer sur les péchés que l'on ordonne chaque jour à la France d'expier. Hugo ne veut plus des vingt ans de règne de Louis XVIII. Il exige que l'on intègre la Grande Armée aux fastes de la France et Napoléon aux souverains des anciennes

1. Jean Massin.

races. D'emblée, c'est la colonne Vendôme, coulée dans le bronze des canons pris à l'ennemi, qu'il prend à témoin.

> Ô Monument vengeur ! Trophée indélébile !
> Bronze qui, tournoyant sur ta base immobile,
> Sembles porter au ciel ta gloire et ton néant ;
> Et, de tout ce qu'a fait une main colossale,
> Seul es resté debout ; — ruine triomphale
>   De l'édifice du géant !

C'est fait : Hugo a brisé la gangue dont il parvenait mal à se libérer. La flamme qui enlève ses vers n'est pas forcée. Elle naît de sa propre blessure et elle est vraie.

> J'aime à voir sur tes flancs, Colonne étincelante,
> Revivre ces soldats qu'en leur onde sanglante
> Ont roulés le Danube, et le Rhin, et le Pô !
> Tu mets comme un guerrier le pied sur ta conquête.
> J'aime ton piédestal d'armures, et ta tête
>   Dont le panache est un drapeau !

Mais de l'orgueil proclamé, vite il passe à la menace :

> Prenez garde ! — La France, où grandit un autre âge,
> N'est pas si morte encor qu'elle souffre un outrage !
> Les partis pour un temps voileront leur tableau.
> Contre une injure, ici, tout s'unit, tout se lève,
> Tout s'arme, et la Vendée aiguisera son glaive
>   Sur la pierre de Waterloo...

Nous n'avons vraiment aucun effort à faire pour mesurer le double coup de tonnerre qu'a représenté la publication de l'*Ode à la colonne* dans les *Débats* du 9 février 1827, et sa reprise, les jours suivants, par la majorité des journaux. Double, parce que les royalistes qui voyaient en Hugo leur porte-parole vont se sentir trahis. Cependant que les demi-solde, les fidèles de la légende napoléonienne, les Vieux de la Vieille ressentiront une stupeur identique mais inverse. Victor Cousin abordera Hugo par ces mots : « Salut au grand citoyen [1]. »

A l'encontre des contemporains qui ont été impressionnés par le fond de cette ode, sa fougue revendicative, sa colère vibrante, nous sommes, nous, frappés par la forme. Hugo

---

1. *Manuscrit d'Adèle.*

nous apparaît totalement dégagé des ornements douceâtres du néoclassicisme agonisant. Il répudie avec force les circonvolutions pour aller droit au but. En politique comme en poésie, Victor Hugo vient de choisir la liberté.

L'*Ode à la colonne* n'est pour lui qu'une péripétie. La veille du jour où les *Débats* l'ont publiée, Victor écrivait à Vigny et à Sainte-Beuve pour les convier à une lecture chez Pierre Foucher — l'appartement de la rue de Vaugirard est vraiment trop petit ! — des premiers actes de *Cromwell*. En fait, il donnera plusieurs lectures qui toutes se situent autour de son anniversaire : cette année-là, il a vingt-cinq ans.

La nouveauté de l'œuvre, sa force, le comique des quatre fous mêlés à l'élan de la fatalité, la richesse comme l'audace des mots et des vers, tout cela émerveille Vigny : « C'est un colossal ouvrage... *Cromwell* couvre de rides toutes les tragédies modernes de nos jours. Quand il escaladera le théâtre, il y fera une révolution et la question sera résolue. » Sainte-Beuve va se montrer beaucoup plus réservé, jugeant certes que certains passages, comme le monologue, les scènes du conseil privé, sont fort réussies : « Tout cela est beau et très beau ; on se récrie d'enthousiasme presque à chaque vers. » Mais le jeune critique a eu beaucoup de mal à admettre la partie comique : « Plus le contraste produisait d'effet, plus il fallait le dispenser avec sobriété, et je crois que vous avez dépassé la mesure, surtout dans les *a parte* très longs et trop fréquents qu'il fallait, ce me semble, un peu plus sous-entendre : la parodie devrait être moins développée... » Décalage qui ne saurait nous surprendre. Il y a trop de raison chez Sainte-Beuve, alors que, chez Hugo, la déraison sera toujours l'un des stimulants de sa création. Déjà, dans la préface des *Odes et Ballades*, Hugo avait proposé une définition dont évidemment il ne pouvait penser qu'elle s'appliquerait à lui-même comme à Sainte-Beuve : « Le créateur, qui voit de haut, ordonne ; l'imitateur qui regarde de près, régularise. »

D'ailleurs, Hugo va s'expliquer là-dessus. Il sait déjà que la pièce, trop longue, et dotée de trop de personnages, sera difficilement jouable. Sans attendre la représentation, il va donc la publier. Mais il la fera précéder d'une préface de laquelle, stimulé par l'acharnement et la hargne des classiques, il va faire une proclamation. Sait-il, au moment où il la rédige, que cette préface va marquer définitivement son entrée dans l'histoire ? Une génération littéraire entière jugera avoir vécu *avant* ou *après* la Préface de *Cromwell*. Dans toute la société cultivée, l'effet produit sera proprement inouï. Hugo ne s'y est pas trompé qui a estimé que l'humanité, au moment où il écrivait, était parvenue à un nouvel âge : « Le genre humain dans son ensemble a grandi, s'est développé, a mûri comme un de nous. Il a été enfant, il a été homme ; nous assistons maintenant à son imposante vieillesse. » A cet âge neuf, il faudra une littérature, une poésie, un théâtre neufs : « Le christianisme amène la poésie à la vérité. Comme lui, la muse moderne verra les choses d'un coup d'œil plus haut et plus large. Elle sentira que tout dans la création n'est pas humainement *beau*, que le laid y existe à côté du beau, le difforme près du gracieux, le grotesque au revers du sublime, le mal avec le bien, l'ombre avec la lumière. » D'où la revendication d'intégrer le grotesque dans une œuvre d'art. Bien sûr, Hugo fait référence à Shakespeare. Comment l'oublierait-il puisque l'esthétique à laquelle il tente de donner des lois lui doit tant ?

La vie est faite de lumière et d'ombre. Le nouveau poète ne devra songer qu'à susciter des sensations proches de la vie. Il ne devra pas craindre de montrer alors que les auteurs classiques se contentaient de suggérer et de raconter. Dans le théâtre classique, on ne mourait qu'en coulisse. Le drame romantique ne redoutera pas de faire périr ses héros sur le devant de la scène. Foin de cette règle absurde des deux unités : « Nous disions deux et non *trois* unités, l'unité d'action ou d'ensemble, la seule vraie et fondée, étant depuis longtemps hors de cause. » « Le théâtre est un point d'optique. Tout ce qui existe dans le monde, dans l'histoire, dans la vie, dans l'homme, tout doit et peut s'y réfléchir, mais sous la baguette magique de l'art. » J'aime cette exclamation qui dit tout : « Malheur au poète si son vers fait la petite bouche ! » Rassurons-nous : ce ne sera jamais le cas de Hugo. Alors la liberté, la liberté absolue ? Certes, à condition qu'elle soit tempérée par le goût : « Le goût, c'est la raison du génie. »

Aurait-on parlé autant de *Cromwell* sans la préface ? De ce texte, ce qui va enchanter une partie du public et surtout la jeunesse, c'est le ton volontairement profanateur. Se plaçant en apparence sur le seul plan littéraire, Hugo multiplie les appels à la liberté. Et les lecteurs de se demander s'il existe deux libertés : littéraire et politique. En juin 1829, Hugo publiera dans *la Revue de Paris* un texte contemporain de la préface, et dont nous pouvons penser qu'il faisait partie à l'origine [1] : « Notre édifice est bien vieux. Il se lézarde de toutes parts. Rome n'est plus le centre. Chaque peuple tire de son côté... La Révolution française a consommé l'œuvre de la Réforme ; elle a décapité le catholicisme contre la monarchie... que fera l'avenir de cette société européenne qui perd de plus en plus, chaque jour, sa forme papale et monarchique ? » Hugo n'a pas cru devoir insérer un passage aussi audacieux dans sa préface. En 1827, il veut bien aller très loin — pas trop loin. Mais la jeunesse a compris. La presse conservatrice aussi. *La Gazette de France* va souligner que, si M. Hugo, « jeune écrivain dont la réputation n'a point dépassé l'enceinte de quelques cercles amis », prend sur un ton « de hauteur dédaigneuse » la défense du romantisme, un autre auteur dramatique, le vicomte d'Arlincourt, a su se faire l'avocat remarquable du classicisme : ils « l'ont fait en même temps et souvent dans des termes identiques ; s'il y a entre eux quelque différence, elle est tout entière à l'avantage du dernier, dont la prose nous a semblé bien préférable, sous le rapport du goût et de simplicité à celle de l'auteur de *Cromwell...* ».

Pour le lecteur à qui le nom de vicomte d'Arlincourt n'évoquerait rien — nul ne saurait en vouloir à ce lecteur — je me permettrai de citer ce vers mémorable de sa tragédie *la Captive* :

> De ce monde il sortit comme un vieillard en sort !

Pas de doute, Victor Hugo, à vingt-cinq ans, est devenu chef d'école. La preuve, on le pourfend autant qu'on le porte aux nues. Alexandre Soumet lui-même va être à quia : « Je lis et je relis sans cesse votre *Cromwell*, cher et illustre Victor, tant il me paraît rempli des beautés les plus neuves et les plus hardies ; quoique dans votre préface vous nous traitiez de mousses et de lierres rampants, je n'en rendrai pas moins justice à votre admirable talent et je parlerai de votre œuvre michel-angelesque comme je parlais autrefois de vos *Odes*. »

Avec deux enfants, les murs de l'appartement de la rue de

---

1. Claude Duchet.

Vaugirard se révèlent trop étroits. Les cris, les rires de Léopoldine, les pleurs de ce bébé si florissant que chacun
l'appelle déjà le « gros Charlot » dérangent le poète dans son
labeur de chaque instant. L'idée s'impose : aller ailleurs,
s'installer dans un logis moins étriqué. On a cherché. Victor
aussi bien qu'Adèle ne souhaitent pas s'éloigner trop d'un
quartier où ils ont leurs habitudes, leurs aises — et qu'ils
aiment. On y a mis du temps, de la peine, et l'on a fini par
découvrir l'appartement rêvé, au numéro 11 de la rue Notre-
Dame-des-Champs. Imaginez une vieille maison composée
seulement d'un rez-de-chaussée, d'un étage et de combles
mansardés. Sur la rue, la façade évoque un peu celle, trapue,
presque campagnarde, que les illustrations de la comtesse de
Ségur proposaient de l'auberge de l'Ange gardien. La rue
même ressemble à celle d'un gros village. Les chiens y courent en liberté et, d'un jardin voisin, s'élève volontiers le
chant du coq. Les Hugo, ravis, se sont sentis en esprit plus
près de Gentilly que de la rue Saint-Denis. Les barrières favorites de Victor, Montparnasse, Vaugirard, sont à deux pas :
cela veut dire la pleine campagne.

A n'en pas douter, c'est le jardin qui a achevé de les
séduire. Les amis de Hugo nous l'ont décrit tel un charmant
petit jardin. Aujourd'hui, en plein Paris, un jardin d'une telle
taille, nous l'appellerions un parc. Rien d'ordonné, des allées
qui semblent avoir été tracées au hasard, des pelouses qui
davantage sont des prairies, des arbres en liberté, des herbes
folles. Là, une pièce d'eau et même — quel architecte-poète a
bien pu penser à cela ? — un pont de bois, parfaitement inutile et d'autant plus charmant. Au fond, une porte ouverte
dans un gros mur de pierre, permet de gagner directement le
Luxembourg. En visitant le premier étage, seul proposé à la
location, les Hugo ont dû s'avancer sur le balcon qui prolonge le salon et lorgner avec envie de ce jardin. Comment ne
pas, dans l'instant, adresser une pensée émue aux Feuillantines ? Comment Victor, soudain, ne songerait-il pas à sa
mère et à sa passion de toujours pour les jardins ? Les propriétaires, un couple de commerçants retirés des affaires qui
ont acquis la maison pour y vivre paisiblement dans une rue
sans bruit, ont dû surprendre la convoitise de ce regard,
s'attendrir devant ces époux si jeunes, ces enfants si beaux.
Eux-mêmes se sont réservé le rez-de-chaussée et logiquement
ont seuls accès au jardin. L'offre généreuse ne s'est pas fait

attendre : les locataires pourront disposer du jardin et les enfants y jouer quand ils voudront. Promesse qui a certainement balayé les dernières hésitations de Victor car le loyer est naturellement plus élevé que celui de la rue de Vaugirard. Chez les Hugo, on doit compter. Victor y veille sans cesse et Adèle, qui volontiers dépenserait, s'est mise au diapason. Au vrai, sans atteindre la richesse, on dispose de ressources nettement améliorées : en février 1826, Hugo a cédé pour 1 000 francs à l'éditeur Urbain Canel la nouvelle mouture de *Bug Jargal*. En novembre de la même année, les *Odes et Ballades* lui ont rapporté 3 000 francs. Cela s'ajoute à la pension royale et à celle du ministère de l'Intérieur. Tout cela, pour un jeune poète, n'est pas si mal.

On s'est donc décidé et transporté dans ce premier étage où l'on s'étale, avec un bonheur non exempt de volupté, dans le salon, la salle à manger, les deux chambres, le cabinet de travail. Précieux cabinet de travail ! Émile Deschamps, l'un des premiers, viendra y visiter Hugo, ne le trouvera pas, sera accueilli par Adèle. Il s'extasiera : « Elle nous a montré tout votre palais, avec ses jardins. Vous êtes admirablement logé et votre muséum est merveilleux. On n'a pas plus et plus beaux tableaux que ceux-là... »

Là, vont le rejoindre très vite les amis, anciens et nouveaux. A ceux rencontrés à *la Muse française* ou chez Nodier s'ajoutent maintenant de jeunes poètes éblouis par la gloire naissante de Hugo. Un jour, à Angers, un adolescent, Victor Pavie, publie dans une obscure feuille locale un article enthousiaste sur les *Odes et Ballades*. Hugo le remercie. Une lettre de l'idole ! Pavie accourt à Paris. Hugo le reçoit comme un familier de toujours. Vingt ans plus tard, Pavie répétera encore : « On deviendrait fou à moins. » Des poètes, certes, mais aussi des peintres et des sculpteurs. Après Boulanger et Devéria — qui habite aussi rue Notre-Dame-des-Champs — David d'Angers est devenu l'intime des Hugo. Delacroix et Huet ont suivi.

Dans le petit salon de la rue Notre-Dame-des-Champs, le jeune Balzac pourra rencontrer le jeune Vigny, le jeune Mérimée croiser le jeune Théophile Gautier. Ce qui me plaît, c'est leur jeunesse à tous. Bonaparte, recevant les chefs vendéens après le 18 Brumaire, leur déclarait : « Mon gouvernement sera celui de la jeunesse et de l'esprit. » Le Hugo de 1827, rue Notre-Dame-des-Champs, me fait songer à ce Bonaparte-là.

De temps en temps, Abel Hugo vient sonner chez son frère et aussi Paul Foucher, frère d'Adèle. L'été, quand vient le soir, il se trouve toujours quelqu'un, parmi ces jeunes gens, pour s'écrier qu'il est temps d'aller manger des galettes au *Moulin de beurre.* On le nomme ainsi, ce moulin, parce que le propriétaire s'est enrichi en vendant du beurre. Logique. Le moulin dresse ses ailes, du côté de Vanves, en pleine campagne. Avec des cris, des rires, la petite bande se met en route. Ces soirs-là, on ne revient pas dîner, on s'attable pendant des heures dans les guinguettes des environs.

Un soir, Abel arrête son cabriolet devant l'immeuble de son frère — oui, il possède maintenant un cabriolet, signe que ses affaires sont florissantes — et, tout animé, raconte que, cherchant où se restaurer, il a entendu une musique sous les arbres. Il s'est approché, a aperçu une petite maison bâtie entre une cour pleine de fleurs et les ombrages d'un jardin. Il a dîné sous une tonnelle, si bien dîné qu'il exige que son frère et ses amis l'y accompagnent sur-le-champ. De tels avis, cette jeunesse ne se les fait jamais dire deux fois : à l'instant on court vers ce restaurant dont on apprend qu'il appartient à une certaine mère Saguet. Tous se souviendront plus tard des

... vagues violons de la mère Saguet.

L'enchantement deviendra si général que désormais on ne nommera plus Abel que le « Christophe Colomb de la mère Saguet ». Hugo et ses amis font avec tant d'énergie l'éloge de cette « bonne grosse femme avenante » que bientôt les sculpteurs et les peintres y côtoieront les poètes et les écrivains. Un menu varié chez la mère Saguet ? Son seul garde-manger, c'est sa basse-cour. Comme s'en souviendra Adèle, « elle égorgeait quelques poulets, les coupait en deux, les faisait cuire sur le gril, et rehaussait le mets d'une sauce piquante. L'omelette, la ressource des imprévoyants, s'ajoutait aux volailles. Un petit vin blanc était sorti de la cave, le couvert était dressé sous les berceaux verdoyants, en vue des plaines de Vanves. On s'était mis à table à six heures, on la quittait à dix heures ». On s'en allait radieux.

Parfois, le dimanche, Adèle, qui a pu faire garder Charles, accompagne son mari et Didine — quel privilège ! — obtient la permission de suivre son père et sa mère. Adèle se souviendra que, lorsque la famille arrivait à l'auberge, les convives déjà réunis s'écriaient en voyant Léopoldine : « Qu'elle est belle, la petite Hugo !... Et la mère, fière, embrassait sa fille. » Ces jours-là, parmi les jeunes gens, il y a plus de réserve, plus de respect. Elle les impressionne un peu, Adèle, surtout par sa discrétion, ses silences. Au milieu de ces jeunes gens qui parlent haut, sont pétris de culture, échangent les vers et les jugements à l'emporte-pièce, citent aussi bien Juvénal que Chateaubriand, Dante que Lamartine, elle écoute et se tait. Parfois, fatiguée par tant de propos brillants, elle s'éloigne en esprit, laisse planer seulement sur son joli visage mat un sourire vague. Si on l'interpelle, elle répond n'importe quoi. Alors, il y a un bref silence et parfois un regard de Victor si sévère qu'elle perd définitivement contenance.

L'un des habitués de la rue Notre-Dame-des-Champs, Sainte-Beuve, l'a montrée retrouvant « par moments une sécurité nonchalante qui lui rendait la distraction et la rêverie ». Et il ajoute : « Plus je la voyais, plus elle me devenait une énigme de sensibilité et de profondeur, âme si troublée, puis tout d'un coup si dormante, si noyée en elle ou si tendue sur les deux ou trois êtres d'alentour, tantôt ne sortant pas d'une particulière angoisse, tantôt ravie en des espèces d'apathies mystérieuses et l'œil dans le bleu des nues [1]. » A l'annonce que les Hugo quittaient la rue de Vaugirard, Sainte-Beuve, fidèle Achate, a convaincu sa mère — avec laquelle il habitait — de les suivre. Il s'en est allé se loger dans la même rue, au numéro 19. Comment ne pas être frappé par une si extraordinaire fidélité ? On parle toujours de coup de foudre en amour. Il faut voir ici le signe d'un coup de foudre en amitié.

Sainte-Beuve critique n'a jamais pu retenir les réserves que lui inspirait l'œuvre de Hugo. Sainte-Beuve ami a, dès le premier instant, balayé tout désaveu. L'homme Hugo l'enchante, l'éblouit, le fascine. Peu à peu, les deux hommes se sont découverts inséparables. Sainte-Beuve sonne chaque jour chez son ami, parfois deux fois par jour. Dès que Hugo compose un poème, il faut qu'il le lise à Sainte-Beuve. A peine Sainte-Beuve a-t-il écrit un article qu'il accourt le montrer à Hugo. En ce temps-là, Sainte-Beuve écrit aussi des vers ; ce n'est pas ce qu'il fait de mieux. Tremblant, il vient les sou-

1. *Volupté.*

mettre à son ami, sollicitant davantage les critiques que les avis. Quand le salon se remplit de romantiques de toutes obédiences, Sainte-Beuve s'y glisse, effarouché et tremblant. Hugo l'oblige à sortir de sa réserve, exigeant qu'il récite ses propres vers. Chaque fois, c'est un refus proféré d'une voix blanche. Alors Hugo insiste, relayé par tous les autres. Autour des jeunes gens et entre leurs jambes — le salon est si exigu! — courent la petite Léopoldine et le gros Charlot. Enfin, Sainte-Beuve consent. Mais alors il recommande aux deux bambins, pendant qu'il aura la parole, de faire le plus de bruit possible. Aussitôt on proteste, on interdit aux enfants — qui n'y comprennent plus rien! — de se faire entendre.

Chaque fois que Sainte-Beuve récite ses vers, Adèle Hugo écoute. Elle les trouve beaux, ces vers.

Six ans plus tôt, Alexandre Soumet avait proposé à Hugo d'adapter avec lui pour le théâtre un roman de Walter Scott, *le Château de Kenilworth.* Soumet devait rédiger deux actes et Hugo trois. Victor était aussitôt venu à bout de sa propre besogne. Soumet n'avait jamais livré ses deux actes.

Pourquoi, au début de 1827, Hugo — qui travaille encore à *Cromwell* — a-t-il eu l'idée de rechercher dans ses tiroirs l'œuvre ébauchée? L'explication communément admise est qu'il a voulu à la fois rendre service à son jeune beau-frère Paul Foucher, alors âgé de dix-sept ans, et en même temps offrir un nouveau geste d'amour à Adèle. Pourquoi le nier? Mais, quand on relit *Amy Robsart* — nouveau titre qu'il va donner à la pièce —, on comprend que l'œuvre reprise correspond à un certain nombre de nécessités psychologiques du Hugo de ce temps-là. Dans *Amy Robsart*, Hugo n'est pas loin de *Cromwell.* Il se retrouve en Angleterre, dans un contexte très voisin. Certes il n'est guère de points communs entre le dictateur Cromwell et le comte de Leicester, favori de la reine Elisabeth. On comprend malgré tout le désir soudain qui est venu à Hugo de reprendre son drame d'autrefois.

C'est sous le nom seul de Paul Foucher que l'on va représenter cette nouvelle version. Pauvre Paul! Le drame n'est joué, le 13 février 1828, qu'une seule fois. Delacroix a beau avoir dessiné les costumes, les acteurs ont bien pu se donner de leur mieux, c'est un échec cuisant. Une cabale? Un journaliste de *la Pandore* affirme que la pièce a été sifflée avant même que le rideau se soit levé. Le public ne cesse de huer les répliques, les scènes, les actes. Bientôt ce sont des rires, des cris, des injures. La critique se montrera féroce.

Navré d'avoir jeté son beau-frère dans cette aventure, peut-être furieux contre lui-même, Hugo écrit aussitôt aux journaux que les passages « les plus sifflés » sont de lui. Il ajoute noblement : « L'auteur a retiré la pièce. »

Au cours de tous ces mois-là, Hugo s'est senti très proche de sa belle-famille. Tout au long de l'année 1827, Mme Foucher a beaucoup souffert d'un mal que les médecins se déclarent incapables de soigner et qui d'évidence est un cancer. A l'automne, elle a dû garder le lit et ne s'est plus relevée. Aucun moyen d'apaiser ses souffrances. Ce qui frappe Adèle et Victor, c'est le courage qu'elle manifeste à chaque instant.

Manuscrit d'Adèle : « Tenaillée par un mal incurable, elle jetait un cri de douleur et s'inquiétait aussitôt de la santé des siens. Étaient-ils bien soignés ? Comment les nourrissait-on ? Avait-on soin du linge de ses fils ? Les chemises destinées aux grandes toilettes ne jaunissaient-elles pas ? Au milieu des cruelles angoisses de la chère éprouvée, rien n'était plus attendrissant que cette préoccupation des autres.

« Un prêtre fut mandé... Méridional, le sang lui montait facilement à la tête ; irascible par accès, bon diable du reste, leste dans la conversation, il était plus sensible que prêtre.

« Devant la souffrance, la destruction et le mystère de la mort, le léger abbé revêtit son caractère sacerdotal et cela sans qu'il y eût rien de joué. Il approcha la malade recueilli et grave, et la quitta le visage inondé de larmes. »

Un mariage va succéder à un deuil. Abel va épouser Julie Duvidal de Montferrier, cette charmante artiste qui naguère avait donné des leçons de dessin à Adèle. Abel l'avait rencontrée au mariage de son frère. Elle lui avait plu. Il ne se sentait pas assez à son aise pour se marier. Il avait attendu. Elle aussi.

Bien sûr le général Hugo est venu assister au mariage. La comtesse, sa femme, l'a suivi à Paris. Le gouvernement vient de le libérer définitivement de l'obligation à résidence qui frappait les officiers en demi-solde, tenus pour suspects. Il pense de plus en plus à sa propre carrière d'écrivain. Pourquoi ne pas devenir parisien, au moins pour un temps ? Il s'installe le plus près possible de ses fils, rue Plumet. Victor

s'en souviendra dans *les Misérables,* quand il situera son
« idylle » rue Plumet.

Victor ne s'est jamais senti si près de son père. Presque
chaque soir, il passe de longues heures chez lui. Le général
est toujours le même, gaillard, prompt à plaisanter. Il a beaucoup grossi, son teint est devenu de brique. Il cligne toujours
de l'œil lorsqu'il annonce une nouvelle plaisanterie, fronce
toujours sa narine à la façon des lapins. Elle l'aime de plus
en plus, Adèle, et chaque fois qu'elle le peut, accompagne son
mari chez son beau-père.

Ce soir-là, 18 janvier 1828, Victor et Adèle ont dîné tôt et
sont partis rue Plumet.

Manuscrit d'Adèle : « Le temps était toujours trop court quand ils
étaient ensemble pour ce qu'ils avaient à se dire. Le général, qui se
levait grand matin, se couchait de bonne heure. Cette bonne conversation de coin du feu était si douce qu'on la prolongea plus que
d'habitude.

« Il était onze heures du soir, Victor Hugo, rentré chez lui, se couchait, quand on sonna vivement à la porte d'entrée. La sonnette de
nuit est quelque chose de sinistre. Victor Hugo, aussi surpris
qu'inquiet, courut précipitamment ouvrir. Il vit un homme qu'il ne
connaissait pas.

« " Qui êtes-vous ? ", demanda Victor Hugo, " et qu'y a-t-il ? "

« " Je viens ", répondit l'inconnu, "de la part de Mme la comtesse
Hugo vous dire que votre père est mort ". »

Mort ! Alors qu'une heure plus tôt le général riait aux
éclats ! Il faut d'autres explications pour dissiper l'incrédulité
de Victor. Il se rhabille, court rue Plumet.

« Il trouva son père rigide et décoloré, étendu sur son lit, le col de
la chemise déboutonné et des ligatures au bras. Un étranger était
près du lit. Dans la pénombre de la chambre, il sembla à Victor
Hugo avoir déjà vu ce visage. L'inconnu dit à Victor Hugo que son
père était mort d'une attaque d'apoplexie au cœur, qu'on était allé
chercher des secours le plus près possible, que demeurant à la porte
du général et étant médecin, on s'était adressé à lui, qu'accouru près
du malade, il avait pratiqué une saignée et fait ce qui est indiqué en
pareil cas, que tous ses efforts avaient échoué, l'apoplexie étant foudroyante. »

Quelque chose d'irrémédiable qui passe. *A Victor Pavie,
29 janvier 1828* : « J'ai perdu l'homme qui m'aimait le plus au

monde, un être noble et bon, qui mettait en moi un peu d'orgueil et beaucoup d'amour, un père dont l'œil ne me quittait jamais. » La mort de Sophie Hugo avait emporté la moitié de la jeunesse de Victor. Cette fois, avec le « héros au sourire si doux », elle s'est enfuie tout entière. Chagrin. Solitude.

Le service a été célébré à l'église des Missions étrangères. On a porté en terre le général. Il a eu droit à un bel article dans *le Courrier français*. Détail : c'est un admirateur de Victor qui l'a rédigé, ce libéral d'Alphonse Rabbe.

La mort d'un proche est un stimulant de la mémoire. Tout revient en foule, le bon et le mauvais. Et les remords parfois. On se reproche ce qui n'a pas été accompli. Dans ce procès jugé à huis clos, le défunt est toujours acquitté. C'est soi-même que l'on condamne. En apparence, rien n'a changé pour Victor. Il parachève les travaux en cours, reprend les démarches interrompues, poursuit ses infatigables correspondances. Le même souffle d'inspiration l'enlève. A tout instant, il note un vers, ou deux, ou cinq, qui lui échappent, qu'il reprendra un jour ou non, peu importe. Il enregistre une idée de pièce, de poème, de roman. Il griffonne un commentaire, un avis, une critique, un aphorisme. Aucune lézarde apparente à la glorieuse façade du chef des romantiques. Mais, d'être secrète, la blessure n'en est pas moins profonde.

N'importe, on reste incrédule devant les innombrables pages restées à l'état d'ébauche.

Il faut découvrir la totalité de ces « feuilles paginées » dans l'édition proposée par M. Guy Rosa. Ce que l'on éprouve, c'est une sensation de vertige. Songeons que, dans le même temps, il compose en janvier « la Chasse du Burgrave » pour *Odes et Ballades*, en mars, « la Chanson des Pirates » pour *les Orientales*, en avril « Grenade » et « les Bleuets » pour *les Orientales*, « la Légende de la nonne » pour *Odes et Ballades*, « le Ravin » et « les Fantômes » pour *les Orientales*, qu'en mai il n'écrit pas moins de six poèmes. L'inspiration semble couler de lui tel un fleuve au débit régulier, de plus en plus majestueux qui, tout à coup, sans que l'on puisse s'y attendre, se change en torrent, arrachant des fragments de berges pour les emporter loin. Très loin.

Ce qui se mêle à tout cela, ce sont les étapes prosaïques de la succession. D'un seul coup, on quitte les cimes pour le sordide. Presque aussitôt, des heurts se produisent avec la belle-mère, vite redevenue pour les fils Hugo Catherine Thomas. On en vient à un duel ouvert, à du papier timbré, à des contraintes, à des scellés. Chez son père, le grand amateur de vieux papiers qu'a toujours été Hugo s'est plongé dans les archives familiales. Voici des liasses épaisses de papier judiciaire, les pièces du procès en séparation, la confirmation de soupçons conçus de longue date. Un goût de cendres.

Au reste, rien de plus embrouillé que cette succession. Les frères Hugo se demandent s'ils doivent l'accepter et finalement ne le font que sous bénéfice d'inventaire. En novembre 1829, Hugo n'espérera plus rien quant à cet héritage mythique :

« Mes biens d'Espagne accrochés par Ferdinand VII, nos indemnités de Saint-Domingue retenues par Boyer, nos sables de Sologne à vendre depuis vingt-trois mois, les maisons de Blois que notre belle-mère nous dispute... Par conséquent rien, ou peu de choses, à recueillir dans les débris d'une grande fortune, sinon des procès et des chagrins... Voilà ma vie. »

Bref, Abel et Victor ne se sont partagé que des illusions. Inutile de parler d'Eugène : point de succession pour les déments.

Le portraitiste officiel de Hugo est maintenant Achille Devéria. Je dis officiel parce qu'il le dessine aussi bien en 1827, en 1828 qu'en 1829. Bien sûr, on ne saurait découvrir, entre ces effigies si rapprochées, une évolution frappante. Et pourtant ! Le portrait de 1828 nous montre un homme au visage plein sous l'abondante chevelure sombre. On aurait même tendance à lui trouver les joues trop rondes. Certes, il est beau — qui oserait le nier ? Le front immense, les grands yeux noirs, le nez fin, la bouche sensuelle, tout cela, quand il paraissait dans un salon, faisait rêver les dames. Mais on serait tenté de voir là un poète trop bien nourri. En 1829, il a maigri. A ce point que les méplats s'accusent. L'air de satisfaction quelque peu ironique qu'il laissait apercevoir en 1828 a fait place à une gravité sereine, à une autorité plus souveraine qu'altière. Ici, l'iconographie ne fait que confirmer ce que lettres et témoignages nous apprennent. A vingt-six ans, Hugo a incontestablement acquis une manière d'équilibre. A vingt ans, ses amis le trouvaient trop sérieux, ce que nous pouvons comprendre par : trop tendu. Il n'est pas aisé de faire face à une célébrité prématurément venue. L'intéressé ne peut s'empêcher de songer que la chance a pris le pas sur le mérite. On devient vigilant quant à soi-même. D'où cette raideur, ce côté guindé que Vigny, par exemple, soulignait chez Hugo.

Hugo, à vingt-sept ans, c'est déjà l'homme qui se considère comme investi d'une mission. Plus loin, toujours : voilà son programme qui embrasse la poésie, le théâtre, le roman. En cela, il s'intègre parfaitement dans son siècle qui est celui, sur tous les plans, des entreprises démesurées et des créateurs boulimiques. Hugo, Balzac, Dumas sont contemporains.

Au reste, il est heureux : tous ceux qui le rencontrent emploient le même mot. Ils disent aussi qu'il est gai, ce qui est important : « Je ne sais personne ici-bas qui n'ait jamais ri du rire de M. Victor Hugo », note Jules Janin. Physiquement, il apparaît en pleine force. Nous aurions tendance à évoquer un grand fauve qui se contraint lui-même à la douceur. Toujours fidèle à Adèle, certes, mais se laissant aller dans le privé à des allusions si libres qu'il étonne Vigny : « A présent, il aime les propos grivois et il se fait libéral : cela ne lui va pas. » Rectifions : cela ne va pas à Vigny. Peut-être, dans l'aigreur de cette constatation, faut-il voir un peu de jalousie. Le gentilhomme-poète a quitté l'armée pour se consacrer aux lettres. Sa muse lui a inspiré et lui inspirera des chefs-d'œuvre, il n'en doute pas. Jamais elle ne l'entraînera vers ce génie tumultueux qu'il doit bien reconnaître à son ami Hugo. Les hommes dotés d'une voix douce ont toujours redouté et envié ceux à qui la nature a accordé un organe de stentor.

L'amertume de Vigny s'exerce aussi quant au nouvel ami de Hugo, Sainte-Beuve. Dans son journal, il note, le 23 mai 1829, avoir rencontré ce dernier chez Victor. Il le dépeint comme un « petit homme assez laid, figure commune, dos plus que rond, qui parle en faisant des grimaces obséquieuses et révérencieuses comme une vieille femme », ce qui n'est vraiment pas aimable. Il estime que Hugo est « dominé politiquement par ce jeune homme spirituel qui vient de l'amener, par son influence journalière et persuasive, à changer absolument et tout à coup d'opinion ». Il est bien vrai que Hugo ne jure plus que par Sainte-Beuve. Il est juste de dire aussi que Sainte-Beuve ne jure que par Hugo. Ces lignes-là,

Vigny les garde enfouies dans son journal. Quand il écrit à
Hugo, le style est tout autre :

> « Je vous ai, je vous tiens depuis longtemps, malgré vous, et je ne
> vous quitte pas ; vous me suivez tout le jour, jusqu'à la nuit, et je
> vous reprends le matin. Je vais de vous à vous, de haut en bas, du
> bas en haut, des *Orientales* au *Condamné* ; de l'Hôtel de Ville à la
> tour de Babel. C'est partout vous, toujours vous, toujours la couleur
> éclatante, toujours l'émotion profonde, toujours l'expression vraie,
> pleinement satisfaisante, la poésie toujours. »

Il est vrai qu'avec *les Orientales*, parues en janvier 1829,
Hugo vient encore d'étonner ses amis. Et ses ennemis.

Il n'a jamais vu la Grèce ni l'Orient. Mais la Grèce est à la
mode. Là-bas, on se bat contre l'oppresseur turc. La jeunesse
de l'Europe vibre pour cette cause en quoi elle voit celle de la
liberté tout entière. Pour elle Byron vient de donner sa vie.
L'ami de jeunesse de Victor, Edouard Delon, est allé mourir
au pays des Hellènes. Défendre en France la Grèce est aussi
une manière de tourner la censure : il serait interdit d'écrire
« Vive la liberté » sur les murs de Paris. On appose les trois
mots fulgurants sur le fronton d'un Parthénon imaginaire.

Maints poètes s'étaient déjà exercés à chanter la Grèce
révoltée, Casimir Delavigne comme Lamartine. Ils n'avaient
donné que des mots, des idées, guère d'images. Ce qui a tenté
Hugo, précisément, ce sont ces images-là. Grand lecteur, il a
lu les récits des voyageurs. Surtout, ce dont il s'est souvenu,
c'est de l'Espagne. Elle chante toujours dans sa mémoire et il
n'a rien oublié : « Fraîches promenades d'orangers le long
d'une rivière ; larges places ouvertes au grand soleil pour les
fêtes ; rues étroites, tortueuses, quelquefois obscures, où se
lient les unes aux autres mille maisons de toute forme, de
tout âge, hautes, basses, noires, blanches, peintes, sculptées ;
labyrinthes d'édifices dressés côte à côte, pêle-mêle, palais,
hospices, couvents, casernes, tous divers, tous portant leur
destination écrite dans leur architecture... » Enfin, « à l'autre
bout de la ville, cachée dans les sycomores et les palmiers, la
mosquée orientale, aux dômes de cuivre et d'étain, aux portes
peintes, aux parois vernissées, avec son jour d'en haut, ses
grêles arcades, ses cassolettes qui fument jour et nuit, ses
versets du Coran sur chaque porte, ses sanctuaires éblouis-

sants, et la mosaïque de son pavé et la mosaïque de ses murailles ; épanouie au soleil comme une large fleur pleine de parfums [1] ».

Pourquoi avoir consacré tout un volume à l'Orient ? A cette question il répondra « qu'il n'en sait rien, que c'est une idée qui lui a pris, et qui lui a pris d'une façon assez ridicule, l'été passé, en allant voir coucher le soleil ». Explication de poète ? Pas du tout. L'été, la bande des amis de Hugo, lorsqu'elle courait vers le *Moulin de beurre*, regardait volontiers le soleil se coucher sur la plaine de Grenelle. Musset, participant épisodique de ces sages folies, s'est souvenu de ces moments privilégiés qu'il situe

... précisément à l'heure
Où quand, par le brouillard, la chatte rôde et pleure,
Monsieur Hugo va voir mourir Phébus le blond.

Le flamboiement pourpre du soleil qui meurt a tout à coup projeté Hugo très loin, en Espagne. Et de là plus loin encore : « Car l'Espagne c'est encore l'Orient ; l'Espagne est à-demi africaine, l'Afrique est à-demi asiatique. » Il a admiré aussi le *Massacre de Scio* exposé par Delacroix en 1824 et, du même peintre, la *Scène de guerre entre les Turcs et les Grecs*, événement du salon de 1827 et à propos de laquelle, avec une étonnante lucidité, Auguste Jal avait noté : « Le poète Hugo est peut-être le seul homme qui puisse être dans le secret du génie de ce peintre, que Dante aurait si bien compris. » Quelle tentation ! Puisque d'aucuns voient dans l'Orient de ce temps le symbole de la liberté politique, Hugo, lui, va chercher là une rencontre avec la liberté poétique. Il raffole des mots, jongle avec eux depuis longtemps, beaucoup plus d'ailleurs dans ses feuilles secrètes que dans les textes publiés. Jusque-là, il lui a fallu contraindre sa virtuosité. Et si tout à coup il lui accordait libre cours ? Et si, lui, l'ami des peintres, tentait de peindre avec des mots ? Et s'il mêlait « la lumière et le bonheur d'écrire [2] » ? Le résultat sera *les Orientales*.

Son propos, il ne songea même pas à le dissimuler. Il le proclame dans sa préface : « L'art n'a que faire des lisières, des menottes, des bâillons ; il vous dit : Va ! et vous lâche dans

---

1. Préface des *Orientales*.
2. Henri Meschonnic.

ce grand jardin de poésie où il n'y a pas de fruit défendu. »
Voilà qui est clair. Hugo jure qu'il ne se laisse aller qu'à sa
fantaisie. Il jure qu'il ne faut chercher aucun arrière-plan
dans ce recueil. Qui a-t-il cru tromper ? *Les Orientales* représentent aussi un acte, une prise de position dans un mouvement de pensée devenu en grande partie le sien. Ses vers dansent, cabriolent, s'enluminent, se cassent, éclatent, se
déploient au gré de son caprice. Les sultanes lascives rencontrent les belles juives, Sara la baigneuse croise le soldat de la
marche turque, le derviche tourne aux côtés du mufti sous
les regards du pacha, on aime sous les oliviers et l'on rit au
sérail. Mais l'enfant grec réclame de la poudre et des balles.

La pièce la plus fameuse des *Orientales*, c'est bien entendu
les Djinns. Pour suggérer l'arrivée de « l'essaim des Djinns
qui passe », Hugo commence par une strophe de deux
pieds :

> Murs, ville
> Et port,
> Asile
> De mort,
> Mer grise
> Où brise
> La brise,
> Tout dort.

Dès la deuxième strophe, les vers acquièrent une syllabe de
plus. Cela jusqu'au décasyllabe qui marque l'insoutenable
arrivée des Djinns :

> Le mur fléchit sous le noir bataillon.
> La maison crie et chancelle penchée,
> Et l'on dirait que, du sol arrachée,
> Ainsi qu'il chasse une feuille séchée,
> Le vent la roule avec leur tourbillon !

Ils sont passés, les Djinns, ils s'éloignent. Les vers décrois-
sent de strophe en strophe. Bientôt ils seront loin.

> Ce bruit vague
> Qui s'endort,
> C'est la vague
> Sur le bord ;

C'est la plainte
Presque éteinte
D'une sainte
Pour un mort.

On doute
La nuit...
J'écoute : —
Tout fuit,
Tout passe ;
L'espace
Efface
Le bruit.

La maîtrise. La maîtrise absolue. Mais point seulement cela. *Les Orientales* marquent aussi comme une libération de l'homme Hugo. Il sort définitivement de lui-même. Ce qui frappe, c'est l'évidente sensualité qui surgit de ses vers. Hugo l'a toujours portée en lui. Le fiancé d'Adèle, pour la réfréner, s'est enfermé dans sa chasteté farouche comme l'ermite en son cilice. Foin cette fois de l'inutile pudeur. Ces filles d'Orient ont les seins nus : non seulement il les regarde, il les montre, mais il y prend un évident plaisir. Et puis — voilà plus important — *les Orientales* marquent l'apparition publique de tous ces arrière-plans qui gisent au fond de lui, eaux dormantes encore qui bientôt sortiront de leur calme trompeur. Hugo ne serait pas Hugo sans ce monde invisible qui va peupler ses veilles et ses nuits, sans l'angoisse de l'infini qui ne cessera de lui étreindre l'âme. Ses amis le sentent comme le plus équilibré des hommes. Peut-être d'ailleurs l'est-il davantage en 1828 que dans l'avenir qui l'attend : l'au-delà, son cortège de brumes en forme d'anges ou de démons, ne font encore que le frôler avant que d'investir totalement sa vie. Mais ce qui pointe soudain à travers la lumière des *Orientales*, voire à travers le clinquant de tel ou tel vers, c'est déjà l'annonce de la *Bouche d'ombre*.

Parmi les rêves qui le hantent en ce temps-là, il en est un qu'il a transposé, tel quel, un peu plus tard. Nous savons, par le journal de sa seconde fille, que le cauchemar relaté dans *le Dernier Jour d'un condamné* est en fait un rêve de Hugo, dont les moindres détails l'ont marqué. Il était chez lui avec des amis. Sa femme et l'un de ses enfants dormaient dans une chambre voisine. Soudain, au bout de l'appartement, un bruit singulier trouble la nuit. On s'inquiète. Dans son rêve, Hugo *se voit* explorer les lieux en compagnie de ses amis. Il avise une armoire ouverte. La porte est « tirée sur l'angle du mur comme pour le cacher ». Brusquement, Hugo *se voit* ouvrant cette porte et découvrant « une petite vieille, les mains pendantes, les yeux fermés, immobile, debout, et comme collée dans l'angle du mur. Cela avait quelque chose de hideux, et mes cheveux se dressent d'y penser ». Qui est cette femme ? Pourquoi est-elle là ? Que veut-elle ? Il tente de l'interroger. En vain. Elle semble à demi vivante, à demi morte. « Un de nous l'a poussée à terre, elle est tombée. Elle est tombée tout d'une pièce comme un morceau de bois, comme une chose morte. Nous l'avons remuée du pied, puis deux de nous l'ont relevée et de nouveau appuyée au mur. Elle n'a donné aucun signe de vie. On lui a crié dans l'oreille, elle est restée muette comme si elle était sourde. » Hors d'eux, les convives suggèrent à Hugo de lui mettre la bougie sous le menton. On verra bien si elle ne réagit pas ! Il le fait. « Alors elle a ouvert un œil à demi, un œil vide, terne, affreux, et qui ne regardait pas. » Mais elle a continué à se taire. Derechef, Hugo *se voit* lui replacer la lumière sous le menton. « Alors, elle a ouvert ses deux yeux lentement, nous a regardés tous les uns après les autres, puis, se baissant brusquement, a soufflé la bougie avec un souffle glacé. Au même moment, j'ai senti trois dents aiguës s'imprimer sur ma main, dans les ténèbres. Je me suis réveillé, frissonnant et baigné d'une sueur froide... »

Ce même Hugo, à ses proches, suggère l'image idéale de l'équilibre et du bonheur. Mais si, pour lui, tout se déroulait aussi idéalement que le veulent ou le croient ses amis, pourquoi, dans la nuit du 30 au 31 mai 1828, aurait-il griffonné ces vers où gémit tant d'angoisse :

> Dieu me reprendra-t-il ce bonheur qui s'enfuit ?
> Quelle fleur de mon front tombera la première ?
> D'où me vint la lumière
> M'enverra-t-il la nuit [1] ?

Dès la publication des *Orientales*, les romantiques pavoisent. Pas seulement les romantiques. Les plus farouches des

---

1. *Tas de pierres.*

classiques libéraux — Dubois par exemple — applaudissent. Dans l'entourage de Hugo, c'est tout juste si l'on ne s'évanouit pas d'admiration. Le jeune Victor Pavie : « Victor nous a lu des *Orientales* inouïes et doublement inouïes... Et pas un vers faible ! » Cette fois, Sainte-Beuve a oublié ses réticences. *Le Globe* lui-même proclame son ralliement.

Les pièces principales des *Orientales* ont été élaborées tout au long de l'année 1828. Comme elle est riche, en clair et en sombre, cette année-là : la mort du père, et *Cromwell*, et *les Orientales* ! C'est aussi en 1828, durant l'été, que les Hugo se sont pour la première fois rendus chez le propriétaire du *Journal des débats*, Bertin aîné, à son château des Roches.

Bertin et les siens — sa fille notamment — vont jouer un grand rôle dans la vie familiale des Hugo. Presque chaque année le château s'ouvrira à la famille du poète.

Manuscrit d'Adèle : « Laissant derrière vous la barrière d'Enfer et la Butte aux Lapins, vous descendez dans la vallée de la Bièvre, si charmante. Vous passez devant les chaumières de La Brinvilliers, et alors s'ouvre sous vos pas une route qui conduit à une maison hospitalière dont la grille était nuit et jour ouverte à l'époque dont nous parlons.

« On longeait une allée sablée et ombreuse, et on arrivait à la maison, d'apparence modeste, plus étendue que haute, de construction irrégulière, bâtie dans un jardin, qui, agrandi peu à peu, avait pris les proportions d'un parc. »

Cette belle demeure du XVIIIᵉ siècle, c'est le château des Roches. Sous Charles X, *le Journal des débats* est devenu une institution, l'organe quasi officieux de l'opposition constitutionnelle. C'est donc encore à un libéral que Hugo vient de se lier.

Les Hugo se souviendront toujours de l'accueil chaleureux que leur réservait aux Roches Bertin aîné. Toujours ils le reverront tel que Ingres, dans un tableau fameux, en a fixé l'image : assis sur son fauteuil, appuyant ses belles et fortes mains sur ses genoux, image de la fierté et de l'indépendance. Ils se souviendront de ce cou épais, toujours enfermé dans une large cravate blanche, de ces épaules impérieuses, de cette tête éclairée de deux yeux profonds et spirituels. Bertin aîné a une fille, née aux Roches. En 1828, elle a vingt-trois ans. Épanouie dans un embonpoint qui est une infirmité, elle est devenue excellente musicienne. Elle va se prendre pour les petits Hugo d'une affection profonde. Elle est charmante, Louise Bertin, intelligente, vive, bonne. Son visage restera inséparable du souvenir que Léopoldine, Charles, puis le petit Victor, garderont des Roches, château de leur enfance.

C'est de là, désormais, que Hugo part pour de longues promenades en compagnie de la petite Didine, qui a quatre ans maintenant et qui — il le niera toujours farouchement mais c'est vrai — reste sa préférée. Elle cueille des coquelicots et des bleuets, les rapporte pour en faire des bouquets, s'afflige quand les coquelicots ne « tiennent » pas.

Au retour à Paris, Didine et Charlot apprendront qu'ils ont un petit frère, prénommé Victor comme son père. Nouveauté : le faire-part de sa naissance, le 21 octobre, sera adressé aux amis et connaissances par la *baronne* et le *baron* Victor Hugo. Depuis la mort du général, Abel a pris le titre de comte. Eugène étant vicomte, Victor peut se croire autorisé à se présenter comme baron. Le fait-il par simple vanité ? Pour s'intégrer plus aisément dans une société où l'aristocratie donne le ton ? Peut-être ici devons-nous nous souvenir — encore — de Marius Pontmercy.

A Waterloo Napoléon a jeté au colonel Pontmercy ce titre de baron dont la Restauration lui a dénié la propriété. Marius, en se faisant imprimer des cartes de visite portant le titre contesté, voulait, à la face des Bourbons, proclamer hautement les droits de son père. Le titre comtal du général Hugo n'a finalement jamais été reconnu en France. Le *baron* Victor Hugo reste le fils admirateur du général Hugo. Et si cela fait mieux, pourquoi s'en priver ?

Le petit Victor — qui, plus tard, pour éviter les confusions, se fera appeler François-Victor — sera baptisé à Saint-Sulpice le 5 novembre. Le parrain ? L'oncle Victor Foucher, ce petit Victor dont les poignets avaient porté si souvent la trace des tortures infligées par son homonyme Hugo. Quant à la marraine, c'est Léopoldine. Elle a les joues roses et rondes, un adorable petit nez. Mais elle ne sait pas signer !

C'est pendant l'année 1828, encore, que Hugo a songé à un grand roman où il introduirait toute cette fièvre gothique qui le hante, sa passion pour les cathédrales si décriées, sa fascination pour un Moyen Age dont il sent avec force que ses contemporains ont tort de le mépriser. Au verso de lettres datées des 20 et 25 septembre 1828, il prend les premières notes pour ce qui sera *Notre-Dame de Paris*.

Projet encore lointain et aux contours imprécis. Un autre travail, à la fin de 1828, va le requérir tout entier : il va écrire son premier ouvrage « engagé » : *le Dernier Jour d'un condamné*.

III

HERNANI

> Pourquoi, orageux contrebandier, cette mauvaise volonté à te rendre à l'appel du Destin ? Le corps d'une femme faisait-il un mouillage si sûr à ton ancre !
>
> Paul CLAUDEL.

DANS sa cellule, un homme attend. Assis sur le bat-flanc qui lui sert de lit, il ne quitte pas des yeux la porte et ses verrous, il guette les bruits qui traversent les murs. Cet homme sait qu'il va mourir. Dans sa mémoire résonne encore la sentence tombée de la majesté d'un tribunal : *condamné à mort*. On l'a conduit là, on l'a enchaîné. Un prisonnier condamné à la guillotine ne doit pas y échapper : d'où les chaînes. De nuit et de jour, on le surveille : et s'il allait choisir une autre mort ? Il n'a droit qu'à celle donnée par le couperet. C'est écrit, la société le veut, la loi l'exige.

Le condamné a attendu sa grâce, elle lui a été refusée. A chaque ombre, il a cru que les hommes noirs allaient tout à coup faire irruption dans ce cachot, se saisir de lui, le lier, l'emporter. A chaque ombre, il a tremblé. Quand il s'est vu encore vivant, un lâche soulagement lui a ployé les épaules. Un jour gagné ? Non. Un jour perdu, puisque chaque heure qui passe le rapproche du bourreau. Il s'est raccroché à tout, s'est leurré des espoirs les plus insensés, ceux-là mêmes dont se bercent les enfants avides d'éviter une punition.

Maintenant, cet homme sait. Tout est fini. Dehors, le bourreau et ses aides sont occupés à monter la sinistre machine du docteur Guillotin. Il vit son dernier jour. Alors il attend. Et *il a peur.*

Le 14 octobre 1828, *le Journal des débats* a rendu compte du dernier ouvrage d'un avocat parisien, Charles Lucas, et a rappelé que l'auteur avait publié, l'année précédente, un mémoire contre la peine de mort. Le même jour — oui, le même jour — Victor Hugo est entré dans son cabinet de travail de la rue Notre-Dame-des-Champs, s'est assis à son bureau et a commencé la composition d'un nouveau livre qui sera *le Dernier Jour d'un condamné.* Il l'achèvera le 26 décembre, à 3 heures du matin.

Il a donc mis deux mois et dix jours pour composer un roman tout entier dominé par ce que l'on pourrait appeler une exaspération de l'angoisse. Pas n'importe quelle angoisse. Celle qui saisit *personnellement* le lecteur, l'étreint, ne le lâche plus. Le condamné dont nous ne savons même pas pourquoi des juges ont décidé de l'envoyer à l'échafaud, nous sommes avec lui, dans sa cellule, cependant qu'approche l'heure fatale et qu'il noircit les feuillets qui conteront son histoire. Le sentiment éprouvé par un homme qui attend d'être exécuté, nous sommes *sûrs* de le partager avec lui. Sa terreur indicible devient la nôtre.

Bien sûr, l'article des *Débats* n'a pas seul jeté Hugo, par le mouvement impulsif d'un instant, devant les feuilles blanches d'où devait sortir son livre. L'article n'a été que le moteur d'un désir ressenti mais resté informulé. L'idée de la peine de mort était depuis longtemps intolérable à Hugo. Elle suscitait en lui un effroi qu'il avait contenu de son mieux, comme bien d'autres choses. Le moment est venu où, précisément, il a décidé de faire éclater les murs de cette prison intérieure.

Pourquoi ?

Adèle a évoqué la découverte, à Burgos, lors du retour d'Espagne, de ce tréteau de bois surmonté d'un poteau où l'on avait dit aux jeunes Hugo que l'on allait garrotter un homme. Elle a montré l'effroi des enfants à la vue du condamné que l'on menait à la mort, lié sur un âne, le dos tourné vers la tête de l'animal : « Cet homme avait l'air hébété de terreur. Des moines lui présentaient le crucifix, qu'il baisait sans le voir. Les enfants s'enfuirent avec hor-

reur. » Il faudrait parler aussi des cadavres de suppliciés
aperçus le long des routes d'Italie et d'Espagne.

Cependant, la répulsion affichée par Hugo pour la peine
capitale semble avoir trouvé sa parfaite représentation
lorsqu'il a, pour la première fois, aperçu la guillotine. Il
dénoncera les bûchers de Torquemada ou la potence de John
Brown, mais il sera toujours obsédé par les montants de bois
et le couperet : « La guillotine, puisqu'il faut l'appeler par son
nom... », dit-il. Et encore : « La guillotine, c'est toujours avec
répugnance qu'on écrit ce mot hideux. » Tout au long de sa
vie, en vers comme en prose, il y reviendra :

> Sa lumière rendait l'échafaud plus difforme.
> L'astre se répétait dans le triangle énorme ;
> Il y jetait ainsi qu'en un lac son reflet...

L'idée chez Hugo a constamment besoin de prendre assise
sur le concret. S'il trouve tant d'arguments forts pour
démontrer le caractère intolérable de la peine de mort et son
inanité, c'est parce qu'il voit toujours se profiler devant lui la
machine à tuer.

La première vision de la guillotine se situe en 1820. Par
hasard — par hasard ? — Hugo s'est trouvé sur le passage de
l'assassin du duc de Berry, Louvel, alors qu'on le conduisait à
l'échafaud. Ce meurtrier-là n'était guère sympathique. Hugo
l'a vu « gros et trapu », avec « un nez cartilagineux sur des
lèvres minces, et des yeux d'un bleu vitreux ». C'était le temps
de l'ultraroyalisme du jeune Victor, le temps de l'ode sur *la
Mort du duc de Berry.* Pourtant l'homme se tenait là, devant
lui, bien vivant, bien portant. Dans un instant on allait le
tuer. Le frisson s'est mué tout à coup en apitoiement. Hugo a
senti sa haine « pour l'assassin se changer en pitié pour le
patient ». Pour la première fois, il a regardé la peine de mort
en face et s'est étonné que « la société fît au coupable, et de
sang-froid, et sans danger, précisément la même chose dont
elle le punissait ». A ce moment précis lui est venue l'idée
d'écrire un livre contre la guillotine.

Le plus étonnant, d'ailleurs, me semble que Hugo, écrivain
prudent, se soit résolu à lancer tout à coup cet énorme pavé
dans la mare qu'est *le Dernier Jour d'un condamné.* Nul ne
songeait alors à mettre en cause la peine capitale. Les tribunaux en usaient généreusement. En 1826, on avait compté

150 condamnations dont 110 avaient été exécutées. En 1828, 114 condamnations et 75 exécutions. Toutes offertes en grande pompe à un peuple jamais rassasié de ces émotions fortes et avec la bénédiction quasi unanime de l'opinion. Balzac lui-même parlera de « la peine de mort, ce grand soutien des sociétés ».

Ce qui me frappe le plus, néanmoins, ce n'est pas tant l'acte de courage que représente la publication du *Dernier Jour*; pas plus que la singularité de l'acte, ni même la solitude dans laquelle va se camper l'auteur, mais le cheminement de la pensée qui l'a conduit jusque-là.

Voilà un homme que tous ses amis dépeignent comme heureux, essentiellement. Quand un Suisse, Juste Olivier, interrogera sur Hugo son ami le plus intime, Sainte-Beuve, celui-ci dira:

— Il a continuellement de si grandes, de si pures, [de si] délicates jouissances que lui procure son talent! Ce qu'il fait est si beau, si parfait! Il est tellement abondant! C'est un homme heureux, plein. Il vit content dans sa famille. Il est gai — peut-être trop gai. C'est un homme heureux.

Gai? Heureux? Voire.

Déjà, dans *Han d'Islande* — il n'avait pas vingt ans — sa plume s'est glacée pour évoquer des hommes qui courent au spectacle des supplices. Dès lors il s'est montré saisi de terreur à l'idée de « l'infortuné qui sait précisément à quelle heure son sursis doit être levé ». D'autres que lui — beaucoup d'autres — ont assisté à des exécutions. Il leur est arrivé de ressentir fortement, douloureusement, ce terrible moment. Mais Hugo les dépasse tous. Pourquoi? Parce qu'il est Hugo. Parce que la nature l'a doté d'une capacité émotionnelle intense et de la faculté de restituer les impressions reçues — foisonnement des images, richesse des mots — plus et davantage que quiconque. Le jeune bourgeois content de la rue Notre-Dame-des-Champs peuple ses nuits de rêves lugubres et ses jours d'incoercibles angoisses. Les autres n'entendent que ses rires, s'amusent de ses propos nouvellement libertins — ou, comme Vigny, s'en affligent. La vérité est ailleurs. Quand Juste Olivier aborde avec Sainte-Beuve le problème de l'invisible, il se heurte à un scepticisme déclaré : « Je ne crois jamais rien voir de surnaturel, de fantômes. » Question de l'Helvète :

— Et M. Victor Hugo, ne croit-il jamais avoir d'apparitions?

— Oh ! Oui, lui, oui !

L'exclamation est du 23 juillet 1830, presque contempo-raine de la publication du *Dernier Jour d'un condamné*. Elle témoigne d'une remarquable lucidité : Sainte-Beuve, mieux que personne, connaît son Hugo et ses dispositions natu-relles. Nous savons, nous, qu'elles viendront, les apparitions.

Le même bourgeois content a recueilli avidement les sou-venirs d'un chevalier de Port-de-Guy jeté à seize ans, en 1793, au bagne de Toulon comme réfractaire et qui lui a conté avoir été chargé d' « aller la nuit ramasser sur l'échafaud les têtes et les corps guillotinés du jour ». Le même bourgeois content est parti, en compagnie de son ami Jules Lefèvre, voir guillotiner un parricide place de Grève. En ce temps encore, on coupait le poignet du parricide avant de lui tran-cher le cou. Au moment où le bourreau a levé le voile noir — marque du parricide — et fait apparaître un jeune visage « effrayé et hagard », quand il a saisi la main droite du condamné, l'a attachée au poteau avec une chaîne, a brandi une hachette, Hugo n'en a pu regarder davantage. Il a détourné la tête et n'est redevenu « maître de lui que lorsque le *Ha !* de la foule lui dit que le malheureux cessait de souf-frir ». Le même bourgeois content a cru sentir son cœur s'arrêter de battre en traversant la place de Grève alors que « le bourreau répétait la représentation du soir ». Le couteau glissait mal, Hugo a constaté que l'homme graissait les rai-nures puis manœuvrait le couperet jusqu'au succès. Ce bour-reau paraissait satisfait, à la façon d'un ouvrier qui aime le travail bien fait. Soudain la pensée de Hugo s'est portée vers le désespéré qui « se débattait dans sa prison, fou de rage, ou se laissait lier avec l'inertie et l'hébètement de la terreur ». Pourquoi le jeune bourgeois content demande-t-il à son ami Gaspard de Pons, dont le régiment vient d'être transféré à Toulon, « des renseignements sur le bagne » ? Pourquoi ira-t-il, le 22 octobre 1828, avec son ami David d'Angers assister au ferrement des forçats en partance pour le bagne — et pourquoi revient-il le lendemain voir partir la *chaîne* ? Pour-quoi réagit-il comme il va imaginer que réagira Monseigneur Myriel : « De telles rencontres sont des chocs et le souvenir qu'elles laissent ressemble à un ébranlement. »

Quand on relit aujourd'hui *le Dernier Jour d'un condamné*, c'est le modernisme de la construction qui frappe. Le roman est écrit à la première personne, le condamné s'adresse directement à nous. Sans cesse, son attente hallucinée se mêle des souvenirs de son passé. Il s'adoucit aux riantes images de ses amours — très exactement calquées sur celles de Victor et Adèle — pour revenir soudain à l'épouvante de son présent. De quelle utilité nous serait le récit détaillé du crime qui l'a conduit dans sa prison? C'est cette ignorance au contraire qui nous le rend plus proche. Qui fait que, littéralement, notre peur grandit avec la sienne : « Dix heures... Encore six heures, et je serai mort... Est-il bien vrai que je vais mourir avant la fin du jour? »; « Une heure vient de sonner. Je ne sais laquelle »; « Il est une heure un quart... Encore deux heures et quarante-cinq minutes, et je serai guéri »; « J'ai encore une heure pour m'habituer à tout cela ». Hors du monde, hors de nous-mêmes, nous butons enfin sur la dernière phrase, deux mots imprimés en capitales : « QUATRE HEURES ».

Le livre sera mal accueilli. Les critiques — Jules Janin au premier rang — rejetteront ce brûlot iconoclaste. Plus indulgent, Charles Nodier s'attachera davantage à l'auteur qu'à son sujet : « L'écrivain, ce semble, épouvante plus que le condamné. On est froid pour cet être qui ne ressemble à personne, et qui souffre avec tant de science et d'analyse ; mais toute la pitié du lecteur passe du côté du poète ; lui qui s'est mis volontairement tant de noir dans l'âme, lui qui s'est fait homicide en idée, qui s'est rêvé pour le plaisir du lecteur jugé, emprisonné, exécuté, pendant que d'autres poètes se font gratuitement, et dans de plus doux rêves, heureux en toutes choses, en amour, en talent, en avenir. » Voilà qui est bien observé. A une nuance près : ce n'est pas volontairement que Hugo s'est mis à la place du condamné. C'est parce qu'il lui *fallait* s'y mettre.

Sainte-Beuve à Victor Hugo, 11 octobre 1829 : « Le peu de talent que j'ai m'est venu par votre exemple et vos conseils déguisés en éloges ; j'ai fait parce que je vous ai vu faire et que vous m'avez cru capable de faire ; mais mon fond propre, à moi, était si mince que mon talent vous est revenu, tout à fait, et après une course un peu longue, comme le ruisseau au fleuve ou à la mer ; je ne m'inspire plus qu'auprès de vous, de vous et de ce qui vous entoure. Enfin, ma vie domestique n'est encore qu'en vous, et je ne suis heureux et chez moi que sur votre canapé et à votre coin du feu. » Rien de plus vrai : le petit Sainte-Beuve au long nez a découvert son havre. Il continue à sonner chaque jour chez son ami Hugo. Ces visites lui sont devenues plus qu'une habitude : une nécessité. Mais il trouve souvent Victor enfermé dans son cabinet de travail. La servante a reçu un ordre impératif : surtout qu'on ne dérange pas Monsieur ! Chaque fois, Sainte-Beuve ploie comme sous un coup fatal du destin. Il incline vers le parquet sa tignasse rousse. Un instant plus tard, d'une voix aussi tremblante qu'inquiète, il hasarde une question : et Madame ? Si l'on est en hiver, Madame est au salon, avec les enfants. L'été, elle a gagné, en compagnie des petits, ce jardin dont les propriétaires lui consentent l'accès. Elle s'est installée là, face à un chevalet. Elle dessine ou elle peint. Elle n'a pas oublié les leçons de Julie Duvidal et ce qui subsiste de ses productions nous montre une sûreté assez remarquable dans le maniement du pinceau ou du crayon. Nul génie — mais pourquoi faudrait-il que chacun ait du génie ?

Il s'approche, le petit Sainte-Beuve. Il salue. Nous pouvons penser que, dans les premiers temps, elle s'est amusée intérieurement de sa timidité, que peut-être elle lui a tendu des pièges dans lesquels il a dû tomber aussitôt. Jeu éphémère. Il est là chaque jour et elle s'habitue à le voir chaque jour. Et lui qui perd tous moyens devant une femme, qu'épouvante la vue d'une robe, qui n'a connu que des prostituées, découvre l'infinie douceur de pouvoir se confier librement à une personne « du sexe opposé ».

Prenons garde : ce qui se joue, c'est leur destin. Ni elle ni lui ne s'en doutent. Ni Hugo bien sûr. Mais c'est ainsi. Cette Adèle de 1829, Sainte-Beuve va la percer à jour et ce sera le commencement de tout. La femme en apparence si comblée, il a vite compris ce qui lui manquait. Il n'est jamais commode d'être femme d'écrivain. Mais femme de Victor Hugo ! D'abord, il y a chez lui cette extraordinaire puissance de travail, cette place immense occupée dans ses journées par la composition littéraire. Quel temps reste-t-il à l'homme qui, en quelques mois, a donné *Cromwell, les Orientales, le Dernier Jour d'un condamné* et esquissé *Notre-Dame de Paris* ? En outre, Victor est chef d'école, admis, reconnu, acclamé comme tel. Pour ses amis romantiques, il se veut toujours disponible. On l'appelle, il accourt. Tout le retient, tout le passionne : la peinture de Delacroix comme la musique de Berlioz. Car le romantisme, c'est aussi la peinture, c'est aussi la musique. Presque tous les soirs, il sort. Quand il rentre, elle dort. Il la réveille — toujours. Il n'est pas sûr qu'elle aime à être réveillée. A propos de ce Victor qui l'aime — et elle le sait — comme au premier jour, Adèle pourrait, comme tant de femmes, soupirer : « Je le vois si peu. » Ses rêves, ses petits soucis quotidiens, ses espoirs, ses regrets, ses chagrins, ses bonheurs, elle voudrait bien les lui confier. Impossible : Monsieur travaille. Monsieur n'est pas là.

L'Adèle de ce temps-là sait aussi qu'aucune femme ne pourrait mieux qu'elle s'avouer heureuse. Pourquoi, à certains moments, lui prend-il alors des accès de soupirs et de larmes ?

C'est Sainte-Beuve, l'ami de la maison, qui a montré Adèle dans sa chambre, assise contre sa vitre lorsque lui-même arrivait un peu tard, vers 1 heure : « Quel objet suivait-elle, si attentive ? A quoi pensait-elle ? Quel monde infini, invisible, parcourait-elle en esprit ? » Une femme qui agit ainsi, qui rêve ainsi, attend quelque chose. Même si elle ne le sait pas encore.

A-t-il pensé, Sainte-Beuve, dès le début de cette intimité, qu'il pourrait un jour en tirer bénéfice ? Probablement non. Depuis qu'il est en âge de connaître l'amour, il y a renoncé. Ce n'est pas tant sa laideur qui le paralyse — bien des hommes laids plaisent — que l'infirmité secrète dont il souffre. Il est hypospade. J'ai demandé au docteur Paul Ganière, éminent historien de la médecine, de m'éclairer sur cette maladie que les biographes qui la citent se révèlent incapables d'expliquer :

« L'hypospade est un homme atteint d'un vice de conformation appelé l'hypospadias qui consiste en ce que l'urètre s'ouvre en dessous de la verge et non à son extrémité. Il existe naturellement plusieurs variétés de cette difformité selon que l'ouverture de l'urètre est plus ou moins éloignée de l'extrémité de la verge. Dans la majorité des cas, cette malformation n'entraîne pas de perte du sens génésique mais rend la fécondation très improbable et la plupart du temps impossible. La chirurgie a été longtemps impuissante à venir à bout de cette infirmité. »

Donc Sainte-Beuve, enfermant au plus profond de lui-même ce qu'il considère comme une tare, voire une honte à dissimuler à tout prix, s'est résigné. Il confiera : « Vous ne savez pas ce que c'est de sentir qu'on ne sera jamais aimé, que c'est impossible parce que c'est inavouable. » De là pouvons-nous mesurer l'éblouissement qu'a dû représenter pour le jeune critique cette intimité avec une femme charmante, douce et rêveuse. Il découvre un paradis dont il croyait que l'entrée lui resterait à jamais interdite. Ces entrevues de l'après-midi, si délicieuses, lui deviennent essentielles. C'est vers 3 heures qu'il aime à aller voir Adèle. Il entre. Elle ne se lève pas. Il la regarde et la trouve belle. Avec un sourire elle l'invite à s'asseoir. Alors commence la causerie merveilleuse. Il lui ouvre son cœur, parle de son « vide immense », de sa jeunesse « déjà dévorée à moitié ». Et elle lui répond « par des mots d'amitié ». « Délicieux moments », redira Sainte-Beuve dans *Volupté*, « où l'on n'espère rien, où l'on croit ne rien désirer ! ». Ce qui ne veut pas dire que l'on ne désire point. En apparence, Sainte-Beuve se contente de son rôle de confident. Mais il y découvre un singulier bonheur. Comment se dissimulerait-il que, déjà, il est amoureux ? Différents textes qui se recoupent permettent même de fixer le moment où il s'est pris à aimer Adèle d'amour : vers la fin de 1828. Mais il se ferait plutôt écarteler à quatre chevaux que de le lui avouer.

Tout au long de l'année 1829, cette situation ambiguë va se perpétuer. Il aime, l'amour l'exalte — et il se tait.

Et Adèle ? C'est au cours de cette année 1829 que, peu à peu, elle ne se contente plus d'accepter les visites de Sainte-Beuve et d'en sentir la douceur. Elle les attend, elle les espère. Elle prend conscience du prix qu'elle leur attache. Ses yeux s'ouvrent : Sainte-Beuve l'aime.

Hugo ? Il est à cent lieues de tout cela. Il ne voit rien. Il ne comprend rien. Il travaille.

Au détour d'un poème de 1827, son ami et disciple Victor Pavie avait écrit ce vers :

C'était une feuille d'automne.

L'assemblage de deux mots — pourtant bien simple — avait frappé Hugo qui aussitôt en avait félicité Pavie. Il faut croire que l'impression lui est restée profonde puisque, précisément, en cette année 1829, il commence les poèmes qui, réunis, seront ses *Feuilles d'automne*. En même temps, il s'est mis, sans trop d'enthousiasme, à ce gros roman déjà esquissé qu'il situe en plein xv⁰ siècle autour de la basilique Notre-Dame. Mais la grande affaire cette année-là, c'est *Marion de Lorme*.

Qu'il revienne au théâtre n'a rien qui doive nous étonner. Oublierions-nous ces multiples essais dramatiques que l'on découvre au milieu des innombrables pages noircies à la pension Cordier ? Déjà, pour l'enfant Hugo, la poésie ne se séparait pas du théâtre. Avec *Cromwell*, il a pensé pouvoir réussir par une pièce la percée définitive du genre romantique. Le seul fait qu'il ait mené jusqu'à son terme cette énorme entreprise démontre beaucoup plus qu'une ténacité : une résolution absolue. Pour lui le succès — sur le plan personnel comme celui de l'école qu'il magnifie — passe par le théâtre.

Le 11 février 1829, Hugo s'est rendu à la Comédie-Française. Parce que ce soir-là, un jeune inconnu du nom d'Alexandre Dumas faisait jouer sa première pièce : *Henri III et sa cour*. Il fallait que Victor Hugo fût là. Car il s'agit de la création à la scène du premier drame romantique représenté. *Cromwell*, définitivement réservé aux libraires, il appartenait à Dumas, jusque-là simple expéditionnaire dans les bureaux du duc d'Orléans, d'ébranler le premier la Bastille classique. Un triomphe, cette représentation de *Henri III*. Tout s'est décidé en une seule scène, celle où le duc de Guise oblige son épouse à écrire à Saint-Mégrin, qu'il pense être son amant, une lettre qui recèle un piège diabolique. Le duc est armé, cuirassé, terrible. Comme la duchesse refuse de se prêter à la manœuvre qui doit perdre Saint-Mégrin, il lui saisit le bras de son gantelet de fer :

« Écrivez !

— Vous me faites mal, Henri.

— Écrivez, vous dis-je.

— Vous me faites bien mal, Henri, vous me faites horriblement mal. »

Sur cette réplique la salle a crié de terreur, des femmes se sont évanouies ! Et puis les applaudissements ont crépité.

Hugo, accueilli avec Vigny dans la loge de la sœur de Dumas, a assisté à la prodigieuse acclamation qui s'est élevée au baisser du rideau. *Le Globe* du 14 février imprimera : « Le succès a été immense. » Beau joueur, Hugo a fait queue dans les coulisses pour féliciter Dumas. Mais, en lui tendant la main, n'a-t-il pas éprouvé quelque amertume de n'avoir pas été le premier ? Il n'en a rien montré. Et Dumas, rayonnant, enfantin et grandiose, secouant sa crinière crépue, lui a crié :

— Ah ! me voilà donc enfin des vôtres !

Hugo, changé lui-même tout à coup en héros de Dumas, a répliqué :

— Maintenant, à mon tour !

Il existe entre les deux hommes de singulières similitudes. Tous les deux sont nés en 1802. Tous les deux sont fils de généraux. Le romantisme s'en mêlant, bientôt les fils seront amis, et des meilleurs.

Son sujet, Hugo sait qu'il le tient. Il y a de longs mois qu'il se documente sur l'époque de Louis XIII, qu'il rassemble des notes. Les feuillets se sont amassés. Il s'est attardé au personnage si attachant de Marion de Lorme, courtisane fameuse du début du XVIIᵉ siècle. Il l'a retrouvée dans le *Cinq-Mars* de Vigny, paru en 1826. Peu à peu, Hugo s'est résolu à faire de cette femme l'héroïne de sa pièce. Une prostituée qui cherche à se réhabiliter : voici notre première rencontre avec l'un des thèmes essentiels de la pensée de Hugo. Sans cesse il plaindra la « femme qui tombe ». Fantine deviendra l'une des figures du roman français. Difficile de savoir d'où lui est venue cette hantise. Ce fiancé chaste, ce mari fidèle n'a jamais fréquenté les femmes de mauvaise vie. En réalité, sa vision est tout extérieure mais n'en prend que plus de force.

L'œuvre mûrit peu à peu dans le cabinet de travail de la rue Notre-Dame-des-Champs et au cours de ses longues promenades méditatives sur le boulevard Montparnasse. Mais il remet toujours à plus tard d'en entreprendre la composition.

Comme pour *Le Dernier Jour d'un condamné*, il lui faut un catalyseur. A la fin de mai 1829, Arnault, devenu, aux yeux des romantiques, le prototype du classicisme, donne à la Comédie-Française *Pertinax*. L'échec est grandiose. Dans Paris, on va désormais désigner la pièce sous le nom de *Père Tignasse*, calembour qui a dû enchanter Hugo. Pour la jeunesse romantique, il est définitivement entendu que tous les classiques sont chauves et, par voie de conséquence, qu'ils portent des perruques : d'où *Père Tignasse*. Détail ? Peut-être pas. La chute de *Pertinax* est du 27 mai. Le 1ᵉʳ juin, Victor s'installe à sa table de travail et commence une pièce qu'il a d'abord intitulée *Un duel sous Richelieu.* Curieusement, il rédige d'abord la scène 2 de l'acte I. Le lendemain seulement, il songera à écrire la première scène du même acte. Désormais, il travaille avec une rapidité qui en fera son trait dominant. L'acte I est achevé le 9 juin, l'acte II le 13, l'acte III le 18, l'acte IV le 19, l'acte V et le dernier, le 26. Adèle affirme que le quatrième acte, commencé à l'aube, a été poursuivi toute la journée, la nuit suivante et que Victor en a écrit le dernier vers au moment où le jour reparaissait.

L'ami Taylor — fait baron par le roi quatre ans auparavant — et qui préside aux destinées de la Comédie-Française, a su, l'un des premiers, que le *drame* était achevé. Il a demandé une lecture. Aussitôt des billets de la main de Hugo partent dans toutes les directions. Dumas en reçoit un, le conviant pour le 12 juillet à entendre *Marion de Lorme* rue Notre-Dame-des-Champs. Frémissant, le futur auteur des *Mousque-taires* y court. Il découvre que l'appartement est rempli d'une foule de gens dont certains lui sont inconnus. Tout ce monde se tasse tant bien que mal dans le petit salon. Voici Alfred de Musset, Alfred de Vigny, Mérimée, Soumet, Villemain, Sainte-Beuve, Magnin, Armand et Louis Bertin, Émile et Antoni Deschamps, Frédéric Soulié, Balzac et toute une société de peintres, les familiers de la maison : Delacroix, Louis Boulanger, Devéria. Et d'autres encore, tels que Mme Tastu et Édouard Turquety. Dumas n'en croit pas ses yeux. Il n'oubliera jamais cette lecture. Les autres témoins non plus. L'un d'eux, Turquety, évoquera Hugo lisant lui-même et lisant bien : « Il faut avoir vu cette belle et admirable figure, et surtout ses yeux fixes, un peu égarés, qui dans les moments passionnés brillaient comme des éclairs. » On écoute, dans une attention tendue, une sympathie de plus en plus émerveillée. D'emblée, le cher Dumas juge que le premier acte est un chef-d'œuvre : « Il n'y a rien à y reprendre, à part cette manie qu'a Hugo de faire entrer les personnages par les fenêtres, au lieu de les faire entrer par les portes et qui se trahissait là, chez lui, pour la première fois. » A mesure pourtant que Hugo poursuit sa lecture, l'enthousiasme de Dumas se tempère de mélancolie : « Je sentais que j'étais loin de cette forme-là, que je serais longtemps à y atteindre, si j'y atteignais jamais. » Il ajoutera d'ailleurs : « On m'eût demandé dix ans de ma vie en me promettant qu'en échange, j'atteindrais un jour à cette forme, je n'eusse point hésité, je les eusse donnés à l'instant même ! » Dumas est assis près de Taylor. Au dernier vers, le baron se penche vers lui :

— Eh bien, que pensez-vous de cela ?

— Je dis que nous sommes tous flambés, si Victor n'a pas fait aujourd'hui sa meilleure pièce.

Déjà chacun se précipite, veut serrer la main de Hugo, lui dire sa joie, son bonheur : « Le petit Sainte-Beuve tournait autour du grand Victor... L'illustre Alexandre Dumas qui n'avait pas encore fait schisme, agitait ses énormes bras avec une exaltation illimitée. » Dumas va même jusqu'à se saisir de Hugo et le soulever avec sa force de géant. Il crie d'une voix qui fait trembler les vitres :

— Nous vous porterons à la gloire !

« On servit des rafraîchissements, dit Turquety : je vois encore l'immense Dumas se bourrer de gâteaux et répéter la bouche pleine : " Admirable ! Admirable ! " »

A 2 heures du matin seulement, les auditeurs de *Marion de Lorme* vont se disperser dans la nuit. Exaltés.

En quelques heures le bruit s'est répandu dans Paris qu'une œuvre de premier ordre venait de voir le jour. Dès le lendemain, à 9 heures, Taylor sonne rue Notre-Dame-des-Champs. Il réclame *Marion de Lorme* pour le Théâtre-Français. Hugo donne son accord. Marion, a dit Taylor, ce ne peut être que Mlle Mars. Le lendemain matin — le 14 juillet — la petite servante introduit dans le cabinet de Victor un monsieur décoré, strictement vêtu d'un habit noir et d'un pantalon blanc, avec un visage blême encadré de favoris énormes où percent deux gros yeux spirituels. Il se présente : Harel, directeur de l'Odéon.

— Monsieur, fait-il, on ne parle que d'un drame que vous avez lu avant-hier soir. Je viens dès ce matin pour être le premier à le demander.

— Vous êtes le second, dit Victor.

Le manuscrit est là, sur un guéridon. Harel, sans attendre, se saisit d'une plume et, sans que Hugo ait pu l'arrêter, écrit au-dessous du titre de l'ouvrage : « Reçu au théâtre de l'Odéon, 14 juillet 1829. »

— Tiens ! dit-il, c'est l'anniversaire de la prise de la Bastille. Eh bien, je prends ma Bastille.

Déjà, il a glissé le manuscrit sous son bras. Il va l'emporter. Il faut que Hugo se gendarme et le lui reprenne de force !

Le lendemain, la servante, un peu effarée sans doute par ce

steeple chase de directeurs — le mot est de Dumas — introduit dans le salon M. Crosnier, le directeur de la Porte-Saint-Martin. Hugo pose le journal qu'il lisait, se lève, invite d'un geste M. Crosnier à s'asseoir. Ce que fait le visiteur, après avoir salué. Hugo s'assied à son tour, attend. Obstinément, M. Crosnier garde le silence. Hugo, surpris, reprend son journal. Plus étonné encore, Crosnier se décide à intervenir :

— Monsieur, dit-il en s'adressant à Victor, j'étais venu pour avoir l'honneur de parler à Monsieur votre père ; on m'avait dit qu'il était chez lui. Si ce n'était point abuser de votre complaisance, je vous prierais de vouloir bien le faire prévenir que je l'attends.

— Hélas ! Monsieur, répond Hugo, mon père est mort depuis un an, et je présume que c'est à moi que vous voulez parler.

— Je veux parler à M. Victor Hugo.

— C'est moi, Monsieur.

Stupeur de Crosnier, incapable de s'être figuré que « ce petit jeune homme blond et rose, qui semblait un enfant de vingt ans, fût l'homme autour duquel, depuis cinq ou six ans, il se faisait déjà tant de bruit ».

Se ressaisissant, le directeur expose qu'il est venu demander *Marion de Lorme* pour son théâtre. Pauvre Crosnier : Hugo lui montre la réception dûment signée par Harel et lui indique que celle du Théâtre-Français prime à ses yeux. Crosnier a un léger sourire. Il prend une plume et, au-dessous de la signature d'Harel, il inscrit : « Reçu au Théâtre de la Porte-Saint-Martin, le 15 juillet 1829. » Étonnement de Hugo. Nouveau sourire de Crosnier :

— Peu importe, Monsieur, je désire prendre rang. Eh ! mon Dieu, qui sait ? Malgré ces deux réceptions, il se peut que ce soit moi qui joue l'ouvrage.

C'est très exactement ce qui arriva [1].

Il faut que Hugo lise à la Comédie-Française. Simple formalité. La petite coterie des inconditionnels est venue assister à l'événement. Dumas en est. La pièce est reçue à l'unani-

1. J'adopte ici la version d'Alexandre Dumas. Adèle croit se souvenir que c'est Jouslin de Lasalle qui a demandé la pièce pour la Porte-Saint-Martin. Mais c'est Crosnier qui finalement, en 1831, a fait représenter la pièce. D'où le sel de la prophétie enregistrée par Dumas. Par ailleurs, on lit dans les notes prises par Dumas sous la dictée de Hugo : « Reçu par Harel, Crosnier, chez qui elle fut jouée ; reçu au Théâtre-Français. »

mité et par acclamations. Après quoi, les disciples amicaux s'égaillent, dans le même état d'effervescence qu'à la première lecture. Ils passent devant l'affiche qui annonce le spectacle que le Français représentera le soir. Émile Deschamps s'arrête, hausse les épaules et s'écrie avec compassion :

— Et *ils* vont jouer *Britannicus*!

Mémoires de Dumas : « Personne de nous aujourd'hui, pas même Émile Deschamps, n'avouerait avoir dit ce mot. Et moi, je déclare que nous l'eussions tous dit en 1829, et que plus d'un qui a fait, depuis, ses visites aux trente-neuf académiciens, le lui envia dans le moment. »

Nul n'en doute : *Marion* va confirmer la première victoire romantique remportée par Dumas. D'autant plus que le Théâtre-Français vient de recevoir une pièce de Vigny : *le More de Venise*, inspiré d'*Othello*. Vigny a lu sa pièce chez lui, le 17 juillet. Se sont retrouvés là les mêmes romantiques qui, chez Hugo, avaient entendu *Marion*, curieusement amalgamés avec nombre de personnages titrés. Le Théâtre-Français est-il en voie d'être définitivement enlevé par les bataillons romantiques ?

Quelques mois plus tôt, plusieurs auteurs classiques — et non des moindres — alarmés par l'offensive romantique, avaient adressé une supplique à Charles X, tendant à ce que le monopole du Théâtre-Français leur fût réservé. A quoi, non sans esprit, Charles X avait répondu qu'en fait de théâtre, il ne disposait, comme tous les Français, que d'une place au parterre. Il ne va pas tarder à se déjuger.

Comme le veut la législation du temps, *Marion de Lorme* a été soumise à la censure. Taylor n'est pas sans inquiétude. Ce qui l'effraie, c'est le quatrième acte. Hugo n'y montre guère de tendresse pour Louis XIII dont il a fait une sorte de psychopathe, prisonnier de ses terreurs et de ses velléités. Taylor a même demandé à Hugo d'atténuer quelques passages. Catégoriquement, Victor s'y est refusé.

La nouvelle va résonner comme un glas dans le clan romantique : la censure refuse *Marion de Lorme*. Il faut dire que l'homme qui domine cette censure s'appelle Charles Brifaut. On a pu croire, parce qu'il collaborait à *la Muse française*, que ce Brifaut penchait vers le romantisme. Erreur. Lorgnant lui aussi vers l'Académie, il s'est empressé de brûler ce qu'il avait, non pas adoré, mais soutenu du bout des lèvres. Son rapport sur *Marion de Lorme* n'est pas un jugement, c'est un verdict qui conclut à l'interdiction pure et simple.

La lettre de refus est arrivée rue Notre-Dame-des-Champs. Elle produit sur Hugo l'effet d'un fer rouge « qu'on lui aurait plongé en plein cœur ». Impression dont on constatera à quel point elle est romantique. Quoi ! On ne jouera pas *Marion de Lorme* ? Cette censure, Victor va la comparer instantanément au bagne de Toulon : n'est-ce pas une « chiourme de la pensée » ? Quant à Charles Brifaut, il devient sur-le-champ sous sa plume rageuse un « journaliste mouchard ». Superbe, Hugo écrit : « Dévoué à la monarchie et je l'ai prouvé, je ne le suis pas moins à la liberté, et je le prouverai ! »

Comment cela ? En se battant. Nous retrouvons ici, chez Hugo, ce mélange remarquable : l'homme en proie aux angoisses intimes, aux tourments intérieurs, est toujours prêt en même temps à croiser le fer avec ceux qui lui barreraient la route. Il n'y va pas par quatre chemins : il demande au vicomte de Martignac une audience qui d'ailleurs lui est aussitôt accordée. Le ministre le reçoit avec hauteur et lui signifie qu'il donne entièrement raison aux censeurs. Il a lui-même lu la pièce et trouvé le rapport modéré : « Ce n'est pas seulement un aïeul du roi qui est tourné en ridicule, c'est le roi lui-même. Dans Louis XIII, chasseur et gouverné par un prêtre, tout le monde verra une allusion à Charles X. »

Hugo se récrie. En dépeignant un roi, il n'a voulu représenter que Louis XIII, point un autre. De quel droit veut-on l'accuser d'hypocrisie ? « Il n'est pas dans mon caractère de souffleter un roi vivant sur la joue d'un roi mort ! »

Martignac s'adoucit, affecte de croire le jeune — et bouillant ! — poète. Avec une nuance cependant :

— Je suis convaincu que ce n'est pas Charles X que vous avez mis dans votre drame, mais c'est Charles X qu'on y verrait.

Le ministre l'éconduit ? Qu'à cela ne tienne : c'est au roi que s'adressera Hugo. Et le roi le reçoit ! L'événement, tout aussitôt, va frapper l'opinion. Dans *la Revue de Paris* datée du 9 août, le directeur lui-même, le fameux docteur Véron, lui consacre un article entier sous le titre : « De l'audience accordée par S.M. Charles X à M. Victor Hugo », article dont Sainte-Beuve réclamera plus tard la paternité. Par deux fois, *le Globe* revient sur cette affaire qu'il appelle un « premier coup d'État littéraire ». C'est à Saint-Cloud, le 7 août 1829, à midi, que le roi a reçu Victor. La convocation était adressée à « M. le baron Victor Hugo », titre auquel l'autorité royale accorde tout à coup sa garantie. Habileté.

Il faut un habit à la française. Victor n'en a pas. Son frère Abel lui en procure un. A l'heure dite, il pénètre dans le palais que construisit jadis, pour cadre de sa gloire contestée, Monsieur, frère de Louis XIV. Il fait dix minutes antichambre au milieu de vingt personnes, parmi lesquelles Mme du Cayla, l'ancienne favorite de Louis XVIII, avec laquelle il cause un moment. On l'appelle. Tous le dévisagent, ce qui l'intimide. Il est tout rouge quand il pénètre dans le cabinet royal. Dans un poème des *Rayons et les Ombres*, il évoquera l'entrevue mémorable. Il montrera le grand cabinet « simple, nu, solitaire, majestueux pourtant », une table, un fauteuil de velours aux pieds « dorés et lourds », des armoires de Boulle, des vases du Japon, des laques, des émaux, « et des chandeliers d'or aux immenses rameaux ». Par ses yeux nous verrons deux hommes qui marchent côte à côte en parlant, le vieux roi à la tête blanche, « l'air fatigué, triste et grave » avec un uniforme vert à ganse rouge, portant le grand cordon de l'Ordre du Saint-Esprit ainsi que la Toison d'or ; l'autre, un jeune homme « étranger chez les rois »,

> Un poète, un passant, une inutile voix.

Ce poète-là ne peut s'empêcher d'évoquer secrètement la grande ombre de Napoléon qui, en ce même lieu, si souvent,

> De la porte en rêvant allait à la fenêtre.

Sans tarder, on aborde le sujet de la visite. En quelques mots, Hugo défend sa *Marion de Lorme*.

— Ah ! oui, je sais, dit le roi. On m'en a parlé hier. Il paraît ajoute-t-il en souriant, que vous maltraitez un peu mon pauvre aïeul Louis XIII. M. de Martignac dit qu'il y a dans votre pièce un acte terrible.

— Peut-être Votre Majesté ne serait-elle pas de l'avis de son ministre, si elle voulait prendre la peine de s'éclairer elle-même. J'ai apporté le quatrième acte...

Taylor a fait somptueusement calligraphier cet acte sur un papier vélin que symboliquement on avait voulu royal. Hugo le tend à Charles X qui l'interrompt avec grâce :

— Le quatrième acte seul ! Certainement je le lirai. Il fallait m'apporter toute la pièce.

On parle. Le roi affirme qu'une pièce peut provoquer des révolutions, que cela est arrivé. Déjà Martignac avait fait allusion au *Mariage de Figaro.* Hugo répond avec feu, stigmatise la censure, dit qu'il rêve d'une monarchie qui l'anéantirait et s'attirerait les bénédictions du peuple. Le vieux roi l'écoute attentivement. S'il faut l'en croire, Hugo aura droit à un sourire et à ces mots murmurés :

— Ô poète !

En prenant congé, Victor se permet de souhaiter une prompte décision : les acteurs attendent, la date de la représentation a été fixée.

— Soyez tranquille, promet le roi, je me presserai. J'aime beaucoup votre talent, Monsieur Hugo. Il n'y a pour moi que deux poètes, vous et Désaugiers.

Le lendemain, Martignac quitte le ministère. Une chance pour *Marion* ? Le nouveau ministre de l'Intérieur, M. de La Bourdonnaye, reçoit Hugo : « Le roi a lu l'acte, et regrette de ne pouvoir autoriser la représentation. Le gouvernement, du reste, est disposé à tout faire pour dédommager l'auteur. » Hugo salue et s'en va.

Le jour suivant, Sainte-Beuve vient rendre, rue Notre-Dame-des-Champs, sa chère visite quotidienne. Il cause avec Victor et Adèle quand on apporte un pli portant le cachet du ministère de l'Intérieur. Qu'est-ce ? M. de la Bourdonnaye annonce à Hugo que le roi lui accorde une nouvelle pension de 4 000 francs, ce qui, ajouté aux 2 000 francs qu'il touche déjà, aboutit à 6 000 francs. « Ma femme et Sainte-Beuve étaient dans mon cabinet, racontera plus tard Hugo, quand une lettre du ministre de l'Intérieur, La Bourdonnaye, m'arriva. J'ouvris la lettre. C'était l'annonce des 6 000 fr. de pension. Je tendis la lettre à ma femme et à Sainte-Beuve et je leur dis : lisez. Puis je pris une plume et me mis à écrire sur la première feuille de papier qui me tomba sous la main. Ils lisaient pendant que j'écrivais, et tous deux gardaient le silence. Je signai et je posai la plume. Sainte-Beuve me demanda : — Qu'allez-vous répondre ? Je lui dis : — Ceci. Et je lui tendis ce que je venais d'écrire. C'était la lettre de refus [1]. »

1. Lettre à Auguste Vacquerie, 20 janvier 1870.

Ce jour-là, Sainte-Beuve va mériter le titre de chargé des relations publiques de Victor Hugo. Grâce à lui, les journaux ne vont rien ignorer de la proposition et de son rejet. On lira dans *le Journal des débats* : « La conduite de M. Victor Hugo n'étonnera nullement ceux qui le connaissent ; mais il est bon que le public sache les nouveaux droits que le jeune poète vient d'acquérir à son estime. » Et, dans *le Constitutionnel* : « La jeunesse n'est pas aussi facile à corrompre que l'espèrent MM. les Ministres. »

Nouvelle question pour les *Blancs* : nous appartient-il toujours ? Nouvelle énigme pour les *Bleus* : se pourrait-il qu'il aille plus loin que nous ?

A vrai dire, dans sa lettre à La Bourdonnaye, Hugo a su nuancer son orgueilleux refus d'une habile — et d'ailleurs sincère — proclamation de dévouement : « Quoi qu'il advienne, il est inutile que je vous en renouvelle l'assurance, rien d'*hostile* ne peut venir de moi. Le roi ne doit attendre de Victor Hugo que des preuves de fidélité, de loyauté et de dévouement. »

Il n'en pense pas moins. Huit jours plus tard, il dîne chez Charles Nodier avec le baron Taylor qui lui annonce son prochain départ en voyage. Hugo demande au commissaire royal quand il sera de retour.

— A la fin du mois.

— Cela nous donne un peu plus de trois semaines. Eh bien, convoquez le comité pour le 1er octobre, je lirai quelque chose.

Le 5 octobre, devant les comédiens français, c'est *Hernani* que Hugo lira. Il a commencé la pièce le 29 août, achevé le premier acte le 2 septembre, commencé le second le 3, l'achevant le 6. Le 8 septembre, il vient à bout du troisième acte et met cinq jours, du 15 au 20, pour terminer le quatrième acte. Il lui suffit de quatre jours, du 21 au 24, pour en finir avec la pièce.

Pourquoi *Hernani* ?

Dès le mois d'août 1829, Sainte-Beuve écrivait à Hugo pour lui demander de lui restituer le « volume des *pièces du Cid* » qu'il avait lui-même emprunté à la bibliothèque de l'Arsenal. Donc, dans *Hernani*, il y a d'abord l'Espagne. Hugo, dans sa préface, dira que le *romancero general* est « la véritable clé » de son œuvre. Il invitera le lecteur qui pourrait être choqué par son propre drame à relire aussi « *le Cid, Don Sanche, Nicomède,* ou plutôt tout Corneille et tout Molière, ces grands et admirables poètes ». D'ailleurs, le sous-titre d'*Hernani* n'est-il pas *l'Honneur castillan*? L'obsession espagnole se décèle dans le même nom du héros, souvenir de son passage, tout enfant, par le petit bourg d'Ernani. Elle est telle, cette imprégnation, que c'est une authentique nécessité qui l'a conduit à situer dans ce cadre le conflit fulgurant que son imagination lui suggérait. A la violence qu'il voulait exprimer, il lui a paru que seules convenaient les couleurs exaspérées de l'Espagne.

En second lieu, il y a Adèle. Le personnage de Doña Sol lui doit beaucoup. En 1829, Hugo reste dans le droit-fil de ses propres amours, uniques et absolues. Doña Sol est vouée au blanc, par opposition au noir costume de Don Ruy Gomez. Dans les lettres de Victor à Adèle, que d'allusions à la « robe blanche » de celle-ci! Il y a mieux : le 5 janvier 1822, Adèle Foucher écrivait à Victor :

« Serais-tu en prison, dans un cachot, dans tous les endroits les plus horribles, que je te suivrais partout. Tous les obstacles ne seraient rien et ton Adèle s'attacherait à toi quand même tu t'y opposerais. Et que crois-tu que soit la vie ? Elle n'est quelque chose qu'autant qu'on la parcourt avec quelqu'un qui sait vous la faire aimer, vous y faire attacher quelque prix, et pour moi un tombeau où je serais avec toi serait le ciel pour moi. »

Et que dit Doña Sol à Hernani ?

Allez où vous voudrez, j'irai. Restez —, partez.
Je suis à vous. Pourquoi fais-je ainsi ? Je l'ignore.
J'ai besoin de vous voir et de vous voir encore.

N'ajoute-t-elle pas : « Je veux ma part de ton linceul » ? Victor avait offert à Adèle — comme Hernani à Doña Sol — de mourir après une nuit d'amour.

Cependant, ni l'Espagne ni Adèle ne sont l'essentiel. Ce qu'a passionnément désiré Hugo, c'est de faire éclater non seulement les frontières convenues du théâtre à la française — cela, tous les lycéens l'apprennent — mais celles de la réalité. *Hernani* est un drame *rêvé*. L'incohérence, les invraisemblances, les absurdités que ne cessent de souligner les préfaces des éditions scolaires, tout cela existe. L'erreur vient d'avoir cru qu'elles sont dues aux insuffisances de Hugo comme dramaturge. Ses personnages, Victor les a ressentis comme il les a peints. Les situations où il les plonge correspondent au monde tel qu'il le voit, aux hommes tels qu'il les sent. Dans l'âme de Hugo, sans cesse la grandeur côtoie la folie. Quand il porte ses regards vers un personnage du passé, aussitôt il cherche ce qui domine, de la folie ou de la grandeur. Les personnages d'*Hernani* nous apparaissent comme de purs reflets de l'angoisse hugolienne. Don Carlos — futur Charles Quint — c'est l'angoisse du pouvoir. Don Ruy Gomez, l'angoisse de la trahison. Hernani, l'angoisse de sa propre perdition. Comment ne pas découvrir « une précision presque clinique [1] », un véritable constat, dans les vers de l'acte III où Hernani, s'adressant à Doña Sol, crie sa terreur devant le destin où il se sent précipité :

> Détrompe-toi ! Je suis une force qui va !
> Agent aveugle et sourd de mystères funèbres !
> Une âme de malheur faite avec des ténèbres !
> Où vais-je ? Je ne sais. Mais je me sens poussé
> D'un souffle impétueux, d'un destin insensé.
> Je descends, je descends, et jamais ne m'arrête.
> Si parfois, haletant, j'ose tourner la tête,
> Une voix me dit : Marche ! et l'abîme est profond,
> Et de flamme ou de sang je le vois rouge au fond !
> Cependant, à l'entour de ma course farouche,
> Tout se brise, tout meurt. Malheur à qui me touche !
> Oh ! fuis ! détourne-toi de mon chemin fatal,
> Hélas ! sans le vouloir, je te ferais du mal !

Hernani court à la destruction, il le sait. Pourtant, il agit. Il va jusqu'à aimer, alors que pour cet insurgé, ce rebelle, il est interdit d'aimer. Sachant que Ruy Gomez est maître de sa vie, qu'il peut la lui réclamer à tout instant, il veut l'oublier et oser croire à un possible bonheur. Il tressaille quand retentit le cor de Ruy Gomez. *Hernani* se présente comme la première œuvre totalement onirique portée en France sur une scène. Son importance ne naît pas, comme on le répète sans cesse, du fait que, conduisant le spectateur de Saragosse aux montagnes d'Aragon, d'Aix-la-Chapelle au palais de Ruy

1. Jean Massin.

Gomez, elle bouscule les règles classiques ; mais de ce qu'elle fait littéralement éclater la logique des caractères. Hugo a-t-il regardé du côté de Shakespeare ? Bien sûr. Mais il reste Hugo. Pleinement.

Depuis longtemps le pouvoir le hantait. Il a vécu, les yeux littéralement fixés sur Napoléon. Charles Quint devient une nouvelle transposition du héros corse. Le fait même que la fonction impériale soit élective pour l'un et pour l'autre rend plus troublant encore le rapprochement. Identique, l'ambition des deux hommes. Identique, leur volonté d'unir l'Europe sous le même sceptre. Identiques, la grandeur, la part de la folie.

Hugo va lire *Hernani* devant un auditoire qui ressemble à s'y méprendre à celui qui, si peu de temps auparavant, avait acclamé la *Marion* mort-née. Les comédiens français reçoivent le drame par acclamations. Les journaux commencent à annoncer la nouvelle pièce, d'ailleurs sous le titre de *Hernani ou la jeunesse de Charles Quint*, première partie d'une trilogie.

Sainte-Beuve a naturellement assisté à la lecture d'*Hernani*. Après quoi, en compagnie de Louis Boulanger et de l'architecte Robelin, il a pris la diligence pour Besançon. C'est là que, devenu cardinal et archevêque, officie désormais Mgr de Rohan. A peine nommé, il a souhaité restaurer sa cathédrale et, pour cette tâche, a mandé auprès de lui Robelin. Un projet des trois voyageurs : pousser jusqu'au Rhin. Révélatrices sont les lettres de Sainte-Beuve. Pour la première fois, cet homme secret se dévoile. Le 11 octobre, il écrit de Dijon à Victor :

« Notre première pensée à tous trois est ici pour vous ; nous avons bien parlé de vous pendant le voyage, et hier à dîner vous et Madame Hugo ont été pour beaucoup dans ce plaisir qu'on éprouve à être trois amis dînant à dix heures du soir après deux mauvaises nuits et journées en diligence... Moi surtout, mon cher Victor, j'avais bien des raisons pour ne pas quitter un seul instant votre souvenir ; car, si je vous l'ai déjà dit en vers, souffrez que je le marque ici en simple et vraie prose, je ne vis plus que par vous... Tout ceci est pour vous, mon cher Victor, et pour Madame Victor qui n'est pas séparée de vous dans mon esprit ; dites-lui combien je la regrette et que je lui écrirai de Besançon et tâchez, du sein de votre bonheur et de votre gloire, d'avoir quelques pensées pour nous. »

Combien je la regrette. Dès qu'ils seront à Besançon, le 16 octobre, c'est à Adèle que Sainte-Beuve écrira :

« En vérité, Madame, quelle folle idée ai-je donc eue de quitter ainsi sans but votre foyer hospitalier, la parole féconde et encourageante de Victor, et mes deux visites par jour dont une était pour vous ? Je suis toujours inquiet parce que je suis vide, que je n'ai pas de but, de constance, d'œuvre ; ma vie est à tout vent, et je cherche comme un enfant hors de moi, ce qui ne peut sortir que de moi-même. Il n'y a plus qu'un point fixe et solide auquel, dans mes fous ennuis et mes divagations continuelles, je me rattache toujours : c'est vous, c'est Victor, c'est votre ménage et votre maison. »

Adèle ne tardera pas à répondre. Elle le fait dès le 20 octobre :

« Si de votre côté, vous voulez bien penser à nous, du nôtre, bien sûr nous n'y pensons et n'en parlons pas moins ; votre absence fait un grand vide dans notre foyer et nous vous prions de bien vous ennuyer loin de vous, afin de revenir bien vite : c'est la plus instante de toutes les prières que je puisse vous adresser... »

Une fois encore, Victor souffre des yeux. Adèle le dépeint « incapable d'aucun travail et de toute autre chose qui le force d'ôter le bandeau qui lui couvre les yeux ». Lui-même, dans une lettre à Sainte-Beuve parle de « cette maudite inflammation que vous me connaissez dans les intestins » qui « se met en marche, monte dans la tête et se jette sur mes yeux. Me voilà alors aveugle ; enfermé des jours entiers dans mon cabinet, stores baissés, volets fermés, porte close, ne pouvant travailler, ni lire, ni écrire ».

En fait de cécité, Hugo n'aurait pas dû méconnaître qu'il en existe une autre, toute morale. De ce spleen avoué par Sainte-Beuve, de cette absence si mal supportée, il n'a rien vu, rien décelé. Il faut dire que l'affaire d'*Hernani* l'occupe tout entier.

L'affaire : c'en est devenu une qui l'a quasiment brouillé avec Vigny. Le noble comte a traité les comédiens français du haut de sa superbe. Humiliés, ils se sont vengés en proposant de faire passer la représentation d'*Hernani* avant celle d'*Othello*. Le débat est devenu public. Paternellement, *le Globe* a souhaité que Hugo s'effaçât devant son ami, mais il l'a fait en des termes insupportables pour Vigny : « Shakes-

peare traduit avec fidélité, offert sans prétentions comme
une étude, est une assez bonne introduction à la réforme. »
Le lendemain, dans une lettre rendue publique, Hugo s'est
engagé, avec quelque solennité, à ce que *Hernani* ne prît
jamais le pas sur *Othello*. Ce qui n'a rien arrangé du tout.
Hugo à Vigny : « On cherche à nous désunir, mais je vous
prouverai le jour d'*Othello* que je suis plus que jamais votre
bon et dévoué ami. » C'est bien *Othello* qu'on joue en premier. Vigny croyait au triomphe. Ce n'est qu'un succès. A
l'égard de Hugo, son amertume grandit d'autant. Il en souffre, l'écorché Hugo. De même qu'il prendra fort mal un article de Nodier contenant une allusion plus que perfide aux
Orientales. Quoi ! C'est donc cela l'amitié ? *Hugo à Nodier* :
« Et vous aussi, Charles ! Je voudrais pour beaucoup n'avoir
pas lu *la Quotidienne* d'hier. Car c'est une des plus violentes
secousses de la vie que celle qui déracine du cœur une vieille
et profonde amitié... Croyez-moi, c'est une chose bien triste
pour moi, et pour vous aussi, car de votre vie, Charles, jamais
vous n'avez perdu d'ami plus profondément et plus tendrement et plus absolument dévoué. »

D'évidence, c'est un homme dont les nerfs sont exacerbés
qui écrit ainsi. Une explication : il vient d'apprendre que le
censeur Brifaut — toujours lui — a signé un rapport horrifié
sur *Hernani*. Qu'on en juge : « Il est bon que le public voie
jusqu'à quel point d'égarement peut aller l'esprit humain
affranchi de toute règle. » Le baron Trouvé, chef de la division des Belles-Lettres au ministère de l'Intérieur, a
confirmé : la pièce ne pourra être jouée que si l'auteur
accepte les modifications et suppressions qui lui seront pro-
posées. De la part de Hugo, c'est d'abord une réaction de
colère, suivie d'une dépression dont Sainte-Beuve, confident
et confesseur, recevra l'écho. *2 novembre 1829* : « Tout
s'assombrit autour de nous. Nous voilà revenus comme à nos
premiers jours de lutte et de combat... La vieille école, qui ne
soufflait plus, a repris l'offensive. Un orage terrible s'amoncelle sur moi, et la haine de tout ce bas journalisme est telle,
qu'on ne me tient plus compte de rien... » Il se reprend,
adresse à La Bourdonnaye, toujours ministre de l'Intérieur,
une lettre très digne, protestant contre les suppressions
qu'on veut lui imposer. Il ne peut croire « que de pareilles
radiations soient définitives et sans appel ». Le ministre
redoute-t-il les commentaires de la presse et surtout ceux

d'une opinion qui ne pardonne plus rien à un régime qui se tient désormais pour assiégé ? Il cède. C'est le baron Trouvé lui-même qui sera chargé d'écrire au poète : « Vous êtes donc autorisé à laisser subsister sur le manuscrit les expressions suivantes adressées à Don Carlos : *lâche, insensé, mauvais roi*. » Pauvre censure.

Et le jour arrive où l'on met *Hernani* en répétition. Hugo sait déjà qu'il va livrer le combat décisif de sa vie.

Comme j'aime Dumas ! Pendant toute la bataille qui se prépare — bataille : le mot est prononcé — il ne quitte pas Hugo. Il ne manque pas une répétition. On dirait qu'il n'a plus rien à faire dans la vie que d'escorter et soutenir cet homme de son âge qu'il admire d'un cœur qui vaut son âme. Je le vois, tel que Devéria l'a dessiné, infiniment long, infiniment mince — l'embonpoint ne viendra chez ce gastronome qu'après quarante ans — infiniment brun de teint et crépu de cheveux. J'entends sa voix sonore, ses rires énormes. Je le vois se plier et se déplier dans l'un des fauteuils de velours rouge du Théâtre-Français. Je le vois se réjouir, se récrier, s'indigner. Présence pour nous irremplaçable. Des répétitions d'*Hernani*, il a tout perçu, tout retenu, tout noté. Adèle l'a si bien senti que, dans son propre récit, elle a tout bonnement recopié Dumas. Avec cela, parfaitement lucide en ce qui les concerne, Victor et lui : « Hugo et moi avons deux caractères absolument opposés ; lui est froid, calme, poli, sévère, plein de mémoire du bien et du mal ; moi, je suis en dehors, vif, débordant, railleur, oublieux du mal, quelquefois du bien. » Comment ne pas le croire lorsqu'il nous lance : « Avec les répétitions commencèrent les déboires » ? On ne peut dire que d'emblée le Théâtre-Français se soit montré tout entier acquis au romantisme. Seul le vieux Joanny — qui doit jouer Ruy Gomez — ne cèle pas sa sympathie pour la nouvelle école. Les autres, aussi bien Mlle Mars qui doit être Doña Sol, Michelot qui incarnera Charles Quint, et Firmin, futur Hernani, « ne regardaient l'envahissement qui s'opérait que comme une espèce d'invasion de barbares à laquelle il fallait se soumettre en souriant ». Dumas ajoute : « Dans les caresses que nous faisait Mlle Mars, il y avait toujours les restrictions mentales de la femme violée. » D'où un conflit qui, d'abord feutré, va peu à peu s'envenimer pour devenir flagrant. D'où, entre Hugo et Mlle Mars — qui a alors cin-

quante et un ans — des dialogues mémorables. Au milieu de
la répétition, la grande actrice s'arrête tout à coup :
— Pardon, mon ami, dit-elle à Firmin, à Michelot ou à
Joanny, j'ai un mot à dire à l'auteur.

Comme cet auteur-là se trouve assis dans la salle, le
« mot » sera dit par-dessus la rampe, de sorte que rien n'en
sera perdu « pour les trente ou quarante artistes, musiciens,
régisseurs, comparses, garçons de théâtre, allumeurs et pompiers assistant à la répétition ». Mlle Mars s'avance jusqu'à la
rampe, abrite ses yeux de la main et fait semblant de chercher l'auteur. Elle sait très bien où se trouve Hugo, mais chaque jour elle réitère ce manège :
— Monsieur Hugo ? Monsieur Hugo est-il là ?
Hugo se lève :
— Me voici, Madame.
— Eh ! très bien ! merci... Dites-moi, monsieur Hugo...
— Madame ?
— J'ai à dire ce vers-là :

> Vous êtes mon lion superbe et généreux !

— Oui, Madame, Hernani vous dit :

> Hélas ! J'aime pourtant d'une amour bien profonde !
> Ne pleure pas... Mourons plutôt ! Que n'ai-je un monde,
> Je le donnerais ! Je suis bien malheureux !

Et vous lui répondez :

> Vous êtes mon lion superbe et généreux !

— Est-ce que vous aimez cela, monsieur Hugo ?
— Je l'ai écrit ainsi, Madame ; donc j'ai cru que c'était
bien.
— Alors, vous y tenez, à votre *lion* ?
— J'y tiens et je n'y tiens pas, Madame ; trouvez-moi quel-
que chose de mieux, et je mettrai cette autre chose à la place.
— C'est qu'en vérité, cela me semble si drôle d'appeler
M. Firmin *mon lion* !

Hugo, toujours armé du même calme olympien, explique
que si Mlle Mars s'adresse en effet à Firmin, elle n'a pas de
raison de l'appeler son lion. Qu'en revanche elle doit se sou-

venir qu'elle interpelle Hernani, un de ces terribles chefs de bande qui faisaient trembler Charles Quint jusque dans sa capitale. La pupille de Ruy Gomez de Silva, s'adressant à un tel homme, peut — elle — l'appeler son *lion*. Mlle Mars écoute, avec une attention qui semble infinie. Elle médite. Puis :

— C'est bien ! Puisque vous tenez à votre *lion*, n'en parlons plus. Je suis ici pour dire ce qui est écrit ; il y a dans le manuscrit : « Mon lion ! », je dirai « Mon lion ! ». Moi... Mon Dieu ! Cela m'est bien égal ! — Allons, Firmin !

> Vous êtes mon lion superbe et généreux !

Seulement, le lendemain, parvenue au même endroit, Mlle Mars s'arrête comme la veille. Elle s'avance vers la rampe. Elle place la main sur ses yeux. Elle cherche l'auteur :

— Monsieur Hugo est-il là ?

Hugo se lève :

— Me voici, Madame.

De nouveau, elle lui demande s'il a pensé à ce vers, « vous savez bien ce vers » :

> Vous êtes mon lion superbe et généreux !

N'a-t-il pas trouvé quelque chose pour remplacer ce *lion* qui sûrement sera sifflé ? Hugo, imperturbable, répond qu'il n'a pas trouvé parce qu'il n'a pas cherché. Et que, si l'on siffle l'hémistiche, c'est parce que Mlle Mars ne l'aura pas dit avec son talent habituel. A quoi la grande actrice répond qu'elle le dira de son mieux, mais qu'elle préférerait autre chose. Par exemple :

> Vous êtes mon seigneur superbe et généreux !

— Est-ce que *mon seigneur* ne fait pas le vers comme *mon lion* ?

— Si fait, Madame, seulement *mon lion* relève le vers et *mon seigneur* l'aplatit. J'aime mieux être sifflé pour un bon vers qu'applaudi pour un méchant.

— C'est bien, c'est bien !... Ne nous fâchons pas... On dira votre *bon vers*, sans y rien changer ! — Allons, Firmin, mon ami, continuons...

Bien entendu, le jour de la première représentation, Mlle Mars, au lieu de prononcer : « Vous êtes mon lion », lancera : « mon seigneur ! ». « Le vers, dit Dumas, ne fut ni applaudi ni sifflé ; il n'en valait plus la peine. »

Chaque jour, les escarmouches se renouvellent. Tout est prétexte à Mlle Mars pour interpeller Hugo. Chaque jour, Hugo lui répond avec le même sérieux, le même calme. Jusqu'au jour où il perd patience. Il attend que la répétition soit achevée, monte sur le théâtre, s'approche de Mlle Mars et sollicite d'elle un entretien immédiat. Déconcertée, elle l'invite à l'accompagner au petit foyer. Là, tout à trac, il lui dit qu'il vient de prendre une résolution.

— Quelle résolution ?

— Celle de vous redemander votre rôle.

Stupeur de Mlle Mars à qui de sa vie un auteur n'a osé retirer un rôle. Incrédulité.

— Mais enfin, demande-t-elle d'une voix plus haut perchée qu'à l'ordinaire, pourquoi me le reprenez-vous ?

— Parce que je crois m'apercevoir d'une chose, Madame : c'est que, quand vous me faites l'honneur de m'adresser la parole, vous paraissez ignorer absolument à qui vous parlez.

— Comment cela, Monsieur ?

— Oui, vous êtes une femme d'un grand talent, je sais cela... Mais il y a une chose dont, je le répète, vous semblez ne pas vous douter, et que, dans ce cas, je dois vous apprendre : c'est que, moi aussi, Madame, je suis un homme d'un grand talent : tenez-vous-le donc pour dit, je vous prie, et traitez-moi en conséquence.

— Vous croyez donc que je le jouerai mal, votre rôle ?

— Je sais que vous le jouerez admirablement bien, Madame, mais je sais aussi que, depuis le commencement des répétitions, vous êtes fort impolie envers moi ; ce qui est indigne à la fois et de Mlle Mars et de M. Victor Hugo.

Mlle Mars mord ses lèvres pâles :

— Oh ! vous mériteriez bien que je vous le rendisse, votre rôle !

Ce qui l'achève, c'est que Hugo lui révèle que, pour la remplacer, il a pensé à Mlle Despréaux. Un détail : Mlle Despréaux a dix-sept ans.

— Elle n'aura pas votre talent sans doute ; mais elle est jeune, elle est jolie ; sur trois conditions que le rôle exige, elle en réunit deux.

Réaction ultime et furibonde de Mlle Mars :

— Eh bien, moi, je le garde votre rôle ! Je le jouerai, et comme personne ne vous le jouerait à Paris, je vous en réponds !

— Soit, gardez le rôle ; mais n'oubliez pas ce que je vous ai dit à l'endroit des égards que se doivent entre eux les gens de notre mérite.

Désormais, Mlle Mars sera « froide mais polie envers Hugo ». Ce qui ne l'empêchera pas, le soir de la première représentation venue, de jouer « admirablement le rôle ».

Car il approche, ce soir tant attendu, tant espéré. Tant redouté.

Hugo à Saint-Valry, 18 décembre 1829 : « Vous me savez obéré, écrasé, surchargé, étouffé. La Comédie-Française, *Hernani*, les répétitions, les rivalités de coulisses, d'acteurs, d'actrices, les menées de journaux et de police... Voilà ma vie ; le moyen d'être tout à ses amis quand on n'est pas même à soi ! »

C'est ce climat que Sainte-Beuve, regagnant Paris, a retrouvé, en même temps que l'un des hivers les plus rudes que Paris ait traversés. Du 20 décembre à la fin de février, la Seine sera prise par les glaces. Les rues se sont muées en patinoires. Chaque jour, pour ne pas se casser la jambe, Hugo a pris le parti de traverser les ponts en chaussons. Dans la salle, dit Adèle, on lui apportait « une vaste chaufferette ». Les acteurs grelottent. Aussitôt qu'ils ont dit le dernier vers de leur rôle, ils courent « se chauffer les doigts au foyer ». Adèle ajoute : « La traînerie des répétitions avait ôté cette verdeur nécessaire au jeu des acteurs... »

Tout le théâtre chuchote, murmure à propos du coup d'État annoncé par Hugo : il a refusé la *claque* alors traditionnelle, expliquant que les applaudissements salariés lui répugnaient, « qu'à une forme nouvelle il fallait un public nouveau, que son public devait ressembler à son drame, que, voulant un art libre, il voulait un parterre libre, qu'il inviterait les jeunes gens, poètes, peintres, sculpteurs, musiciens, imprimeurs, etc. ».

En quelques heures, rue Notre-Dame-des-Champs, tout change, au grand étonnement, à la grande contrariété de Sainte-Beuve. « Ah ! vous voilà, Sainte-Beuve, lui dit Adèle quand il paraît, bonjour ; asseyez-vous. Nous sommes dans le coup de feu, vous voyez... » Le petit appartement grouille d'une foule inconnue, en tout cas chevelue, accourue à la convocation de Hugo pour livrer le bon combat. Une bataille, cela se prépare. Victor et Adèle sont sans cesse penchés sur le plan de la salle. On a marqué les fauteuils dont on sait qu'ils seront occupés par les plus virulents des classiques. Ces ennemis de premier rang, il faut littéralement les cerner.

Ils font du bruit, ces jeunes gens. Sainte-Beuve n'aime pas le bruit. Ils ont soif et, rire aux lèvres, Adèle leur sert à boire. Très vite, le petit Sainte-Beuve s'isole, va s'asseoir dans un coin, refuse la cohue. Son ami Ulrich Guttinguer recueillera l'aveu de sa morne tristesse en constatant ce qu'est devenu « cet asile si cher, si bruyant et si plein d'ordures. Quoi ? Plus de solitude avec des êtres si aimés ? Oh ! C'est triste, bien triste !... ». D'autant plus que Sainte-Beuve a découvert le secret des Hugo : Adèle est de nouveau enceinte. Certes, elle ne l'est que de trois mois et cela ne se voit point encore. Les chevelus assoiffés qui hantent le salon ignorent tout lorsqu'ils la voient allant, venant sans cesse, toujours debout, accueillant l'un, souriant à l'autre, désaltérant un troisième. Mais Sainte-Beuve *sait*. Ce qui monte en lui, c'est une sourde colère.

Au fait, que pense-t-il d'*Hernani*, Sainte-Beuve ? Il aime et il n'aime pas. Il en a été, il en sera toujours ainsi pour ce qu'écrit Hugo. Seules *les Feuilles d'automne*, par exception, trouveront presque entièrement grâce à ses yeux, parce qu'il y découvrira plus de mesure, « plus de familiarité et de tendresse ». N'aimer Hugo que lorsqu'il est mesuré, voilà un paradoxe qui va longtemps poursuivre Sainte-Beuve. En fait, la difficulté vient de sa part de faire coexister en lui l'ami et le critique. L'amitié lui a fait balayer les réserves exprimées dans ses articles sur les *Odes et Ballades* et dans sa lettre sur *Cromwell*. L'amitié — et l'admiration — ont fait de lui un romantique déclaré. Il a placé ses propres *Consolations* sous l'invocation de Hugo. Il affirme publiquement appartenir « d'esprit et de cœur » à la jeune école de poésie dont « Lamartine, Alfred de Vigny, Victor Hugo, Émile Deschamps, et dix autres après eux, ont recueilli, décoré, agrandi le glorieux héritage ». Tous ses écrits célèbrent indifféremment en Hugo l'ami et le romantique. Quand il offre à son « grand Victor » le Ronsard in-folio dont il s'est servi pour son *Tableau historique et critique de la poésie française et du théâtre français au* xvi*ᵉ siècle*, il l'adresse au « plus grand inventeur lyrique que la poésie française ait eu depuis Ronsard ». Que ce soit pour *le Globe* ou *la Revue de Paris*, il se fait le chargé de presse ou l'agent de propagande, comme on voudra, de son ami. Il en viendra à écrire la biographie quasi officielle de Hugo qui paraîtra dans *la Revue des Deux Mondes*. Mais, constate l'un de ses commentateurs les plus lucides, « son amitié pour Hugo ressemble à beaucoup de passions : on se donne à l'autre tout en restant soi, et, si le désir qu'on a de l'unité provoque un mouvement vers l'autre, il peut aussi provoquer une tentative d'amener l'autre à soi [1] ».

Tandis que l'ami s'abandonne, le critique ne peut s'empêcher de rester vigilant. Peut-être aussi à l'égard de ce Victor tant admiré, laisse-t-il naître et s'installer une sourde jalousie. Nulle amitié intime n'en est exempte. Quelle différence entre l'estime mesurée dont on use à propos de ses propres productions, et les acclamations en forme de fanfare qui s'adressent déjà à Hugo et ne cesseront de déferler vers lui !

On découvre dans tout cela bien de la confusion. L'important est ailleurs : Sainte-Beuve aime Adèle. Et maintenant il le sait.

Sur la manière dont ont été recrutés les bataillons qui doivent combattre pour *Hernani*, le bon Théophile Gautier nous a tout dit. En ce temps-là, Gautier, encore lycéen, se croit des talents de peintre et, en dehors des heures qu'il passe au collège Charlemagne, étudie sous la férule de Rioult dans un atelier de la rue Saint-Antoine. Il ne passe pas inaperçu : à cette époque, il porte les cheveux jusqu'à la ceinture ! Dans les ateliers, on ne se contente pas d'user des fusains sur des feuilles à dessiner ou de barbouiller des toiles ; on lit. On lit beaucoup. On vénère Chateaubriand. En même temps que Shakespeare et Lord Byron, on vient de découvrir Victor Hugo : « La préface de *Cromwell* rayonnait à nos yeux comme les Tables de la Loi sur le Sinaï, et ses arguments nous semblaient sans réplique. Les injures des petits journaux classiques contre le jeune maître, que nous regardions dès lors et avec raison comme le plus grand poète de France, nous mettaient en des colères féroces. » Assister à la pre-

1. Raphaël Molho.

mière représentation d'*Hernani* : c'est pour ces rapins un rêve inaccessible. Or, un matin, Gautier voit survenir chez Rioult l'un de ses condisciples du collège Charlemagne, Gérard de Nerval, sorte d'elfe de dix-sept ans qui sautille plus qu'il ne marche. Si jeune, il a fait paraître un volume de vers et traduit *Faust* en français. Nerval connaît Hugo, a été reçu chez lui et bien reçu. « Il avait dans ses poches, dit Gautier, plus encombrées de livres, de bouquins, de brochures, de carnets à prendre des notes, car il écrivait en marchant, que celles du Colline de *la Vie de Bohême*, une liasse de petits carrés de papier rouge timbrés d'une griffe mystérieuse inscrivant au coin du billet le mot espagnol : *hierro*, voulant dire fer. » Ce *hierro* est le signe de ralliement. Hugo a acheté plusieurs mains de papier rouge, découpé de carrés sur lesquels il a imprimé le mot flamboyant : toujours l'Espagne. Il a distribué ces carrés à ceux — Nerval en est — dont il a fait ses sergents recruteurs. Détachant du paquet six carrés rouges, le poète de dix-sept ans les tend solennellement aux apprentis peintres :

— Surtout n'amenez que des hommes sûrs !

La suite logique sera une visite de Gautier à Hugo. Il doit, tant la frayeur le paralyse, s'y reprendre à deux fois. Une première fois, au moment de tirer le cordon de la sonnette, épouvanté par son audace, il tourne les talons, et redescend si vite les degrés qu'il manque choir jusqu'en bas. Une seconde fois, il tourne casaque devant la porte. La troisième fois, avant de sonner, il s'assoit, pour se donner du courage, sur une des marches de l'escalier. Il attend. Quoi ? Il ne le sait pas lui-même. Et voici que la porte s'ouvre et qu'apparaît Hugo. Gautier croit s'évanouir. Hugo se contente de sourire : la chevelure à la Samson y est peut-être pour quelque chose. Il invite Gautier à le suivre dans son cabinet. Comme le croyant considérerait l'apparition de l'archange Raphaël, Gautier le dévore littéralement des yeux : « Ce qui frappait d'abord dans Victor Hugo, c'était le front vraiment monumental qui couronnait comme un fronton de marbre blanc son visage d'une placidité sérieuse... Le signe de la puissance y était. Des cheveux châtain clair l'encadraient et retombaient un peu longs. Du reste, ni barbe, ni moustaches, ni favoris, ni royale, une face soigneusement rasée d'une pâleur particulière, trouée et illuminée de deux yeux fauves pareils à des prunelles d'aigle, et une bouche à lèvres sinueuses, à coins surbaissés, d'un dessin ferme et volontaire qui, en s'entrouvrant pour sourire, découvrait des dents d'une blancheur étincelante. Pour costume, une redingote noire, un pantalon gris, un petit col de chemise rabattu, — la tenue la plus exacte et la plus correcte. On n'aurait vraiment pas soupçonné dans ce parfait gentleman le chef de ces bandes échevelées et barbues, terreur des bourgeois à menton glabre. »

Ainsi Gautier va-t-il se trouver promu au rang de chef de tribu. Tel est le nom que l'on va donner désormais aux combattants. Adèle retrouvera plus tard une liste des *tribus* Gautier, Gérard, Pétrus Borel, etc. Elle y découvrira les noms de Balzac, Berlioz, Auguste Maquet, Préault, Bouchardy, Lemot, bien d'autres, tout cela entremêlé d'appellations collectives : l'atelier d'architecture de Gourmaud, 13 places ; l'atelier d'architecture de Labrousse, 5 ; l'atelier d'architecture de Duban, 12, etc.

Désormais, de jour et de nuit, les combattants vont gravir l'escalier de la rue Notre-Dame-des-Champs. Au grand dam des propriétaires terrés en leur rez-de-chaussée, ces boutiquiers retraités, qui avaient acquis l'immeuble « pour être tranquilles » ! Au désespoir, aussi, de Sainte-Beuve, de plus en plus réprobateur, de plus en plus replié sur lui-même. Un jour, il n'en peut mais, il faut que cela éclate, qu'il dise enfin à Hugo tout ce qu'il a sur le cœur :

« En vérité, à voir ce qui arrive depuis quelque temps, votre vie à jamais en proie à tous, votre loisir perdu, les redoublements de la haine, les vieilles et nobles amitiés qui s'en vont, les sots ou les fous qui les remplacent, à voir vos rides et vos nuages au front, qui ne viennent pas seulement du travail des grandes pensées, je ne puis que m'affliger, regretter le passé, vous saluer du geste et m'aller cacher je ne sais où ; Bonaparte consul m'était bien plus sympathique que Napoléon empereur.

« Il m'est impossible maintenant de penser cinq minutes à *Hernani* sans que toutes ces tristes idées ne s'élèvent en foule dans mon esprit ; sans penser à cette voie de luttes et de concessions éternelles où vous vous engagez, à votre chasteté lyrique compromise, à la tactique obligée qui va présider à toutes vos démarches, aux sales gens que vous devrez voir, auxquels il vous faudra serrer la main. Je ne vous dis pas tout ceci pour vous détourner, car les esprits comme les vôtres sont inébranlables, doivent l'être ; car ils ont leur vocation marquée. Je ne vous le dis que pour moi, pour vous expliquer mon

silence, non interprété, et mon inutilité... Déchirez, oubliez tout ceci.
Que cette lettre ne soit pas un souci de plus dans vos soucis sans
nombre. Mais j'avais besoin de vous l'écrire, puisqu'on ne peut plus
vous parler seul à seul et que votre foyer est comme dévasté.

« Votre inviolable et triste.

« Sainte-Beuve. »

A cette lettre, il ajoutera un *post-scriptum*. Il faut le lire
avec attention. Il est l'indice que, de la part de Sainte-Beuve,
s'engage une véritable crise et qu'elle sera grave :

« Et Madame ? Et celle dont le *nom* ne devrait retentir sur votre
lyre que quand on écouterait vos chants à genoux ; celle-là même
exposée aux yeux profanes tout le jour, distribuant des billets à plus
de quatre-vingts jeunes gens à peine connus d'hier ; cette familiarité
chaste et charmante, véritable prix de l'amitié, à jamais déflorée par
la cohue ; le mot de dévouement prostitué, l'*utile* apprécié avant
tout, les combinaisons matérielles l'emportant !!! »

Hugo s'étonnera-t-il de découvrir sa femme à ce point
sacralisée par son ami ? Jugera-t-il que cet ami dépasse un
peu les bornes ? S'inquiétera-t-il ? Pas même. Les romantiques vivent dans la fréquentation quotidienne de l'outrance.
Et puis, a-t-il seulement eu le temps de lire le *post-scriptum* ?
C'est *Hernani* qui compte pour lui. Exclusivement.

Malgré tout, ce Sainte-Beuve réprobateur, blessé, chagrin,
ne songe pas — éternelle contradiction dont il n'est pas maître — à se dérober : il joue son rôle dans le combat. Même, il
figure dans les rangs de l'état-major. Il répond aux innombrables demandes de billets qui parviennent rue Notre-
Dame-des-Champs : « M. Victor Hugo, accablé d'occupations
et ne pouvant vous répondre, me charge de le faire... » Il sera
à la première d'*Hernani*.

Pour cette représentation mémorable, Théophile Gautier
s'est fait confectionner un gilet rouge. Qui l'ignorerait ? *Hernani* et le gilet sont devenus inséparables. Le bon Théo lui-
même s'y résignait : « Le gilet rouge ! On en parle encore
après plus de quarante ans, et l'on en parlera dans les âges
futurs, tant cet éclair de couleur est entré profondément
dans l'œil du public. » Il ajoutait : « Nos poésies, nos livres,
nos articles, nos voyages seront oubliés ; mais l'on se souviendra de notre gilet rouge. »

25 février 1830. Impossible de ne pas s'émouvoir en lisant les lignes que Gautier a écrites quelques mois avant sa mort, alors qu'il luttait contre l'affreuse maladie qui allait l'emporter : « Cette date reste écrite dans le fond de notre passé en caractères flamboyants : la date de la première représentation d'*Hernani* ! Cette soirée décida de notre vie ! »

Elle a ses phases, la bataille d'*Hernani*, tout comme celles d'Austerlitz et de Waterloo. On est convenu que les tribus occuperaient la salle avant le public. N'était-ce pas l'habitude pour la claque traditionnelle ? L'essentiel était d'occuper le terrain avant l'arrivée des classiques. Là-dessus, le baron Taylor a donné son accord, à condition que les tribus soient en place avant que le public eût commencé de faire queue :

— Qu'ils soient tous entrés avant 3 heures !

Pour être sûrs de ne pas arriver trop tard, faisant bonne mesure, les tribus se sont présentées à 1 heure !

Manuscrit d'Adèle : « A une heure commença la queue grossissant de minute en minute et encombrant la rue de Richelieu. Elle s'était formée d'après les instructions du préfet de police en dehors des balustrades du théâtre. Cette rangée de jeunes gens à mines résolues, barbus, chevelus, habillés étrangement, portant les uns des chapeaux tromblons, d'autres des chapeaux à la Henri III, ceux-ci des vareuses, ceux-là des rubans que variaient des manteaux espagnols. Dans ce pêle-mêle de costumes bizarres on apercevait jusqu'à des gilets à la Robespierre ; un, magnifique, rouge écarlate s'étalait sur la large poitrine de Théophile Gautier. Ces êtres fantastiques faisant queue à une heure et à une place inusitée obstruaient le passage, mirent tout le quartier en émoi. »

Malgré le froid toujours digne de l'Arctique, les bourgeois qui passent s'immobilisent. Stupéfaits, ils observent avec colère une inconvenance aussi inouïe. Bientôt les tribus deviennent si nombreuses qu'elles débordent sur la chaussée jusqu'à gêner la circulation ! C'en est trop aux yeux de l'art classique qui compte ses meilleurs partisans dans le théâtre lui-même. Des combles de la Comédie-Française se mettent à pleuvoir sur les bataillons romantiques « toutes les balayures et toutes les ordures » que l'on a pu rassembler à une telle altitude. Le jeune Honoré de Balzac reçoit pour sa part sur la tête un trognon de chou. Va-t-on se fâcher ? C'est probablement ce qu'espèrent les classiques. Le moindre tumulte ferait accourir la police, on arrêterait les perturbateurs :

alors, plus de défenseurs pour *Hernani*. Les chefs de tribus se concertent. Aux injures matérialisées qui continuent à tomber, on décide d'opposer la sérénité. Les plus bouillants se comparent à la Vieille Garde de Napoléon, stoïque sous la mitraille.

A 3 heures, la porte s'ouvre, les bataillons s'engouffrent dans la salle et prennent position. A 3 heures et demie, toutes les places ont été distribuées et sont occupées par des combattants plus déterminés que jamais. Un problème : jusqu'à 7 heures, heure de la représentation, il reste trois heures et demie. C'est long. Très long. Que faire ? Comme on est venu trop tôt pour avoir dîné — le dîner est alors le repas de midi — ces jeunes gens prévoyants ont apporté des en-cas. On déballe cervelas, saucisson, jambon, pain. On débouche les bouteilles. Les tribus ont, cet après-midi-là, dîné si longuement qu'elles étaient encore à table quand on a enfin admis le public à pénétrer dans la salle. Les voilà donc, les tenants obstinés de l'art classique. Au parterre et aux balcons, on aperçoit tant de têtes chauves, « moignons glabres, dit Gautier, sortant de leurs cols triangulaires avec des tons couleur de chair et beurre rance, malveillants malgré leur apparence paterne », qu'un jeune apprenti sculpteur ne peut se retenir de crier :

— A la guillotine, les genoux !

Le ton est donné. Une forte odeur d'ail plane dans cette enceinte sacrée. Les grisâtres, étonnés, hument ce parfum indéfinissable. Quand les dames pénètrent dans les troisièmes loges, des cris d'horreur fusent. C'est que cet après-midi si long n'a pas été sans susciter, parmi les combattants, certains besoins naturels augmentés par d'abondantes libations. On a cherché les toilettes. Malheureusement l'usage était de les fermer à clé et de ne les ouvrir que lors de l'arrivée du public. Les tribus ont tenu tant que cela a été possible. Les forces ont des limites. On a trouvé, pour se soulager, l'endroit le plus discret. On s'est glissé dans les troisièmes loges, alors plongées dans l'obscurité. Elles sont maintenant en pleine lumière. Les légers souliers des épouses classiques se posent dans des flaques dont l'odeur plus que l'aspect exprime hélas parfaitement la provenance. Furieux, les messieurs en habit noir protestent à grand bruit, exigent que le commissaire royal, M. Taylor, soit prévenu. Il accourt, prodigue ses excuses et, fort contrarié, regagne les coulisses.

Justement, voici Hugo. Taylor l'aborde sans ménagement :
— Votre drame est mort et ce sont vos amis qui l'ont tué !
L'estomac noué — le trac — Hugo est arrivé à 2 heures en
compagnie du petit Sainte-Beuve, plus renfrogné que jamais.
Ensemble ils sont montés dans les combles. Seule façon de
voir sans être vus le rassemblement des troupes du romantisme. Pas plus que les autres, ils n'ont dîné. Ils sont allés
prendre des forces, à deux pas de là, chez Véfour. Admirons :
Véfour n'est pas précisément un restaurant bon marché et il
ne reste ce jour-là chez les Hugo que cinquante francs. Rassasiés, abreuvés, ils ont regagné le théâtre. Hugo est allé saluer
Mlle Mars. Elle ne sait rien encore des troisièmes loges inondées. C'est du moins ce que Taylor vient de jurer à Hugo.
Erreur tragique. Victor est accueilli par ces mots proférés par
la voix la plus célèbre du temps :
— Eh bien, vous avez de jolis amis ! Vous savez ce qu'ils
ont fait !
Dans les coulisses, c'est à peine si l'on regarde encore
l'auteur. Des acteurs jusqu'aux machinistes, en y incluant les
figurants et les régisseurs, c'était la froideur qui, la veille,
dominait. Aujourd'hui le personnel en est à l'hostilité.
L'heure approche. Comme tous les auteurs du monde,
Hugo ne peut s'empêcher de regarder la salle par le trou de
la toile. Il ne voit que « soie, bijoux, fleurs, épaules nues ».
Mais, perdues dans ce resplendissement, les tribus agitent
leurs crinières. Le lustre, avec sa triple couronne de gaz, descend lentement du plafond, la rampe s'élève. Les candélabres
s'allument aux avant-scènes. « Une rumeur d'orage grondait
sourdement dans la salle, dit Gautier, il était temps que la
toile se levât : on en serait peut-être venu aux mains avant la
pièce, tant l'animosité était grande de part et d'autre. Enfin
les trois coups retentirent. Le rideau se replia lentement sur
lui-même, et l'on vit, dans une chambre à coucher du seizième siècle, éclairée par une petite lampe, Doña Josepha
Duarte, vieille en noir, avec le corps de sa jupe cousu de jais à
la mode d'Isabelle la Catholique, écoutant les coups que doit
frapper à la porte secrète un galant attendu par sa maîtresse. » La première réplique retentit, prononcée par Josepha :

> Serait-ce déjà lui ? C'est bien l'escalier
> Dérobé...

Une clameur monte : la querelle est engagée ! Ce mot
« rejeté sans façon à l'autre vers », cet « enjambement audacieux » suscite des *Oh!* de protestation. Un romantique de
l'atelier de Devéria, « fauve comme un cuir de Cordoue et
coiffé d'épais cheveux rouges », prend feu et flamme pour
défendre ce *dérobé* sublime. Il le fait à voix si haute que la
salle s'indigne. On crit *chut* et *à la porte*. Tant bien que mal,
Doña Josepha reprend un rôle si tôt interrompu. Dès lors, les
seuls applaudissements ne vont venir que des chevelus. Les
crânes restent de glace. Au second acte, pourtant, après le
dialogue entre Don Carlos et Hernani, quelques classiques
consentent à mêler leurs applaudissements à l'enthousiasme
romantique. *Manuscrit d'Adèle* : « Le second acte terminé les
acteurs sourirent à l'auteur. C'était un nouveau progrès. Le
public des loges n'avait encore rien témoigné. Il restait là,
impassible, l'attention tendue, regardant la scène puis le parterre et les galeries, ayant l'air de se demander d'où sortait
cette tourbe qui l'environnait. » Ce que tout le Théâtre-Français redoute le plus, c'est la scène des portraits. Le public
écoute en silence Don Ruy Gomez présenter l'interminable
série de ses ancêtres. Cela jusqu'au sixième. Là, on commence à murmurer sérieusement. L'hémistiche

J'en passe et des meilleurs !

sauve tout. On ira même jusqu'à acclamer le dernier portrait !
Et quand Don Ruy Gomez choisit de sacrifier sa vie et de
livrer sa fiancée plutôt que l'hôte son rival, romantiques et
classiques, pour la première fois unis, acclament la scène. Le
monologue de Charles Quint, au quatrième acte, décide du
succès. Chaque vers est interrompu par des bravos. La pièce
s'achève par « une explosion de salves interminables ».
Assourdi, chancelant, hagard, Hugo vit cela comme en un
rêve. Entre chaque acte, il se rue à son poste d'observation :
le trou de la toile. Quel choc quand il a reconnu Chateaubriand dans une loge, en compagnie de sa revêche et longue
épouse ! Celle-ci a cillé quand elle a aperçu, juste en face,
Mme Récamier placée là par l'ironie du sort ou la malignité
de Taylor. Un regard tendre vers l'ombre d'une avant-scène
où se cache Adèle, escortée de Sainte-Beuve, un peu en
retrait. Il reconnaît, çà et là, les visages apoplectiques de ses
meilleurs amis. D'autres qui lui ont manifesté leur sympa-

thie: Benjamin Constant, Thiers, un journaliste qui promet. Et Mérimée. Et tant d'autres. On vient lui annoncer que quelqu'un le demande. Un geste de dénégation. Le fâcheux insiste, il y va. Devant lui, un petit homme au ventre arrondi et au regard luisant de franchise:

— Je m'appelle Mame; je suis l'associé de M. Baudoin, l'éditeur... Mais nous sommes mal ici pour causer. Voudriez-vous venir une minute dehors?

Dehors? Il fait toujours aussi froid. Qu'importe, Hugo a besoin de respirer. Sur le trottoir du Théâtre-Français, Mame déclare tout à trac qu'il a envie de publier *Hernani*. Hugo veut-il le vendre? Hugo ne prononce qu'un seul mot: combien?

— Six mille francs.

— Nous en recauserons après la représentation.

— Pardon, insiste le libraire, mais je tiendrais à terminer tout de suite.

— Pourquoi? Vous ne savez pas ce que vous achetez. Le succès peut diminuer.

— Oui, mais il peut augmenter. Au second acte, je pensais vous offrir deux mille francs; au troisième, quatre mille; je vous en offre six mille au quatrième; après le cinquième, j'aurais peur de vous en offrir dix mille.

Hugo pense aux cinquante francs qui restent à la maison. Il accepte. Que M. Mame veuille bien passer chez lui le lendemain, il signera le contrat. Obstination du petit homme:

— Si cela vous était égal, j'aimerais autant signer tout de suite. J'ai les six mille francs sur moi.

— Je veux bien, mais comment faire? Nous sommes dans la rue.

— Voici un bureau de tabac.

Les deux hommes y entrent, on achète une feuille de papier timbré, on demande une plume, de l'encre. Voilà qui est fait. Les six mille francs passent de la poche de M. Mame à celle de Hugo.

Quand Hugo regagne le théâtre, le quatrième acte s'achève et décidément le succès se confirme. Le cinquième va marquer le triomphe de Mlle Mars. C'est avec un sentiment qui ressemble à de l'adoration qu'on l'écoute, « dans sa robe de satin blanc, sa couronne de roses blanches sur le front, avec sa taille qui avait toujours dix-huit ans ». On l'applaudit frénétiquement quand, de sa voix un peu nasale, elle dit, chante et psalmodie tout à la fois :

> Regarde. Plus de feux, plus de bruit, tout se tait.
> La lune tout à l'heure à l'horizon montait
> Tandis que tu parlais ; sa lumière qui tremble
> Et ta voix toutes deux m'allaient au cœur ensemble ;
> Je me sentais joyeuse et calme, ô mon amant,
> Et j'aurais bien voulu mourir en ce moment !

Au dénouement, c'est du délire. Une pluie de bouquets s'abat aux pieds de Mlle Mars. « Le nom de l'auteur fut acclamé même par les loges ; cinq ou six seulement restèrent muettes ; pas une ne protesta. »

Adèle et Sainte-Beuve ont fendu la foule pour rejoindre Hugo, l'embrasser, l'étreindre. Sortant du théâtre, on se heurte aux intimes qui attendent l'auteur triomphant pour, dans la nuit glacée, lui faire une escorte d'honneur jusqu'à la rue Notre-Dame-des-Champs. Quand Victor entre chez lui, il trouve l'appartement regorgeant d'autres amis qui l'ont précédé. C'est une effervescence, une fièvre qui ne veut pas s'éteindre. Achille Devéria s'écrie que nul n'a le droit de dormir une nuit pareille ! Adèle se multiplie, sert à boire, secondée par la petite servante effarée. Il est très tard — ou plutôt très tôt — quand Victor et Adèle se retrouvent seuls.

Le silence après les hourvaris. La paix après la bataille. Un regard aux enfants qui dorment et que rien n'a pu éveiller. La chambre conjugale regagnée. L'amour ressenti par cet homme qui n'a connu qu'une seule femme : la sienne. La douceur et l'harmonie. Et puis, soudain, des larmes qui tremblent dans les yeux d'Adèle. Pourquoi ?

La journée du lendemain commence par un coup de sonnette qui ressemble à un coup de tonnerre. On apporte cette lettre à Victor :

« J'ai vu, Monsieur, la première représentation d'*Hernani*. Vous connaissez mon admiration pour vous. Ma vanité s'attache à votre lyre, vous savez pourquoi. Je m'en vais, Monsieur, et vous venez. Je me recommande au souvenir de votre muse. Une pieuse gloire doit prier pour les morts.

« CHATEAUBRIAND. »

A-t-il, à cet instant, songé à la phrase audacieusement griffonnée quand il n'avait pas quinze ans : « Être Chateaubriand ou rien » ? Le biographe le souhaiterait. La bataille d'*Hernani* est donc gagnée ? Pas du tout. Les articles vont paraître. Tous, à l'exception de celui du *Journal des débats*, sont exécrables. On s'indigne que le respectable Théâtre-Français ait dû s'ouvrir aux complices de l'auteur, dignes de lui et de sa pièce, « des espèces de bandits, des individus incultes et déguenillés, ramassés dans on ne sait quels bouges ». On parle d'une « orgie qui avait eu des conséquences immondes ». Les journaux libéraux évoquent des « chants obscènes » et pour les journaux royalistes, ce sont des « chants impies ». Jusques à quand ces gens-là abuseront-ils de notre patience ?

Terreur de Taylor qui se précipite rue Notre-Dame-des-Champs. Sûrement, il faudra le soir même livrer une nouvelle bataille. Que fera-t-on sans ces claqueurs dont Hugo a délibérément repoussé l'assistance professionnelle ? La réponse, ce sont les chefs de tribus qui l'apportent eux-mêmes. Ils accourent, clament qu'ils sont prêts et que derechef ils vont prendre leur place au combat. Taylor, prudent, fait savoir que, cette fois, il ne les laissera entrer que quelques minutes avant le public.

Le soir venu, voici comme la veille face à face les chevelus et les crânes. Avant même le lever du rideau, on sent qu'un orage gronde. Il est visible que les classiques sont résolus à occuper le terrain et à n'en rien céder. Dès le premier acte, tout vers insolite est empoigné, salué par des huées ou un rire immense. Avec le recul, Gautier s'est légitimement demandé comment un vers comme celui-ci :

Est-il minuit ? — Minuit bientôt

avait pu soulever tant de tempêtes. Autour de ces huit syllabes, on s'est battu trois jours ! « On le trouvait trivial, familier, inconvenant ; un roi demande l'heure comme un bourgeois et on lui répond comme à un rustre : *Minuit...* S'il s'était servi d'une belle périphrase, on aurait été poli. » Il faut suivre dans le journal de Joanny, créateur de Don Ruy Gomez, la progression de ce qui très vite est devenu une mode : on va à *Hernani*, non pas pour voir, pour apprécier, mais pour rire et manifester :

25 février: « cette pièce a complètement réussi, malgré une opposition bien organisée ». *27 février*: « l'ouvrage est vigoureusement attaqué et vigoureusement défendu. Nous verrons ». *1er mars* : « la lutte continue. Ce qu'il y a de mieux, c'est que cela attire beaucoup de monde ». *3 mars*: « une cabale acharnée. Les dames de haut parage s'en mêlent ; la mode, pour elles, est de pousser de grands éclats dans les moments les plus intéressants et particulièrement pendant la dernière scène du 5e acte ; mais ce sont des éclats *de rire* ». *5 mars*: « la salle est remplie et les sifflets redoublent d'acharnement ». *8 mars*: « ils viennent siffler *Hernani*, mais ils viennent ». *10 mars*: « encore un peu plus fort... coups de poing... interruption... police... arrestations... cris... bravos... sifflets... tumulte... foule ». *12 mars*: « grande foule et toujours le même bruit. Cela n'est amusant que pour la caisse ».

Ainsi de suite pendant tout le mois de mars, tout le mois d'avril, tout le mois de mai !

Paradoxe: *Hernani* est un succès, un très grand succès. *Sainte-Beuve à Saint-Valry, 8 mars 1830*: « Les recettes sont excellentes, et avec un peu d'aide encore de la part des amis, le Cap de Bonne-Espérance est décidément doublé ; voilà le bulletin. Victor, au milieu de tout cela, calme, l'œil sur l'avenir, cherchant jour dans son temps pour faire une autre pièce, véritable César ou Napoléon, *nil actum reputans...* » C'est vrai qu'il fait face, qu'il tient bon. On est libre de déceler pourtant quelque amertume dans cette note de sa main datée du 7 mars : « Mlle Mars joue son rôle honnêtement et fidèlement, mais en rit, même devant moi. Michelot joue le sien, en charge et en rit, derrière moi. Il n'est pas un machiniste, pas un figurant, pas un allumeur de quinquets qui ne me montre du doigt. » Ceci encore : « Si j'entre dans un cabinet de lecture, je ne puis prendre un journal sans y lire : « Absurde comme *Hernani* ; monstrueux comme *Hernani* ; niais, faux, ampoulé, prétentieux, extravagant et amphigourique comme *Hernani*. Si je vais au théâtre pendant la représentation, je vois à chaque instant, dans les corridors où je me hasarde, des spectateurs sortir de leur loge et en jeter la porte avec indignation. »

La pièce va se jouer pendant quarante-cinq représentations, exploit exceptionnel à la Comédie-Française de ce temps-là. Les droits d'auteur ont renfloué le jeune ménage qui en avait bien besoin. Les passions ont exacerbé l'adulation que certains vouent désormais à Hugo mais surtout la haine dont d'autres l'accablent. Adèle affirme qu'à Toulouse, un jeune homme, nommé Batlan, eut un duel pour *Hernani* et fut tué. A Vannes, un caporal de dragons meurt, laissant ce testament : « Je désire qu'on mette sur ma tombe : *Ci-gît qui crut à Victor Hugo.* » L'académicien Viennet, lui, note : « Tissu d'invraisemblances, de niaiseries et d'absurdités... Voilà ce qu'une faction littéraire prétend substituer à *Athalie* et à *Mérope...* » Viennet jure que le baron Taylor, « jadis introduit dans cette pétaudière par le ministre Corbière », n'a reçu d'autre mission que de « détruire la scène française ».

Au courrier, presque chaque matin, des lettres d'injures parviennent à l'adresse de Victor. L'une d'elles s'achève par cette phrase : « Si tu ne retires pas ta sale pièce dans les vingt-quatre heures, nous te ferons passer le goût du pain. » Adèle tremble : et si ce n'étaient pas là seulement des mots ? Autour de Hugo, on prend la menace au sérieux. Désormais, chaque soir, deux jeunes gens attendront Hugo à la porte du théâtre pour le reconduire rue Notre-Dame-des-Champs.

Hugo rit de ces sottises. Il lui arrive, après que ses gardes du corps ont pris congé, de repartir seul dans la nuit. C'est en marchant, il le sait, que naissent ses idées les meilleures. Une nuit, il a en remontant le boulevard Montparnasse rimé toute une page des *Feuilles d'automne*. Il est 2 heures quand il rentre. Il a hâte de retranscrire les vers rangés dans sa mémoire. Il allume sa lampe, la porte sur la table de son cabinet de travail. A peine s'est-il assis, à peine a-t-il tracé quelques lignes qu'une détonation retentit. Une vitre vole en éclats. Il ouvre la croisée, personne. Il se retourne : une balle a troué derrière lui, « passant à quelques centimètres au-dessus de son front, un tableau de Boulanger accroché au mur [1] ». Il souffle sa lampe, rejoint en silence la chambre où dort Adèle. Il ne déposera pas plainte. La passion littéraire portée jusqu'à l'assassinat : Hugo aura donc provoqué cela.

La haine sera désormais sa compagne vigilante. Elle l'escortera jusqu'à sa mort et bien au-delà. C'est très exactement ce dont témoigne un journaliste en ce printemps de 1830 :

— Il y a en France deux hommes bien détestés : M. de Polignac et vous.

Ce comte Jules de Polignac, toujours au pouvoir, *le Globe*

---

1. Témoignage d'Alfred Barbou, recueilli auprès de Hugo.

l'attaque avec violence. A travers lui, c'est à Charles X qu'on s'en prend, à ce roi qui, dans son discours du trône, a menacé : « Si de coupables manœuvres suscitaient à mon gouvernement des obstacles que je ne veux pas prévoir, je trouverais la force de les surmonter dans ma résolution de maintenir la paix publique, dans la juste confiance des Français et l'amour qu'ils ont toujours montré pour leurs rois. » Les députés lui retournent la plus cinglante des répliques : 221 d'entre eux votent une adresse qui exige le retrait des ministres. Indigné, Charles X dissout la Chambre et convoque les électeurs pour les 23 juin et 3 juillet. Le roi reste confiant : l'expédition d'Algérie qu'il a ordonnée et engagée se déroule favorablement. Si l'on prend Alger en son nom, il gagnera les élections.

Mais Hugo ?

Les représentations de sa pièce battent toujours leur plein. On frappe à la porte des Hugo. Adèle va ouvrir. C'est l'épouse du propriétaire. L'excellente personne affiche un air de tristesse qui paraît sincère. Mais on sent qu'elle a pris une résolution sur laquelle elle ne reviendra pas :

— Ma petite dame, dit-elle, vous êtes bien gentille, et votre mari est un bon garçon, mais vous n'êtes pas assez tranquilles pour moi. Je me suis retirée du commerce pour vivre paisiblement, j'ai acheté exprès cette maison dans une rue sans bruit et, depuis trois mois, c'est ici, à cause de vous, une procession sans fin jour et nuit, un vacarme dans les escaliers et des tremblements de monde sur ma tête. A des une heure du matin, je suis réveillée en sursaut et je crois que le plafond va tomber sur mon lit. Nous ne pouvons plus rester ensemble.

— C'est-à-dire que vous nous donnez congé ?

— J'en suis vraiment désolée. Je vous regretterai bien. Vous êtes un bon petit ménage et vous aimez bien vos enfants. Mais vous ne dormez donc pas vous-même ? Que je vous plains donc, ma pauvre dame ! Votre mari a pris un état bien dur !

Telle fut la véritable conclusion de la bataille d'*Hernani* : la famille Hugo mise à la porte de chez elle.

IV

LE MARI, LA FEMME ET LE CRITIQUE

> Les tours de Notre-Dame étaient l'H de son nom.
> Auguste VACQUERIE.

C E terrible hiver de 1829-1830, qui a tant éprouvé Paris, a
recouvert la France de neige et de glace. Colère des éléments, cortège de misères. En Normandie, les centaines d'ateliers édifiés au sortir de Rouen ont fermé leurs
portes. En cette ère industrielle commençante, qui songerait
à prévoir une aide matérielle aux travailleurs frappés par le
chômage ? Seuls, dans le silence de leur cabinet, y songent
ces quelques théoriciens que l'on appelle, en haussant les
épaules, des utopistes. Alors, au sein de milliers de foyers, ce
qui naît, c'est ce mal qu'il faut bien appeler par son nom : la
famine. L'an 1830, en France, des enfants meurent *vraiment*
de faim.

On est venu trouver Hugo pour lui parler du vaste effort
charitable auquel se livraient, à Rouen, quelques philan-
thropes. Telle est la seule ressource de ce temps-là : la générosité particulière. Disons, pour couper court à certaines
conceptions trop manichéennes, qu'elle s'exerce largement.
Ce qu'on a demandé à Hugo, ce n'est pas de l'argent mais des
vers qui seraient vendus au profit des ouvriers sans travail. Il
a écrit les vers, la plaquette a paru. Elle a été présentée à
Dubois, le directeur du *Globe*, qui, dans son numéro du
3 février 1830, a publié le poème.

Hugo évoque les bals où se pressent les riches « heureux

du monde ». Là brillent et rayonnent cristaux, miroirs, balustres ». Au front des conviés, on ne lit que la joie. Mais songent-ils, ces privilégiés, que dehors, peut-être, « sous le givre et la neige », face « aux vitres du salon doré » illuminé dans la nuit, s'arrête « ce père sans travail que la famine assiège ». Il se dit qu'une seule miette de ce festin viendrait rassasier ses petits. Le prix des seuls jouets des riches procurerait le nécessaire à sa famille entière.

> Hélas ! quand un vieillard, sur votre seuil de pierre,
> Tout roidi par l'hiver, en vain tombe à genoux ;
> Quand les petits enfants, les mains de froid rougies,
> Ramassent sous vos pieds les miettes des orgies,
> La face du Seigneur se détourne de vous [1].

Le leitmotiv du poème est : *donner !* Ce serait une facilité tentante, mais malhonnête, que de vouloir découvrir ici déjà le Hugo des *Misérables*. Il ne s'inscrit que comme soliste dans une symphonie de bons sentiments. A son actif : les vers ont été écrits au plein des soucis innombrables qui ont précédé la première d'*Hernani*. Mais il va faire bien davantage.

Le 30 novembre 1829, dans la matinée, un jeune poète et journaliste, Charles Dovalle, a été tué en duel par l'acteur Mira, directeur du théâtre des Variétés. Il avait vingt-deux ans. Dans son portefeuille, sur une feuille déchirée par la balle mortelle, on avait trouvé l'esquisse d'un poème :

> Brillant d'un bonheur ineffable,
> Pour moi commençait l'avenir,
> Et ma jeunesse était semblable
> A la fleur qui vient de s'ouvrir.

Il ne semble pas que Hugo ait connu Dovalle. Quand les amis de celui-ci viennent le trouver en annonçant qu'ils vont publier chez Ladvocat les « poésies de feu Charles Dovalle » et qu'ils sollicitent de lui une préface, il accepte immédiatement. Malgré les répétitions d'*Hernani*. A la lecture des vers de Dovalle, ce qui l'a frappé le plus, c'est que « tout dans ce livre d'un poète si fatalement prédestiné, tout est grâce, tendresse, fraîcheur, douceur harmonieuse, suave et molle rêverie ». Cette inspiration, qui semble prendre sa source dans

1. *Les Feuilles d'automne*, XXXII.

Chénier, Hugo en lit l'origine dans « un grand mouvement, un vaste progrès, avec lequel sympathisait complètement M. Dovalle ». Et il ajoute, et il précise :

> « Ce mouvement, nous l'avons déjà dit bien des fois, n'est qu'une conséquence naturelle, qu'un corollaire immédiat de notre grand mouvement social de 1789. C'est le principe de liberté qui, après s'être établi dans l'État et y avoir changé la face de toutes choses, poursuit sa marche, passe du monde matériel au monde intellectuel, et vient renouveler l'art comme il a renouvelé la société. Cette régénération, comme l'autre, est générale, universelle, irrésistible. Elle s'adresse à tout, recrée tout, réédifie tout, refait à la fois l'ensemble et le détail, rayonne en tous sens et chemine en toutes voies. »

On dira que ce *mouvement*, cette *régénération*, dans l'esprit de Hugo, concernent avant tout la percée qu'est en train de réussir le romantisme. On dira qu'il écrit cela fouetté précisément par la chaleur du combat qu'il va livrer avec *Hernani*. Assurément. Mais cette fois, l'allusion à 1789 est venue tout naturellement sous sa plume. Il ne cherche plus à la voiler. Il avait rejoint Napoléon, naguère tant haï. Le voici applaudissant ouvertement aux principes éclos avec la Révolution française, reconnaissant que les acquis de cette Révolution sont « irrésistibles ». Si la préface traite presque uniquement de littérature — c'est bien normal — comment ne pas s'attacher à un passage tel que celui-ci :

> « La liberté dans l'art, la liberté dans la société, voilà le double but auquel doivent tendre d'un même pas tous les esprits conséquents et logiques ; voilà la double bannière qui rallie, à bien peu d'intelligences près (lesquelles s'éclaireront) toute la jeunesse si forte et si patiente d'aujourd'hui ; puis, avec la jeunesse et à sa tête, l'élite de la génération qui nous a précédés, tous ces sages vieillards qui, après le premier moment de défiance et d'examen, ont reconnu que ce que font leurs fils est une conséquence de ce qu'ils ont fait eux-mêmes, et que la liberté littéraire est fille de la liberté politique. Ce principe est celui du siècle et prévaudra. Les *ultras* de tout genre, classiques ou monarchiques, auront beau se prêter secours pour refaire l'ancien régime de toutes pièces, société et littérature, chaque progrès du pays, chaque développement des intelligences, chaque pas de la liberté, fera crouler tout ce qu'ils auront échafaudé. »

Hugo se réclame donc ouvertement de « la liberté dans la société ». Il s'oppose à toute réaction littéraire *et politique*. Il

ne faut pas oublier que nous sommes au plein de l'affrontement entre les libéraux et les Bourbons, entre le Parlement
et Charles X. Songeons que ce qui s'oppose ne représente
rien de moins que deux principes et que, dans quelques mois,
l'un va balayer l'autre. A propos de la mort d'un poète, le légitimiste Victor Hugo a choisi son camp et celui-ci, d'évidence,
n'est plus le légitimisme.

Le 30 mars 1830, à l'Odéon, s'est livrée une nouvelle petite
bataille d'*Hernani*. On a représenté une pièce de Dumas,
Christine, écrite et reçue à la Comédie-Française antérieure-
ment à *Henri III et sa cour*, mais que des intrigues avaient
retardé. Cette *Christine*, plus romantique que de raison, met
en scène le personnage haut en couleur de la reine Christine
de Suède. En exil à Fontainebleau, persuadée que son
conseiller Monaldeschi l'a trahie, elle décide de le faire mettre à mort. Ses *sbires*, dans la galerie du château prêté par le
roi de France, percent de coups d'épée l'infortuné conseiller.
Mais il n'est pas mort ! L'aumônier de la reine vient supplier
celle-ci de faire grâce. N'est-ce pas Dieu qui, en laissant la vie
au condamné, a fait entendre sa voix ? Christine, pesant longuement sa décision, prononce enfin ce vers, le dernier du
drame, qui terrifia tous ses auditeurs :

Eh bien j'en ai pitié, mon père. Qu'on l'achève !

A la première représentation, beaucoup de vers ont été
« empoignés ». Les acteurs tremblent : assurément, cela
recommencera le lendemain et les autres jours. En outre, des
coupures se révèlent nécessaires, une dizaine au moins.
Comme dit Dumas, elles « demandaient à être faites et pan-
sées par des mains habiles et presque paternelles ; il fallait
qu'elles fussent opérées à l'instant même, pendant la nuit, et
que les rapports fussent faits à midi, pour que la pièce pût
être jouée le soir ».

Or Dumas, toujours magnifique, a convié après la pièce
vingt-cinq personnes à dîner chez lui, dont Hugo et Vigny.
Impossible pour Dumas de mettre la main lui-même à l'indispensable révision de son œuvre. Ce qui va se dérouler alors
n'a, je pense, aucun équivalent dans l'histoire de la littérature dramatique : « Hugo et de Vigny prirent le manuscrit,
m'invitèrent à ne m'inquiéter de rien, s'enfermèrent dans un

cabinet, et tandis que nous autres nous mangions, buvions, chantions ils travaillèrent... Ils travaillèrent quatre heures de suite, avec la même ardeur, la même conscience, le même acharnement, qu'ils eussent mis à travailler pour eux et, quand ils sortirent au jour, nous trouvant tous couchés et endormis, ils laissèrent le manuscrit prêt à la représentation sur la cheminée, et, sans réveiller personne, ils s'en allèrent, ces deux rivaux, bras dessus bras dessous, comme deux frères. »

Dumas n'oubliera jamais.

Ce Hugo, qui vient de sacrifier une nuit pour parachever le succès d'un confrère, vient d'avoir vingt-huit ans. Il est devenu un sujet de conversation. Dans les salons, dans les rédactions de journaux, dans les cabinets ministériels, dans les bureaux on est *pour* ou *contre* Hugo. Lui-même, pour faire face à une adulation exagérée comme à une haine exacerbée, il semble qu'il ait voulu se cuirasser. On lui voit un air qui semble bien olympien à certains de ses amis. A ces polémiques bien impitoyables dont il est l'objet, il affecte de rester indifférent :

> Qui peut savoir combien de jalouses pensées,
> De haines, par l'envie en tous lieux ramassées,
> De sourds ressentiments, d'inimitiés sans frein,
> D'orages à courber les plus sublimes têtes,
> Combien de passions, de fureurs, de tempêtes,
> Grondent autour de toi, jeune homme au front serein !

Le front serein ? Vraiment ? Il parle encore de « la gueule des serpents » qui « s'élargit et s'écrase »,

> Tandis que ces rivaux, que tu croyais meilleurs,
> Vont t'assiégeant en foule, ou dans la nuit secrète
> Creusent maint piège infâme à ta marche distraite [1]...

Tout cela montre un homme, quoi qu'il dise, profondément atteint. Cette sérénité qu'il arbore, il advient qu'il n'en soit plus le maître. Publiquement, ses nerfs craquent. Turquety note qu'il « a des accès de fureur pour un mauvais article ». Perfide, il ajoute que Hugo « se considère comme investi d'une dignité officielle. Croiriez-vous que, pour quelques

---

1. *Les Feuilles d'automne*, XI, Dédain.

mots défavorables dans un article de *la Quotidienne* il a menacé de faire périr le critique sous le bâton ? Sainte-Beuve brandissait une clef, en prononçant des invectives... ». Voilà qui démontre au moins beaucoup de nervosité chez Hugo et dans ses entours.

Mais Sainte-Beuve, justement ? Fidèlement, dans la bataille, il a joué sa partie et, de son mieux, contribué à la victoire. Seulement, il l'a fait en ne quittant jamais Adèle du regard, l'esprit plein de son image, l'âme éblouie par sa pensée. Après *Hernani,* dans une maison rendue à la paix, il a repris ses visites quotidiennes. Revivre les longs après-midi au salon avec Elle. Et, puisque les propriétaires ont accordé un sursis, les beaux jours revenus, la suivre au jardin avec les enfants, lui presser la main, lui parler, l'entendre, l'aimer, Elle. Car désormais, dans ses écrits secrets, elle devient Elle — avec une majuscule. Ne nous y trompons pas : l'amour du petit Sainte-Beuve est devenu passion. Elle sait que Sainte-Beuve l'aime. Aucune femme ne se méprend là-dessus, même les sottes. Adèle ne l'est pas. A cet amour, douce présence, habitude délicieuse, elle s'est accoutumée. Aucune ambiguïté d'abord dans son esprit. N'aime-t-elle pas toujours Victor ? On note, au cours de l'année 1829, que Sainte-Beuve, jusque-là indifférent en religion, sent vaciller son incrédulité. On le voit tenté de se convertir. Hugo lui-même vit cette tentation à laquelle finalement il ne cédera jamais. C'est de cette époque que date la *Prière pour tous,* inspirée à Victor par le spectacle de la petite Léopoldine disant sa prière.

> Le jour est pour le mal, la fatigue et la haine.
> Prions : voici la nuit ! La nuit grave et sereine !
> Le vieux pâtre, le vent aux brèches de la tour,
> Les étangs, les troupeaux avec leur voix cassée,
> Tout souffre et tout se plaint. La nature lassée
> A besoin de sommeil, de prière et d'amour !

Le père montre la petite fille, qu'il trouve si belle — et qui l'est — agenouillée, parlant à Dieu :

> Son beau front incliné semble un vase qu'il penche
> Pour recevoir les flots de ce cœur qui s'épanche.

En fait, cette prière, il la voit nécessaire :

> Pour étancher le soir, comme une coupe pleine,
> Ce grand besoin d'amour, la seule soif de Dieu [1] !

Tel est le climat de la rue Notre-Dame-des-Champs. Sainte-Beuve est à l'unisson. Parmi les sujets de conversation que cite Hugo, en mai, il y a la patrie, les poètes, l'âme « qui s'élève en priant ». Et Dieu [2]. A un poème du 9 août 1829, il donnait déjà comme épigraphe *In God is all* : « En Dieu est tout. » Hugo s'avance vers Dieu, mais théologiquement continue de s'interroger. Adèle participe étroitement de cet intérêt qui est une attirance. Élevée, elle, dans la religion catholique, elle ne se pose aucune question. Comment n'écouterait-elle pas celles qui obsèdent Sainte-Beuve ? Leurs entretiens, souvent, sont à base de religion. Elle y trouve une justification, l'indication d'une mission à elle confiée par la Providence. Sainte-Beuve y puise, lui, des délices renouvelées. Ce n'est pas d'aujourd'hui que les analystes du cœur — voire de la sexualité — ont souligné les possibles interférences du mysticisme et du désir.

Pourtant, dans les premiers mois de 1830 — sans qu'il soit possible de s'arrêter à une date précise — *quelque chose* leur advient. Ils franchissent une étape. Le problème est de savoir laquelle. Longtemps, quant aux amours d'Adèle et Sainte-Beuve, le doute a subsisté. On a commencé par les nier purement et simplement. Puis, lorsqu'il a bien fallu les admettre, on s'est mis à la recherche de jalons documentaires. Manifestement les lettres de Sainte-Beuve à Adèle avaient été détruites par celle-ci à mesure qu'elle les recevait. En revanche, celles d'Adèle avaient été soigneusement conservées par le destinataire, mais brûlées le 29 novembre 1885. Saurait-on jamais la vérité ?

Rien de plus singulier aujourd'hui pour le biographe que cette volonté des fanatiques de Hugo d'avoir voulu dissimuler une vérité qui, pensaient-ils, ternirait l'image en forme de statue de bronze du poète national. Si Hugo avait été trompé la postérité devait l'ignorer. Dans cette même perspective, plus tard, l'exécuteur testamentaire de Hugo, Gustave Simon, ira jusqu'à intenter un procès à un auteur dramatique qui avait osé montrer sur un théâtre Juliette Drouet

---

1. *Les Feuilles d'automne*, XXXVII.
2. *Les Feuilles d'automne*, XIX.

auprès de Victor Hugo : Hugo, une maîtresse ? Idée insupportable. C'est dans cette perspective idolâtre mais bien peu
scientifique que les lettres d'Adèle furent détruites, en présence de quatre personnes, quelques mois après la mort du
poète : Henry Havard, détenteur de la correspondance, Paul
Chéron, fils de l'exécuteur testamentaire de Sainte-Beuve,
Paul Foucher, frère d'Adèle, Édouard Lockroy, mari de la
veuve de Charles Hugo. Un procès-verbal a été rédigé :

« Le vingt-neuf novembre 1885, Nous soussignés, réunis chez
M. Henry Havard, 13, rue Fénelon, avons reçu de M. Paul Chéron,
trois cent trente-quatre lettres provenant de la succession Sainte-
Beuve et émanant de Mme Adèle Victor Hugo. Ces lettres ont été
immédiatement détruites sous nos yeux. M. Paul Chéron, en nous
faisant la remise de ces documents sans intérêt pour l'histoire, mais
compromettants pour la mémoire de certaines personnes illustres,
nous a affirmé que ces 334 lettres provenant de l'héritage de son
père, exécuteur testamentaire de Sainte-Beuve, comprenaient l'intégralité de la correspondance échangée entre celui-ci et Mme Victor
Hugo et tout ce qui avait été conservé de cette correspondance par le
testateur. M. Chéron père ayant été, par suite des dispositions testamentaires de Sainte-Beuve, mis en possession de cette correspondance, toute lettre semblant émaner d'une origine analogue ne saurait être qu'une pièce dérobée ou contrefaite. »

Avant l'incinération des feuillets dans la cheminée d'Henry
Havard où, sur une grille, brûlait un feu très vif, Paul Foucher et Édouard Lockroy avaient pris connaissance des lettres dont ils ne savaient rien. Ils avaient pu constater qu'elles
embrassaient une période de douze années (1831-1842).
Havard avait placé sous leurs yeux, pour chaque année, celles
qui pouvaient paraître les plus suggestives.

Récit de Havard : « L'impression produite par cette révélation fut
à la fois stupéfiante et diverse : stupéfiante, car ni l'un ni l'autre des
deux intéressés ne s'attendaient aux scabreux aveux que ces feuilles
jaunies étalaient devant eux : diverse car, si P. Fouché *(sic)* assistait,
avec une tristesse navrante, à l'écroulement de l'idole qu'il avait si
longtemps estimée au-dessus de tout soupçon, Lockroy enregistrait
ces révélations avec une joie mauvaise, accablant la pauvre femme
d'épithètes dénuées d'indulgence et d'atticisme parmi lesquels le
mot « vache » revenait trop fréquemment et paraissait se réjouir
bassement de ce que l'illustre grand poète avait été, lui aussi, copieusement cocu. Les invectives prirent surtout un caractère de violence

spéciale quand nous arrivâmes à la lettre où l'infortunée déclarait à son amant qu'elle l'aimait plus que ses propres enfants : je me vis même obligé d'intervenir pour tempérer cette rétrospective indignation. »

Disparues, *toutes* les lettres ? Il fut révélé plus tard que Paul Chéron en avait conservé trois cents qui *semblent* avoir été brûlées plus tard, sans que nous en ayons la certitude absolue. On a très longtemps ignoré que Henry Havard avait procédé, lui, à une analyse écrite de ces lettres. Celle-ci a été publiée en 1957 par les soins de M. Jean Bonnerot [1]. Ces notes, a précisé Havard, il les avait prises pour permettre à Paul Foucher et à Lockroy de se rendre compte « de la gravité de cette correspondance que par souci littéraire, ils avaient dit (d'abord) pouvoir être conservée ». De cette analyse, voilà la première phrase, capitale en vérité : « *Leurs amours remontent à l'époque où Mme Victor Hugo était grosse d'Adèle.* » Mais que faut-il entendre par *amours* ? Indiscutablement : aveux.

Pendant les premiers mois de 1830, certainement après la première d'*Hernani*, probablement avant le mois de mai, Sainte-Beuve va ouvrir son cœur à Adèle. C'est à la même époque qu'Adèle a compris — ou voulu s'avouer — qu'elle-même aimait Sainte-Beuve. Et le lui a dit. Étrange situation s'il en fut : ce petit homme laid qui crie à cette femme enceinte — et maintenant cela se voit, elle accouchera en juillet — qu'il l'aime ; et cette femme qui découvre, plus terrifiée peut-être qu'enivrée, qu'elle aussi aime.

Sur cet aveu réciproque une seule indication : quelques vers de Sainte-Beuve dans ce *Livre d'amour* qu'il écrivit à la fois pour se délivrer, mais aussi pour garder pieusement le souvenir précis de ce qu'il avait vécu :

> Alors tu me diras par quelles étincelles,
> Par quel subtil éclair de mes regards fidèles,
> Par quels pleurs de ma voix que j'étouffais en vain,
> Mon secret commença de couler dans ton sein,
> Et ton étonnement suivi de tant de joie,
> Et ta première atteinte, ô ma charmante Proie !

Donc, elle sait. Et de savoir qu'elle sait tout à coup le plonge — lui — dans l'angoisse. Il se dit qu'il a eu tort de

---

1. *Revue des Sciences humaines*, octobre-décembre 1957.

laisser échapper l'aveu. Où tout cela les conduira-t-il, *Elle* et lui ? A ce moment précis, il quitte Paris. Nous sommes bien forcés d'interpréter ce départ comme une fuite. Il a rejoint à Rouen son ami Ulric Guttinguer qui lui-même est encombré d'affaires de cœur. Tout amoureux a besoin de confident. Quoique admirateur déclaré de Hugo, il semble bien que Guttinguer ait encouragé plutôt que retenu Sainte-Beuve en cette passion qui le rend fou.

A Paris, Adèle vit un quotidien beaucoup plus terre à terre : les Hugo déménagent. Il a bien fallu obtempérer au congé donné par les propriétaires de la rue Notre-Dame-des-Champs. Rue Jean Goujon, près des Champs-Élysées, le comte de Mortemart vient de faire construire un petit immeuble. Il s'agit de ce comte de Mortemart de Boisse dont Émile Deschamps disait drôlement qu'il n'était ni comte, ni mort, ni de Boisse. Mortemart et Hugo se sont connus à *la Revue des Deux Mondes.* Mortemart a offert à Victor de lui louer le second étage de son hôtel. Le loyer est beaucoup plus élevé que rue Notre-Dame-des-Champs ? Qu'importe ! Les droits d'auteur d'*Hernani* ont rempli l'escarcelle du jeune ménage. A la fin de l'année, ses comptes laisseront apparaître un gain total de 20 379 francs pour une dépense de 13 880 francs. Il restera donc 6 499 francs, dont 5 000 francs seront placés à 5 %. Le premier placement de Victor Hugo !

Comme dit Adèle, les Champs-Élysées « n'étaient pas à la mode et bâtis comme à présent ; ils n'avaient que de rares maisons dans de vastes terrains abandonnés aux maraî-chers ». La rue François-Ier ressemble à un désert. L'immeu-ble occupé par les Hugo, seul de son espèce, se dresse comme un défi au milieu des terrains vagues. En quelques années, les Hugo ont accumulé mille objets, meubles, tableaux, des-sins, livres, manuscrits — et d'abord ceux de Hugo. Il faut à l'arrivée trouver une place pour chaque chose : quelle agita-tion, que de soucis ! De loin, Sainte-Beuve suit en imagination ce remue-ménage. Par la pensée, il ne quitte pas un instant Victor et Adèle.

Sainte-Beuve à Hugo, 7 mai 1830 : « Nous nous disions : c'est aujourd'hui le grand déménagement, aujourd'hui Victor découche, où dînera-t-il ? Où passera-t-il sa journée ? Vous êtes tout pour moi, mon cher ami ; je n'ai compté que depuis que je vous ai connu, et quand je m'éloigne de vous, ma flamme s'éteint. Elle est bien morte, je n'ai rien fait, ni pensé à rien faire depuis mon départ. Je vis assez heureux, content de me voir chez notre bon ami, mais sans but et sans passé — cela durera encore un certain nombre de jours, j'oublie. »

Hypocrisie ? Nullement. Tel est le drame de Sainte-Beuve, dont il souffre déjà et qui lui fera traverser mille morts. Il reste l'ami fraternel de Hugo, l'admirateur sans limite, le lieutenant fidèle. Rien n'a changé. Si ce n'est qu'il aime la femme de cet ami-là. Une semaine plus tard, c'est à Adèle qu'il écrit. Si cette lettre a été conservée, c'est d'évidence parce qu'elle était plus « convenable » que les autres. Parce qu'elle était faite pour être lue par le mari. Mais qui pourrait douter qu'Adèle n'ait su lire entre les lignes ?

13 mai 1830 : « Pensez-vous quelquefois à ceux qui ne vous voient plus aussi souvent, et à ceux qui, depuis quinze jours, ne vous voient plus du tout ? Je me pose ces questions un peu timidement ; je voudrais que vous eussiez quelques regrets et qu'il vous parût que quelque chose vous manque : c'est bien égoïste n'est-ce pas ? Mais vous me le pardonnerez ; je doute tant, non pas de mon amitié pour vous, non pas de votre bonté pour moi, mais de mon humilité, de ma valeur auprès de vous ; j'ai été si nul, si coupable dans tous ces derniers temps, si sottement irrégulier et fantasque, si préoccupé de moi-même en votre présence, que je conçois que j'ai dû bien perdre dans votre esprit ; blâmez-moi, accusez-en mon caractère, ma tête, mon peu de puissance à vouloir et à faire ; mais, je vous en prie, ne croyez à aucune froideur, à aucun éloignement de mon affection, bien au contraire, elle s'est encore accrue, s'il était possible ; elle ne peut jamais diminuer. Quand je ne vous verrais plus, quand je serais jeté pour toujours à des centaines de lieues de vous sans même vous écrire, je n'en serais pas moins le même pour vous par le cœur, et votre pensée ne serait pas moins mon consolant recours, mon bon génie, ma meilleure action. »

Comment Hugo concevrait-il des soupçons ? Rien ne l'a préparé à imaginer que sa femme puisse, non pas même aimer quelqu'un d'autre que lui, mais arrêter un instant ses pensées sur un autre. C'est par une lettre chaleureuse qu'il va répondre à Sainte-Beuve :

16 mai 1830 : « Si vous saviez, vous, combien vous nous avez manqué ces derniers temps ! combien il y a eu de vide et de tristesse pour nous, même en famille comme nous vivons, même au milieu de nos enfants, à emménager ainsi sans vous dans cette déserte ville de François Ier! comme, à chaque instant, vos conseils, votre concours, vos soins nous manquaient, et, le soir, votre conversation, et toujours votre amitié! C'est fini. L'habitude est prise dans le cœur. Vous n'aurez plus désormais, j'espère, la mauvaise volonté de nous quitter, de nous déserter ainsi. Voilà une épreuve qui sera bonne, en cela, du moins, que vous n'en tenterez plus d'autres, et la Normandie nous sauvera de la Grèce [1]. Du reste nous sommes matériellement bien ici, parfaitement même. Des arbres, de l'air, un gazon sous notre fenêtre, de grands enfants dans la maison pour jouer avec nos petits, M. de Mortemart très aimable qui nous accable d'attentions et de journaux, beaucoup de solitude, plus de *Hernanistes*... Je fais même des vers. »

Content de soi et des autres : voilà donc ce que serait le Hugo de ce mois de mai 1830. Mais, une fois de plus, n'est-ce pas un masque qu'il a posé et sur son visage et sur ses pensées ? Et si les lettres étaient trompeuses ? Quand le biographe écrit l'histoire d'un poète, il dispose heureusement d'un autre matériau que la correspondance : les vers. Plusieurs poèmes sont datés de ce mois de mai-là. L'un d'eux nous ravit, celui qui célèbre les premiers pas du petit Victor. Strophes célèbres qui rappellent une fois encore la place que l'enfance occupe dans sa vie, et ses enfants dans son cœur. Elles donnent raison à Théodore de Banville qui constatait : « Il est vrai qu'en art et en poésie, l'Enfant date de lui et n'a commencé à vivre que dans ses œuvres. »

> Lorsque l'enfant paraît, le cercle de famille
> Applaudit à grands cris ; son doux regard qui brille
> Fait briller tous les yeux,
> Et les plus tristes fronts, les plus souillés peut-être,
> Se dérident soudain à voir l'enfant paraître,
> Innocent et joyeux.

Un bonheur de plus à ajouter à tous les autres dont il bénéficie ? Attendons.

> Enfant, vous êtes l'aube et mon âme est la plaine
> Qui des plus douces fleurs embaume son haleine

1. On avait parlé d'une nomination de Lamartine comme ambassadeur auprès du nouveau royaume de Grèce. Lamartine avait annoncé qu'il emmènerait Sainte-Beuve à Athènes comme secrétaire. Le projet n'a pas abouti.

> Quand vous la respirez ;
> Mon âme est la forêt dont les sombres ramures
> S'emplissent pour vous seul de suaves murmures
> Et de rayons dorés [1] !

Outre le symbolisme hardi dont on a pu dire qu'il annonçait Baudelaire ou Verlaine [2], nous voilà bien forcés de retenir que l'âme de Hugo, au moment où il écrit, ne ressemble à rien d'autre qu'à une forêt où de « sombres ramures » occultent toute lumière. Pourquoi, au cours de ce même mois de mai, pense-t-il tout à coup aux lettres qu'il adressait à sa fiancée, ces lettres qu'il avait écrites enivré et déchiré tout à la fois ?

Il avait dix-huit ans. Il était « plein de songes ». Pourquoi faut-il maintenant qu'en relisant ces lettres, ce qui l'accable, ce soit la tristesse ?

> Que vous ai-je donc fait, ô mes jeunes années,
> Pour m'avoir fui si vite, et vous être éloignées,
> 　　　　Me croyant satisfait ?
> Hélas ! pour revenir m'apparaître si belles,
> Quand vous ne pouvez plus me prendre sur vos ailes,
> 　　　　Que vous ai-je donc fait [3] ?

Quelques jours plus tard — en juin — entrant chez Adèle, il la trouvera pleurant. Sans motif. Pour rien. Quand il la questionnera, elle ne répondra pas.

> Oh ! pourquoi te cacher ? Tu pleurais seule ici.
> Devant tes yeux rêveurs qui donc passait ainsi ?
> 　　　　Quelle ombre flottait dans ton âme ?
> Était-ce long regret ou noir pressentiment,
> Ou jeunes souvenirs dans le passé dormant,
> 　　　　Ou vague faiblesse de femme [4] ?

Adèle et Victor se taisent. Ils se gardent bien de se confier l'un à l'autre. Mais ils se voient et se sentent *différents*.

Sainte-Beuve a regagné Paris. Il a retrouvé les Hugo, surtout découvert — émerveillé — que l'absence avait fait

---

1. *Les Feuilles d'automne*, XIX.
2. Pierre Albouy.
3. *Les Feuilles d'automne*, XIV.
4. *Les Feuilles d'automne*, XVII.

d'Adèle l'amoureuse à son image dont en secret il avait tant rêvé. Tout est dit dans le *Livre d'amour*. D'abord il a cru que son départ était « une folle erreur ». Il sait maintenant que cette absence fut une bénédiction. Il constate comme un « éveil en sursaut ». Cette femme qui semblait depuis huit ans assise en son bonheur, dès qu'ils sont seuls, pousse un cri, un cri de jalousie. Qu'a-t-il fait à Rouen ? Quelle autre femme le retenait là-bas ? Il lui voit les yeux cernés et ce front que, jusque-là, il n'avait vu que baigné « aux purs rayons du ciel », tout à coup « sillonné d'un reflet de délire ». Ainsi la tempête a-t-elle pris possession du lac paisible.

Jusqu'où iront-ils Adèle et Sainte-Beuve ? Imaginer le petit homme enfiévré par le bonheur serait mal le connaître. On dirait que, tel l'oiseau, il se heurte aux barreaux d'une cage. Être aimé enfin, pour la première fois, lui qui avait si long-temps désespéré de l'être : voilà le miracle, un vrai. Mais il y a Hugo. A-t-il le droit de trahir son meilleur ami ? Le voilà si mal avec lui-même qu'il fait mauvais visage à Victor. Il pro-nonce des paroles qu'il regrette aussitôt.

Sainte-Beuve à Hugo, 31 mai 1830 : « Je veux vous écrire, car hier nous étions si tristes, si froids, nous nous sommes si mal quittés que tout cela m'a fait bien du mal ; j'en ai souffert tout le soir en reve-nant, et la nuit ; je me suis dit qu'il m'était impossible de vous voir souvent à ce prix, puisque je ne pouvais vous voir toujours : qu'avons-nous en effet à nous dire, à nous raconter ? Rien, puisque nous ne pouvons tout mettre en commun comme avant. Je m'aper-çois que je ne vous ai pas demandé instamment vos vers à moi ; mais que m'importent vos vers, ceux-là plutôt que d'autres [1] ? C'est tous que je voudrais ; c'est vous, c'est madame Victor à toute heure et sans fin. »

Tout se mêle, vraiment, dans ce cerveau tourmenté. Sainte-Beuve n'aime pas la rue Jean Goujon. Il pleure la rue Notre-Dame-des-Champs. Il ressent ce nouveau domicile comme un exil. Seulement, c'est lui que l'on a exilé. Songeons d'ailleurs que, même si l'appartement nouveau lui plaisait, la seule dis-tance l'empêcherait de s'y rendre régulièrement ; en ce

1. Il s'agit de deux poèmes que Hugo a dédiés à Sainte-Beuve et Louis Bou-langer. Il était en effet assez extraordinaire que Sainte-Beuve, sachant que Hugo avait composé en partie pour lui deux poèmes, n'ait pas exprimé le désir d'en prendre connaissance. Les vers seront insérés dans *les Feuilles d'automne*, XXVII et XXVIII.

temps, la plupart des Parisiens ne se déplacent qu'à pied. Au
fait, de quoi enrage-t-il le plus ? De cet exil ou de la pensée
que peut-être bientôt il trahira son ami ? Le résultat est que
cet amour mutuellement révélé, qui devrait conduire Sainte-
Beuve au zénith de la joie, le plonge dans la morosité la plus
flagrante :

« Vous, vous avez tout ce qui console, et ce qui est réel, votre
femme, vos enfants. Songez bien que moi, je suis celui qui souffrirai
le plus, moi qui n'ai rien, pas un être au monde ; que vais-je devenir ?
Croyez donc bien que si je ne vais pas là-bas, je ne vous en aimerai
pas moins, vous et Madame, qu'auparavant. Il y a dans mon amitié
pour vous et pour elle autre chose que de l'habitude : croyez-le et
n'allez pas imaginer qu'il entre dans ma nouvelle conduite la moindre diminution d'amitié. Il n'y a pas eu cette fois de nuage dans
notre amitié pure, rien, pas une tache, pas un point noir au ciel ; c'est
le tonnerre qui est tombé sur moi par un temps serein ; plaignez-
moi, mais il n'y a pas de ma faute. Croyez (car la vraie amitié est
jalouse aussi) croyez que je ne verrai personne désormais comme je
vous ai vus autrefois, qu'absents, aucune liaison ne vous remplacera
et que, seul, je ne penserai, jour et nuit, qu'à vous. »

Nous voici de plus en plus déconcertés. Sainte-Beuve
déclare à son ami qu'il ne viendra plus le voir rue Jean Goujon ! Mais Adèle ? C'est que, justement, il y a Adèle. Nous
ignorons tout de ce qu'elle a pu lui dire. Certains vers du
Livre d'amour, d'autres écrits de Sainte-Beuve nous inclinent
à penser qu'elle lui a déclaré que, bien qu'elle l'aimât — et
ceci pour toujours — jamais elle ne lui appartiendrait. Est-ce
de là qu'est né son désespoir ? Nullement : une telle décision
correspond exactement à ce que lui-même souhaite pour le
moment. Rien n'est jamais simple avec Sainte-Beuve :
n'oublions pas qu'il redoute l'amour physique. Les deux
amoureux, enivrés de la certitude d'une commune passion,
ne demandent rien d'autre. Même séparés, il leur suffit de
vivre dans la pensée l'un de l'autre. Celle-ci leur suffit. En
outre Sainte-Beuve doit redouter de se retrouver en face de
Hugo. Pour la première fois de sa vie, il a perdu le contrôle
de lui-même. Il craint de retomber dans une erreur qui, à la
longue, pourrait éveiller les soupçons de Victor. Dans le *Livre
d'amour*, quand il évoque Hugo, c'est le même mot qui
revient toujours : *soupçons*. La répétition du vocable reflète
une réalité qui a pesé très tôt sur les rapports entre le mari,
la femme et celui qui n'est pas encore l'amant.

L'habitude, chez les hugolâtres, est d'accabler Sainte-Beuve. Lorsqu'on parle de son amour pour Adèle, on le prend de haut, on couvre le malheureux de sarcasmes. De quel droit ? Tout démontre que l'amour de Sainte-Beuve fut profondément sincère. Les amours vraies doivent toujours être respectées. Sainte-Beuve a lutté tant qu'il a pu pour ne pas trahir son ami. Il a, pour une longue période, choisi de se contenter d'une passion purement spirituelle. Pourquoi lui jeter la pierre ? Ce qui est touchant, c'est cette extrême difficulté d'être où je le vois pendant toutes ces semaines, pendant tous ces mois. Du désarroi né de l'inextricable situation c'est au mari qu'il fait confidence ! Sans pouvoir bien sûr lui révéler la véritable raison des chagrins qu'il traverse.

Sainte-Beuve à Hugo, 5 juillet 1830 : « Les jours, les soirs où je ne suis pas trop fatal et farouche, je me traîne à deux ou trois visites pour tuer une soirée ; le plus souvent incapable de travail et de toute conversation, j'erre autour de mon Luxembourg, craignant de rencontrer un visage ami, faisant vingt projets d'allées et venues, allant jusqu'à la porte de Lacroix ou de Magnin, et m'en revenant sans avoir la force d'entrer. Chez vous, je ne puis aller ; cela me fait trop mal et j'en ai pour un jour à me remettre avant de pouvoir écrire une ligne... J'ai d'affreuses, de mauvaises pensées, des haines, des jalousies, de la misanthropie ; je ne puis plus pleurer ; j'analyse tout avec perfidie et une secrète aigreur. Quand on est ainsi, il faut se cacher, tâcher de s'apaiser ; laisser déposer son fiel sans trop remuer la vase ; s'accuser devant soi-même, devant un ami comme vous, ainsi que je le fais en ce moment. »

Par un parallélisme qui ne peut guère nous étonner, ce qui l'emporte désormais, chez Sainte-Beuve, écrivain, à l'égard de son ami, c'est l'esprit critique. Depuis qu'il se sait aimé, il n'est plus capable de retenir le mouvement du poison qui s'infiltre en lui. Cependant, quelle admirable lucidité chez cet homme capable de si bien s'expliquer sur ces eaux mêlées qui se heurtent si violemment au fond de sa conscience : amitié, admiration, critique, jalousie !

Ne plus voir Adèle, mais aimer Adèle. Ne plus voir Hugo, mais peu à peu le haïr tout en refusant de le haïr. C'en est trop pour Sainte-Beuve. Paris lui redevient insupportable. En juillet 1830, il repart pour la Normandie, chez Ulric Guttinguer.

Hugo ? Pestant, enrageant du fait du temps perdu, il a achevé son emménagement rue Jean Goujon. Ce qui s'est abattu sur lui, c'est un souci d'ordre purement professionnel. Son éditeur Gosselin aurait voulu publier *Hernani*. Quand il a su qu'un autre éditeur l'avait devancé, il s'est montré plein d'amertume. Comment Gosselin aurait-il oublié qu'il avait signé avec Hugo un contrat pour la publication d'un roman qui devait être *Notre-Dame de Paris*. Un peu à la légère — mais tous les écrivains sont passés par là — Victor s'était engagé à livrer *Notre-Dame* le 15 avril 1829. Il avait donc la bagatelle d'un an de retard. Gosselin a rappelé sévèrement, presque brutalement, son auteur à l'ordre. Hugo a répondu par une lettre indignée autant que maladroite. Pendant des semaines, le dialogue s'est poursuivi, de plus en plus aigre-doux, démontrant de la part de Hugo une irritabilité croissante. Le pauvre Gosselin, sans le savoir, est tombé au plein de cette période que nous venons de vivre, au cours de laquelle, l'angoisse le gagnant peu à peu, Hugo a acquis la perception très nette d'un grand malheur qui allait le frapper. Le 21 mai, Hugo et Gosselin s'affrontent : au cours de l'entrevue, le ton monte jusqu'à l'intolérable. Quelques jours plus tard, Gosselin l'emporte. De guerre lasse, Hugo accepte un contrat implacable : il s'engage à livrer *Notre-Dame de Paris* pour le 1er décembre 1830. Chaque semaine de retard lui coûtera 1 000 francs d'amende. Si le retard dépasse deux mois, il paiera 2 000 francs de plus. Calculons : s'il ne remet son roman que le 1er février 1831, il devra 10 000 francs à Gosselin, une véritable fortune !

A quel jeu joue donc Victor Hugo ? Il a beau avoir juré à Gosselin que le roman était très avancé, il n'en a pas écrit une ligne. La logique voudrait que, dès le lendemain de la signature de ce traité insensé, il se jetât sur son écritoire, qu'il travaillât de jour et de nuit. Or il musarde, se donne les gants de composer de nouveaux poèmes dont le considérable *Ce siècle avait deux ans*, et quatre autres d'une importance égale qui tous prendront place dans *les Feuilles d'automne*. Parallèlement, il est vrai, il complète sa documentation pour *Notre-Dame*, il remanie un plan déjà esquissé précédemment. En fait, ce n'est que le 25 juillet qu'il va écrire la première ligne de *Notre-Dame de Paris*. Pour connaître le cadre exact de sa vie, donc de son travail, nous disposons d'un témoignage aussi précieux que minutieux.

Quatre jours plus tôt, le jeune calviniste vaudois que nous avons rencontré auprès de Sainte-Beuve, Juste Olivier, est venu le voir. Cet Olivier, récemment nommé professeur d'histoire et de littérature au gymnase de Neuchâtel, conquis au romantisme par la seule lecture des romantiques, a fini par n'y plus tenir : il a accompli le voyage de Paris pour rencontrer ses idoles. Un journal intime en est résulté qui constitue un plaisant reportage, en même temps qu'une sélection assez réjouissante de ragots : ces messieurs les romantiques ne se privent pas de dire du mal les uns des autres. Hugo n'est pas épargné, loin de là. « Victor Hugo n'étudie pas. Il croit tout savoir par intuition », ricane Gustave Planche, ajoutant qu'il manque à Hugo, pour parler des choses de l'amour, de les avoir faites. Quant à Vigny, il laisse entendre que la soi-disant culture de Hugo masque une profonde ignorance. Charmant.

C'est donc dûment prévenu que le jeune Olivier s'est présenté rue Jean Goujon, nᵒ 9, à 1 heure de l'après-midi. Il est monté au second. Une servante l'a introduit dans un salon « élégamment et richement meublé », décoré de plusieurs grands tableaux et de médaillons reproduisant les visages des hommes célèbres du temps. Ces derniers lui ont semblé être de David d'Angers. De là, on l'a fait passer dans le cabinet de travail où, pendant une demi-heure, il a attendu l'écrivain. Le temps pour Olivier de laisser sa mémoire — il l'avait excellente — enregistrer une infinité de détails. Il se souviendra d'un ameublement simple, d'un petit canapé recouvert d'une toile blanche, d'un canapé plus grand garni d'une étoffe rouge, et surtout, au fond du cabinet, de « plusieurs tables garnies de papiers, de livres et de brochures entassés les uns sur les autres, mais en ordre ». Près de la fenêtre, une autre table, avec une écritoire fortement tachée d'encre, quelques plumes, « et des rubans de papier comme j'en ai souvent coupé pour faire des notes dans des ouvrages que je consultais ». A côté de cette table, une autre encore où notre Vaudois voit étalés deux in-folio, traitant des antiquités et de l'histoire de la ville de Paris, ainsi qu'un manuscrit en cours qu'il a l'indiscrétion de lire. Il y trouve cette phrase : « On attaque une pièce avant qu'elle soit jouée... » Éparses dans le cabinet, cinq ou six petites chaises, simples, élégantes, couvertes de cuir rouge. A droite de la fenêtre, une petite étagère avec des livres. Sur la cheminée, Juste Olivier aperçoit « une vieille tête en bronze ou en quelque autre matière, un oiseau blanc empaillé, des petits vases de terre de forme assez bizarre, une espèce de coupe en verre où trempait une branche de fleurs ». Il s'est approché de la fenêtre et a découvert avec bonheur « des jardins, de la verdure, des arbres d'un feuillage assez épais pour que j'entendisse *bruire leurs dômes*. Et, plus loin, le Dôme des Invalides ».

Enfin paraît Hugo qui présente ses excuses : il n'attendait pas ce visiteur et il avait à s'habiller. Olivier le voit vêtu simplement : une redingote noire, une cravate noire, point de gilet, une chemise à quatre ou cinq boutons, des bas blancs. « Il a les cheveux brun foncé, on ne peut pas dire noirs, un peu du genre humide des miens. Ils ne sont pas rares, mais cependant pas très épais non plus. Un grand soin ne préside pas à leur arrangement. Ils ont même sur le côté un certain pli qui n'est peut-être pas très en harmonie avec l'ensemble des traits du visage... Le front est grand, cependant il n'est pas immense. Il est blanc, pur et je n'y ai pas découvert de rides. Les yeux, ni grands ni petits, sont bruns, vifs, mais on ne peut pas dire qu'ils soient ni brillants ni ardents. Son nez est quelque peu *renflé* vers le bout, ce qui lui donne quelque chose de peu agréable. Sa bouche n'a point cette expression dédaigneuse de son portrait ; au contraire, elle en avait une très gracieuse et naturelle. Je ne me rappelle ni ses sourcils ni ses mains. Je n'ai pas trouvé qu'il fût si gros que son portrait semble le faire croire. Cependant M. Sainte-Beuve m'a dit : " Oh ! si, il a de l'embonpoint. " Son teint est blanc ; je lui trouvai quelque chose de diaphane en même temps que sa peau ne me semblait pas très mince et très délicate. Sainte-Beuve y voit, lui, entre les yeux et le nez, le long des joues, des teintes bleues et roses qui donnent une expression particulière à sa physionomie. »

La conversation s'est engagée. Olivier l'a notée soigneusement, avec une exactitude de tabellion. Pauvre Hugo : il faut bien convenir qu'il n'a entendu que des banalités auxquelles il a répondu avec une patience et une courtoisie que beaucoup n'auraient pas manifestées. Qu'on en juge : « Je lui ai raconté aussi ma nomination à Neuchâtel, qui me permettrait de consacrer quelques loisirs à la poésie, etc. Ah ! oui, c'est une carrière charmante, etc. »

Au bout d'un moment, une dame s'est montrée. Hugo s'est levé et Olivier a compris qu'il était temps de partir. En prenant congé, le Vaudois a aperçu deux enfants. Hugo s'est

adressé à l'un d'eux « en l'appelant *mon petit chat*. L'un de
ses enfants est charmant. C'est une fille qui a de beaux cheveux noirs, secs et bouclés, une figure brûlée et expressive.
Mme Hugo (si c'est la personne qui est apparue et qui
m'avait l'air de ressembler à un portrait de femme placé au-
dessus du grand canapé) doit être une belle et grande personne, mais rapprochée de l'âge de son mari. Victor Hugo a
l'air d'un homme heureux et Sainte-Beuve dit qu'il l'est effectivement ».

Soyons reconnaissants à l'importun Juste Olivier. Sans lui
nous ne connaîtrions pas si bien ce cabinet de travail où
Hugo va commencer d'écrire *Notre-Dame de Paris*. Où, dans
quelques semaines, Sainte-Beuve sera reçu, à sa demande,
pour formuler un aveu à la suite duquel, pour des années,
Hugo n'aura plus l'air d'un « homme heureux ».

Le 9 juillet, on annonce à grand bruit à Paris la prise
d'Alger. « Cette nouvelle me ravit sans me rassurer, s'écrie
Chateaubriand. La Providence peut du même coup agrandir
un royaume et renverser une dynastie. » Quelle clairvoyance !
Le 25 juillet — le jour où Hugo commence *Notre-Dame de
Paris* — le roi signe trois ordonnances : la première dissout la
Chambre, la seconde modifie la loi électorale, la troisième
suspend la liberté de la presse. Un instant — un instant seulement — le roi a hésité. Après quoi : « Plus j'y réfléchis, plus je
suis convaincu que je suis dans mon droit et que c'est le seul
moyen de salut. » Au conseil des ministres, on est optimiste.
Polignac est certain de son affaire : Paris ne bougera pas, il
est tout à fait inutile de prendre des précautions militaires.
Le maréchal Marmont, qui se sait responsable de l'ordre,
n'est guère de cet avis : « Ils sont perdus. Ils ne connaissent
ni le pays, ni le temps. Ils vivent en dehors du monde et du
siècle ! »

Le matin du 27 juillet, Gustave Planche vient rendre visite
à Hugo. Il fait beau, très chaud même. Aimable, Planche
demande à la petite Léopoldine — six ans dans un mois — si
elle veut bien prendre avec lui une glace au Palais-Royal ; il a
un cabriolet en bas. Didine bat des mains. A peine le cabriolet roule-t-il vers le Palais-Royal que tout à coup une foule
nombreuse lui barre le chemin. Une foule en colère qui vocifère des injures à l'égard de Charles X et de son gouvernement. Il faut rentrer rue Jean Goujon. Sans manger la glace.

En fait, dès la veille, un grand nombre de journalistes se sont réunis dans les bureaux du *National*. Ils ont décidé de faire paraître leurs journaux sans tenir compte de l'autorisation préalable. Une protestation solennelle a été rédigée par Thiers et deux autres journalistes. On en a appelé à la résistance : « Le régime légal est interrompu, celui de la force a commencé... L'obéissance cesse d'être un devoir ! » Le 27 juillet au matin, les journaux, parus malgré l'interdiction, ont reproduit, en première page, la protestation des journalistes. Aussitôt l'agitation a commencé.

Un témoin évoquera ce Paris qui ressemblait « au pont d'un navire au moment du branle-bas ». La troupe occupe le Carrousel et le Palais-Royal, la place Louis XV et le boulevard des Capucines. Des patrouilles tentent de disperser les attroupements du genre de ceux que Planche et Léopoldine, dans leur cabriolet, ont vu se former devant eux. Peu à peu, l'audace des Parisiens augmente. Par les fenêtres ouvertes des immeubles, on jette sur la force armée des pots de fleurs, de vieilles marmites, des bûches de bois. Les gamins lancent des pierres. Bientôt, rue des Pyramides et rue Saint-Honoré, la troupe, assaillie de toute part, exaspérée, ouvre le feu. En guise de réponse deux barricades s'élèvent à l'entrée de la rue de l'Échelle et de la rue de Rivoli. Le soir, les premières cocardes tricolores apparaissent. On commence à crier :

— A bas les Bourbons !

Le lendemain, quand les Hugo s'éveillent, les Champs-Élysées sont devenus un bivouac. Une question fort prosaïque : comment pourra-t-on traverser ce rideau de troupes pour aller s'approvisionner ? La famille se sent prisonnière chez elle. On ne reçoit plus ni journaux ni lettres. On ne sait rien. Tout ce que l'on entend, c'est l'appel du tocsin, au loin l'écho de la fusillade, et les fourgons d'artillerie qui, à grand fracas, roulent sur le quai. Hugo, devant la porte de l'immeuble, se heurte à l'un des autres locataires, le général Cavaignac, oncle de celui qui deviendra, en 1848, chef du pouvoir exécutif de la République. Ce vieux soldat développe avec autorité un raisonnement assez curieux : la maison, « étant isolée et en pierres de taille », sera certainement occupée par les troupes si le combat vient de ce côté-là. On y sera assiégé. Hugo n'a pas de raison de mettre en doute l'avis de ce spécialiste. Il n'en est pas plus rassuré. Ce jour-là, le thermomètre monte à 32º. Toute la journée, des soldats viendront frapper aux portes pour demander un verre d'eau. Adèle se souviendra que l'un d'eux, en rendant le verre, s'était évanoui.

A l'aube du 29, Paris est couvert de barricades. On a abattu les arbres des boulevards, semé sur le pavé le verre de bouteilles brisées : obstacle à la cavalerie. Les 10 000 hommes jetés par Marmont dans Paris vont en vain, toute la journée, tenter de déblayer les grandes avenues.

Chez les Hugo, on est toujours sans nouvelles. Victor décide d'aller en chercher. Il quitte la maison en compagnie de M. de Mortemart, rejoint les Champs-Élysées. Ils y trouvent une batterie de canons et ne parviennent à passer qu'après avoir longuement parlementé. Un formidable déploiement militaire. Les soldats abattent les arbres pour en faire des chevaux de frise. On rejoint le carré Marigny. Hugo aperçoit un garçon de quatorze à quinze ans, l'air terrifié, ligoté à un arbre. A Mortemart qui s'enquiert des raisons qui l'ont fait ainsi attacher, un soldat répond :

— Pour qu'il n'échappe pas avant d'être fusillé.

Réaction immédiate de Hugo :

— Fusillé ! C'est un enfant.

— C'est un enfant qui a tué un homme. Il a descendu notre capitaine, mais il va la danser.

A l'instant même, venant de la barrière de l'Étoile, un peloton de cavalerie débouche dans le carré. A sa tête, Hugo reconnaît le général de Girardin. Il s'avance au-devant de lui :

— Que diable faites-vous ici ? interroge le général.

— J'y loge.

— Eh bien, je vous conseille d'en déloger. Je viens de Saint-Cloud, et on va tirer à boulets rouges.

Peu encourageant, Girardin. Ce n'est pas là ce qui obsède Hugo. C'est le jeune garçon qui va mourir. Il le montre au général, lui demande instamment de reconsidérer son cas. Girardin, aussitôt, fait détacher l'enfant. Voilà Hugo heureux.

Le 29, c'est la dernière des trois « Glorieuses ». Le peuple s'empare du Palais-Bourbon et du Louvre. Les troupes se replient en désordre sous les fenêtres de Talleyrand. Le vieux prince, impassible comme toujours, dicte à son secrétaire : « Mettez en note que le 29 juillet 1830, à midi cinq minutes, la branche aînée des Bourbons a cessé de régner sur la France. » A 1 heure et demie, le duc d'Angoulême, qui a reçu le commandement des troupes royales, évacue Paris. Les trois couleurs flottent sur le château des Tuileries.

Tout au long de ces trois jours, Hugo n'a pu se défendre d'une émotion que peut-être lui-même comprend mal. Ces trois couleurs qu'il voit surgir de partout, ce sont celles de son enfance. Son père s'est battu pour elles. Il n'en est pas moins partagé, déchiré. Ces Bourbons qu'il voit disparaître de l'Histoire, il leur avait donné sa foi. On ne chasse pas volontiers de sa mémoire ceux que l'on a aimés. Hugo moins que quiconque. Depuis longtemps il s'éloignait. Il n'était plus ultra et déjà libéral. Pourquoi le départ de ce vieux roi forcé de nouveau de quitter son pays lui serre-t-il malgré tout le cœur ? Nous aimons qu'il ait aussitôt écrit les vers que voici :

> Oh ! laissez-moi pleurer sur cette race morte
> Que rapporta l'exil et que l'exil remporte,
> Vent fatal qui trois fois déjà les enleva !
> Reconduisons au moins ces vieux rois de nos pères,
> Rends, drapeau de Fleurus, les honneurs militaires
>   A l'oriflamme qui s'en va !

Il écrira encore et nous aimons qu'il l'ait écrit :

> L'exil et les tombeaux dans mes chants sont bénis ;
> Et, tandis que d'un règne on salûra l'aurore,
> Ma poésie en deuil ira longtemps encore
>   De Sainte-Hélène à Saint-Denis !

Cependant que, le 28 juillet, se livrent les derniers combats, honnêtement c'est à autre chose que l'on pense chez les Hugo. Dès les premières heures de la matinée, Adèle a été prise de ce genre de douleurs que, en femme qui a déjà accouché quatre fois, elle connaît bien. Aussitôt, c'est l'habituel branle-bas. A défaut de pouvoir éloigner les enfants, on doit les reléguer au fond de l'appartement. Il faut trouver une sage-femme qui accepte de traverser la fusillade pour venir exercer son état. L'affolement de la servante gagne tous les membres de la famille. La nervosité monte à son comble. Dans le grand lit conjugal, Adèle laisse échapper des plaintes déchirantes. Un air brûlant glisse de la rue par les fenêtres ouvertes. La sueur coule sur le visage de l'infortunée parturiente.

Un cri plus aigu, un appel d'encouragement et de triomphe de la sage-femme : l'enfant est né, c'est une fille. Puisque le dernier fils s'est prénommé Victor, les Hugo ont décidé qu'ils appelleraient celle-ci Adèle.

Quelques combattants des Glorieuses avaient cru lutter au profit de la République. D'autres avaient fait le coup de feu au cri de : « Vive Napoléon II ». Les Français ont droit à Louis-Philippe. En proclamant roi des Français le duc d'Orléans, La Fayette s'est écrié qu'il fallait saluer en ce prince éclairé « la meilleure des Républiques ». Ce qu'il va d'ailleurs démentir quelques mois plus tard. La Fayette a toujours tout démenti. Jusqu'à ses velléités.

Le nouveau bébé Hugo vagit dans son berceau. Les deux garçons, Charles et Toto — ainsi appelle-t-on le petit Victor — contemplent avec respect cet animal étrange. Didine — on ne la nomme plus autrement — profère du haut de ses six ans des sentences définitives qui, de plus en plus délicieusement, font battre le cœur de son père. Les journaux parviennent de nouveau rue Jean Goujon. Les amis reviennent. Chez Victor l'avidité est la même. Que signifie cette révolution ? Que faut-il en attendre ? Que doit-on penser de Louis-Philippe qui, laissant l'aigle à Napoléon, a pris le coq pour emblème ? Jusqu'à quel point lui-même doit-il s'engager ? Comment ne pas lire avec un extrême intérêt les notes qu'il prend, quelques jours seulement après les Glorieuses ? Par exemple : « Après juillet 1830, il nous faut la chose *république* et le mot *monarchie*. » La plume à la main, il réfléchit :

« Les sociétés ne sont bien gouvernées en fait et en droit que lorsque ces deux forces, l'intelligence et le pouvoir, se superposent. Si l'intelligence n'éclaire encore qu'une tête au sommet du corps social, que cette tête règne ; les théocraties ont leur logique et leur beauté. Dès que plusieurs ont la lumière, que plusieurs gouvernent ; les aristocraties sont alors légitimes. Mais lorsqu'enfin l'ombre a disparu de partout, quand toutes les têtes sont dans la lumière, que tous régissent tout, le peuple est mûr à la république ; qu'il ait la république. »

Remarquons que par deux fois il s'est arrêté au mot république. Ce qui lui vient à l'esprit, ce sont aussi des images plaisantes : « Tout ce que nous voyons maintenant, c'est une aurore. Rien n'y manque. Pas même le coq. »

La ruée vers les prébendes l'indigne : « Donneurs de places ! Preneurs de places ! Demandeurs de places ! Gardeurs de places ! — C'est pitié de voir tous ces gens qui mettent une cocarde tricolore à leur marmite. » Sur le papier, il jette encore la phrase suivante qui va loin : « Les rois ont le jour, les peuples ont le lendemain. » Son souci, c'est que la future république, même si elle prend le masque de la monarchie, n'aboutisse à la même fatalité que la première : l'échafaud. Il n'est pas seul à partager cette hantise. L'image de la guillotine poursuit les survivants de la grande révolution et même leurs fils. D'où cette observation : « Je ne suis pas de vos gens coiffés du bonnet rouge et entêtés de la guillotine. » Et celle-ci :

« Pour beaucoup de raisonneurs à froid qui font après coup la théorie de la Terreur, 93 a été une amputation brutale, mais nécessaire. Robespierre est un Dupuytren politique. Ce que nous appelons la guillotine n'est qu'un bistouri. C'est possible. Mais il faut désormais que les maux de la société soient traités, non par le bistouri, mais par la lente et graduelle purification du sang, par la résorption prudente des humeurs extravasées, par la saine alimentation, par l'exercice des forces des facultés, par le bon régime. Ne nous adressons plus au chirurgien, mais au médecin. »

A quelques jours de là, il va achever une *Ode à la Jeune France*, hymne aux vainqueurs de juillet, exaltés comme les paladins de la liberté. André Maurois a très lucidement observé que cette ode est bien meilleure, littéralement, que les poèmes légitimistes de jadis, ce qui est « un indice de sincérité ».

> Frères ! et vous aussi, vous avez vos journées !
> Vos victoires, de chêne et de fleurs couronnées,
> Vos civiques lauriers, vos morts ensevelis,
> Vos triomphes, si beaux à l'aube de la vie,
> Vos jeunes étendards, troués à faire envie
> A de vieux drapeaux d'Austerlitz !

Va-t-il garder ces vers pour lui ? Il n'est pas l'homme de ces réserves ou de ces modesties. Aussitôt, il pense au *Globe*. La révolution a tiré Sainte-Beuve en même temps de la Normandie et de sa neurasthénie. Il est venu reprendre sa place au journal de Dubois. C'est à l'imprimerie que Hugo le rejoint. J'imagine Hugo trop à l'aise et Sainte-Beuve d'abord paralysé. Propos sur la révolution. Hugo sort un manuscrit de sa poche : c'est l'*Ode à la Jeune France*. Sainte-Beuve lit. Il lit vite, il lit bien. Il ne peut se défendre d'admirer : cette fois c'est l'amitié qui l'emporte sur le fiel. Publier ? Bien sûr. Mais si Hugo est spontanéité, élan, le caractère de Sainte-Beuve le conduit à tout prévoir, tout peser. Lui et ses amis savent à quel point Hugo a changé depuis le sacre de Charles X. Tout le monde ne le sait pas. Si Vigny a noté dans son Journal que Hugo avait décidément quitté le côté droit, la page où il enregistrait cela dort toujours dans un tiroir. Il en est souvent ainsi des évolutions politiques : flagrantes pour les proches, elles restent ignorées du public. Les Français cultivés en sont restés au jeune légitimiste choyé des Bourbons, chantre du drapeau blanc et des rois de la branche aînée. On doit à ces Français-là des explications. C'est lui, Sainte-Beuve, dans un « chapeau » qui les donnera.

Plus tard Sainte-Beuve dira que, écrivant cela, il « déroyalisait » Hugo. Stratégie payante : l'ode ne sera pas mal accueillie de l'opinion. Il faut dire qu'en ce temps-là, les ralliements sont innombrables. Quelque temps plus tard, Lamennais trouvera chez lui Victor Hugo écrivant. Il lui demandera ce qu'il est en train de mettre, là, sur le papier.

— Quelque chose qui ne vous plairait pas.

— Dites toujours.

Hugo lui tend une feuille. Lamennais lit : « La république, qui n'est pas encore mûre, mais qui aura l'Europe dans un siècle, c'est la société souveraine de la société ; se protégeant, garde national ; se jugeant, jury ; s'administrant, commune ; se gouvernant, collège électoral. Les quatre membres de la monarchie, l'armée, la magistrature, l'administration, la pairie, ne sont pour cette république que quatre excroissances gênantes qui s'atrophient et meurent bientôt. »

Lamennais juge que, dans ce texte, il y a un mot de trop : « La République n'est pas mûre. »

— Vous la mettez dans l'avenir ; moi, je la mets dans le présent.

Hugo s'explique — et, dans cette explication, il faut voir toute la logique de son évolution politique présente et à venir : il voit dans la république la forme aboutie de la société, mais ne la croit possible qu'après une évolution décisive de cette société. On ne peut accorder le suffrage universel à un peuple qui, dans sa majorité, est demeuré ignorant. Donc, parvenons au suffrage de tous par l'enseignement donné à tous. La royauté « mixte » de Louis-Philippe semble à Hugo une préparation assez favorable à cette organisation idéale. Lamennais, plus intransigeant, n'en est pas aussi sûr que lui.

L'homme le plus étonné de Paris a dû être Sainte-Beuve lorsqu'il s'est entendu solliciter par Hugo d'être le parrain de la petite Adèle. De quoi plonger le critique du *Globe* dans de nouveaux tourments. De loin, parvenu à l'apogée d'une passion désincarnée, il s'apaisait. Mais être parrain ! Méfiant, il questionne Hugo : l'idée est-elle de lui ? Réponse très franche de Victor : Non, l'idée est d'Adèle. Lui s'y est naturellement rangé avec joie. Sainte-Beuve ne peut plus se dérober sans risques de provoquer de la part de Hugo des soupçons auxquels il ne tient nullement.

Déconcertant, le comportement d'Adèle ? Nullement. Elle souffre autant que Sainte-Beuve de l'éloignement que celui-ci — seul — a décidé. En amour, les audaces viennent souvent du côté des femmes. En faisant de lui le parrain de sa fille, Adèle est sûre qu'il reviendra rue Jean Goujon. Ne serait-ce que pour embrasser sa filleule ! Elle joue avec le feu, Adèle ? Sans doute. Mais les femmes, en ces sortes d'affaires, ne détestent pas jouer avec le feu.

Sainte-Beuve a d'abord pensé que Adèle, en voulant créer avec lui des relations quasi familiales, voulait revenir à l'état de choses *ante*, balayer un aveu qu'elle regrettait. Une telle conviction donnerait tout son sens à la lettre que, le 17 septembre — deux jours avant le baptême ! — il va adresser à Victor Pavie :

« Allez, mon ami, priez pour moi et aimez-moi un peu, car je souffre d'horribles douleurs à l'âme ; toute ma poésie refoulée, tout mon amour sans issue, s'y aigrissent et me dévorent. Je suis redevenu méchant. Oh ! quand on est haï, que vite on est méchant ! Je ne suis pas haï, ou du moins je m'inquiète peu de ceux qui me haïssent. Mais mon mal et mon crime c'est de n'être pas aimé, de n'être pas aimé comme je voudrais l'être, comme j'aimerais l'être, aimant. C'est là le secret de toute ma folle existence, sans suite, sans tenue, sans but, sans travail d'avenir. »

Dans la même lettre, maniant à son tour l'antithèse, il oppose à son malheur l'image du mari heureux : « Victor est calme, serein ; il travaille à son roman et a foi en l'avenir, même littéraire. »

Sainte-Beuve a oublié jusqu'aux apparences de la sérénité. Un incident le démontre qui éclate à la rédaction du *Globe*. Dubois méditait depuis quelque temps d'évincer Pierre Leroux de la rédaction. Devant les actionnaires et rédacteurs réunis, il jette le masque. Sainte-Beuve n'y tient plus, il crie que l'on n'a pas le droit de chasser un homme qui a participé à la fondation du journal. Sèchement, Dubois lui fait observer que, n'étant pas actionnaire, il devrait se taire. « Insolent ! » jette Sainte-Beuve à celui qui a été son maître et reste son patron. Dubois feint de n'avoir rien entendu. « Insolent ! » répète Sainte-Beuve plus fort. Même jeu conciliateur de la part de Dubois. « Insolent ! » hurle Sainte-Beuve pour la troisième fois. Dubois a raconté lui-même : « Je saisis mon gant et j'en effleurai le visage de Sainte-Beuve. » Aussitôt, Sainte-Beuve, furieux, crie qu'il lui en demandera raison. Il envoie à Dubois ses témoins, Pierre Leroux et Duvergier de Hauranne. Dubois choisit comme témoins le jeune Barthélemy Saint-Hilaire et le vieux philosophe Damiron. On décide de se battre le 20. Le lendemain du baptême de la petite Adèle ! Quand, le 19, pour la première fois depuis tant de semaines, Sainte-Beuve retrouve Adèle, un seul regard lui suffit pour comprendre qu'il se leurrait, que rien entre eux n'est changé. Tremblant, il reçoit des mains de la bien-aimée le bébé qu'il doit porter sur les fonts baptismaux. De la journée, il ne quitte pas les Hugo. Il ne la quitte pas, Elle. Probablement ne lui a-t-il rien dit du duel. Et s'il allait être tué ? Idée toute romantique quoique non sans logique. Nul, hormis d'Artagnan, n'a gardé l'esprit libre la veille d'un duel. Donc, pas un mot. Mais l'obsession lancinante qui l'accompagne tout le jour. Ah ! s'il mourait en prononçant Son nom ! Alors, pour Sainte-Beuve, de nouvelles contradictions : l'amer bonheur de se dire que peut-être il mourra aimé ; aussitôt le regret de mourir alors qu'il est aimé.

Il pleut, quand Dubois et lui se rencontrent dans le bois de Romainville. Sur le terrain Sainte-Beuve s'avance abrité sous un parapluie. Il saisit de la main droite le pistolet que lui tend son témoin cependant que, de la gauche, il brandit son parapluie. On lui fait remarquer que ce comportement est contraire à toutes les règles :

— Je veux bien être tué, répond-il, mais je ne veux pas être mouillé.

On échange deux balles sans résultat. Puis deux autres.

L'honneur est satisfait, jurent les témoins. On se sépare. Sainte-Beuve peut rentrer chez lui. Bien vivant, mais plus que jamais dévoré par la passion.

Comme il est loin de tout cela, Hugo ! Ce qui l'occupe exclusivement, c'est *Notre-Dame de Paris*. Dès le lendemain des Glorieuses, il a écrit à Gosselin, estimant que la révolution survenue constituait « un des cas graves et de force majeure qui ont été prévus par notre convention du 5 juin ». Il a juré que les événements l'avaient forcé à faire évacuer ses effets les plus précieux et ses manuscrits chez son beau-frère, « qui demeure rue du Cherche-Midi » et que, dans cette opération faite en toute hâte, il avait « perdu un cahier tout entier de notes » qui lui avaient coûté « plus de deux mois de recherches et qui étaient indispensables à l'achèvement de *Notre-Dame de Paris* ». Gosselin n'a probablement pas été dupe — nous pas davantage — mais il est entré dans ces raisons. La date de la remise du manuscrit a été reportée au 1er février 1831. Il reste à Victor cinq mois et demi. Plus un jour, plus une heure à perdre. Hugo va s'acheter une bouteille d'encre ainsi qu'un gros tricot de laine grise — très vite les enfants l'appelleront *la peau d'ours de papa* — qui l'enveloppera du cou jusqu'aux orteils. Pour plus de sûreté, il va enfermer ses habits dans une armoire, fermer l'armoire à clé et délibérément égarer la clé. Ainsi est-il sûr de couper à toute tentation de sortir. Le *témoin* : « Il entra dans son roman comme dans une prison. Il était fort triste. »

Revoyons-le dans le cabinet décrit par Juste Olivier. L'automne fait place à l'hiver. Sa « peau d'ours » le protège assez bien des frimas. Il vit au XVe siècle. Il ne connaît plus qu'Esmeralda, la pure bohémienne au charme venu d'ailleurs, Quasimodo difforme et tendre, le monstrueux Claude Frollo, perdu par l'amour. Peu à peu, dans un travail acharné de chaque instant, ils prennent vie, ces personnages. Outrés ? Bien sûr qu'ils le sont. Sans cela ils ne seraient pas hugoliens. Et cependant les analystes comme les critiques ont toujours buté sur cette évidence : lorsqu'ils reprochent à Hugo d'avoir introduit dans son roman des personnages hors du réel, à la fois symboles et caricatures, ils ne nous expliquent jamais pourquoi ces êtres imaginaires ont si profondément pénétré l'inconscient des peuples que, d'un bout du monde à l'autre, on les connaît mieux que s'ils avaient existé. Quasimodo et

Esmeralda ont traversé un siècle et demi ; ils vivent toujours, on connaît leur nom, des millions d'hommes et de femmes sont capables, à l'instant, de narrer leur histoire. Sans relâche, des films tournés dans l'ancien et le nouveau monde redisent leur destin. De sorte que cette irréalité reprochée à Hugo a débouché sur quelque chose qui va plus loin que la réalité. Combien sont-ils, dans la longue histoire de la création humaine, les héros de théâtre ou de roman qui se sont superposés aux personnages vrais jusqu'à prendre le pas sur eux ? Un Américain d'aujourd'hui ne sait rien de Louis XI ; il connaît Quasimodo. Génie, où est ta victoire ?

Il peine sang et eau, l'homme au tricot de laine. Point de feu dans son cabinet, mais il ne sent pas le froid qui gagne. Devant ses fenêtres les arbres se sont dénudés. Il ne les voit pas. Ce qui se dresse sous son regard, c'est une silhouette colossale et magique : celle de *Notre-Dame*, la basilique sortie des siècles. Elle est là, il la voit, « découpant sur un ciel étoilé la silhouette noire de ses deux tours, de ses côtes de pierres et de sa croupe monstrueuse ». Il ne ressent aucune peine à l'imaginer comme « un énorme sphinx à deux têtes assis au milieu de la ville ». Dans son roman, elle devient une *créature* que se disputent Dieu et l'écrivain. Les chapitres succèdent aux chapitres, mais elle est toujours là. Les personnages de son imagination s'agitent par elle et autour d'elle. Ils finissent par lui échapper, sa plume ne faisant plus que reproduire les mots et les gestes imposés par une vision presque étrangère à lui. Le rictus de Quasimodo ressemble à celui des gargouilles. Hugo ne devient-il pas lui-même gargouille ? Et cette foule surgie de la Cour des Miracles, qui s'agite tout en bas, sur le parvis, minuscule sous le regard du monstre au cœur de jeune fille, l'écrivain n'a aucun mal à les parer de toutes ces couleurs qui chantent en lui : il est peintre autant que romancier.

Chrétien, ce roman autour d'une église ? L'idée de la fatalité — *ananké* — plane tout au long de l'œuvre. En riant de ce rire forcené qu'il n'entend pas, Quasimodo a beau déverser des flots de plomb fondu sur ceux qui veulent lui reprendre la bohémienne, elle n'en mourra pas moins. Ce n'est pas une idée chrétienne que la fatalité. Lamennais le fera observer à Hugo et Lamartine confirmera : « C'est une œuvre colossale, une pierre antédiluvienne. C'est le Shakespeare du roman, c'est l'épopée du Moyen Age... Seulement c'est immoral par le manque de providence assez sensible ; il y a de tout dans

votre temple, excepté un peu de religion. » L'un et l'autre
n'ont pas tort. *Notre-Dame de Paris*, dans la quête du divin
poursuivie par Hugo, va marquer une étape essentielle. Longtemps il a cru accéder à Dieu par le christianisme. Désormais
il perçoit Dieu sans le christianisme. Avec un paradoxe : dans
sa vie Jésus sera sans cesse présent. Il lit et relira les évan-
giles devenus dans son esprit le plus admirable prologue
qu'un homme ait accordé à la connaissance de Dieu. Ce qu'il
répudie, c'est la religion. Toutes les religions. Point d'intermédiaire entre l'homme et Dieu.

Notre-Dame de Paris est un énorme roman. Si l'on néglige
les quelques pages écrites avant les Glorieuses, c'est en fait le
1er septembre 1830 que Hugo l'a commencé. Il l'achève le 15
janvier. Il y ajoutera, en trois jours, du 31 janvier au 2 février,
le chapitre : *Paris à vol d'oiseau*. C'est donc en quatre mois et
demi qu'il est venu à bout de cette fresque immense. Faut-il
pour cela l'imaginer dans sa « peau d'ours » totalement
coupé du monde, n'accordant que quelques minutes aux
repas, quelques heures au sommeil ? Erreur. Certes, son cabinet de travail est interdit à tous. Mais Hugo ne serait pas
Hugo s'il ne gardait les yeux grands ouverts sur le monde
extérieur. On lui apporte les journaux, il les lit. Il reçoit des
lettres de ses amis et il leur écrit : *A Lamennais* : « Mettez-
vous à la tête d'un catholicisme libéral et tous vous suivront... Au temps où nous vivons, le génie est une papauté. »
Il ne se gêne pas pour blâmer avec Saint-Valry « le ministère
dont la marche me paraît molle et que je voudrais plus har-
die dans la voie de la liberté ». Il proteste auprès du commandant de son bataillon de la Garde nationale quand il apprend
que son élection au grade de sous-lieutenant a été cassée par
La Fayette. Sa porte s'ouvre à Lamennais accouru dès son
arrivée de la Chênaie à Paris. Une fois de plus, on parle de
religion. Une fois de plus, Lamennais adjure Hugo de franchir le rubicon de la conversion. Une fois de plus, Hugo se
dérobe. Le prêtre aux bas de laine a-t-il entrouvert le manuscrit déjà épais ? A-t-il parcouru les pages où Hugo montre
l'archidiacre Claude Frollo tenant entre ses mains l'un des
premiers livres venus de Nuremberg, « puis étendant avec un
soupir sa main droite vers le livre imprimé qui était ouvert
sur sa table et sa main gauche vers Notre-Dame, et promenant un triste regard du livre à l'église :

« — Hélas ! dit-il, ceci tuera cela. »

Lui a-t-il permis de lire le chapitre qui suivait cette scène et prolongeait en l'éclairant la constatation de l'archidiacre ? Frollo a voulu dire d'abord « que le livre de pierre, si solide et si durable, allait faire place au livre de papier, plus solide et plus durable encore... Un art allait détrôner un autre art. » Mais cette pensée ira plus loin :

> « C'était l'effroi du sacerdoce devant un agent nouveau, l'imprimerie. C'était l'épouvante et l'éblouissement de l'homme du sanctuaire devant la presse lumineuse de Gutenberg. C'était la chaire et le manuscrit, la parole parlée et la parole écrite, s'alarmant de la parole imprimée ; quelque chose de pareil à la stupeur d'un passereau qui verrait l'ange Légion ouvrir ses six millions d'ailes. C'était le cri du prophète qui entend déjà bruire et fourmiller l'humanité émancipée, qui voit dans l'avenir l'intelligence saper la foi, l'opinion détrôner la croyance, le monde secouer Rome. Pronostic du philosophe qui voit la pensée humaine, volatilisée par la presse, s'évaporer du récipient théocratique. Terreur du soldat qui examine le bélier d'airain et qui dit : la tour croulera. Cela signifiait qu'une puissance allait succéder à une autre puissance. Cela voulait dire : la presse tuera l'église. »

Lamennais a-t-il poussé les hauts cris ? Ou plutôt — cela lui ressemblait davantage — a-t-il exprimé son chagrin ? Toujours est-il que le chapitre : « Ceci tuera cela » disparaîtra dans les premières éditions de *Notre-Dame de Paris*. Il s'y retrouvera quand Hugo se refusera à laisser plus longtemps l'admiration et l'amitié l'emporter sur sa propre vérité.

Pendant toute la composition du roman, Hugo s'est accordé une heure de causerie après dîner, en compagnie des quelques amis qui se hasardaient à venir le voir. Parfois, il leur a lu les pages écrites au cours de la journée. C'est ainsi qu'il a fait connaître le chapitre intitulé *les Cloches* à Pierre Leroux qui, selon Adèle, a trouvé « ce genre de littérature bien inutile ». Adèle nous avait montré son mari « fort triste ». « Dès les premiers chapitres, sa tristesse était partie. » Cet ermite tout relatif a même accompagné le prince de Craon au procès des ministres de Charles X. Pour ne pas avoir à rouvrir l'armoire où se trouvaient enfermés ses vêtements, il s'est rendu à l'audience revêtu de son uniforme de garde national. Rentré dans son cabinet, avant de revenir à Esmeralda et Quasimodo, Hugo note : « Chacun se dépopula-

rise à son tour. Le peuple finira peut-être par se dépopulari-
ser. » Ce qui se précise de plus en plus, c'est sa pensée politique. En quelques lignes écrites devant la fenêtre ouverte de
décembre, il exprime ce que désormais il soutiendra toute sa
vie :

> « C'est un devoir sacré pour les gouvernants de se hâter de répan-
> dre la lumière dans ces masses obscures où le droit définitif repose.
> Tout tuteur honnête presse l'émancipation de son pupille. Multipliez
> donc les chemins qui mènent à l'intelligence, à la science, à l'apti-
> tude. La Chambre, j'ai presque dit le trône, doit être le dernier éche-
> lon d'une échelle dont le premier échelon est une école. Et puis, ins-
> truire le peuple, c'est l'améliorer ; éclairer le peuple, c'est le morali-
> ser ; lettrer le peuple, c'est le civiliser. Toute brutalité se fond au feu
> doux des bonnes lectures quotidiennes. *Humaniores litterae.* Il faut
> faire faire au peuple ses humanités. Ne demandez pas de droits pour
> le peuple tant que le peuple demandera des têtes. »

Il repose sa plume. Il rêve un instant, repousse les feuilles
auxquelles il confie ses notes, trempe de nouveau sa plume
d'oie dans la bouteille d'encre achetée le 1er septembre. Il n'y
a plus rien devant lui que les tours de Notre-Dame. Il plonge
dans sa prose superbe.

Un jour, à une heure imprévue, quelqu'un va frapper à sa
porte : Charles Augustin Sainte-Beuve. Nous ignorons la date
exacte. Nous savons seulement qu'elle est antérieure au
7 décembre. Nous savons que Hugo a reçu son ami, et que, là,
devant lui, tout à coup, Sainte-Beuve a vidé son cœur. Comment a-t-il été guidé vers cette démarche à laquelle on peut
accorder tant de sens contradictoires et qui, en tout état de
cause, nous paraît inouïe ? Pour tenter de répondre à cette
question, il faut lire les lettres de l'un et de l'autre qui subsis-
tent heureusement, correspondance remarquablement éclairante. A cette correspondance, une lettre d'Adèle, l'une des
rares qui aient échappé à l'autodafé, peut être prise comme
prologue. Elle a été écrite au lendemain du duel. Nous découvrons que le critique, depuis sa rencontre avec Dubois, n'a
daigné donner de ses nouvelles ni le jour même, ni le lendemain. Les Hugo n'ont connu l'issue du duel qu'en interrogeant des amis communs. La réaction d'Adèle a été vive. *A
Sainte-Beuve, 22 septembre 1830* : « Nous sommes très
inquiets de vous, Monsieur. Nous serions heureux que vous

vinssiez déjeuner aujourd'hui avec Lamartine et même nous
y comptons ; quand vous nous aurez conté votre affaire et
que tout sujet de crainte sera passé, il nous restera de vous
gronder beaucoup de n'être pas venu *voir vos amis*. Quant à
moi, je pardonnerai difficilement. Ainsi nous comptons sur
vous entre dix et onze heures. Dans tous les cas, venez nous
voir un moment aujourd'hui. » Assurément, elle ne plaisante
pas quand elle dit qu'elle aura beaucoup de mal à pardonner.
Toujours prisonnier de ses tourments, harcelé par ses contradictions, Sainte-Beuve est venu.

Et c'est Adèle qui a hasardé le premier pas ! Sainte-Beuve,
dans le *Livre d'amour*, en une page si précise que sa vérité ne
saurait être mise en doute, conte la scène qui s'est déroulée
chez Adèle un après-midi à 3 heures — l'heure même y est ! —
à quelques pas du nouveau-né. Il a sonné. Hugo venait de sortir. Adèle l'a accueilli, conduit dans sa chambre, l'a fait
asseoir. Très vite, ils ont retrouvé l'abandon de naguère. Le
soleil inondait la pièce. Elle s'est approchée d'un miroir, s'est
jugée mal coiffée. Debout, elle a dénoué ses cheveux.

> J'osai voir, j'osai lire au calice entr'ouvert ;
> J'osai sentir d'abord ce parfum qui me perd...

Dans le miroir, elle l'a vu la dévorer des yeux. Et Sainte-
Beuve a su qu'elle le voyait la regarder. Gêné, il a balbutié
qu'il allait sortir, qu'il reviendrait. Elle lui a dit : « Restez ! »

> Et, sous tes doigts pleuvant, la chevelure immense
> Exhalait jusqu'à moi des senteurs de semence.

En ce « Restez ! », Sainte-Beuve a voulu discerner une
intention, une invite, un encouragement. D'ailleurs, dans le
poème enfiévré — et exécrable — qui évoque la scène, il fait
suivre l'épisode d'une ligne de points éloquents.

Est-ce à ce moment que les soupçons de Hugo se seraient
fait jour ? Nous l'avons vu, dans les mois précédents,
angoissé plus par un pressentiment que par une réalité. Qu'a-
t-il surpris entre son ami et sa femme ? Un aparté ? Un
échange de regards qui tout à coup l'aura mis en alerte ? Aux
visites suivantes que Sainte-Beuve osera, sans doute pour
répondre aux supplications d'Adèle, cette suspicion grandira,
se précisera.

Un jour, il n'y a plus tenu : il a frappé à la porte de Hugo.

— Hugo, j'aime votre femme.

Aucune lettre, aucun texte ne nous informent sur la teneur exacte des propos qu'il a tenus. Mais quelle que soit la forme que puisse prendre une telle déclaration, elle tournera toujours autour de ces mots-là : « J'aime votre femme. » De la défiance à la confirmation de cette défiance, il y a un pas immense. Le voilà franchi. Et l'on imagine aussitôt, chez Hugo, le tumulte qui naît, ce que l'auteur des *Misérables* baptisera lui-même tempête sous un crâne. Un mélange d'incrédulité, d'orgueil blessé, d'amour meurtri, d'amitié qui saigne. Nous ne connaissons pas le dialogue échangé, mais nous l'entendons : « Comment cela est-il arrivé ? Depuis quand ? Et elle ? » Nous entendons le petit Sainte-Beuve, tremblant de douleur, jurer que Victor n'a rien à reprocher à son épouse, que si des pensées ont pu se rencontrer, aucun geste de quelque nature que ce soit n'a même été esquissé. Que, de toute façon, dès le début, lui, Sainte-Beuve, s'est juré de ne jamais trahir son ami. S'il est venu lui parler, c'est parce que sa décision est définitive : on ne le reverra plus chez les Hugo. Jamais. Je l'entends, le silence qui a dû suivre. Je la devine, la tempête qui maintenant se déchaîne. Peut-être Hugo, auteur dramatique, a-t-il une seconde senti ce que la situation pouvait présenter de cornélien. Peut-être, dans la même seconde, a-t-il eu la velléité de s'en amuser. Avant de replonger dans son désarroi désespéré. Comment n'aurait-il pas en même temps jugé à sa valeur la noblesse de l'attitude de Sainte-Beuve, comme son offre à n'en pas douter sincère de disparaître de la vie de Victor — et d'Adèle ? Il s'éteint, le silence. Victor parle. Il apprécie, certes, l'attitude généreuse de Sainte-Beuve. Mais *il la refuse*. Lisons avec une attention infinie la lettre de Sainte-Beuve à Hugo du 7 décembre : « *Vous avez eu la bonté de me prier de venir toujours comme par le passé.* » Voilà qui est clair : Hugo a demandé à Sainte-Beuve de poursuivre ses visites rue Jean Goujon. Il l'a engagé à continuer à le voir lui, Hugo, mais aussi Adèle.

Hugo est même allé plus loin. Beaucoup plus loin. Trois mois plus tard, il écrira à Sainte-Beuve : « Vous devez vous souvenir de ce qui s'est passé entre nous dans l'occasion la plus douloureuse de ma vie, dans un moment où j'ai eu à choisir entre elle et vous ; rappelez-vous ce que je vous ai dit, *ce que je vous ai offert, ce que je vous ai proposé*, vous le savez, *avec la ferme résolution* de tenir ma promesse et de *faire comme vous voudriez* [1]. » Cette fois, nous touchons au sublime. Belle scène pour un théâtre!

La proposition a été faite, sans doute, puisque Hugo la rappelle à celui-là seul qui peut s'en souvenir. Mais Hugo a-t-il pu douter que Sainte-Beuve la rejetât? Jamais le critique n'eût consenti à faire de celle qu'il aimait à la folie — *Elle!* — une femme déclassée. Comment lui eût-il demandé d'abandonner pour lui ses quatre enfants, dont un bébé en bas âge? Hugo est revenu à sa proposition première: Revenez, mon ami. Revenez quand vous voudrez. Revenez comme si de rien n'était.

D'abord, devant une telle grandeur d'âme, nous avons tendance à nous émerveiller: toujours le cornélien. Ensuite, nous nous posons des questions. Après tout, l'éloignement définitif de Sainte-Beuve aurait mis fin à cette redoutable ambiguïté. Toutes les hypothèques auraient été levées, ceci pour chacun des trois intéressés. Or Hugo refuse formellement ce départ. Remarquable analyste, Sainte-Beuve explique: « C'était de votre part compassion et indulgence pour une faiblesse que vous pensiez soulager par cette marque d'attention. » Il faut ici peser tous les mots. *Compassion*: cela veut dire que Hugo a pitié de Sainte-Beuve. *Indulgence*: Victor pense qu'il n'a pas le droit de traiter Sainte-Beuve avec sévérité. *Une faiblesse à soulager*: Hugo vient de se persuader, ou plutôt a voulu se persuader, que l'amour déclaré de Sainte-Beuve pour Adèle n'était finalement qu'une aventure sans conséquence. D'où le: « Je vous prie de venir toujours comme par le passé. »

Nous savons — nous — que, sur les trois points, Hugo se trompe. Tragiquement. Comme tant de maris en une telle occasion, il en reste à la cécité. Mais, allant plus loin que ce bataillon millénaire, il la choisit, cette cécité.

J'ai souvent pensé aux raisons profondes d'une erreur qui, en définitive, allait consacrer le malheur de Hugo. J'en suis arrivé à cette conclusion que le lecteur aura sans doute autant de mal à admettre que moi-même: l'aveu de Sainte-Beuve a soulagé Hugo. Tristan Bernard, quand les Allemands viendront l'arrêter, pendant l'Occupation, s'exclamera: « Nous vivions dans l'angoisse, nous vivrons dans l'espoir. » Depuis des semaines, Hugo attendait qu'un malheur s'abattît

1. Lettre du 18 mars 1831.

sur sa tête. Il ne voulait pas savoir lequel. En un instant, tout devient clair. Sa première pensée est pour cette femme qui est la sienne, la seule qu'il ait connue, la seule qu'il ait aimée. Lorsque Sainte-Beuve lui jure qu'elle vit toujours dans l'innocence, il croit Sainte-Beuve. Du même coup, il met sa femme hors du débat. Il a grand tort, mais l'attitude à laquelle il s'arrête lui est commode. Les hommes aiment les situations commodes. Reste celui qui est en face de lui, le plus cher de ses amis. De quelle manière pourrait-il oublier l'affection profonde qui les lie, les heures de confiance absolue, l'entente rare de deux esprits et de deux intelligences ? Comment tout cela pourrait-il être balancé par un sentiment que, de minute en minute, Hugo en est venu à traiter comme une amourette sans conséquence ? Et, de nouveau très à l'aise avec lui-même, il progresse dans son raisonnement. Dès le moment où Sainte-Beuve est venu tout lui dire, sûrement il s'est guéri. Hugo admet l'explication des confesseurs catholiques aussi bien, avant la lettre, que celle de Freud. Tout cela se résumerait ainsi : « Vous m'avez fait passer un bien mauvais moment, cher Sainte-Beuve. Mais comme vous avez bien fait de venir me parler ! Par cette démarche, vous vous êtes délivré. Tous les deux — tous les trois — nous voilà libérés. Nous allons pouvoir repartir d'un nouvel élan. Ah ! quel avenir s'offre à nous désormais, Sainte-Beuve ! »

Cet homme, qui se trompe avec tant d'éclat, fait profession de sonder le cœur humain. Dans son théâtre, dans ses vers, dans sa prose, il ne cesse d'expliquer ce que peut être l'amour ressenti par un homme pour une femme, par une femme pour un homme. C'est son état. Se posant en expert pour les autres, il se montre dramatiquement ignorant quand il est lui-même en cause.

Faut-il s'arrêter à une autre explication ? Peut-être. Hugo a besoin de l'amitié de Sainte-Beuve, de son jugement, de sa lucidité. Il n'imagine pas qu'Adèle, tant aimée, puisse le trahir. Au fond, ce qu'il appréhende le plus, c'est de perdre l'indispensable ami. En minimisant le drame, en le réduisant à un incident sans portée, il garde Sainte-Beuve. De tout cela, bien sûr, il n'a nullement conscience. L'explication donnée ici est trop claire, trop évidente. Il faut que le lecteur la nappe de brume.

Rassuré, apaisé, content de lui — pourquoi pas ? —, Hugo a tendu la main à Sainte-Beuve.

Dans son roman *Volupté*, le critique s'est souvenu : « J'étais trop mal à l'aise après une pareille matière, trop ému par cette tendresse de l'homme fort pour y répondre au long ; j'aurais craint d'ailleurs, en levant les yeux, de surprendre une rougeur à sa sévère et chaste joue. Je lui serrai vite la main, en murmurant que je m'abandonnais à lui... » On a pris congé. Derechef enveloppé dans sa « peau d'ours », Hugo s'est remis à *Notre-Dame de Paris*. Comment Sainte-Beuve ne serait-il pas allé rendre compte à Adèle ? Comment Adèle n'aurait-elle pas accueilli avec le même malaise, voire la même amertume, la décision de son mari ? Le soir, après dîner, au cours de cette heure privilégiée où Hugo recevait ses amis, Sainte-Beuve a reparu. Adèle et lui ont dû à tout instant se méfier d'eux-mêmes, de leur maintien, du son de leur voix, de leurs regards. Insupportable.

Il n'en peut plus, Sainte-Beuve. Autorisé à la voir — Elle ! — en de telles conditions ! Mieux vaut renoncer. Malgré la permission si noble et si injurieuse donnée par Hugo. Les jours suivants on ne voit plus le critique rue Jean Goujon. Les amis s'étonnent. Un mot échappe à Hugo : « Inconstant ». Pourquoi l'a-t-il prononcé ? Le vocable a jailli de ces régions obscures dont nul ne se trouve maître. Les amis se sont tournés vers Adèle. Ne sachant probablement plus ce qu'elle dit elle-même, elle a répété en écho : « Inconstant ». On rapporte toujours ces choses-là aux intéressés. Quand Sainte-Beuve l'apprend, il n'y peut tenir. Il faut qu'il écrive à Hugo. Il faut qu'il lui confie tout ce que le grand homme sourd et aveugle n'a pas voulu entendre :

« Si vous saviez comment mes jours et mes nuits se passent et à quelles passions contradictoires je suis en proie, vous auriez pitié de qui vous a offensé et vous me souhaiteriez mort, sans me blâmer jamais et en gardant sur moi un éternel silence. — Je me repens déjà de ce que je fais en ce moment, et cette idée de vous écrire me paraît aussi insensée que le reste ; tant je viens de tous les côtés me briser contre l'impossible ; mais enfin la chose est commencée et je poursuis... Pensez à ceci, vous que tant de pensées remplissent, pensez au vide que laisse une telle amitié. — *Quoi ! pour jamais perdus !* — Je ne puis plus aller vous voir ; je ne remettrai plus jamais les pieds sur votre seuil, c'est impossible ; mais ce n'est pas indifférence au moins. Ah ! ne prononcez pas, je vous en conjure, priez Madame Hugo de ne jamais prononcer ce mot d'*inconstance* qui me revient de toutes parts. *Inconstant* avec vous, le pouvez-vous dire, hélas ! L'avez-vous donc oublié déjà, est-ce pour trop peu aimer que notre amitié cesse ; et n'est-ce pas un excès plutôt qui l'a tuée ? Je vous ai déjà expliqué mon inconstance en idées et d'où elle vient ; vous devez en être convaincu ; elle vient de cette poursuite éternelle du cœur à travers tout vers un seul et même objet qui soit un amour capable de le remplir. Cet amour, Dieu m'est témoin que je l'ai cherché uniquement, en vous, dans votre double amitié à Mme Hugo et à vous, et que je n'ai commencé à me cabrer et à frémir que lorsque j'ai cru voir la fatale méprise de mon imagination et de mon cœur. Si donc je cesse brusquement et si je ne vous vois plus désormais, c'est que des amitiés comme celle qui était entre nous ne se tempèrent pas, elles vivent ou on les tue... Je l'ensevelis dans mon cœur, comme je vous prie de faire dans le vôtre, comme je vous prie (soyez généreux) de dire à Madame Hugo de faire dans le sien ; chez moi, il y aura toujours quoi qu'il m'arrive désormais dans la vie, une pensée mélancolique et sainte qui veillera sur cette amitié déplorée ; oui, quoi qu'il m'arrive et même si, par impossible, il m'arrivait en cette vie des joies, cette pensée triste et muette restera à sa place en mon cœur et ne se dévoilera jamais. Tâchez de faire de même au milieu des joies de famille et de gloire qui continueront de descendre sur Madame Hugo et sur vous ; qu'il y ait en tout ceci mystère et silence ; parlons désormais le moins possible les uns des autres, mon ami, de peur d'en mal parler de loin, de peur que le dépit n'aigrisse des paroles légères et que l'amitié ensevelie n'en soit troublée. »

Dès le lendemain, 8 décembre, Hugo répondra à Sainte-Beuve :

« Pouvez-vous croire que je parle de vous *légèrement* ? J'ai pu vous dire *inconstant* pour des affaires d'art ou autres misères, mais point pour des affaires de cœur. N'ensevelissons point notre amitié : gardons-la chaste et sainte, comme elle a toujours été. Soyons indulgents l'un pour l'autre mon ami. J'ai ma plaie, vous avez la vôtre ; l'ébranlement douloureux se passera. Le temps cicatrisera tout ; espérons qu'un jour nous ne trouverons dans tout ceci que des raisons de nous aimer mieux. Ma femme a lu votre lettre. Venez me voir souvent. Écrivez-moi toujours. Songez qu'*après tout* vous n'avez pas de meilleur ami que moi. »

Il se passera de longs jours avant que Sainte-Beuve ne réponde à son tour. Le 22 décembre, il demande à Hugo de lui écrire, « avant la fin de l'année, un petit mot de souvenir ». Il ajoute : « Dites-moi comment vous allez, tâchez de me dire que votre plaie est guérie. Quant à la mienne, elle dure ; ne pouvant la guérir, je voudrais ouvrir d'autres plaies à côté ; allez, je souffre bien et le bonheur et moi ne nous connaissons pas et ne pouvons nous connaître. » Ceci encore : « Adieu, soyez assez bon pour dire à Madame Hugo mon souvenir. Je vous écrirai ainsi quelquefois, pour vous prouver qu'il y a en mon cœur une lampe qui veille et une pensée qui prie éternellement au tombeau de notre amitié. Oh ! mon ami, qui l'eût dit il y a un an, et que je suis coupable et insensé ! Pardonnez-moi. » A quoi, le 24 décembre, Hugo rétorque : « Vous faites bien de m'écrire, mon ami, vous faites bien pour nous tous. Nous lisons vos lettres ensemble, ma femme et moi, et nous parlons de vous avec une profonde amitié. Les temps que vous me rappelez sont pleins de douceur. Croyez-vous qu'ils ne reviennent jamais ? Moi je l'espère. »

Vient le temps du Nouvel An et celui des étrennes. La petite Adèle reçoit un cadeau de son parrain Sainte-Beuve mais aussi les autres enfants. Didine remercie : « Bonjour, Sainte-Beuve, je te remercie bien de ta belle poupée. Charles est bien content aussi et nous tanbrasseron bien quan tu vindra voir papa et maman ma petite sœur est bien contente aussi. Ta petit ami *Didine*. » A ce billet, Hugo joindra quelques mots : « Vous avez été bien gentil pour mes petits enfants, mon ami. Venez donc dîner avec nous après demain mardi. 1830 est passé. Votre ami Victor. »

Aucune réponse.

Parfaitement étrangère à ces orages, Didine n'a pas seulement écrit à Sainte-Beuve. Pour le 1er janvier, elle a adressé à son père la première lettre que nous connaissions d'elle : « Je te souhaite la bonne année et je te promets d'être bien sage et de bien apprendre mes leçons pour que tu m'aimes bien. »

Rue Jean Goujon, on ne prononce plus le nom de Sainte-Beuve. Hugo, tout à son livre, se tait. Adèle se tait aussi.

V

LA PLACE ROYALE

> Tout se paye en ce monde,
> et surtout la volupté.
> Anatole FRANCE.

SURPRENANT Paris de l'après- « Trois Glorieuses ». La ville ressemble à un malade qui aurait eu la fièvre, qui se croirait guéri et qui, chaque soir, à la tombée de la nuit, se retrouverait en proie à une nouvelle poussée fébrile. Soudain, sur le boulevard, vingt personnes se rassemblent. Bientôt elles sont cent. On s'émeut, on s'alarme, on profère des cris hostiles, sinon au nouveau roi, du moins à tel ministre. C'est l'émeute. Sans trop de hâte, la police intervient, parfois la Garde nationale, rarement l'armée.

Ce malaise prend sa source dans une déception quasi générale. Nul ne semble avoir songé à élire une nouvelle Chambre. L'ancienne continue à exercer le pouvoir législatif. On s'est borné à abaisser légèrement le cens électoral : quelques milliers de Français de plus voteront. Pour les républicains, l'avènement de Louis-Philippe Ier n'a marqué rien d'autre qu'un détournement. Les bonapartistes se demandent pourquoi Napoléon II ne règne pas sur la France nouvelle. La société des « Amis du peuple » a réclamé l'enseignement gratuit et la réforme des impôts indirects. Vœux scandaleux : la Garde nationale prend d'assaut les lieux de réunion du club. On interdit ses séances publiques.

Tout indique que Hugo lui-même partage le sourd malaise qui s'est emparé de la société française. A aucun instant il ne se conduit en rallié. C'est le drapeau tricolore, c'est l'élan d'un peuple et d'une jeunesse qui l'ont bouleversé. Nullement la venue au pouvoir du roi bourgeois. Au fond de lui-même, son souhait eût été de voir le fils de l'Aigle monter sur le trône impérial restauré. Montalembert note dans son Journal : « Il est malheureusement napoléonien en politique. »

A la séance du 7 octobre 1830 de la Chambre des députés, plusieurs pétitionnaires ont demandé que les cendres de l'Empereur fussent ramenées de Sainte-Hélène à Paris et qu'on les inhumât sous la colonne de la place Vendôme. Le procès-verbal porte simplement : « Après une courte délibération, la Chambre passe à l'ordre du jour. » Napoléon restera à Sainte-Hélène. Hugo s'est indigné. Abandonnant la composition de *Notre-Dame de Paris*, il compose ces vers de feu :

> Oh ! quand par un beau jour sur la place Vendôme
> Homme dont tout un peuple adorait le fantôme,
>   Tu vins grave et serein,
> Et que tu découvris ton œuvre magnifique,
> Tranquille, et contenant d'un geste pacifique
>   Tes quatre aigles d'airain !
> . . . .
> Oh ! qui t'eût dit alors, à ce faîte sublime,
> Tandis que tu rêvais sur le trophée opime
>   Un avenir si beau,
> Qu'un jour à cet affront il te faudrait descendre
> Que trois cents avocats oseraient à ta cendre
>   Chicaner ce tombeau [1] !

Surpris et charmé, le roi Joseph, frère aîné de Napoléon, va, de son exil de New York, lui écrire comme on s'adresse à un partisan. Hugo lui répond :

« Je n'ai pas oublié, Sire, que mon père a été votre ami. C'est aussi le mot dont il se servait. J'ai été pénétré de reconnaissance et de joie en le retrouvant sous la plume de Votre Majesté... C'est parce que je suis dévoué à la France, dévoué à la liberté, que j'ai foi en l'avenir de votre royal neveu [2]. Il peut servir grandement la patrie. S'il donnait, comme je n'en doute pas, toutes les garanties nécessaires aux idées d'émancipation, de progrès et de liberté, personne ne se rallierait à

---

1. *Les Chants du crépuscule*, II.
2. Le roi de Rome devenu au sein de sa famille autrichienne duc de Reichstadt.

cet ordre de choses nouveau plus cordialement et plus ardemment que moi, et avec moi, Sire, j'oserais m'en faire garant en son nom, toute la jeunesse de France, qui vénère le nom de l'Empereur et sur laquelle, dans ma position obscure, mais indépendante, j'ai peut-être quelque influence... Si Votre Majesté m'a fait l'honneur de lire ce que j'ai publié jusqu'ici, elle a pu remarquer qu'à chacun de mes ouvrages mon admiration pour son illustre frère est de plus en plus profonde, de plus en plus sentie, de plus en plus dégagée de l'alliage royaliste de mes premières années. Comptez sur moi, Sire ; le peu que je puis, je le ferai pour l'héritier du plus grand nom qui soit au monde. Je crois qu'il peut sauver la France. Je le dirai, je l'écrirai et, s'il plaît à Dieu, je l'imprimerai. »

Hugo ne méprise pas Louis-Philippe. Il l'ignore. En cela il n'est probablement pas très loin de ce que ressent la majorité des Français. Dumas, toujours fort républicain, assourdit le boulevard de ses plaintes : les recettes des théâtres faiblissent ! Il pourrait ajouter que le commerce stagne, que la rente est en baisse, que Laffitte a dû fermer sa banque. La librairie, elle aussi, pâtit de la situation.

Comment le public va-t-il accueillir *Notre-Dame de Paris*?

Le 15 janvier, Hugo a fini le livre, et avec lui la bouteille d'encre. Un instant, il a considéré le flacon vide et songé à intituler le roman : *Ce qu'il y a dans une bouteille d'encre*. Idée absurde comme en nourrissent, à un moment donné, tous les créateurs. Il y a renoncé. Ce qu'attend le public, c'est *Notre-Dame de Paris*.

Le manuscrit, dûment recopié et corrigé, est en hâte porté chez Gosselin : le contrat, toujours ! Aussitôt le libraire fait lire le manuscrit par son épouse, excellente personne à qui il voue une confiance aveugle. Mme Gosselin n'a-t-elle pas traduit les romans de Walter Scott ? Elle rend un verdict sans ambiguïté : l'ouvrage est d'un ennui mortel. Gosselin déclare sur-le-champ qu'assurément il a fait une mauvaise affaire. « Cela lui apprendra à acheter les livres sans les lire. »

Une mauvaise affaire ? C'est le 16 février que les libraires reçoivent le livre. Et l'on mesure ici les progrès à rebours qu'a, depuis, accomplis l'édition. Un mois seulement entre l'instant où l'auteur a écrit la dernière ligne et celui où l'ouvrage apparaît chez les libraires ! Entre-temps, il a été composé — à la main —, l'auteur a corrigé les épreuves, on a mis en forme plusieurs centaines de pages, on les a imprimées, brochées. Le livre a été empaqueté, distribué. Incroyable !

Malheureusement, le 16 février 1831 au matin, l'émeute quasi quotidienne se change en insurrection. Les légitimistes, qui attendent on ne sait quoi, peut-être un miracle, ont organisé à Saint-Germain-l'Auxerrois un service funèbre à la mémoire du duc de Berry. Résultat : une foule furieuse envahit l'église et met à sac le sanctuaire. Le lendemain, la même foule, considérablement renforcée par des éléments accourus de partout, va s'en prendre à la résidence de l'archevêque de Paris à qui l'on reproche d'avoir autorisé l'office séditieux. Hugo, fasciné, a voulu assister à l'extraordinaire spectacle. Avec un acharnement rarement observé, la « populace », selon les journaux légitimistes, « le peuple », selon les feuilles républicaines, fait irruption dans l'archevêché, pille la bibliothèque, éventre les tableaux, brise les tables, les chaises, les fauteuils. On jette le tout dans la Seine. Une centaine d'hommes montent sur les toits, les dépouillent de leurs ardoises. « On eût dit, conte Alexandre Dumas — naturellement il était là — que l'émeute n'était composée que de couvreurs. » Après les toits, on va s'en prendre aux murs. A 2 heures, de l'archevêché, il ne reste plus pierre sur pierre.

Hugo dira mélancoliquement avoir aperçu, au nombre des livres précieux jetés à l'eau, un manuscrit « qui lui avait servi pour son roman : la charte du cloître Notre-Dame ».

Il n'est jamais bon d'être publié un jour comme celui-là. D'évidence, les esprits sont ailleurs. On lira dans *le Temps* un article qui a été attribué à Musset, constatant que *Notre-Dame de Paris* avait eu du malheur de venir un jour d'émeute : « Il avait été noyé dans la bibliothèque de l'archevêché. » C'est un peu vite dit. Tout passe, même les insurrections. Il ne faut que quelques jours pour que l'intérêt du public se porte tout entier sur le roman de Victor Hugo. On oublie le carillon défunt de l'archevêché pour le gros bourdon de *Notre-Dame de Paris*. On s'arrache les volumes. La Jeune-France se retrouve celle d'*Hernani* : elle délire. Mais les Camusot, les Birotteau, les Gaudissart, eux aussi, achètent le livre. Les chanoines de Notre-Dame, ahuris, voient accourir de pleines grappes, non de fidèles, mais de visiteurs, avides de retrouver la loge de Quasimodo, de se pencher sur l'inscription *Ananké* et fort déçus quand on leur dit que la première n'existe pas et que nul, à part M. Victor Hugo, n'a été capable de retrouver la seconde. Ce que le public sent confusément, c'est qu'après Hugo quiconque s'aviserait d'écrire ou de parler de la basilique serait bien osé. Michelet y renonce : « Quelqu'un a marqué ce monument d'une telle griffe de lion que personne désormais ne se hasardera d'y toucher ! C'est sa chose désormais, c'est son fief ; c'est le majorat de Quasimodo. Il a bâti, à côté de la vieille cathédrale, une cathédrale de poésie, aussi ferme que les fondements de l'autre, aussi haute que ses tours. »

Le bruit fait autour du roman a dû être pour quelque chose — avant même sa publication — dans l'élection de Hugo, le 6 février 1831, à la commission de la Société des Auteurs dramatiques, fondée par Beaumarchais en 1777. Comme à l'Académie, les classiques l'emportent à la Société. C'est une porte que Hugo vient d'enfoncer. Mais que pensent du roman les amis de Hugo ? Nous connaissons les réserves de Lamennais, les éloges de Lamartine. Hugo attend un article de Sainte-Beuve. Il l'annonce même à Buloz, directeur de *la Revue des Deux Mondes*. Sainte-Beuve se dérobe. Comment, après ce qui s'est passé, pourrait-il tenter l'éloge de *Notre-Dame de Paris* dont d'ailleurs tout l'éloigne ? D'où un nouvel échange de correspondance. Presque hargneux, Sainte-Beuve rend cette fois Hugo responsable de tout. Dans les termes qu'il emploie, Émile Faguet a discerné de l'aberration. J'y verrais plutôt l'indice d'une souffrance portée au paroxysme. Un autre que Hugo aurait brisé net. Il attend cinq jours pour répondre, mais il répond :

18 mars 1831 : « Je n'ai pas voulu écrire sur la première impression de votre lettre. Elle a été trop triste et trop amère. J'aurais été injuste à mon tour. J'ai voulu attendre plusieurs jours. Aujourd'hui, je suis du moins calme, et je puis relire votre lettre sans raviver la profonde blessure qu'elle m'a faite. Je ne croyais pas, je dois vous le dire, que ce qui s'est passé entre nous, *ce qui est connu de nous deux seuls au monde* pût jamais être oublié, surtout par vous, par le Sainte-Beuve que j'ai connu. »

En regard de la phrase : « ce qui est connu de nous deux seuls au monde », Sainte-Beuve a écrit : « FAUX, il s'en était prévalu auprès d'Elle en me prêtant ce que je n'avais pas dit. » Devant un autre passage de la lettre : « Il me mentait dans le moment même et jouait jeu double. » Sur l'enveloppe : « Il jouait jeu double, il m'écrivait magnifiquement et agissait contre. De là des années d'un duel fourré entre nous. »

La preuve est faite : Adèle faisait confidence à Sainte-Beuve des propos de son mari. Deux semaines plus tard, Charles Augustin présente des regrets, sinon des excuses : « Si je suis si méchant, si passionné, si inégal, c'est que je suis livré aux caprices de mon misérable cœur. Dites-moi, mon ami, puis-je aller vous serrer la main ? »

Cependant que le public, dos à dos avec la critique, fait un immense succès de vente à *Notre-Dame de Paris*, le drame privé des Hugo se poursuit, feutré, invisible. Obstinément, Sainte-Beuve se tient éloigné de la rue Jean Goujon. Vivre dans la même ville qu'Elle et ne pas la voir : voilà qui est au-dessus de ses forces. Il décide de quitter Paris. La ville de Liège l'appelait à une chaire de littérature française. Il avait jusque-là éludé la réponse. Le 4 mai, il écrit au ministre belge de l'Intérieur qu'il souhaiterait commencer ses cours « immédiatement ». Le 31 mai, il est nommé, « à charge pour lui d'obtenir préalablement de la législature des lettres de naturalisation ». Nous avons bien lu. Pour s'éloigner d'Adèle, Sainte-Beuve va jusqu'à envisager de renoncer à la nationalité française.

Malgré toute sa superbe — apparente — Hugo s'est montré ravi de la décision prise par celui qu'il appelle toujours son ami et son frère. Ce qui s'est abattu entre Adèle et lui c'est un rideau d'ombre — une ombre triste, inquiète, anxieuse. Sainte-Beuve à Liège, au moins Victor respirera. L'été est venu. On s'est transporté, une fois de plus, aux Roches, asile charmant. Hugo a cru surprendre plus de paix dans le regard de sa femme. Il l'a vue parfois sourire. Il s'est repris à espérer. L'amitié des Bertin met du liant à tout. Quand Louise pose ses doigts sur le clavier du piano, les enfants accourent. Elle ne s'offusque jamais lorsqu'ils lui demandent pourquoi elle est si grosse. Ils l'adorent.

Je l'ai visité ce château, à peine modifié, où s'est installée une école biblique. J'ai erré dans le parc. J'ai compris pourquoi, aux yeux de tous les Hugo, enfants et parents, les Roches ont incarné tant de liberté et tant de bonheur. On ne se retrouve qu'à table et après dîner. Le reste du temps, chacun fait ce qu'il veut. On peut aussi bien demeurer dans sa chambre que se promener sous les chênes géants du parc, rejoindre l'étang où nagent des cygnes, longer les ruisseaux murmurants, s'amuser des paons qui font la roue au soleil. Les enfants Hugo se ruent de la laiterie à la basse-cour, redemandent du lait mousseux, poursuivent les faisans dorés et les poussins. De Louise Bertin, ils entendent de merveilleuses histoires. Au coup de cloche, chacun gagne la salle à manger, M. Bertin dépose une rose sur la serviette de sa voisine de table. L'immanquable sujet de chaque repas : la littérature. La conversation est vive, légère, souvent passionnée. Au dessert, paraissent les petits Hugo. « Tous trois, dit Adèle, faisaient une ample récolte de caresses et de friandises. » Le soir, Hugo assiste au coucher des enfants par Adèle et tente de garder son sérieux quand les petits lui redisent à leur façon le beau conte appris dans l'après-midi de la grosse Mlle Louise. Les enfants couchés, les Hugo et les Bertin errent au clair de lune dans le parc — en continuant à deviser. La nature, l'horizon « faits à souhait pour le plaisir des yeux », l'amitié, la musique, les enfants : un foisonnement de sensations qui peu à peu viennent apaiser, pour Hugo, les chagrins des mois précédents.

Quelle idée lui passe donc par la tête ? Écrivant à Sainte-Beuve, il va lui adresser une lettre qui sonne comme un bulletin de victoire : Adèle, auprès de son mari et de ses enfants, est heureuse. Très heureuse. Le ménage Hugo est au beau fixe. Maladresse insigne. Cette inutile forfanterie obtient un résultat, nullement celui qu'escomptait Victor : piqué au vif, Sainte-Beuve refuse la chaire de Liège ! Voilà Hugo de nouveau plongé dans les alarmes. C'est un homme que l'on sent littéralement aux abois qui supplie Sainte-Beuve de ne pas renoncer à son projet belge !

6 juillet 1831 : « Puisque vous ne partez pas, et j'avoue que vos raisons peuvent être bonnes, il faut, mon ami, que je décharge mon cœur dans le vôtre, fût-ce pour la dernière fois ! Je ne puis supporter plus longtemps un état qui se prolongerait indéfiniment avec votre séjour à Paris... Tout m'est supplice à présent. L'obligation même, qui m'est imposée par une personne que je ne dois pas nommer ici, d'être toujours là quand vous y êtes, me dit sans cesse et bien cruellement que nous ne sommes plus les amis d'autrefois. Mon pauvre ami, il y a quelque chose d'absent dans votre présence, qui me la rend plus insupportable que votre absence même. Au moins, le vide sera complet. Cessons donc de nous voir, croyez-moi, encore pour quelque temps, afin de ne pas cesser de nous aimer. Votre plaie est-elle cicatrisée ? Je n'en sais rien. Ce que je sais, c'est que la mienne ne l'est pas. Chaque fois que je vous vois, elle saigne... J'arrête ici cette lettre... Brûlez-la, que personne ne puisse jamais la relire, pas même vous. Adieu. Votre ami, votre frère, Victor. — J'ai fait lire cette lettre à la seule personne qui devait la lire avant vous. »

Triste et plus calme, Sainte-Beuve répondra le lendemain : « J'ai besoin de me rejeter sur la fatalité pour m'absoudre d'être ainsi l'instrument meurtrier qui laboure votre grand cœur. » Le même jour, Hugo lui confie ce qu'il n'a dit et ne dira à personne d'autre : « *J'ai acquis la certitude qu'il était possible que ce qui a tout mon amour cessât de m'aimer.* »

La certitude ! Le mot va si loin que, une fois de plus, nous nous interrogeons. Aux Roches, pour la première fois, sans colère, mais fermement, Adèle a signifié à son mari qu'elle n'entendait plus se donner à lui. L'argument décisif : elle ne voulait plus avoir d'enfant. Quelques jours plus tard, rentré à Paris, il évoquera avec amertume « ce lit où tu pourrais être (quoique tu ne veuilles plus, méchante !) ». Il ajoutera : « Tout cela m'est douloureux et poignant. » Il s'écriera, comme un amant qui se raccroche à ce qui a été et n'est plus : « Je voudrais que tu puisses te figurer à quel point je t'aime... C'est plus fort peut-être encore qu'il y a dix ans... » Plus fort pour lui.

Nous avons cru jusqu'ici deviner une Adèle presque passive. Elle nous a paru subir les événements plus que les provoquer. Qu'en savons-nous ? Pouvons-nous admettre, ayant elle-même crié son amour à Sainte-Beuve, que tout à coup elle ait fait retraite, se méfiant plus d'elle-même que de lui ? Adèle était du nombre de ces femmes qui, une fois sorties d'elles-mêmes, n'y rentrent plus jamais. Lorsque Hugo écrit à Sainte-Beuve que sa femme exige qu'il soit présent pendant leur entrevue, il ne dit pas la vérité, c'est évident. C'est lui, mari rongé par la jalousie, qui veut être là. Mais pourquoi a-t-il joué avec le feu ?

Comment ne pas penser que, durant les premiers mois de 1831, Sainte-Beuve a obtenu d'Adèle un ou plusieurs rendez-vous clandestins ? Comment ne pas en avoir la conviction quand nous découvrons, dans le mémorandum d'Henry Havard, l'existence de huit lettres d'Adèle pour 1831 ? Elles sont adressées à « M. Sainte-Beuve, rue Notre-Dame-des-Champs, 19. » Une parente pauvre de Victor — celui-ci l'héberge —, la tante Martine Hugo, sert d'intermédiaire. Adèle « *rencontre Sainte-Beuve dans les églises* ». Mais voilà plus lumineux encore : Adèle annonce, étant aux Roches, qu'elle fait chambre à part « sans que Victor ait rien dit. Il a été bien, du reste ».

On se fatigue du sublime. Sincèrement, Sainte-Beuve a voulu mettre la frontière belge entre Adèle et lui. Adèle ne l'a pas voulu. Au cours d'une de leurs entrevues — dans une église — elle l'a supplié de rester. Il y a consenti. La lettre de démission qu'il adresse à Bruxelles, le 4 septembre, en donne une preuve supplémentaire : « Des circonstances toutes privées et personnelles qui d'abord m'avaient fait désirer vivement un séjour et un emploi honorable dans votre beau pays, sont venues à changer plus heureusement que les choses publiques pour nous tous... »

Le changement s'appelle Adèle.

Le Hugo qui rentre des Roches à Paris est un homme modifié. Cette dernière épreuve parachève la catastrophe qui, quelques mois plus tôt, s'est abattue sur lui. Les soupçons, d'abord. La confirmation marquée par l'aveu de Sainte-Beuve. La conviction peu à peu que sa femme s'éloigne de lui. La *certitude* qu'elle ne l'aime plus. Elle pour qui il s'était gardé. Elle à qui il avait réservé toutes les facultés qui lui avaient été données d'aimer. Elle.

A ses amis, à ses enfants, il fait bon visage. Il continue à écrire des lettres qui n'évoquent rien du drame qu'il traverse : lettres de travail, lettres d'amitié. Volontiers même il va dans le monde. Adèle écrit à Sainte-Beuve qu'elle « laisse jouer Victor aux petits jeux et embrasser les demoiselles ». Il tâche de son mieux de s'étourdir. Il n'y parvient pas.

Adèle en est maintenant à appeler Sainte-Beuve « mon ange ». « Mais, Charles, vous voyez vous-même qu'une femme n'est pas si facile puisque six mois passés aux pieds d'une femme, seul avec elle, sans obstacle, n'ont pu vous faire triompher. » En attendant, elle lui brode un mouchoir de poche. Elle voudrait lui faire de plus beaux cadeaux. Impossible. Parlant de Victor, elle dit « qu'il serait très mécontent de devoir dépenser de l'argent quand il est d'une économie parcimonieuse, tant il désire mettre de l'argent de côté ».

Il est vrai que Hugo est économe. Il le sera toute sa vie. A ce goût forcené de l'épargne, on découvre deux raisons :

d'abord, simplement, pour lui et les siens, la peur de *manquer*, le souvenir de la pauvreté traversée à vingt ans, la conscience de l'instabilité du métier d'écrivain. En second lieu, l'amertume, au milieu d'amis riches ou aisés, d'être lui-même sans fortune, la volonté de s'en constituer une. La perspective qu'il s'est fixée, c'est la conquête d'une véritable indépendance. En ce XIXᵉ siècle qui vit sous le signe du franc germinal, la monnaie ressemble à un colosse d'airain. Bientôt Guizot va s'écrier : « Enrichissez-vous par le travail et par l'épargne. » Quelques générations de Français mettront scrupuleusement ce conseil en usage. Hugo est du nombre. En cela, une fois de plus, il accompagne son temps. Son but : placer la plus grande part des droits d'auteur qu'il perçoit. Se créer ainsi un capital dont les revenus un jour le feront vivre. De ce propos il ne déviera pas d'un pouce. Même quand il touchera des sommes immenses, il ne modifiera pas son train de vie, poursuivant l'édification de sa fortune avec la persévérance d'une fourmi littéraire. Le ton même de la phrase d'Adèle retenue par Henry Havard n'apparaît d'ailleurs pas comme une critique. Mme Victor Hugo partage sur ce point les idées de son mari. Même si elle en souffre. Le mari oblige l'épouse à tenir des comptes très précis et lui-même en tient. Chez les Hugo, un sou est un sou. En grandissant, les enfants l'apprendront à leur tour.

Reprenons les notes d'Henry Havard : « Querelle de ménage. Victor Hugo parle de se séparer ; il soupçonne Sainte-Beuve. — Elle craint d'offenser Dieu. — Elle assiste à une reprise et défend Sainte-Beuve de venir dans sa loge pour ne pas exciter les soupçons du mari. »

Cette reprise, c'est celle de *Marion de Lorme*. Elle a lieu au moment précis où, rue Jean Goujon, l'atmosphère est devenue irrespirable. *Victor Hugo parle de se séparer.*

Dès après la révolution de juillet — c'était au commencement d'août 1830 — Hugo avait vu paraître chez lui Mlle Mars, flanquée des acteurs Firmin et Armand. Mlle Mars entendait faire elle-même sa petite révolution personnelle. Elle était venue rappeler à Victor que la censure était supprimée et que par voie de conséquence il fallait, sans perdre un jour, monter *Marion de Lorme* : « Le moment était admirable ; le quatrième acte surtout, défendu par Charles X en personne, aurait un succès de réaction politique. » Hugo

avait refusé, déclarant « qu'en présence de cette enivrante révolution de juillet sa voix pouvait se mêler à celles qui applaudissaient le peuple, non à celles qui maudissaient le roi ».

Au printemps de 1831, on n'en est plus là. Comme le rappelle Adèle, « le roi qu'on attaquait n'était plus Charles X,
c'était déjà Louis-Philippe ». Hugo a pensé que rien ne
s'opposait plus à la représentation de *Marion de Lorme*. Il a
vu Mlle Mars, accourue derechef, dans un rôle inédit pour
elle : « aimable cette fois, et suppliante ». Mais la Comédie-
Française le tente peu. Il conserve d'amers souvenirs de
l'accueil que lui a réservé l'auguste maison au moment d'*Hernani*. Il préférerait un autre théâtre. Lequel ? Au début de
mai, on représente à la Porte-Saint-Martin l'*Antony* d'Alexandre Dumas. Une nouvelle victoire du romantisme. Enchanté,
enivré, le public parisien découvre pour la première fois des
héros, non plus cette fois revêtus de pourpoints ou de cuirasses, mais portant le costume de leur temps. Dumas a mis
en scène ses propres amours avec une poétesse, Mélanie Wal-
dor. Il s'est lui-même dépeint sous les traits du bâtard
Antony. Un cri de terreur suivi d'une acclamation immense a
salué l'ultime réplique lancée par l'amant venant de poignar-
der sa maîtresse afin que celle-ci ne pût être soupçonnée par
le mari :

— Elle me résistait : je l'ai assassinée.

Hugo a assisté à la représentation. Il a admiré le jeu pathétique, remarquable de naturel et de vérité, de la grande
Marie Dorval. Sa décision a été vite prise : tant pis pour
Mlle Mars, c'est Dorval qui jouera Marion. La pièce est créée
le 10 août 1831. L'acteur Bocage reforme avec Marie Dorval
le couple d'*Antony*. Interprète de Didier, il dit admirablement les nouveaux vers du pardon :

> Eh bien ! non ! non ! mon cœur se brise ! c'est horrible
> Non, je l'ai trop aimée ! Il est bien impossible
> De la quitter ainsi ! Non ! c'est trop malaisé
> De garder un front dur quand le cœur est brisé !
> Viens ! oh ! viens dans mes bras !

Le *témoin* : « A la chute du rideau, il y eut une bordée de
sifflets. Mais les applaudissements, en grande majorité,
eurent le dessus et saluèrent énergiquement le nom de
l'auteur... Sans être aussi tumultueuses que les représenta-

tions d'*Hernani*, les représentations de *Marion de Lorme* furent très agitées. Le drame fut défendu mollement. Les bandes héroïques du Théâtre-Français ne revinrent pas. »

Écrire trente ans plus tard, alors que Victor Hugo est parvenu à l'apogée de sa gloire, que *Marion de Lorme* n'a obtenu qu'un succès mitigé, peut-être pris comme une coquetterie. Cela ressemble à l'aveu orgueilleux d'un homme parti de très bas et qui s'en flatte alors qu'il est parvenu très haut. En 1831, ces sifflets chaque soir mêlés aux applaudissements n'ont pas dû susciter chez Hugo la même réaction de fierté. Il faut donc encore se battre, se battre et se battre encore. Aux sifflets qui se déchaînent, aux injures qui de nouveau pleuvent, Hugo a beau opposer un front olympien, il ne les ressent pas moins avec une infinie lassitude.

Donc, à cette première représentation de *Marion de Lorme*, Sainte-Beuve, fidèle aux adjurations d'Adèle, s'est abstenu de paraître. En guise d'excuse, il va écrire à Hugo qu'on lui a refusé l'entrée de la salle. Pouvons-nous croire que le destinataire a été dupe ?

Sur la vie privée de Hugo au cours de cette année 1831, nous disposons d'un témoignage bien précieux. Il émane d'Antoine Fontaney, un jeune poète qui fréquentait le cénacle dès 1828 et avait fait le coup de feu en juillet 1830. Fort amoureux de l'adorable Marie Nodier, il ne s'est pas consolé du mariage de celle-ci avec Mennessier. Il a ses grandes entrées rue Jean Goujon, vient quand il veut, participe à son gré de la vie de famille. Les notes qu'il prend sur le vif nous restituent des croquis évocateurs et singulièrement vivants. Par exemple, le 26 août 1831 : « Je suis allé voir Victor. Je lui ai vu faire sa barbe. C'est un spectacle des plus curieux. Il faut le voir repasser son rasoir avec une lenteur incroyable, puis le mettre un quart d'heure dans son gousset pour l'échauffer, puis commencer ses ablutions à l'eau de rose, puis se verser tout un pot sur la tête. » Ce qui ne cesse de frapper Fontaney, ce sont les préoccupations financières de Hugo. Même jour : « Le métier est triste chez l'homme de génie ; Victor fait le sien trop bien. Le beau temps d'aujourd'hui, le soleil et le Dey d'Alger l'offusquent. Le soleil vient à Paris ce matin. Le Dey va à l'Opéra ce soir. Diminution sur la recette de 600 francs et pour lui perte de 60 francs. Du reste excellent homme, excellent ami ! »

Le 1er septembre, Fontaney mène Hugo dîner au café Foy. Ensuite, ils passent à la Porte-Saint-Martin : « Victor est terrible avec ses préoccupations de recette. » Après la pièce, ils montent dans la loge de Dorval, la reconduisent chez elle. Victor et Fontaney reviennent par le boulevard : « Nous causions art, mais comme il voit la chose matériellement ! Avec un pareil génie, quelle bizarrerie ! Quel fabricant ! Comme il calcule sa production ! Il commence un drame et fait d'abord 8, 10 vers, 20 vers par jour, puis 40, puis 100, puis jusqu'à 200 et plus. De la prose, il écrit par jour 6 pages de son écriture, ce qui fait 12 pages d'impression in-8o. Il compte d'avance les jours et sait quand son livre sera fait à point nommé, quand sa marchandise sera livrée au libraire. C'est son état, c'est sa profession. Au surplus, il a raison. Il faut qu'il en vive, lui et sa famille. C'est une noble chose que de vivre de sa plume, de sa pensée, de nourrir le corps avec l'intelligence, la matière au moyen de l'esprit. »

Intéressant, le jugement de Fontaney : il reflète l'attitude de ces lettrés, de ces poètes qui entourent Hugo et qui — eux — vivent de leurs rentes. Il permet de mieux comprendre la soif d'indépendance de Hugo. Le demi-succès de *Marion de Lorme* l'a renforcé dans cette idée.

Je les vois, Hugo et Sainte-Beuve, au lendemain de *Marion de Lorme*. Je les vois ayant emprunté chacun à l'autre son visage de l'année précédente : Hugo plongé dans les tourments, Sainte-Beuve au zénith du bonheur. Il vit dans la pensée constante d'Adèle. Il a entrepris de composer un long poème retraçant l'enfance de cette femme qu'il en est venu à déifier. Cette enfance n'est pas connue de lui. Il ne l'a apprise que par Elle. Raison de plus de s'exalter en rimant.

Cet amour enfin partagé le rend si fier, si profondément heureux, qu'il lui faut à tout prix crier sa joie à ses amis. A Victor Pavie, à Quinet, il expédie de véritables faire-part. Il rassure. Pavie, affolé à l'idée d'un possible scandale : « Il ne faut pas être triste plus que nous-mêmes, elle et moi le sommes. » Au même Pavie, le 13 novembre : « Je vous dirai que, depuis trois semaines, tout va aussi bien que possible et qu'il y a lieu d'espérer que cela pourra s'établir de la sorte avec beaucoup de sacrifices, bien entendu, c'est même ce qui rend la chose bonne dans tous les sens. N'ayez donc pas trop peur de revenir à Paris, ce qui était pur l'est toujours, il faut bien l'espérer, et c'est bien notre volonté ; quant aux violences, en évitant d'y donner aucun prétexte, en se privant des plus agréables périls ou du moins en les rendant aussi rares et aussi précautionneux que possible, il faut espérer aussi qu'elles ne se réveilleront pas. Le reste à la grâce de Dieu ! »

Le mot violence utilisé par Sainte-Beuve ne doit pas être pris au pied de la lettre. Hugo s'est laissé allé à de la colère, point à des actes. Ce qui correspond très exactement à la menace de séparation mentionnée par Henry Havard. Le 18 décembre 1831, Sainte-Beuve va jusqu'à écrire à l'abbé Eustache Barbe : « J'ai eu bien des douleurs ces derniers mois, de ces douleurs qu'on évite en gardant le port de bonne heure. La passion que je n'avais qu'entrevue et désirée, je l'ai sentie ; elle dure, elle est fixée, et cela a jeté dans ma vie bien des nécessités, des amertumes mêlées de douceurs, et un devoir de sacrifice qui aura son bon effet, mais qui coûte bien à notre nature. »

Il semble que s'interpénètrent son bonheur et son travail. En même temps, il rime le *Livre d'amour*, il écrit *Volupté*, collabore à *la Revue de Paris* et à *la Revue des Deux Mondes*. Au grand dam de sa mère, il s'est décidé à la quitter. Il est allé se loger à l'*Hôtel de Rouen*, cour du Commerce-Saint-André-des-Arts, « sordide, bizarre, étouffée », où se voient encore le cabinet de lecture tenu naguère par la veuve du girondin Brissot, ainsi que, chez un libraire nommé Durel, la pierre sur laquelle avait été posée la première machine inventée par le docteur Guillotin[1]. Là, il s'est inscrit sous le nom de Charles Delorme. Il a loué deux chambres au quatrième étage, au bout d'un corridor carrelé de rouge, et numérotées 19 et 20. Il va y demeurer huit années. Et là, un jour, est venue le rejoindre Adèle.

Que le lecteur sache qu'il ne subsiste plus aucune ambiguïté quant à l'aspect « palpable » de la liaison. Il n'est que de feuilleter les notes d'Henry Havard. Si les lettres de 1832 et 1833 manquent, conservées secrètement par Paul Chéron, les lettres des années suivantes, telles que les analyse Havard, emportent la conviction. Qu'on en juge.

1834 : « C'est la tante Martine qui est la confidente et la cheville ouvrière de la relation. Les rendez-vous sont donnés dans les églises... Promenades en fiacre. Mme Hugo paye... Mme Hugo veut

1. André Billy.

convertir Sainte-Beuve, lui prêche la résignation, l'espoir en Dieu et finalement l'avertit que, s'il n'a pas d'argent pour payer les fiacres, elle en a. Une de ces lettres se termine par ces mots : " Je vais prier Dieu — je t'aime ! "... Ils ont une petite chambre. — Érotisme et exaltation religieuse. — Chaque lettre contient quatre à cinq je t'aime ! — Elle prie Dieu pour lui — " Pensons à Dieu et remercions-le bien que je t'aime, mon ami. Sois lundi à 5 h à Saint-Paul "... Elle supplie Sainte-Beuve de ne pas prendre parti contre Victor ; si celui-ci venait à savoir que l'amant de sa femme est un de ses adversaires, ce serait un comble. » *1835* : « Elle l'appelle cher trésor (août). Elle se plaint de sa tiédeur, deux fois elle a compté passer 24 h avec lui, le rendez-vous a manqué, il n'a pas voulu coucher à la campagne quoiqu'il y eût peigne et brosse pour lui... Elle dit que Victor Hugo a dit de faire faire son portrait en peignoir blanc *" comme j'étais la veille dans tes bras "*... Il doit être le plus heureux des hommes parce qu'il est le plus aimé. Elle voudrait l'avoir dans ses bras... »

Et ainsi de suite. De tout cela émane l'évidence, de la part d'Adèle, d'une passion du corps autant que de l'esprit, à laquelle elle se livre tout entière et dont elle n'est pas maîtresse. Personnellement, il y a une phrase, parmi celles retenues par Henry Havard, qui me semble résumer tout : on l'a lue plus haut, c'est celle dans laquelle Adèle déclare à son amant qu'elle l'aime « plus que ses propres enfants ». De cette outrance, une confirmation existe. Dans la préface du *Livre d'amour*, l'ancien secrétaire de Sainte-Beuve, Jules Troubat, a publié des lettres qu'il présente comme l'ébauche d'un roman « où Sainte-Beuve, à la manière de Rousseau et de George Sand, enchâssait ses rêves de poète ». Écrivant en 1906, Troubat se croyait tenu aux précautions que lui imposait la vigilance des hugolâtres. Il s'agit tout simplement de lettres authentiques échangées entre Adèle et Sainte-Beuve, à peine retouchées par celui-ci. Comment ne pas être frappé par le texte suivant, qui correspond avec tant d'exactitude, avec l'analyse gardée par Henry Havard ? « Vous êtes certainement l'être que j'ai le mieux aimé, je n'excepte pas mes enfants (ceci est sincère) ; vous comprenez de quel poids vous serez toujours dans mon existence. »

Hugo a-t-il su ? A-t-il connu les correspondances, les promenades en fiacre, stores baissés comme la mode le voulait, les rendez-vous à l'église, la tante Martine devenue entremetteuse, la chambre de la cour du Commerce, le peignoir blanc ? S'il faut en croire la lettre du mémorandum, non.

Chaque année revient le mot soupçon. Les deux amants multiplient les précautions, parlent sans cesse de prudence : « 2 avril 1836. Tant qu'on ne saura rien, je serai maîtresse, c'est pour cela qu'il faut une prudence effrénée. » En janvier 1834, Adèle écrit encore à Sainte-Beuve que « son mari est jaloux sans savoir de qui ». L'un des traits essentiels de l'homme Hugo, c'est une extraordinaire maîtrise de soi-même. Tout est ambigu dans ses rapports avec Sainte-Beuve et l'ambiguïté vient de lui autant que de son ami. Au moment même où il menaçait Adèle d'une séparation, il continuait à écrire à Sainte-Beuve et à lui jurer une éternelle amitié ! De son côté Sainte-Beuve, alors qu'il accueille Adèle dans son lit, cour du Commerce, adresse d'émouvantes protestations au mari trompé. Au fond, ni l'un ni l'autre ne peuvent supporter l'idée d'une rupture définitive. Quand l'amitié s'exaspère à ce point, elle porte un autre nom : amour. Nul n'a jamais songé à attribuer à Hugo des tendances homosexuelles : l'imputation seule ferait rire. Mais ne faut pas craindre de dire que la pauvre Adèle s'est lancée sans le savoir — comment l'aurait-elle su ? — au travers d'une relation qui s'ignorait elle-même.

Plus tard, quand Hugo pensera à Sainte-Beuve, ce sera avec un sentiment de haine qui éclate dans ces vers de 1874, retrouvés après sa mort dans ses papiers :

A S...-B...

Que dit-on ? On m'annonce un libelle posthume
De toi. C'est bien. Ta fange est faite d'amertume ;
Rien de toi ne m'étonne, ô fourbe tortueux.
Je n'ai point oublié ton regard monstrueux.
Le jour où je te mis hors de chez moi, vil drôle,
Et que sur l'escalier te poussant par l'épaule
Je te dis : « N'entrez plus, Monsieur, dans ma maison ! »
Je vis luire en tes yeux toute la trahison,
J'aperçus ta fureur dans ta peau, ô coupable,
Et je compris de quoi pouvait être capable
Ta lâcheté changée en haine, le dégoût
Qu'a d'elle-même une âme où s'amasse un égout,
Et ce que méditait ta laideur dédaignée ;
Car on pressent la toile en voyant l'araignée.

Il n'existe pas la moindre trace d'une scène au cours de laquelle Hugo aurait, de cette façon, mis Sainte-Beuve à la porte de chez lui. Mais il a suffi, en 1874, que l'on annonce à tort la publication d'un « libelle » que Sainte-Beuve aurait composé contre lui pour que la fureur de Hugo éclate, faisant tout à coup revivre les rancœurs, les colères, les chagrins d'autrefois. A noter cependant les mots : « ta laideur dédaignée ». Ils nous conduiraient à penser que, si Hugo croyait à l'amour de Sainte-Beuve pour Adèle, à celui d'Adèle pour Sainte-Beuve, il n'allait pas jusqu'à admettre la possession. Ou du moins il a voulu se persuader qu'elle n'avait pas existé. Ce qui reste, c'est l'obsession qui le poursuit continuellement : il a perdu sa femme.

Elle est tragique, cette note que l'on découvre dans un de ses Carnets :

« Malheur à qui aime sans être aimé ! Ah ! l'effrayante chose. Voyez cette femme. C'est un être charmant. Elle est douce, blanche, candide ; elle est la joie et l'amour du toit. Mais elle ne vous aime pas. Elle ne vous hait pas non plus. Elle ne vous aime pas ; voilà tout. Sondez, si vous l'osez, la profondeur d'un tel désespoir. Regardez-la ; elle ne vous comprend point. Parlez-lui ; elle ne vous entend pas. Toutes vos pensées d'amour viennent se poser sur elle ; elle les laisse repartir comme elles sont venues, sans les chasser, sans les retenir. Le rocher qui est au milieu de l'Océan n'est pas plus indifférent, ni plus impassible, ni plus immuable que l'insensibilité qu'elle a dans le cœur. Vous l'aimez. Hélas ! Vous êtes perdu. Je n'ai jamais rien vu de plus glaçant et de plus terrible que ces paroles de la Bible : *Stupide et insensible comme une colombe...* »

Soupçons, certitude, négation, tout cela n'a cessé de combattre au fond de lui-même, dans ces régions obscures où gisaient ses hantises. Ce long affrontement avec lui-même aurait pu faire sombrer Hugo. S'il n'en a rien été, c'est qu'il y avait ses enfants, devenus tout pour lui. Il y avait aussi son œuvre.

Le 31 mai 1831, la petite Adèle — Dédé — a dit papa pour la première fois. Depuis, il a peu écrit. Nouvelle confirmation d'une crise intérieure portée à son extrême. En juillet, il a achevé l'hymne que, pour l'anniversaire des Trois Glorieuses, le gouvernement lui a commandé et dont Hérold a composé la musique. Il faut attendre novembre pour que, coup sur coup, il compose six poèmes qui parachèvent son nouveau recueil, *les Feuilles d'automne*. Le 24 du même mois, il en

rédige la préface. Six jours plus tard, *les Feuilles d'automne*
paraissent en librairie.

Ce qui émane de tout le recueil : une mélancolie profonde,
une inquiétude qu'il ne songe plus à dissimuler. Cet Hugo qui
n'a pas encore trente ans se montre comme accablé par le
poids d'années enfuies trop vite. Les morts qu'il a laissés derrière lui le hantent. Et aussi la démence de son frère. « Le
noir envahit la sérénité, le ciel bleu finit en ciel noir, le familier aboutit à une rêverie toujours sombre, à l'angoisse de
l'exploration intérieure [1]. »

Il se laisse emporter par la légende de Napoléon, par sa
propre fragilité qu'il sent être celle de l'homme, par l'amour
enfin qui meurt comme tout meurt en ce monde. Hugo lui-
même, dans sa préface, explique et s'explique : « Ce n'est
point là de la poésie de tumulte et de bruit ; ce sont des
vers sereins et paisibles, des vers comme tout le monde en
fait ou en rêve, des vers de la famille, du foyer domestique,
de la vie privée ; des vers de l'intérieur de l'âme. C'est
un regard mélancolique et résigné, jeté çà et là sur tout ce
qui est, sur tout ce qui a été... » Pour exprimer cette douceur, cette tristesse, ces regrets, rien de douceâtre. Au
contraire, plus l'inspiration se fait intimiste, plus la force
hugolienne se déploie. Les vers se frappent en d'admirables
formules :

> Et moi je croyais voir vers le couchant en feu
> Sous sa crinière d'or passer la main de Dieu.

L'exemplaire que Hugo a adressé à Sainte-Beuve est dédi-
cacé : « A son fidèle et bon ami Sainte-Beuve, malgré ces
silences qui deviennent comme des fleuves infranchissables
entre nous. » Or, cette fois, Sainte-Beuve va rompre le silence
obstiné que, depuis *Hernani*, il observe quant à l'œuvre de
Hugo. Il va dire l'admiration qu'il éprouve pour le nouvel
ouvrage. Pour plaire à Victor ? Pour détourner sa méfiance ?
Non. Aux *Feuilles d'automne*, Sainte-Beuve ne pouvait
qu'adhérer. Les outrances qui le glaçaient avaient presque
disparu. Ce qui parlait ici, c'était le cœur. Le critique distinguait là comme une révolution dont, non sans vanité, il
s'attribuait en partie la paternité. En 1855, il écrira dans son

---

1. Henri Meschonnic.

Journal : « Quant à Hugo, de qui je reconnais avoir tant
appris pour l'art des vers, je crois aussi ne pas lui avoir été
tout à fait inutile par mon exemple ; les *Consolations*, en
effet, ont précédé *les Feuilles d'automne*, dans lesquelles le
poète, en gardant sa force et son éclat, a introduit plus de
familiarité et de tendresse qu'il n'avait coutume de le faire
jusque-là. »

Ce que Sainte-Beuve n'a pas senti, ou peut-être a refusé de
sentir, ce sont les *visions* qui, fulgurantes, traversent l'œuvre.
Ici, un nouvel Hugo se dégage de sa gangue. On a pu noter la
surabondance des images de nuit, de l'ombre et même de
l'adjectif *sombre*. A chaque instant, l'angoisse surgit de ces
nocturnes hugoliens :

> L'horizon se perdit, les formes disparurent
> Et l'homme avec la chose et l'être avec l'esprit
> Flottèrent à mon souffle, et le frisson me prit.

Dans *la Pente de la rêverie*, on a pu voir une *illumination*,
au sens rimbaldien. Hugo a délibérément précipité son esprit
dans « cette double mer du temps et de l'espace [1] ». Il en surgit

> ... avec un cri terrible,
> Ébloui, haletant, stupide, épouvanté,
> Car il avait au fond trouvé l'éternité.

Pourquoi si souvent cite-t-il Babel ? Il tente de se hisser au
sommet de la tour biblique dans « l'édifice effrayant des
nuées », il la voit même « la pointe en bas ». Le mot abîme
revient sans cesse. Il en use pour la mer, cette mer difforme
« qui hurle béante sous moi ». Bien sûr, « le cercle de famille
applaudit à grands cris », mais ce qui demeure tapi dans le
secret de l'âme de Hugo, c'est *autre chose*.

« Bénie soit la providence qui a donné à chacun son joujou,
l'enfant à la femme, la femme à l'homme, l'homme au diable. » Voilà ce que note pour lui-même, le 1er janvier 1832,
Victor Hugo. Façon pour le moins désabusée de commencer
l'année.

---

1. Henri Bonnier.

Mais, le même jour, il consigne des mots entendus de ses enfants. Le premier : « Hier, j'aimais pas papa dans le cabinet parce qu'il ne m'a pas donné deux cartes. » Le second : « J'ai rêvé qu'il y avait deux croquemitaines. » Cette année-là, Léon Noël le dessine pour *l'Artiste* : assis dans un fauteuil majestueux, un peu épaissi, Légion d'honneur au revers de l'habit, visage sévère, front pensif, regard triste. Si Léon Noël a voulu tracer le portrait d'un jeune génie, il nous a restitué surtout l'image d'un homme malheureux.

Il n'est plus guère de Français qui ignorent le nom de Victor Hugo. Même au-delà des frontières, on le lit, on l'admire ou on le discute, en tout cas on parle de lui. Goethe continue à s'entretenir périodiquement avec Eckermann de ce que nous appellerions le « phénomène Hugo ». Mais lui est bien loin de se sentir des certitudes quant à son avenir littéraire. Dans les premiers combats, ce qui lui avait été le plus précieux, c'était l'amitié. Or les amis sont loin. Lamartine va s'exhiler en Orient, cherchant, à travers la lumière des déserts et des ruines, à rejoindre celle de Dieu. Vigny, devenu l'amant de Marie Dorval, ressasse ses rancœurs et sa jalousie, ce qui suscite dans les Carnets de Hugo quelques lignes amères : « A. de Vigny a deux raisons pour ne pas m'aimer. *Primo*, que *Marion de Lorme* a fait plus d'argent que *la Maréchale d'Ancre* et *Hernani* plus d'argent qu'*Othello. Secundo*, que j'ai donné quelquefois le bras à Mme Dorval. » Ont pris aussi leurs distances ceux qu'agace le bruit persistant fait autour de lui. Gustave Planche, naguère si bienveillant, est passé à l'ennemi. Quand on lit les articles publiés par un Jules Janin, on mesure l'hostilité qui entoure Hugo — et aussi la haine. Avoir publié la même année *Notre-Dame de Paris* et *les Feuilles d'automne*, c'est beaucoup. Qu'il soit entré dans la plénitude de son génie, voilà qui est évident. Mais cette évidence même déchaîne les colères de ceux qui ressentent le succès comme une atteinte personnelle.

Ce qu'on lui reproche, c'est de manquer de modestie. Parbleu ! Il faut en effet une audace qui va au-delà de l'orgueil pour avoir écrit dans la préface de *Marion de Lorme* : « Pourquoi maintenant ne viendrait-il pas un poète qui serait à Shakespeare ce que Napoléon est à Charlemagne ? » Plus on l'attaque, plus il fait sentir sa primauté. Cercle vicieux qui n'augmente pas le nombre de ses amis.

Est-ce cette blessure à vif qui le ramène à cet Eugène

oublié depuis si longtemps dans son asile ? Le 23 janvier, il s'adresse au docteur Esquirol, médecin en chef de Charenton : « Je voudrais savoir si vous verriez toujours à ce que je visite mon frère les mêmes inconvénients qu'y voyait il y a sept ans M. Royer-Collard. » Un mois plus tard, Esquirol lui répondra : « Vos visites ne sauraient plus nuire à M. votre frère. Elles auraient peut-être au contraire aujourd'hui pour effet d'éveiller en lui quelques-unes de ces émotions dont son état moral paraît malheureusement ne plus offrir aucun vestige. Peut-être votre présence ferait-elle vibrer en lui quelques cordes secrètes. » On ne saurait mieux dire qu'il n'existe plus d'Eugène Hugo. Victor s'est-il alors rendu auprès de son frère fou ? En mai, il écrira à son oncle Louis qu'Esquirol lui « défend toujours » de voir Eugène. Cet interdit venant après le souhait contraire semble indiquer qu'une visite a eu lieu, dont les résultats ont dû être au moins fâcheux. L'être amorphe qu'est devenu Eugène a-t-il, à la vue de Victor, retrouvé un peu de lucidité pour le haïr ?

L'enfance de Victor achève de mourir. Au cours de ce même mois de mai, c'est la mort de l'affreuse « Gotton », cette veuve Martin jadis tant détestée. Décès qui ne lui inspire qu'une pensée de mépris. Depuis un mois, bien d'autres morts ou mourants sollicitent sa pitié. Venant d'Asie, progressant peu à peu à travers l'Europe de Russie en Pologne, de Pologne en Allemagne, la plus terrible épidémie de choléra que l'on ait connue depuis longtemps vient de gagner la France.

Comme toujours en de tels cas, des bruits naissent et s'enflent. On jure que le gouvernement profite de l'épidémie pour faire empoisonner ce peuple qu'il redoute. En fait, toutes les classes sont atteintes. Ce qui est ressenti par ceux qui croyaient que leur richesse ou leur rang devait les mettre à l'abri comme une intolérable injustice. Hugo note : « Pauvres misérables bourgeois égoïstes qui vivent heureux et contents au milieu du peuple décimé tant que la liste fatale du choléra morbus n'entamera pas l'*Almanach des vingt-cinq mille adresses.* »

Parmi les jeunes amis de Hugo, l'un d'eux, bâtard du duc de Saxe-Cobourg, vivait à Paris en compagnie de sa mère, une Grecque magnifique, d'une pension que lui versait son père naturel. Ernest de Saxe-Cobourg s'était manifesté, lors de la bataille d'*Hernani*, comme l'un des soldats les plus ardents de l'armée romantique. Une nuit, une femme sonne violemment à la porte de la rue Jean Goujon. On lui ouvre. Elle se précipite dans la chambre des Hugo, éveillant Victor et Adèle. Échevelée, hors d'elle-même, elle hurle comme une bête sauvage à qui l'on viendrait de tuer son petit : Ernest est mort. En 1854, en exil, lorsque l'on parlera d'apparitions, Adèle rappellera à son mari : « Tu as toujours eu cette disposition. Quand Saxe-Cobourg est mort, et que sa mère est entrée dans ta chambre, la vue du désespoir de cette grande femme t'a causé une telle frayeur que, pendant quinze jours, tu ne pouvais rester seul une fois la nuit tombée. »

Rue Jean Goujon, le portier sera frappé l'un des premiers. Quelques jours plus tard, on ramène de son école le petit Charles. Il est « pâle et souffrant ». Il a été pris de vomissements. Aussitôt, la servante pousse de hauts cris : sûrement il a été empoisonné. Il a bu de l'eau à son école. Chacun sait que l'on empoisonne les fontaines, les barils des porteurs d'eau ! Hugo la fait taire, convoque en toute hâte le médecin de la maison, M. Louis. Celui-ci examine l'enfant, dit qu'il faut le coucher. Lui-même, que cent malades réclament, promet de revenir le plus tôt qu'il pourra. De fait, une fois Charles couché, ses vomissements cessent. On se rassure et on le laisse dormir. Tout à coup, on entend du bruit dans la salle à manger, on y court. L'enfant est à plat ventre au bas d'une fontaine de marbre dont il a ouvert le robinet. Il boit à pleine gorgée. On veut l'enlever de là, il résiste, il crie :

— Laissez-moi boire ! Je veux boire !

A ce moment précis, survient le médecin, M. Louis. Il déclare :

— C'est le choléra.

Le *témoin* : « En quelques instants, le pauvre cher enfant prit la rigidité et le froid du cadavre. L'œil était enfoncé dans l'orbite, les joues étaient creuses et livides, les doigts noirs et ridés. » Hugo et Adèle, éperdus, supplient le médecin de prescrire un remède, des soins à donner. M. Louis secoue la tête : il n'est point de remède, tous les secours sont inutiles. Un être humain frappé du choléra meurt à coup sûr. Avec d'infinies précautions, on a recouché Charles. A son chevet, les parents retiennent leurs larmes. Hugo se tourne vers le médecin d'un air si suppliant que M. Louis finit par lui dire que, dans certains cas — oh ! bien rares, si rares qu'il n'ose pas même en parler — on a sauvé des malades en entretenant la chaleur du corps par des frictions ininterrompues « avec de la flanelle chaude humectée d'esprit-de-vin ». Les caractéristiques du choléra n'échappent plus hélas à personne : à une fièvre ardente succède un froid de glace qui emporte le malade. C'est ce froid qu'il faut tenter d'éviter.

Hugo déjà s'est élancé, a ordonné qu'on allume dans la cheminée un grand feu. Il fait apporter toute la flanelle dont on dispose, l'étale devant le feu. Il arrache plutôt qu'il ne les ôte les vêtements de Charles. Dès que la flanelle est chaude, il l'humecte d'esprit-de-vin, frotte le petit corps dénudé de l'enfant qui ne cesse de vomir et de demander à boire. Quand la flanelle se refroidit, il court en chercher d'autre, recommence à frotter. Si durement, si désespérément que « la chair, écorchée, saignait ». Le petit malade « s'en apercevait à peine ; il dit une fois seulement : ne me touche donc pas comme ça, tu me fais mal. Il répétait toujours : j'ai soif. Sa peau, sanglante, restait froide ». La nuit tout entière s'est écoulée. Le jour blanchit au-delà des fenêtres. Pas un instant, Hugo ne s'est assis, n'a cherché de repos. Toujours les mêmes allées et venues précipitées, de la cheminée au lit, du lit à la cheminée. Et toujours cette froideur, cette glace annonciatrice du pire. Près de Victor, Adèle n'a plus de larmes.

Il fait grand jour. Tout à coup, posant les mains sur la peau de son enfant, Hugo croit sentir quelque chaleur. Charles supporte de plus en plus mal les frictions, proteste, adjure son père d'y mettre fin. Comment douter ? La chaleur est revenue dans ce petit corps. Et la sensibilité. Le visage reprend des couleurs. Le médecin, venu constater un décès, découvre avec stupeur un enfant bien en vie. Incrédule, il se penche vers lui, l'examine. Il se relève :

— Il est sauvé.

Dédé commence à marcher. Hugo guette ces premiers pas, avec plus d'émotion peut-être qu'il n'en a ressenti pour ses autres enfants. Il note qu'elle « tombe à la moindre rencontre, fait de grands circuits autour d'une pantoufle, comme un vaisseau autour d'un écueil ». Il enregistre les propos de Charles, définitivement guéri et qui va sur ses cinq ans et demi. Discours, écrit-il, *sténographié* : « Didine, tu sais dans la classe la table qui n'est pas blanche, il y a deux tables, une grande table où il y a tout plein de petits garçons et une grande table où il y a tout plein de grands garçons ; eh bien !

alors, il y a à cette table-là un grand garçon qui est joliment méchant. Il ne sait jamais ses devoirs. Quand on va à la promenade, on le met au piquet toute la journée. Le piquet, c'est un arbre qu'on passe toute la récréation là. »

Il observe aussi cette France qui s'épuise à courir après son équilibre. En novembre 1831, les canuts de Lyon, réduits à la famine par la diminution de leurs tarifs — de quatre ou six francs par jour ils sont passés à vingt sous — se révoltent. Il faut, pour les réduire, l'intervention d'une armée de vingt mille hommes, conduite par le duc d'Orléans, fils aîné du roi, et le maréchal Soult. La première grande manifestation des prolétaires au XIXe siècle, dira Louis Blanc. En janvier, des républicains ont tenté d'incendier une des tours de Notre-Dame. En février, on a démantelé un complot de légitimistes qui se proposaient de prendre d'assaut les Tuileries un soir de bal et, en toute simplicité, de massacrer la famille royale. Tout cela, chez Hugo, ne suscite que dédain. De moins en moins, il croit à l'avenir de Louis-Philippe : « Le jour où Louis-Philippe tombera du trône, il ne se fera pas maître d'école, comme Denys de Syracuse, mais épicier. »

Le 3 juin 1832, après de longues semaines de relative inaction littéraire, il a commencé une nouvelle pièce : *le Roi s'amuse*. Il souffre encore des yeux et même, cette fois, la crise paraît plus grave encore que d'autres. Dans une lettre à Montalembert, du 3 mars, il note : « J'ai les yeux plus malades que jamais. » *Au général Louis Hugo, le 5 mai* : « Je t'écris, mon cher oncle, avec des yeux bien malades. » Les médecins lui ont recommandé de porter des lunettes vertes, « de marcher beaucoup et de vivre le plus possible dans la verdure ». Le printemps, cette année-là, est beau et chaud. La rue Jean Goujon n'est pas loin des Tuileries. Hugo prend l'habitude de s'y rendre souvent. Il a découvert, sur la terrasse du bord de l'eau, un coin solitaire où il travaille en se promenant. Ainsi *le Roi s'amuse* prend-il forme.

Pourquoi, se remettant au travail, a-t-il choisi le théâtre ? D'abord parce que la scène est pour lui une nécessité. Il redira bientôt que « le théâtre est une chaire ». Avec le théâtre — seconde raison — il trouve l'occasion d'exprimer ce qui lui tient à cœur. Il a beaucoup à dire. Il faut se souvenir de ce vers des *Feuilles d'automne* :

Je hais l'oppression d'une haine profonde.

Profession de foi prolongée par une adjuration qui sonne comme un serment :

> Et j'ajoute à ma lyre une corde d'airain.

Certes, en ce qui concerne Louis-Philippe, on ne peut guère parler d'oppression. En 1832, celle-ci viendrait plutôt de ces bourgeois infatués d'eux-mêmes qui occupent les avenues du pouvoir et se montrent plus intolérants que ne l'étaient peut-être les rois absolus. Au vrai, le régime se conduit comme s'il était en place depuis des siècles et comme si mille années l'attendaient. Il ne tolère aucune atteinte à sa pérennité. Si une opposition se hasarde à sa droite ou à sa gauche, il la brise. Sous le règne de la démocratie couronnée, les prisons sont plus pleines que sous Charles X : le légitimiste Poncelet y a retrouvé le républicain Considérant. Un discours un peu trop exalté ? Un article un peu trop enthousiaste ? En prison. Le jeune Blanqui en sait quelque chose. Tout cela n'a rien qui puisse plaire à Hugo. Ce qui l'a tenté, dans le sujet du *Roi s'amuse*, c'est de tracer le portrait d'un roi dont l'autorité n'est balancée par aucun contre-pouvoir. Sa sympathie ne va pas précisément à ce François Ier qu'il campe en face du bouffon Triboulet. Dans l'édifice monarchique, le bouffon est la chose du roi et ne peut pas se permettre l'héroïsme du refus, car ce refus ferait rire. Même dans son sentiment le plus pur, l'amour paternel, Triboulet doit passer par les volontés et les foucades de son maître. *Le Roi s'amuse* est la tragédie de la paternité. Que Hugo ait commencé à l'écrire dans le même trimestre où il arrachait lui-même son fils Charles à la mort, nous pouvons être sûrs que cela n'est pas l'effet du hasard.

Une pièce, donc, qu'il *doit* écrire. Une autre nécessité pour Hugo est de gagner sa vie. *Hernani* lui a rapporté quatre fois plus que *Notre-Dame de Paris*, soit 12 000 francs de droits d'auteur et 15 000 pour les trois premières éditions de la pièce publiée. Pourquoi n'en serait-il pas de même pour *le Roi s'amuse* ?

A l'abri des arbres foisonnants des Tuileries, environné des chants d'oiseaux et des cris d'enfants, il est en train, le 5 juin, d'écrire le discours de Saint-Vallier. Surgissent soudain les gardes du jardin qui chassent les promeneurs : on ferme !

Hugo comprend vite : il y a insurrection. Ce jour-là, on enterre le général Lamarque, vieux soldat de l'Empire et député de l'opposition. Pour tout esprit averti, un mouvement populaire était prévisible. Ceux qui veulent à tout prix se débarrasser de Louis-Philippe vont faire bloc. Au loin, Hugo entend la fusillade et il marche de ce côté, comme les grognards marchaient au canon. Déjà, il se sent ce piéton de Paris que chacune des pages des *Choses vues* révèle à l'envi. Mieux qu'aucun de ses contemporains, il veut être de son temps, tout connaître de ce qui se déroule autour de lui. Le poète donne la main au journaliste, et bientôt au politique.

Le voilà qui s'avance dans le passage du Saumon. Il le traverse. En un instant, les grilles sont fermées, les balles sifflent d'une grille à l'autre. Nul endroit où se réfugier, les boutiquiers ont claqué leur porte et se claquemurent derrière leurs volets. Hugo avise tout près de là les fort minces colonnes du passage. Il se glisse entre deux d'entre elles : abri précaire. Pour Victor, un véritable baptême du feu. Au bout d'un quart d'heure, la troupe, ne parvenant pas à déloger les insurgés, va tourner leur position. Le combat s'engage d'un autre côté, les grilles sont rouvertes.

Le lendemain, Hugo dîne chez Émile Deschamps. L'un des hôtes, Jules de Rességuier, conte avec émotion la défense héroïque du cloître Saint-Merry par les insurgés. Hugo, profondément ému, écoute. Tout s'ordonne dans son infaillible mémoire : cette flambée qui, après le discours de La Fayette devant le char funèbre, a incendié un peuple entier ; les premiers coups de feu ; les charges de la troupe ; les étudiants attelés au char qui emportait la dépouille du vieux soldat, changés en un éclair en rebelles furieux ; ces barricades où il conduira plus tard ses propres héros, Marius venu rejoindre Enjolras, Valjean accouru sauver Marius. Ces pages des *Misérables* sont nées du choc survenu en juin 1832. Au soir même de la tragédie, il note : « Folies noyées dans le sang. Nous aurons un jour une république, et, quand elle viendra d'elle-même, elle sera bonne. Mais ne cueillons pas avant mai le fruit qui ne sera mûr qu'en juillet ; sachons attendre. La république proclamée par la France en Europe, ce sera la couronne de nos cheveux blancs. Mais il ne faut pas souffrir que des goujats barbouillent de rouge notre drapeau. » Étonnons-nous peut-être, mais reconnaissons ce qui crève les yeux : le futur chantre de l'épopée du cloître Saint-Merry nie

en 1832 la signification grandiose qu'il donnera plus tard à
l'épisode. Remarquable, à cet égard, le mot *goujats*. Hugo
attend toujours la république, mais pour plus tard, quand le
peuple sera instruit. Il ne sort pas de sa logique.

Il ne se replie pas pour autant sous sa tente. Rendu furieux
par les émeutes dont le sens républicain n'a échappé à personne, le gouvernement a décrété l'état de siège. Constitu-
tionnellement, il n'en a pas le droit. Le 7 juin, les journalistes
du *National* se réunissent en toute hâte et protestent solennellement contre cette atteinte aux libertés. Sainte-Beuve en
est. *A Hugo* : « On désirerait le plus de noms honorables,
voire même illustres. Ampère va demander la signature de
M. de Chateaubriand ; on me prie de demander la vôtre. »
Réponse immédiate de Hugo : « Je m'unis à vous de grand
cœur. Je signerai tout ce que vous signerez, à la barbe de
l'état de siège. »

Il s'est remis au travail. Le 23 juin, il achève *le Roi s'amuse*,
vingt jours après en avoir écrit le premier vers. Toujours
cette facilité confondante. Le 30 juin, il lit la pièce à quelques
amis réunis rue Jean Goujon. *Journal de Fontaney* : « Nous
étions bien peu : Boulanger seulement et Robelin, puis
Madame Victor. — J'étais tout endormi ; à peine ai-je pu
entendre les deux derniers actes ; je ne sais, je puis en somme
difficilement juger, mais je n'ose croire au succès de cette
pièce... »

Neuf jours après, il commence une nouvelle pièce, *le Souper à Ferrare* qui deviendra *Lucrèce Borgia*. Pourquoi tant de
hâte ? Dans la préface dont il ne va manquer de doter la nouvelle pièce, Hugo affirme que « l'idée qui a produit *le Roi
s'amuse* et l'idée qui a produit *Lucrèce Borgia* sont nées au
même moment sur le même point du cœur ». On a parlé
d'œuvres jumelles. Peut-être a-t-on eu tort de méconnaître les
différences essentielles entre les deux œuvres. D'abord, *le
Roi s'amuse* est en vers ; avec *Lucrèce Borgia*, Hugo écrit sa
première pièce en prose. Pour *le Roi s'amuse* il sait que la
sévérité qu'il réserve à la monarchie et à ses entours peut lui
susciter politiquement des dangers ; en apparence aucune
arrière-pensée politique dans *Lucrèce Borgia*.

La véritable *Lucrèce Borgia* était faite pour tenter un poète
romantique et, plus que les autres, Victor Hugo : l'histoire ne
propose pas tous les jours au dramaturge la vie d'une princesse, fille d'un pape et livrée à toutes les passions. Ce n'est

pas l'authentique Lucrèce, très en deçà de sa légende, qui a
retenu l'attention de Hugo. Le drame imaginaire qu'il
invente, plus autour de Lucrèce que sur elle-même, s'inscrit
dans le cadre d'un sujet identique traité à la fois dans *Marion
de Lorme, le Roi s'amuse* et *Lucrèce Borgia* : « un être perdu
de vices, sauvé par un seul grand sentiment [1] ».

C'est dans la *Gaule poétique* de Marchangy, que Hugo a
découvert l'idée de cette fête à laquelle sont conviés, par celui
qui est résolu à les faire mettre à mort, des seigneurs tout à
la joie d'une heure dont ils ne soupçonnent pas qu'elle sera
pour eux la dernière. L'épisode des moines, qui, au dernier
service, rejoignent les convives pour les confesser, se trouve
lui-même dans Marchangy. Hugo s'est peut-être souvenu des
policiers envahissant la maison des Feuillantines et arrêtant
à table Lahorie. Peut-être aussi a-t-il songé à son frère
Eugène pris de folie au cours du dîner de ses propres noces.
Commencée le 9 juillet, *Lucrèce Borgia* sera achevée le 20. Le
23, Victor lit chez lui la pièce à des intimes.

Journal de Fontaney : « C'est vraiment bien beau et il y a là
vraiment un grand succès ! »

La veille est mort à Vienne celui que les Chambres, en
1815, avaient proclamé Empereur sous le nom de Napoléon II. L'événement va frapper Hugo au plus profond de lui-
même. C'est porté par une émotion intense qu'il va écrire,
presque aussitôt, son poème *Napoléon II* :

> Quand il eut bien fait voir l'héritier de ses trônes
> Aux vieilles nations comme aux vieilles couronnes,
> Éperdu, l'œil fixé sur quiconque était roi.
> Comme un aigle arrivé sur une haute cime,
> Il cria tout joyeux avec un air sublime :
> — L'avenir ! l'avenir ! l'avenir est à moi !
>
> Non, l'avenir n'est à personne !
> Sire ! l'avenir est à Dieu !

Les gens de spectacle, eux, semblent ainsi faits que rien ne
les atteint. Révolutions, crises de l'État ou tempêtes intérieures n'entament jamais leur course en avant. Le baron
Taylor a entendu dire que Hugo avait achevé deux pièces. Il
accourt, se récrie : au moins qu'il y en ait une pour le Théâtre-

1. André Maurois.

Français! Taylor répète que M. Hugo doit bien reconnaître qu'il a eu tort de donner *Marion de Lorme* à la Porte-Saint-Martin. *Hernani* n'a-t-il pas été un événement? *Marion de Lorme*, « qui valait bien *Hernani* », n'a pas eu le même retentissement, et de loin. Le vrai théâtre littéraire, ajoute Taylor, c'est le Théâtre-Français. Les vers sont impossibles au boulevard, etc. Comme un homme qui se laisse convaincre peu à peu, Hugo l'écoute en silence. En fait, sa décision était prise depuis le début. Avant la fin du mois, il lit la pièce à la troupe de la Comédie-Française. Il annonce qu'il ne suivra pas régulièrement les répétitions, qu'il fait confiance aux comédiens : comme chaque année, Bertin aîné l'attend aux Roches. Il n'est pas question qu'il prive les enfants d'une joie si ardemment attendue. Ni qu'il laisse Adèle partir seule.

L'oasis des Roches ; la douceur du village de Bièvres ; un peu de paix pour son cœur violenté. Cette année-là, pour les enfants, le grand amusement, ce sont les cocottes en papier, les bateaux et les carrosses que leur père découpe pour eux dans du carton qu'il peint ensuite de couleurs vives. La joie des enfants quand on leur dit que ces belles voitures sont à eux et qu'ils pourront les emporter à Paris ! Louise Bertin songe à tirer de *Notre-Dame de Paris* un opéra, *la Esmeralda*. Hugo lui a promis d'en écrire le livret. Mais, aux Roches, il boit le silence comme s'il sortait de l'une de ces cavernes où les anciens situaient le tonnerre. Peut-être avec intention, il écrit à Sainte-Beuve : « Nous avons des arbres et de la verdure mêlée à ce beau ciel de septembre sur notre tête. C'est tout au plus si je fais quelques vers. Je vous assure que le mieux ici est de se laisser vivre. C'est une allée pleine de paresse. » Car, étrangement, les deux hommes s'écrivent toujours. Sainte-Beuve termine ses lettres par : « Je vous aime. » Péremptoirement, Hugo signe les siennes : « Votre frère, Hugo. »

Est-il d'ailleurs si loin qu'il le dit, Sainte-Beuve ? Sous prétexte qu'elle engraisse — ce qui est vrai — Adèle part chaque jour pour de longues promenades, se fixant pour but de marcher huit kilomètres. Qui nous interdira de penser que toute promenade suppose un repos et que les pas d'Adèle pouvaient la porter en un lieu où l'attendait peut-être Sainte-Beuve ? Nous avons la preuve que de telles rencontres ont eu lieu l'année suivante.

Chaque jour, M. Ingres vient visiter M. Bertin dont il peint le portrait. Chaque soir, il retourne à Paris. Parfois, Hugo l'accompagne, pour assister, au moins de temps en temps, à l'une des répétitions du *Roi s'amuse*. Ingres le dépose devant le Théâtre-Français. Ces soirs-là, il s'en retourne dans l'appartement de la rue Jean Goujon. Seul.

A Adèle : « La maison me paraît bien vide, va, quand tu n'y es pas ! Tu ne sais pas, mon Adèle, à quel point tu fais partie de mon existence, tu ne le sais pas assez, vois-tu, tu doutes souvent de moi et tu as bien tort. Je suis capable de tout, excepté de cesser de t'aimer. Comment ne t'aimerais-je pas, mon pauvre ange, toi qui es si bonne, si douce, si excellente pour moi, si gracieuse et si belle ! Tu sais que je pense tout cela de toi depuis que j'ai l'âge de penser à quelque chose. Tu sais combien est profonde l'union intime de nos âmes, depuis dix ans, depuis treize ans même ! Ne doute jamais de moi, je t'en supplie. Je te le répète, je ne me crois pas meilleur que d'autres, je puis faillir ou errer, mais je t'aime, et je t'aimerai toujours... Adieu, mon Adèle bien aimée. A dimanche. Songe bien que tu es ma vie et ma joie... Mille baisers. Je t'aime. »

Il signe : *ton Victor* et, au dernier moment, il ajoute un post-scriptum : « Puisque j'ai encore un petit coin de papier ici, je veux en user pour te répéter que je t'aime, que tu es mon bonheur, que je ne vivrais pas deux heures sans toi. »

L'homme qui écrit cette lettre exaltée, celui-là a noté en secret qu'il ne se croyait plus aimé de sa femme. Écrit-il pour tenter de la reconquérir ? Ou pour lui-même s'étourdir ?

Les Hugo ont quitté les Roches. Comme chaque année, le désespoir des enfants n'a eu d'égal que la tristesse de Louise Bertin. Cette année-là, pourtant, les pleurs des aînés vont sécher plus vite qu'à l'accoutumée. Car les Hugo déménagent ! Ils vont s'installer dans le Marais, sur la place Royale — notre actuelle place des Vosges.

La présence de la petite Dédé a rendu trop exigu l'appartement de la rue Jean Goujon. Hugo a voulu se rapprocher de Charles Nodier pour mieux célébrer une amitié qui, pour avoir traversé quelques crises, est redevenue aussi vivante que naguère. Peut-être aussi a-t-il songé à cette Marion de Lorme qui lui appartient un peu désormais, et qui habitait l'un des hôtels de la place Royale. Souvent, il allait errer sur cette place. Il y ressentait fortement la présence d'un passé totalement préservé. Il ne se lassait pas de considérer ces façades, toutes identiques, blanches de pierres, rouges de briques, bleues d'ardoises. Hugo aimait ces arcades sous lesquelles on circule à l'abri des intempéries. Il admirait, au premier étage, les très hautes fenêtres et leurs balcons de fer forgé.

Quand il a su qu'un appartement se trouvait libre, au deuxième étage de l'hôtel de Guéméné, il y a conduit Adèle. C'était en juillet. A quoi peuvent penser l'homme et la femme qui savent leur ménage en péril et qui décident de s'engager pour l'avenir ? Peut-être à leurs enfants.

Un instant, l'énoncé du loyer les a fait hésiter : quinze cents francs par an. Mais les pièces étaient vastes, nombreuses. La plus belle place de Paris surgissait de l'histoire. Et puis, les petits pourraient jouer sous les ormes plantés autour de la statue équestre du roi. On a donc, le 12 juillet, signé le bail entre « M. Angélique-Jean-François Bellanger, propriétaire, demeurant à Paris, rue Castiglione, n° 8, agissant tant en son nom personnel que comme mandataire de Mme Péan de Saint-Gilles, sa belle-mère, et de Mme Passy, sa belle-sœur, et M. Victor-Marie, baron Hugo, homme de lettres, demeurant à Paris, rue Jean Goujon, n° 9 ». Tout l'été, on va penser à l'aménagement du nouveau logis. Le 8 octobre, la famille Hugo quitte la rue Jean Goujon pour le numéro 6 de la place Royale. Victor s'est-il souvenu qu'on l'avait appelée place des Vosges pendant les années de la Révolution, pour récompenser le département qui avait montré une plus grande exactitude que les autres à payer ses impôts ? L'entreprise de déménagement Louis-Gilliard a assuré le transport des meubles et des effets.

De la grande nouvelle, Didine va faire part à Louise Bertin : « Nous sommes très bien loger où nous somme. Nous avons un très beau balcon qui donne sur la place Royale... » Hugo arpente son nouveau domaine, non sans quelque vanité, il faut le dire. Sentiment que partage Adèle. Le bail est éloquent qui nous décrit « une antichambre, salle à manger et salon, plusieurs pièces en ailes desservies par un corridor, avec sortie par un petit escalier, lieux d'aisance, bûcher, trois chambres de domestiques et une cave ». Hugo a présidé lui-même à la décoration, travaillant quand il le fallait de ses mains. Il a cherché — et trouvé — des carreaux anciens à sujet et en a orné la hotte de la cuisine : pour l'époque une audace [1]. Au début, dans ces grandes pièces, le mobilier de la

1. *Manuscrit d'Adèle.*

rue Jean Goujon paraît un peu perdu. Hugo fait tapisser les murs de damas écarlate : rien de plus « meublant » que le rouge. Peu à peu, l'appartement va s'emplir de ces meubles qu'affectionne Victor, le gothique le disputant au Renaissance. Il court les brocanteurs plus que les antiquaires. Adèle se plaindra hautement de ces vases et plats fêlés qu'il rapporte : il répondra que le prix a dépendu justement de la fêlure. Les murs se sont couverts de toiles de Boulanger, de Devéria et de ses autres « peintres ordinaires ». Pas de doute, la nouvelle résidence des Hugo est devenue digne de la place sur laquelle s'ouvrent ses fenêtres. Venu en reconnaissance, le cher Dumas clame d'ailleurs : c'est *royal* !

Quelques jours après l'installation, Mlle Didine, qui vient d'avoir huit ans et dont, décidément, Hugo se déclare tout à fait amoureux, fera sa première apparition à l'école : elle est placée comme demi-pensionnaire à l'externat de Jeunes Demoiselles qui, par un hasard en quoi Hugo n'est pas loin de voir un signe providentiel, est installé sur la même place Royale, au numéro 16. *Didine à Louise Bertin* : « Moi, je veux pas y aller mais maman le veut et alors y faut bien lui obéir. » Adèle a eu raison d'insister : les résultats de Léopoldine seront très vite supérieurs à la moyenne. Un peu plus tard, Sainte-Beuve lui enverra un exemplaire de *Paul et Virginie* avec cette dédicace : « Offert à Mademoiselle Léopoldine Hugo par son bon ami Sainte-Beuve. » Didine remerciera son « cher Saint de Beuve ».

Pour la première du *Roi s'amuse*, le 22 novembre, les inconditionnels vont cette fois se retrouver. Théophile Gautier et Célestin Nanteuil recrutent cent cinquante fiers-à-bras que, forts du précédent d'*Hernani*, ils répartissent, un peu avant que le public arrive, à l'orchestre et à la seconde galerie. Inutile de dire que ces jeunes gens ne se rangent pas précisément au nombre des partisans de Louis-Philippe : pour la plupart, ils se sont rués dans l'insurrection de juin. Quand le public prend place, les troupes de Gautier et Nanteuil se mettent à hurler *la Marseillaise* et *la Carmagnole*. Ce qui évidemment jette un froid. Au moment où le rideau va se lever, un bruit court le théâtre : on vient de tenter d'assassiner le roi. La toile se lève au milieu de l'émotion générale et dans un fort brouhaha. Glacial, l'accueil réservé au premier acte. Au second, le figurant chargé d'enlever Blanche, la fille de Tri-

boulet, paralysé par le trac, l'emporte tête en bas et jambes
en l'air. Le public prend cela pour une intention de l'auteur.
On siffle éperdument. Le troisième acte est hué. Au quatrième, les angoisses paternelles de Triboulet font rire. Dès
lors, le vacarme ne cesse plus. Aucun vers n'est épargné, on
les siffle tous. Nos cent cinquante forcenés se battent avec la
rage du désespoir. Malheureusement, au moment de sortir
de la taverne, le comédien qui incarne François Ier trouve la
porte fermée. Il s'épuise, pour l'ouvrir, en vains efforts,
renonce à en venir à bout et, à la stupeur générale, surgit tout
à coup au fond du théâtre, sans que nul ne sache d'où il vient.
C'en est trop : la pièce s'achève en mêlée. On pousse de tels
cris que l'on n'entend même plus les applaudissements des
cent cinquante désespérés de la brigade romantique. Sur la
scène, derrière le rideau que l'on a baissé, il semble qu'une
chape de glace se soit abattue sur les acteurs. Ligier, l'acteur
qui vient de jouer Triboulet — fort bien d'ailleurs — s'approche de Hugo comme on hasarderait des condoléances :
    — Faut-il vous nommer ? murmure-t-il.
    — Monsieur, répond froidement Hugo, je crois un peu plus
à ma pièce depuis qu'elle est tombée.
    Belle réplique de théâtre. Il a raison. Lassé sans doute
d'avoir tant hué, le public va écouter le nom de Hugo sans
protester.
    Où est l'escorte délirante qui, après la première d'*Hernani*,
avait accompagné l'auteur jusque chez lui ? Hugo traverse Paris.
Seul. Il pleut à verse. Place Royale, il trouve sa femme. Seule.
Il s'attarde dans le salon désert, regarde longuement un tison
mal éteint, jette sur la braise un peu d'eau — et va se coucher.
    Le lendemain matin, on apporte à Hugo un billet signé du
directeur de la scène du Théâtre-Français : « Il est dix heures
et demie, et je reçois à l'instant *l'ordre* de suspendre les
représentations du *Roi s'amuse*. C'est M. Taylor qui me communique cet ordre de la part du ministre. »
    Que s'est-il passé ?
    A la représentation, les attaques contre les Cossé, les Mont-
morency, et bien d'autres nobles familles avaient indigné les
aristocrates présents. Un vers avait porté leur irritation à son
comble, celui que lançait Triboulet à l'adresse d'hommes qui
étaient leurs ancêtres :

        Vos mères aux laquais se sont prostituées !

Nul, dans cette assistance, ne voulait ignorer que la duchesse d'Orléans, mère de Louis-Philippe Ier, avait eu des faiblesses coupables pour ses palefreniers. Vrai ou faux, peu importe ; le principal est qu'on le croyait. Beau prétexte en vérité pour les ennemis de Hugo. Ils vont croire, ou feindre de croire, qu'en écrivant le vers en question l'auteur avait voulu délibérément insulter le roi des Français. Si l'on y ajoutait cette *Marseillaise* et cette *Carmagnole* — chants interdits — que les troupes de Gautier et Nanteuil avaient clamées dans l'enceinte sacrée du Français, cela faisait beaucoup. Le jour même, le Conseil des ministres se saisit de « l'affaire » et tranche : la pièce sera suspendue *sine die*. Le ministre d'Argout, par décret, transforme la suspension en interdiction pour ce motif : « Dans des passages nombreux, les mœurs sont outragées. »

Le Roi s'amuse interdit ! Après une seule représentation ! Et par un régime qui se réclame de la révolution de juillet ! Comment répondre ? Certes, les jeunes amis de Hugo sont prêts à déclencher des manifestations violentes. Hugo n'en veut pas. Le lendemain de la suspension de sa pièce, Hugo adresse une lettre au rédacteur du *Constitutionnel* : « Je suis averti qu'une partie de la généreuse jeunesse des écoles et des ateliers a le projet de se rendre ce soir ou demain au Théâtre-Français pour y réclamer *le Roi s'amuse* et pour protester hautement contre l'acte d'arbitraire inouï dont cet ouvrage est frappé. Je crois, Monsieur, qu'il est d'autres moyens d'arriver au châtiment de cette mesure illégale, je les emploierai. » Il va vite en besogne, Hugo : la réponse, il l'a déjà trouvée. Il n'ira pas dans la rue, mais devant des juges. A *Taylor* : « Je vais être obligé d'intenter un procès au Théâtre-Français en dommages-intérêts, parce que c'est malheureusement le seul moyen de faire le procès politique au ministère. »

On n'aurait pu rêver plus ingénieuse stratégie. Prenant prétexte d'une rupture de contrat et, pour lui-même qui vit de sa plume, d'un considérable « manque à gagner », Hugo demande au tribunal de commerce de « condamner par toutes les voies de droit, *même par corps*, les sociétaires du Théâtre-Français à jouer la pièce dont il s'agit, sinon à payer par corps 25 000 francs de dommages et intérêts et, dans le cas où ils consentiraient à jouer la pièce, les condamner, pour le dommage passé, à telle somme qu'il plaira au Tribu-

nal arbitrer. » Bien sûr 25 000 francs sont bons à prendre.
Mais, dans l'esprit de Hugo, ils ne sont qu'un prétexte. Ce
qu'il veut, c'est pouvoir s'exprimer librement et publiquement, crier aussi fort que possible ce qu'il pense d'un intolérable abus. Que l'enceinte du tribunal de commerce, qui
siège à la Bourse, devienne le cadre d'un tel discours, voilà
qui est insolite. L'originalité n'a jamais été pour déplaire à
Hugo.

Le 19 décembre, dès 9 heures du matin, une foule considérable fait queue dans les galeries du palais de la Bourse. A
midi, dès l'ouverture des portes, on se précipite dans la salle
du Tribunal qui est remplie en un clin d'œil. Le trop-plein du
public s'agglutine dans la salle des pas perdus, espérant, au
travers des portes vitrées, entendre malgré tout quelque
chose. Le compte rendu du *Journal des débats* évoque une
séance parlementaire plutôt qu'un procès : « Lorsqu'on a vu
arriver et se placer aux bancs de la gauche M. Victor Hugo,
beaucoup d'individus sont montés sur les banquettes, les
autres leur ont crié de s'asseoir et M. Hugo a été vivement
applaudi. »

La parole est d'abord aux avocats : Chaix-d'Est-Ange, pour
le ministère ; Odilon Barrot, pour Victor Hugo ; Léon Duval
pour le Théâtre-Français. Les arguments s'échangent au
milieu d'une nervosité croissante. On entend même des sifflets. Il fait de plus en plus chaud. On manque d'air ; le
public se plaint que l'on étouffe. Il faut évacuer la salle. Pendant la suspension, on ouvre toutes grandes les fenêtres.
C'est dans une ambiance rafraîchie autant que rassérénée
que Hugo, à la reprise de l'audience, prend lui-même la
parole.

Prenons garde : c'est un nouveau Victor Hugo qui se
dévoile et se révèle. Jamais il n'a parlé en public. Il ne sait
pas lui-même s'il est orateur. Il n'a pas hésité pourtant. Il
n'hésite jamais. Donc, il parle. Et il parle bien. Dès les premiers mots qu'il prononce, les murmures s'apaisent, nul ne
se plaint plus de la chaleur. La démonstration se déploie,
claire, habile, convaincante. La Charte a aboli la censure. Elle
dit : *la confiscation est abolie*. L'interdiction du *Roi s'amuse*
est un acte de censure et « la suppression d'une pièce de théâtre après la représentation n'est pas seulement un acte monstrueux de censure et d'arbitraire, c'est une véritable confiscation ; c'est une propriété violemment dérobée au théâtre et à

l'auteur ». Hugo écrase sous l'ironie l'accusation d'immoralité :

— Cette pièce a révolté la pudeur des gendarmes ; la brigade Léotaud y était et l'a trouvée obscène ; le bureau des mœurs s'est voilé la face ; M. Vidocq a rougi. Enfin le mot d'ordre que la censure a donné à la police, et que l'on balbutie depuis quelques jours autour de nous, le voici tout net : *C'est que la pièce est immorale.* — Holà ! mes maîtres ! silence sur ce point.

Voilà le ton. En fait, toute l'opération — c'en est une — n'a été montée que pour permettre à Hugo de tonner contre ce régime qui n'a eu sa faveur que pendant trois jours et dont il estime que, de mois en mois, il se discrédite. Écoutez-le :

— Je dis que le gouvernement nous retire petit à petit tout ce que nos quarante ans de révolution nous avaient acquis de droits et de franchises. Je dis que c'est à la probité des tribunaux de l'arrêter dans cette voie fatale pour lui comme pour nous. Je dis que le pouvoir actuel manque particulièrement de grandeur et de courage dans la manière mesquine dont il fait cette opération hasardeuse que chaque gouvernement, par un aveuglement étrange, tente à son tour, et qui consiste à substituer plus ou moins rapidement l'arbitraire à la constitution, le despotisme à la liberté. Bonaparte, quand il fut consul et quand il fut empereur, voulut aussi le despotisme. Mais il fit autrement. Il y entra de front et de plain-pied. Il n'employa aucune des misérables petites précautions avec lesquelles on escamote aujourd'hui une à une toutes nos libertés, les aînées comme les cadettes, celles de 1830, comme celles de 1789. Napoléon ne fut ni sournois ni hypocrite. Napoléon ne nous filouta pas nos droits l'un après l'autre à la faveur de notre assoupissement, comme on fait maintenant. Napoléon prit tout, à la fois, d'un seul coup et d'une seule main. Le lion n'a pas les mœurs du renard.

Dans la salle, on n'entendrait pas un huissier respirer. Hugo enfle la voix :

— On nous prenait toutes nos libertés, dis-je, on avait un bureau de censure, on mettait nos livres au pilon, on rayait nos pièces de l'affiche ; mais, à toutes nos plaintes, on pouvait faire d'un seul mot des réponses magnifiques, on pouvait nous répondre : Marengo ! Iéna ! Austerlitz ! Alors, je le répète, c'était grand ; aujourd'hui, c'est petit. Nous marchons à l'arbitraire comme alors, mais nous ne sommes pas des colosses. Notre gouvernement n'est pas de ceux qui peuvent consoler une grande nation de la perte de sa liberté. En fait d'art, nous déformons les Tuileries ; en fait de gloire, nous laissons périr la Pologne. Cela n'empêche pas nos petits hommes d'État de traiter la liberté comme s'ils étaient taillés en despotes ; de mettre la France sous leurs pieds, comme s'ils avaient des épaules à porter le monde... Aujourd'hui, on me fait prendre ma liberté de poète par un censeur, demain on me fera prendre ma liberté de citoyen par un gendarme ; aujourd'hui on me bannit du théâtre, demain on me bannira du pays ; aujourd'hui on me bâillonne, demain on me déportera ; aujourd'hui l'état de siège est dans la littérature, demain il sera dans la cité. De liberté, de garanties, de Charte, de droit public, plus un mot. Néant. Si le gouvernement, mieux conseillé par ses propres intérêts, ne s'arrête sur cette pente pendant qu'il en est temps encore, avant peu, nous aurons tout le despotisme de 1807, moins la gloire. Nous aurons l'empire sans l'empereur.

L'assistance a le souffle coupé. Le président vacille sur son siège. Hugo en est à sa péroraison :

— Je n'ai plus que quatre mots à dire, Messieurs, et je désire qu'ils soient présents à votre esprit au moment où vous délibérerez. Il n'y a eu dans ce siècle qu'un grand homme, Napoléon, et une grande chose, la liberté. Nous n'avons plus le grand homme, tâchons d'avoir la grande chose !

De tous les coins de la salle jusqu'à celle des pas perdus, les applaudissements éclatent. D'instant en instant, ils redoublent. Finiront-ils seulement ? Le président balbutie :
— Une partie du public oublie qu'on n'est pas ici au spectacle...
C'est le triomphe de Victor Hugo. Un triomphe où la dialectique donne la main au courage. Pour des déclarations bien moins catégoriques que cette déclaration de guerre, d'autres ont été jetés en prison.
Qu'importe que Hugo perde son procès ! Le tribunal de commerce se déclarera incompétent et condamnera le plaignant aux dépens. L'important, c'est que ce discours, devant l'opinion, campe définitivement Hugo comme l'avocat sans peur, l'inébranlable défenseur de toutes les libertés.
Ce qui n'empêche pas le même Hugo d'attendre beaucoup de la publication de la pièce interdite en librairie. Depuis le mois de juillet, le libraire Eugène Renduel est devenu son seul éditeur. Dès avant le procès, il lui a écrit : « Je crois, mon cher éditeur, qu'il est important pour vous, pour moi, pour le

retentissement du livre et de l'affaire, que la chose soit énergiquement annoncée la veille par les journaux. Voici sept
petites notes que je vous envoie, en vous priant d'user de
toute votre influence pour qu'elles paraissent demain dans
les sept principaux journaux de l'opposition... »

Le courage n'a jamais empêché les relations publiques.

TROISIÈME PARTIE

OLYMPIO

JULIETTE

> Je suis la colombe
> Qu'on blesse et qui tombe ;
> La nuit de la tombe
> Couvre mon berceau.
> Victor HUGO.

C E jour-là, 2 janvier 1833, Victor Hugo s'arrête un instant devant la façade du théâtre de la Porte-Saint-Martin. Le Boulevard du Crime! Depuis quelques lustres, il mérite bien son nom. Sur quelques centaines de mètres, les affiches des théâtres proposent au public des sorciers qui donnent la main aux vampires, des spadassins qui éventrent les traîtres, de nobles dames violées, des fantômes surgissant au milieu des feux de Bengale, le tonnerre qui déchaîne son fracas cependant que pleuvent les malédictions. Toute l'histoire de France est appelée en renfort. Là, à la Porte-Saint-Martin, Isabeau de Bavière rivalise en débauches avec Marguerite de Bourgogne. Le sang — du frais, celui d'un mouton — coule à flots.

Devant les angelots en ronde bosse qui ornent la façade de la Porte-Saint-Martin, Hugo pense-t-il à tant de cris, tant de fureur et de facilité? Sur le boulevard, la foule des promeneurs circule sans hâte, s'attroupant autour des bateleurs et bonimenteurs. Un hercule fait jaillir vers le ciel des poids peu vraisemblables, un apothicaire à l'éloquence torrentielle démontre l'infaillibilité de ses remèdes, un ours mélancolique se dandine au bout de sa chaîne, tandis qu'un peu plus loin, le fracas d'une cloche agitée furieusement annonce le prochain spectacle du mime Deburau : avons-nous oublié, pour les *Enfants du Paradis*, le merveilleux décor de Traner ?

Des mélodrames, oui. La dernière pièce de Dumas, *la Tour de Nesle*, en était un. La première réplique annonçait tout :

— Holà, tavernier du diable !

Mais c'est à la Porte-Saint-Martin qu'avait, du même Dumas, triomphé *Antony*. Hugo, quant à lui, y a fait représenter *Marion de Lorme*. Donc, balayons les scrupules hors de saison. Allons.

Rien n'a changé de ce théâtre. Quand nous pénétrons dans le hall, nous trouvons à gauche un escalier qui conduit à la fois à la salle et au foyer, celui-ci s'allongeant le long de l'orchestre, à droite quand on regarde la scène. Dans ce foyer, Hugo vient de faire son entrée. Sagement assis sur des chaises rangées en cercle, les acteurs retenus pour la distribution de *Lucrèce Borgia* attendent leur auteur. Le directeur, Harel, se précipite. Ex-auditeur au Conseil d'État et bonapartiste fervent, il a eu le malheur, pendant les Cent Jours, d'accepter une préfecture. Le retour de Louis XVIII lui a interdit tout espoir de carrière. En exil à Bruxelles, il a trouvé son chemin de Damas lorsqu'il est entré dans le lit d'une grande actrice, Mlle George, qui s'enorgueillissait d'avoir été la maîtresse de Napoléon. Il a quatorze ans de moins qu'elle. Peu importe : dans ce lit, il dormira vingt-sept ans. Mlle George a fait de Harel un directeur de théâtre. Rentré en France, il est devenu dans ce métier une manière de potentat : en 1833, il dirige à la fois l'Odéon et la Porte-Saint-Martin. Jamais un auteur n'a pu résister à Harel. Il convainc par sa faconde et séduit par son esprit. Dumas jurait que Harel était l'homme le plus spirituel de son époque.

Après l'interdiction du *Roi s'amuse*, il ne saurait être question que Hugo donne sa nouvelle pièce à la Comédie-Française. Comme toujours avec Harel, la décision a été emportée à toute allure. L'amant de Mlle George s'est précipité place Royale, a exigé que *le Souper à Ferrare* lui fût réservé. Le soir même, Hugo a lu le drame chez Mlle George qui s'est déclarée ravie par le rôle de Lucrèce. Quant à Harel, il a témoigné une admiration aussi bruyante que définitive.

Manuscrit d'Adèle : « A la fin du premier acte, Harel se leva et dit : " Mais c'est superbe, jamais on n'est entré plus magnifiquement de plain-pied dans le drame, je n'ai qu'une inquiétude, c'est que la pièce ne puisse se soutenir à cette hauteur. Continuez, continuez vite. " L'enthousiasme alla crescendo, Harel se moucha vingt fois, fit passer une livre de tabac dans son nez, ce n'était pas des éloges, c'était une apothéose. »

La dernière réplique prononcée, Harel a déclaré :

— C'est trop beau pour s'appeler *le Souper à Ferrare*. Le titre n'est pas assez grave ni assez grand. A votre place, j'appellerais cela simplement et gravement *Lucrèce Borgia*.

Le conseil était bon, Hugo l'a suivi.

Penché sur sa brochure, Victor Hugo lit. Il lit bien. Mlle George, future Lucrèce, écoute de toute son attention tendue. Belle, massive, elle approche de la cinquantaine. Près d'elle, le grand Frédérick Lemaître, de noir vêtu, guette les répliques qu'il animera de son souffle puissant. D'autres comédiens, d'autres actrices — Provost, Delafosse, Serres — s'effacent un peu à côté de ces étoiles de première grandeur. Parfois, dans la pénombre, le regard de Hugo en croise un autre qui, depuis son entrée, ne le quitte pas : celui d'une ravissante jeune femme de vingt-six ans. L'année précédente, Léon Noël a publié dans *l'Artiste* une lithographie qui, pour nous, fixe la plus charmante des images : des cheveux très noirs, un visage à l'ovale tout à fait pur, de grands yeux sombres un peu mélancoliques, une bouche petite aux lèvres sensuelles dont on ne sait si elles esquissent un sourire ou une promesse. Des épaules découvertes, on comprend qu'un jour Hugo les ait comparées à un « beau marbre blanc ». Pour mieux entendre les répliques, terribles comme le malheur, passionnées comme l'amour, elle penche en avant le plus joli cou du monde. Pour l'occasion, elle a passé une robe de satin des Indes, de couleur maïs. Son visage s'encadre d'un « cabriolet » de velours noir, orné de deux plumes également. Tout à l'heure, lors des présentations, Harel l'a nommée à Hugo : Mlle Juliette, qui devra incarner la princesse Négroni, un tout petit rôle.

Mlle Juliette. Victor se souvient de l'avoir aperçue à un bal, au mois de mai 1832. Image fugitive, éblouissante, imprégnée dans sa mémoire :

> Tu ne l'avais pas vue encor ; ce fut un soir,
> A l'heure où dans le ciel les astres se font voir

Qu'elle apparut soudain à tes yeux, fraîche et belle,
Dans un lieu radieux qui rayonnait moins qu'elle.
Ses cheveux pétillaient de mille diamants ;
Un orchestre tremblait à tous ses mouvements
Tandis qu'elle enivrait la foule haletante
Blanche avec des yeux noirs, jeune, grande, éclatante.
Tout en elle était feu qui brille, ardeur qui rit.
La parole parfois tombait de son esprit
Comme un épi doré du sac de la glaneuse,
Ou sortait de sa bouche en vapeur lumineuse [1]...

Tout l'a frappé de cette femme rare : son front, qu'il a vu
« plein de pensées écloses avant l'amour », son sourire, ses
épaules, ses yeux « où l'on voyait luire son cœur brûlant ». Il
l'a regardée aller « comme un oiseau de flamme », suivie par
des regards où l'admiration le disputait au désir. Et lui,
Hugo, n'a pas même osé lui parler :

Toi, tu la contemplais n'osant approcher d'elle,
Car le baril de poudre a peur de l'étincelle.

Mais là, dans le foyer de la Porte-Saint-Martin, il ne
s'attarde pas à la fugitive et éblouissante image. Une lecture est chose importante. Il oublie tout, possédé tout
entier par l'action et les mots de son drame. Entre
chaque acte, il s'arrête, prend un instant de repos. Dans
ces moments, il sent peser sur lui le beau regard fiévreux de
Mlle Juliette.

Il interrogera Harel sur cette Mlle Juliette et saura qu'en
fait on l'appelle Juliette Drouet. Rien de plus. Il lui faudra
des années pour apprendre la vérité. Elle était fille d'un Breton du nom de Julien Gauvain, un ancien chouan, installé à
Fougères au lendemain de la Terreur. Elle était née le 10 avril
1806, quatrième enfant de Gauvain et de son épouse Marie
Marchandet. On l'avait baptisée sous les prénoms de
Julienne-Joséphine. Sa mère, jamais remise de l'accouchement, était morte quelques mois plus tard. Et l'année suivante, Julien Gauvain, inconsolable, l'avait suivie dans la
tombe. Julienne allait être confiée à l'hospice des enfants
trouvés quand avait surgi l'oncle Drouet, sous-lieutenant à la
41e compagnie de canonniers garde-côtes, en garnison à

1. *Les Voix intérieures*, XII.

Victor Hugo en 1833, par Louis Boulanger.

Dessinés par Adèle Hugo : Léopoldine, Charles, Victor, Adèle.

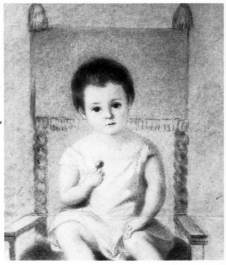

◄ *L'appartement de la place des Vosges.*

Juliette Drouet en 1832. Lithographie par Léon Noël.

Adèle Hugo en 1838, par Louis Boulanger.

Victor Hugo et son fils en 1836, par Auguste de Chatillon.

Charles et Victor en 1840, par Louis Boulanger.

Lettre de Victor Hugo à son fils Victor (1840).

Hugo à l'Académie française, caricaturé par Mérimée.

Léopoldine Hugo, par Auguste de Chatillon.

Charles Vacquerie et Léopoldine, peu avant la tragédie de Villequier.

La maison des Vacquerie à Villequier.

La tombe de Charles et Léopoldine au cimetière de Villequier.

Léonie Biard, par Saunier.

Victor Hugo en 1848, pe[...]
Lafosse.

Lamartine, par Chassériau.

VICTOR HUGO

A SES CONCITOYENS.

Mes Concitoyens,

Je réponds à l'appel des soixante mille Electeurs qui m'ont spontanément honoré de leurs suffrages aux élections de la Seine. Je me présente à votre libre choix.

Dans la situation politique telle qu'elle est, on me demande toute ma pensée. La voici : Deux Républiques sont possibles.

L'une abattra le drapeau tricolore sous le drapeau rouge, fera des gros sous avec la colonne, jettera bas la statue de Napoléon et dressera la statue de Marat, détruira l'Institut, l'Ecole polytechnique et la Légion-d'Honneur, ajoutera à l'auguste devise : *Liberté, Egalité, Fraternité*, l'option sinistre : *ou la Mort*; fera banqueroute, ruinera les riches sans enrichir les pauvres, anéantira le crédit, qui est la fortune de tous, et le travail, qui est le pain de chacun, abolira la propriété et la famille, promènera des têtes sur des piques, remplira les prisons par le soupçon et les videra par le massacre, mettra l'Europe en feu et la civilisation en cendre, fera de la France la patrie des ténèbres, égorgera la liberté, étouffera les arts, décapitera la pensée, niera Dieu ; remettra en mouvement ces deux machines fatales qui ne vont pas l'une sans l'autre, la planche aux assignats et la bascule de la guillotine ; en un mot, fera froidement ce que les hommes de 93 ont fait ardemment, et, après l'horrible dans le grand que nos pères ont vu, nous montrera le monstrueux dans le petit.

L'autre sera la sainte communion de tous les Français dès à présent, et de tous les peuples un jour, dans le principe démocratique ; fondera une liberté sans usurpations et sans violences, une égalité qui admettra la croissance naturelle de chacun, une fraternité, non de moines dans un couvent, mais d'hommes libres ; donnera à tous l'enseignement comme le soleil donne la lumière, gratuitement ; introduira la clémence dans la loi pénale et la conciliation dans la loi civile ; multipliera les chemins de fer, reboisera une partie du territoire, en défrichera une autre, décuplera la valeur du sol ; partira de ce principe qu'il faut que tout homme commence par le travail et finisse par la propriété, assurera en conséquence la propriété comme la représentation du travail accompli et le travail comme l'élément de la propriété future ; respectera l'héritage, qui n'est autre chose que la main du père tendue aux enfants à travers le mur du tombeau ; combinera pacifiquement, pour résoudre le glorieux problème du bien-être universel, les accroissements continus de l'industrie, de la science, de l'art et de la pensée ; poursuivra, sans quitter terre pourtant, et sans sortir du possible et du vrai, la réalisation sereine de tous les grands rêves des sages ; bâtira le pouvoir sur la même base que la liberté, c'est-à-dire sur le droit ; subordonnera la force à l'intelligence ; dissoudra l'émeute et la guerre, ces deux formes de la barbarie ; fera de l'ordre la loi des citoyens, et de la paix la loi des nations ; vivra et rayonnera, grandira la France, conquerra le monde, sera en un mot, le majestueux embrassement du genre humain sous le regard de Dieu satisfait.

De ces deux Républiques, celle-ci s'appelle la civilisation, celle-là s'appelle la terreur. Je suis prêt à dévouer ma vie pour établir l'une et empêcher l'autre.

VICTOR HUGO.

Illustration de Gervex pour les Châtiments : « *Souvenir de la nuit du 4* ».

Le passeport au nom de Lanvin utilisé par Hugo pour entrer en Belgique.

Adèle Hugo, par elle-même.

Camaret. René Drouet n'avait pas d'enfant de sa femme, Françoise, tante maternelle de Julienne. L'oncle et la tante s'étaient attendris devant le bébé. Ils avaient décidé de l'élever.

Premières années un peu sauvages, face à l'océan. Grandes courses sur la grève. L'enfant y a gagné un amour pour la mer qu'un jour elle fera partager à Victor Hugo. A neuf ans, on l'a placée chez les Dames de Sainte-Madeleine, rue Saint-Jacques, à Paris. Elle n'y a pas été heureuse. Les enfants étaient nourris de poisson « peu frais », de pommes de terre aigres, de fruits avariés. Terribles, les punitions. Quand on avait bavardé, il fallait faire une croix sur le plancher avec la langue. Dans un récit manuscrit, Juliette Drouet précise que les croix devaient être « marquées par la salive par terre et quelquefois on vous en imposait jusqu'à cinquante et soixante, mais toujours on avait des boutons ». Il y avait bien pis. Les élèves lavaient leurs assiettes et leurs couverts dans un récipient en terre. Si, par hasard, la religieuse trouvait dans l'eau grasse « quelques débris hideux », elle obligeait les responsables à les repêcher et à les manger.

Sept années dans ce couvent. Elle en sort dotée de l'une de ces éducations solides que dispensent, même aux filles pauvres, les pensions de ce temps-là. Nous sommes en 1822. Ici, un mystère. On ne retrouve la trace de Julienne, devenue Juliette, qu'au cours de l'hiver 1825. Qu'a-t-elle fait pendant ces trois ans ? En tout cas, le saut accompli peut à bon droit nous étonner. En 1825, l'ex-petite pensionnaire, confite en dévotion, pose nue chez Pradier, sculpteur à la mode, un athlète de trente-trois ans, à tête de mousquetaire, toujours drapé dans « une large tunique de velours de grenat dont les plis, ouverts sur la poitrine, laissent échapper des flots de dentelles ». De modèle, Juliette est naturellement devenue maîtresse. Des séances dans l'atelier est née une petite fille, Claire. Elle a quitté Pradier : incompatibilité d'humeur. Dans sa vie, bien des hommes se sont succédé : un graveur italien, plus âgé qu'elle de vingt-cinq ans — elle l'a suivi en Italie en 1828 —; le journaliste et auteur dramatique Fontan, homme d'esprit, mais coléreux ; le chroniqueur Alphonse Karr, laid comme le péché, plein de talent qui, le même jour, lui a demandé sa main et prié de lui procurer « cinq cents francs pour demain » ; d'autres encore. Le dernier en date est un Russe, le comte Pavel Demidov, dont la famille est propriétaire des plus colossales mines de l'Oural [1]. D'octobre 1831 à février 1832, Juliette l'a suivi à Florence où il possède des propriétés magnifiques. Elle est revenue à Paris reprendre sa place sur la scène du théâtre de la Porte-Saint-Martin.

Cette femme passionnée, amoureuse aussi de l'amour, dotée par la nature d'un corps splendide mais d'un tempérament exigeant, qui se donne tout entière à ceux, pauvres ou riches, qu'elle rencontre, est aussi actrice. Que l'on ne croie pas que le théâtre soit pour elle un alibi. Elle aime son métier de comédienne, même s'il lui a réservé bien des déboires. Réduite à la misère par sa rupture avec Pradier, elle a débuté à Bruxelles, très exactement le 6 décembre 1828. Elle a plu par sa beauté, déplu par sa maladresse. Les critiques retrouvées par Mme Jeanine Huas sont à cet égard édifiantes. Déçue par les Belges, désireuse aussi de retrouver sa fille Claire, elle a tenté l'aventure de Paris, a débuté au Vaudeville en juillet 1829. Passée l'année suivante à la Porte-Saint-Martin, elle y a débuté dans *l'Homme du monde* d'Ancelot et Saintine. Elle a eu droit à cette critique de *la Pandore* : « Une jeune personne, nommée Mlle Juliette, débutait dans la pièce par le rôle d'Emma ; cette actrice a joué la première partie de son rôle plus que faiblement, mais à mesure que l'intérêt se développe, le talent de l'actrice s'est révélé, et elle a souvent eu des inspirations qui lui ont valu des applaudissements. » *La Silhouette* l'a jugée « pleine d'heureuses dispositions » : éloge assez mitigé. Ce qui la sauve, c'est sa beauté. Quand elle est apparue dans *Aben Hamaya*, « souriante, svelte, le front ceint de pierreries, les épaules à peine voilées par une mousseline de couleur émeraude », la salle a éclaté en cris admiratifs. A l'Odéon, elle a créé, dans *le Moine*, un mélo, le rôle d'Antonia. *Le Courrier des théâtres* a jugé qu'on l'avait vue « sans déplaire dans un rôle qui n'a rien de favorable ». L'actrice est tombée amoureuse de l'auteur ; ce sont des choses qui arrivent. Louis-Marie Fontan était un Breton comme elle. Il l'a arrachée à Demidov dont la protection, quoi qu'en aient dit les biographes, ne semble pas s'être pro-

1. Les biographes de Hugo et de Juliette ont beaucoup erré en ce qui concerne l'identité de l'amant russe de la jeune femme. Le plus souvent, on a voulu qu'il s'agisse d'Anatole Demidov, futur époux de la princesse Mathilde. Les recherches approfondies et toutes récentes (1983) de M. Jean Savant, qui a disposé notamment d'une correspondance inédite de Pradier, nous convainquent qu'il devrait s'agir du frère aîné d'Anatole, Pavel.

longée après le voyage d'Italie. Le « splendide appartement » de la rue de l'Échiquier, qu'il lui aurait meublé, se situait en fait dans un immeuble qu'elle disait elle-même « blafard ». Le mobilier, elle l'avait acquis de ses deniers à un sieur Jourdain, tapissier. Ses créanciers, pour se couvrir des dettes qu'elle avait contractées, avaient saisi le tout, l'expulsant même de l'appartement placé sous scellés.

Car la belle Juliette n'a pas agi autrement que les jolies filles qui brûlent leur vie aux feux de la rampe. Pour l'emporter sur leurs concurrentes, les actrices de ce temps rivalisent d'élégance. Rien ne leur paraît trop beau : chaussures, robes, coiffures, bijoux. Juliette gagne quatre mille francs par an, payables par douzièmes. Avec une telle somme, un comédien peut vivre. Pas une actrice. Alors Juliette achète à crédit, signe des lettres de change — et ne les paye pas. Le 7 avril 1832, pour avoir omis de régler une dame Ribot, elle a été condamnée à garantir le remboursement d'une dette de huit mille francs. Si encore il n'avait existé que la dame Ribot ! Elle doit douze mille francs à l'orfèvre Janisset, mille francs au gantier Poitevin ; six cents francs à une blanchisseuse ; deux cent soixante francs à un coiffeur ; quatre cents francs à son « marchand de rouge ». Elle doit encore à plusieurs couturières et marchandes de tissu, à l'huissier Godard, à l'huissier Manière, à des avocats, à des usurières à qui elle a emprunté pour boucher les trous trop urgents, sans oublier le Mont-de-Piété où régulièrement elle porte des bijoux, des cachemires, des robes, jusqu'à des mouchoirs. Chassée de son appartement, Juliette a reçu l'accueil de sa seule véritable amie, Laure Krafft, fille d'architecte et musicienne, qui lui a cédé une chambre dans son appartement du boulevard Saint-Martin, au 5 *bis*.

Est-elle une épave, Juliette, au moment où elle rencontre Hugo ? Nullement. Une fille de théâtre bien de son siècle. L'argent qu'elle doit ? Elle n'y pense pas. S'il le faut, elle emprunte à un amant pour donner à un autre. Elle a, comme toutes ces filles-là, le cœur sur la main. Sur la scène, elle lit l'admiration dans le regard des hommes. Et la convoitise. Et le désir. Ce sont des satisfactions qui étourdissent. Le jour viendra bien où se présentera l'homme avec qui l'on fera sa vie. Il sera bon, indulgent — et riche. Aucune ne doute de le rencontrer un jour.

Confusément, les aspirations de Juliette l'entraînent vers

un autre but. A Alphonse Karr, elle a confié : « Il me semble que mon âme a des désirs comme mon corps, et mille fois plus ardents... Vous me donnez des plaisirs suivis de fatigue et de honte. Je rêve, au contraire, à un bonheur calme, uni. Écoutez, j'ai trop d'orgueil pour mentir : je vous quitterai, j'abandonnerai, vous, la terre et même la vie si je trouve un homme dont l'âme caresse mon âme, comme vous aimez et caressez mon corps... » Dès le premier instant qu'elle a vu Victor Hugo, elle a su — elle l'avouera plus tard — qu'à lui elle se donnerait tout entière. A conquérir cet homme réputé inaccessible, elle a juré d'employer toutes ses forces.

Comme l'avait prévu le perspicace Harel, Juliette a d'abord refusé le rôle de la princesse Négroni : trop court. Réaction d'actrice que, tout aussitôt, la femme a remise en question. Sur ce refus, elle a voulu s'expliquer avec le poète, lui a fait déposer un billet au théâtre : « Pouvez-vous me consacrer un moment, ce soir, après dix heures ? J'ai besoin de vous parler. » Elle est revenue sur une réaction qui n'était que d'amour-propre. Elle a écrit à Harel : « Il n'y a pas de petit rôle dans une pièce de M. Victor Hugo. » Elle répète donc avec ses camarades.

Journellement, Victor la rencontre. Avec lui, elle se montre tour à tour enjôleuse et coquette. Elle est trop experte pour douter de plaire au poète. Mais Hugo observe dans ses rapports avec elle une grande réserve. Les bourgeois, par préjugé, par atavisme, craignent la comédienne. Et, bourgeois, Hugo l'est. Profondément.

Cependant, comme malgré lui, inconsciemment, il ne la traite pas comme les autres actrices. Il lui baise la main — ce qui fait rire Frédérick Lemaître —, l'appelle « Mlle Juliette », ne la tutoie pas, comme le veut l'usage des théâtres. On en vient à une sorte d'intimité. Elle lui fait confidence de ses ennuis d'argent, d'ailleurs publics, les journaux ayant abondamment parlé du procès qui l'avait opposée à la marchande de cachemire. Victor s'émeut. Il lui fait remettre ce billet : « J'ai besoin de vous parler, pour vos intérêts, pauvre amie. Dites-moi où je pourrais vous voir, d'ici à une demi-heure. »

Le climat des répétitions est excellent. La pièce est forte, les acteurs y croient. Nul ne doute du succès. Pourtant, le 2 février 1833, jour de la première représentation, dès le premier acte, on entend un violent coup de sifflet.

— Comment, on siffle? s'écrie Harel. Qu'est-ce que ça signifie?

— Ça signifie, répond Victor, que la pièce est bien de moi.

Ce sifflet restera unique. A la fin du premier acte, les applaudissements éclatent avec « une incomparable furie ». Dans une loge, Adèle et Didine — sa première sortie! — prennent leur part de succès. A l'entracte, la porte bat, c'est le bon Dumas. L'admiration et le bonheur se lisent sur son visage. Il veut balbutier des félicitations, n'y parvient pas, saisit les mains d'Adèle et éclate en sanglots!

Le témoin: « L'intérêt de la pièce fut plus fort que tout; il y eut trêve du combat littéraire; les classiques comme les romantiques voulurent savoir ce qui allait arriver; il n'y eut plus au monde de tragédie ni de drame; il n'y eut plus d'auteur, ni d'acteurs, ni de théâtre, il y eut un fils qui allait être empoisonné par sa mère qui l'adorait; on n'applaudissait même plus. Lorsqu'à travers les éclats de rire et le joyeux refrain on entendit tout à coup le chant funèbre des moines, le frisson fut universel. Pour que la psalmodie eût toute sa réalité, on avait pris, au lieu de figurants, de vrais chantres de paroisse. L'entrée des moines, le contraste des cagoules avec les couronnes de fleurs, les cinq cercueils, l'apparition de Lucrèce Borgia aux jeunes gens, l'apparition plus terrible de Gennaro à sa mère, la dernière scène, tout fut un entraînement et un emportement; orchestre galeries, loges, tout se leva et applaudit des mains et de la voix; la scène fut jonchée de bouquets; le nom de l'auteur ne suffit pas au public qui réclama l'auteur lui-même. »

Hugo s'est élancé dans la loge de Mlle George pour lui dire son admiration. Harel, les cheveux ébouriffés, l'habit en désordre, entre tout effaré:

— M. Hugo, sauvez-moi la vie! On veut vous voir, on vous exige, on enjambe l'orchestre, on envahit le théâtre. Il faut absolument que vous paraissiez, ou l'on va tout casser!

Marmoréen, Hugo refuse:

— M. Harel, je donne au public ma pensée, non ma personne.

— Mais que leur dire?

— Dites que je suis parti.

Hugo n'ira pas saluer. Mais, lorsqu'il sort du théâtre, le public entier l'attend, l'applaudit, l'acclame. Chacun veut lui parler, s'approcher, le toucher. Tant bien que mal, on fait avancer un fiacre. Victor y pousse Adèle et Didine, monte à son tour. La foule dételle les chevaux ! On veut traîner la voiture du poète jusqu'à son domicile. Hugo n'y échappe qu'en descendant par l'autre portière. Entouré de ses amis les plus fidèles — certains, qui avaient pris du champ, sont, succès oblige, revenus ce soir-là — il décide de rentrer à pied jusqu'à la place Royale. La foule suit ! Jusque tard dans la nuit, elle restera agglutinée sous les arcades de l'hôtel Guéméné.

Harel écrira à Hugo : « Le plus grand succès d'argent obtenu sous mon administration est celui de *Lucrèce Borgia*. Les recettes des trente premières représentations présentent un total de 84 769 francs. Aucun autre ouvrage n'a, dans le cours d'une exploitation de huit années, égalé ou même approché ce chiffre. »

Juliette, malgré l'exiguïté de son rôle, a été remarquée. La critique et le public ont ressenti un même frémissement quand elle a prononcé la réplique : *Mon Dieu, qu'est-ce qui remplit tout le cœur ?* Théophile Gautier constatera : « Elle n'avait que deux mots à dire et ne faisait en quelque sorte que traverser la scène. Avec si peu de temps et si peu de paroles, elle a trouvé moyen de créer une ravissante figure, une vraie princesse italienne... » Quant à Victor, il ne songera pas à cacher son admiration : « Qu'elle est jolie, qu'elle est belle, quelle taille, des épaules superbes, un charmant profil, quelle charmante actrice, quel air décent et distingué ! Intentions et expressions justes, profonde émotion. Elle sent vivement ; il y a quelque rapport, dans sa voix et sa manière, avec Mme Dorval ; mais quelle différence pour le naturel et l'âme ; avec une année d'expérience, elle sera parfaite ; elle sera notre première actrice du genre. Quel jeu muet, quelle âme ! »

Le lendemain soir, ce n'est pas vers la loge de Mlle George que Hugo se dirige, mais vers celle de Juliette. Il frappe. Elle ouvre. Le beau regard tendre de l'actrice croise celui, grave, ému, de Hugo. Sur ce qui s'est passé ensuite, nous ne savons rien. Nous sommes sûrs seulement que Hugo est venu remercier Juliette de « l'éclat extraordinaire » qu'elle a su jeter sur son rôle. Nous sommes sûrs que, ce soir-là, il s'est attardé dans sa loge. Sûrs qu'il y est revenu le soir suivant, et les autres soirs. Sûrs que, maintenant, il vit dans l'attente de l'heure où il la retrouvera. Juliette ressent avec une ivresse mêlée d'étonnement cette étrange patience d'un homme amoureux : car elle ne doute pas un instant qu'il le soit.

La tradition est que l'on offre, dans les théâtres, la semaine du Mardi gras, des bals auxquels les acteurs convient leurs amis et connaissances. Le jeudi 14 février, Juliette et Victor se rendent ensemble à l'un d'eux. Est-ce ce soir-là que Hugo, pour la première fois, a laissé échapper l'aveu ? Probablement non. Plus tard, il lui écrira : « Tu sais qu'il y a un mot infini, je te le dis aujourd'hui comme je te l'ai dit pour la première fois le 16 février 1833 : je t'aime. »

Mais les actes ne suivent pas toujours les mots. Étonnement, déception de Juliette. Les hommes qu'elle a connus jusque-là se sont tous montrés beaucoup plus entreprenants ! Cette timidité est-elle chez Victor l'effet de l'inexpérience ? Plus probablement elle représente son ultime hésitation devant l'inconnu. Juliette, femme experte, sent qu'il lui appartient de lever les derniers scrupules de Victor. Cette nuit-même, elle lui écrit une lettre qu'il recevra le lendemain chez lui : « Merci, mon Bien-aimé Victor, de tout le bonheur que tu me donnes. Merci de ta croyance à l'avenir. Il y a déjà, entre nos âmes, une alliance sainte — qui ne peut pas être rompue. Nos projets ne réussiraient pas encore qu'il ne faudrait pas nous décourager. Au revoir, mon cher ange, à demain mon bien-aimé Victor. A demain le Bonheur. Demain, nous sentirons nos deux âmes se toucher sur nos lèvres. »

Or, trois jours vont s'écouler encore sans qu'il se passe rien ! Elle ne comprend pas, elle ne comprend plus. Le 19, soir du Mardi gras, c'est au foyer du Gymnase que doit être donné le bal quasi quotidien, suivi cette fois d'un souper. Hugo — qui décidément s'est mis à vivre pleinement l'existence des gens de théâtre — a accepté l'invitation. Il ira en compagnie de Juliette. Mais celle-ci est résolue à brusquer les choses. Qu'il vienne la chercher, oui, qu'ils aillent à ce bal, mais qu'au retour il agisse — enfin !

D'où le billet éperdu qu'elle adresse à Victor : « Viens me chercher, ce soir, chez Mme K. Je t'aimerai jusque-là pour prendre patience — et ce soir — oh ! ce soir, ce sera tout ! Je me donnerai à toi toute entière. J. »

Il est venu. Ils sont là tous les deux, dans le salon de Mme Krafft. En fait, ni elle ni lui n'ont envie d'aller à ce bal. Qui a prononcé la phrase qui allait déterminer tout leur avenir : et si nous n'y allions pas ? Elle, sans doute. Et ils ne sont pas allés au bal du Gymnase. Elle l'a entraîné dans la petite

chambre qui est la sienne : « Ce soir, ce sera tout. » Ce fut
tout. Huit ans plus tard, il lui écrira :

« T'en souviens-tu, ma bien-aimée ? Notre première nuit, c'était
une nuit de carnaval, la nuit du Mardi gras de 1833. On donnait, je
ne sais dans quel théâtre, je ne sais quel bal où nous devions aller
tous les deux. (J'interromps ce que j'écris pour prendre un baiser
sur ta belle bouche, et puis je continue.) Rien, pas même la mort,
j'en suis sûr, n'effacera en moi ce souvenir. Toutes les heures de
cette nuit-là traversent ma pensée en ce moment, l'une après l'autre,
comme des étoiles qui passeraient devant l'œil de mon âme. Oui, tu
devais aller au bal et tu n'y allas pas, et tu m'attendis. Pauvre ange !
que tu as de beauté et d'amour ! Ta petite chambre était pleine d'un
adorable silence. Au-dehors, nous entendions Paris rire et chanter,
et les masques passer avec de grands cris. Au milieu de la fête générale, nous avions mis à part et caché dans l'ombre notre douce fête à
nous. Paris avait la fausse ivresse ; nous avions la vraie. N'oublie
jamais, mon ange, cette heure mystérieuse qui a changé ta vie. Cette
nuit du 17 février 1833 a été un symbole et comme une figure de la
grande et solennelle chose qui s'accomplissait en toi. Cette nuit-là,
tu as laissé au-dehors, loin de toi, le tumulte, le bruit, les faux
éblouissements, la foule, pour entrer dans le mystère, dans la solitude et dans l'amour. »

Émerveillement de la découverte d'un corps et d'une âme.
Ivresse, exaltation. Hugo lui écrira encore : « Le 26 février
1802, je suis né à la vie, le 17 février 1833, je suis né au bonheur dans tes bras. La première date, ce n'est que la vie, la
seconde c'est l'amour. Aimer, c'est plus que vivre. » Le lecteur aura remarqué cette date du 17 février citée par deux
fois. En tête du *Livre de l'anniversaire* que composera
Juliette, elle a collé le billet d'invitation au bal d'artistes
annoncé au théâtre du Gymnase, le *Mardi gras 19 février*.
Toute la lettre de Hugo évoque l'ambiance de ce Mardi gras :
la date du 19 février ne fait donc aucun doute. Pourtant, tout
au long de sa vie, Hugo commettra l'erreur de fêter le
17 février l'inoubliable événement. Et Juliette s'est abstenue
de le détromper.

Hugo à Juliette, 20 février 1849 : « Je n'oublierai jamais cette matinée où je sortis de chez toi, le cœur ébloui. Le jour naissait. Il pleuvait à verse, les masques déguenillés et souillés de boue descendaient de la Courtille avec de grands cris et inondaient le boulevard
du Temple. Ils étaient ivres, et moi aussi, eux de vin, moi d'amour. A

travers leurs hurlements, j'entendais un chant que j'avais dans le cœur ; je ne voyais pas tous ces spectres autour de moi, spectres de la joie morte, fantômes de l'orgie éteinte ; je te voyais, toi, douce ombre rayonnante dans la nuit, tes yeux, ton front, ta beauté, et ton sourire aussi enivrant que tes baisers. Ô matinée glaciale et pluvieuse dans le ciel, radieuse et ardente dans mon âme ! »

De cette nuit, elle et lui sont sortis éblouis. Dans les bras de la femme aimée, il a connu des plaisirs jusque-là ignorés. Il s'est étonné de ses propres dons restés — si longtemps — assoupis au creux du lit conjugal. Sur le théâtre, il l'avait vue belle, désirable. Nue dans ses bras, il a pu s'enivrer de ce cou, de ces épaules, de ces bras dont Gautier exaltait la « perfection tout antique », dignes de « Praxitèle méditant sa Vénus ». La différence, c'est que la Vénus de Praxitèle était de marbre et que celle que Victor avait dans ses bras s'animait au-delà du miracle.

Cinquante années d'amour viennent de commencer. Cinquante années !

L'homme qui, à l'aube regagne l'appartement endormi de la place Royale sait-il vraiment où il va ? Et elle qui, au fond d'un lit redevenu solitaire, garde dans le cœur et sur le corps la trace de tant de baisers brûlants ?

Victor à Juliette, 7 mars 1833 : « Je vous aime, mon pauvre ange, vous le savez bien, et pourtant vous voulez que je vous l'écrive. Vous avez raison. Il faut s'aimer, et puis il faut se le dire, et puis il faut se l'écrire, et puis il faut se baiser sur la bouche, sur les yeux, et ailleurs. Vous êtes ma Juliette bien-aimée. Quand je suis triste, je pense à vous, comme l'hiver on pense au soleil, et quand je suis gai, je pense à vous, comme en plein soleil on pense à l'ombre. Vous voyez bien, Juliette, que je vous aime de toute mon âme. Vous avez l'air jeune comme un enfant et l'air sage comme une mère, aussi je vous enveloppe de tous ces amours-là à la fois. Baisez-moi, belle Juju ! »

Comment douter qu'il y ait là de l'amour et du meilleur ? Et cependant, on sent ici quelque réserve, surtout quand on compare avec les lignes écrites par Juliette : « M. Victor Hugo. En ville. Oh ! je t'aime mon Victor, tu es toute ma vie — mes regards — mon souffle tout est à toi — je t'attends. Juliette. »

Rien ne manque à cette liaison qui s'engage, pas même la

jalousie. Et celle-ci vient, non de Victor, mais de Juliette. Il lui a
dit vouloir se rendre à un bal — encore un — sans elle. Elle n'en
accepte même pas l'idée, qui la rend folle : « Je souffre trop de la
pensée que vous allez vous trouver au milieu de femmes charmantes et heureuses pour que vous puissiez le faire sans être
coupable envers moi. » D'où un véritable ultimatum : « Si vous
ne me répondez, d'ici à minuit, je comprendrai que vous tenez
peu à moi... et que tout est fini... et à tout jamais. » On se réconcilie : comment pourrait-il en être autrement ? C'est au tour de
Hugo d'être jaloux : « Soi-disant, tu allais chez Frédérick Lemaître, tu as fait des affaires. Tu m'as dit : veux-tu que je ne fasse pas
mes affaires et que je meure de faim ? Il a fallu y aller, tout quitter, me planter là... Il n'y avait rien de vrai... » Réponse de
Juliette : « Dieu m'est témoin que je ne t'ai pas trompé dans
notre amour une seule fois depuis quatre mois... » Casuistique
évidente. Il y a là trois mots de trop : « dans notre amour » [1].
Juliette établit une différence entre le don de son corps sans
plaisir et l'offrande totale : très exactement la distinction que
font les courtisanes. Victor, lui, la veut toute à lui. A lui seul. Or il
n'est pas riche. Marié, il ne songe pas à quitter sa femme ni ses
enfants. Dans son monde et en son temps, cela ne se fait pas. A
Juliette, il demande tout et n'offre rien — que son amour.

Cet étrange marché, parce qu'elle l'aime d'un amour plus
fort que la raison, Juliette va l'accepter. Elle n'a pas eu
conscience jusque-là de sa « déchéance », conséquence de
tant d'amours successives et intéressées. Victor Hugo va
prendre à tâche de la ramener à la réalité : « Même dans
votre chute, je vous regarde comme l'âme la plus généreuse,
comme la plus digne et la plus noble créature que le sort ait
jamais frappée. Ce n'est pas moi qui me réunirai aux autres
pour accabler une pauvre femme terrassée. Personne
n'aurait le droit de vous jeter la première pierre, excepté
moi... » Dans une autre lettre : « Le ciel a fait mes mains pour
réparer ta vie à demi écroulée. » Elle qui vivait sans remords,
dans une heureuse cécité, tout à coup, il lui révèle qu'elle est
à plaindre. Le plus curieux est qu'elle va entrer aussi complètement que possible dans ce jeu singulier. Volontiers, elle
s'humilie, reconnaît hautement ses fautes. Elle veut expier.
Elle expie. Voici une lettre datant de ces premiers mois de
1833 et qui nous la révèle dans sa nudité :

1. Jeanine Huas.

« Victor, j'ai à subir les conséquences de ma vie passée, de ma vie sans amour. Il y a une plaie, il faut la brûler avec un fer rouge. Il faut une souffrance après la souffrance, des angoisses après les angoisses. Je souffrirai car je t'aime, je t'aime tant! J'éprouverai d'affreuses tortures, mon cœur sera mâché — hâché. Et toi! toi!... Mais il faut couper le membre gangrené, il faut à tout prix enterrer le cadavre — qui se place froid entre nos baisers. Tout comme les martyrs nous trouverons une vie céleste, une nouvelle vie que nous recommencerons ensemble, une vie d'oubli, de bonheur, de bonheur pur comme mon âme. Car mon âme est restée pure quand mon corps a été profané. elle est restée pure et vierge. Nous vivrons ensemble, pauvres et heureux, riches d'amour et de poésie. Si dans cette lettre quelque chose froisse ton cœur, pardonne. Je l'espère par les larmes que je verse en t'écrivant. Samedi 4 h... à ce soir! Juliette [1]. »

Juliette a-t-elle cru un moment que Hugo quitterait tout, et d'abord Adèle, pour elle ? La lettre qu'on vient de lire pourrait le donner à penser. Les mots *nous vivrons ensemble* sont apparemment sans ambiguïté. Gardons-nous pourtant de nous fier aux apparences. Hugo n'est pas le premier homme marié qu'ait connu Juliette. Le genre de vie qu'elle a choisi lui a enseigné le partage. Aussi elle a trop conscience de ce qui la sépare de son amant génial. Si elle parle de ver de terre amoureux d'une étoile, elle n'hésite pas : le ver de terre, c'est elle. Même dans ses moments de fureur, elle demeure en posture d'humilité. Qu'elle ait, comme toute femme amoureuse, rêvé d'avoir Victor tout à elle, c'est évident. Soyons assuré que la dure raison est vite venue imposer silence à la folle du logis.

Quant à Hugo, à aucun moment — je dis bien : à aucun moment — l'idée ne lui est venue de vivre avec Juliette. Il ne se leurre ni ne nous leurre quand il répète, sous cent formes différentes, qu'il est né une seconde fois à la vie le 17 février 1833. Depuis deux ans, une amère certitude le poursuivait : il avait perdu l'amour de sa femme. Le triomphateur apparent de ces années-là n'était qu'un homme désespéré, frôlant à certains moments un dangereux état psychique. Dans les bras de Juliette, il retrouve quelque chose de capital qui n'est rien moins que son identité. De nouveau, il peut croire en un avenir. La victoire d'aujourd'hui prend le dessus sur la

1. *Bibliothèque nationale* Mss. NAF 16322 cotée 72.

défaite d'hier. Il tient tant à cet amour neuf qu'il est prêt à tout supporter : l'idée difficile à admettre pour le bourgeois qu'il restera toujours que cette passion s'adresse à une femme « perdue » ; les scènes épuisantes qui éclatent à tout instant entre eux, qu'elles soient de son fait ou de celui de Juliette. C'est qu'elle n'est pas facile à vivre, Juliette ! Malgré ces tempêtes, Hugo ne brisera rien. Jamais. Perdre Juliette ! Cette seule idée lui fait monter aux lèvres un goût de cendre et de mort.

Ce qui ne veut pas dire qu'il ait songé à quitter sa femme. Adèle, dans son esprit, reste la mère de ses enfants. Et ses enfants comptent pour lui plus que tout au monde. Pas plus qu'Adèle n'a pensé à laisser son mari pour Sainte-Beuve, Hugo n'a jamais imaginé abandonner Adèle pour Juliette. Les convenances bourgeoises ? Bien sûr. Mais on se tromperait fort en leur attribuant une prédominance qu'elles n'ont pas eue dans la réalité. Si Victor a tant souffert de s'être vu préférer Sainte-Beuve, c'est parce qu'il aimait toujours sa femme. L'irruption de Juliette dans sa vie n'a pas fait taire complètement cet amour-là. Seulement, une immense tendresse prendra peu à peu le pas sur cet amour-passion dont la blessure est si longtemps restée à vif. Les rancœurs, les colères, il les réservera maintenant à Sainte-Beuve. Plus à sa femme. Même au plus fort de son amour pour Juliette, il ne cessera jamais d'aimer Adèle. Il l'aime différemment, voilà tout. Mais il a besoin d'elle, de sa douce présence dans la maison, de cette connivence qui fait une famille, d'habitudes devenues une autre nature. Il aime Juliette, mais il a parfaitement conscience qu'une séparation d'avec Adèle lui serait un intolérable arrachement. Donc il n'y pensera pas.

Pour que Juliette puisse rentrer chez elle, rue de l'Échiquier, Victor va se porter garant, auprès du tapissier créancier, du paiement de sa dette. Fin juin 1833, elle retrouve le petit appartement. C'est là que désormais se déroulent leurs rencontres — et leurs étreintes. Là aussi qu'éclatent des scènes de plus en plus violentes. Elle a du caractère, Juliette ! Du temps de sa liaison avec Pradier, le sculpteur conservait le souvenir quasi épouvanté des algarades qu'il lui devait. La première fois que Hugo lui a parlé de ses turpitudes passées, elle a frémi, elle a eu honte, elle s'est humiliée. La dixième fois, elle a trouvé cela insupportable. Un jour que Hugo a vraiment dépassé les bornes, elle a couru, après son départ, à la coiffeuse où elle enfermait les lettres de son amant et les a déchirées en mille morceaux. Après quoi, elle les a brûlées. L'apprenant, Hugo est au désespoir : ces pages, il estimait qu'elles contenaient le meilleur de sa prose. Quelle perte pour la postérité ! Un siècle plus tard, André Gide réagira de façon parfaitement identique. Même en amour, l'écrivain se garde d'oublier son œuvre.

Quelque temps, elle lui a tu ses dettes. En dehors du théâtre — qui compte toujours beaucoup pour elle — et de l'amour, elle épuise son temps à chercher de l'argent. Elle continue à ouvrir un trou pour en boucher un autre : « Je vais aller chez Janisset et, de là, chez M. Pradier, si je ne réussis pas chez Janisset, pour de l'argent dont j'ai absolument besoin. Attends-moi, tout cela ne me retiendra pas plus d'une heure. Je t'aime. Je t'aime. » Ils sont déchirants, les billets qu'elle adresse à Hugo : « Mon huissier pense que cette affaire pourra s'arranger d'ici à jeudi. Je tremble tant que je ne puis pas écrire... » Parfois, son anxiété atteint le paroxysme : « Je suis folle, folle... » Elle accuse son amant : « Tu m'abandonnes toujours au moment du danger. Ah ! Victor, Victor, tu es bien coupable, et moi bien malheureuse... » Elle en devient injuste car, avec l'appartement de la place Royale, une femme, quatre enfants, Hugo supporte des charges de plus en plus lourdes. Pourtant, il fait ce qu'il peut : « Cet argent est à vous. Je viens de le gagner pour vous. C'est le reste de ma nuit que j'ai voulu vous donner... La plume m'est vingt fois tombée des mains. Mais c'était pour vous. J'ai travaillé... Adieu, je voudrais trouver en ce moment les mots les plus doux pour vous parler. Je voudrais votre cœur aussi calme que le mien est déchiré. Je vous plains, je vous pardonne et je vous bénis. »

On se dispute. On se réconcilie sur l'oreiller. Humiliée, elle s'en veut d'avoir cédé : « Je vous demande pardon d'avoir consenti à vous appartenir, après ce qui s'était passé entre nous. » Elle l'injurie, pleure, sanglote, puis se jette dans ses bras. Ce qu'ils sont, au cours de tous ces premiers mois : de merveilleux amants, mais des amants terribles. Au tumulte succèdent des moments de bonheur absolu. Juliette se raconte, Hugo l'écoute. Lorsqu'elle évoque la Bretagne et son enfance, il rêve sur cette enfance et cette Bretagne qu'il ne connaît pas. Par elle il apprend beaucoup. Il arrive à Juliette de répéter avec fierté : « Je suis peuple. » Depuis longtemps, Hugo cherche ce peuple qu'il entrevoit sans bien le comprendre. Par Juliette, il s'en rapprochera.

Ce qui le touche aussi — profondément — c'est l'émerveillement toujours renouvelé et continûment exprimé par Juliette devant l'œuvre de *son* poète. Elle raffole de poésie, de littérature. Quand Hugo tire un manuscrit de sa poche, elle le lui arrache des mains, le déchiffre avec des cris de joie. Comme cela le change de la passivité d'Adèle, toujours prompte à redire qu'elle ne se sent pas à même de juger les œuvres de son mari ! Ce qui les lie encore, c'est que le sentencieux Victor s'est, tout à coup, et sans que rien n'annonce ce changement, senti redevenir un adolescent. En un instant, il perd ses airs graves pour retrouver la gaieté d'un enfant. Alors qu'elle le croit plongé dans des pensées abyssales, il lance un affreux calembour dont elle s'esclaffe. Dans ces moments, Juliette rit à perdre haleine et, bien sûr, cela s'achève au lit. Ce qui n'empêchera pas le lendemain une nouvelle scène et, tout à coup, la furieuse et solennelle promesse de ne plus se revoir. Jamais.

Au théâtre, Juliette trouve de plus en plus souvent des visages hostiles. Mlle George accepte mal que les hommages de son auteur aillent à une autre qu'à elle-même. Ce n'est pas de la jalousie, mais autre chose que comprendront tous ceux qui ont quelque jour fréquenté des coulisses. Juliette s'en afflige, se plaint à Hugo, ce qui n'arrange rien. Est-ce pour cette raison que, fin avril, Hugo apprend que Harel suspend en plein succès les représentations de *Lucrèce Borgia* ? Hors de lui, Victor lui écrit pour lui dire que plus jamais le directeur n'aura une pièce de lui. D'où un échange de lettres pleines de rage. Harel, se jugeant offensé, demande réparation. Place Royale, la lettre arrive en l'absence de Victor. Adèle l'ouvre. Terrorisée, elle la cache. Hugo devine tout, annonce à Harel l'envoi de ses témoins. Les duels entre gens de théâtre s'achèvent rarement sur le terrain. Harel reprend *Lucrèce*. Magnanime, Victor lui promet sa prochaine pièce !

Autour de Hugo, les amis — pas seulement les amis — s'étonnent de le voir si rarement chez lui. Sa liaison avec Juliette est devenue la fable de Paris. Le bon Victor Pavie s'alarme. Décidément, il est promis au rôle de confident des deux parties. Sainte-Beuve lui avait tout dit de ses amours. Hugo lui écrit, le 25 juillet :

« Je n'ai jamais commis plus de fautes que cette année, et je n'ai jamais été meilleur. Je vaux bien mieux maintenant qu'à mon temps d'*innocence* que vous regrettez. Autrefois, j'étais innocent ; maintenant, je suis indulgent. C'est un grand progrès, Dieu le sait. J'ai auprès de moi une bonne et chère amie, cet ange qui le sait aussi, que vous vénérez comme moi, et qui me pardonne et qui m'aime. Aimer et pardonner, ce n'est pas de l'homme, c'est de Dieu, ou de la femme. Certes, vous avez bien raison de dire que vous êtes mon ami. A qui écrirais-je ? Allez ! Je vois bien clair dans mon avenir, car je vais avec foi, l'œil fixé au but. Je tomberai peut-être en chemin, mais je tomberai en avant. Quand j'aurai fini ma vie et mon œuvre, fautes et défauts, volonté et fatalité, bien et mal, on me jugera. »

Ne nous méprenons pas, *l'ange* en question, ce n'est pas Juliette, mais Adèle. Il est vrai qu'Adèle sait maintenant l'existence de Juliette. Ce pardon dont s'enchante apparemment — ou se vante — Hugo, elle se voit bien forcée de le donner. Elle a Sainte-Beuve, comment interdirait-elle à Victor d'avoir Juliette ?

Cette nouvelle pièce que Hugo a promise à Harel, il faut qu'il l'écrive. Depuis quelque temps, un sujet s'est imposé à lui, celui de Marie Tudor, cette sœur de la grande Élisabeth que, pour des raisons évidentes, ses contemporains surnommaient « Marie la sanglante ». Le portrait de la femme le tente, précisément par tout ce qu'il présente d'excessif. De Lucrèce à Marie, il se juge dans une continuité. Mais, autour de la reine, son imagination le conduit à placer une intrigue imaginée de toutes pièces — on le lui reprochera — une histoire d'amour fort invraisemblable dont le héros est l'ouvrier Gilbert, antagoniste du gentilhomme Fabiani. Au moment où Gilbert comprend qu'un duel entre lui et Fabiani est impossible, Gilbert s'écrie : « Ô rage, être du peuple ! » Ainsi réagira Ruy Blas face à Don Salluste. L'essentiel de *Marie Tudor* n'est pas là. Hugo imagine un personnage de femme qu'il nomme Jane, une pauvre fille portant le poids d'un passé de faiblesse et que l'amour régénère. Cette charmante Jane, à laquelle son amant pardonne, ressemble à s'y méprendre à la chère Juliette. Quel plus beau cadeau un poète peut-il offrir à la femme qu'il aime que de créer un personnage à son image ? Dès que Juliette a su que non seulement elle inspirait Victor, mais que celui-ci ne concevait pas qu'une autre puisse incarner Jane au théâtre, elle s'est sentie enivrée de bonheur et de fierté. Comme elle saura dire à Gilbert : « Ah ! Vous ne savez pas combien l'amour qui a des torts à se reprocher est un amour profond, exclusif et désespéré !... » Ou encore : « Comment te faire comprendre à quel point tu es tout pour moi, à quel point je suis confuse, repentante et à genoux devant toi ? » Comme elle saura avouer qu'elle est « une malheureuse fille du peuple, pauvre et vaine, folle et coquette, amoureuse de parures et de beaux dehors, qui se laisse éblouir par la belle mine d'un grand seigneur » ! Combien elle saura écouter l'amant rédempteur quand il lui pardonnera : « Comme Dieu, en purifiant ! »

Le 8 août, Victor Hugo commence à écrire *Marie Tudor*. Comme pour *Lucrèce Borgia*, il a choisi la prose. Le 1er septembre, à 8 heures du soir, il achève une première version de la pièce, dans laquelle Fabiani est sauvé, cependant que Gilbert est exécuté. A une date que nous ignorons, il inversera le dénouement.

Entre la composition du premier et du second acte, profitant d'une absence de sa famille, une étrange idée est venue à Victor. Il a voulu que Juliette découvre cet intérieur dans lequel non seulement il travaille, mais veille et dort. Ainsi pourra-t-elle, à tout instant, le suivre par la pensée. Ahurissante psychologie qui nous rappelle l'erreur fatale commise avec Sainte-Beuve. Le 13 août, en termes mesurés mais profondément affligés, Juliette exprimera très exactement ce qu'elle pense — et que nous pensons avec elle — de cette initiative bien fâcheuse :

« Savez-vous que vous êtes bien charmant de m'avoir ouvert les portes de chez vous, c'était plus que de la curiosité satisfaite pour moi et je vous remercie de m'avoir fait connaître l'endroit où vous vivez, où vous aimez, et où vous pensez. Mais, pour être sincère avec vous, mon cher adoré, je vous dirai que j'ai rapporté de cette visite une tristesse et un découragement affreux. Je sens bien plus qu'avant combien je suis séparée de vous et à quel point je vous suis une étrangère. Ce n'est pas de votre faute, mon pauvre bien-aimé, ce n'est pas de la mienne non plus ; mais c'est comme cela ; il ne serait pas sensé que je vous attribue dans mon malheur plus de part que vous n'y avez, mais je puis sans cela, mon cher bien aimé, vous dire que je me trouve la plus misérable des femmes. »

Est-ce pour cette raison que les scènes recommencent, plus violentes encore ? Après une altercation particulièrement affreuse, au cours de laquelle Victor l'a bassement injuriée, Juliette fait le serment de quitter Paris avec sa fille :

« Moi, j'irai à l'étranger. Telle que je suis, je puis encore y gagner ma vie, c'est autant qu'il faut, n'est-ce pas ? Mais tout ceci n'est pas l'important, l'important, le voici : c'est de partir le plus tôt possible, aujourd'hui même, pour nous mettre tous les deux à l'abri de nos atroces folies... Je ne garde même pas l'espérance, je vous laisse mon âme, ma pensée, ma vie, je n'emporte que mon corps, ne le regrettez pas. »

Elle ne partira pas. Même, quelques heures plus tard, elle le supplie de ne pas la laisser : « Tâche de m'aimer assez pour accepter ma vie telle que le mauvais sort l'a faite. »

Avec le mois de septembre est revenu le séjour annuel au château des Roches. Après les bourrasques et les ouragans, le calme immense et le recueillement de la chère vallée. Mais Victor ne peut supporter d'être trop longtemps éloigné de Juliette. Celle-ci encore moins. Très souvent, Bertin ramène son ami en voiture à Paris. Pendant ce temps, Adèle, reprenant ses courses solitaires, rejoint le visiteur à peine clandestin qu'est devenu Sainte-Beuve. D'autres fois, c'est la messe du dimanche qui sert de prétexte.

Anticipons. C'est aussi dans cette église de Bièvres que, l'année suivante, Hugo conduira Juliette !

C'était une humble église, au cintre surbaissé,
L'église où nous entrâmes,
Où depuis trois cents ans avaient déjà passé
Et pleuré bien des âmes [1] ...

Cet été-là, une belle amitié va se trouver ternie. *Le Journal des débats* publie un article insultant pour Alexandre Dumas. Un article anonyme. De bons amis viennent rappeler à l'auteur d'*Antony* que Bertin et Hugo sont intimes, que Hugo était l'hôte de Bertin quand l'article a paru, que sans doute il l'a inspiré, peut-être dicté. Ces choses-là, l'offensé les croit volontiers. Granier de Cassagnac aura beau proclamer publiquement qu'il est l'auteur de l'article, Bertin pourra regretter l'erreur d'une publication à lui seul imputable, un voile de doute et d'amertume s'est abattu entre l'amant de Juliette et le bon géant à la peau sombre. L'affaire de *Marie Tudor* précipitera la brouille.

1. *Les Chants du crépuscule.*

Sans cesse, au cours des répétitions, Mlle George et Juliette
se sont heurtées. L'acteur Bocage, estimant avoir été traité
par « Mlle Drouet » avec impertinence, a rendu son rôle. Dans
son dos, Juliette entend sans cesse chuchoter. Elle prend
peur, se crispe, joue faux, écrit à Victor : « Ces gens m'ont ôté
la confiance en moi. Je n'ose plus, je ne peux plus répéter, je
suis paralysée. » A la veille de la première, on répète dans
Paris que la pièce n'est pas bonne, que l'auteur a osé mettre
sur la scène le bourreau et que, d'ailleurs, Mlle Juliette est
mauvaise. Harel convoque Hugo, lui déclare : « Mlle Juliette
est impossible ; Mlle Ida, maîtresse de Dumas, sait le rôle et
elle est prête à le jouer. » Hugo refuse catégoriquement mais,
au soir du 6 novembre, Juliette paraît dans un tel état de fatigue et de panique que Harel remet la première au lendemain.

Léopoldine à Louise Bertin : « La pièce de papa *Marie Tudor*
passe jeudi prochain décidément et papa nous a dit qu'il
aurait une illumination à la fin et qu'on tirait des coups de
canon et cela me fait bien peure. » Didine, neuf ans, n'en assistera pas moins à la première, comme d'ailleurs désormais à
toutes les créations et reprises des pièces de son père.

Arrive le jour de la première. La rumeur publique a
annoncé l'une de ces soirées tumultes dont on a pris l'habitude avec Hugo. Dès avant le lever du rideau, un vacarme
assourdissant règne dans la salle. Les amis de Hugo se mettent à hurler plutôt que chanter *la Marseillaise*, « bruit
sublime, écrira l'envoyé du *Charivari*, à abasourdir un roi, à
réveiller un académicien ». Applaudissements forcenés des
amis, clameurs de protestation des autres. « Dans cette mêlée
chaude, dit le journaliste du *Charivari*, nul spectateur n'est
impartial. » Les trois coups enfin. Le rideau qui s'ouvre. La
tour de Londres qui surgit, « fantastique et sombre », du
brouillard de la nuit. On écoute le premier acte dans un
silence relatif. Au second, on commence à murmurer, à rire —
à siffler. Le déchaînement est pour le troisième acte. Il
devient à peu près impossible d'entendre s'affronter la reine
Marie et l'infortunée Jane, alarmées l'une et l'autre par le destin de leur amant respectif. En vraie professionnelle, Mlle
George joue, très à l'aise, comme si elle baignait dans une
atmosphère d'adulation. De temps à autre, quand monte le
vacarme, sa voix s'élève, simplement. Juliette, elle, ne sait
même plus où elle en est. On la fustige, elle en a parfaitement
conscience. Ce qui déplaît, c'est sa maladresse, son trac trop

apparent, aussi l'étrange attitude que, tout au long de son rôle, elle a choisi d'adopter : « La tête sans cesse baissée, elle avait l'air de chercher une épingle tombée de son joli costume, dira le chroniqueur du *Courrier des théâtres*. L'effet de cette mauvaise pose était affreux, quand on voyait l'actrice par-derrière ; à ces épaules sans l'ornement principal, on aurait dit une horrible décollation !... pardon de l'image, mais elle est exacte ! Point de voix, nulle sûreté dans la diction, point de sentiment dramatique et beaucoup de manières, telle a été mademoiselle Juliette. »

L'échec est irrémédiable. Et le désespoir. Et la honte. Elle tremble de fièvre, lorsque Hugo la reconduit chez elle. Elle traverse une nuit hagarde où la hantent les remords de son passé, l'accablement de son présent. Le lendemain, quand Hugo vient aux nouvelles, il la trouve trempée de sueur, blême, avec de grands cernes sous les yeux. Dans un tel moment, comme il l'aime ! Mais lorsque, fort peu à l'aise, il annonce que c'est Mlle Ida qui jouera le soir, le désespoir de Juliette se déchaîne, affreux, incoercible. Est-ce ce soir-là, est-ce le lendemain qu'il lui laissera cette lettre :

« Vous n'avez pas cessé, un seul instant, d'avoir l'accent vrai, l'accent passionné, l'accent pathétique. Ceux qui n'écoutaient pas se plaignaient de n'avoir pas entendu. Laissez-les dire. Vous avez été belle, touchante à la fin, vous étiez belle et charmante au commencement. Tout ce que vous avez dit, vous l'avez dit sans perdre un instant le sentiment délicat des nuances, chose rare et difficile dans la passion. Vous avez dignement tenu tête à la reine dans la scène du dénouement ; et, là, il était beau de ne pas succomber ; ce n'est pas la lutte de deux femmes, c'est Jane contre Marie, c'est la gazelle contre la panthère. Soyez tranquille, on vous rendra toute justice un jour... »

Peu à peu, dans ses bras, elle se calme. Qu'en serait-il si elle savait que, à part une brève reprise de *la Chambre ardente* en novembre, elle ne jouera plus jamais ?

Si, au début de 1834, Hugo publie une étude sur Mirabeau, ce n'est nullement l'effet d'une coïncidence. Après le succès de *Lucrèce*, il avait pu croire les haines apaisées. *Marie Tudor* les a plus que jamais déchaînées. La presse, même celle qu'il croyait acquise, ne lui passe plus rien. Les petits théâtres le moquent, les amis s'éloignent. « Lamennais réduit au silence, note Sainte-Beuve, ruiné et sans disciples ; Lamartine dans l'Orient désert, retranché des vivants par la mort de sa fille... *Eloa* captive et souffre-douleur de Mme Dorval [1]... ? »

Les plus intimes, même s'ils se taisent, lui reprochent Juliette. Presque fatalement, cet ostracisme l'a conduit à Mirabeau, lui-même poursuivi par l'intolérance, la jalousie, la vindicte. D'où un portrait chaleureux, plein de compréhension, presque de tendresse. A quel point il sait parler de l'envie qui suit Mirabeau comme elle l'assaille lui-même ! « A dater de ce moment, l'envie prit Mirabeau et ne le quitta plus. Avant tout, chose qui semble étrange et qui ne l'est pas, ce qu'elle lui contesta jusqu'à son dernier souffle, ce qu'elle lui nia sans cesse en face, sans lui épargner d'ailleurs les autres injures, ce fut précisément ce qui est la véritable couronne de cet homme dans la postérité, son génie d'orateur. Marche que l'envie suit toujours d'ailleurs ! C'est toujours à la plus belle façade d'un édifice qu'elle jette des pierres. »

Mais l'étude va bien au-delà. Elle prend son sens quand Hugo lance : « Le peuple, qui n'est pas envieux parce qu'il est grand... le peuple était pour Mirabeau. » Espère-t-il, Victor, que le peuple le vengera des insultes qu'il essuie ? Distingue-t-il pour lui-même, au-delà de la poésie et de la littérature, un autre destin ? A qui pense-t-il lorsqu'il écrit : « Après nos grands hommes de révolution, il nous faut un grand homme de progrès. » ? Il faut lire avec beaucoup d'attention les lignes que voici : « La Révolution française a ouvert, pour toutes les théories sociales, un livre immense, une sorte de grand testament. Mirabeau y a écrit son mot, Robespierre le sien, Napoléon le sien. Louis XVIII y a fait une rature. Charles X a déchiré la page. La Chambre du 7 août l'a recollée à peu près, mais voilà tout. Le livre est là, la plume est là. Qui osera écrire ? »

Toujours le même désenchantement devant l'immobilisme de Louis-Philippe et de son régime, la même rancœur face au coup d'arrêt que les hommes mis au pouvoir en juillet 1830 ont infligé à l'immense élan d'une génération, la même incertitude devant un avenir dont nul n'est capable de prédire quelle forme il prendra. Pour réagir, il faudrait un parti. Hugo le cherche. Il faudrait un homme. Hugo commence-t-il à rêver d'être celui-là ?

---

1. Rappelons que l'auteur d'*Eloa* est Alfred de Vigny.

Il achève son étude sur Mirabeau le 10 janvier. Le 12, il dédicace le manuscrit à Juliette : « A toi ma Juliette bien-aimée. » Le 13, une nouvelle et atroce dispute les déchire. Cette fois, Victor vacille. Rentré chez lui, il note : « Aujourd'hui encore son amant, demain... » Se séparer d'elle, retrouver le calme, la monotonie du quotidien, mais la paix : un moment, il a été tenté.

Hugo s'est délivré de la tentation. Il écrit à Juliette : « Je donnerais un siècle de paradis pour une heure dans tes bras. » Amants terribles — toujours.

Juliette a compris que désormais la Porte-Saint-Martin lui serait fermée : crime inexpiable, elle a encouru l'opprobre de Mlle George. Où ira-t-elle ? Un soir, Hugo se penche à son oreille pour lui chuchoter deux mots magiques : Comédie-Française ! Ses beaux yeux s'agrandissent, elle cesse de respirer : plaisante-t-il ? Nullement. Au Français, on souhaite enterrer la hache de guerre. Victor a laissé entendre qu'une réconciliation serait fortement aidée par l'engagement de Mlle Juliette. Il n'a pas reçu un accueil hostile : Mlle Juliette, lui a-t-on dit, ferait une bien jolie pensionnaire. Tout à coup, la voilà qui rêve. Elle que la presse belge a traitée si mal et la presse française guère mieux ; elle que l'on accablait de tous les reproches après *Marie Tudor* ; elle qui doutait de tout, à commencer d'elle-même : le Théâtre-Français ! Le stratège Hugo a rédigé de sa main un communiqué qu'il a demandé à Renduel de faire paraître dans *le Courrier français*. L'éditeur n'a rien à refuser à Hugo. Non moins averti, il recopie de sa main le communiqué de Victor, préférant que l'original ne coure pas les salles de rédaction : « Mlle Juliette, cette jeune actrice pleine de beauté et de talent, que le public a si souvent applaudie à la Porte-Saint-Martin, est sur le point de quitter ce théâtre. Plusieurs administrateurs dramatiques lui font en ce moment des offres d'engagement. Il est probable que c'est à la Comédie-Française que Mlle Juliette donnera la préférence. Son talent si digne et si intelligent l'appelle à notre premier théâtre. » La campagne les sert avec succès : le 13 février, Juliette est engagée, à trois mille francs par an comme pensionnaire. Elle se sent au-delà même du bonheur.

Le 17 — inaugurant cette erreur de deux jours qui les poursuivra toute leur vie — ils célèbrent leur premier anniversaire. *Victor à Juliette* : « Croire, espérer, jouir, vivre, rêver, sentir, aspirer, sourire, soupirer, vouloir, pouvoir, tous ces

mots-là tiennent dans un seul mot : aimer. De même, ma
Juliette, tous les rayons du ciel, ceux qui viennent du soleil,
ceux qui viennent des étoiles, ceux de la nuit comme ceux du
jour sont mêlés dans un regard de toi ! » Quelques jours plus
tard, il oublie de venir à un rendez-vous et derechef Juliette
crie sa colère et son chagrin : « Il est bien évident que vous ne
m'aimez plus, et que vous ne tenez à moi que par la crainte
de causer un grand malheur en vous éloignant. Il est bien
triste que ce soit le seul sentiment qui vous attache à moi et
je ne dois pas souffrir un dévouement inutile et humiliant. Je
vous rends votre liberté... Adieu, soyez plus tranquille et plus
heureux que moi. N'oubliez pas que nous avons été, un an
tout entier, heureux de notre seul amour... Adieu, pensez à
moi sans amertume. » Il accourt, il l'étreint, elle oublie.

L'ami Fontaney, parti de longs mois pour l'Espagne, vient
de revenir. Le 13 mars, le voilà chez Victor, enchanté de le
retrouver : « C'est bien Victor plus résolu que jamais et sur
tout. Nous nous embrassons ! Il est au moins celui-là ami
bon, fidèle et sûr. " Vous n'avez pas d'amis meilleurs que
moi, allez ", m'a-t-il dit. Après avoir corrigé les épreuves d'une
feuille de son nouvel ouvrage : *Journal d'un jeune jacobite*,
Victor s'en va dans la salle à manger préparer une surprise à
ses enfants. Il leur met à chacun sur la table un joujou, un
cadeau, des bonbons et puis, au milieu, sous un mouchoir, le
joli joujou du Chinois qui rit. Joie universelle. »

Ce *Journal d'un jeune jacobite* n'est autre qu'un chapitre
de son nouvel ouvrage, publié en ce même mois de mars et
intitulé *Littérature et Philosophie mêlées*. L'*Essai sur Mirabeau* en fait partie ainsi que le *Journal des idées et opinions
d'un révolutionnaire de 1830*. Il s'agit, explique-t-il, d'un examen de conscience. En fait, il a fondu dans l'ouvrage ses articles du *Conservateur littéraire* et de *la Muse française*,
d'autres publiés dans diverses revues et journaux. Le lecteur
trouvera pêle-mêle son texte sur Charles Dovalle, des articles
sur Voltaire, Walter Scott, Lord Byron, Ymbert Galloix, une
reprise de ses adjurations architecturales sous le titre déjà
fameux de : *Guerre aux démolisseurs !* Et puis des réflexions,
des aphorismes qui claquent ou font rêver, tous les thèmes
obsessionnels de sa vision politique. Ceci par exemple : « Très
bonne loi électorale (quand le peuple saura lire) : *Article Ier.* —
Tout Français est électeur. *Article II.* — Tout Français est éli-
gible. » Ou encore : « Les rois ont le jour, les peuples ont le

lendemain. » Puis : « J'admire encore La Rochejaquelein, Lescure, Cathelineau, Charette même ; je ne les aime plus. J'admire toujours Mirabeau et Napoléon ; je ne les hais plus. »

Qui est Hugo en 1834 ? Un homme assoiffé de liberté. Mais ne sachant pas où la liberté le mènera.

Quatre vingt-six lettres d'Adèle à Sainte-Beuve ont été recensées pour 1834 par Henry Havard. Les amants se retrouvent toujours dans des églises, dans leur « petite chambre », dans des fiacres. Plus tard, découvrant *Madame Bovary*, Sainte-Beuve soupirera : « Moi aussi j'ai eu mon fiacre ! » La tante Martine Hugo joue toujours l'entremetteuse. Adèle prie toujours pour la conversion de son amant. De ce côté-là, l'habitude accompagne l'amour.

Hugo a adressé à Sainte-Beuve, comme si de rien n'était, *Littérature et Philosophie mêlées*. Le critique en rendra compte, mais, comme à l'accoutumée, mêlera les compliments de quelque perfidie. Hugo ne s'y est pas mépris. *A Sainte-Beuve* : « J'aimerais mieux moins d'éloge et plus de sympathie... Victor Hugo est comblé, mais Victor, votre ancien Victor, est affligé. » Preuve que le « duel fourré » continue, Hugo affirmait dans sa lettre que cette impression désagréable, il ne l'avait pas ressentie seul : « *Nous sommes deux* à qui il a fait cet effet. » Le premier, le 30 mars 1834, Sainte-Beuve décide d'en rester là : « Faites-nous de belles poésies et je tâcherai de faire de consciencieux articles. Revenez à votre œuvre comme moi à mon métier. Je n'ai pas de temple et ne méprise personne. Vous avez un temple ; évitez-y tout scandale... » A l'instant même où il reçoit cette lettre, Hugo prend congé : « Il y a tant de haines et tant de lâches persécutions à partager aujourd'hui avec moi, que je comprends fort bien que les amitiés, même les plus éprouvées, renoncent et se délient. Adieu donc, mon ami. Enterrons, chacun de notre côté, en silence, ce qui était déjà mort en vous et ce que votre lettre tue en moi... »

De plus en plus, Hugo se sent concerné par la chose publique, impliqué, même. Si les politiques restent impuissants à résoudre la crise qui, depuis 1830, se perpétue, n'est-ce pas aux intellectuels de se substituer à eux ? Face à l'agitation qui ne s'apaise point, le pouvoir s'irrite. Le discours du trône de cette année-là a fait allusion à des « passions insensées » et à des « manœuvres coupables ». En février, des projets de loi ont été déposés, réglementant les crieurs publics — les crieurs ! —, exigeant de telles conditions aux associations que cela signifiait leur interdiction. Aussitôt, tout ce qui se voulait libre en France s'est ému. De toutes parts, les plaintes se sont élevées. Les ouvriers de Lyon, groupés justement en plusieurs associations, notamment « mutuellistes », ont publié une protestation portant 2 540 noms. La police a arrêté six des signataires. Les points névralgiques de la ville ont été occupés par dix mille hommes de troupe. Des barricades s'étant aussitôt dressées, on les a canonnées. Quatre jours de combats, une répression impitoyable. On a bombardé les quartiers insurgés depuis les forts des hauteurs. On a traité la ville comme pays conquis. Les derniers insurgés rabattus sur le centre ont été fusillés dans l'église des Cordeliers. Au cours de ce mois d'avril, d'autres mouvements ont éclaté à Lunéville, Saint-Etienne, Clermont, Chalon-sur-Saône, Marseille. Sans lendemain. Mais à Paris, le comité central des *Droits de l'homme* appelle au soutien des insurgés lyonnais. Thiers, ministre de l'Intérieur, supprime les journaux, fait arrêter les chefs et met quarante mille soldats sur le pied de guerre. Des barricades surgissent dans le Marais, rue Beaubourg, rue Aubry-le-Boucher, et encore rue Transnonain, celle-ci appelée à devenir tragiquement célèbre. Toute la troupe et les bourgeois furieux de la Garde nationale marchent contre ce réduit. On prend d'assaut les barricades, on massacre tout ce qui bouge. Dans un immeuble de la rue Transnonain, des caves jusqu'aux combles, on passe à la baïonnette tous les habitants, y compris femmes, vieillards et enfants. L'épouvante.

On va arrêter deux mille suspects. Pour tous les observateurs, il s'agit de la fin — provisoire — du parti républicain. Hugo est de ceux-là. Quand il pense à la république, il la voit se profiler sur un horizon de plus en plus lointain. Il ne se rallie pas pour autant à Louis-Philippe.

Au reste, dès qu'il devine qu'un événement va prendre corps dans Paris, il y court. Au moment de l'affaire de la rue Transnonain, il lui a été impossible de rester chez lui.

Il veut *voir* pour *comprendre*. Ce jour-là, il porte sous le bras un volume des Mémoires du duc de Saint-Simon que cet insatiable lecteur rapporte chez lui. Sans s'en rendre compte, il se rapproche des rues où l'on se bat. Il tombe sur un peloton de gardes nationaux. Un piéton qui se promène nez au vent alors que l'on s'entre-tue à deux pas de là, voilà qui suscite la méfiance de ces boutiquiers en uniforme. On se saisit de lui, on lui demande ses papiers. Bien entendu, il n'en a pas. On lui arrache le volume des mains, un sergent consulte le titre, s'arrête au nom de l'auteur : Saint-Simon. C'est le temps où les disciples d'un autre Saint-Simon font beaucoup parler d'eux. Les saint-simoniens se réclament de théories révolutionnaires, ils dénoncent « l'exploitation de l'homme par l'homme » — qui se souvient que la formule leur appartient ? — et affirment qu'il faut donner « à chacun selon sa capacité, à chaque capacité selon ses œuvres ». Cela suffit pour exciter la colère du sergent : à n'en pas douter, voilà un saint-simonien ! A l'autre bout de la rue, on fusille tous les suspects. Le siège du sergent est fait : il faut coller au mur ce saint-simonien-là. Hugo a beaucoup de mal à se justifier. Son nom finit par dire quelque chose à quelques-uns de ces gardes nationaux qui ont entendu parler d'*Hernani* ou de *Lucrèce Borgia*. De l'inconvénient, en temps de révolution, de vouloir chercher la vérité sur le terrain.

De cette confrontation avec la violence, comme du spectacle de gens qui meurent pour des idées, il est sorti ému, profondément agité. Quelques jours plus tard, il va écrire à Vitet, devenu secrétaire général du ministère du Commerce, pour lui demander d'intervenir en faveur du républicain Antony Thouret, un étudiant en droit qui, en compagnie de Raspail et du jeune Blanqui, a été accusé de conspiration et incarcéré à la prison de Douai. Hugo n'est pas républicain, mais il ne tolère pas que l'on jette quelqu'un en prison pour la seule raison qu'il le soit. Il ne s'en tient pas là. Le 1er juin, il écrit à Jules Lechevalier, directeur de la *Revue du progrès social* : « Depuis longtemps tous les hommes éclairés et intelligents qui ont étudié le passé dans un but d'avenir ont, sur les destinées futures de la société, une idée commune qui, éclose et développée à l'heure qu'il est séparément dans chaque cerveau, aboutira quelque jour, prochainement je l'espère, à une grande œuvre générale. Cette œuvre sera la formation paisible, lente et logique d'un ordre social où les principes nouveaux, dégagés par la Révolution française, trouveront enfin leur mode de combinaison avec les principes éternels et primordiaux de toute civilisation. » Il ajoute, et voilà qui est important : « Concourons donc ensemble tous, chacun dans notre région et selon notre loi particulière, *à la grande substi-*

tution des questions sociales aux questions politiques. Tout est là. Tâchons de rallier à l'idée applicable du progrès tous les hommes d'élite, et d'extraire un parti supérieur qui veuille la civilisation, de tous les partis inférieurs qui ne savent ce qu'ils veulent. »

La question sociale. Il y a longtemps que Hugo a les yeux fixés sur elle. Mais de loin. Pour la première fois, il s'est rallié à une certitude qui marquera désormais toute son œuvre : le social doit avoir le pas sur le politique. Quelques jours plus tard, il écrit à Thiers, ministre de l'Intérieur, une lettre dont le ton ne manque pas de dédain. Il rappelle qu'en 1832, il a renoncé à la pension que le roi Louis XVIII lui avait assignée, qu'à cette époque le prédécesseur de Thiers, M. d'Argout, lui avait fait dire qu'il n'acceptait pas la renonciation, « qu'il continuerait de considérer cette pension comme mienne, qu'il n'en disposerait en faveur de personne ». Il demande donc qu'elle soit attribuée à Mlle Élisa Mercœur, auteur de plusieurs volumes de poésies et « qui meurt de faim ». Thiers fera d'ailleurs répondre à Hugo, avec un mépris identique, qu'il n'appartient pas à un écrivain de décider de la destination des fonds du ministère. Il a dû comprendre — Thiers n'est pas sot — que ce n'était pas par l'effet du hasard que Hugo déclarait, deux mois après le massacre de la rue Transnonain, que sa renonciation était *absolue et définitive.*

Qu'à la même époque, Hugo se soit décidé à reprendre un sujet découvert dans *la Gazette des tribunaux* du 19 mars 1832 et depuis soigneusement gardé sous le coude, voilà qui se situe évidemment dans une ligne analogue. Le 16 mars 1832, s'était ouvert à Troyes le procès d'un certain Claude Gueux qui, condamné pour vol à huit ans de prison et détenu à Clairvaux, avait assassiné à coups de hache le gardien-chef Delacelle. Ce qui a touché Hugo, c'est que Claude Gueux, un ouvrier, avait manifesté à l'égard de son père, également détenu, un amour filial émouvant. Ce père était mort dans ses bras. Claude Gueux, de forte constitution, était doté d'un formidable appétit. Les rations ne lui suffisaient pas et il avait toujours faim. Un de ses camarades, Albin, partageait avec lui sa ration. Le gardien-chef Delacelle avait brutalement entrepris de séparer les deux hommes, lesquels entretenaient probablement des rapports homosexuels dont Hugo, avec la pudeur de règle sous la Monarchie de Juillet, ne dira pas un mot. Au procès, Claude Gueux devait déclarer qu'il avait été tué « à coups d'épingle » par le gardien-chef. Sou-

tenu par ses codétenus, il avait donc choisi de se muer en justicier. Ses juges ne l'en ont pas moins envoyé à l'échafaud.

Hugo va consacrer non pas un roman mais une longue
nouvelle, à l'histoire de Claude Gueux. Du 20 au 23 juin 1834,
il ne mettra que trois jours à l'achever. Il s'agit d'un nouveau
réquisitoire contre la peine de mort. Avocat beaucoup plus
qu'historien, il ne s'attache pas à retracer les faits réels. Le
véritable Claude Gueux, qui semble avoir été une simple fri-
pouille, acquiert une noblesse qui déjà peut faire penser à
celle dont il nimbera Jean Valjean. On peut se poser une
question : si le condamné de la cour d'assises de Troyes
s'était nommé autrement que Claude Gueux, aurait-il retenu
pareillement l'attention de Hugo ? Il y a dans ce patronyme
déjà le symbole des *Misérables*. Telle quelle, la nouvelle apparaît beaucoup moins réussie que *le Dernier Jour d'un
condamné*. Elle manque de ces arrière-plans oniriques qui
avaient frappé tous les lecteurs du précédent ouvrage. La
valeur de *Claude Gueux* vient de la conclusion dont il a voulu
faire un réquisitoire. « Nous avons cru devoir raconter en
détail l'histoire de Claude Gueux, parce que, selon nous, tous
les paragraphes de cette histoire pourraient servir de têtes de
chapitre au livre où serait résolu le grand problème du peuple au dix-neuvième siècle. » Tout à coup, il s'adresse aux
députés et aux ministres, les invective, leur dit vous :

« Messieurs des centres, Messieurs des extrémités, le gros du peuple souffre ! Que vous l'appeliez république, ou que vous l'appeliez
monarchie, le peuple souffre, ceci est un fait. Le peuple a faim ; le
peuple a froid. La misère le pousse au crime ou au vice, selon le sexe.
Et j'ai pitié du peuple, à qui le bagne prend ses fils, et le lupanar ses
filles. Vous avez trop de forçats, vous avez trop de prostituées. Que
prouvent ces deux ulcères ? Que le cœur social a un vice dans le sang. »

La solution, Hugo est sûr de la connaître :

« Puisque vous êtes en verve de suppressions, supprimez le bourreau. Avec la solde de vos quatre-vingts bourreaux, vous paierez six
cents maîtres d'école. Songez au gros du peuple. Des écoles pour les
enfants, des ateliers pour les hommes. Savez-vous que la France est
un des pays de l'Europe où il y a le moins de natifs qui sachent lire [1] !

1. Un rapport du 29 avril 1834 confirme le cri de Hugo : trois cinquièmes
des Français de moins de vingt ans ne savent pas lire.

Quoi ! La Suisse sait lire, la Belgique sait lire, le Danemark sait lire, la Grèce sait lire, l'Irlande sait lire, la France ne sait pas lire ! C'est une honte...

« La nature a mal ébauché, l'éducation a mal retouché l'ébauche. Tournez vos soins de ce côté. Une bonne éducation au peuple. Développez de votre mieux ces malheureuses têtes, afin que l'intelligence qui est dedans puisse grandir...

« La tête de l'homme du peuple, voilà la question. Cette tête est pleine de germes utiles. Employez pour la faire mûrir et venir à bien ce qu'il y a de plus lumineux et de mieux tempéré dans la vertu.

« Tel a assassiné sur des grandes routes qui, mieux dirigé, eût été le plus excellent serviteur de la cité.

« Cette tête de l'homme du peuple, cultivez-la, défrichez-la, arrosez-la, fécondez-la, éclairez-la, moralisez-la, utilisez-la ; vous n'aurez pas besoin de la couper. »

Ceux qui nous ont parlé — et parlent encore — de la versatilité politique de Hugo, ceux qui ironisent sur son opportunisme, ceux-là auraient bien fait — et feraient bien — de relire la péroraison de *Claude Gueux*. En 1834, tout le Hugo de 1848 est là. Tout le Hugo de 1851. Tout le Hugo de 1870. Les sceptiques observeront qu'en notre vingtième siècle où presque tout le monde sait lire, les prisons sont plus pleines qu'au temps de *Claude Gueux*. Faut-il condamner Hugo parce qu'il s'est trompé ? Parce qu'il a cru que la connaissance donnée à tous assurerait la moralisation de tous ? Il faut aimer les illusions quand elles sont généreuses. Même si nous devons plus tard nous attrister quant à leur naïveté.

Dès que, le 24 juin, dans l'après-midi, la dernière ligne a été écrite, Hugo est sorti de chez lui, le manuscrit en poche. Il s'est rendu chez Juliette, surprise et ravie de le voir apparaître à une heure aussi inattendue. Joyeux, frémissant, il lui a signifié que l'on partait en promenade. Elle lui a sauté dans les bras. On s'en est allé à Montmartre. Un chaud soleil baigne les jardins et les vignes. On est entré dans la cour d'un estaminet. On s'est installé sous une tonnelle. Encore tout bouillant de ses trois jours d'écriture acharnée, il s'est fait apporter une plume, de l'encre et il a écrit sur le manuscrit : « A ma Juliette bien-aimée à qui j'ai lu ces quelques pages, immédiatement après les avoir écrites, le 24 juin 1834, sur la colline Montmartre, entre trois et quatre heures après-midi. Il y avait deux jeunes arbres qui nous donnaient leur ombre, et au-dessus de nos têtes un beau soleil, — moins

beau qu'elle. Victor Hugo. » Sur l'un des premiers exemplaires imprimés qu'il remettra à Juliette, Victor écrira : « A
mon ange, dont les ailes repoussent, 2 septembre 1834. »

Quiconque se pencherait sur ces dédicaces conclurait que
les deux amants, aussi bien en juin qu'en septembre, traversent une idylle décidément délivrée des nuages qui en ont
accompagné les prémices. Quelle erreur ! Vingt fois, ils sont à
la veille de rompre. Vingt fois, ils se découvrent au bord du
gouffre, se jettent l'un vers l'autre dans des réconciliations
aux étreintes passionnées. Trois jours plus tard, ils recommencent. Plus maladroit que jamais, aussi peu psychologue
que possible, il lui ressasse son passé. Furieuse, elle crie, elle
hurle, elle le chasse, annonce qu'elle va s'enfuir, ou même se
donner la mort. Avec une spontanéité, un naturel, un charme,
une richesse de vocabulaire et d'images qui font d'elle une
des plus rares épistolières de notre littérature, tantôt elle
annonce une séparation implacablement décidée, tantôt :
« Oui, nous nous aimons, oui... nous resterons ensemble
jusqu'à notre dernier soupir, oui tu m'aideras et tu feras de
moi une femme à l'abri de la misère et de la prostitution, oui
tu me rendras ce que j'étais avant ma chute, une honnête
femme et, de plus, une bonne mère : j'ai confiance, j'espère, je
t'aime. » Dans ces moments, son cœur déborde : « J'ai besoin
d'initier les passants à mon bonheur, je le dis tout haut, je
t'appelle *mon mari*, je t'appelle *mon amant* tant mon cœur
est devant Dieu. »

Depuis son entrée à la Comédie-Française, elle n'a pas joué
une seule fois. Les semaines passent, et puis les mois. Pas le
plus petit rôle en vue. Est-ce donc qu'on l'a engagée avec le
ferme propos de ne donner aucune suite à ce contrat ? Peu à
peu, cette vérité s'impose à elle. C'en est trop. Elle veut en
finir :

« Maintenant que la calomnie m'a terrassée dans tous les sens ;
maintenant que j'ai été condamnée dans ma vie sans avoir été entendue, comme je l'ai été dans ta pièce ; maintenant que ma santé et ma
raison se sont usées dans ce combat sans profit et sans gloire ; maintenant que je suis signalée à l'opinion publique comme une femme
sans avenir, je n'ose plus, je ne peux plus vivre... Ceci est bien profondément vrai : je n'ose plus vivre. Cette crainte a fait naître en moi
le besoin du suicide... »

Pour la première fois, Hugo prend au sérieux ce qu'il tenait pour des menaces sans conséquence. Il veut soigner l'âme de sa bien-aimée Juliette comme, au lendemain de *Marie Tudor,* il a soigné son corps. Il existe un remède propre à sauver les amants en danger : un voyage. Partons, Juliette !

Le 3 juillet 1834, elle monte avec lui en diligence. On fuit l'accablante chaleur de Paris, on roule vers cette vallée de la Bièvre qu'il aime entre toutes. La déplorable expérience de la visite place Royale n'a donc pas guéri Victor ? Cette fois encore, il tient à montrer à Juliette l'autre cadre de vie qui a sa dilection. Il a de la chance : elle se sent si pleinement heureuse qu'elle reçoit cela comme une bénédiction et ne songe plus à rien critiquer. On déjeune dans une auberge, *le Chariot d'or.* Elle dévore et Victor, souriant, s'extasie devant un si bel appétit. On repart. Il lui montre de loin le château des Roches avec sa pelouse ombrée de tilleuls géants, la pièce d'eau qu'aiment tant les enfants, l'atelier de Louise Bertin, les bois qui l'entourent. Ensemble ils s'avancent à travers les fougères de l'Homme-mort. Voici un hameau. Quelques chaumières, quelques masures. Cela s'appelle les Metz. Elle se serre contre lui, se laisse aller à l'ivresse de ce bonheur iné-dit. Devant eux, une petite maison « basse et blanche trouée de volets verts ». Une idée jaillit : bientôt viendront les vacances chez les Bertin. Pourquoi Juliette ne rejoindrait-elle pas Victor ? Elle logerait là, ferait venir sa fille Claire qui y trouverait le bon air. Chaque jour, ils pourraient se rejoin-dre, chacun accomplissant la moitié du chemin. Juliette bat des mains, croit à peine à l'inespéré. On cherche les proprié-taires, on les trouve. Il s'agit des époux Labussière — eux-mêmes locataires d'un M. Pernot. Hugo leur paye séance tenante, et d'avance, un loyer de 92 francs pour un an. Toute cette campagne, toute cette nature enchantent Juliette. Est-ce qu'elle ne vit pas un rêve ? Serrés l'un contre l'autre, ils marchent vers Jouy-en-Josas et descendent à *l'Écu de France.* Hugo exige la plus belle chambre. On leur donne celle du premier étage, qui a vue sur cour. Ils dînent. Cela ne traîne guère. Ce qui attend Juliette, dans cette chambre, dans ce lit, c'est l'extase absolue :

« Mon bien aimé Victor, je suis encore tout émue de notre soirée d'hier ; à défaut d'amie et de cœur qui me comprenne et dans lequel je pourrais verser le trop-plein de mon bonheur, je t'écris ceci,

" qu'hier 3 juillet 1834, à 10 heures 1/2 du soir, dans l'auberge de *l'Écu de France*, à Jouy, moi, Juliette, j'ai été la plus heureuse et la plus fière des femmes de ce monde ; je déclare encore que, jusque-là, je n'avais pas senti dans toute sa plénitude le bonheur de t'aimer et d'être aimée de toi ". Cette lettre, qui a toute la forme d'un procès-verbal est en effet un acte qui constate l'état de mon cœur. Cet acte, fait aujourd'hui, doit servir pour tout le reste de ma vie dans le monde ; le jour, l'heure et la minute où il me sera représenté, je m'engage à remettre ledit cœur dans le même état où il est aujourd'hui, c'est-à-dire rempli d'un seul amour qui est le tien et d'une seule pensée qui est la tienne. Fait à Paris, le 4 juillet 1834, à 3 heures de l'après-midi. JULIETTE. » Un post-scriptum : « Ont signé pour témoins les mille baisers dont j'ai couvert cette lettre. »

Adorable Juliette ! Le « voyage » n'a duré qu'une journée et une nuit. Au retour à Paris, elle retrouve l'enfer de ses dettes, le tapissier Jourdain de plus en plus pressant. Impossible de rester rue de l'Échiquier. Elle et Hugo décident d'abandonner ce loyer qui est un boulet dont elle est elle-même le forçat. Ils trouvent, rue de Paradis, dans un immeuble misérable, un petit appartement qui ne l'est guère moins. Le 19 juillet, Juliette quitte définitivement la rue de l'Échiquier. A minuit et demi, Victor lui écrit : « Ceci est la dernière soirée que nous passons rue de l'Échiquier 35 bis. Gardons un éternel souvenir de cette chambre où nous avons été si heureux et si malheureux ; de cette chambre que j'aime après tout et dont le plafond a été si souvent le ciel pour moi... Adieu donc à cette maison, mais bonjour éternel à l'amour ! » Ils restent ensemble toute la journée du 20. A minuit et demi encore, nouvelle lettre à Juliette : « Voici le premier jour écoulé que nous avons passé ensemble dans ta nouvelle maison rue de Paradis. Oh ! Cette rue est bien nommée, ma Juliette ! Le ciel est pour nous dans cette rue, dans cette maison, dans cette chambre, dans ce lit... Sais-tu à quoi est bon le baiser ? A essuyer les larmes et à faire naître le sourire. Souris-moi. » Dix jours ne se sont pas écoulés qu'une nouvelle scène, plus affreuse que toutes les précédentes, les déchire. La raison ? Les dettes encore, toujours. A la demande de Victor, elle a tenté laborieusement d'établir un bilan définitif : elle parvient à un total de 20 000 francs. D'abord, Hugo est resté sans voix : 20 000 francs ! A l'époque, il s'agit d'une véritable fortune. Placés à 3 %, 20 000 francs rapportent 600 francs, la moitié de ce que gagne en un an un employé ! 20 000 francs !

Peu à peu Hugo est sorti de sa stupeur, atterré de n'avoir pas mesuré l'étendue des folies passées de Juliette, furieux de devoir les imputer au temps où elle cherchait l'amour dans les bras de trop d'hommes, hors de lui de devoir admettre sa propre impuissance. Il accuse Juliette, trouve des mots si durs que chacun fait mouche, creuse une plaie à côté d'une autre. Comment à ces insultes n'aurait-elle pas répondu par des injures, des cris de rage, d'autres blessures ? Il est parti en lui criant adieu.

Le lendemain quand, repentant, il revient solliciter son pardon, il trouve l'appartement vide. Sur un meuble, quelques lignes de la main de Juliette. En haut : *Victor.* En dessous : « Samedi à midi, 2 août 1834. » En dessous encore : « adieu pour jamais — adieu pour toujours, c'est toi qui l'as dit, adieu donc et puisses-tu être heureux et admiré autant que je suis malheureuse et déchue — adieu, ce mot-là contient toute ma vie, toute ma joie, tout mon bonheur. Adieu. Juliette ». Au dos, Victor peut lire encore :

> « Je pars avec ma fille, je vais en ce moment la chercher et retenir ma place — quand *(sic)* à la Comédie-Française elle n'est pas en droit de me faire jouer avant de m'avoir assigné des rôles. Ma bonne a ordre de décacheter mes lettres. S'il en venait une de la Comédie-Française, elle me le ferait savoir tout de suite et rien ne serait dérangé — il n'y a donc plus en *(sic)* t'en occuper [1]. »

Si souvent elle l'avait menacé de partir ! Elle a tenu parole. Le voilà seul dans l'appartement, sentant tout à coup son cœur se vider de son sang. Pour la première fois, peut-être, il comprend à quel point il s'est montré dur, injuste envers cette femme qu'il idolâtre. Une idée, une seule, l'habite : la retrouver, la rejoindre. Il rentre place Royale, n'ayant en tête qu'une obsession, le visage de celle que peut-être il a perdue à jamais. Chaque jour il attend et chaque jour il meurt. Un matin, voici une lettre dont il reconnaît aussitôt l'écriture. Elle !

La lettre vient de Bretagne. Juliette est allée enlever sa fille Claire de la pension où Pradier la fait élever. Ensemble, elles ont pris la diligence et ont roulé vers la Bretagne jusqu'à Saint-Renan, près de Brest, où demeure la sœur de Juliette,

---

1. D'après l'original, B.N., NAF 16322 cotée 196. Le texte exact, publié jusqu'ici fautivement, a été rétabli.

Mme Koch. A peine arrivée, chaque heure convainc Juliette qu'elle ne peut vivre sans Victor, qu'à une séparation définitive, mille fois la mort serait préférable.

Hugo a couru rue de Paradis, obtenu de la petite servante l'adresse de Juliette en Bretagne. Puisque les dettes sont à l'origine de leurs tourments, puisqu'il faut de l'argent, il en trouvera. Il demandera à Pradier qui, peut-être, en donnera. Il annonce qu'il part, qu'il arrive :

« En attendant, je vais remuer des pieds, des mains et des ongles. Tu verras ce que c'est que l'amour. Je ne veux pas que tu sois à jamais perdue. Je ne veux pas t'abandonner lâchement, moi. Cette lettre-ci arrivera presque en même temps que toi. Hélas. Pourquoi as-tu voulu partir !... Juliette, Juliette ! Ma bien aimée ! Je retire toutes mes dures paroles de désespoir. Non, je ne te maudis pas, je te plains, je te pardonne, je t'aime, je te bénis. Garde-moi ton cœur de ton côté. Tu sais ? Souviens-toi de la lettre adorable, du *procès-verbal* de notre journée à Jouy. Il ne faut pas que cette lettre-là ait menti. Hélas, où es-tu dans ce moment ? J'ai le cœur brisé. Il faut que mon amour meure ou moi. Plutôt moi !... Je suis dans les ténèbres. Je b[aise] tes pieds. Le ciel est bi[en] [no]ir, mais je ne sais pourquoi j'espère. Tu es faite pour moi, Juliette. Il me semble impossible que je ne te revoie pas, et bientôt. Mille baisers partout. Aime-moi ! »

La lettre a été postée le 3 août. Le lendemain, il demande son passeport, voit Pradier, le convainc d'aider Juliette : « Moi, de mon côté, je viens de ramasser mille francs avec mes ongles. Tu vois ce que peut l'amour. Je vais courir à la malle-poste, s'il y a une place, je partirai Mardi et tu me verras Vendredi... Je n'ai pas mangé depuis trente heures mais je t'aime. » Le 5 août, il monte en diligence. Cependant que roule et cahote la lourde voiture, que tournent les roues, que galopent les chevaux, il ne pense qu'à elle. Le 7 août, il est à Rennes et le 8, il arrive à Brest, « encore tout étourdi, écrit-il — à Adèle ! — de trois nuits de malle-poste, sans compter les jours. Trois nuits à grands coups de fouet, à franc étrier, sans boire, ni manger, ni respirer à peine, avec quatre diablesses de roues qui mangent les lieues... » Quand, à l'aube, la diligence fait à grande allure son entrée dans Brest, Hugo ne trouve que vent, brume et pluie.

Quel instant que celui où, brisée de bonheur et de chagrin, Juliette s'est abattue dans ses bras ! L'un et l'autre se crient les mêmes mots : jamais, jamais plus ils ne se feront de mal !

A petites étapes, ils rentrent : leur premier *vrai* voyage, unité reconquise de deux cœurs et de deux corps, longues flâneries de rêves, d'amour et de confidences. Avant de quitter Brest, Victor tient à visiter le bagne. Exigence qui s'est imposée au « journaliste » Hugo ? Écho et prolongement du *Dernier Jour d'un condamné* et de *Claude Gueux* ? L'intérêt que Hugo a toujours porté à l'univers carcéral ressemble à une fascination. Après quoi, en route ! Ils voient Carnac, Locmariaker, Auray, Vannes, Nantes où ils contemplent, au coucher du soleil, « toute la ville, les quatre bras de la Loire, l'Erdre dont les bords sont charmants, le canal, tous les vieux toits, la prairie de Mauves ». Le 15 août, ils prennent le bateau à vapeur jusqu'à Angers : un genre de navigation qui, pour Hugo, est une grande première. Le 17, ils visitent le château d'Amboise, partent pour Orléans, continuent à musarder : Étampes, Montlhéry, Pontoise, Gisors, Beauvais, Saint-Germain-en-Laye, Versailles. Enfin, le 1er septembre, Jouy-en-Josas où Juliette, avec ravissement, s'installe dans la petite maison des Metz. Hugo semble avoir passé là la nuit avec elle puisqu'il ne rentre à Paris que le lendemain. Il reviendra le 3 aux Roches avec Adèle et les enfants.

Une question se pose : que sait — et que pense — Adèle de cette absence de son mari, de ce voyage qui s'est prolongé pendant tant de jours ? Bien sûr, elle n'ignore plus rien : l'existence de Juliette, l'importance que celle-ci a prise dans la vie de son mari. Si elle n'a probablement pas connu les détails de la fuite en Bretagne, elle a compris quelle était la raison du voyage. D'autant plus — et nous revenons à l'ambiguïté de la relation Victor-Adèle — que Hugo n'a cessé, tout au long de sa course sur les grandes routes, d'écrire à sa femme les lettres les plus tendres. A chaque étape, il lui a adressé, ainsi qu'aux enfants, « Didine, Toto, Charlot et Dédé, mes bijoux », des messages quasi amoureux. De Rennes, le 7 août :

« Adieu, mon Adèle. Je t'aime. A bientôt. Écris-moi long et souvent. Tu es la joie et l'honneur de ma vie. Je baise ton beau front et tes beaux yeux. »

De Brest, le 8 août, après lui avoir parlé de sa fatigue, il ajoute :

« Mais ce qui n'est pas las, ce qui est toujours prêt à t'écrire, à penser à toi et à t'aimer, c'est le cœur de ton pauvre vieux mari qui a été enfant avec toi, quoique tu sois restée bien plus jeune que lui, de cœur, d'âme et de visage. »

D'Étampes le 22 août :

« Mon Adèle, ma pauvre amie, si tu savais quelle joie j'aurais de t'avoir près de moi dans ces moments-là. Oh! certes nous ferons un voyage ensemble... »

Ces lettres, on peut penser qu'Adèle les a lues avec un sentiment quelque peu mitigé. Pourtant, le 27 août, on constate que c'est avec une tendresse semblable, quoique teintée de mélancolie, qu'elle répond à son mari :

« Je crois que tu m'aimes au fond de tout cela et que tu t'amuses puisque tu tardes ainsi à revenir : et, en vérité, ces deux certitudes me rendent heureuse. J'espère que nous ne nous quitterons plus après et que tu sentiras le bonheur d'être auprès d'une amie si véritable et si dévouée, et près de tes chers petits qui t'aiment tant et que tu aimes tant. Car tu es pour eux plus même que père... Il fait ici un temps épouvantable, j'en suis presque contente car cela va te faire revenir... »

Il est revenu en effet : pour conduire Juliette aux Metz.

Sur les coteaux qui dominent Jouy-en-Josas, voici, cernée par des vergers et des prés, séparée d'un petit chemin par une haie vive, un mur peu élevé et une grille étroite « dont l'œil plonge en une oblique allée », une maison « isolée », toute modeste, un rez-de-chaussée avec des fenêtres munies de barreaux et un seul étage mansardé sous des tuiles grises. Une vigne courait alors sur le mur. Les prés et les vergers ont disparu. Le chemin est devenu rue. Des maisons ont poussé alentour. Mais ce qui domine, ce sont les jardins. On reste plus près de la campagne que de la banlieue. La maison de Juliette, « restaurée » récemment, a perdu tout son charme. Dieu sait si elle en avait alors !

Dans ce jardin, quand elle y pénètre en compagnie de la petite Claire, foisonnent les rosiers. Les vignes s'effondrent sous les grappes. Entrons. Au rez-de-chaussée, trois pièces. Au milieu, la salle à manger, à gauche le salon, à droite la cuisine. Là, Juliette descendait pour surveiller le repas que préparait, la première année, la mère Labussière, la seconde sa bonne Hyacinthe. Un escalier en colimaçon permet d'accéder à l'étage composé de trois chambres mansardées et d'un grenier. La chambre du fond, à droite, semble avoir été celle de Juliette. Elle seule possède une cheminée et deux fenêtres. S'y trouvait « un grand lit garni de courtines de toile imprimée, une armoire de chêne, une table, une commode et quelques chaises rustiques [1] ». De la fenêtre qui donne sur le jardin, Juliette peut guetter Victor lorsqu'il arrive de Jouy.

Le soir même de son retour, en pleine nuit, laissant Adèle et les enfants, il a quitté les Roches. Il n'y tenait plus. Il a parcouru les quatre kilomètres qui séparent le château de la maison des Metz, s'est glissé dans la demeure endormie, a laissé un mot : « Dors bien, je suis là. Mais je ne veux pas te réveiller. » A son lever, Juliette l'a trouvée, cette feuille. Ravie et furieuse :

« Pourquoi ne m'avoir pas réveillée, méchant garçon ? Je vous aurais reposé et séché dans mes bras. J'aurais bu avec mes lèvres brûlantes toutes les brumes de la nuit qui avaient imprégné vos beaux cheveux, vos petites mains, toute votre charmante personne que j'adore. Décidément, je suis fâchée contre vous. Que cela ne vous arrive plus, une autre fois, de venir jusqu'à ma porte sans entrer. C'est *stupide* de priver une pauvre femme comme moi de son bonheur et de sa vie, sous prétexte qu'elle dort ! »

Étrange séjour que celui des Roches en 1834. Aussi bien pour Adèle que pour Juliette. Les Bertin ne voient plus guère Hugo qu'aux repas. Le soir, enfermé dans sa chambre, il écrit inlassablement, amoncelant les feuillets sur le dessus colorié de cette belle cheminée en pierre du pays près de laquelle il aime à s'installer. Dans la journée, après quelques jeux organisés avec ses enfants — jamais, et pour personne, il n'a négligé ses enfants —, il part. Où va-t-il ? A la rencontre de Juliette. Il ne revient qu'à la nuit tombée, ses habits souvent mouillés de pluie. A la table des Bertin, il retrouve Adèle qui, de son côté, a parcouru quelques kilomètres. Pour retrouver Sainte-Beuve.

Donc, chaque jour, à la même heure, il s'élance, traverse les bois. Dans le même temps, Juliette court vers lui. Toujours, ils se retrouvent au même endroit : près d'un châtai-

---

1. Paul Souchon.

gnier creux. Et là, sous les branches et les feuilles, pendant des heures, les corps qui se retrouvent, les souffles qui se mêlent, des étreintes sans fin, d'adorables ivresses. Apaisés, assouvis, ils se taisent dans les bras l'un de l'autre, ferment les yeux, dorment peut-être. Au réveil, ils se regardent, émerveillés. Alors il parle. Il explique Dieu à Juliette. Il perçoit dans toute joie, tout bonheur une image de la divinité. Elle, fidèle aux enseignements de son enfance, se juge pécheresse. Il lui jure que Dieu les approuve puisqu'il les a réunis. « Toute ma vie, lui écrira Juliette, j'entendrai tes paroles de tendre sollicitude et d'enseignement. »

Ces entrevues ne leur suffisent pas. Ils s'écrivent, portent l'un et l'autre leurs lettres dans le châtaignier creux.

Lui à elle : « Oh ! n'est-ce pas ? Tu viendras ? Tu te portes bien ? Je te verrai ? Oh ! J'ai tant d'amour à te donner, tant de baisers à te prodiguer, sur tes pieds parce que je te respecte, sur ton front parce que je t'admire, sur tes lèvres parce que je t'aime ! Ce n'est pas une couronne que tu devrais avoir sur la tête, c'est une étoile ! » *Elle à lui* : « J'ai du délire et de l'amour, plus que mon pauvre cœur n'en peut contenir. Viens donc prendre le trop-plein de mon extase ! Si tu savais combien je t'attends ! combien je te désire ! Si tu savais le reste encore !... Oh ! tu viendrais, j'en suis bien sûre. Viens, viens, je t'en prie, viens !... »

Un jour, pressée sans doute, Juliette se contente de déposer dans le châtaignier un petit carré de papier avec, au crayon, sa signature : JUJU. Une autre fois : « Je suis venue, Juju. »

Il advient qu'ils se manquent ou que même ils se croisent sans se voir. Dans ce cas, elle enrage : « Je m'en vais m'en retourner très lentement par la prairie d'où je suis venue. Je ne suppose pas que nous nous sommes croisés encore cette fois. Ce serait trop bête. » Parfois aussi, il est retenu par des visites impromptues. Furieux contre lui-même, il lui est impossible de se rendre au rendez-vous. Quand enfin il y courra, ce sera pour trouver un billet tel que celui-ci : « J'ai attendu bien longtemps, je m'en vais l'âme bien triste, le cœur serré. Je crains toutes sortes de malheurs. » D'autres fois — plus rares — c'est à Hugo d'attendre Juliette. Il dépose des vers dans le châtaignier creux. Le poème XXIV des *Chants du crépuscule* est daté : « Enghien, 14 septembre 1834. » Précaution destinée à Adèle ou aux Bertin. Le manus-

crit autographe, conservé à la Bibliothèque nationale, porte
sous le dernier vers, ces mots éloquents : « 19 septembre
1834, 9 heures et demie du matin. Sous le châtaignier ».

> Que ce réseau d'objets qui t'entoure et te presse,
> Et dont l'arbre amoureux qui sur ton front se dresse
> Est le premier chaînon ;
> Herbe et feuille, onde et terre, ombre, lumière et flamme,
> Que tout prenne une voix, que tout devienne une âme,
> Et te dise mon nom !

Le lendemain, ayant lu et relu ces vers, les ayant même
copiés, Juliette s'exalte : « Tout ce que je puis te dire, c'est
que j'ai pleuré et admiré en les relisant, c'est que je pleure et
que j'admire en me les rappelant... Tu n'es pas seulement
sublime, tu es bon, et ce qui vaut encore mieux, tu es indulgent, toi qui as tant le droit d'être rigoriste. »

D'autres jours, ils se promènent dans la campagne. Ensemble, ils pénètrent dans la petite église de Bièvres.

> Elle était triste et calme à la chute du jour,
> L'église où nous entrâmes ;
> L'autel sans serviteur, comme un cœur sans amour,
> Avait éteint ses flammes...

Là, tous les deux, ils prient. Dans cette église, pour la première fois, Juliette a cru que s'était accomplie cette rédemption à laquelle aspirait tant son amant. Elle s'est sentie régé-
nérée. Et toute à lui.

L'automne venu, ils regagnent Paris. Chacun de son côté.
Hugo s'est réinstallé place Royale, en famille. Juliette n'a pas
voulu revenir rue de Paradis, elle en garde de trop mauvais
souvenirs : « Je fuis cette maison. Elle est si remplie de malheurs et de tristesses qu'il me semble, en la quittant, éprouver quelque soulagement... » Provisoirement, elle loge chez
sa vieille amie Laure Krafft. Hugo va lui louer un appartement rue des Tournelles, beaucoup plus près de la place
Royale. Amour et commodité. En octobre, elle s'installe et
retrouve l'essentiel de ses meubles de la rue de l'Échiquier,
rachetés à crédit — cinquante francs par mois — par Victor.
Parmi ceux-ci, des armoires, trois lits, deux commodes, quelques fauteuils, des chaises, des tabourets ; enfin — ce qui a dû

être agréable à Hugo — un « grand fauteuil gothique, deux tabourets gothiques et une glace à cadre gothique ». L'inventaire fait état d'une toilette peinte en vert, d'un bidet à dossier en acajou, d'un prie-Dieu, de deux pendules, de deux flambeaux, d'un bougeoir, d'une vaisselle abondante, dont « cent assiettes et vingt-quatre verres à vin de Champagne », de huit tapis enfin [1].

C'est là désormais que Juliette va célébrer chaque jour le cérémonial de son amour et le culte de ce Victor qui, s'il l'appelle *Juju*, est nommé par elle *Toto*. Elle ne se rebelle plus. Elle accepte. Cette acceptation même, devant l'histoire, fait sa grandeur. Elle nous épouvante aussi. Cette solitude délibérément voulue ; ces journées écoulées dans la seule attente de la venue de l'homme qu'elle aime ; l'heure enfin qui sonne ; le pas qu'elle guette dans l'escalier, la porte qu'elle ouvre, le cri de bonheur qu'elle pousse. Hugo lui donne ses manuscrits à recopier. Parfois, aussi, pressé par le travail, à peine arrivé chez elle, il s'installe à un bureau — elle en possède deux, pourquoi ? — pour poursuivre l'œuvre en cours. L'hiver, chez Juliette, il fait froid. Elle a peu d'argent et souvent n'allume pas le feu. Alors, cependant qu'il aligne vers ou prose, elle se couche. Et là, sous les couvertures, usant d'un crayon, elle écrit, elle aussi, une lettre à ce Victor qu'elle voit à quelques mètres d'elle. Pour tromper son attente, tout au long de leur liaison, elle va adresser à Hugo entre vingt et vingt-cinq mille lettres ! Nul n'a réussi encore à les dénombrer. Record sans doute unique dans l'histoire du cœur.

Soigneusement, elle tient ses comptes. Chaque mois, Hugo lui verse, en plusieurs fois, à peu près 800 francs. Il lui a appris à noter chaque versement, elle naguère si tête folle, avec l'exactitude d'un comptable :

Dates		Francs	Sous
1er	Argent gagné par mon adoré	400	
4	Argent gagné par mon adoré	53	
6	Argent de la nourriture de mon Toto	50	
10	Argent gagné par mon petit homme	100	

1. Jean Savant.

Sur ses rentrées, elle doit prélever de quoi calmer la colère des créanciers les plus exigeants. On s'étonne de lui voir disposer d'une bonne, mais, en ce temps-là, c'est tout juste si l'on paye les domestiques. Elle-même, par économie, n'achète guère que du lait, du fromage et des œufs. Le soir, elle se contente d'une pomme. Si elle arbore un tablier nouveau, Hugo fronce les sourcils : est-ce bien raisonnable ? L'achat d'une boîte de poudre dentifrice l'oblige à se justifier. Ce qui n'empêche pas Juju d'aimer Toto à la passion, de l'idolâtrer, de ne vivre que pour les brefs instants qu'il lui accorde. Quand il n'est pas là, elle recopie ses manuscrits. Il lui apporte ses chaussettes à ravauder et elle y trouve de nouvelles voluptés. Et chaque jour une lettre, deux, trois, plus encore ! Elle passe de l'exaltation à la douceur, du lyrisme démesuré à la liberté la plus charmante. Elle plaisante :

« Bonjour, mon cher petit toto, comment que tu vas ce matin ? Le Bon Génie t'a-t-il envoyé de bons rêves comme à moi ? Sais-tu que j'ai été toute la nuit dans tes bras, ce n'était qu'un rêve il est vrai mais cela fait prendre patience pour attendre la réalité. J'ai lu hier et ce matin ton *Bug-Jargal*, comme c'est beau tout ce que tu dis ! ta poésie y est plus touffue, plus haute et plus variée que la végétation dans les forêts vierges. Comme toutes les bonnes causes y sont admirablement plaidées par toi sans distinction de couleur : c'est le cas de le dire avec l'affreux Habibrah ! Nègre cé blan, blan cé nègre ! et penser que tu as fait cette merveille à seize ans !

« C'est à ne pas croire à moins de te supposer d'une nature toute divine, auquel cas je suis forcée de t'aimer plus qu'on aime ordinairement dans cette vie. Aussi c'est ce que je fais depuis longtemps car je t'aime plus que Dieu, plus que tout au monde. Je voudrais te voir à présent seulement le temps de te dire : je t'aime, cela me donnerait

1   Cette feuille de comptes a figuré dans la collection Simone André Maurois.

de la respiration pour attendre le moment où je te verrai tout à fait. Je te garde de bons baisers, de douces caresses et toutes mes pensées [1]. »

Quelquefois, plusieurs jours s'écoulent avant qu'il ne vienne la retrouver. Elle en souffre mille morts. Quelquefois aussi, mettant en défaut les biographes qui le voient comme le plus viril des écrivains français, Hugo ne se montre pas aussi empressé au lit qu'elle le souhaiterait. Des semaines entières, plus tard des mois passeront sans qu'il songe à lui prodiguer autre chose que d'amoureuses paroles. Elle qui n'a jamais boudé les plaisirs du corps, proteste alors, tantôt avec tristesse, tantôt avec ironie, tantôt avec amertume : « Je vous aime, vous êtes charmant, et je vous désire. Je ne me suis jamais mieux portée que ce soir. Si vous aviez l'esprit d'en profiter, ce serait ravissant, mais vous êtes plus bête qu'un bonhomme en pain d'épice et vous n'êtes pas même bon à être mis en loterie. » Le 13 juillet 1835, elle protestera contre « la loi de chasteté que vous observez si rigoureusement avec moi ». Et encore : « Je vous assure, plaisanterie à part, mon cher petit Toto, que nous nous conduisons d'une manière tout à fait ridicule. Il est temps de faire cesser le scandale de deux amoureux vivant dans la plus atroce chasteté » (25 novembre 1835). Elle le poursuit de façon aussi drôle que charmante : « Mon cher petit Toto, vraiment tu devrais venir, ne fût-ce que pour voir l'effet que cela me ferait. » En revanche, quand il la retrouve, c'est une ivresse dont elle ne songe jamais à limiter l'expression :

« Mon Toto adoré, tu m'as rendue bien heureuse ce matin. Ces longues matinées qui ressemblent si fort à des nuits me ravissent. Je ne connais que nos voyages ensemble qui leur soient préférables. Mais, de notre vie de Paris, ce sont à coup sûr les plus doux moments. Non pas que je méprise nos petites promenades, comme celle d'aujourd'hui, bien au contraire. Mais je trouve que six heures passées dans les bras l'un de l'autre valent plus d'un siècle en omnibus. C'est mon opinion, et toi ? »

La dernière citation montre qu'après une matinée au lit, ils se sont promenés jusqu'au soir. Grâce au ciel, la claustration comporte des échappées. Dès qu'il le peut, Hugo accompagne

1. B.N., NAF, 16 324, cotée 168.

Juliette à Saint-Mandé, où Claire Pradier est en pension. Victor s'est pris d'affection pour cette petite fille mélancolique élevée loin de sa mère et de son père. Pradier, marié, ayant des enfants légitimes, la tient fermement en dehors de son existence officielle. Juliette convient qu'elle-même s'est peu occupée de Claire. L'entrée de Victor dans sa vie a changé cela. Hugo aime tant ses propres enfants qu'il ne peut tolérer qu'une petite fille, même si elle ne lui est rien, soit malheureuse. Claire, à peu près sevrée de toute affection, découvre avec enchantement que *Monsieur Toto* s'intéresse à elle. Quand il ne vient pas la voir, il lui écrit : « Puisque tu penses un peu, ma pauvre Claire, à ton ancien ami M. Toto il faut que je te dise ici un petit bonjour. Travaille bien, deviens sage et grande, deviens une noble et digne personne comme ta mère... » D'autres fois, il va la chercher en fiacre à Saint-Mandé, la conduit chez Juliette où il passe, pour les fêtes carillonnées, quelques jours. Alors, rue des Tournelles, sont rassemblés trois êtres pleinement heureux : Juliette, Claire, et Victor.

Des enfants de Victor Hugo, bientôt, Juliette n'a plus rien ignoré. Sans cesse il lui parle d'eux. Elle sait que Didine croît en charme, en intelligence et beauté. Qu'elle commence à jouer très bien du piano. Longtemps, les gammes sempiternelles qui traversaient les murs de la place Royale ont considérablement horripilé le poète qui, malgré tout, n'en a rien dit à sa fille chérie. Bizarre coup du sort : c'est lui maintenant, Hugo, qui en est à prendre des leçons de piano. Professeur : Liszt... et Didine ! Et Victor de mander avec une sorte de fierté à Louise Bertin : « Je commence à exécuter avec un seul doigt d'une manière satisfaisante *Jamais dans ces beaux lieux.* » Juliette devine une telle tendresse, une telle connivence entre père et fille, qu'elle s'est tout à coup sentie mordue par une jalousie d'un nouveau genre. Il lui a fallu accomplir beaucoup d'efforts pour la refouler. Peut-être Hugo lui a-t-il montré les notes qu'il prend sur Toto, puisque c'est ainsi qu'on appelle chez les Hugo le petit Victor qui vient d'avoir cinq ans. Son père lui a demandé ce que c'était que Napoléon. Il a répondu : « Eh bien ! C'est notre empereur ; c'est le meilleur ! » Voilà un père bien content. Il note, le 22 novembre 1834 : « Toto me disait ce matin : " Je t'adore, dix, cent, mille, combien y a de maisons sur la terre, combien il y a de tableaux sur la terre, combien il y a de crayons sur la terre, combien il y a de cailloux sur la terre, combien il y a de fleurs sur la terre, combien... " et il a levé les yeux au ciel pour y chercher le reste de sa phrase, qui a expiré sur ses lèvres. » Elle pense à Claire, Juliette, et ne sourit qu'à demi. Mais elle est si bonne que, peu à peu, elle en viendra à aimer ces enfants-là comme les siens. Sans les voir.

Dans le secret de son cœur, elle n'a pas renoncé au théâtre. Elle sait que Victor s'est mis à un nouveau drame en prose : *Angelo, tyran de Padoue*. C'est, comme *Lucrèce Borgia*, une pièce en prose et d'une inspiration identique : Rodolfo est aimé en même temps par deux femmes, la Tisbé, une comédienne, et Catarina, épouse d'Angelo, le podestat. Angelo aime la Tisbé, cependant que la Tisbé aime Rodolfo, lequel aime Catarina, celle-ci voulant se garder pour Angelo. Un être que Hugo baptise Homodei — en latin *l'homme de Dieu* — va obliger chacun des personnages à aller au-delà de ses refus. Dès lors, Hugo ne rejette aucun des effets du mélodrame. Ce ne sont que portes secrètes, figures déguisées, enlèvements, duels, poisons et morts subites. A la fin, Catarina, que l'on croit morte, revit pour tomber dans les bras de Rodolfo, cependant que la Tisbé, qui a donné sa vie pour sa rivale, expire en disant : « Je te bénis. »

A peine achevée, la pièce est acceptée par la Comédie-Française. Une prime de 4 000 francs va même être accordée au poète dès avant la lecture de sa pièce.

Quoique Juliette n'ait jamais joué encore, elle reste pensionnaire. Dès qu'elle a lu *Angelo*, elle s'est mise à rêver d'incarner le personnage de la douce Catarina. Mais Hugo hésite. Il se souvient de *Marie Tudor*. Comment dire à Juliette qu'il n'ose lui confier le rôle ? Elle, fine comme l'ambre, devine. « Séparons nos destins dramatiques », lui dit-elle avec un sourire. Ce sourire cache une blessure qu'il lui faudra des années à guérir. Elle va quitter la Comédie-Française sans que jamais on ait daigné lui confier le moindre rôle. Mlle Mars et Mme Dorval joueront *Angelo*. La grande Dorval, dont Juliette va tout à coup se montrer jalouse. Férocement. Il faut dire que, pour qui connaît Dorval et ses appétits, il y a de quoi : « Je suis jalouse, moi, écrit Juliette, d'une femme en chair et en os, de l'humeur la plus concupiscente qui se puisse trouver, qui est là tous les jours avec toi, te regardant, te parlant, te touchant. Oh ! oui, de celle-là, j'en suis jalouse ! cela va même jusqu'à me faire souffrir des douleurs atroces... Plains-moi, aime-moi, si tu peux, mais ne te moque pas de ta pauvre femme qui t'aime, qui te contemple jour et nuit au fond de son cœur avec des yeux pleins d'admiration pour tout toi. »

Hugo ne fait que rire d'une jalousie réellement imaginaire. Il est tout aux répétitions d'*Angelo* et à leurs difficultés. D'avoir mis face à face Mlle Mars et Mme Dorval était bien de l'audace.

Aux premières répétitions, Dorval ne s'est permis aucun effet, elle s'est montrée « terne, éteinte, nulle ». En secret, Mlle Mars a triomphé. Au bout de quelques jours, le naturel ayant repris le dessus, Dorval s'est mise à jouer *vraiment*. Et Mlle Mars de trembler. Dès lors, elle multiplie les pièges et les perfidies. A l'instant où Mme Dorval se dirigeait en chancelant vers l'oratoire, Mlle Mars, qui se trouvait de l'autre côté, à traversé le théâtre et est venue tout bonnement se placer de façon à cacher aux spectateurs la sortie de Catarina. D'où une discussion entre Mlle Mars et Hugo qui a dû leur rappeler à tous les deux celles, mémorables, d'*Hernani*. A la représentation, c'est comme un match qui se livre : le public bourgeois de Mlle Mars contre le public bohème de Mme Dorval. Aux deux premiers actes, Mlle Mars semble l'emporter.

Manuscrit d'Adèle : « Madame Dorval sentit qu'elle était seule pour se défendre ; cette situation doubla sa force, elle joua admirablement, non pas avec son talent ordinaire mais avec son talent extraordinaire. Elle dit : " Tu n'es embarrassé de rien " d'une façon si naïve et si chaste qu'elle souleva la salle. Elle fut pudique, passionnée, vraie, jeune, poétique, elle était toute blancheur et rayon ;... les premières loges elles-mêmes ne purent se contenir à la fin de l'acte... Le succès de Madame Dorval avait effacé celui de Mademoiselle Mars. Madame Dorval fut proclamée la grande actrice, on sentit quelle différence il y avait entre le jeu étudié, cherché, factice, le talent d'épiderme, et celui de Madame Dorval, si naturel, s'inspirant de la situation, dont les effets venaient des entrailles et du cœur, — la différence qu'il y a entre un talent composé et un talent spontané, entre le vrai et le convenu. »

A cette première — 28 avril 1835 — Juliette s'est rendue. L'équité a gagné contre la jalousie : « Si tu savais avec quelle

probité j'ai applaudi Mme Dorval, tu te ferais un scrupule
de rien dire ni rien faire ce soir qui puisse blesser mon
pauvre cœur un peu endolori déjà par la pensée qu'une
autre que moi est admise à interpréter tes plus nobles
pensées ! »

Les ennemis, eux, ne désarment pas. Viennet, dans son
Journal (29 avril 1835) :

> « Je me suis fort égayé de cet amas de niaiseries et de turpitudes.
> « Hugo est sans contredit le plus audacieux, le plus orgueilleux de
> la bande. On ne conçoit pas une pareille tyrannie. Il y a quelques
> centaines de séides qui l'ont élevé sur le pavois et qui ne souffri-
> raient pas la moindre attaque à sa renommée. Le reste du public se
> composait de piliers d'estaminet ou de soldats de l'émeute ramassés
> on ne sait où. »

Crieraient-ils dans le désert, ces inconciliables ? *Angelo* est
un succès considérable. Aux mois de mai, juin et juillet, la
moyenne des recettes dépasse 2 250 francs. Au cours de
l'année 1835, *Angelo* sera joué soixante-deux fois. De plus,
Renduel achète 4 000 francs le droit de publier le manuscrit
et paye 9 000 francs pour réimprimer les *Odes et Ballades, les
Orientales, les Feuilles d'automne.* Pour ce prix, il pourra également éditer le prochain recueil de poèmes de Hugo : *les
Chants du crépuscule.*

On peut dire que beaucoup d'argent coule maintenant vers
la place Royale. Ce qui n'est pas pour rendre Victor plus dis-
pendieux. De même qu'il oblige Juliette à tenir des comptes
très stricts, Adèle doit continuer à inscrire toutes ses
dépenses dans des carnets, que Hugo contrôle minutieuse-
ment. Ainsi, nous savons que l'on dépensait pour la nourriture de la famille et des domestiques — huit personnes en
tout — moins de 500 francs par mois, vin non compris. Si l'on
prend le mois de janvier 1833, on voit dans la colonne *nourriture* que celle-ci a coûté 352 francs. Dans la colonne *entretien*,
48 francs pour Adèle, 25,9 francs pour les enfants. Dans la
colonne *éducation*, la pension de Didine est inscrite pour
7 francs, la pension de « mes garçons », 14,10 francs et l'on
s'aperçoit que l'accordeur du piano de Didine a perçu
3 francs. A la colonne *mercerie*, 6 francs. A la colonne *voitures* ne figure ce mois-là aucun fiacre ; seulement le 16 janvier 1,4 franc d'omnibus, le 24 janvier 0,12 franc. Le chapitre

du vin est l'un des plus considérables : en moyenne, 2 000 francs par an. Quand on consulte les factures — conservées par centaines — on constate la fidélité des Hugo à leurs fournisseurs. Et aussi l'extraordinaire invention avec laquelle les boulangers, crémiers, tapissiers, tailleurs, orthographient le nom de leur client : *baron Victor Hugo, M. Eugot, M. Victor Ugot, M. le baron Ugot, M. Hugot fils, M. Hugaux, M. le baron Huguo, M. Hugau, M. Victor Hugaut, M. Hugeaux, M. Hugeau, M. Huguelot...* On peut être bon commerçant sans s'intéresser à la littérature.

Une lettre est arrivée place Royale. Le cher Victor Pavie annonce qu'il se marie. Bien sûr, il convie son grand ami Hugo à la noce, qui aura lieu le 28 juillet à Saint-Mélaine, à trois lieues d'Angers. Mais Pavie gaffe : il annonce qu'il a également convié Sainte-Beuve. La question est réglée : à aucun prix Hugo ne veut rencontrer son ex-ami. Il écrit à Pavie qu'il a une pièce à faire jouer, des épreuves à corriger, il ne peut venir, il est désespéré, mais le jeune marié n'y perdra rien : « J'envoie vers votre jeune femme, ce que j'ai de plus doux, de meilleur, ma femme et ma fille, mes deux anges. » En fait, ce que projette Hugo, c'est un voyage d'amoureux en compagnie de Juliette.

Tous deux ont gardé un si ravissant souvenir du retour de Bretagne, l'année précédente, qu'ils se sont bien promis de recommencer une escapade du même genre. Du 25 juillet au 20 août, les amants vont donc voyager à travers la Picardie et la Normandie. Départ le 26 juillet à 7 heures du matin : par le bateau à vapeur, on arrive le soir à Montereau dont Victor admire le vieux « pont tortu d'où l'église est charmante à voir ». On couche à Bray, « petite ville puante ». Furieux de l'accueil, il écrit sur le mur de l'auberge :

> Au Diable ! auberge immonde ! Hôtel de la punaise !
> Où la peau le matin se couvre de rougeurs ;
> Où la cuisine pue, où l'on dort mal à l'aise,
> Où l'on entend chanter les commis voyageurs !

Le 27, il est à Provins dont il admire les quatre églises, « une porte de ville fort belle, un donjon avec quatre tourelles en contreforts, et une enceinte de murailles et de tours ruinées, le tout répandu de la façon la plus charmante sur deux collines baignées jusqu'à mi-côte dans les arbres. Et puis force vieilles maisons encore pittoresques. J'ai dessiné le donjon... » Ils verront Coulommiers, Château-Thierry où ils visitent la maison de La Fontaine, Soissons et les ruines de l'abbaye de Saint-Jean-des-Vignes. La Fère, Saint-Quentin, la cathédrale de Laon, Péronne — il dessine le beffroi —, Amiens, dont la cathédrale, « chef-d'œuvre prodigieux », le laisse muet, accablé d'admiration, Abbeville où il flâne dans « la vieille ville aux maisons peintes » qui lui rappellent Burgos. Le 5 août, ils sont à Eu, puis au Tréport.

A Louis Boulanger : « A la nuit tombante, je suis allé me promener au bord de la mer. La lune se levait ; la marée montait ; des chasse-marées et des bateaux pêcheurs sortaient l'un après l'autre en ondulant de l'étroit goulot du Tréport. Une grande brume grise couvrait le fond de la mer où les voiles s'enfonçaient en se simplifiant. A mes pieds, l'océan avançait pas à pas. Les lames venaient se poser les unes sur les autres comme les ardoises d'un toit qu'on bâtit. Il faisait assez grand vent. Tout l'horizon était rempli d'un vaste tremblement de vagues vertes ; sur tout cela un râle affreux et un aspect sombre, et les larges mousselines de l'écume se déchirant aux cailloux ; c'était vraiment beau et monstrueux. La mer était désespérée ; la lune était sinistre. Il y avait quelque chose d'étrange à voir cette immense chimère mystérieuse aux mille écailles monter avec douleur vers cette froide face de cadavre qui l'attire du regard à travers quatre-vingt dix mille lieues comme le serpent attire l'oiseau. Qu'est-ce donc que cette fascination où l'océan joue le rôle de l'oiseau ? »

On suit la mer du Tréport au Havre. Hugo dessine la grande arche d'Étretat. Ils arrivent à Rouen le 13 août. *A Adèle* : « J'ai vu Rouen. Dis à Boulanger que j'ai vu Rouen. Il comprendra tout ce qu'il y a dans ce mot. » Dans la même lettre, il parle « des Andelys où j'ai passé la nuit dernière, et du château Gaillard, immense faisceau de tours ruinées qui dominent quatre méandres de la Seine. Je l'ai dessiné ». Le 16 août, ils sont à Mantes où Hugo se réjouit de trouver les lettres d'Adèle : « Merci, mon Adèle, de tout ce qu'elles contiennent de doux et de bon pour moi. Tu m'aimes, n'est-ce pas ? Remercie ma Didine de sa douce petite lettre... Embrasse tous nos chers petits. » Par Mantes, Pontoise, Senlis, Pierrefonds et Villers-Cotterêts, Juliette et lui regagnent Paris. Achevé, le premier des voyages touristiques et amoureux dont chaque année, désormais, Victor et Juliette se donneront le bonheur. Plus tard, en exil, Juliette se rappellera ces périples et s'attendrira sur les souvenirs charmants qu'elle en a conservés :

« Te rappelles-tu nos départs et comme on se serrait l'un contre l'autre sous la capote de la diligence ? La main dans la main, l'âme dans l'âme, on perdait le sentiment de tout ce qui n'était pas notre amour. Et quand on arrivait à l'étape, et quand on visitait cathédrales et musées, on admirait toutes choses à travers l'émotion dont nos cœurs étaient inondés. Que de chefs-d'œuvre m'ont ainsi exaltée parce que tu les aimais et que ta bouche savait m'en éclaircir le mystère ! Que de marches j'ai montées jusqu'au sommet d'interminables tours parce que tu les montais devant moi ! J'en avais oublié la coquetterie naturelle aux femmes. Une fois, dans les couloirs du Mont-Saint-Michel, en visitant les cachots, j'ai gâté toute une robe ; je n'avais que celle-là et je riais tout de même ! Et une autre fois, à Coutances, tu sais bien, Coutances dont " les clochers tremblent au vent de mer ", dans un horizon noyé de brumes, souviens-toi comme l'averse tombait, une averse normande ! Tu voulus m'abriter sous ton manteau mais je refusai, disant à l'imitation de je ne sais plus qui : cette eau-là ne mouille pas ! »

Cette année-là, la femme d'esprit qu'elle était n'a pas dû manquer de s'amuser du parallélisme de son propre voyage avec celui entrepris, exactement à la même époque, par Adèle. Le jour où Victor et Juliette ont quitté Paris, Adèle en a fait autant, en compagnie de sa fille Léopoldine et de Pierre Foucher, son père. Le lendemain soir, Adèle est arrivée à Angers. Là, elle a retrouvé... Sainte-Beuve. Le mémorandum d'Henry Havard nous prouve que le double voyage d'Adèle et de Charles Augustin a été soigneusement préparé. La liaison en est arrivée à un point culminant. Qu'on en juge :

« Sainte-Beuve devient tyran, il empêche Adèle d'aller à des concerts. La tante continue de favoriser les amours. Les premières de Victor Hugo leur servent d'occasions de se voir. Les scènes commencent. Jalousie de Mme Victor Hugo. Elle lui offre de lui prêter de l'argent pour louer un appartement et lui défend de donner le bras à aucune autre femme... Elle l'appelle mon ange, allusion à des dangers courus par elle et par Martine. Elle ne sort qu'accompagnée — Victor va partir. Ils auront un mois pour reprendre leurs bonnes promenades. Elle l'appelle Cher bien-aimé. Rendez-vous au cimetière de Montparnasse, dans l'allée où est le tombeau de sa mère. Ils partent pour un voyage à Angers. »

Nous y voici. Lisons la suite :

« Elle part le samedi et lui recommande de partir vendredi ou dimanche pour que, si Victor la conduisait, il ne les vît pas partir ensemble (juillet). Rendez-vous à Saint-Sulpice pour préparer leur départ. »

De fait, pendant toute une semaine, Adèle et Sainte-Beuve ne vont pas se quitter, en observant naturellement en public une réserve de bon ton. Pierre Foucher n'y voit que du feu et s'émerveille surtout des festins rabelaisiens dont on les accable. On descend la Loire en bateau à vapeur jusqu'à Nantes. Sainte-Beuve récite le fameux sonnet de Du Bellay et des vers de lui qui, la chaleur aidant, assoupissent peu à peu l'auditoire. Du reste, Foucher est fier de sa fille. « Adèle doit être satisfaite, si elle a de l'amour-propre. Elle a été l'admiration des gens de la noce. Le nom de Mme Victor Hugo se murmurait d'une oreille à l'autre dans le bateau à vapeur... » Ce qui malgré tout étonne quelque peu Foucher, parfaitement au courant de la liaison de son gendre, c'est d'apprendre que celui-ci persiste à écrire à Adèle les lettres les plus tendres : « Hier soir, à notre rentrée dans Angers, Adèle a trouvé des lettres de son mari. Il voyage dans la Brie et la Champagne et paraît n'être pas satisfait des auberges qu'il rencontre dans sa course... Du reste, il est très aimable pour notre Adèle. Il lui mande qu'il veut qu'elle s'amuse, qu'elle pense à lui, qu'elle l'aime... » Si Foucher avait pu lire l'ensemble des lettres quasi quotidiennes de Victor à sa femme, il eût été encore plus surpris. Celle-ci par exemple : « Je suis à La Roche-Guyon et je pense à toi. Il y a quatorze ans, presque jour pour jour, j'étais ici ; et à qui pensais-je ? A toi, mon Adèle. Oh ! rien n'est changé dans mon cœur. Je t'aime toujours plus que tout au monde, va, tu peux bien me croire. Tu es ma propre vie... »

De quoi procurer à M. Pierre Foucher des perspectives inédites sur la nature humaine. Quant à Adèle, elle va faire connaître à son mari que Sainte-Beuve, pendant tout le voyage, a multiplié les attentions à son égard comme à

l'endroit de Léopoldine. Elle ajoutera : « Quand tu seras à
Paris, je te prierai, mon ami, de lui écrire quelques lignes de
remerciement pour ses soins. »

Hugo ne semble pas en avoir senti l'utilité.

II

UN HOMME RICHE

> L'argent, mon cher, l'argent,
> c'est la seule puissance.
>
> François PONSARD.

IL est minuit et demi. Dans son cabinet de la place Royale, à la lueur d'une bougie, Hugo écrit. Quelques instants plus tôt, une voiture l'a jeté devant chez lui. Il a gravi les deux étages et, au lieu de gagner sa chambre, s'est précipité dans son cabinet de travail. Il n'y tient plus. Il faut, il faut absolument qu'il écrive à Juliette. Sur-le-champ. Elle est aux Metz depuis quelques heures. Ce jour-là, 9 septembre 1835, Victor l'y a accompagnée dans une voiture particulière avec laquelle il est aussitôt reparti pour Paris. Alors, la plume d'oie — il n'en tolère pas d'autre — court sur le papier.

« A cinq lieues de toi. Hélas !

« Que fais-tu en ce moment ? Tu dors ? Moi je pense à toi. Rêves-tu de moi au moins, ma Juliette bien-aimée ? Je vais travailler pour nous. Oh ! je voudrais que toute notre vie fût comme cette nuit. Un doux rêve pour toi, le travail pour moi.

« Je t'aime. J'ai le désir de te voir qui me brûle. Je suis revenu dans cette voiture seul, et je te sentais pourtant là. La voiture était vide, mais j'avais le cœur plein.

« Je veux que tu m'aimes, je veux que tu m'écrives, je veux que tu me désires, je veux que tu sois belle, ce qui t'est facile, je veux que tu sois heureuse, ce qui m'est aisé.

« Oui, tu seras heureuse. Je t'aime tant, et si profondément. Si tu pouvais voir comme en ce moment je pense à toi avec amour !

« A bientôt. Je t'envoie d'ici mon âme et je te porterai demain le reste.

« Pose ta bouche ici.

« J'y ai mis la mienne. A bientôt, ma vie. »

Le lendemain, il va reprendre le chemin des Roches. Il a fallu cette fois une voiture plus vaste. Ce n'est pas rien d'emmener en même temps le père, la mère, les quatre enfants, la servante — et les bagages. De nouveau, l'accueil chaleureux des Bertin, les cris de bonheur des enfants, les courses éperdues dans les couloirs, la redécouverte du parc et des contes de Mlle Louise. Pour Hugo, dès l'installation dans *sa* chambre — les Bertin lui donnent toujours la même — il porte ses regards vers les arbres, les pelouses, l'horizon devenus familiers. Et, au-delà, vers la petite maison invisible où l'attend Juliette.

Quand il lui écrivait : « le travail pour moi », il illustrait fort exactement ce qu'allait représenter pour lui ce nouveau séjour. Renduel attend son nouveau recueil de poèmes : *les Chants du crépuscule.* Il est loin d'en avoir fini. Il sait où il va — il le sait toujours. L'architecture de l'ouvrage a été soigneusement bâtie. Il lui reste à écrire plusieurs poèmes, peut-être les plus importants, tels que *A Canaris.* Les journées ne suffiront pas, il lui faudra les nuits.

Et Juliette ?

Il ne peut aligner des vers sans s'évader quelques heures chaque jour. Ces heures-là, il a prévu — ainsi que l'an passé — de les partager entre ses enfants et sa maîtresse. Comme ils en ont parlé, elle et lui ! Comme ils ont rêvé — ensemble — du châtaignier creux et des sous-bois où ils ont traversé d'inoubliables ivresses !

> Et de sa petitesse étalant l'ironie,
> Son pied charmant semblait rire à côté du mien...

Quand il est arrivé aux Roches, il était sûr — et elle était sûre — que ces semaines-là allaient une fois encore marquer l'union idyllique de deux âmes et de deux cœurs. Ils s'étaient juré qu'aucun malentendu, aucun inutile emportement, aucun orage ne viendraient troubler ce bonheur que l'on prévoyait ineffable. Juré.

Hélas !

D'abord, il y a le temps. Épouvantable, au cours de cet automne de 1835. Impossible, pendant des jours entiers, de sortir, de se retrouver. Dans la maison des Metz, l'humidité suinte le long des murs. Durant des heures, par les fenêtres closes, Juliette regarde la pluie tomber. Victor travaille — et oublie. Mais elle? Son unique ressource est d'écrire à cet homme si près d'elle et qui lui reste si loin. Elle ne s'en prive pas. Quand elle a terminé une lettre, elle la range avec les autres, celles écrites la veille, ou l'avant-veille. Elle attend.

Une éclaircie — enfin! Ils se précipitent à la même minute l'un au-devant de l'autre, courant à travers les herbes trempées, les cheveux mouillés par l'eau qui glisse des branches et des feuilles. Il la voit, elle le voit. Ils s'élancent, elle est dans ses bras. Leurs lèvres s'unissent. Mais ensuite? Un regard à la terre changée en boue, à ces fougères — lit idéal — qui, gorgées de pluie, s'effondrent vers le sol comme si elles participaient du désespoir des amants. Il faut se contenter de quelques pas, elle blottissant contre lui son corps souple et chaud. Encore faut-il qu'ils se réjouissent si une ondée soudaine ne vient pas tout à coup interrompre ce qui n'est guère qu'un entretien amoureux. Un cri : « Ah! non! » Un dernier baiser, vite. Chacun s'enfuit chez soi. Et dans quel état arrive-t-on!

Juliette à Victor : « Mon Victor adoré, je t'aime, je n'ai aucun mal, je n'ai que la crainte que cette longue immersion ne t'ait pas aussi bien réussi qu'à moi. Ma pauvre âme, mon beau corps, je voudrais vous avoir à présent près de mon bon feu pour vous aimer et vous réchauffer avec mon amour et mes baisers. Mon bon chéri, à peine t'avais-je perdu de vue que j'ai rencontré Hyacinthe. Elle avait eu la précaution de m'apporter des souliers de rechange et de m'apprêter un bon feu. Je suis rentrée à six heures moins cinq. J'ai changé de tout, ensuite j'ai fait tout laver pour demain dans le cas où il ferait beau. Je veux être la première au rendez-vous... »

S'il n'était que les contretemps de la météorologie! Cette année-là, aux Metz, Juliette a bien plus encore à s'affliger des négligences de son amant. Il lui a promis sa visite et, sans raison, il ne vient pas la voir. Une autre fois, il part à l'improviste pour Paris. Si d'aventure il arrive à l'heure dite, il ne la touche pas. L'année précédente, pour ne pas rejoindre Juliette chez elle, Hugo pouvait arguer de la présence de sa fille, dont le lit se trouvait dans la chambre de sa mère. Cette fois, Juliette a expédié Claire à Saumur. Elle est seule, dans la petite maison, avec sa servante Hyacinthe. Alors, pourquoi cette froideur, ce dédain, ce mépris pour un corps toujours si beau, qui n'attend que des caresses ? A Paris, ce n'était guère mieux, mais elle avait cru — comme elle l'avait cru ! — que les Metz changeraient tout cela. Les éléments s'en mêlant, elle plonge dans un désespoir dont rien ne peut la délivrer, pas même les protestations d'amour de Hugo : elle a perdu confiance. S'il tente de la convaincre, elle se change en furie, hurle qu'il ment, qu'elle ne le croira plus jamais, et que d'ailleurs il ne l'a jamais aimée. Des larmes ont surgi dans les yeux de Hugo. Elles ne l'ont pas attendrie. Se mettant en colère — alternance rituelle — il lui répond sur le même ton, lui lance au visage les insultes de toujours. Elle crie plus fort encore. Hors de lui, il fuit, claquant la porte derrière lui.

C'en est trop. Le lendemain, quand il revient — il revient toujours — elle lui annonce que c'est décidé, elle le quitte, elle part et, cette fois, définitivement :

« Je te supplie à genoux de me laisser partir. Je n'ai pas assez de voix, pas assez de prière pour te le demander et, vois-tu, mon pauvre ami, je suis si malheureuse, si humiliée et je souffre tant que je m'éloignerais de toi, malgré toi. Il vaut mieux que tu donnes ton consentement, j'aurai du moins la triste satisfaction, en m'éloignant de toi pour toujours, de ne t'avoir pas désobéi. »

La lettre a été écrite à 11 heures un quart du matin. Deux lignes ont été soulignées par elle : « *Tu es le seul homme que j'aie jamais aimé, le seul à qui je l'aie dit.* » En travers de la première page, en haut, elle a noté : « Il y aura demain un mois que nous avons quitté Pierre. » Pierre était un de leurs conducteurs, au cours de leur voyage du mois d'août. Ils avaient été si heureux alors ! Elle a dû faire porter la lettre aux Roches par sa servante Hyacinthe — le regard d'Adèle si elle l'a aperçue ! — Hugo, après l'avoir lue, s'est précipité aux Metz. Il frappe, elle ouvre, reste un instant interdite. Il pleure. Elle lui ouvre les bras. Le même jour, à 7 h 10 du soir — elle n'inscrit pas seulement les heures, mais les minutes — elle lui écrit :

« Si je t'ai fait du chagrin, si je t'ai fait du mal, si je t'ai offensé, pardonne-moi, pardonne-moi, pardonne-moi. Je t'aime. Je voudrais lécher tes pieds comme un *pauvre chien battu que je suis*. Ne me dis plus que je t'aime moins. Ne me dis plus rien de triste. Ne fais plus ta petite mine malheureuse. Pour te voir me sourire, je donnerai tout ce que j'ai et tout ce que je n'ai pas. Mon Toto, je t'ai fait bien du mal et j'ai été bien cruelle. Je ne me comprends pas, quand je pense que j'ai vu, sans me jeter sur tes yeux et sur ton cœur, tout le mal que tu y avais. Juge de ma douleur à moi par ma férocité pour les tiennes. Mon adoré, mon chéri, mon Toto, mon amour. Bien que je te voie pleurer, que je te voie souffrir, veux-tu bien te laisser aimer, caresser, consoler tout de suite ?

« Je ne sais pas ce que je te dis. Mais c'est que je suis *grise* à la lettre. La joie de ne pas partir, la joie d'être à toi encore, le chagrin de t'avoir fait tant souffrir, la fatigue de la journée, car j'ai tout *rerangé*, l'estomac que j'ai vide depuis hier midi, tout cela me tourne, me tourne, au point que je suis *soûle*. Mais je n'aurais rien pu approcher de mes lèvres avant d'avoir approché mon cœur du tien, avant de t'avoir dit comme autrefois, avec le même accent et la même conviction : je t'aime *plus*.

« Maintenant, calme-toi, laisse-toi aimer, prends soin de toi, dors bien, pense à moi. Ne m'écris pas. Tes yeux sont trop malades. Je lirai dans ton cœur demain. »

Hyacinthe a dû reprendre aussitôt le chemin des Roches, car le même jour, à minuit et demi, Hugo lui écrit déjà. Il a lu, relu, baisé mille fois la lettre, « ton adorable lettre de ce soir, ta lettre qui me rend heureux, ta lettre qui me rend fou, ta lettre qui me rendra sage !... Ma Juliette, ma bien-aimée, c'est moi qui te demande pardon à genoux, à mains jointes, avec larmes, c'est moi qui ai été monstrueux, c'est moi qui ai besoin de coller mes lèvres sur tes pieds, sur ton pauvre corps adorable que je n'ai jamais plus aimé qu'hier même, Dieu m'en est témoin. Ma Juliette, je t'aime. Il est dans ta destinée d'être ma vie ou d'être ma mort... Jamais je ne t'ai plus aimée qu'hier, cela est pourtant vrai, dans cette frénésie, dans cette furie, dans cette férocité où j'étais. Pardonne-moi. J'ai été un misérable fou atroce et perdu de jalousie, perdu de rage, perdu d'amour. Je ne sais pas ce que j'ai fait. Mais je sais bien que je t'ai aimée. Aimée, vois-tu, comme jamais une femme ne l'a été avant toi, comme jamais femme ne le sera après. Je t'aime jusqu'à mourir, jusqu'à te tuer... Aime-moi de même, et le jour où tu prendras mon sang, je baiserai ta main qui m'aura frappé. Mais non, rien de tout cela. Nous nous aimerons. Tu seras heureuse. Moi, je relis ta lettre, je suis à tes pieds, je suis au ciel. »

Comment, en lisant cela, ne serait-elle pas, elle aussi, au ciel ? Amants terribles toujours, mais amants admirables. De nouveau, elle l'attend. De nouveau, elle espère des étreintes dont elle imagine des joies infinies : « Pense à moi. Viens le plus tôt possible. Je te tends les bras, les joues et tout mon être... » Ses lettres prennent un caractère de plus en plus charnel : « Je vous baise partout, sans exception. » Et aussi : « Je te baise sur toutes tes joues, même celles qui sont grasses. » Mais il continue à la décevoir — souvent : « Vous voyez bien que vous n'êtes pas venu, cette nuit. Ni ce matin. » Et encore : « Je suis très fâchée contre vous, Toto. Vous n'êtes pas venu, ni cette nuit, ni ce matin... »

Il est vrai qu'il travaille avec acharnement, presque avec fureur : des jours entiers, des nuits entières. Le but qu'il s'est fixé pour *les Chants du crépuscule*, c'est d'atteindre au chef-d'œuvre. Pour cela, rien ne doit être épargné. Parfois, à 5 heures du matin, il interrompt son travail afin de lui écrire. D'autres fois, l'aube venue, il quitte le château, court à travers bois, la surprend aux Metz alors qu'elle dort encore.

De ces matins exaltants, comme il saura se souvenir ! « Je songe avec ravissement à notre matinée d'aujourd'hui, à ton lit si parfumé de toi, à tes bras si doux, à tes baisers si enivrants. Ma Juliette ! Ma joie ! » N'importe, amère est la désillusion de Juju quand, allant à *leur* châtaignier creux, elle ne trouve ni Victor ni lettre : « A moins que le ciel ne se fonde en eau, j'irai à notre *gros arbre* qui est bien stérile pour moi cette année. Il ne m'a pas encore apporté la plus petite lettre et c'est bien ingrat à lui, car je lui donne la préférence sur les autres, beaucoup plus jeunes et plus charmants que lui. Mais l'ingratitude, c'est le fond des hommes et des arbres... » C'est elle qui est ingrate : sous le feuillage de l'un de ces arbres, elle va vivre — et lui aussi — un moment d'extase si sublime que le souvenir les marquera tous deux jusqu'à l'instant ultime de leur vie.

Victor à Juliette : Souvenons-nous, toute notre vie, de la journée d'hier. N'oublions jamais cet effroyable orage du 24 septembre 1835, si plein de douces choses pour nous. La pluie tombait à torrents, les feuilles de l'arbre ne servaient qu'à la conduire plus froide sur nos têtes, le ciel était plein de tonnerres. Tu étais nue entre mes bras, ton beau visage caché dans mes genoux, ne se détournant que pour me sourire, et ta chemise collée par l'eau sur tes belles épaules. Et pendant cette longue tempête d'une heure et demie, pas un mot qui n'ait été un mot d'amour. Tu es ravissante ! Je t'aime plus qu'il n'y a de paroles pour te le dire, ma Juliette ! Quel affreux tumulte de nous ; en nous, quelle délicieuse harmonie ! Que ce jour-là soit un souvenir d'or pur sur les jours qui nous restent... »

C'est peut-être ce jour-là qu'est né Olympio. Toujours est-il que, quelque temps plus tard, le 15 octobre, il va composer son poème intitulé « Olympio », destiné primitivement aux *Chants du crépuscule* et en définitive publié, en 1837, dans *les Voix intérieures*. Olympio, c'est lui, Victor Hugo. Ou plutôt, son double. Dans un fragment du manuscrit, partie non insérée de la préface des *Voix intérieures*, le poète s'est expliqué : « Il vient une certaine heure dans la vie où, l'horizon s'agrandissant sans cesse, un homme se sent trop petit pour continuer à parler en son nom. Il crée alors, poète, philosophe ou penseur, une figure dans laquelle il se personnifie et s'incarne. C'est encore l'homme, mais ce n'est plus le moi. » Plus tard, au temps de l'exil, il dira : « Mon moi se décompose en : Olympio : la lyre — Herman : l'amour — Maglia : le rire — Hierro : le combat. » D'autres romantiques se sont cherché des doubles : Byron avec *Childe Harold*, Chateaubriand, avec *René*, Vigny avec *Stello*, Musset avec *Fantasio*, George Sand avec *Lélia*. Le choix seul du nom Olympio représente une admirable trouvaille. Sa consonance nous élève sur le haut d'une montagne où la foudre frappe un « demi-dieu né dans la solitude aux souffles confondus de l'orgueil, de la nature et de l'amour [1] ».

Il faut lire tout le poème des *Voix intérieures* pour sentir combien, au moment où il écrit, il souffre de se voir discuté, controversé, haï. Il compare cet opprobre, ces ricanements qui l'accompagnent avec ce jeune homme dont on craignait à la fois et révérait le nom.

> Les méchants accourus pour déchirer ta vie,
> L'ont prise entre leurs dents,
> Et les hommes alors se sont avec envie,
> Penchés pour voir dedans !

On admirait la chaste renommée du jeune poète, maintenant, on foule aux pieds sa vie privée, on l'accable de calomnies, on discrédite sa gloire.

1. Maurice Levaillant.

> Nul ne te défend plus. On se fait une fête
> De tes mots aggravés.
> On ne parle de toi qu'en secouant la tête,
> Et l'on dit : Vous savez !

Ses amis l'ont abandonné. Quand ils parlent de lui, ils ont
l'air de montrer « un palais ruiné ». De tout cela, il éprouve
une souffrance qui sans cesse grandit et le déchire davantage. Il tente de se délivrer par la certitude orgueilleuse de
son génie, par la conviction que le jour viendra où les
méchants seront confondus. A son double qui supporte si
mal les coups qu'on lui porte, les blessures dont il saigne, il
répond par un chant « calme et paisible ». Il lui parle
« comme à la grande mer qui parlerait au fleuve », il attarde
son regard aux grandeurs du ciel et aux beautés du monde, il
proclame la victoire de l'amour. Certes, les illusions de
l'enfance sont mortes. Mais la paix est venue.

> Dieu nous donne à chacun notre part du destin,
> Au fort, au faible, au lâche,
> Comme un maître soigneux levé dès le matin
> Divise à tous leur tâche
> Soyons grands. Le grand cœur à Dieu même est pareil.

En fait, nous assistons à une nouvelle transformation du
poète. Les tumultes de la liaison avec Juliette ont joué un
rôle. La jalousie, les fureurs, les angoisses, le désespoir ont
ajouté, comme il eût dit lui-même, une corde à sa lyre. Quand
vont paraître, à la fin d'octobre, *les Chants du crépuscule*, nul
ne pourra disconvenir que son but avait été atteint. Le chant
est devenu ample sans être outré, la force s'enveloppe de
douceur. L'inspiration naît aussi bien des croyances politiques passées et présentes, de l'empereur après le roi, mais
aussi de la France avant n'importe quel souverain, cette
France personnifiée en Femme divine, aimée et révérée
comme la Vierge. Et des enfants, image de la pureté, suscitant l'amour le plus pur parce que le plus sacré. Et aussi
des femmes, Juliette au centre de tout, Juliette qui apparaît
dans treize poèmes, que ceux-ci la chantent ou lui soient
dédiés.

> Puisque j'ai mis ma lèvre à ta coupe encor pleine,
> Puisque j'ai dans tes mains posé mon front pâli,

Puisque j'ai respiré parfois la douce haleine
De ton âme, parfum dans l'ombre enseveli,

Puisqu'il me fut donné de t'entendre me dire
Les mots où se répand le cœur mystérieux,
Puisque j'ai vu pleurer, puisque j'ai vu sourire
Ta bouche sur ma bouche et tes yeux sur mes yeux...

Je puis maintenant dire aux rapides années :
« Passez ! Passez toujours ! Je n'ai plus à vieillir !
Allez-vous-en, avec vos fleurs toutes fanées ;
J'ai dans l'âme une fleur que nul ne peut cueillir.

« Votre aile, en le heurtant, ne fera rien répandre
Du vase où je m'abreuve et que j'ai bien rempli.
Mon âme a plus de feu que vous n'avez de cendre !
Mon cœur a plus d'amour que vous n'avez d'oubli ! »

Mais les lecteurs des *Chants du crépuscule* vont découvrir non sans étonnement, souvent avec scandale, que d'autres poèmes célèbrent aussi... Adèle. « Date Lilia » apparaît comme la proclamation d'un amour conjugal que rien n'a pu tuer :

Oh ! qui que vous soyez, bénissez-la. C'est elle !
La sœur, visible aux yeux, de mon âme immortelle !
Mon orgueil, mon espoir, mon abri, mon recours !
Toit de mes jeunes ans qu'espèrent mes vieux jours !...

Il n'est pas sûr que, de cette dévotion, Adèle se soit montrée enchantée. Avant même la publication de l'ouvrage, Sainte-Beuve, informé par elle — par qui d'autre l'eût-il été ? — écrivait à Béranger pour stigmatiser vertueusement l'étalage public que Hugo allait faire de ses amours illégitimes. Écrivant à Victor Pavie, il a réitéré : « Son volume de vers s'imprime ; il y en a beaucoup à cette belle Dalila ; il accommode tout cela comme il peut, et à la chinoise, avec l'amour conjugal des *Feuilles d'automne,* qu'il ne veut pas rompre officiellement, mais il y aura éclat je pense et curiosité maligne très en jeu lors de cette publication. » A peine l'ouvrage est-il en librairie que Sainte-Beuve rédige, pour *la Revue des Deux Mondes,* un article où, après des éloges mêlés de fiel, il en vient à ce qui, depuis le début, l'agite si furieusement. Parlant du poème, *Date Lilia,* réservé à sa chère Adèle, il écrit :

« On dirait qu'en finissant, l'auteur a voulu jeter une poignée de lis aux yeux. Nous regrettons que l'auteur ait cru ce soin nécessaire. L'unité du volume en souffre ; son titre de *Chants du crépuscule* n'allait pas jusqu'à réclamer cette dualité. Le thème manque de tact littéraire (au milieu de tant d'éclat et de puissance !) qui plus haut, nous l'avons vu, lui a fait comparer l'harmonie de l'orgue à *l'eau d'une éponge*, et parler du sourire *fatal* de la résignation à propos de Pétrarque, lui a inspiré d'introduire dans la composition de son volume deux couleurs qui se heurtent, deux encens qui se repoussent. Il n'a pas vu que l'impression de tous serait qu'un objet respecté eût été mieux honoré et loué par une omission entière... »

Cette indignation que Sainte-Beuve n'a pu contenir va bien au-delà de l'atteinte portée aux convenances. Elle n'est rien d'autre qu'une « vraie jalousie d'amant ». Sainte-Beuve ne reproche pas seulement à Victor d'avoir « manqué » à Adèle, il crie bien plus sa colère d' « être trompé par Hugo avec Juliette [1] ». Il y a dans toute âme humaine des zones d'ombre où nul ne pénètre, pas même soi.

Place Royale, Hugo vient de lire l'article de Sainte-Beuve. Il crie sa rage et son mépris. Si le critique était là, il le souffletterait, le pousserait dehors. Adèle se tait. Regrette-t-elle le zèle intempestif de Charles Augustin ? Le mémorandum d'Henry Havard se borne à dépeindre par le menu, à travers les lettres d'Adèle, ses relations avec Sainte-Beuve au cours de la fin de cette même année.

« Elle part pour un mois pour les Roches, ensuite ils auront *eux* leurs vacances. Il doit être le plus heureux des hommes parce qu'il est le plus aimé. Elle voudrait l'avoir dans ses bras. Elle est aux Roches (17 septembre 1835), elle lui rend compte de sa vie... Rendez-vous dans les églises, promenades en fiacre. Redoublement de tendresse et de rendez-vous. — 3 décembre 1835 : "Je te sais si peu heureux cependant je t'aime tant. *C'est si bon d'être aimé*, crois-le, notre vie est tellement mieux qu'il y a quatre ans que nous devons espérer tout au monde." — 15 décembre : "C'était aujourd'hui une fête, que n'es-tu auprès de moi !" »

Peut-on après cela croire qu'elle ait donné tort à son amant ?

Après la publication de l'article, on a parlé de duel entre Hugo et le critique. Il a fallu que des amis s'entremettent. Finalement, le poète a préféré le mépris. Il s'y sent plus grand.

1. Raphaël Molho.

Du mépris, il n'est pas loin d'en éprouver toujours pour Louis-Philippe. De ses ministres, de tout ce personnel qu'il voit d'autant plus enflé qu'il sort de la « boutique », il ne parle qu'avec condescendance. Réflexe à la fois aristocratique et irréaliste. L'enrichissement proposé par Guizot en manière d'idéal comporte des résultats tangibles dont le bourgeois Hugo serait mal venu de se plaindre. Mais, l'*autre* Hugo continue à penser que l'on n'a pas le droit de fuir le vrai problème, celui de la misère et de l'ignorance, l'une étant la conséquence de l'autre. Il conserve aux Bourbons de la branche aînée une sorte de révérence sensible et grave ; et cela ne l'empêche pas de revenir sans cesse sur les errements qui ont causé leur perte. Il a stigmatisé l'arrestation de la duchesse de Berry, flétrissant avec une indignation sincère ce Deutz qui avait monnayé — cent mille francs que Thiers lui a remis, dit-on, avec des pincettes — la livraison de la princesse : « l'homme qui avait vendu une femme », écrit-il. Il n'en est pas pour autant redevenu légitimiste. Il souhaite toujours une sorte de bonapartisme social qui lui permettrait de conjuguer son admiration pour Napoléon et ses aspirations à une plus grande équité. Mais le duc de Reichstadt est mort. Se rapprocher de Louis-Philippe ? Il n'y songe pas. La seule démarche qu'il se soit résolu à entreprendre — en septembre 1834 — auprès du duc d'Orléans, fils aîné du roi des Français, c'est une demande de secours pour une famille dans le besoin. Le duc s'est d'ailleurs empressé de lui donner satisfaction. Hugo l'a remercié par un poème. Rien de plus.

De plus en plus, il pense que le poète a sa place dans la cité. Que, mieux que d'autres et plus que d'autres, il peut utiliser les facultés dont la Providence l'a doté pour faire progresser la chose publique. Quand il regarde derrière lui, il s'aperçoit que toute sa vie littéraire, à son corps défendant, s'est trouvée escortée par une compagne fidèle : la politique. Il a lui-même écrit qu'il avait été « jeté à seize ans dans le monde littéraire par des passions politiques [1] ». Comment oublier les « affaires » de *Marion* et du *Roi s'amuse* ?

Impossible de douter que, depuis 1830, Hugo n'ait gardé les yeux fixés sur Lamartine. Pour lui, le grand aîné représente une manière d'exemple. L'auteur du *Lac* ne s'est pas non plus rallié au nouveau régime. Mais sa résistance a pris

1. Préface de *Marion de Lorme*.

une forme active, alors que celle de Hugo reste passive. Après la Révolution de juillet, Lamartine a donné sa démission de diplomate. Il s'est présenté à la députation : première audace. Il a échoué. En 1831, il a publié une brochure intitulée *Sur la politique rationnelle* qui balayait toute prudence : il y prônait un État évangélique et social où importait peu la personne ou l'origine du chef de l'État, mais qui devait respecter avant tout la liberté de la presse, la centralisation administrative, la gratuité de l'enseignement, la séparation de l'Église et de l'État, la suppression de la peine de mort. Déçu peut-être de n'être point entendu, il a entrepris un long voyage en Orient au cours duquel il a eu la douleur de perdre sa fille âgée de dix ans, Julia. En son absence, il a été élu député et, à son retour, a pris possession de son siège. A la Chambre, il se fait orgueil d'un splendide isolement. Il n'est membre d'aucun parti et, quand on lui demande quel est le sien, il répond, superbe : le parti social. Chaque fois qu'il parle, c'est sur les thèmes mêmes qui obsèdent Hugo. Comment ne serait-il pas ému — et secrètement jaloux — lorsque Lamartine s'en prend à cette peine de mort qu'il hait ? Dans ce sens, la visite que Lamartine rend à Hugo, le 17 avril 1834, représente un tournant de sa vie.

Qu'est venu lui demander Lamartine ? Il souhaite que son ami se présente aux élections. Peut-être le grand poète est-il un peu las de sa solitude. Parler dans le désert peut se révéler exquis, à condition que cela ne soit pas éternel. Lamartine a dû rêver à deux grandes voix associées imposant le silence aux nains du Palais Bourbon. Certes, quand il prend la parole, il en impose. Que serait-ce si s'exprimaient ensemble Hugo et Lamartine ! Nous ne savons rien de ce qu'a pu répondre Hugo. Mais le passage que le *témoin* consacre à l'entrée de Hugo dans le combat politique ressemble beaucoup à une réponse :

« Il y avait deux tribunes, celle des députés et celle des pairs. Député, il ne pouvait l'être ; la loi électorale d'alors était faite pour de plus riches que lui ; *Notre-Dame de Paris* et *les Feuilles d'automne* n'équivalaient pas à une terre ou à une maison. Il y avait bien un moyen de tricher la loi, assez usitée, si l'on avait un ami propriétaire ; il vous prêtait sa maison. Mais, quand M. Victor Hugo eût emprunté la maison d'un ami, les électeurs du cens étaient peu sympathiques aux littérateurs ; les écrivains étaient pour eux des rêveurs bons à les amuser dans les intervalles de leurs affaires sérieuses, mais, du moment qu'on était un penseur, et surtout un poète, on devenait radicalement incapable de bon sens et de rien entendre aux choses pratiques. Je ne sais par quelle erreur M. de Lamartine avait dû et pu être élu ; c'était déjà trop d'un poète, on n'en aurait certainement pas admis deux. »

Constatons qu'ici le nom de Lamartine vient bien à propos. Châtelain lui-même, l'auteur de *Jocelyn* a dû ouvrir de grands yeux. Sûrement, il n'avait pas pensé à cela, à cette loi qui ne voulait d'éligibles que les propriétaires ! Est-ce lui qui, tout à coup désabusé, aura indiqué à Hugo une autre voie possible vers la tribune : la Chambre des pairs ? Les pairs avaient été créés par la Charte de 1814, à l'image des lords britanniques. Sous les Bourbons, la pairie était héréditaire. Louis-Philippe a gardé les pairs, se contentant de supprimer l'hérédité, mais conservant à la Chambre haute de réels pouvoirs, plus importants que ceux du Sénat de la Vᵉ République. Une différence : notre Sénat est électif, les pairs étaient nommés par le roi. La réponse qu'a pu faire Hugo à Lamartine, nous l'entendons : il n'a aucune sorte de lien avec le roi Louis-Philippe, il n'a même jamais mis les pieds aux Tuileries. D'ailleurs, chacun sait que les seuls écrivains qui aient été nommés à la Chambre des pairs ont tous appartenu à l'Académie française. Lamartine avait l'esprit vif, il aura aussitôt rétorqué : Eh bien, présentez-vous à l'Académie française ! Moue de Hugo : chacun sait que la vieille dame du quai Conti est composée, à une majorité écrasante, d'auteurs classiques. Un poète romantique n'a aucune chance d'y être admis.

Lamartine réplique alors : J'y suis bien, moi ! Raisonnement qui n'a pas dû manquer de frapper Hugo. Reprenons le *témoin* : la « filière » y est très exactement indiquée : « Restait la Chambre des pairs. Mais pour pouvoir être nommé, il fallait être d'une des catégories où le roi devait choisir. Une seule était accessible à M. Victor Hugo : l'Académie. »

Dès 1832, quelques amis de Victor avaient commencé de lui parler de l'Académie française. Chant de sirènes auquel peu restent insensibles. Si de nombreux académiciens lui étaient fort hostiles, certains lui avaient manifesté de la sympathie. Nombreux sont ceux qui, en 1834, pensent que l'entrée de Victor Hugo à l'Académie représenterait pour le romantisme un droit de cité définitif dans la république des lettres.

Certes, Hugo est encore bien jeune : trente-deux ans. Mais l'âge moyen des académiciens d'alors est inférieur à celui d'aujourd'hui. Malgré les instances de ses amis, malgré l'envie qu'il en a, Hugo n'a pas franchi le pas. Mais, le 17 décembre 1835, voici que meurt l'académicien-politicien Lainé dont nous conviendrons qu'il nous est devenu bien obscur. Aussitôt le *Courrier des théâtres* imprime : « Le bruit court que M. Victor Hugo se porte candidat à la place d'académicien, vacante par le décès de M. Lainé. Pour y réussir, cet écrivain a fait ses *Odes*; pour n'y réussir pas, il a fait ses drames. » Le journaliste est bien informé. Le premier, l'auteur dramatique Népomucène Lemercier, pourtant si hostile au romantisme — il avait publié une brochure qui prétendait tuer *Hernani* sous l'ironie — a fait dire à Hugo qu'il « ferait bien de se présenter; qu'il n'entrerait pas cette fois, mais aurait des voix honorables qui lui assureraient l'élection suivante ». Adèle nous raconte cela dans un chapitre de son manuscrit que le *témoin* n'a pas cru devoir insérer, même réécrit, dans l'ouvrage définitif. Mme Sheila Gaudon a retrouvé ces pages inédites et savoureuses pour qui a quelque raison de porter intérêt à la stratégie académique. Que Hugo ait jugé inutile, parce que déplacé, de lever le secret sur ses visites académiques, on le comprend. Notre gratitude n'en va pas moins à Adèle de nous avoir restitué le sel d'un itinéraire demeuré après un siècle et demi sans changement.

Hugo médite encore le conseil de Lemercier qu'il reçoit une lettre de Lamartine : « Cher ami, le premier de nos hommes politiques est mort. Il ne peut être remplacé que par le premier de nos hommes littéraires. Vous savez si vous pouvez compter sur ma voix. » Deux jours plus tard, c'en est une autre, d'Alexandre Soumet : « Ce n'est pas à vous à venir demander ma voix mais à moi à vous l'apporter. Celle de Guiraud vous est également assurée. Il est aussi désireux que moi de vous avoir pour confrère. » Comment ne pas céder à de telles amabilités ? La décision est prise, Hugo rédige sa lettre de candidature, aussitôt envoyée au secrétaire perpétuel de l'Académie.

Une candidature académique est une épreuve pour l'entourage de celui qui se met sur les rangs. Si Hugo a pu espérer être soutenu par ceux qu'il aimait, il est vite tombé de haut. Place Royale, Didine se déclare farouchement contre. Elle a onze ans maintenant, elle a vu tous les drames, lu tous les vers de son père. Elle l'aime avec passion, mais aussi, elle l'admire. Elle juge que M. Victor Hugo est bien assez grand par son œuvre sans qu'il lui soit besoin de convoiter un uniforme. Non, vraiment, qu'aurait-elle à faire d'un *papa vert* à la maison ? A son insu, Léopoldine possède un allié incomparable : Juliette. Depuis le jour où la belle recluse a appris que son Toto songeait à se présenter, elle s'est récriée. Quelle idée est donc passée par la tête de son grand homme de convoiter un habit brodé d'or, fût-ce selon le canon du peintre David ? En outre, l'Académie risquait de procurer à Victor un surcroît d'obligations dont Juliette prévoyait — elle n'avait pas tort — qu'elle payerait le prix. Son opposition baisse d'un ton lorsque Hugo l'avertit que, si le règlement de l'Académie interdit les visites, la tradition les conseille. Il lui faudra donc faire campagne auprès des académiciens en place. Il prévoit de louer un fiacre pour l'après-midi et, d'une seule randonnée, d'en « faire » plusieurs. Pourquoi Juliette ne l'accompagnerait-elle pas ? Quand la jeune femme apprend qu'il y a quarante académiciens, elle bat des mains : cela fait quarante visites et beaucoup d'après-midi en fiacre avec Toto ! Sentencieux, Victor observe que cela ne fait que trente-neuf, puisqu'un siège vacant signifie obligatoirement un mort. Elle ouvre de grands yeux : elle n'y avait pas pensé.

Ainsi en sera-t-il fait. Lors des visites qu'il entreprend, elle l'attend en bas, frémissante, ravie, cependant qu'il tire la sonnette d'improbables votants. Tendre et jalouse, elle lui a dit : « Comme cela, je saurai le temps que vous passez auprès des femmes et des filles d'académiciens. »

L'une des premières visites est pour le cher Nodier qui l'accueille avec un large sourire. Quand Victor lui confirme qu'il se présente, Nodier se rembrunit. Victor a-t-il bien réfléchi ? Réponse positive. Nodier hoche la tête.

— Votre génie vous dirige mal et, depuis *Notre-Dame de Paris*, vous êtes dans une mauvaise voie. Votre théâtre me choque et *Lucrèce Borgia* en particulier... Vous flétrissez, dans votre drame, un pape et blessez les sentiments religieux qui ont résisté chez moi aux secousses de la jeunesse.

Bref, Hugo n'aura pas la voix de Nodier :

— Je la donne à genoux à l'auteur de *Notre-Dame de Paris*, et la refuse à l'auteur de *Lucrèce Borgia*.

— Eh bien, Nodier, l'auteur de *Lucrèce Borgia* défend à l'auteur de *Notre-Dame de Paris* de vous la demander.

Alexandre Duval, attaché à la Bibliothèque de l'Arsenal, loge dans le même bâtiment. Quelques pas et Hugo frappe à sa porte. Duval est formel : il ne votera pas pour M. Hugo, attendu qu'il a ressenti une sinistre impression au spectacle de la pièce intitulée *Robert Macaire*. Hugo ose observer qu'il n'est pour rien dans *Robert Macaire*. Duval se récrie : sans l'influence pernicieuse de l'école romantique, il n'y aurait jamais eu de *Robert Macaire*. Confondu par cette logique, Hugo se retire en saluant. Dans le fiacre, Juliette commence ses comptes. On se fait conduire chez M. Villemain, tout récent secrétaire perpétuel de l'Académie, qui naguère avait dit grand bien des *Odes et Ballades*. Il est en train d'emménager. Les propos que Hugo a retenus et qu'Adèle a transcrits méritent d'être reproduits intégralement :

« Mr. Villemain savait que Mr. Hugo se présentait à l'Académie. Il savait aussi qu'on ne pouvait le faire revenir sur une résolution prise. Il lui dit qu'il n'essayerait pas de le faire changer d'avis ; qu'il était très embarrassé ; qu'il y avait en lui deux hommes : l'écrivain qui appartenait à Mr. Victor Hugo, et l'organe de l'Académie ; que sa candidature de chef du romantisme effrayait la majorité dont il était difficile au secrétaire perpétuel de se séparer ; que de plus, Mr. Molé avec lequel il avait été ministre étant un des concurrents, il devait par bon goût lui donner sa voix ; que la donnant à Mr. Molé en présence d'un des premiers poètes du siècle, il faisait un vol aux lettres ; qu'il aurait voulu, dans un intérêt commun et pour l'honneur de l'Académie, que Mr. Hugo laissât mûrir sa candidature et entrât d'emblée à l'Académie ; que, du reste, le résultat du vote, même prévu à l'avance, était toujours incertain ; qu'il tiendrait à la prochaine élection d'inscrire son nom sur l'un de ses bulletins et tâcherait enfin de concilier les exigences de sa situation avec sa conscience littéraire. »

Hugo remercie, salue et se fait conduire — avec Juliette — au ministère de l'Intérieur, dont le titulaire est toujours M. Thiers. Le petit Marseillais, avec sa pétulance ordinaire, expose les graves interrogations dans lesquelles il se trouve plongé. Molé se présente. Or, il tire à boulets rouges sur le gouvernement auquel appartient Thiers. Il faudrait donc avoir l'élégance de voter pour lui. Cependant il sait à l'avance que la voix qu'il donnera à M. Molé sera perdue, car M. Dupaty, autre candidat, a pour lui « la fraction agissante et enrégimentée de l'Académie ». Mais, ministre pour l'instant, il se doit d'être plus ministre qu'autre chose. Il regrette pour M. Hugo, c'est pour M. Molé qu'il votera.

M. Étienne estime que les lettres et la politique dont, au *Constitutionnel*, il s'est fait l'arbitre, lui paraissent inconciliables. Donc, il refuse sa voix à Hugo. Casimir Delavigne reçoit Victor affaissé au fond d'un fauteuil près d'une lampe à abat-jour qui éclaire faiblement son cabinet de travail. Il va droit au but :

— Vous connaissez sans doute les statuts de l'Académie. Nous ne pouvons engager notre voix ni révéler pour quel candidat nous votons.

— Aussi ma démarche, répond Hugo, n'est-elle qu'une simple formalité.

S'engage alors une conversation dont il ressort que Casimir Delavigne a rencontré M. Molé aux eaux d'Aix. Il lui a trouvé « de l'esprit et des manières de l'ancien monde ». Par ailleurs, il a lu le livre de M. Molé intitulé *le Pouvoir* et a jugé qu'il était écrit très purement. Rien de plus. Rien de moins. C'est ce qui pour M. Delavigne s'appelle garder le secret du vote. M. Scribe se déclare trop admirateur de Racine et des classiques pour ne pas s'opposer de tout son pouvoir à l'envahissement de l'Académie par le romantisme. « Entre M. Victor Hugo, promoteur des idées nouvelles et M. Dupaty, gardien des saines doctrines », il opte pour M. Dupaty. M. Dupin ne connaît pas M. Victor Hugo, mais déclare que peut-être il lira d'ici l'élection un livre de lui. Il n'est qu'un écrivain auquel il donnerait sa voix sans hésiter, c'est M. Casimir Bonjour. M. Viennet lit à Hugo une scène de sa tragédie d'*Argobaste*. Compliments de Hugo. Viennet se penche vers lui : ne pourrait-il pas l'aider — en bon confrère — à faire représenter sa pièce à la Comédie-Française ? Hugo déclare qu'il a tout juste assez d'influence pour faire jouer ses propres œuvres. Viennet se rembrunit. Victor n'aura pas sa voix.

Après sa visite à M. Viennet, c'est chez M. Royer-Collard que Victor se rend. Lequel n'y va pas par quatre chemins : il ne votera pas et ne votera jamais pour M. Victor Hugo. D'ailleurs, le jeune candidat a le temps d'être de l'Académie. Il en sera, mais après que lui, Royer-Collard, n'y sera plus.

Le fiacre où se pelotonne une Juliette déconfite conduit le candidat chez Chateaubriand. Très ému, Hugo pénètre dans ce cabinet de travail où il avait tremblé adolescent. A l'exception des cheveux devenus tout blancs, il trouve René à peine changé. Le grand homme se lève, avance un fauteuil et parle :

— Je vous attendais, Monsieur. Ayant appris la mort de M. Lainé, je pensais que vous viendriez me voir. Vous avez raison de vous présenter à l'Académie. C'est une bêtise mais tous les hommes de génie l'ont faite. Racine et Corneille ont été de l'Académie, il ne faut pas leur donner un démenti. Il est d'ailleurs bon que les hommes de valeur barrent le passage aux intrigants qui ont toutes les places, tous les honneurs, tout l'argent et qui veulent prendre les douze ou quinze cents francs que rapporte l'Académie dans la poche des pauvres littérateurs dont ce serait le pain. J'ai fait comme vous, Monsieur Hugo, je me suis présenté à l'Académie. Je suis académicien ; j'ai eu cette faiblesse.

Il se lève, tend la main à son visiteur :

— Ne vous dérangez donc plus, Monsieur Hugo, pour moi. Il me sera toujours agréable de vous serrer la main, mais cette espèce de visite officielle est superflue.

Quand, le 18 février 1836, on parvient à l'élection, Juliette, qui a soigneusement tenu ses comptes, sait à l'avance que son Victor ne sera pas élu. Avec malice et tendresse, elle lui écrit : « Dans trois heures environ, vous ne serez pas académicien, mon cher petit Toto, et vous pourrez vous en vanter. Moi, qui ne tiens pas aux avantages politiques lorsqu'ils sont habillés d'un habit académique, je fais les mêmes vœux que Mlle Didine et je me réjouis à l'avance de vous conserver sans aucun persil... »

Cinq candidats : Molé, Dupaty, Hugo, Dumolard et Kératry. Au premier tour, douze voix vont à Dupaty, huit à Molé, neuf à Hugo, une à Kératry, une à Dumolard. Dupaty sera élu au cinquième tour avec dix-huit voix, Molé en obtenant douze et Hugo deux. L'examen des registres de l'Académie permet de savoir que, parmi les présents, se trouvaient ce jour-là Chateaubriand et Lamartine. Sans guère d'hésitation, on peut penser que les deux voix de Hugo leur ont appartenu [1].

A l'annonce des résultats, Didine et Juliette, chacune chez soi, ont battu des mains.

1. *Archives de l'Institut de France.* Rappelons que le vote est secret et que les bulletins sont brûlés aussitôt après l'élection. Dans son Journal, Viennet confirme que les deux voix qui se sont portées sur Hugo sont celles de Chateaubriand et Lamartine. « Guiraud et Charles Nodier avaient cependant intrigaillé pour lui ; et, en sortant, ils m'ont demandé si, à la première élection, je ne viendrais point à leur secours. Je le nommerai, leur ai-je répondu, quand il aura le sens commun. »

Rien ne déroute jamais Hugo dès lors qu'il a choisi un chemin. Il veut être de l'Académie, donc il en sera. Il renonce à se présenter à l'élection du 28 avril 1836, assuré que nul ne peut s'opposer à Guizot. De fait, l'homme d'État est élu triomphalement. En revanche, il se présentera, le 29 décembre 1836, au fauteuil de Raynouard. L'historien Mignet est élu. Tant pis, ce sera pour la prochaine fois.

Avant leur brouille, Hugo avait longuement entretenu Sainte-Beuve de ses projets. Agacé, le critique avait noté : « Hugo veut être de l'Académie. Il s'en occupe ; il vous en entretient gravement ; il s'y appesantit durant des heures ; il vous reconduit, par distraction, du boulevard Saint-Antoine à la Madeleine, tout en vous en parlant. Dès que Hugo tient une idée, toutes ses forces s'y portent en masse et s'y concentrent ; et l'on entend arriver du plus loin sa grosse cavalerie d'esprit, artillerie, et train, et métaphores. » Quand Sainte-Beuve sera lui-même candidat, il fera comme les autres.

Pas de séjour aux Roches en 1836. On va représenter, en novembre, cet opéra que Louise Bertin a composé d'après *Notre-Dame de Paris* et qu'elle a intitulé *la Esmeralda*. Hugo en a composé le livret par amitié. Il l'a fait sans joie, souffrant de ne pouvoir faire que des « bouts rimés » : ne fallait-il pas suivre le « patron donné » ? Pendant l'été, les répétitions ont commencé à l'Opéra : Berlioz les dirige, après avoir secrètement mis la main à une partition qui, pour inspirée qu'elle fût, manquait parfois de solidité. A ces répétitions, Hugo n'a pas assisté, ceci pour une raison fort simple que le *témoin* nous livre pudiquement en ces termes : « l'auteur des paroles n'y assista pas ; il voyageait en Bretagne ». Le 15 juin, Juliette et lui se sont mis en route pour leur voyage de chaque année. Mais auparavant, le 1er mai, Hugo est allé installer sa famille à Fourqueux, non loin de Saint-Germain-en-Laye, où il est prévu qu'elle passera tout l'été.

Elle existe encore, cette maison de Fourqueux. Elle est de noble allure, demeure à prétention seigneuriale pour bourgeois cossus : sept larges fenêtres et portes-fenêtres à volets blancs au rez-de-chaussée, sept fenêtres à l'étage, un balcon et trois fenêtres ménagées dans le toit d'ardoises aux pentes élégantes. Un grand parc autour de la demeure. La forêt de Marly est toute proche.

Le 1er mai, c'est bien tôt pour des enfants qui poursuivent

des études. Didine a douze ans. Louis Boulanger, la dessinant quelques mois plus tard, l'a montrée devenue jeune fille, avec sa coiffure en bandeau, son cou serré par un ruban noir, jolie, fine. Un peu trop sérieuse aussi : une enfant qui vit une existence familiale difficile, qui feint de n'être au courant de rien et qui naturellement sait tout. Ne devrait-elle pas être à sa pension pour le dernier trimestre ? Et les garçons, Hugo prend-il leur éducation si légèrement ? L'explication est peut-être que, sachant qu'il va lui-même partir le mois suivant avec Juliette, il a voulu accorder aux siens d'*autres* vacances. N'est-ce pas aussi que, gardant au cœur la rage dans laquelle l'a plongé l'article de Sainte-Beuve sur *les Chants du crépuscule*, il a voulu éloigner Adèle de l'ex-ami ? Ce mari, dont Adèle croit toujours qu'il ne connaît rien de précis, n'est peut-être pas resté aussi aveugle qu'elle veut bien le croire.

Entre Adèle et Sainte-Beuve, il s'est passé quelque chose, cette année-là, qui va modifier leurs rapports. L'année avait pourtant bien commencé. On lit, à la date du 1er janvier 1836, dans le mémorandum d'Henry Havard : « Mon ange, à toi ma première pensée, à toi ma dernière, je t'aime tant. » Les rendez-vous se poursuivent à la satisfaction des deux partenaires. Pourtant, « elle se plaint de l'avoir trouvé froid et un peu *papa* ». Et puis, c'est le départ pour Fourqueux :

« 12 mai 1836, longue lettre de cinq grandes pages pleines de détails d'auteur, "tes vers sont arrivés dans un moment où mon âme était en rapport avec l'idée religieuse"... Longs détails sur la vie de campagne. Les lettres de Sainte-Beuve deviennent rares. Elle lui donne son adresse avec ordre de ne plus adresser poste restante à Saint-Germain, cette adresse est : Mme Victor Hugo chez Madame Mariette à Fourqueux, près Saint-Germain. Explications pénibles. L'amour qui ne peut se réaliser et s'épancher par des rapports journaliers ne va pas à la nature de Sainte-Beuve. Elle sent qu'elle l'a plutôt étourdi que satisfait. Elle cherche dans sa croyance en Dieu des consolations. Elle garde ses cheveux blancs qui poussent à merveille pour lui plaire. Mon mari est revenu, je l'ai vu très peu, il est assez préoccupé, mais convenable pour moi. »

En marge de tout ce passage, Henri Havard a placé une accolade avec cette mention : « Depuis le 2 avril 1836 on se dit *vous.* »

Chacun gardera un souvenir délicieux de cet été à Fourqueux. On a traîné là M. Foucher qui vieillit doucement et qu'Adèle tenait à ne pas laisser seul à Paris. De se trouver auprès de sa fille et de ses petits-enfants qui l'adorent, il rayonne de bonheur. Louis Boulanger et Auguste de Chatillon viennent séjourner auprès de leurs amis. Alexandre Dumas les rejoint, mettant fin avec une joie explosive à sa brouille avec Victor. Le cher Fontaney qui, entre-temps, a enlevé la fille de Mme Dorval, Gabrielle, et filerait le parfait amour si sa maîtresse chérie n'était phtisique, suit le mouvement : « Journée délicieuse... Dîner le plus joyeux qui se soit fait de longtemps. Victor sans habit, en chemise, c'est-à-dire en peignoir de sa femme, est superbe de gaieté. »

Dès qu'elle se trouve seule, Adèle s'absorbe dans son dessin : « Adèle a repris son crayon, écrit Pierre Foucher, et ne le quitte plus. Elle en est toute noire. Nous ne pouvons pas lui arracher une parole... Adèle est toujours enfouie dans son dessin. Pas possible de la faire remuer et il ne faudra rien moins que la présence de sa tante pour qu'elle reprenne ses promenades. » La tante en question, Martine Hugo, vient d'apporter quelque message qu'il vaut mieux lire hors des regards indiscrets.

Didine prépare sa première communion. Elle devrait l'avoir faite au mois de juillet. Son père, devant être absent, on remet le grand événement à l'automne. Léopoldine eût préféré que l'on ne le retardât pas et que son père fût là. Chaque fois qu'il part, c'est le même serrement de cœur, la même vague de jalousie à l'égard de l'inconnue.

Elle, Juliette, ne se sent plus de joie : voilà donc revenue l'époque de son « pauvre petit bonheur annuel ». De son côté, l'année semble être au beau fixe. En tout cas, les orages durent peu. C'est avec une sorte de philosophie que Victor les accueille. Pour leur anniversaire, dans la nuit du 16 au 17 février, il lui a écrit : « Tout à l'heure encore tu pleurais. Et voilà maintenant que tu souris, ma bien-aimée. Va, ne te plains pas de ces brumes qui s'en vont vite. Il n'y a de nuages que dans le ciel ou dans l'amour. » Le 8 mars, elle a déménagé. Hugo lui a loué un nouvel appartement, au 14 de la rue Saint-Anastase. Elle est heureuse, appelle cela un « petit palais » et le trouve « fièrement beau ». Afin qu'il multiplie ses visites, même quand il est malade — de nouveau il souffre des yeux — elle l'avertit : « J'ai un bon petit remède dans une très jolie *pharmacie* que je vous donnerai et qui vous guérira si vous m'aimez. » Elle admet que, si parfois il passe plusieurs jours sans venir la voir, ou s'il reste de marbre en sa présence, c'est parce qu'il travaille beaucoup. Elle convient que l'inspiration de l'écrivain et les fatigues du corps ne sont pas toujours compatibles. Tout de même ! « Vous ne faites pas assez l'amour : toutes choses nécessaires à la santé et au bonheur... J'aimerais mieux que vous fussiez beaucoup plus paresseux et beaucoup plus amoureux. »

Quand le jour du grand voyage approche, elle ne tient plus en place : « Pauvre cher adoré, je meurs d'envie de faire ce voyage, c'est-à-dire de passer avec toi des journées et des *nuits entières.* » Une ombre au tableau : cette année, on ne part pas seuls. Le bon Célestin Nanteuil, graveur et peintre, est de la fête. Il se montrera le plus discret des compagnons et Juliette n'aura à se plaindre que de la mélancolie qu'il affiche en tout lieu. A Chartres, on s'émerveille, on cherche à Fougères le souvenir de la famille de Juliette, à Saint-Malo celui de Chateaubriand, on s'enivre aux beautés du Mont-Saint-Michel, on visite la Normandie. Mais, aux étapes, Hugo ne néglige jamais d'écrire à Adèle. Le 30 juin : « Il y a quinze jours que je suis privé de toi, de ton doux sourire indulgent... » Elle lui répond :

« Ne te prive de rien. Moi je n'ai pas besoin de plaisirs, c'est le calme qu'il me faut. Je suis bien vieille par les goûts et assez triste sans chagrins. Que peut-on faire de mieux dans cette vie ? Je n'ai au monde qu'un désir, c'est que ceux que j'aime soient heureux, le bonheur de la vie est passé pour moi, je le cherche dans la satisfaction des autres. Il y a bien de la douceur malgré tout, là-dedans. Aussi, tu as bien raison quand tu dis que j'ai le sourire indulgent, mon Dieu ! Tu peux faire tout au monde, pourvu que tu sois heureux, je le serai. »

A-t-elle vraiment acquis tant de sérénité ? Ébranlée par sa propre déception, ne veut-elle plutôt se convaincre qu'elle est tolérante ?

Le voyage en Normandie continue : Bayeux, Caen, Honfleur, Yvetot. Le même jour, Adèle lui écrit : « Ne manque pas d'être ici pour ta fête ; ce serait mal à toi de n'être pas revenu pour *ce jour-là.* » Elle est écoutée. Hugo rentre à Paris à temps pour être, le 21 août, au sein de sa famille. Un mois plus tard, Sainte-Beuve écrit à Guttinguer : « Le bonheur dont vous voulez bien vous inquiéter dure toujours, mais si lointain, si rare, si sevré ! »

Le 8 septembre, c'est la première communion de Léopoldine. Auguste de Chatillon est là qui y trouvera le sujet d'un délicieux tableau. Théophile Gautier, Charles Robelin, Alfred Asseline et Alexandre Dumas ont fait le voyage. Il vaut mieux que Chatillon, dans son tableau, n'ait pas montré Robelin et Gautier plongés, pendant l'office, dans la lecture des *Mémoires* de Mlle Quinault ! L'abbé Roussel, curé de Fourqueux, et le pieux Pierre Foucher ont aidé Didine à se préparer. Ce que nul n'a su, c'est que la ravissante jeune fille, communiant avec une ferveur qui a troublé jusqu'aux incroyants les plus endurcis, portait une robe blanche taillée par Juliette Drouet dans l'une de ses anciennes robes de bal, un organdi bien séculier ! Un repas a suivi, auquel M. Foucher a convié tout le clergé des environs. Hugo, peu désireux de s' « ensoutaner », est reparti pour Paris sans y assister : visage fermé, regard triste de Didine. Hugo n'en est pas moins sincèrement ému. *A Adèle* : « Dis à Didine et à Dédé que j'ai pensé aujourd'hui à elles dans la Chapelle de Notre-Dame de la Délivrance... J'ai prié aussi sans m'agenouiller avec l'orgueil bête de notre temps, mais du plus profond de mon cœur. »

Adèle fera les comptes : cette première communion a coûté 200 francs. *A Victor* : « C'est, en effet, assez cher, mais aussitôt que Chatillon aura fini son tableau, il s'en ira et je fermerai ma maison pour *tout le monde*... » Chez les Hugo, l'heure ne sera jamais à la prodigalité.

On a joué *la Esmeralda*. Un échec retentissant. Dès la sixième représentation, on a dû réduire l'œuvre de quatre à trois actes. Le four n'a fait que s'aggraver. L'infortunée *Esmeralda* finira en un seul acte que, de temps à autre, pour faire plaisir à Mlle Bertin — et au *Journal des débats* — on jouera en lever de rideau.

Tout ce temps-là, Hugo écrit fort peu. Parfois, un poème — dont le fameux *Oceano Nox*, en juillet 1836. Mais, entre le 6 septembre et le 9 novembre, pas même un vers. A ce point qu'Adèle s'inquiète :

« Je voudrais bien, mon ami, te voir travailler... Je suis triste parce qu'il me semble que tu fais maintenant peu pour ta famille. » Juliette rêve de reprendre sa carrière théâtrale. Elle étudie le rôle de Marion de Lorme, écrit à Victor : « Il me semble que tu m'aimais déjà en ce temps-là... Marion n'est pas pour moi un *rôle*; c'est *moi*. » Mais l'important,

pour Hugo, est ailleurs. L'académicien Raynouard vient de
mourir, celui-là même qui l'avait reçu à quinze ans quai
Conti. Nulle hésitation : il se présente. Nouvelle campagne,
nouvelles visites, nouvelles tensions familiales. Sont en lice
Mignet, Casimir Bonjour — si cher à M. Dupin — Pariset. Et
Hugo. Le 29 décembre, Mignet est élu avec 16 voix. Aux cinq
tours, Hugo peut dénombrer 6, 6, 6, 5, puis 4 voix. Parfait. On
attendra.

Le 20 février 1837, une ombre immense s'abat sur les
pièces tapissées de rouge de l'appartement de la place
Royale. Un message vient de parvenir de Charenton, annonçant la mort d'Eugène Hugo. Depuis des années, Victor ne l'a
plus vu. Parce que les médecins ne le souhaitaient pas ou plutôt par confort moral ? Les deux sans doute. S'il fallait en
croire les psychiatres, Eugène, depuis longtemps, avait sombré dans l'inconscience. Pourtant, le 3 avril 1832, il avait paru
autre à l'ami Fontaney : « La cour des fous furieux. Le frère
de Victor ; il se lève ; il se souvient de la poésie, de son prix de
Toulouse... » Le voilà guéri à jamais, celui dont on avait fait
un mort vivant. Comment oublier le temps de leur enfance
lorsque, étant deux, ils ne faisaient qu'un ? Comment oublier
la captivité commune, la vocation commune, les espoirs et
l'enthousiasme communs ? Oublier ? Pour Victor, le chagrin
se teinte d'amertume, peut-être de remords. Pour se délivrer,
il compose un poème et l'intitule : *A Eugène, vicomte H...*

> Tu dois te souvenir des vertes Feuillantines,
> Et de la grande allée où nos voix enfantines,
>   Nos purs gazouillements,
> Ont laissé dans les coins des murs, dans les fontaines,
> Dans le nid des oiseaux et dans le creux des chênes,
>   Tant d'échos si charmants !

Il se souvient de leur mère qui « au même lit nous couchait
côte à côte »... Il pleure, mais s'incline devant la volonté de
Dieu :

> Puisqu'il plut au Seigneur de te briser, poète ;
> Puisqu'il plut au Seigneur de comprimer ta tête
>   De son doigt souverain...

Ce même Dieu a fait « rouler ton esprit à travers la folie,

cet océan sans fond ». Peut-être est-ce mieux ainsi, après tout :

> Rien n'a souillé ta main ni ton cœur ; dans ce monde
> Où chacun court, se hâte, et forge, et crie, et gronde
> A peine tu rêvas !

Abel et Victor vont conduire leur frère jusqu'à cette tombe du Père Lachaise où reposent déjà le général et Sophie Hugo, cette « colline verte » qui, ouverte à tous les vents, « a le ciel pour plafond ».

Abel, chef de famille, portait, depuis la mort du général, le titre de comte. La disparition d'Eugène laisse le titre de vicomte à Victor. Il faut changer les cartes de visite. C'est à Mme la Vicomtesse Hugo que Sainte-Beuve écrira désormais.

C'est de cette époque que date l'une des rares lettres d'Adèle à Sainte-Beuve dont Henry Havard ait pu noter le texte intégral. L'occasion nous est donnée de faire très précisément le point sur cet amour qui n'en finit pas d'agoniser :

« Vous vous plaignez de ce que je vous aime moins ou autrement, moins non, autrement peut-être... Vous savez mon ami quelle passion jeune et vive j'ai eue pour vous ; vous savez aussi à quel point de vous voir une heure tous les huit jours, de recevoir une lettre suffisaient à ma vie vivant entièrement de votre pensée. Cette vie, mon ami, ne vous allait que peu ; vous étiez toujours bon, toujours dévoué, mais vous désiriez une chose impossible : une vie de tous les jours, douce et d'habitude que j'aurais désiré *(sic)* comme vous si cela eût pu être. Au lieu, la plupart du temps ou du moins assez souvent de jouir du bonheur d'être ensemble, vous me parliez du désir d'une autre vie pour laquelle j'eusse donné mon sang si cela eût été possible. Vous me parliez religion, de la nécessité que vous éprouviez d'entrer dans cet ordre d'idées. Je voyais là-dedans moins d'amour que je n'en avais... Je vous tourmentais de votre manque d'amour. »

Elle lui rappelle une scène violente qui, commencée en fiacre dans les Champs-Élysées, s'est achevée sur le boulevard. Elle le prie aussi de se souvenir des noces de Victor Pavie : « Rappelez-vous notre voyage à Angers. Ces reproches de vous empêcher d'entrer dans des idées religieuses et voyez-vous, il faut choisir ou d'un amour passionné et alors accep-

ter les exigences de cet amour, ou d'un amour calme et raisonnable d'un amour amical. » Étonnante révélation : nous
nous apercevons que lorsque le mémorandum d'Henry
Havard fait état, presque à chaque page, de « préoccupations
religieuses », il faut comprendre qu'elles étaient surtout le
fait de Sainte-Beuve. Adèle, pourtant si pieuse, non seulement faisait bon marché de ses scrupules, mais reprochait à
son amant de trop en nourrir ! Or, à cette époque, tout
démontre que Sainte-Beuve s'était éloigné de la foi. Il a donc
joué à Adèle une comédie bien curieuse. Sous le masque d'une
piété imaginaire, il a repoussé les élans de sa maîtresse. Nous
comprenons la vérité : leur amour est mort, non point d'un
éloignement d'Adèle, mais du reproche de tiédeur qu'elle
adresse à Charles. La scène dont elle parle, elle y revient, précise que depuis lors ils se sont vus souvent sans sortir « des
limites de l'amitié, de l'amour épuré de tout ce qui pouvait
empêcher d'y mêler des idées religieuses. C'était faire ce que
vous désiriez, ce que vous sollicitiez de moi, ce que vous ne
me disiez pas aussi nettement dans la crainte de me faire de
la peine ». Elle jure qu'il n'y a pas refroidissement de sa part.
Elle l'aime toujours. Il a son estime, elle tient à la sienne.
Henry Havard note : « Il est son ami le plus cher, elle compte
qu'il n'*en aura jamais d'autre qu'elle*. »

Une femme qui écrit en ces termes n'aime plus l'homme à
qui elle s'adresse. Le trop lucide Sainte-Beuve l'a parfaitement compris. Il a toujours su et saura toujours mieux analyser qu'un autre. Il le prouve dans le dernier poème du *Livre
d'amour* :

> Insensé, qu'ai-je fait ? Voyant le mal sacré
> Dévorer tout son cœur et me brûler comme Elle,
> J'ai voulu, sans atteinte à la flamme éternelle,
> Diminuer pourtant l'incendie effaré...
> J'ai voulu la nuance et j'ai gâté l'ardeur !

Adieu, Sainte-Beuve. Ils se reverront cependant, mais de
loin en loin. La correspondance continuera, mais comme
celle de deux vieux amis qui se souviennent du passé. Havard
note : « Plus de tutoiement, plus d'expression affectueuse.
Elle lui parle de ses enfants. Elle l'appelle simplement son
ami et termine en lui disant qu'elle a du plaisir à lui écrire. »

Le 20 juin 1837, Sainte-Beuve confie à Guttinguer que la

santé de Mme H... l'inquiète fort. Elle garde la chambre, ne peut supporter ni la voiture ni la marche à pied. « Je n'ai qu'à grand-peine et à très longs intervalles de ses nouvelles directes et vraies. Hélas ! L'autre soir, par ce ciel si beau, j'allais à travers la foule heureuse en hurlant et pleurant comme un cerf blessé. » Tel fut le drame de Charles Augustin Sainte-Beuve. Il aima le premier — et le dernier.

Le sort lui réservera de revoir bientôt Hugo. Le pauvre Fontaney a traversé un grand malheur. Il a perdu sa jeune et ravissante Gabrielle Dorval, celle qu'il appelait « son ange ». Aux obsèques, à la sortie de l'église, quand les voitures s'avancent, une bousculade se produit qui pousse Sainte-Beuve et Hugo ensemble dans le même fiacre, avec Bonnaire, de *la Revue des Deux Mondes*, et Auguste Barbier. Gêne immense. Personne ne parle. Barbier se souviendra de Hugo « calme, impassible », et de Sainte-Beuve « inquiet, excité », qui « ne disait mot et regardait sans cesse par la portière. S'il avait pu s'envoler, il l'eût fait sans doute... ». Fontaney souffre du mal qui a emporté Gabrielle et que peut-être il a tenu d'elle. Il mourra à son tour deux mois plus tard. Sur sa tombe, c'est un nouvel adieu à l'amitié qu'adressera Hugo. A sa jeunesse aussi.

Ce printemps-là, la France du « juste milieu » vit à l'heure d'un mariage : celui du prince héritier. Le duc d'Orléans épouse la princesse Hélène de Mecklembourg. C'est un homme séduisant, fin, intelligent, que le fils aîné du roi. Il aime les lettres et, mieux que son père, a compris qu'il n'est jamais mauvais pour un régime de s'exercer, avec les écrivains, aux grandes manœuvres de la séduction. La supplique de 1834, la suite immédiate qui lui a été donnée, le poème écrit en remerciement ont créé, entre Hugo et le duc, un lien ténu mais existant [1]. Le mariage princier a été célébré à Fontainebleau. Un mois plus tard, le roi offre à Versailles une grande fête, non seulement en l'honneur du nouveau couple royal, mais pour marquer l'inauguration du nouveau Versailles. C'est que Louis-Philippe tient à *son* Versailles. Les quinze cents couverts disposés dans la galerie des Glaces

---

1. Dans son Journal, à la date du 21 décembre 1836, Viennet note : « Après dîner, j'ai entretenu le prince royal sur la littérature. Il s'est déclaré romantique forcené et m'a témoigné son étonnement de ce que Victor Hugo n'était pas encore de l'Académie. »

marquent une aurore : celle du palais sauvegardé. Place Royale, Hugo a reçu une invitation pour le mariage. Ira-t-il ? A cette occasion, plusieurs écrivains ont été promus dans la Légion d'honneur. *La Presse* d'Émile de Girardin — grand admirateur de Hugo — s'est étonnée que, dans cette promotion, ne figurent ni Hugo à titre d'officier ni Dumas à titre de chevalier. L'argument frappe Victor qui écrit au duc d'Orléans son regret : « C'est donc à Votre Altesse Royale elle-même que je m'adresse, et je la supplie de trouver bon que je m'abstienne d'aller à Versailles dans une circonstance où je ne pourrais le faire avec dignité. » Il ajoute : « Je vois avec peine, et ceci dans un autre intérêt que le nôtre, le gouvernement ne négliger depuis sept ans aucune occasion de témoigner une profonde antipathie à la littérature actuelle, et en particulier à celle qui est plus spécialement contemporaine de V.A.R. » Un souhait tout politique : « Prince, nous placions bien des espérances en vous. Nous serions heureux le jour où vous voudrez prendre à la tête des jeunes générations intelligentes la place que vous ne méritez pas moins par votre esprit que par votre naissance. » Le dramaturge d'après *le Roi s'amuse* se retrouve ici tout entier. Dignement, mais courtoisement, Hugo prie le prince de « déposer aux pieds de Madame la duchesse d'Orléans » l'hommage de son profond respect. Le lendemain — oui, le lendemain — le duc répond à Hugo :

« J'apprends avec regret, Monsieur, que je n'aurai point le plaisir de vous voir à la fête nationale de Versailles et je suis surtout peiné des motifs de votre absence. Je me suis acquitté de votre message ; la duchesse d'Orléans, qui aime toutes les gloires de la France, et s'associe vivement à ses sympathies littéraires, espère avoir bientôt une autre occasion de faire la connaissance personnelle de l'écrivain illustre dont elle admire déjà les œuvres. »

L'assurance est donnée à Hugo que les omissions signalées, au moins celles qui concernent Dumas et lui-même, seront réparées. De fait, quelques jours plus tard, Victor sera promu officier de la Légion d'honneur et Dumas chevalier. Tant de courtoisie doit comporter une réponse identique : il ira donc à Versailles et Dumas avec lui. Faute d'habit de cour, les deux hommes se présentent d'ailleurs en uniforme de gardes nationaux. Hugo se voit placé à la table du duc

d'Aumale, l'un des fils du roi. Pas de doute : on veut l'hono-
rer. Surtout, il est présenté à Louis-Philippe — qu'il n'a
jamais vu. A sa vive surprise, il découvre un vieil homme
plein de finesse qui, avec tact et mesure, le complimente sur
son œuvre. Il entend, ravi, la jeune duchesse d'Orléans lui
confier qu'elle a lu tous ses ouvrages, qu'elle sait plusieurs de ses
poèmes par cœur — elle le prouve en lui récitant les premiers
de ses vers sur l'église de Bièvres — et que, d'ailleurs, elle a plusieurs fois parlé de lui avec M. de Goethe. Elle a un mot charmant :
— J'ai visité *votre* Notre-Dame !
Comment, en venant à Versailles, Victor aurait-il pu concevoir cela ? Ainsi rayonnait la France de ce temps-là. En son
Allemagne lointaine, Hélène de Mecklembourg a été nourrie
de littérature et de poésie françaises. Avec passion, elle a
suivi le mouvement littéraire et salué l'apparition du romantisme. Dans le vieux château de ses ancêtres, elle rêvait de
Paris et désespérait de connaître un jour son poète — qui
était Victor Hugo ! L'entretien se prolonge, s'éternise, suscitant commentaires, stupeur et jalousie.
Quelques jours plus tard, on apportera place Royale un
tableau choisi par la jeune duchesse, une œuvre romantique
qui a obtenu un grand succès au dernier Salon, le *Couronnement du cadavre d'Ines de Castro*, par Saint-Èvre. Le cadre
porte cette inscription : « Le duc et la duchesse d'Orléans à
Monsieur Victor Hugo, 27 juin 1837. » Comment se dérober
devant tant d'admiration déclarée et tant d'égards déployés ?
Surtout quand ils sont princiers. Dans les mois qui suivront, on verra Hugo de plus en plus souvent convié au pavillon de Marsan, résidence du duc et de la duchesse. Lui,
jusqu'alors si dédaigneux, se laissera prendre au charme,
non seulement des réunions officielles, mais aussi de
celles, plus intimes, que les initiés appelaient : *la cheminée*. Chaque fois, la duchesse, vive et gracieuse, s'avance
au-devant de l'auteur des *Feuilles d'automne* laissant
voir sur son beau visage serein une joie sincère. Et ce
sont de nouveaux apartés, de longs entretiens sur les
écrivains, les poètes, les artistes. Le duc se joint à eux. Ce
grand jeune homme blond a huit ans de moins que Hugo
et modestement laisse entendre qu'il a besoin de ses
conseils. Hugo, avec ce sérieux qui en impose toujours,
répète « que le poète est le truchement de Dieu auprès
des princes ».

C'est ainsi que d'opposant on devient dynastique.

En juin 1837, vont paraître *les Voix intérieures*, qui marquent l'apparition publique d' « Olympio » mais aussi un approfondissement sensible du rêve et d'un au-delà constamment côtoyé :

> Je ne regarde point le monde d'ici-bas,
> Mais le monde invisible.

Et encore : « Il pense, il rêve, doute... — ô ténèbres humaines ! »

Quels sont les thèmes ? Ceux des *Chants du crépuscule*, la famille, l'amour, la France et son histoire. Mais la nature ici devient omniprésente et le poète ne se lasse pas de la contempler. Sans cesse, la forêt rencontre la mer — et la mer la forêt qui devient synonyme d'angoisse, de terreur. L'arbre « tord ses bras douloureux », il prend, le soir « un profil humain et monstrueux », il est affligé d'un « feuillage hideux ». Se rencontrent les abîmes de l'homme et de Dieu. « L'innomé, le vague, conduisent à la profondeur. Dante domine, qui vise à Virgile. Profondeur des éléments, la nuit, l'océan, l'antre ; profondeur de la mort, de la pensée, des questions, diffuse dans tout le livre, livre de la profondeur à l'inverse des *Chants du crépuscule* [1]. »

Bien sûr, Juliette se retrouve dans *les Voix intérieures*. Dans *A Virgile*, Hugo évoque cette chaste vallée, entre Buc et Meudon, « retraite favorable à des amants cachés ». Le manuscrit de ce poème-là, d'ailleurs, il l'a offert à Juliette avec cette dédicace : « Donné à ma Juju-V. »

A la première page de l'ouvrage, on a pu lire :

« A Joseph-Léopold-Sigisbert, comte Hugo, lieutenant-général des armées du Roi, né en 1774, volontaire en 1791, colonel en 1803, général de brigade en 1809, gouverneur de province en 1810, lieutenant-général en 1825, mort en 1828, NON INSCRIT SUR L'ARC DE L'ÉTOILE. Son fils respectueux V. H. » C'était le temps où Louis-Philippe avait décidé de faire inscrire sous les voûtes du grand arc les noms des batailles et des généraux de la Révolution et de l'Empire. Léopold Hugo, général à titre espagnol, n'y était pas.

---

1. Henri Meschonnic.

L'été 1837, c'est le départ, devenu habituel, en compagnie de Juliette. Cette fois, la Belgique les attend, le choc avec une contrée pour laquelle ils se sentent aussitôt de singulières affinités. Quand, le 16 août, ils entrent pour la première fois dans ce pays, Victor a trente-cinq ans. Il écrit à Adèle : « Je suis tout ébloui de Bruxelles. » Ils vont visiter Mons, Louvain, Malines, Lierre, Anvers, Gand, Audenarde, Tournai, Ypres, Ostende, Furnes, Bruges. Dix-sept jours en Belgique. La correspondance quasi quotidienne avec Adèle est désormais le prétexte plus que l'occasion de longues descriptions, souvent splendides, qui laissent à penser que Hugo songe à *utiliser* un jour ces lettres. Réaction que toute épouse jugera abominable mais que comprendra toute femme d'écrivain.

Cet été-là, Hugo découvre, entre Anvers et Bruxelles, le chemin de fer. Il s'émerveille : « La rapidité est inouïe. Les fleurs du bord du chemin ne sont plus des fleurs, ce sont des raies rouges ou blanches ; plus de points, tout devient raie ; les blés sont de grandes chevelures jaunes ; les luzernes sont de longues tresses vertes... » De plus en plus, il dessine, au début des notes, simples comme des esquisses, peu à peu de véritables œuvres, libres de toute influence, qui ne sont d'aucune école, d'aucun style.

Juliette, blottie contre son amant dans les grands lits des auberges flamandes, serrée à ses côtés sur l'impériale des diligences ou dans le compartiment du chemin de fer, oublie les plaintes sans cesse renouvelées au long de l'année contre sa captivité, son « esclavage », les insuffisances amoureuses de Victor. Pour quelques semaines, elle est au paradis. Hugo trouve-t-il enfin la paix en amour ? Non. Dans le même temps, Adèle apparaît fort tentée de renoncer à cette grandeur d'âme qu'elle proclamait si hautement l'année précédente. Elle a renoncé à Sainte-Beuve, donc son mari doit lui revenir :

« Il ne faut plus que tu voyages sans moi l'année prochaine. *J'ai résolu ceci.* Je suis, je l'espère, dans mon droit. Ce que je te dis est sérieux. Si le voyage est impossible pour *nous*, je louerai ici une maison où je serai mieux, avec mon père et Julie, que je débaucherai [1].

1. Rappelons qu'Adèle a une jeune sœur, « Julie Foucher », qui a quinze ans.

Tu peux très bien ne pas aller à Paris tous les jours et prendre domicile à la campagne. Les communications sont si faciles. Alors, mon ami, tu pourras me faire passer une année heureuse, car je sais que tu peux cela. Lorsque tu dis que ce ne peut être, je fais souvent semblant de te croire pour ne pas te tracasser, mais je ne suis pas convaincue... »

Sans répondre précisément, Hugo laissera entendre qu'il se range à son avis. Au même moment — exactement — il promet à Juliette d'autres bonheurs, d'autres voyages. Ainsi en a-t-il toujours été, depuis qu'existe la trilogie du mari, de l'épouse et de la maîtresse.

De retour à Paris, pourquoi Hugo se rend-il seul aux Metz ? Juliette eût été si heureuse de l'accompagner ! Cherche-t-il une réponse à de graves questions qu'il se pose à lui-même ? Entre ses deux « femmes », poursuit-il, en un de ces lieux qui lui parlent si bien, une vérité qui le fuit ? Le poème que cette visite va lui inspirer est l'un des plus beaux qu'il ait écrits — et qui aient été écrits. Il a voulu tout revoir, « l'étang près de la source, le vieux frêne plié », « les retraites d'amour au fond des bois perdus », le châtaignier creux, la maison des Metz, sa grille, les vergers qui l'entourent. Mais comme le titre nous apparaît justifié : *Tristesse d'Olympio* !

> Pâle il marchait. Au bruit de son pas grave et sombre,
> Il voyait à chaque arbre, hélas ! se dresser l'ombre
> Des jours qui ne sont plus !

Il a retrouvé la nature dans son éternité. L'arbre est là, la clairière aussi, les herbes qu'ont foulées leurs deux corps enlacés. Mais il lui semble que, depuis lors, un siècle s'est écoulé.

> D'autres vont maintenant passer où nous passâmes.
> Nous y sommes venus ; d'autres vont y venir ;
> Et le songe qu'avaient ébauché nos deux âmes
> Ils le continueront, sans pouvoir le finir !...

Tant de désenchantement aurait dû accabler Juliette. Or, après avoir lu, elle va battre des mains, crier qu'elle est enchantée. Nous savons bien, nous, qu'elle n'est pas sotte. Sans doute ici s'est-elle montrée suprêmement habile. En

amour, mettre au jour les interrogations de l'autre, c'est risquer d'amener celui qui les formule à une explication qui
peut tuer.

Ce qui ne plaît guère à Juliette, ce sont ces liens qui se tis-
sent, mois après mois, entre le duc et la duchesse d'Orléans
et Victor Hugo. Avec quel mélange d'envie, d'agacement — et
de fierté — ne va-t-elle pas apprendre que les Hugo ont invité
chez eux le duc et la duchesse — et que leurs Altesses royales
ont accepté !

Ce soir-là, c'est grand apparat chez le vicomte et la vicomtesse Hugo. Les pièces, trop souvent à l'abandon — Adèle est
le contraire d'une bonne maîtresse de maison —, resplendis-
sent. Les enfants ont reçu des habits neufs. Une foule d'invités choisis avec soin sert de faire-valoir. Louise Bertin a
traîné là son embonpoint et un groupe de fillettes qui attendent, terrorisées, au fond du vaste salon. Adèle, qui, décidément, grossit elle aussi beaucoup, fait montre d'un orgueil
trop visible dans sa belle robe. A une fenêtre, Hugo, qui
arbore sur son habit noir les insignes d'officier de la Légion
d'honneur, guette l'instant solennel. Une voiture, une
escorte : les voilà ! Victor s'élance pour accueillir, dans l'escalier, le duc d'Orléans, en uniforme de général de division, et
la duchesse, sourire et simplicité. Au moment où les hôtes
princiers entrent dans le salon, Louise Bertin, d'un signe,
lance un ordre. Les fillettes, à l'unisson, se mettent à chanter... le chœur d'*Esmeralda* !

> Venez tous à la fête,
> Page, dame et seigneur !
> Venez tous à la fête,
> Des fleurs sur votre tête,
> La joie au fond du cœur !

Applaudissements polis. Félicitations : il faut encourager la
jeunesse. Hélène d'Orléans se penche vers Hugo, lui
demande qui est cette fillette « si blanche, si grande, avec ces
cheveux qu'aurait aimés le Titien ». Bref coup d'œil de Hugo
qui, reconnaissant la jeune personne, répond que sa mère,
Doña Manuela, leur a été amenée par Mérimée.

— Cette jeune fille, Madame, est espagnole. Elle s'appelle
Eugénie de Montijo.

532 VICTOR HUGO

Le vicomte Walsh, qui était là, affirme avoir entendu demande et réponse. *Se non è vero...*

Un jour le cher Dumas, tout agité, est accouru place Royale. Lui aussi est devenu l'un des intimes du duc d'Orléans. Or le prince héritier vient tout à trac de lui demander pourquoi il ne faisait plus rien jouer au théâtre. Dumas a répondu que la littérature nouvelle n'avait plus de scène, qu'elle avait cru être chez elle au Théâtre-Français, mais qu'elle avait compris qu'on ne l'y avait que tolérée ; que son asile véritable avait été quelque temps la Porte-Saint-Martin mais que les mauvais procédés de M. Harel en avaient éloigné « tout ce qui avait du talent ou seulement de la dignité, et qu'on y était tombé aux exhibitions des ménageries ambulantes » ; qu'entre le Théâtre-Français, « voué aux morts », et la Porte-Saint-Martin, « vouée aux bêtes », l'art moderne était sur le pavé. Dumas a ajouté qu'il ne parlait pas seulement pour lui, mais pour tous les autres, à commencer par M. Victor Hugo que l'on ne jouait plus. Étonnement scandalisé du duc d'Orléans ajoutant aussitôt que c'était là, en effet, « un état de choses impossible », qu'il fallait que l'art contemporain eût un théâtre et qu'il en parlerait à M. Guizot. Conclusion de Dumas s'adressant à Hugo :

— Maintenant, il faut que vous alliez voir Guizot. J'ai persuadé le prince, persuadez le ministre !

Il a fallu de longs mois, mais le privilège a été concédé. D'un commun accord, Hugo et Dumas ont choisi comme directeur un journaliste très favorable aux idées nouvelles, un certain Anténor Joly. L'ennui est que ce Joly n'avait pas un sou. Pour trouver de l'argent, il a fallu vingt-deux mois. Les capitaux ont été apportés par un certain Villeneuve, un vaudevilliste enrichi dans les pompes funèbres. La première démarche de Joly et Villeneuve, désormais associés, a été de demander à Hugo la pièce d'ouverture. Il l'a promise. Cette pièce, ce sera *Ruy Blas*.

Le sujet de *Ruy Blas* préoccupait depuis très longtemps Hugo. Il n'avait jamais oublié un passage des *Confessions*, celui où Jean-Jacques Rousseau narre comment, étant laquais à Turin, il s'était épris, en servant à table, de la jolie Mlle de Breuil. Adèle II Hugo, dans son journal tenu à Guernesey et dont on n'a malheureusement publié qu'une partie, le confirme expressément. Mais ce thème central d'un laquais amoureux d'une reine doit probablement aussi beaucoup à la parade dont Eugène et Victor se régalaient en 1814, lorsque, chaque jour, ils passaient par le Luxembourg.

Manuscrit d'Adèle: « On jouait la même scène constamment. Le jocrisse était un valet et avait un maître habillé en monsieur qui le souffletait, le battait de çà *de là*; sur toutes les coutures, aux endroits les plus malhonnêtes : c'était une tempête, un tourbillon de coups. Les jeunes Hugo se régalaient de la *rossée*. Ils jetaient leur ignorance dans l'autre gouffre de douleur... Ils conspuaient ce malheureux de la société, ce banni voulu : cette bosse de l'homme, comme ils avaient conspué le bouffon de l'inaccessible... Le sombre valet a vengé le jocrisse. La queue rouge a monté aussi dans son soleil : elle a eu sa vision. Comme Jacob elle a gravi l'échelle lumineuse et s'est réveillée : Ruy Blas. »

Donc, un point de départ grotesque, c'est-à-dire essentiellement hugolien, où s'opposent déjà le maître et le domestique. Mais dans l'anecdote imaginée par Hugo, le bouffon rejoint le sublime. Qui ne connaît l'intrigue? Don Salluste, disgracié par la reine d'Espagne — toujours l'obsession de l'Espagne — incite son valet Ruy Blas à devenir l'amant de celle-ci. Ruy Blas n'y réussit que trop bien. Pris à son piège, il tombe amoureux de la reine Marie, cependant qu'elle-même découvre qu'elle l'aime follement. Bonheur infini. La reine n'a rien à refuser à son amant, elle le fait ministre. Mais Ruy Blas se prend à son jeu, met de l'ordre dans les affaires de l'État, élimine les abus, punit les prévaricateurs, vient en aide au peuple et acquiert de ce fait une immense popularité. Le moment est venu pour Don Salluste de savourer sa vengeance. Il révèle tout à la reine. Pour laver et sauver celle-ci, Ruy Blas assassine Don Salluste. Il supplie Marie de lui pardonner. Elle refuse, jure que, ce pardon, elle ne le lui accordera jamais. Sur ce mot de *jamais*, Ruy Blas se saisit d'une fiole de poison et la vide d'un trait. Au paroxysme du désespoir, la reine lui crie son amour. Alors qu'il agonise, elle l'étreint, criant pour la première fois son vrai nom : « Ruy Blas ! » Celui « qui allait mourir se réveille à son nom prononcé par la reine ». Il murmure : « Merci ! »

Assurément, on retrouve ici tous les excès propres à Hugo. Les critiques épris d'équilibre et de rigueur s'en sont souvent gaussés. Or, c'est précisément cette sombre grandeur, ces face à face insolites, ce panache nuancé de lyrisme qui font le prix de l'œuvre. Dans aucun de ses drames, Hugo n'a montré plus de force et n'a composé de plus beaux vers. Impossible d'échapper à ces rimes à l'incroyable richesse, à ces rythmes aux sonorités qui annoncent *la Légende des siècles*. La pièce abonde en morceaux de bravoure : en tout cas, elle est la meilleure qu'ait composée Hugo. Comme toujours, il va écrire sa pièce « à toute vapeur ». Il commence le 5 juillet un premier acte auquel il renonce, cherche et trouve un nouveau début, se met à la version définitive le 8 juillet, achève, le 11 août à 7 heures du soir, le cinquième et dernier acte.

Pendant ce temps, les travaux du théâtre s'achèvent. On a repris et rénové une vieille salle, le théâtre Ventadour que l'on a baptisé théâtre de la Renaissance. Sans cesse, Anténor Joly se présente place Royale, accompagné d'architectes ou de décorateurs. On discute longuement des aménagements de la salle, ce qui intéresse médiocrement Hugo. Précurseur, Anténor Joly a voulu supprimer la rampe et la remplacer par un éclairage venu de haut. Hugo s'y est refusé : il ne tenait pas au réel mais à sa transfiguration. Et puis, il a fallu s'occuper de la distribution. Avant même d'avoir écrit le premier vers, Hugo avait exigé d'Anténor Joly et de son associé l'engagement de Frédérick Lemaître. Il l'a obtenu. Reste le rôle de la reine.

Bien sûr, Juliette a suivi jour par jour l'élaboration du nouveau drame. D'autant plus que, durant le temps où, dans son cabinet de la place Royale, Victor alignait les vers, sa réclusion est devenue claustration. Les lettres de Juliette de cette période évoquent une sorte de contrepoint du travail de Hugo. Avant qu'il ne se mette à écrire, le 5 juillet :

« Jeudi matin, onze heures et quart : " Je me prépare à rester chez moi aujourd'hui et les jours suivants, jusqu'à ce que tu aies fini ton travail. Si j'ai autant de courage que d'amour, ça ira bien. Mais si le courage me manque, je te prie de ne pas m'en vouloir. Je t'aime trop... " »

Le 8 juillet, le temps est beau ; elle imagine une promenade avec son Victor. Ce n'est qu'un rêve. Au moindre bruit, elle tressaille :

« C'est si bon de vous voir, mon petit homme, que rien que d'y penser, ça m'en fait venir les baisers à la bouche. Je viens d'entendre la porte. Je croyais que c'était vous. Je suis attrapée et je vous aime. »

Malgré tout, il arrive à Victor, après une journée de labeur, de s'évader. Mais alors, incapable d'abandonner ses personnages, il apporte le manuscrit avec lui! Il ne pense qu'à cela, il ne parle que de cela. Elle trouve, quand il vient souper — et seulement souper — qu'il exagère : « J'ai été bien heureuse de te voir souper hier, j'aurais voulu être la bouchée que tu mettais dans ta chère petite bouche. Ce serait si gentil d'être croquée par vous. Vous avez des dents faites pour cela et vous êtes bien bête de ne pas vous en servir... »

Et cependant, lors d'une de ses trop rares et trop brèves apparitions, Hugo va lui procurer le plus grand bonheur qu'elle ait pu éprouver pendant des années : il lui révèle qu'il a pensé à elle pour le rôle de la reine. Du coup, elle bat des mains, sanglote, lui saute au cou. Et puis, elle doute. Il faudra convaincre ce directeur dont Victor ne cesse de lui conter le comportement de plus en plus désagréable. Comme Anténor Joly est en outre dur d'oreille, on doit, lors des discussions, crier plus fort que lui! Acceptera-t-il de lui signer un contrat, à elle, la pauvre Juliette ? *11 août, samedi matin, dix heures* : « Je tremble de m'engager ou plutôt de t'engager avec ce hideux sourd qui n'entend pas plus son intérêt que la parole humaine. »

Il a écrit le dernier vers le 11 août, à 7 heures du soir. Le 12, tôt le matin, il est déjà chez elle. Quand elle aperçoit l'épais manuscrit qui gonfle sa poche, elle se jette dans ses bras. Pendant deux longues heures, il va lui lire la pièce, suscitant à chaque scène son délire et ses applaudissements. Ils déjeunent tous les deux, en amoureux. A peine est-il parti qu'elle lui écrit une page de plus entre les innombrables feuillets qu'elle noircit depuis cinq ans :

« Il y avait quinze jours, mon adoré, que vous n'étiez pas venu déjeuner avec moi. Aussi Dieu sait quel appétit j'avais de vous. Je vous aurais avalé comme une cerise, si vous n'aviez pas eu de queue. C'est pour le coup que la précaution du petit Toto était bonne : " Ze ne sais pas si z'ai une queue, mais ze ne veux pas qu'on me la coupe ! " »

Fiévreusement, elle s'est mise à relire *Ruy Blas*:

« Quel miracle que ta pièce, mon pauvre bien-aimé, et que tu es bon de me l'avoir fait admirer la première! Jamais je n'avais rien entendu de si magnifique. Je n'en excepte même pas tes autres chefs-d'œuvre. C'est une richesse, une magnificence, un éblouissement dont on ne peut pas se faire une idée avant de l'avoir entendue. C'est miraculeux!... Oh! mon beau soleil, vous m'avez aveuglée pour long-temps. Je ne vois plus rien que vos rayons qui me brûlent. Au-dedans, au-dehors de moi, tout ce qui n'est pas vous est noir. »

Joie! Puisque la pièce est finie, on peut songer au grand départ. Elle se préoccupe d'un chapeau à se faire prêter par Mme Krafft, d'une robe que doit terminer sa couturière, Mme Pierceau. Elle se fait porter un bain à domicile, afin d'être propre pour leurs vacances. Elle ne tient plus en place:

« Je vais donc voyager AVEC TOI! C'est ravissant. QUEL BONHEUR!!! »

Victor est venu lui dire que décidément Anténor Joly la retient pour le rôle de la reine. Cette fois, elle est au comble de la joie. Le 15 août:

« Je suis comme une pauvre somnambule à qui on a fait boire beaucoup de vin de Champagne. J'y vois double. Je vois de la gloire, du bonheur, de l'amour et de l'adoration, tout cela dans des dimensions gigantesques et impossibles... Je t'aime, mon Toto, je t'adore, mon petit homme. Tu es mon soleil et ma vie. Tu es mon amour et mon âme. Tu es tout et bien plus encore. Je t'adore... »

Déjà, elle sait plusieurs des vers magnifiques. Elle qui est *l'amante*, comme elle saura crier son amour à Ruy Blas!

Le 17, Hugo conduit sa famille à Auteuil, qui n'est encore qu'un village, et où il a loué un appartement au numéro 1 de la rue de Boulogne. Fidèle aux habitudes déjà établies de sa vie en partie double, il juge convenable, pendant que lui-même voyagera, que sa femme et ses enfants soient eux-mêmes au bon air. La jeune Julie Foucher, pensionnaire à la maison royale de la Légion d'honneur à Saint-Denis, rejoindra pour ces vacances sa sœur Adèle et ses nièces. Léopoldine lui a écrit:

« J'ai été, hier, voir avec Maman notre petit appartement. Nous avons pour nous deux une charmante petite chambre. Elle est composée d'un lit, d'une armoire, d'un secrétaire et d'une table. Toi qui aimes tant voir passer le roi, tu jouiras entièrement de ce plaisir. Il passe devant nos fenêtres pour aller à Saint-Cloud. Nous sommes à la porte du bois de Boulogne qui est fort beau dans cet endroit [1]. »

Le 18, Victor et Juliette se hissent sur l'impériale de la diligence. Ils vont voyager en Champagne, cela jusqu'au 28 : dix jours seulement de bonheur pour Juliette ! Hugo va se passionner à suivre l'itinéraire de Louis XVI en 1791, de Sainte-Menehould à Varennes. Il note : « Aujourd'hui je traverse la fatale petite place triangulaire de Varennes qui a la forme du couteau de la guillotine. L'homme qui assistait Drouet et qui saisit là Louis XVI s'appelait Billaud. — Pourquoi pas Billot ? » Liesse, toujours, pour Juliette. Elle ne sait pas ce qui l'attend à Paris.

Dans sa maison d'Auteuil, Adèle a longuement ressassé ce qu'elle a appris juste avant le départ de son mari : c'est « Mlle Juliette » qui va donner la réplique à Frédérick Lemaître. Ainsi, la rivale va sortir de l'obscurité où l'avait plongée son échec dans *Marie Tudor* et par laquelle Adèle s'était sentie vengée ! Une salle entière va pouvoir braquer sur sa beauté lorgnettes et jumelles, s'ébaudir, cancaner, admirer peut-être ! C'est plus qu'Adèle n'en peut supporter. Elle prend une plume et noircit deux grandes pages qu'elle adresse « A M. Anténor Joly, directeur du théâtre de la Renaissance ». Voici ce que, le lendemain, va pouvoir lire l'associé de M. Villeneuve :

« Vous serez sans doute étonné de me voir me mêler à une chose qui ne regarde en définitive que vous et mon mari. Pourtant, Monsieur, il me semble que j'ai un peu le droit d'agir ainsi quand je vois le succès d'une pièce de Victor compromis, et compromis volontairement. Il l'est, en effet, je le crains du moins, car le rôle de la Reine a été donné à une personne qui a été un des éléments du tapage qui a été fait à *Marie Tudor*. Je sais que les conditions sont actuellement meilleures, puisqu'au lieu d'aller dans un théâtre malveillant, il va

---

1. 9 août 1838. Maison Vacquerie. Musée Victor Hugo, Villequier, Inv. n° 589. A cette lettre, Léopoldine a ajouté un *post-scriptum* charmant : « Tu m'as écrit dernièrement et au bas de la lettre tu mets : *" Ta tante respectueuse. "* Je suis très honorée d'être respectée par ma tante, j'aimerais mieux en être aimée, mais on prend ce qu'on trouve. » N'oublions pas que Julie Foucher et Léopoldine Hugo ont presque le même âge.

dans un théâtre dévoué, et *chez vous*. Mais, monsieur, ce que vous ne pouvez empêcher, c'est l'opinion, opinion qui est défavorable à tort ou à raison au talent de mademoiselle Juliette. Ce que vous ne pouvez empêcher, c'est que cette dame passe pour avoir des relations avec mon mari. — Tout en étant personnellement convaincue que ce bruit est dénué entièrement de fondement, il n'en existe pas moins, vous le savez comme moi, et le résultat est le même [1].

« Je vous dis cela, monsieur, parce que j'ai quelque espoir que vous trouverez moyen de donner le rôle à une autre personne. Je ne vois ici, je n'ai pas besoin de vous le dire, que l'intérêt de l'ouvrage, c'est pourquoi j'insiste.

« Que mon mari, qui porte intérêt à cette dame (intérêt qui a probablement donné lieu à ce bruit), l'ait appuyée pour la faire entrer à votre théâtre, rien de mieux, mais que cela aille jusqu'à mettre en question le succès d'une des plus belles choses qui soient, voilà ce que je ne puis admettre.

« D'ailleurs, je suis convaincue que le début de mademoiselle Juliette sera moins chanceux pour elle, s'il a lieu dans un autre ouvrage.

« Ils ne peuvent manquer à votre théâtre, et tout le monde s'en trouvera mieux.

« Il faut, monsieur, que d'une part, je trouve la chose assez grave pour prendre sur moi de m'en ouvrir avec vous. Il faut de plus que j'aie une parfaite confiance en vous pour m'autoriser à en avoir une si grande à votre égard. Elle va jusqu'au point de ne pas douter que tout ceci restera *entièrement* entre nous deux.

« Adieu, mon cher monsieur, quoi qu'il arrive, croyez à mes affectueux sentiments.

« Adèle Hugo. »

Un beau titre pour une comédie du temps : *Adèle ou les Méfaits de la jalousie*. Il ne lui a fallu que deux ans pour passer de la complicité bienveillante (été 1836) à l'avertissement sévère (été 1837) puis à la déclaration de guerre (été 1838). Elle ne pense plus guère à Sainte-Beuve. On s'écrit, mais rarement, et, dans ce cas, ses enfants forment le sujet principal de ses lettres. En décembre, on en sera à des « banalités affectueuses ». Ce cœur redevenu vide s'est donc ouvert à de nouvelles passions, que nous pouvons juger aussi bien logiques qu'illogiques. Elle regarde désormais Juliette comme l'intruse et ne la supporte plus. Tout sera bon pour l'atteindre, lui nuire, l'évincer si possible. La lettre à Anténor Joly

---

1. Ce dernier paragraphe — resté inédit — est retranscrit d'après la photocopie de l'original que m'a communiquée Michèle Maurois.

représente un des deux sommets de cette stratégie. Il y en aura un autre. Mais n'anticipons pas.

Pour Joly, une règle d'or doit gouverner les rapports d'un directeur avec ses auteurs : pas d'histoires de femmes ! Sans enthousiasme, il a accepté Mlle Juliette, quasi imposée par Hugo. Dès le moment où on peut redouter l'irruption furieuse de l'épouse légitime au milieu des répétitions, le jeu n'en vaut plus la chandelle.

A l'arrivée de la diligence qui les ramène de leurs courtes vacances amoureuses, Hugo et Juliette ont la surprise de découvrir Anténor Joly, solidement campé, sourire aux dents. Pauvre Juliette. Devant elle, le directeur n'a rien dit, bien sûr. Une heure après, son sort est réglé. Désinvolte, Joly l'informe qu'il a définitivement distribué le rôle de la reine à Louise Beaudoin. Il n'est pas sûr que Hugo, qui sait fort bien que cette Louise est la maîtresse de Frédérick Lemaître, ait beaucoup défendu Juliette. Comment oublierait-il le désastre de *Marie Tudor* ? Les hommes qui hasardent des propositions avec l'espoir secret qu'on leur oppose un refus sont plus nombreux qu'on ne le croit. Gêné, embarrassé, mais décidé, Victor se doit d'expliquer à Juliette qu'elle ne sera pas Marie de Neubourg. Une mince consolation : Joly lui offre un contrat lui garantissant des appointements réguliers. Elle appartiendra à la troupe de la Renaissance et fera ses débuts dans une autre pièce dès que le succès de *Ruy Blas* sera épuisé. D'abord, il semble que Juliette ait fait contre mauvaise fortune bon cœur.

A Victor, le 29 août, mercredi soir, à dix heures et quart : « Tu as été bien bon avec moi, tantôt, pauvre bien-aimé. Je sens bien tous les efforts que tu fais pour me dissimuler un affront ou me cacher un chagrin. Je les apprécie bien, va, et quand, malgré toutes les peines que tu prends, la honte et la douleur arrivent jusqu'à moi, je rends bien justice à ta loyauté et à ton dévouement sans bornes. »

Mais, le lendemain, quand elle apprend que la lecture aura lieu place Royale et qu'il n'est évidemment pas question qu'elle puisse y assister, le désespoir éclate :

« Je resterai donc seule dans mon coin, aujourd'hui et toujours, vous admirant de souvenir et vous aimant de passion, car je vous aime, moi... »

Le 4 septembre, c'est une lettre déchirante :

« Je suis triste, mon pauvre bien-aimé. Je porte en moi le deuil d'un beau et admirable rôle qui est mort pour moi à tout jamais. Jamais *Marie de Neubourg* ne vivra *par moi* et *pour moi*. J'ai un chagrin plus grand que tu ne peux te l'imaginer. Cette dernière espérance perdue m'a donné un coup terrible. Je suis démoralisée au point de ne pas oser jouer dans la pièce de n'importe qui un rôle de n'importe quoi. Je suis vraiment bien malheureuse. Pourtant, mon bon ange, je reconnais que ce n'est pas ta faute et que tu as tout fait pour lutter contre mon guignon. Mais cela n'a servi qu'à montrer dans tout son jour ta persévérance et ton dévouement. Je suis bien découragée. Mon Dieu, qu'est-ce que je deviendrai ? C'est dans ce moment-ci qu'il faut que tu sois bon et indulgent, car je souffre beaucoup. Aime-moi, aime-moi, aime-moi, si tu veux que je vive. Moi, je t'aime trop. C'est malheureusement bien vrai et tu le sais aussi bien que moi. Mais, pour t'aimer moins, je ne le peux pas. Il faut que je t'aime comme il faut que je respire. »

A la première, plus de combattants comme à *Hernani*. Le *témoin* : « La célébrité était venue pour quelques-uns, l'âge pour tous ; parmi les rapins de 1830, les uns étaient maintenant des maîtres et pensaient à leurs propres œuvres ; les autres, n'ayant pu faire leur trouée en art, y avaient renoncé, et, commerçants, industriels, mariés, faisaient pénitence de leurs péchés d'enthousiasme et de littérature. » Ceux qui, contre vents et marées, étaient restés artistes, « s'étaient coupé les cheveux, avaient reconnu le chapeau et la redingote de tout le monde, avaient des femmes ou des maîtresses qu'ils ne pouvaient mener au parterre, ni aux combles, trouvaient de mauvais goût les acclamations forcenées, et applaudissaient quelquefois du bout des gants ». Hugo allait éprouver la surprise d'être davantage applaudi par les loges que par le parterre. Le temps écoulé avait modifié l'ordre des choses : « L'auteur avait dans la salle des amis qui ne le connaissaient plus et des amis qu'il ne connaissait pas. » Cependant, une lettre de Juliette nous révèle que Hugo, toujours excellent stratège, avait distribué des places à des personnes sûres : « J'ai vu Lanvin ce matin. Je lui ai remis les douze places. Si tu as besoin d'en placer demain, il sera là. »
Curieux cadre pour une première que ce théâtre dont les travaux ne sont pas achevés : les portes des loges, posées trop à la hâte, grincent sur leurs gonds et ne ferment pas, les calo-

rifères ne donnent pas la moindre chaleur, la salle évoque une glacière. Les femmes, qui avaient ôté leurs manteaux, leurs fourrures et leur chapeau, se voient obligées de les remettre, et les hommes leurs manteaux. Le duc d'Orléans, décidément érigé en protecteur officieux de Hugo, a seul la politesse de rester en habit. Dans une loge, une femme applaudit plus que toutes les autres : Juliette. Probablement y a-t-elle mis du sien. Elle est orgueilleuse et ne veut pas perdre la face : « J'ai versé tout mon sang pour vous, pour votre pièce. J'ai déchiré un gant. Enfin je mérite beaucoup de récompenses. La première de toutes, c'est que vous m'aimiez comme je vous aime. »

Bien sûr, Viennet est venu à *Ruy Blas*. Comment pourrait-il manquer une seule pièce du poète qu'il déteste le plus en France ? Dans son Journal, il note cette fois : « Je ne crois pas que l'extravagance puisse aller plus loin. Quelques amis de l'auteur en sont même indignés. J'ai rencontré dans le foyer Roger de Beauvoir, un de ses anciens séides. Il est venu me demander en riant ce que je pensais du quatrième acte. J'ai répondu que la plus grande preuve de la liberté dont on jouissait à Paris, c'était qu'un fou pareil courût les rues impunément. Il entend rire aux éclats dans le parterre, on y siffle, on crie, on fait des lazzis. Il prend cela pour du succès et se promène dans les corridors pour recueillir ou quêter des éloges. » A quoi répond, fidèle écho, Gustave Planche, décidément passé à l'ennemi, qui condamne de *Ruy Blas* le « cynisme révoltant », le « puéril entassement de scènes impossibles » et explique : « M. Hugo a connu la gloire de trop bonne heure... Il s'est enfermé dans l'adoration de lui-même comme dans une citadelle... De cet orgueil démesuré à la folie, il n'y a qu'un pas, et ce pas, M. Hugo vient de le franchir en écrivant *Ruy Blas*... » Un nouveau déferlement auquel, comme d'habitude, Victor opposera le calme d'Olympio. Ce qui ne veut pas dire que cette certitude extérieurement affichée soit le reflet *ne varietur* d'une paix intérieure. Quiconque a essuyé de tels jugements connaît la détresse profonde qui en découle, même et d'autant plus si l'on s'applique soigneusement à la dissimuler.

A chaque représentation, on siffle le quatrième et le cinquième acte. Cela durera jusqu'à la dernière. Il était convenu à Paris que siffler les pièces de Hugo était un amusement à la mode. Un succès ? La pièce aura une cinquantaine de représentations, ce qui est correct, sans plus.

Quelques jours avant la première, Hugo a signé un contrat
qui marque, dans sa carrière — et dans sa vie — une étape
capitale. Depuis le lendemain d'*Hernani* où, pour la première
fois, il avait pu placer 5 000 francs, il n'a eu de cesse d'augmenter cette « épargne » à laquelle il persiste à vouloir attacher son indépendance. Des sommes modestes en ont souvent rejoint d'autres qui l'étaient moins. Tout à coup, il va se
voir à la tête d'un capital considérable. On siffle Hugo, on le
vilipende, les pères de famille répètent qu'ils ne conduiront
plus leurs filles à ses pièces, les salons se proclament indignés ; il n'en remplit pas moins les salles et ses livres mobili-
sent des lecteurs toujours plus nombreux. Il n'en faut pas
plus pour que d'astucieux entrepreneurs hasardent une véritable spéculation sur la « marque » Victor Hugo. Une firme
va se créer tout spécialement : la « Société en commandite
pour l'exploitation des œuvres de Victor Hugo », sous la raison sociale Duriez et Cie. Se sont associés : un éditeur de profession, Delloye, un certain Duriez qui sera gérant, un négo-
ciant en papier nommé Cornuau, deux fabricants de papier
du nom de Blanchet et Kléber, enfin deux banquiers,
MM. Gaillard et Rampin. Le 25 octobre, Hugo cède à cette
société, pour une durée de dix ans, la propriété exclusive des
vingt-deux volumes de son œuvre publiée et celle de deux
ouvrages inédits — dont *Ruy Blas* — avec droit d'option sur
les autres ouvrages inédits. Il va recevoir 300 000 francs dont
180 000 payables au comptant et 120 000 en quatre annuités
successives à partir de 1840. Dans l'acception de l'époque,
Hugo est désormais un homme riche. Ne l'oublions pas :
après son mariage, il se réjouissait de pouvoir vivre avec
100 francs par mois, salaire que touchait un employé de
ministère. Rappelons-nous également que, l'impôt sur le
revenu n'existant pas alors, ces sommes ne sont amputées
d'aucun prélèvement fiscal. L'ampleur de cette somme nous
permet aussi de mieux situer la place qu'il occupe dans le
monde littéraire. Plus important encore : à l'abri du besoin,
Hugo va pouvoir poursuivre la réalisation de ces ambitions
politiques qui demeurent son but le plus cher.

Juliette n'a rien connu de ce contrat. Hugo exige toujours
d'elle des comptes minutieux. Elle en est toujours à économiser sur le bois, sur la nourriture, sur des vêtements de première nécessité. Elle triomphe parce qu'elle a épargné six
sous à Victor. Que dirait-elle si elle savait qu'il vient de dépo-

ser 180 000 francs à la banque ! Soyons lucides : elle ne dirait rien. D'abord parce que l'ère des grandes scènes revendicatives semble bien achevée. Aussi parce que la Juliette de ce temps-là est une femme qui accepte, s'incline, se résigne. D'ailleurs, le concept de l'épargne que l'on ne dépense à aucun prix est alors si bien ancré dans tous les esprits que Juliette l'aurait probablement admis. Dans le même temps, Adèle reste contrainte aux mêmes comptes, à la même parcimonie quotidienne. Elle sait, elle, ce que son mari vient d'encaisser. Elle ne dit rien. Quand elle se permet d'aborder la question d'argent, c'est pour, indirectement, atteindre *l'autre* :

« Je suis inquiète, je l'avoue, de ton avenir matériel. Il serait nécessaire que l'état de ta maison fût plus convenable qu'il ne l'est maintenant. Il faudrait que tu puisses recevoir de même que tu es reçu. Je sais que la façon restreinte dans laquelle nous vivons n'empêchera rien, mais sois sûr qu'elle t'enrayera dans ton chemin et t'empêchera d'arriver aussitôt que tu le voudrais, au but que tu te proposes.

« D'un côté je sais l'inconvénient de cette gêne, d'un autre côté je crains que les charges que tu as contractées ne te forcent, un jour quelconque, à retirer une partie de l'argent que tu as placé avec tant de peine. Il y a donc deux plaies et l'une entretient l'autre. Tout ce que je puis faire afin de diminuer celle sur laquelle je puis avoir une action, je le fais, mais de longtemps il ne me sera possible de donner un autre air à ta maison. Il faut avant tout que le nécessaire ne manque pas. Trois ou quatre ans de mes petites économies suffiraient à peine à cet effet... Ni toi, ni les tiens ne doivent vivoter. Vous devez vivre honorablement. J'ai besoin ici de te rappeler ce que je t'ai déjà dit : j'ai abdiqué dans ma pensée, toute espèce de droit en ce qui concerne la fortune que tu peux avoir. Je me considère, vis-à-vis de toi, comme une intendante chargée de surveiller et de tenir ta maison avec le plus d'ordre possible, comme la gouvernante de nos enfants. Là-dessus je dis nos enfants et je ne veux pas, sur ce point, abdiquer mon droit à la possession.

« C'est donc pour toi, mon ami, pour toi seul, dans ton unique intérêt que je te conjure de réfléchir. Je te parle comme le ferait une sœur, une amie, je ne sais que te dire afin que tu croies à mon complet désintéressement. Songe, songe à ton avenir. Vois quels moyens employer afin de diminuer tes charges. N'attends pas que tes plaies guérissables deviennent incurables. Il est loin de ma pensée que tu doives laisser qui que ce soit dans la misère ; si tu crois, en agissant ainsi, faire une mauvaise action, avant tout, il faut être un honnête homme, mais au moins arrange tes affaires, règle tes charges avec équité, mais règle-les. »

Cette lettre, pétrie d'apparente dignité, et d'authentique perfidie, est signée : « Ta meilleure et peut-être ta seule amie, Adèle. »

Rien ne le fera changer : on ne dépense, on ne doit dépenser que le revenu du capital. Pas un sou de plus. Hugo tient à constituer des dots pour chacune de ses filles, et à pouvoir aider ses deux fils quand ils choisiront une carrière. Il faut lui reconnaître qu'il montre l'exemple à tous. Juliette juge même abominable que, place Royale, il travaille dans un cabinet jamais chauffé, « une horrible petite glacière ». Elle souffre pour lui qu'il se contente d'un matelas garni, plutôt que de laine, d' « espèces de têtes de clous ». Elle supporte mal que son linge manque de boutons, qu'elle soit forcée de brosser et de ravauder elle-même ses redingotes. Elle le tance pour ses chaussures ressemblant à des « poêles à marrons ». Ceux qui fréquentent régulièrement la place Royale ne lui porteraient certainement pas la contradiction. On y est merveilleusement accueilli, mais on y mange fort mal. Arsène Houssaye : « Je trouvai que le grand poète était logé comme un prince ; mais je fis remarquer à Théo [phile Gautier] qu'on soupait peu chez lui. A peine si on servait une tasse de thé aux privilégiés. Il fallait y aller tout esprit en laissant son estomac dans l'antichambre. »

Tous sont d'accord : Adèle n'a jamais été une maîtresse de maison. Elle n'est pas non plus du genre silencieux. Un historien et dessinateur romantique, Achille Allier, confie à sa femme : « *Malheureusement* elle est fort causeuse. » Ce que confirme Théodore Pavie à son frère Victor : « Cette conversation était comme d'ordinaire percée en maints endroits par les questions intermittentes de Mme Hugo, sur ta femme, sur tes enfants, sur le père, sur toi. Tu sais : dans les " spectacles marins ", un gros vaisseau passe sur une mer agitée où rien ne motive sa présence ; on le suit de l'œil, et tout à coup, psicht... boum !... le feu de la lumière et le canon. Ainsi les soirs où Mme Hugo, trônant devant son feu, accueillante et distraite, rêvant et non rêveuse, se laisse aller à la pente de ses idées. » Certes, Champfleury nous la dépeint, dans le même salon, comme une « personne de grand air avec les plus belles épaules du monde », il lui attribue « une sorte de majesté espagnole » ; certes, Jules Troubat se souvient qu'elle « avait grand air quand elle faisait les honneurs du salon de son mari » ; mais Nefftzer, fondateur du journal *le Temps*, a raconté aux Goncourt ce dîner où « Mme Hugo se mit à parler un peu trop » : « Je n'oublierai jamais le regard impossible à rendre par lequel Hugo l'a foudroyée, l'a réduite au silence. »

Au fil des années, l'appartement de la place Royale s'est garni de meubles de prix, d'objets d'art et d'innombrables bibelots. Au plafond du cabinet de travail tendu de damas rouge, dont la fenêtre s'ouvre sur une cour intérieure, on voit une peinture de Chatillon, du genre fantastique, *le Moine rouge*. Ce saint homme, vêtu d'une robe cramoisie, étudie la Bible sur le ventre d'une femme nue : pourquoi pas ? Au mur, des aquarelles et des dessins de Nanteuil, de Boulanger, beaucoup de livres anciens, des laques, des porcelaines de Chine — malheureusement ébréchées. Sur le bureau, une boussole de cuivre portant la date de 1489 et le nom de la *Pinta*. Hugo affirme gravement qu'il s'agit de la boussole de Christophe Colomb. Peut-être.

Dans le salon rouge, deux cheminées, chacune avec un miroir ancien, une abondance de vases, de flambeaux, de pendules. Les trois larges baies s'encadrent de rideaux, de tapisseries, formant de si larges embrasures que, les soirs de réception, on peut s'isoler pour causer à l'abri des indiscrétions. L'été, les fenêtres largement ouvertes laissent voler dans le salon le parfum des feuilles et des fleurs. En face, voici un grand dais à lambrequin : un trophée de la prise d'Alger, que le lieutenant Elbée a offert à Victor Hugo. Cela permet à Gautier qui, comme Victor, adore les calembours de s'exclamer : *le dais du dey!*

Sous ces lambrequins qui auraient appartenu à Mme de Maintenon — *dixit* Hugo — on a porté un grand divan recouvert de broderies anciennes, place de prédilection, les soirs de réception, des jolies femmes. Les mauvais esprits ne manquent pas d'observer que, dans ce salon, celui qui règne — « présent ou absent » — c'est Hugo. L'œil est attiré, invinciblement, par le grand portrait peint par Auguste de Chatillon qui a représenté son ami tenant entre ses genoux François-Victor. Les initiés n'oublient pas de lire, « sur cette toile divinatrice... la métamorphose du père archange tranquille en un homme puissamment tourmenté [1] ». En pendant, voici, par Louis Boulanger, le portrait gracieux et fier d'Adèle Hugo.

1. Raymond Escholier.

Tout près, le buste de Victor sculpté par David d'Angers, hommage inspiré, reflet éclatant de la gloire et du génie.

Dans ce salon, viennent toujours Gautier, Nerval, les Devéria, Delphine Gay, David d'Angers, Auguste de Chatillon, Boulanger, Dumas parfois, Lamartine rarement. Et puis les nouveaux, les jeunes, de plus en plus nombreux, les hôtes de passage, éblouis de se retrouver dans le saint des saints. Achille Allier, déjà cité, les incarne tous, qui adresse ce bulletin de victoire à sa femme : « J'ai vu Victor Hugo. Sa figure est plus juvénile que le portrait de Léon Noël, les traits y sont trop fortement accusés. Son accueil a été tout amical. Il m'a reçu dans son cabinet. Une vieille bonne travaillait auprès de lui et sa petite fille jouait à ses pieds, me regardant de ses grands yeux noirs et vifs, mais sans étonnement, comme les enfants de Paris accoutumés à tout voir, puis elle grimpait sur les genoux de son père et jouait avec le ruban rouge de sa boutonnière. »

Image de vie familiale quasi idéale. Allier repartira pour sa province, plein d'admiration pour cette réussite toute d'équilibre intime, d'harmonie conjugale et d'entente sublime. Il ignore que, chaque jour, ou presque, le maître des lieux quitte son appartement, soit par la grande porte, soit par le petit escalier dérobé qui s'ouvre près de son cabinet de travail. Il quitte sa première femme pour rejoindre la seconde.

Assurément, Juliette est résignée. Seulement, de temps en temps, elle n'en peut plus de solitude, elle aspire à un peu d'air, à des rues, à des jardins, à un coin de ciel. Elle sanglote sur son malheur. On la comprend. Mais Hugo paraît et les rires succèdent aux pleurs. Son beau corps sensuel se dévore toujours de désirs auxquels répond de moins en moins son amant. M. Jean Savant s'est amusé à piquer dans l'océan de ses lettres encore inédites quelques cris révélateurs soigneusement laissés sous le boisseau par les hugolâtres : « Je serai bien heureuse si vous venez dîner avec moi et coucher avec Juju. Malheureusement, je n'ai pas beaucoup d'espoir de ce côté... Je baise tout ce qu'enveloppe votre pantalon collant. J'y colle mes lèvres... » Cela n'émeut pas Hugo. Dix jours plus tard : « Quel affreux Toto vous faites. On ne peut pas *jouir de vous* dans aucun cas. » Enfin il vient « déjeuner » — ce qui, dans le vocabulaire de Juliette correspond en effet à un hors-d'œuvre, sans plus : « Malheureusement, en voilà pour longtemps. Aussi vais-je m'enfermer dans mes souvenirs de la matinée jusqu'au moment où vous m'apporterez du bonheur frais et nouveau. » Elle soupire : « Tu n'es pas homme à te prodiguer deux fois dans la même journée... » ou encore : « Vous êtes l'homme le moins héroïque et le plus vertueux de France et de Navarre... » Elle se fâche : « Je veux même, à l'avenir, ne plus t'en parler, parce que rien n'est plus déplacé ni plus ridicule qu'une femme qui sollicite *vainement* les faveurs de son amant. Ainsi mon bien-aimé, puisque je dois vivre avec toi comme *une sœur avec son frère*, tu trouveras bon que je m'abstienne de te rappeler, en aucune manière, le temps où nous étions mari et femme. »

De temps à autre pourtant, une nouvelle vague de désirs fous le jette vers elle. Ce sont des moments qui effacent tout, les innombrables heures où elle l'attend, tous ces jours et toutes ces nuits où elle se consume en vain. Alors, bouleversée, elle lui écrit : « Je n'oublierai jamais le 13 janvier 1839, trois heures après-midi... » Lui non plus. Ce jour-là, il écrit pour elle :

> Relève ton beau front, assombri par instants ;
> Il faut se réjouir, car voici le printemps :
> Avril, saison dorée où parmi les zéphyres,
> Les parfums, les chansons, les baisers, les sourires,
> Et tous ces doux propos qu'on tient à demi-voix,
> L'amour revient au cœur comme l'ombrage au bois [1].

Peu à peu, les « nouveaux » de la place Royale se muent en « disciples ». C'est le lot de tous les chefs d'école. Reconnaissons qu'il est rare, à trente-six ans, de compter de tels séides. Parmi ceux-ci, un jeune poète du nom d'Auguste Vacquerie. La rencontre remonte à ce jour de 1837 où, élève du collège Charlemagne — et récoltant tous les prix — il s'est présenté place Royale, tout tremblant, suppliant Hugo d'accorder à lui et à ses condisciples, fous de théâtre, une représentation d'*Hernani* au collège pour la Saint-Charlemagne. Hugo avait reçu avec son habituelle cordialité ce jeune garçon long et maigre qui se présentait comme poète — et l'était. Une autorisation ? Bien sûr, il l'accordait. Même, il était venu assister à la représentation. Belle entrée en matière. Lors du procès de *Marion de Lorme*, Auguste Vacquerie était dans le public.

---

1. *Dernière Gerbe.*

Hugo l'avait reconnu, s'était avancé pour lui serrer la main.
Délire du jeune homme. Ainsi encouragé, il s'était présenté
de nouveau place Royale, y était revenu, et, un jour, s'était
permis d'amener l'un de ses camarades, Paul Meurice. Les
deux jeunes gens allaient devenir des familiers. Pouvaient-ils
savoir, ces adolescents, qu'ils consacreraient leur vie entière
au poète ? Que, dotés l'un et l'autre d'un véritable talent, ils
choisiraient de l'oublier pour servir celui de Victor Hugo ?

Auguste Vacquerie a vécu la bataille de *Ruy Blas* dans un
état de fièvre qui transparaît dans une lettre adressée à son
frère : « *Ruy Blas* ne se donnera que dans les premiers jours
de la semaine prochaine. Ainsi ma vie à présent se résume
dans ce mot : j'attends. Il y a pourtant des détails que je vais
te dire, heure par heure, et jour par jour. Arrivé ici jeudi à dix
heures du matin, je suis allé chez M. Hugo où je suis resté à
dîner et de chez qui je suis sorti à minuit. Voilà pour la première journée. » Le lendemain, il est allé voir la jeune
Rachel, l'étoile montante de la Comédie-Française, dont
Tout-Paris chante le génie, qui réhabilite les classiques et qui,
ce soir-là, joue *Cinna*. Verdict d'un romantique inconditionnel : « Dans six mois, on ne parlera plus de Mlle Rachel. »
Bien sûr, à la première de *Ruy Blas*, il sera de ceux qui ont
applaudi, acclamé, crié, hurlé.

Un jour, le jeune homme est tombé malade. Adèle l'a soigné comme s'il s'agissait de l'un de ses enfants. Auguste a
aussitôt informé son père, Charles Vacquerie, bourgeois du
Havre enrichi dans le métier d'armateur, de ce singulier privilège. En signe de sa réussite, M. Vacquerie a fait construire
à Villequier, sur les bords de la Seine, une grande maison de
brique flanquée de deux charmants pavillons à balcon de
bois où, l'été, viennent le rejoindre ses deux fils : l'aîné,
Charles, désigné comme son successeur, et Auguste, le fort en
thème. Adèle Hugo a eu droit aux remerciements de la
famille. Une correspondance s'en est suivie. Derrière tout
cela, planait un secret : Auguste, dès qu'il avait aperçu l'adorable Léopoldine, en était tombé amoureux.

Ce jeune poète qui fixe son ambition tout entière à ressembler — de loin — à Victor Hugo, brûle pour Léopoldine
comme Hugo s'est consumé pour Adèle. Dès qu'il est de
retour chez ses parents, faute de pouvoir écrire à l'élue — ce
que les mœurs du temps ne tolèrent point — c'est à Hugo
qu'il s'adresse. Et le grand homme — ô joie — lui répond :

« Cher poète, vous m'écrivez une bonne et charmante lettre du milieu de vos arbres, de vos bois, de vos collines, de vos eaux et des couchers de soleil et des levers de lune sur vos magnifiques horizons. Je vous remercie de vouloir bien encore prêter l'oreille à la parole d'un homme, entouré que vous êtes de cette grande parole de Dieu. Je ferai tous mes efforts pour aller vous serrer la main quelques heures. En attendant, je me déclare votre envieux, vous avez la poésie, en vous, et autour de vous [1]. »

Tout au long de l'hiver 1838-1839, Auguste est revenu souvent place Royale. Il a revu Léopoldine. Certes, elle n'a que quatorze ans, mais elle est fine, intelligente, avec une taille et un cou flexibles, de grands yeux noirs qui sont une caresse, un mélange d'innocence et d'extrême lucidité. Naïve rouerie d'amoureux transi : Auguste n'a eu de cesse d'obtenir que ses parents invitent, pour l'été de 1839, la famille Hugo à Villequier. Il faut dire que ce printemps-là n'a pas été de tout repos. Le 12 mai, Auguste Blanqui, Armand Barbès et Martin Bernard, animateurs de la Société secrète des Saisons, ont tenté de soulever Paris contre Louis-Philippe. On s'est battu dans le quartier de l'Hôtel de Ville et de la Préfecture de police. A 3 heures, Léopoldine est entrée dans le cabinet de Hugo et lui a dit :

— Papa, sais-tu ce qui se passe ? On se bat au pont Saint-Michel.

Aussitôt, Hugo s'est précipité hors de chez lui. Toujours, il sera ainsi. S'il se produit un événement quelconque, il veut y être. Il veut voir. Le voilà sur le boulevard, à la recherche de l'émeute. Il la poursuit dans le Marais. Il recueille des détails. Il note :

« Vers trois heures, deux ou trois cents jeunes gens mal armés ont brusquement investi la mairie du VIIIᵉ arrondissement, ont désarmé le poste et pris les fusils. De là ils ont couru à l'Hôtel de Ville et ont fait la même équipée. En entrant au corps de garde, ils ont gaiement embrassé l'officier. Quand ils ont eu l'Hôtel de Ville, qu'en faire ? Ils s'en sont allés. S'ils avaient la France, en seraient-ils moins embarrassés que de l'Hôtel de Ville ? Il y a parmi eux beaucoup d'enfants de quatorze à quinze ans. Quelques-uns ne savent pas charger leur fusil ; d'autres ne peuvent le porter. Un de ceux qui ont tiré rue de Paradis est tombé sur son derrière après le coup. Deux tambours tués en tête de leurs colonnes sont déposés à l'Imprimerie

1. Maison Vacquerie. Musée Victor Hugo, Villequier. Inv. nᵒ 70.

royale dont la grande porte est fermée. En ce moment, on fait des barricades rue des Quatre-Fils. Aux angles de toutes les petites rues de Bretagne, de Poitou, de Touraine, etc., il y a des groupes qui écoutent. Un grenadier de la garde nationale passe en uniforme, le fusil sur le dos, regardant autour de lui d'un air inquiet. Il est sept heures ; je suis sur mon balcon, place Royale ; on entend des feux de peloton. »

A 1 heure du matin, il est toujours sur son balcon, guettant les bruits de la nuit : « La place Royale est un camp. Il y a quatre grands feux devant la mairie, autour desquels les soldats causent et rient assis sur leurs sacs. La flamme découpe la silhouette noire des uns et empourpre la face des autres. Les feuilles vertes et fraîches des arbres de mai s'agitent joyeusement au-dessus des brasiers [1]. »

Le lendemain, il gagne encore les boulevards. « Ils sont couverts de foule et de troupe. On entend des feux de peloton dans la rue Saint-Martin. » C'est l'agonie de l'émeute. Barbès, blessé, est fait prisonnier sur sa barricade. Blanqui, l'homme de la nuit, disparaît. Le procès des insurgés du 12 mai commencera un mois plus tard, Barbès sera condamné à mort. Quand Hugo apprend le verdict, il est minuit. Il saisit une feuille, une plume et compose. C'est à Louis-Philippe qui, quelques mois plus tôt, a perdu sa fille Marie, duchesse de Wurtemberg, et dont le petit-fils, le comte de Paris, fils du duc et de la duchesse d'Orléans, est né quelques mois plus tôt, qu'il s'adresse :

> Par votre ange envolé ainsi qu'une colombe !
> Par ce royal enfant, doux et frêle roseau !
> Grâce encore une fois ! grâce au nom de la tombe !
> Grâce au nom du berceau !

Comme Hugo, Louis-Philippe déteste la peine de mort. Comment aurait-il oublié que son père, Philippe-Égalité, est mort sur l'échafaud ? Hugo, dans *les Misérables*, le montrera s'acharnant à trouver des motifs de grâce :

« Il s'opiniâtrait contre son garde des sceaux ; il disputait pied à pied le terrain de la guillotine aux procureurs généraux, *ces bavards*

---

1. A cette époque, la mairie de l'arrondissement était installée dans l'un des immeubles de la place, du côté opposé de celui qu'habitaient les Hugo.

de la loi, comme il les appelait. Quelquefois, les dossiers empilés couvraient sa table; il les examinait tous; c'était une angoisse pour lui d'abandonner ces misérables têtes condamnées. Un jour il disait au même témoin que nous avons indiqué tout à l'heure : *Cette nuit, j'en ai gagné sept.* Pendant toutes les premières années de son règne, la peine de mort fut comme abolie, et l'échafaud relevé fut une violence faite au roi. »

A Hugo intervenant pour Barbès, Louis-Philippe va répondre : « Ma pensée a devancé la vôtre. Au moment où vous me demandez cette grâce, elle est faite dans mon cœur. Il ne me reste plus qu'à l'obtenir. » Barbès sera gracié — et aussi, quand on le prendra et le condamnera à son tour, Blanqui. Ces mois-là, Hugo se porte mal : les yeux encore une fois. Sans cesse, dans les lettres de Juliette, on retrouve la phrase inquiète : « Comment vont tes yeux? » Sans cesse elle parle de cette « tisane pour les yeux » qu'elle prépare à l'aide de pavots broyés. Une crise de furonculose l'accable, en un lieu singulièrement mal placé puisque, dans une lettre du 23 août, Juliette lui propose de lui préparer un bain de siège. Il souffre en outre d'atroces et tenaces migraines. Faut-il parler de maladie psychosomatique, comme le pense Mme Annie Ubersfeld? L'angoisse qui taraude Hugo est-elle née de la maladie, ou la maladie de l'angoisse? En août, il confie à Juliette qu'il ne dort plus que deux heures par nuit. Un nouveau thème de drame l'obsède, celui des *Jumeaux*. Le 23 juillet, il écrit à Auguste Vacquerie : « Je suis dans ces jours décisifs où l'on tourne autour d'une œuvre qu'on a dans l'esprit, afin de trouver le meilleur côté pour l'entamer... Il y a une sorte de tristesse sombre et mêlée de crainte qui précède l'abordage d'une grande idée. »

Trois jours plus tard, le 26 juillet, il se plonge dans cette nouvelle pièce. Son thème : le Masque de fer. Jamais la légende ne s'est trouvée aussi populaire. Emboîtant allègrement le pas à Voltaire, le XIXe siècle tout entier se veut assuré que Louis XIV avait un frère jumeau qui, par raison d'État, avait été emprisonné et affublé d'un masque de métal. Vigny, dans *la Prison*, poème de 1822, avait développé ce thème, romantique entre tous. Dumas le reprendra, l'amplifiera, lui donnant son cadre définitif. Aujourd'hui, les historiens se déclarent certains que l'homme au masque — qui a existé — ne pouvait en aucun cas être le frère du roi Soleil. Les

contemporains de Hugo — et Hugo lui-même — étaient sûrs
du contraire. Dès septembre 1829, établissant la liste de ses
projets dramatiques, Hugo citait déjà : *le Masque de fer*. Au
dos d'une lettre du 10 juin 1830, le titre *le Masque de fer* voisi-
nait avec un très curieux brouillon que l'on peut, à juste titre,
juger révélateur :

> Caïn, Abel, vos races sont encor dans le monde
> les justes, les héros
> Esclaves et tyrans, victimes et bourreaux.
> Caïn
> Abel dit Providence ! et toi : fatalité !

Comment douter ? Dans l'esprit de Hugo, le mythe du Masque de fer s'identifie au face à face originel de Caïn et d'Abel.
D'où l'angoisse. Si Caïn a tué Abel, Louis XIV, pour régner, a
condamné son frère à la prison et à la nuit. Le prisonnier royal,
selon Hugo, s'écrie du fond de son cachot : « Ce masque est
mon visage et je suis un fantôme. » Le jumeau méritait autant
que son frère les ivresses du trône : il s'agissait donc d'une
confiscation. Comment tout aussitôt ne pas en revenir à la tragédie des deux frères, Eugène et Victor, à cette gloire et à ce
bonheur intime de l'un qui ne se sont confirmés qu'au prix de
la folie et de la captivité de l'autre ? Qu'il tourne ou retourne
dans son esprit le problème, Hugo ne peut objectivement se
sentir coupable du sort advenu à Eugène. La pensée ne l'en
obsède pas moins que, s'il n'est pas la cause de ce désastre, il
en est la raison. Voilà pourquoi l'écrivain envisage le thème
des *Jumeaux*, et avec quelle difficulté, pour la première fois de
sa vie, il avance dans la composition. De là vient la décision
prise tout à coup d'interrompre l'œuvre en cours. Le 27 août, il
écrit à sa femme : « Je suis tellement souffrant et la solitude de
la maison m'est si insupportable que je vais partir. Je ferai le
dernier acte à mon retour. Il n'y perdra pas car je suis épuisé
de fatigue et, si j'allais plus loin maintenant, je crois que je
tomberais malade. Quand je reviendrai, je serai refait et en
huit jours j'aurai fini. Ainsi tout est pour le mieux. »

Un peu d'hypocrisie dans ces lignes ? Il ne part pas seulement parce qu'il est fatigué, mais parce qu'il l'a promis à
Juliette. Le moment est arrivé du « pauvre petit bonheur
annuel » qu'il réserve à celle-ci. La lettre de Victor est adressée à Villequier.

Les grandes manœuvres d'Auguste Vacquerie ont obtenu un résultat qui fait honneur à sa persévérance. Au cours de l'hiver, sa sœur aînée — elle avait épousé Nicolas Lefèvre, promoteur immobilier avant la lettre, un Havrais — est venu le voir à Paris. Il l'a conduite place Royale. On a sympathisé. Mme Lefèvre a invité Adèle à venir au Havre avec ses enfants passer les vacances chez elle. Adèle a accepté. Il a été convenu que l'on s'arrêterait à Villequier, entre Rouen et Le Havre, chez M. et Mme Charles Vacquerie. Dès le début du mois d'août, Didine se faisait une joie de ce voyage et l'annonçait à son grand-père, Pierre Foucher :

« Nous visiterons les bords de la Seine, nous verrons Rouen, nous admirerons la mer qu'aucun de nous ne connaît, nous comptons aussi battre les environs de Villequier qui d'après ce qu'on dit sont très beaux... Nous nous portons tous bien. Nous sommes florissants de santé. Charles travaille avec fureur pour remporter un prix au collège, c'est un bon et charmant garçon... Il embellit tous les jours ainsi que Dédé que tu trouveras bien jolie à son retour. Toto est bien travailleur aussi ; sa surdité a entièrement disparu, mais papa exige qu'il porte toujours une casquette sur ses énormes cheveux [1]... »

On est allé prendre, à Saint-Germain-en-Laye, le bateau qui fait le service de Rouen. On a navigué sur cette Seine qui a émerveillé Léopoldine.

A son père : « Nous n'avons pas eu un instant d'ennui ; nous regardions toujours, nous ne perdions aucun des magnifiques points de vue qui nous ont semblé à nous qui n'avions rien vu encore plus superbes qu'à ceux qui voyageaient souvent. Nous avons ensuite admiré Rouen et ses belles églises, sa cathédrale surtout que j'aurais voulu visiter complètement. Je t'ai remercié dans le fond de mon cœur, mon père chéri, car c'est toi qui nous as appris à apprécier et à jouir des belles choses. »

A l'embarcadère de Rouen, justement, les attendent deux jeunes gens. Ils savent bien qui est le premier : Auguste Vacquerie. Ils font la connaissance du second, Charles, frère d'Auguste. Rien de plus différent que les deux frères Vacquerie. Charles a deux ans de plus qu'Auguste, il est aussi rond que son frère est long et maigre. Auguste n'a pas été précisément gâté par la nature ; certains répéteront qu'il était fran-

1. Maison Vacquerie, Musée Victor-Hugo, Villequier. Inv. n⁰ 404.

chement laid. Charles, sans être beau, offre au regard un visage harmonieux encadré d'une barbe en collier et des yeux noirs pleins de douceur. Les frères Vacquerie vont conduire Mme Hugo et son petit monde à Villequier. *Léopoldine à son père* : « La Seine borde le jardin de M. Vacquerie, nous voyons de petits navires stationnaires depuis plusieurs jours en cet endroit, le matin je regarde l'eau de mon lit ; c'est une bien charmante maison que celle-ci ; elle le serait bien davantage si tu l'habitais avec nous [1]... »

Elle a quinze ans, Didine. Charles en a vingt-deux. Quand Auguste voit son frère emmener la jeune fille en promenade, ou canoter sur la Seine, ou prendre un bain de mer, il regarde cela avec un sourire indulgent. A la fin du séjour, Didine écrira à Julie Foucher : « Mr Auguste m'a donnée *(sic)* la plus ravissante cassolette qu'on puisse voir, Mr Charles, son frère, doit me faire présent d'une petite boîte en ivoire avec deux jolis petits flacons, [de] deux baguiers en coquillages montés avec des fleurs en porcelaine, il m'a déjà donné d'admirables coquillages [2]. »

Voilà beaucoup de cadeaux.

Le 5 octobre, Léopoldine, qui découvre la mer, dit son émerveillement à son père : « Je l'ai trouvée superbe et immense, je ne pourrais jamais dire ce qu'elle m'a fait éprouver, j'ai compris ton admiration... » La lettre s'est croisée avec une autre de Hugo, écrite de Marseille, empreinte d'une émotion semblable : « Toutes les nuits, je regarde les étoiles comme nous faisions le soir sur le balcon de la place Royale, et je pense à toi, ma Didine. Je vois avec plaisir que tu aimes et que tu comprends la nature... »

Hugo, lui, court les grandes routes avec Juliette.

« Pendant que le corps se déplace, grâce au chemin de fer, à la diligence ou au bateau à vapeur, l'imagination se déplace aussi. Le caprice de la pensée franchit les mers sans navire, les fleuves sans pont, les montagnes sans route. L'esprit de tout rêveur chausse les bottes de sept lieues. » Ces lignes, tirées de la préface du *Rhin*, pourraient servir d'exergue à tous les voyages de Hugo. Que cherche-t-il en s'élançant sur les routes ? Est-ce seulement cette intimité quasi conjugale

---

1. Maison Vacquerie, Musée Victor-Hugo, Villequier. Inv. nᵒ 629.
2. Maison Vacquerie, Musée Victor-Hugo. Villequier. Inv. nᵒ 603.

après laquelle aspire Juliette durant onze mois et qui, si elle lui manque moins qu'à sa compagne, lui fait à lui aussi parfois défaut ? S'il ne s'agissait que de cela, il pourrait simplement louer une maison en quelque campagne. La vérité est qu'il veut mêler ces retrouvailles de l'être aimé, étape indispensable à la survie de leur couple, à cette nécessité de découverte qui lui est une seconde nature. On l'a vu courant dans Paris dès lors qu'il s'y passe quelque chose. Pareillement, il lui est devenu indispensable d'explorer cette France où il plonge des racines chaque année plus profondes. Comment la sentirait-il s'il ne la connaissait pas tout entière ? Comment prendrait-il la mesure de sa véritable identité s'il n'allait regarder en face, de l'autre côté des frontières, les peuples qui lui sont voisins ? Il sait ce qu'il doit déjà à ses souvenirs espagnols et, à un moindre degré, à son voyage italien. Il a besoin de meubler sa mémoire d'autres images, d'impressions nouvelles. Alors, il part, il marche, il roule, il vogue — et il note. La présence de Juliette, parce qu'elle lui fait le cœur plein, exaspère ses impressions. Un penseur plus profond qu'on ne l'a cru ou qu'on ne l'a dit, expert en âme féminine, a écrit : « Rien n'est plus beau, je crois, qu'un Vermeer que l'on montre à la femme qu'on aime [1]. »

On reste stupéfait des itinéraires et des étapes qu'il s'impose. Cette année 1839, par exemple, le 31 août, Juliette et lui quittent Paris à 22 heures. Ayant voyagé par Coulommiers, Sézanne, Vitry, Saint-Dizier, Bar-le-Duc, Ligny et Toul, ils arrivent le lendemain à Nancy. Le 2, ils sont à Strasbourg où ils parviennent à 18 h 30. Ils visitent Strasbourg le 3, quittent la ville le 4 à 18 h 30, passant le Rhin à Kehl une heure plus tard. Le Rhin ! Nous avons hâte de connaître l'impression produite par ce fleuve qui va occuper une place si capitale dans son œuvre, hâte de savoir comment il a ressenti le premier choc. Déception. Le choc est pour plus tard. L'année suivante, il écrira :

« Je contemplai longtemps ce fier et noble fleuve, violent, mais sans fureur ; sauvage, mais majestueux. Il était enflé et magnifique au moment où je le traversais. Il essuyait aux bateaux du pont sa crinière fauve, sa *barbe limoneuse* comme dit Boileau. Ses deux rives se perdaient dans le crépuscule. Son bruit était un mugissement

1. Sacha Guitry.

puissant et paisible. Je lui trouvais quelque chose de la grande
mer. »

En 1839, rien de cette attirance en forme de fascination.
Pas de temps à perdre, d'ailleurs : le 5, après une nuit entière
en diligence, on arrive à Fribourg-en-Brisgau à 4 h 30 du
matin. On en repart à 5 heures, on arrive à Bâle à midi. Pas
question de se reposer, on visite Bâle toute la journée. Une
nuit à l'auberge et l'on saute de nouveau en diligence le 8 à
7 heures du matin pour arriver à Zurich à 19 h 30. Cela continue ainsi chaque jour, chaque nuit ! Et les voyageurs supportent ce rythme infernal, ces voitures qui brisent les reins, ces
nuits écourtées, ce marathon de visites ! Tout de même, à
Lucerne, on s'installe pour quelques jours. Pour prendre un
peu de repos ? Non, le temps de faire l'ascension du Rigi. On
part pour Berne, Fribourg, Vevey, le château de Chillon, Lausanne, Genève que l'on quitte le 24, à 5 heures du matin, pour
arriver à Aix-les-Bains à 17 heures. On gagne Lyon en bateau.
On navigue de Lyon à Avignon, puis d'Avignon à Beaucaire,
de Beaucaire à Marseille où l'on débarque, le 29 septembre à
16 h 30. Une journée pour visiter Marseille. On quitte la ville
le lendemain à 6 heures du matin pour arriver à Toulon à
16 heures. Le 2 octobre — autre nécessité hugolienne — on
visite le bagne de Toulon. Sur place, il se hâte d'enregistrer
ses sensations en une série de notations impressionnantes :

« Entrée du bagne — bac — forçats polis offrant des tabourets et
des coussins. — Embarcations où rament des forçats. Rapides. —
Soleil couchant — avenue de gros vaisseaux acculés au quai du
bagne — bandes de forçats rentrant au ponton, fatigués, traînant
leurs chaînes, montant l'étroit escalier, s'engouffrant sous le guichet
bas du vaisseau — bagnes flottants... Visite des forçats au passage du
port dans le bagne — aspect de leurs dortoirs au moment où ils viennent d'y rentrer. — On passe une tringle de fer assujettie par un
cadenas dans l'anneau extrême de toutes les chaînes. Lits de camp —
une caisse, un matelas, une couverture pour les bons ; le lit du trap-
piste est une faveur pour le forçat... Sept nouveaux venus, dont trois
Arabes. Figures graves et regards perçants. On leur a coupé la barbe
la veille. Ils sont patients et résignés. L'un d'eux, d'assez haute taille,
maigre, est marabout. Il tient son chapelet à la main. Dans un coin,
au fond, sous une lucarne, trois tas de forme étrange couverts d'un
haillon de laine. De chacun de ces tas sort une chaîne qui rampe sur
le sol et va se cramponner six pieds plus loin à une barre de fer
transversale scellée dans le plancher. — Ce sont trois hommes, trois

forçats, deux incurables et un fou — un fou au bagne! *Maushardt* (voir la note dans le portefeuille cuir de Russie). »

Que disait-elle, cette note? « Philippe Maushardt, condamné à Strasbourg à 12 ans — pr coups ayant tué sa femme plus à un mois de prison pour avoir cassé deux carreaux chez le procureur du Roi. »

La note — et plus encore la référence à cette note — prennent un sens très précis : Hugo se documente une fois de plus sur l'univers carcéral. Il avait vu le bagne de Brest, il a voulu connaître celui de Toulon. Toujours l'obsession majeure, les peines que l'on inflige à des hommes, celles privatives de la vie comme celles privatives de liberté : « Cachot des condamnés à Brest plus terrible — *parler du bourreau de Brest.* » Et ceci : « En somme bagne propre, lavé et bien tenu. Le comparer à celui de Brest. Faire la part des deux climats. » Et enfin, cette phrase qui dit tout : « *Traiter la grande question.* »

On a quitté le bagne de Toulon et l'on est rentré à Marseille. Une journée de visites et l'on repart, le 4 octobre, à 6 heures du matin, pour Nice et Cannes où l'on s'établit pour quelques jours. Victor et Juliette visitent les îles Sainte-Marguerite et Saint-Honorat, s'en vont rêver à Golfe-Juan sur le lieu où Napoléon a débarqué. On sera á Paris le 26, à 16 heures. Juliette pourrait bénir le repos qui s'offre enfin. Elle se désespère.

Juliette à Victor, 27 octobre, dimanche soir, six heures et demie : « Me voici avec mon encre, mon papier, mes fautes d'orthographe, ma stupidité et mon amour. En voyage, je n'avais pas besoin de tout cet attirail pour être heureuse. Il me suffisait de t'aimer et Dieu sait si je m'en acquittais bien. Ici, je ne t'aime pas moins, au contraire, si le contraire pouvait se faire. Mais je vis loin de toi, mais je te désire, mais je m'inquiète, mais je souffre et je suis malheureuse, voilà tout.

« Cependant, je ne suis pas ingrate, ni oublieuse. Je sens bien que tu viens de me donner presque deux mois de bonheur. J'ai encore sur les lèvres les bons baisers de tous les jours et de toutes les nuits et je sens encore dans ma main la pression de la tienne. Mais tout ce bonheur passé ne sert qu'à faire ressortir plus douloureusement le vide que ton absence fait dans ma vie.

« Aussitôt que tu n'es plus là, je ne vis plus, je ne pense plus, je n'espère plus. Je te désire et je souffre. Aussi je redoute à l'égal de la mort notre retour dans ce hideux Paris où il n'y a rien pour les amants qui s'aiment comme nous nous aimons. Rien, ni soleil, ni confiance — ce soleil de l'amour — rien que de la pluie, des soupçons et de la jalousie, c'est-à-dire les trois fléaux les plus noirs, les plus tristes et les plus froids qui affligent le corps et le cœur.

« Oh! je souffre, mon Toto, autant que je t'aime, c'est bien vrai, mon pauvre adoré, et c'est toujours ainsi quand tu n'es pas avec moi. »

Pourtant, ils sont rentrés de voyage plus proches l'un de l'autre qu'ils ne l'ont été depuis longtemps. A ce point que, dans la nuit du dimanche au lundi 4 novembre, il lui crie qu'il n'a jamais aimé qu'elle. Ce qui est faux, bien sûr. Comment oublierions-nous Adèle, la fiévreuse et longue attente, les lettres passionnées à la fiancée? Lui-même, au moment où il a prononcé ces mots, l'oubliait-il? Quelle joie, pour Juliette!

« J'ai bien pensé toute la nuit à ce que tu m'as dit dans la soirée, mon adoré. Il y a surtout une phrase lumineuse qui brille et me brûle l'âme. Peut-être n'est-elle sortie de tes lèvres que comme un de ces compliments qu'on est entraîné à dire à la femme qui aime? Je ne sais, mais ce qui est sûr, c'est que j'ai converti l'assurance que tu m'as donnée de n'avoir jamais réellement *aimé d'amour que moi* en une chose sainte, sacrée et de la plus grande vérité. »

Cette exaltation réciproque va conduire Juliette à une idée qui lentement prendra possession d'elle-même comme la foi s'empare de l'âme du converti. Bien sûr, elle a renoncé à tout, elle sait qu'elle ne partagera jamais la vie de Hugo, qu'elle restera toujours la seconde de fait et de droit. Elle a tout sacrifié pour le garder. Mais, de toute son âme, elle aspire à une chose qui, à ses yeux, tiendra lieu de tout. Ce qu'elle souhaite n'est rien d'autre que de devenir *la femme* de Victor, non par la loi mais par l'esprit. Sans cesse son Toto lui parle de Dieu. A ses côtés, elle a senti se raviver cette flamme de foi un peu remisée au temps de ses folles amours. Il a besoin de la prière, il prie souvent. Miroir fidèle, elle prie autant que lui. Il lui redit que Dieu bénit leur amour, idée peu chrétienne mais fort pratique. Elle s'est récriée. Avec la persévérance qu'il met à tout, il lui a démontré qu'il avait raison et l'a définitivement convaincue. Elle veut aller jusqu'au bout de cette logique. Alors : Toto, épouse-moi, devant Dieu! Sans doute ignore-t-elle qu'un jour, en pleine Révolution, le terrible Marat a résolu lui aussi d'épouser sa compagne devant l'Être suprême. Il a mené la jeune femme étonnée devant la fenêtre de leur chambre, a ouvert la fenêtre — sans doute pour que Dieu soit plus près — et s'est déclaré son époux. Dans la nuit du 17 au 18 novembre 1839, à cette supplique sans cesse présentée, il accepte enfin. Il jure qu'il n'abandonnera jamais sa Juliette bien-aimée. Il jure que Claire est devenue sa fille. Elle fait le serment — elle — qu'elle sera toujours sienne. Dès lors, elle se considère comme mariée mystiquement avec Victor.

Juliette à Victor, 18 novembre 1839 : « Oh ! oui, je suis ta femme, n'est-ce pas, mon adoré ? Tu peux m'avouer sans rougir et cependant mon premier titre, celui que je veux conserver entre tous les autres et par dessus tous les autres, c'est celui de TA MAÎTRESSE, ta maîtresse passionnée, ardente, dévouée et ne comptant que sur ton regard pour vivre, sur ton sourire pour être heureuse. Je te bénis, mon petit homme généreux, d'avoir pensé à ma fille, ma pauvre fille qui devient ainsi la tienne, et qui t'aimera d'une partie de mon amour, celui qui te vénère, t'admire et te bénit nuit et jour. Merci pour elle, merci pour moi, pour *nous*, car nous serons bien heureux je l'espère, toi par le bienfait, moi par l'amour. »

Moment unique, dans ces vies secouées d'impossibles traverses et d'intolérables affrontements. Moment qui, par-delà même la réalité, édifie peu à peu une légende.

QUATRIÈME PARTIE

EGO HUGO

I

VILLEQUIER

Seul au pont des Soupirs, un poète à cette heure
Penché vers ta beauté rêve, contemple et pleure.
— Hélas ! jamais les pleurs n'ont réveillé la mort.
August von PLATEN.

SOLIDEMENT appuyé sur le dossier d'un fauteuil recouvert de tapisserie, Hugo pose pour Louis Boulanger : un dessin. Hugo ne regarde pas son plus fidèle portraitiste. Il fixe au loin quelque point que lui a indiqué son ami. Un truc d'atelier pour que le sujet se donne des airs de penseur. Malheureusement, l'image qui naît peu à peu, noire, blanche et grise, évoque bien plus un bourgeois satisfait qu'un poète inspiré.

Il a grossi, Hugo, il s'est empâté. Le corps mais aussi le visage. Adieu les cheveux bouclés ! Maintenant les mèches sont mi-longues et plates, avec une raie à gauche marquant une calvitie qui s'esquisse. Les joues trop pleines ne font qu'un avec la cravate de M. Prudhomme. Enfuie, la beauté de *l'enfant sublime.* Nous sommes en face d'un homme arrivé.

Autre dessin de Boulanger. Hugo est de face, donc moins engoncé. L'annonce d'un double menton s'appuie sur une main belle et fine. Aux commissures des lèvres, des plis d'amertume. Un front vaste, très vaste. Des cheveux qui se raréfient. Un regard calme et sans gaieté.

Moins gais encore nous apparaissent les yeux qu'a dessinés Adolphe Menut. Ici, l'artiste a voulu flatter son modèle. Il l'a doté de méplats qui ont totalement échappé à Boulanger.

Mais comme il est triste, le Hugo d'Adolphe Menut ! Plus que triste : lugubre.

Tel est l'homme des années 1840, le quadragénaire Hugo. Un mot le résume tout entier : réussite. Les honneurs vont lui venir, la familiarité des grands, l'Académie française, la Chambre des pairs, le confort matériel aussi, avec des placements en banque qui grossissent. On siffle toujours ses pièces, parce que c'est une habitude et que l'on perd difficilement les habitudes. Mais on y va. Les journaux le moquent toujours, le calomnient ou le diffament, parce que c'est une autre habitude. Ils sont pourtant de plus en plus nombreux, ceux qui le reconnaissent comme le premier poète de son temps. Le succès logiquement s'accompagne de sérénité.

Dans *les Rayons et les Ombres* qui paraissent en mai 1840, il semble l'avoir atteinte puisqu'il proclame la nécessité de la sagesse, fait l'éloge des passions éteintes, de la douceur dans les amours, d'une société fuyant les troubles. Il ne veut plus « qu'on s'entre-déchire à propos de cent rêves ». La paix de l'âme, il la demande à Dieu, se reconnaissant à tous les instants habité par lui : « Mon cœur où Dieu vit... » Il rêve sur la création, « cette immense figure », s'interroge sur le sens qu'il faut lui reconnaître, sur les voies qui permettent d'accéder à Dieu : « A travers ce qui se déchire en nous on entrevoit Dieu. »

Dans *les Rayons et les Ombres*, Dieu est sans cesse présent et la Bible constamment citée. C'est encore Dieu qu'il retrouve dans la nature, signe d'éternité. Dieu environné des morts de toutes ces générations qui l'ont précédé, monde d'ailleurs qu'il sent peser sur lui :

> Mais par les morts muets, par les morts qu'on oublie,
> Moi, rêveur, je me sens regardé vivement.

Rêveur, il l'est tout au long de ce livre. Et pensif. Et penseur : « Le promeneur pensif sous les arbres épais. » Sérénité, vraiment ? En vérité ce qui l'accompagne plus sûrement, c'est une tristesse latente, une inquiétude de chaque instant, la recherche imprécise d'un but qu'il ne parvient pas à discerner et qui le fuit. Cette quête inspire les pièces les plus accomplies du recueil, aussi bien *Oceano Nox*, *Guitare*, que cette *Tristesse d'Olympio* dont la grâce fière et limpide est la marque d'un génie parvenu à sa plénitude.

Les Rayons et les Ombres ou encore l'affirmation d'une

contradiction. Hugo y soutient avec force que le poète doit rester indépendant de la société. Il préconise pour le poète le point de vue de Sirius :

« Des choses immortelles ont été faites de nos jours par de grands et nobles poètes personnellement et directement mêlés aux agitations quotidiennes de la vie politique. Mais, à notre sens, un poète complet, que le hasard ou sa volonté aurait mis à l'écart, du moins pour le temps qui lui serait nécessaire, et préservé, pendant ce temps, de tout contact immédiat avec les gouvernements et les partis, pourrait faire aussi, lui, une grande œuvre. »

Le poète idéal ne devrait contracter « nul engagement », accepter nulle chaîne. « La liberté serait dans ses idées comme dans ses actions. » Point de parti pris dogmatique.

« Il vivrait dans la nature, il habiterait avec la société. Suivant son inspiration, sans autre but que de penser, et de faire penser, avec un cœur plein d'effusion, avec un regard rempli de paix, il irait voir en ami, à son heure, le printemps dans la prairie, le prince dans son Louvre, le proscrit dans sa prison. Lorsqu'il blâmerait çà et là une loi dans les codes humains, on saurait qu'il passe les nuits et les jours à étudier dans les choses éternelles le texte des codes divins. Rien ne le troublerait dans sa profonde et austère contemplation ; ni le passage bruyant des événements publics, car il les assimilerait et en ferait entrer la signification dans son œuvre ; ni le voisinage accidentel de quelque grande douleur privée, car l'habitude de penser donne la facilité de consoler ; ni même la commotion intérieure de ses propres souffrances personnelles, car à travers ce qui se déchire en nous on entrevoit Dieu, et, quand il aurait pleuré, il méditerait. »

Pourquoi dans ce cas, le premier poème du recueil réclame-t-il hautement pour ce poète le rôle de guide dans la cité ?

> Peuples ! écoutez le poète !
> Écoutez le rêveur sacré !

Dans la nuit des générations où tâtonnent les hommes, le poète a seul « le front éclairé ». De l'avenir qui échappe à tous, il perçoit seul « le germe qui n'est pas éclos ». Il rassemble les traditions dont il féconde le monde, les idées, divines et humaines qui, prenant le passé pour racine, ont « pour feuillage l'avenir ».

Il y a du mage dans la peinture de ce poète-guide proposé par Hugo. On a dit justement que, pour la première fois, Hugo, dans la préface des *Rayons et les Ombres*, manifestait son ambition d'être le poète de la totalité [1].

Certes, le texte s'achève par des lignes révélatrices :

« Le nombre est dans l'art comme dans la science. L'algèbre est dans l'astronomie, et l'astronomie touche à la poésie ; l'algèbre est dans la musique et la musique touche à la poésie. L'esprit de l'homme a trois clés qui ouvrent tout : le chiffre, la lettre, la note. Savoir, penser, rêver. Tout est là. »

Tout, en effet. Mais la contradiction n'est-elle pas effacée ? Comment le poète, s'il se contente de recueillir des impressions, de sentir, d'absorber, de comprendre pour ensuite restituer, viendra-t-il en aide à ces pauvres hommes demeurés eux à ras de terre ? Il ne le pourra que s'il s'intègre, malgré lui peut-être, dans la vie de la cité : rêve secret de Hugo. Il n'est pas sûr que celui que l'on voit errer à travers les pages des *Rayons et les Ombres* ait cru beaucoup à son « poète idéal ». Peut-être en a-t-il seulement rêvé le destin. Ce qui demeure, c'est la place qu'il assigne à la poésie. La première. Nous connaissons assez Hugo pour comprendre qu'ici, il est parfaitement éveillé.

Il l'est plus encore quand, en janvier 1840, il prend une police d'assurance sur la vie. Il ne rêve pas quand il garde l'œil fixé sur l'Académie. Le 19 décembre 1839, il a posé sa candidature au fauteuil de l'historien Michaud. Ses adversaires : Berryer, l'un des grands avocats de l'époque, Casimir Bonjour, Vatout et Lamennais. Berryer a dominé les sept tours, sans jamais obtenir la majorité des voix. Élection blanche. On revotera.

Le 20 février 1840, au cours d'une double élection, Molé, avec 30 voix sur 31, est élu au fauteuil de Mgr de Quelen, archevêque de Paris, et Flourens, candidat de dernière heure, au fauteuil de Michaud. Une fois de plus, Hugo est battu. A l'un de ses adversaires les plus acharnés, Dumas a lancé :

— M. Lemercier, vous avez refusé votre voix à Victor

1. Pierre Albouy.

Hugo, mais il y a une chose que vous serez obligé de lui laisser un jour ou l'autre : c'est votre place !

Or Lemercier, le 7 juin 1840, donne raison à Dumas. Victor Cousin déclare :

— Il faut que Hugo entre à l'Académie et que cela finisse ; cela devient ennuyeux.

Fidèle à lui-même, Hugo se présente. Il n'est plus que d'attendre. Un partisan inattendu se révèle. Après l'élection de février, Viennet, ennemi numéro 1, a écrit au *Temps* : « J'ai constamment voté pour M. Hugo, malgré les satires que j'ai faites contre les romantiques et sans préjudice de celles que je pourrai faire encore. L'auteur des *Odes*, des *Orientales* ne leur appartient pas : c'est un homme de génie tout à fait digne du fauteuil. » Place Royale, on finit par croire que la coupole ne représente plus un but inaccessible. Léopoldine, si hostile, se fait à l'idée d'un père académicien. M. Hugo est de plus en plus invité dans le monde : les mondanités vont bien avec l'Académie. Adèle commence à se voir assez bien au bras d'un mari en habit vert. Seule Juliette continue à repousser furieusement l'éventualité : « Je voudrais qu'il n'y ait ni Académie, ni théâtre, ni librairie, je voudrais qu'il n'y ait de par le monde que de grandes routes, des diligences, des auberges, une Juju et un Toto s'adorant... »

Les perspectives académiques n'empêchent pas la jeunesse de continuer à regarder du côté de Hugo. Un poète de dix-neuf ans écrit à Victor : « Je vous aime comme on aime un héros... Je tremble d'être ridicule... Puisque vous avez été jeune, vous devez comprendre cet amour que nous donne un livre pour son auteur, et ce besoin qui nous prend de le remercier de vive voix et de lui baiser humblement les mains. » Ce jeune enthousiaste s'appelle Charles Baudelaire. *Les Rayons et les Ombres* vont même tirer de leur aigreur les anciens amis. *Lamartine à Hugo, mai 1840* : « Cher et illustre ami, merci. Vous avez grandi de cinq ou six âmes au lieu de coudées dans ce volume. Jamais votre sensibilité n'a eu encore ces accents pathétiques dans le lyrique. Je suis très sérieusement dans l'enthousiasme à toutes les strophes. Quelle vengeance contre l'Académie ! et quel bonheur pour ceux qui vivent de l'intelligence et du cœur. » Même Balzac qui, depuis quelque temps, écrivait sur Hugo à son « étrangère », Mme Hanska, des choses fort peu agréables, vient à récipiscence. Il est vrai qu'après l'interdiction de *Vautrin* par le ministre Rémusat, Hugo a hautement protesté, allant jusqu'à accompagner lui-même le romancier au ministère. *Balzac à Mme Hanska* : « En tout la conduite de Hugo a été celle d'un véritable ami, courageux, dévoué. » Étranges raisons que celles avancées par le ministre : Frédérick Lemaître, chargé d'incarner un général mexicain, aurait donné à sa coiffure une « ressemblance outrageante » avec celle de Louis-Philippe ! Bientôt Balzac, définitivement conquis, confiera à « l'étrangère » : « Victor Hugo est un homme excessivement spirituel. Il a autant d'esprit que de poésie. Il a la plus ravissante conversation, un peu à la Humboldt mais supérieure et admettant un peu plus le dialogue. Il est plein d'idées bourgeoises... En somme, il y a plus de bon que de mauvais chez lui. Quoique les bonnes choses soient une continuation de l'orgueil, quoique tout soit profond, calculé, c'est un homme aimable, outre le grand poète qu'il est. Il a beaucoup perdu de ses qualités, de sa force par la vie qu'il a menée : il a considérablement aimé. »

Le travail ? Aucune grande œuvre en chantier ni en préparation. Chaque année, Hugo s'attelait à une nouvelle œuvre dramatique. Il semble n'y plus songer. *Les Jumeaux* sont définitivement remisés dans le tiroir d'un cartonnier. Bien sûr, de temps à autre, il compose un poème : trois en mars, cinq en avril. A la fin de l'année, presque plus rien. Comment expliquer ce ralentissement évident dans une production jusque-là multiforme et si intense ? Le 9 janvier, succédant à Balzac, il a été élu président de la jeune Société des Gens de Lettres [1]. Une telle présidence, quand on veut l'exercer sérieusement — c'est le cas de Hugo — prend du temps. Pas assez cependant pour tarir l'inspiration chez un poète tel que lui. Pour qui observe la marche de Victor Hugo, quel sujet d'étonnement que de le découvrir immobile ! En apparence, il est le même, va, vient, se donne autant de mouvement que naguère. Nous ne pouvons pas plus être dupes qu'il ne l'a été lui-même.

Au début du mois de mai, il a conduit Adèle, ses filles et

---

1. Il est à l'époque toujours commissaire à la Société des Auteurs dramatiques. Élu pour la première fois le 6 février 1831, il est réélu le 2 août 1834, au premier tour de scrutin à la majorité, le 1er avril 1838, au premier tour de scrutin (73 voix sur 118 votants). Sortant le 18 avril 1841, il est de nouveau élu le 3 avril 1842, avec 79 voix sur 121 votants et le 19 avril 1846, avec 58 voix sur 85 votants *(Archives de la Société des Auteurs et Compositeurs dramatiques.)*

Pierre Foucher au château de la Terrasse, loué pour l'été, à Saint-Prix, près de Franconville, en Seine-et-Oise. De temps à autre, il rejoint les siens « dans les jeunes pousses, dans les jeunes plantes, dans les jeunes verdures ». Comme aux Roches naguère, il est tout au bonheur de retrouver ses enfants. Il aide ses fils à construire une cabane, il change la litière des lapins qu'élève Dédé, porte du grain aux poules qu'elle soigne et s'étonne de voir Didine si grande et si belle. Mais pourquoi faut-il que ses pensées — toujours — le ramènent au passé ? *A Louise Bertin, 14 mai 1840* : « Si l'on pouvait ressaisir les années envolées, je voudrais recommencer un de ces ravissants étés où nous avions des soirées si exquises près de votre piano, les enfants jouant autour de nous et votre excellent père nous échauffant et nous éclairant tous. » C'est que les Roches marquent le temps où il se voyait un avenir à conquérir. Il lui semble aujourd'hui que toutes les satisfactions, dans l'ordre de sa carrière et de son art, lui ont été données. En 1830, il avait ressenti l'ivresse de tous les possibles. En ce temps-là il s'émerveillait à enregistrer l'éveil de ses enfants, à noter leurs mots. Ces enfants-là ont grandi. Et rien ne fera plus qu'ils soient pareils à ce qu'ils étaient. Jamais.

A Paris, Charles et François-Victor suivent les cours de l'institution Jauffret, rue Culture-Sainte-Catherine. Ils souffrent de la séparation, écrivent à leur mère ou à Didine des lettres éplorées. L'un réclame « quatre sous pour payer mes dettes (c'est très pressé) » et un pot de confitures. L'autre : « Maman, je t'aime, je t'adore comme mon ange, ma vie... Dis à Didine de m'envoyer demain un pot de confitures pour le repas de pain sec... » Chaque fois qu'il rentre à la pension, Charles, qui a pourtant quatorze ans, pleure : « Si tu me laissais un an sans te voir, je serais dans le cas de me tuer... » Fils de l'auteur d'*Hernani*, se sent-il devenir lui-même un proscrit hugolien ? Il adresse des vers à son père et s'afflige :

> ... Non, je suis malheureux !
> D'être le fils obscur d'un père grand, heureux !
> Et d'être fait hélas ! pour porter sa couronne !

Ces aveux, ces écrits puérils mais authentiques n'allaient pas vers Hugo, mais vers Adèle. Il le sentait confusément et n'en regrettait que davantage les années enfuies.

Même dans la liaison avec Juliette, tout semble manquer de ce qui peut-être lui était essentiel : les scènes, nourriture paradoxale du couple, s'espacent, les heurts s'apaisent. Qu'est-ce donc qui fait courir maintenant M. Victor Hugo ? C'est de l'extérieur, non de lui-même, que lui viennent ses passions de ce temps-là. Quand il a su que, sur la proposition de Thiers, la Chambre avait voté un crédit d'un million pour le transport de Sainte-Hélène en France des restes mortels de Napoléon, il a été saisi. En ce qui concerne l'Homme, il n'a en rien changé. Il le voit toujours comme ce météore unique venu tout à coup jeter sur son siècle une lumière sublime. Le siècle est retombé dans la pénombre. Hugo n'en regarde que plus intensément vers le météore. En juillet, il va se transporter chez l'ébéniste chargé de préparer le cercueil définitif dans lequel on inhumera Napoléon aux Invalides. Longuement, il s'arrête devant ce monument d'acajou. Il le trouve mesquin, court chez Thiers, réclame que l'inscription soit en or. Tout à coup, il semble que nous le retrouvions.

Le grand événement, cet été-là, c'est aussi le concours général auquel on a présenté Charles. Toute la famille vit dans les affres. *Hugo à Léopoldine, 12 juillet 1840* : « Le thème de concours de Charles est très bien, mais il a malheureusement fait deux solécismes. Cependant rien n'est désespéré. » *Victor à Adèle, 31 juillet 1840* : « Je t'envoie bien vite chère Adèle, une bien bonne nouvelle. Charles a le premier prix de thème au concours général. Ce matin, M. Jauffret est allé le lui annoncer en pleine classe au collège. Quand il a prononcé le nom de Charles, toute la classe a éclaté, il y a eu trois salves d'applaudissements. Le pauvre enfant est bien heureux... Tu vas être bien heureuse aussi, n'est-ce pas ? » Adèle et les enfants feront le voyage de Paris pour assister au triomphe de Charles, dit Charlot.

Un autre enfant préoccupe Victor : cette petite fille qui grandit sans joie, Claire Pradier, la fille de Juliette. Au début de cette année, précisément, Juliette a cru de son devoir d'éclairer l'enfant sur ses relations avec Victor qui n'était pour elle qu'un bon ami qu'elle appelait, sans penser à mal, *M. Toto.*

Juliette à Victor, 2 janvier : « J'ai achevé ma *confidence* à ma Claire. La pauvre enfant a bien compris tout ce qu'il y avait de noble et de généreux dans ta conduite envers nous, elle avait les larmes aux yeux. Oh ! je l'aime doublement de te comprendre et de t'aimer. Si je meurs, au moins, je suis sûre de laisser un culte d'adoration et de reconnaissance dans ce cœur-là pour t'admirer et pour te bénir à chaque instant de sa vie. »

Jusque-là, c'est Pradier qui a subvenu aux besoins de Claire. Du jour au lendemain, le sculpteur jure qu'il ne peut plus payer sa pension, qu'il est littéralement sans un sou. Il s'adresse à Hugo, le supplie de se substituer à lui.

Hugo à Pradier : « Vous avez eu raison de penser que, pendant l'instant d'embarras que vous éprouviez, votre Claire pouvait compter sur moi. Je ressens pour vous, monsieur, vous le savez, une vive admiration que j'aurai, j'espère, occasion de vous prouver avec éclat. Et puis, Claire est vraiment une charmante enfant, pleine de qualités nobles et distinguées, que vous serez fier un jour d'avoir pour fille comme elle est glorieuse de vous avoir pour père... »

Pour le « bonheur annuel » de Juliette, Hugo a choisi, en 1840, de la faire voyager sur le Rhin. A peine entrevu l'année précédente, ce fleuve agit décidément sur lui à l'égal d'un aimant. Au-delà même du réel, c'est l'imaginaire qui l'obsède. Ces châteaux en ruine qu'il ne cessera de dessiner, il les a vus sur les escarpements qui se dressent le long du fleuve. Le Rhin, c'est pour lui une rencontre privilégiée, le lieu où peuvent le mieux s'incarner ses rêves et les formes qu'il leur donne. Il a lu avidement les *Contes* d'Hoffmann, s'est pénétré d'étrange et de légendes. Il les rejoint en retrouvant le fleuve immense.

Cette année-là, le poète allemand Becker a écrit *le Rhin allemand*, revendicatif et cocardier. Musset lui a répondu :

> Nous l'avons eu, votre Rhin allemand.
> Il a tenu dans notre verre.

Hugo voudrait comprendre :

« Le Rhin est le fleuve dont tout le monde parle et que personne n'étudie, que tout le monde visite et que personne ne connaît, qu'on voit en passant et qu'on oublie en courant, que tout regard effleure et qu'aucun esprit n'approfondit. Pourtant ses ruines occupent les imaginations élevées, sa destinée occupe les intelligences sérieuses ; et cet admirable fleuve laisse entrevoir à l'œil du poète comme à l'œil du publiciste, sous la transparence de ses flots, le passé et l'ave-nir de l'Europe. »

Au-delà même du Rhin, ce que cherche Hugo, c'est l'Alle-magne. Le jour même où il a publié *les Rayons et les Ombres*, il a écrit à Alexandre Weill, Juif alsacien et kabbaliste : « Si je n'étais français, je voudrais être allemand. »

Inutile d'aller chercher bien loin cette fascination que tant de ses contemporains ont partagée. On ne dira jamais assez l'influence exercée sur les générations de la première partie du siècle par le livre de Mme de Staël *De l'Allemagne*, paru en 1813. Nous ne pouvons que nous étonner « qu'un ouvrage aussi insuffisamment renseigné, aussi confus, aussi pesant, ait pu être pour la génération née avec le siècle un tel flam-beau [1] ». Mais nous devons écouter Maurice Barrès quand il reconnaît que, par ce livre, le Rhin est devenu la « porte d'entrée des mystères et des musiques, l'introduction à l'idéa-lisme et la rêverie ». Entre 1820 et 1840, on découvre, chez nos intellectuels, comme une ruée vers le Rhin. On les voit accourir : Cousin, Quinet, Michelet, Dumas, Sainte-Beuve, Nerval, Boulanger, David d'Angers. Ils cherchent au-delà du grand fleuve cette Allemagne rêvée dont Barrès a si bien fixé les contours, un « lointain pays de fantaisie mélancolique et tranquille qu'habitent les sylphes, les ondines, les nains ensorcelés, où fleurit la rose mystique, où soupirent de blondes amoureuses au front pâle ».

Un mythe est né : celui de la bonne Allemagne. Les Fran-çais l'entretiendront jusqu'en 1870. Voilà donc ce que Hugo va chercher sur le Rhin et au-delà. L'amoureux des vieilles pierres, des cathédrales et des donjons gothiques va se met-tre en route avec l'avidité d'un boulimique. L'heure va son-ner, de joie infinie pour Juliette, de regrets un peu tristes pour la famille Hugo. Le 28 août, Victor vient à Saint-Prix dire adieu aux siens. *Léopoldine à Victor, 9 septembre 1840* : « Tu ne venais pas souvent à Saint-Prix et pourtant ces rares visites me faisaient patienter, et je me consolais de ton départ par l'espoir de te revoir bientôt. Maintenant je sais qu'il faut attendre deux mois pour t'embrasser et cette pen-sée-là m'attriste profondément. Je quitte mon père bien aimé pour céder la plume à Toto, — permets-moi avant de

1. Jean Gaudon.

t'embrasser bien fort. » Hugo, lui, par la vertu d'une expérience déjà assurée, nous apparaît, sinon à l'aise, du moins en équilibre dans cette vie en partie double. Au moment même de monter en diligence avec Juliette, il se croit obligé d'écrire à sa femme : « Je suis triste. Je t'aime bien, crois-le, mon Adèle, et dans ce moment-ci je voudrais que tu puisses voir avec quelle tendresse je pense à ma bien-aimée colonie de Saint-Prix... Je t'écrirai de ma prochaine étape. Je vous embrasse tous bien tendrement, ma Didine, ma Dédé, mes chers petits lauréats. Je serre la main de ton bon père. Aime-moi, mon Adèle, et pense un peu à moi. »

C'est en lisant *le Rhin* que l'on retrouvera son itinéraire et ses impressions. Comme aux voyages précédents, il écrit régulièrement à sa femme. Avec toujours cette même perspective : il sait qu'il écrira un livre sur le Rhin. Les pages qu'il envoie à Adèle ne sont plus seulement des lettres de voyage destinées à l'intéresser, voire à l'égayer. Il s'agit de véritables *textes*, premier jet certes, mais déjà très sûr. Dans l'ouvrage imprimé, de longs passages resteront inchangés par rapport à la version originale. C'est la pauvre Juliette qui pâtit le plus de cette optique nouvelle. Aux étapes, il arrive à Hugo de passer la nuit presque entière à écrire, cependant qu'elle l'attend au creux d'un lit allemand. D'autant qu'à ces manuscrits abondants s'ajoutent des lettres plus personnelles à destination d'Adèle ou des enfants. En outre, les dessins se multiplient. Parfois, il s'agit d'une sorte de note qu'il prend, de façon, au retour, à mieux se souvenir de ce qu'il a vu. Plus souvent, cela ressemble à une nécessité. Il a *besoin* de laisser aller librement sa plume, de camper une ruine, d'esquisser un ciel, de montrer un arbre tordant ses branches sous l'ouragan.

C'est par Reims que l'on est parti. On entre en Belgique par Givet, on suit la Meuse, on passe par Dinant, Namur, Liège. Étape à Aix-la-Chapelle dont Hugo attend beaucoup parce que c'est là que se trouve le tombeau de Charlemagne.

Il est déçu :

« Rien de plus choquant et de plus effronté que cette chapelle rococo, étalant ses grâces de courtisane autour de ce grand nom carolingien. Des anges qui ressemblent à des amours, des palmes qui ressemblent à des panaches, des guirlandes de fleurs et des nœuds de rubans, voilà ce que le goût Pompadour a mis sous le dôme d'Othon III et sur la tombe de Charlemagne. »

On se portera à Saint-Goar où l'on va s'établir pour une grande semaine. Le voilà enfin ce Rhin, ses défilés, ses vieux *burgs*, et ses légendes. Il dessine « La Souris », il dessine le Rheinfels. Il dessine le Reichenberg. Il dessine la Tour des Rats. Infatigable, il est partout, il veut tout voir, tout découvrir, tout visiter, tout comprendre. Il escalade des sentiers de chèvre, gravit d'innombrables marches. Juliette suit, hors d'haleine, épuisée mais ravie. Chaque nuit, les pages s'accumulent par dizaines. Les voilà à Mayence, à Francfort. Ils visitent la cathédrale de Worms, passent une semaine entière à Heidelberg. Une ville figée dans le Moyen Age, quelle aubaine ! On repart pour Heilbronn, Stuttgart, on visite la chute du Rhin à Schaffhouse, on gravit le sommet du Kniebis. On traverse Rastadt, Karlsruhe. On visite Kaiserslautern, on prend la malle-poste pour Forbach, on arrive à Metz le 30 octobre à 8 heures du matin. On sera de retour à Paris le 1er novembre. Après plus de deux mois d'absence.

Le 5 octobre, les fils Hugo ont quitté Saint-Prix pour reprendre leurs études. Le 27, Adèle et ses filles ont à leur tour regagné Paris. Chacun va donc retrouver ses quartiers d'hiver. Cependant que le père de famille règne de nouveau place Royale, Juliette est retournée à sa solitude.

Toute la France vit à l'heure de Napoléon. Sur la frégate la *Belle-Poule*, le prince de Joinville s'en est allé à Sainte-Hélène exhumer la glorieuse dépouille. Le cercueil de l'Empereur a été embarqué sur le vapeur *Normandie* qui va remonter la Seine jusqu'à Rouen. Là, on place la bière impériale sur un bateau plat qui la transporte jusqu'au pont de Neuilly. Tout au long du voyage, les foules envahissent les berges, s'agenouillent ou se signent. On voit les Vieux de la Vieille, ayant ressorti les uniformes de l'épopée, présenter tremblants des armes imaginaires à leur empereur.

Depuis qu'il sait proche le grand jour, Hugo s'est mis au travail. Dans le silence de son cabinet, c'est comme un tumulte qui résonne à toutes les heures du jour et de la nuit. Le voilà confronté avec la grandeur, avec l'immense :

> Sire, vous reviendrez dans votre capitale,
> Sans tocsin, sans combat, sans lutte et sans fureur,
> Traîné par huit chevaux sous l'arche triomphale,
> En habit d'empereur !

Déjà, mêlés d'octosyllabes, ce sont les grands alexandrins de *la Légende des siècles*, les images foudroyantes et sonores. Les noms des villes retentissent comme le fracas des batailles. L'admiration se fait tempête et les cris se changent en cantiques. Les délicats protesteront, Sainte-Beuve fera la petite bouche. Laissons-les. Ce que nous avons senti déferler, dans ce *Retour de l'Empereur*, c'est ce souffle épique qui manquait tant à la poésie française.

> Tu voulais, versant notre sève
> Aux peuples trop lents à mûrir,
> Faire conquérir par le glaive
> Ce que l'esprit doit conquérir.
> Sur Dieu même prenant l'avance,
> Tu prétendais, vaste espérance !
> Remplacer Rome par la France
> Régnant du Tage à la Néva ;
> Mais de tels projets Dieu se venge.
> Duel effrayant ! guerre étrange !
> Jacob ne luttait qu'avec l'ange,
> Tu luttais avec Jéhovah !

Bien entendu, on l'a invité. Dès l'aube du 15 décembre 1840, il est sur pied. A 11 heures, il est sorti. Il a vu les rues désertes, les boutiques fermées : tout Paris s'était porté d'un seul côté de la ville. Il fait très froid, mais avec un beau soleil. Les ruisseaux sont gelés. Il marche. Dans sa retraite, sans illusions, Juliette attend. La veille, elle lui écrivait : « Voici qu'on sonne les cloches pour annoncer l'arrivée de notre empereur à Neuilly. Je pense qu'on vous aura envoyé des places pour demain. Aussi je m'apprête à rester hideusement seule dans mon coin comme d'habitude. C'est tout simple. Jusqu'à présent, j'ai eu la stupidité de me laisser mener comme un chien de basse-cour : de la soupe, une niche et une chaîne, voilà mon lot. Il y a d'autres femmes, d'autres chiens qu'on mène avec soi. Mais moi je n'ai pas tant de bonheur. Ma chaîne est trop solidement rivée pour que vous ayez quelquefois l'intention de la détacher. Je n'ai donc pas d'autres ressources que de la briser ou de devenir enragée. Jolie alternative. Enfin, je vous aime. »

Pour une fois qu'elle se rebiffe, c'est à contretemps. Quelle surprise, de le voir paraître rue Saint-Anastase ! Il est comme cela Hugo. Quelquefois soumis aux bons usages au-delà du

576   *VICTOR HUGO*

raisonnable, franchissant pour les respecter les bornes de
toutes les mesquineries. Et puis, soudain, capable du geste le
plus inattendu, le plus charmant. Il court des risques ce jour-
là, celui de rencontrer des gens qui le connaissent. Qui sait,
un ou plusieurs académiciens — et il est toujours candidat. Il
oublie tout. Le retour de l'Empereur, grand jour de sa vie, il
veut le vivre en compagnie de Juliette. Les voici aux Invalides.

Le canon tire de quart d'heure en quart d'heure. Sur les tribunes, cent mille spectateurs piétinent et battent la semelle
pour se réchauffer. Tout à coup une salve d'artillerie éclate à
l'angle est des Invalides. Il est midi et demi. Hugo note :

« Le canon éclate à la fois à trois points différents de l'horizon. Ce
triple bruit simultané enferme l'oreille dans une sorte de triangle
formidable et superbe. Des tambours éloignés battent aux champs.

« Le char de l'empereur apparaît.

« Le soleil, voilé jusqu'à ce moment, reparaît en même temps.
L'effet est prodigieux.

« On voit au loin, dans la vapeur et dans le soleil, sur le fond gris
et roux des arbres des Champs-Élysées, à travers de grandes statues
blanches qui ressemblent à des fantômes, se mouvoir lentement une
espèce de montagne d'or. On n'en distingue encore rien qu'une sorte
de scintillement lumineux qui fait étinceler sur toute la surface du
char tantôt des étoiles, tantôt des éclairs. Une immense rumeur
enveloppe cette apparition.

« On dirait que ce char traîne après lui l'acclamation de toute la
ville comme une torche traîne sa fumée. »

Le char pèse 26 000 livres, le cercueil seul 5 000. Seize chevaux le traînent, « d'effrayantes bêtes, empanachées de
plumes blanches jusqu'aux reins et couvertes de la tête aux
pieds d'un splendide caparaçon de drap d'or, lequel ne laisse
voir que leurs yeux, ce qui leur donne je ne sais quel air terrible de chevaux-fantômes ». Derrière, un cheval blanc, couvert
d'un crêpe violet, conduit par deux valets de pied vêtus de
vert et galonnés d'or. La livrée de l'Empereur. Dans la foule,
un propos répété cent mille fois :

— C'est le cheval de bataille de Napoléon !

Hugo l'entend et note : « La plupart le croyaient fortement.
Pour peu que le cheval eût servi deux ans à l'empereur, il
aurait trente ans, ce qui est un bel âge de cheval. Le fait est
que ce palefroi est un bon vieux cheval comparse qui remplit
depuis une dizaine d'années l'emploi de cheval de bataille

dans tous les enterrements militaires auxquels préside l'administration des pompes funèbres. »

Le char s'est arrêté devant la grille des Invalides. Des marins vont transporter le cercueil dans la chapelle, où Hugo n'a pas été convié. Il s'attarde, continue à observer, à écouter. La foule est descendue des estrades. Au dos de celles-ci, un commerçant ingénieux a collé des affiches dont Hugo note soigneusement le libellé : LEROY, LIMONADIER, *rue de la Serpe, près des Invalides, vins fins et pâtisseries chaudes.*

A peine rentrée rue Saint-Anastase, Juliette ne pourra se retenir d'écrire aussitôt à Victor :

« Tu ne sais pas, tu ne peux pas savoir toi-même ce qu'il y avait de rayons dans tes adorables yeux au moment où le char est passé devant nous ; on aurait dit que ton regard passait à travers toutes ces planches et toutes ces draperies et se fixait sur le front du mort avec respect et admiration. Je te dis tout cela sans raison et comme je peux, mais tu sais bien que je dis vrai quand je dis qu'il y avait là dans cette fête les deux chefs-d'œuvre de Dieu, l'un mort et déjà saint, l'autre vivant et immortel. »

Le moins que l'on puisse dire de Juliette, c'est qu'elle sait se mettre à l'unisson. Et au-delà. Voilà donc Hugo égalé à Napoléon et rangé parmi les chefs-d'œuvre de Dieu. Peut-être Victor a-t-il tout de même pensé que c'était beaucoup !

Au moment même où Napoléon Bonaparte revenait dormir sur les bords de la Seine, Sainte-Beuve se penchait vers un feuillet de son Journal. Il écrivait :

« En amour, je n'ai eu qu'un seul grand et vrai succès (mon *Adèle*) ; je suis comme ces généraux qui vivent sur une grande victoire que leur a value leur étoile encore plus que leur mérite. Depuis lors, toujours battu, coup sur coup, échec sur échec. Aussi je suis las de livrer bataille, je n'en livre plus et je me contente, d'un air humble, de faire quelques manœuvres dans le pays. — Et puis d'ailleurs tout est bien. J'ai trouvé mon Adèle et son cœur et ne peux plus aimer qu'elle. »

La dernière phrase est de décembre 1840. Au-dessous, une autre inscription, rageuse celle-là : « Illusion, je l'ai reperdue et je la hais : elle n'a plus de cœur, elle n'a jamais eu d'esprit. »

La veille des obsèques de Napoléon, *le Retour de l'Empereur*, une brochure, est sorti en librairie ; tirage : deux mille exemplaires. Succès foudroyant. Dix jours plus tard, l'éditeur, qui se mord les doigts d'avoir été trop modeste, sort une nouvelle édition... à vingt mille exemplaires ! Mais une autre heure approche. Celle de l'Académie. Et Hugo n'en dort plus.

Le 6 janvier 1841, veille de l'élection, il court Paris pour s'assurer que les voix promises le sont toujours. Une de ses grandes électrices — il en compte plusieurs —, la comtesse de Ségur, lui en a intimé l'ordre. De retour place Royale, harassé mais content, il lui écrit : « J'ai couru aujourd'hui toute la journée pour exécuter vos ordres ; je reviens satisfait et voici dix-sept voix *sûres* que je dépose à votre pied. » Heureux temps où les candidats à l'Académie pouvaient se dire *sûrs* de leurs voix. Et c'est bien dix-sept voix que Victor obtient quand, le lendemain, on passe au vote. Hugo a voulu attendre les résultats place Royale. Autour de lui, la famille feint l'indifférence. Lui-même répète qu'un nouvel échec lui importerait peu. Et soudain, un coup de sonnette. Le silence. Les cœurs cessent de battre. Un monsieur se présente : Edmond Leclerc, attaché au cabinet du ministre de l'Intérieur. Il veut être le premier à porter la bonne nouvelle : M. Hugo est élu ! Aussitôt, des cris de joie, chacun veut embrasser le nouvel académicien. Quelques larmes peut-être. Nouveau coup de sonnette : Henry de Lacretelle, fils de l'académicien, vient à son tour annoncer sa victoire au candidat et ne se vexe nullement d'avoir été devancé [1].

Le lendemain, le journal *la Presse* publiera ce quatrain :

> Pleins de gloire, en dépit de cent rivaux perfides,
> Tous deux, en même temps, ils ont atteint le but :
> Lorsque Napoléon repose aux Invalides
> Victor Hugo peut bien entrer à l'Institut.

Un humoriste, à qui l'on demandait ce que rapportait l'Académie française, répondit un jour : « On est nourri. »

Hugo constate en effet que les invitations pleuvent. En voici une de Mme de Girardin. Que Delphine Gay soit devenue l'épouse du plus grand publiciste de son temps n'a rien

---

1. *Manuscrit d'Adèle.*

ôté de l'amitié et de l'admiration que lui voue Hugo. D'ailleurs, elle s'estime la première de ses grandes électrices : cela
vaut bien même, quarante-huit heures après l'élection, un
dîner. A table, Hugo est placé tout près du nouveau gouverneur général de l'Algérie, Bugeaud, lequel curieusement se
proclame fort hostile à toute colonisation. C'est plus que n'en
peut entendre Hugo :

— Notre nouvelle conquête est chose heureuse et grande.
C'est la civilisation qui marche sur la barbarie. C'est un peuple éclairé qui va trouver un peuple dans la nuit. Nous
sommes les Grecs du monde ; c'est à nous d'illuminer le
monde. Notre mission s'accomplit, je ne chante qu'hosanna.
Vous pensez autrement que moi, c'est tout simple. Vous parlez en soldat, en homme d'action. Moi, je parle en philosophe
et en penseur.

Quand, d'assez bonne heure, Hugo quitte la charmante
hôtesse, il neige. Impossible, avec ses souliers de soirée, de
revenir chez lui à pied comme il en a l'habitude. Il s'engage
dans la rue Taitbout, se souvenant qu'il y a une station de fiacres sur le boulevard. Pas le moindre cabriolet en vue. Il
attend. D'instant en instant, la neige tombe plus drue. Non
loin de là, une prostituée attend, elle aussi. Hugo constate
que, malgré le froid, elle est en robe décolletée. Un jeune
homme, « ficelé et cossu dans sa mise », vient de passer derrière elle avec la mine de quelqu'un qui médite une bonne
farce. Il se baisse, ramasse une grosse poignée de neige, la
plante dans le dos de la fille. Hugo se souviendra : « Cette
fille jeta un cri perçant, tomba sur le fashionable et le battit.
Le jeune homme rendit les coups, la fille riposta, la bataille
alla crescendo si fort et si loin que les sergents de ville accou-
rurent. Ils empoignèrent la fille et ne touchèrent pas à
l'homme. En voyant les sergents de ville mettre la main sur
elle, la malheureuse se débattit. Mais, quand elle fut bien
empoignée, elle témoigna la plus profonde douleur. » Aux
sergents de ville qui la tiennent solidement chacun par un
bras et la poussent devant eux, elle crie :

— Je n'ai rien fait de mal, je vous assure, c'est le monsieur
qui m'en a fait. Je ne suis pas coupable ; je vous en supplie,
laissez-moi. Je n'ai rien fait de mal, bien sûr, bien sûr !

Seule réponse des policiers :

— Allons, marche. Tu en as pour tes six mois.

La fille redouble ses prières. Les sergents de ville la traî-

nent jusqu'au poste de police le plus proche, celui de l'Opéra.
Un tel spectacle attire toujours les foules : c'est une petite
cohue goguenarde qui a suivi la malheureuse et ses gardiens.
Comme malgré lui, Hugo a emboîté le pas. Arrivé devant la
porte du commissariat, il s'arrête. Va-t-il entrer, prendre
parti pour la fille ? Depuis deux jours, les journaux sont
« pleins de son nom ». Se mêler à une telle affaire, c'est « prêter le flanc à toutes sortes de mauvaises plaisanteries ». Il
n'entre pas. Il se contente de regarder, à travers les carreaux
embrumés, la salle du rez-de-chaussée où l'on a conduit la
fille arrêtée. C'est un spectacle affreux qu'il aperçoit : la malheureuse se traîne par terre, elle s'arrache les cheveux. Voilà
qui décide Hugo. Tant pis pour sa réputation. Il entre. Le
commissaire de police, assis devant une table éclairée par
une chandelle, rédige on ne sait quel procès-verbal. Il lève les
yeux vers l'intrus et, plus étonné que contrarié, lui demande :

— Que voulez-vous, monsieur ?

— Monsieur, j'ai été témoin de ce qui vient de se passer ; je
viens déposer de ce que j'ai vu et vous prier en faveur de cette
jeune femme.

Regard intrigué du policier. La fille, elle, muette de stupéfaction, comme étourdie, fixe sans comprendre cet inconnu
devenu justicier. Le policier, du même ton égal, répond :

— Monsieur, votre déposition, plus ou moins intéressée,
ne sera d'aucune valeur. Cette fille est coupable de voies de
fait sur la place publique, elle a battu un monsieur. Elle en a
pour six mois de prison.

Du coup, les cris et les sanglots de la fille redoublent. Il y a
d'autres filles au poste de police, elles tentent de la consoler :

— Nous irons te voir. Calme-toi. Nous te porterons du
linge. Prends cela en attendant.

Elles lui tendent des bonbons, de l'argent. Hugo fronce le
sourcil, reprend :

— Lorsque vous saurez qui je suis, vous changerez peut-
être de ton et de langage et vous m'écouterez.

— Qui êtes-vous donc, monsieur ?

Hugo se nomme.

La célébrité, a dit Chamfort, est « l'avantage d'être connu
de ceux qui ne vous connaissent pas ». Le commissaire de
police se lève, se répand en excuses, devient « aussi poli et
aussi déférent qu'il avait été arrogant », offre une chaise à
Hugo qui lui raconte qu'il a vu, de ses propres yeux, « un

monsieur ramasser un paquet de neige et le jeter dans le dos de cette fille ; que celle-ci, qui ne voyait même pas ce monsieur, avait poussé un cri témoignant d'une vive souffrance ; qu'en effet elle s'était jetée sur le monsieur, mais qu'elle était dans son droit ; qu'outre la grossièreté du fait, le froid violent et subit causé par cette neige pouvait, en certain cas, lui faire le plus grand mal ; que, loin d'ôter à cette fille — qui avait peut-être une mère ou un enfant — le pain gagné si misérablement, ce serait plutôt l'homme coupable de cette tentative envers elle qu'il faudrait condamner à des dommages-intérêts ; enfin que ce n'était pas la fille qu'on aurait dû arrêter, mais l'homme ». Pendant ce plaidoyer, — c'en est un — la fille « de plus en plus surprise, rayonne de joie et d'attendrissement » :

— Que ce monsieur est bon ! dit-elle. Mon Dieu, qu'il est bon ! Mais c'est que je ne l'ai jamais vu, c'est que je ne le connais pas du tout !

Le commissaire s'est tu un instant. Il reprend :

— Je crois tout ce que vous avancez, monsieur ; mais les sergents de ville ont déposé, il y a un procès-verbal commencé. Votre déposition entrera dans ce procès-verbal, soyez-en sûr. Mais il faut que la justice ait son cours et je ne puis mettre cette fille en liberté.

— Comment ! monsieur, après ce que je viens de vous dire et qui est la vérité — vérité dont vous ne pouvez pas douter, dont vous ne doutez pas — vous allez retenir cette fille ? Mais cette justice est une horrible injustice.

— Il n'y a qu'un cas, monsieur, où je pourrais arrêter la chose, ce serait celui où vous signeriez votre déposition ; le voulez-vous ?

— Si la liberté de cette femme tient à ma signature, la voici.

Hugo signe. Il sait que, chaque jour, les journalistes font le tour des commissariats de police. A n'en pas douter, la déposition signée par lui leur sera communiquée. Il sait aussi que, si les journaux publient qu'il a pris la défense d'une prostituée, la calomnie ira bon train. Il signe.

Cependant qu'il s'éloigne, la femme éperdue ne cesse de répéter :

— Dieu ! que ce monsieur est bon ! Mon Dieu, qu'il est donc bon !

Adèle, racontant la scène, notera : « Ces malheureuses

femmes ne sont pas seulement étonnées et reconnaissantes quand on est compatissant envers elles ; elles ne le sont pas moins quand on est juste. » Le souvenir de la fille ne quittera jamais Hugo. Quand il imaginera le personnage de Fantine des *Misérables*, il introduira dans son récit, sans y rien changer, la scène dont il a été témoin, un soir de janvier 1841, deux jours après son élection à l'Académie, sur un boulevard où tombait la neige.

Embourgeoisé, Hugo ? Sans doute. Mais pas de l'âme.

L'élection de Hugo a été bien accueillie. Chateaubriand lui a écrit : « Vous ne devez rien à personne, Monsieur, votre talent a tout fait, vous avez mis vous-même votre couronne sur votre tête. » Dans le secret de son Journal, Sainte-Beuve a noté : « Allons, allons, c'est bien ; l'Académie a besoin, de temps en temps, d'être dépucelée... » Cependant il écrit à la femme de ce romantique helvétique devenu son ami, Juste Olivier : « Voilà Hugo nommé, mais tout n'est pas gagné encore. Hugo apporte comme candidats de sa prédilection et de sa charge quatre illustres : Alexandre Dumas, Balzac, de Vigny ; je suis le quatrième très indigne et pourtant moins impossible encore, je crois, qu'aucun des trois autres. » A cette même Mme Olivier, il va conter avoir rencontré Léopoldine à une soirée : le premier bal de Didine. Comme il l'a trouvée changée !

« J'ai fait pendant une heure ma cour respectueuse à Mlle Léopoldine Hugo, la plus charmante et la plus perlée des ballades de son père. Je la traitais comme une très grande et très sérieuse personne qu'elle est, et elle avait l'air charmé. »

Il faut penser au discours de réception. L'idée est d'abord venue à Hugo d'évoquer cette séance académique du 25 août 1817 où il s'était entendu nommer par Raynouard : quelle émotion ! Vite, il a jugé que l'exposé de ses impressions juvéniles ne comporterait qu'un intérêt relatif. Il sait parfaitement ce qu'il lui faut dire, car il sait, comme toujours, très bien où il va.

Dans le silence de son cabinet, il s'adresse déjà à ses nouveaux confrères : « Messieurs, au commencement de ce siècle la France était pour les nations un magnifique spectacle. Un homme la remplissait alors et la faisait si grande qu'elle remplissait l'Europe. Cet homme, sorti de l'ombre, fils d'un pauvre gentilhomme corse, produit de deux républiques, par sa famille de la république de Florence, par lui-même de la république française, était arrivé en peu d'années à la plus haute royauté qui jamais peut-être ait étonné l'histoire. Il était prince par le génie, par la destinée et par les actions. Tout en lui faisait éclater le choix palpable et immédiat de la Providence. » Il s'arrête, relit ce qu'il vient d'écrire, raye la dernière phrase et lui substitue : « Tout en lui indiquait le possesseur légitime du pouvoir providentiel. »

Napoléon. Toujours. C'est de lui qu'il va donc parler. Les périodes succèdent aux périodes mais c'est de Bonaparte qu'il est question, pas d'un autre : « Il était l'homme auquel Alexandre de Russie, qui devait périr à Taganrog, avait dit : *Vous êtes prédestiné du ciel* ; auquel Kléber, qui devait mourir en Égypte, avait dit : *Vous êtes grand comme le monde* ; auquel Desaix, tombé à Marengo, avait dit : *Je suis le soldat et vous êtes le général ;* auquel Valhubert, expirant à Austerlitz, avait dit : *Je vais mourir mais vous allez régner.* Sa renommée militaire était immense, ses conquêtes étaient colossales... »

Pourquoi Napoléon à l'Académie ? Cela, c'est son secret. Il ne le dévoilera que le jour de la réception. Seule Juliette, avant le grand jour, a connu ce mystère. Elle ne se tient plus de joie et d'orgueil, Juliette. Hugo lui a fait savoir qu'il l'inviterait sous la coupole !

Sachant que Mme Hugo et ses enfants seraient là, elle n'en espérait pas tant. Victor, en veine de générosité, lui offre même pour l'occasion une belle robe neuve. Comme elle n'a toujours pas le droit de sortir seule, il l'accompagne, gardien vigilant, aux essayages chez la couturière. Mais elle-même va lui réserver une surprise de taille : grappillant centime après centime sur ses maigres rentrées, elle a pu économiser 22 francs 6 sous. Elle vide la plus touchante des tirelires pour offrir à Victor les manchettes et le jabot qui agrémenteront son habit d'académicien.

Le 3 juin, Juliette est la première quai Conti ; pour être sûre d'être bien placée, elle est arrivée avant le service d'ordre ! Il faut dire que la réception de M. Hugo fait recette. On s'écrase. On se montre M. de Balzac, Mme de Girardin, Mme Thiers, Mlle Mars, — comment n'eût-elle pas été là ? — la poétesse Louise Colet, la comtesse Merlin, illustration de la cour du roi Joseph : le passé mêlé à l'avenir.

Juliette s'est placée au premier rang, flanquée de deux anges gardiens soigneusement choisis par Hugo, un M. Démousseaux et une Mme Pierceau. Quelques rangs derrière, vient s'asseoir Adèle entourée de ses enfants. Quelques chuchotements dans l'assistance : les deux femmes de M. Victor Hugo l'une derrière l'autre... Mais la recluse volontaire s'est sentie au comble de la joie d'apercevoir, pour la première fois « tous *mes* chers petits : Didine, ravissante, Charlot, charmant, et mon cher petit Toto, pareil à l'autre, qui avait l'air pâle et souffrant ».

Un roulement de tambour. La garde présente les armes, la salle se lève. Voici M. Villemain, secrétaire perpétuel, flanqué du chancelier et de M. de Salvandy, directeur, qui tout à l'heure doit accueillir Hugo.

Les autres membres de la compagnie les suivent. Parmi eux, le nouvel élu. Dans l'assistance, un frémissement. Il a grande allure, Hugo ! Sur le collet brodé de vert de l'habit, tombent en rouleaux ses cheveux longs, lissés, bien peignés. Ce que l'on voit surtout, c'est l'œil noir, enfoncé, impérial. Le visage est pâle et grave. Sur l'habit vert, une seule décoration, la rosette d'officier de la Légion d'honneur. Des gants blancs qu'il ne quittera pas un instant, « un port de tête superbe, une allure de vainqueur entrant dans une ville conquise... ».

M. Villemain ne s'attarde pas à la tribune, il traverse l'hémicycle, monte jusqu'à la porte du palais Mazarin accueillir le duc et la duchesse d'Orléans. Comment ne seraient-ils pas venus assister au triomphe de leur poète favori ? On répète que la duchesse d'Orléans a discrètement fait campagne, indiquant à tel ou tel familier du château ses préférences. Elle est charmante, la duchesse, sous son chapeau blanc garni de rose pâle. Elle donne le bras au prince héritier. Derrière eux, la duchesse de Nemours et la princesse Clémentine.

A l'entrée de son Toto, Juliette a failli s'évanouir :

« Pauvre bien-aimé adoré, en te voyant entrer si pâle et si ému je me suis sentie mourir et sans M. Démousseaux et Mme Pierceau, qui m'ont secourue, je serais tombée sur le plancher. Personne heureusement ne s'est aperçu de mon émotion, et quand je suis revenue à moi et que j'ai vu ton sourire me répondre et me rassurer, il m'a semblé que je sortais d'un rêve, pendant lequel j'aurais longtemps dormi péniblement, quoiqu'il y eût à peine une minute. »

Et c'est le discours tant attendu. On attendait un « régal littéraire », on est déçu. Vingt minutes d'abord sur Napoléon. Un condensé de la légende.

Sur les travées, on admire, mais l'étonnement monte. Où veut-il en venir ? A ceci :

Tout dans le continent s'inclinait devant Napoléon, tout, excepté six poètes, messieurs — permettez-moi de le dire et d'en être fier dans cette enceinte —, excepté six penseurs restés seuls debout dans l'univers agenouillé ; et ces noms glorieux, j'ai hâte de les prononcer devant vous, les voici : Ducis, Delille, Mme de Staël, Benjamin Constant, Chateaubriand, Lemercier.

L'assistance respire. On a compris. Après l'hymne à la grandeur, le couplet sur la résistance à la tyrannie ; l'énumération des écrivains qui n'ont pas accepté de vivre à genoux, la citation de son prédécesseur : Népomucène Lemercier :

Parmi ces illustres protestants, il était un homme que Bonaparte avait aimé, et auquel il aurait pu dire, comme un autre dictateur à un autre républicain : *Tu quoque*! Cet homme, messieurs, c'était M. Lemercier.

Bonne occasion de rappeler que Lemercier, royaliste en 1789, était devenu libéral en 1793. De là, cette apologie de la Convention qui devait tant choquer Guizot :

Il y avait de grandes passions, de grandes luttes, de grands éclairs, de grands fantômes. Cela suffisait certes, pour l'éblouissement du peuple, redoutable spectateur incliné sur la fatale assemblée. Ajoutons qu'à cette époque où chaque jour était une journée, les choses marchaient si vite, l'Europe et la France, Paris et la frontière, le champ de bataille et la place publique avaient tant d'aventures, tout se développait si rapidement, qu'à la tribune de la Convention nationale, l'événement croissait pour ainsi dire sous l'orateur à mesure qu'il parlait, et, tout en lui donnant le vertige, lui communiquait sa grandeur. Et puis, comme Paris, comme la France, la Convention se mouvait dans cette clarté crépusculaire de la fin du siècle qui attachait des ombres immenses aux plus petits hommes, qui prêtait des contours indéfinis et gigantesques aux plus chétives figures, et qui, dans l'histoire même, répand sur cette formidable assemblée je ne sais quoi de sinistre et de surnaturel.

Pourquoi la Convention ? Parce que, dans les tribunes réservées au public, on y voyait chaque jour M. Lemercier. Ouf ! Hugo revient à son prédécesseur ! D'un seul élan — et avec une concision remarquable — il va citer ses œuvres principales, rappeler qu'il a donné un *Agamemnon*, une *Frédégonde*, une *Atlantiade* et même une *Panhypocrisiade*. C'en est fini de Lemercier. Les régimes parcourus à son corps défendant par l'académicien défunt fourniront le sujet de la péroraison de Hugo :

La race aînée contenait la tradition historique, la Convention contenait l'expansion révolutionnaire, Napoléon contenait l'unité nationale. De la tradition naît la stabilité, de l'expansion naît la liberté, de l'unité naît le pouvoir. Or la tradition, l'unité et l'expansion, en d'autres termes, la stabilité, le pouvoir et la liberté, c'est la civilisation même. La racine, le tronc et le feuillage, c'est tout l'arbre.

Il juge que, pour le bonheur de la France, « il fallait substituer à l'hérédité de prince à prince l'hérédité de branche à branche », qu'il était excellent de choisir « pour chef constitutionnel un ancien lieutenant de Dumouriez et de Kellermann qui était petit-fils de Henri IV et petit-neveu de Louis XIV ». Après ce coup de chapeau qui s'adresse plus au duc d'Orléans qu'à son père, il en revient à son obsession du moment, les plus prévenus diraient sa marotte : le rôle de l'écrivain dans la société.

Mais quel est justement le devoir de l'écrivain ? « Il n'a plus la royauté à défendre contre l'échafaud comme en 93, ou la liberté à sauver du bâillon comme en 1810, il a la civilisation à propager. Il n'est plus nécessaire qu'il donne sa tête, comme André Chénier, ni qu'il sacrifie son œuvre, comme Lemercier, il suffit qu'il dévoue sa pensée. » Il faut que l'écrivain collabore au développement de la société ; qu'il serve toutes les formes de la liberté ; qu'il tienne pour nécessaires les représentants de l'ordre dans l'État ; qu'il confronte la loi humaine et la loi chrétienne ; il lui faut « répandre largement ses encouragements et ses sympathies sur ces générations encore couvertes d'ombre qui languissent faute d'air et d'espace, et que nous entendons heurter tumultueusement de leurs passions, de leurs souffrances et de leurs idées les portes profondes de l'avenir » ; distraire et émouvoir le public ; faire pénétrer la nature dans l'art ; « en un mot, civiliser les hommes par le calme rayonnement de la pensée sur leurs têtes ».

Un tel écrivain existe-t-il, a-t-il existé ? Assurément, jure Hugo : c'est Malesherbes « qui fut tout à la fois un grand lettré, un grand magistrat, un grand ministre et un grand citoyen ». S'il a péri, « son souvenir du moins est resté indestructible dans les mémoires orageuses de ce peuple en révolution qui oubliait tout, comme reste au fond de l'océan, à demi enfouie sous le sable, la vieille ancre de fer d'un vaisseau disparu dans la tempête ! »

Il s'est assis. Les applaudissements crépitent. On dirait qu'ils ne s'arrêteront jamais. C'est plus qu'un succès : un triomphe. Au même instant, exactement, les yeux d'Adèle et de Juliette s'embuent. Le lendemain, celle qui avait été la princesse Négroni écrira à celui qui s'est voulu Olympio : « Il m'est resté, depuis le moment de ton entrée dans la salle de l'Académie, un étonnement délicieux, qui tient le milieu entre l'ivresse et l'extase ; c'est comme une vision du ciel, dans laquelle j'aurais vu Dieu dans toute sa majesté, dans toute sa beauté, dans toute sa splendeur et sa gloire... »

Au retour des Cendres, Victor n'était que le chef-d'œuvre de Dieu. Le voici Dieu tout court. Difficile désormais pour Juliette d'aller plus loin ! Malheureusement, quelque chose a gâté son bonheur qui eût été « suprême » si les gens qui étaient là « n'avaient été pour la plupart, que de hideux crétins et d'immondes gredins... ».

Un homme résume pour elle les uns comme les autres : M. de Salvandy, cet historien et homme politique que Thiers une fois pour toutes avait qualifié : « un paon plein d'honneurs ». Juliette l'a jugé « laid, rouge, rogue et grimaud ». Dès les premiers mots de son discours, le ton a été donné :

Les anciens, pour triompher, s'entouraient des images de leurs ancêtres. Napoléon, Sieyès, Malesherbes ne sont pas vos ancêtres, monsieur. Vous en avez de non moins illustres : J.-B. Rousseau, Clément Marot, Pindare, Le Psalmiste. Ici, nous ne connaissons pas de plus belle généalogie.

Selon Salvandy, l'écrivain n'est pas fait pour la chose publique. Hugo ayant rappelé que Napoléon aurait voulu faire prince Corneille, Salvandy lui répond :

Non ! Non ! nous aurions des drames immortels de moins ; est-il sûr que nous aurions eu un grand ministre de plus ? A vous, nous avons su gré d'avoir courageusement défendu votre vocation de poète contre toutes les séductions de l'ambition politique...

Façon très claire de dire à Hugo : vous avez montré le bout de l'oreille, mais nous vous ferons passer l'envie des ambitions politiques. C'est ce que l'on appelle les amabilités académiques. On a beaucoup applaudi M. de Salvandy. Au reste, personne ne s'y est mépris. Charles Magnin, dans *la Revue des Deux Mondes*, va exprimer ce que chacun pense : « C'est un premier pas vers la tribune, une candidature à l'une de nos deux Chambres, peut-être à toutes les deux, mieux encore : un programme de ministère. »

Opinion partagée par Béranger qui s'en afflige : « Je trouve bizarre que Victor Hugo n'entre à l'Académie que pour se poser en homme politique et même en futur ministre. C'est une maladie qui gagne. »

Royer-Collard, engoncé dans sa cravate, dira simplement à Victor : « Vous avez fait, monsieur, un bien grand discours pour une bien petite assemblée. » Balzac, écrivant à Mme Hanska, se montrera — lui — franchement hostile :

« J'ai assisté à la réception de Hugo où le poète a renié ses soldats, où il a renié la branche aînée, où il a voulu justifier la Convention. Son discours a fait le plus grand chagrin à ses amis. Il a voulu caresser les partis, et ce qui peut se faire dans l'ombre et dans l'intimité ne va guère en public. Ce grand poète, ce sublime faiseur d'images, a reçu les étrivières, de qui ? de Salvandy ! L'assemblée était brillante, mais les deux orateurs ont été mauvais l'un et l'autre. Il y a surtout des louanges pour la France que j'ai trouvées ridicules. Que nos plumes soient les maîtresses du monde intelligent, je le veux bien, mais que nous le disions à nous-mêmes et sans contradicteurs, chez nous, dans l'Académie, il y a mauvais goût et cela m'a révolté. »

Sainte-Beuve, après avoir assuré qu'on voyait venir Hugo de loin, a répandu son venin dans ses Carnets secrets, affirmant que le discours était « tout simplement ennuyeux », et qu'il manquait « tout à fait d'*esprit* » : « Son discours était un discours cyclopéen, bon à beugler au Colisée sous Domitien, de la rhétorique à triple carat, une suite de gros morceaux sans lien, sans transition. Tout cela pourtant était profondément calculé dans son esprit ; mais, n'ayant pas la même mesure que les autres, il manque son effet. C'est comme au théâtre. Hugo croit les hommes et le monde plus bêtes en vérité qu'ils ne sont. Le monde est malin. Lui, le jeune et illustre Caliban, il y est pris, il le sera toujours. Son orgueil lui bouche la fenêtre. Les Girardin le flattent, l'exaltent, l'accaparent : cela me fait l'effet d'une pêche à la baleine ; ils le pêcheront. »

Ce à quoi Hugo répondra, avec une désinvolture parfaitement lapidaire : « On m'a vidé sur la tête le discours de Salvandy ; cela est vrai, mais, en somme, je suis dans la place [1]. »

Trop d'agitation, trop d'obligations. Il n'y aura pas, l'année de l'Académie, de voyage pour Juliette. Le 17 juillet, elle avait écrit à Toto : « Il me faut mon voyage ou la mort. » Elle ne meurt pas. Naguère elle eût éclaté en pleurs et en cris. Elle se contente d'évoquer sans joie, avec nervosité parfois, l'inoubliable voyage du Rhin de l'année précédente : « Mais ces moments d'exaspération durent peu et je me reprends bien vite à aimer mon *esclavage*. » Pas de voyage, non. Hugo est chancelier de l'Académie, charge toute honorifique mais qui oblige à la présence. Un honneur qui subtilement s'insinue parmi d'autres honneurs. Le travail ? Durant toute cette année 1841, Hugo n'a écrit que son discours de réception à l'Académie et seulement cinq poèmes qui prendront place dans *les Contemplations* et *Toute la lyre*. A quoi vient s'ajouter un hymne demandé par la Garde nationale de Boulogne pour l'inauguration d'une statue de Napoléon et qui, jugé tendancieux par les Boulonnais, ne sera d'ailleurs ni chanté ni lu. De novembre 1840 à septembre 1841, Hugo qui va vers ses quarante ans met sans hâte en ordre ses notes sur le Rhin. C'est tout. L'image de l'Académie communément admise dans le public évoque une assemblée de dormeurs. Victor Hugo dort-il ?

Il sommeille seulement. Pourquoi faut-il qu'un jour de septembre 1841, tout à coup, le démon poétique le ressaisisse ? Pourquoi faut-il que ce jour-là, le 4, ce soit le souvenir de

1. Lettre à Alphonse Karr, 20 juillet 1841.

l'insurrection sanglante des canuts de Lyon qui lui traverse l'esprit ? Pourquoi faut-il que son âme s'émeuve ? Que le sang coule sous sa plume comme il s'est déversé dans le Rhône ?

> J'ai vu pendant trois jours de haine et de remords
> L'eau refléter des feux et charrier des morts...

C'est cela un poète. C'est cela Hugo.

Comme l'année précédente, il a conduit sa famille à Saint-Prix. Cette fois on n'a loué, chez une veuve Michel, qu'un simple appartement meublé. La famille y restera de juillet à la mi-octobre. Léopoldine aime bien Saint-Prix. Mais cette année-là, un secret la ronge : elle attend des lettres. On a toujours écrit que Charles Vacquerie ne s'était déclaré que l'année suivante. Erreur. Une lettre conservée dans les archives de Villequier nous prouve que, cette correspondance de l'été 1841, c'est Auguste Vacquerie qui est chargé de la lui transmettre. Il ne le fait pas. Ce qui s'explique : premier amoureux de Didine, lorsqu'il a compris que Charles l'était aussi et qu'il était, lui, payé de retour, il s'est incliné, mais ne l'a pas fait de bon cœur, loin de là. Que les amoureux veuillent se servir de lui comme facteur, voilà qui n'offre à ses yeux rien d'exaltant. D'où le retard et même l'abstention dont se plaint auprès de lui Léopoldine en 1841 :

« Monsieur, nous espérions avoir l'honneur de vous voir ce matin ; ayant été trompée dans mon attente, je prends la liberté de vous prier de vouloir bien envoyer à Saint-Prix les lettres que vous avez pour moi. Je serais doublement charmée si vous vouliez avoir cette obligeance puisque je vous épargnerai ainsi une course qui semble vous coûter... Je vous prierais aussi de vouloir bien les jeter de suite à la poste. Il importe que nous ne soyons pas parties lorsqu'elles arriveront. »

Un post-scriptum éloquent : « Je suis le conseil de maman en tout ceci, monsieur [1]. »

Il faut ici se reporter aux souvenirs d'Adèle.

Après avoir confirmé que Charles Vacquerie avait aimé Léopoldine dès le premier séjour à Villequier, elle dit de sa fille : « Elle trouva dans Charles un écho de sa propre nature et l'aima de son côté. Ils s'avouèrent leur mutuelle affection

---

1. Maison Vacquerie. Musée Victor-Hugo. Villequier. Inv. n° 485.

et engagèrent réciproquement leur cœur. Léopoldine revint à Paris avec sa mère. Le temps et l'absence confirmèrent le mutuel amour des fiancés... »

Pourquoi Charles ne se déclare-t-il pas officiellement ? Il y a l'âge de Léopoldine, seize ans en 1841 ; mais on a déjà vu de tels mariages. La vérité est que la sœur aînée de Charles et Auguste, Mme Lefèvre, vient de perdre ses deux jeunes fils, Charles et Paul. Dans de beaux vers, Hugo a pleuré sincèrement ces enfants. En 1842, Nicolas Lefèvre est mort à son tour. Comment parler mariage au milieu d'un si grand deuil ? Les « fiancés » se taisent. Une autre raison pousse Adèle à retarder l'aveu : comment méconnaîtrait-elle l'amour passionné que Hugo voue à sa fille aînée ? Elle découvre là une relation privilégiée, que Juliette a perçue depuis longtemps et dont elle a été si jalouse. Amour partagé d'ailleurs. Les lettres qu'adresse Léopoldine à son père sont de véritables déclarations auxquelles répondent d'autres déclarations : « J'ai cueilli pour toi cette fleur dans la dune... Et puis, mon ange, j'ai tracé ton nom dans le sable : Didi... A chaque belle ville que je voyais, je t'aurais voulue là... Et puis le soir, je regardais le ciel, et je songeais encore à toi, ma Didine, en voyant cette belle constellation, ce beau chariot de Dieu, que je t'ai appris à distinguer parmi les étoiles. »

Qui soupçonnerait, dans les salons et les dîners où Hugo trône désormais à la droite de la maîtresse de maison, ce jardin secret ? Juliette le voit avec regret devenir de plus en plus mondain. Ce penchant qu'elle avait moqué déjà pour les toilettes et les apparences la fait enrager. Elle se maudit d'avoir été la première à le critiquer sur son laisser-aller vestimentaire, à avoir voulu lui inculquer la coquetterie. Au lendemain de Noël, elle prend l'engagement mi-sérieux, mi-comique « de ne plus t'embrasser pour n'avoir pas à mêler le souci grotesque de ta frisure aux plus vifs et plus tendres épanchements de mon cœur ». Peu chaut à Hugo. Le monde a ses raisons que les maîtresses ignorent.

En janvier 1842, le livre du *Rhin* paraît. On attendait un récit de voyage : c'est beaucoup plus. Les contemporains en sont frappés.

Après avoir lu, Balzac n'hésite pas ; *le Rhin* est un chef-d'œuvre. Quelque temps plus tôt, le même Balzac avait écrit à sa chère Mme Hanska que Victor Hugo était, à l'égal de son frère Eugène, devenu fou et qu'il avait été interné dans une maison de santé. Confraternité. Quant à Lamartine, il voit dans ce livre la suite du discours à l'Académie. *A Hugo, 1er février 1842* : « Marchez toujours et donnez-moi la main. Ce livre vous fait politique. Le roi vous fera pair et nous vous ferons ministre. Mais qu'importe tout cela à celui que la nature a fait Hugo ? » On peut légitimement penser que « depuis Chateaubriand, la prose française n'avait rien produit qui eût autant de majesté et d'harmonie [1] ». On ne peut relire sans bonheur des phrases comme celle-ci :

> « Je croyais sentir, dans le frissonnement à peine distinct des arbres et des ronces, je ne sais quoi de grave et de respectueux. Je n'entendais aucun pas, aucune voix, aucun souffle. Il n'y avait, dans la cour, ni ombres ni lumières ; une sorte de demi-jour rêveur modelait tout, éclairait tout et voilait tout. L'enchevêtrement des brèches et des crevasses laissait arriver jusqu'aux recoins les plus obscurs de faibles rayons de lune ; et dans des profondeurs noires, sous des voûtes et des corridors inaccessibles, je voyais des blancheurs se mouvoir lentement... »

Hugo a envoyé l'un des premiers exemplaires à la duchesse d'Orléans. Il sait que la conclusion du livre est faite pour plaire à cette princesse allemande. Afin de mettre le point final au conflit qui, en 1840, a opposé si ardemment Français et Allemands, Hugo suggère que la Prusse rende à la France la rive gauche du Rhin. En échange, elle recevrait le Hanovre, les villes libres. Elle aurait accès à la mer et elle y gagnerait l'unité. L'Allemagne et la France assureraient ensemble la paix du monde : « Le Rhin est le fleuve qui doit les unir ; on en a fait le fleuve qui les divise. »

Enchantée, la duchesse remercie Hugo. Jamais les liens n'ont été si étroits entre le prince héritier, la princesse et Hugo. Le roi vieillit. Logiquement, il abandonnera de plus en plus les rênes à son fils. Le grand avenir politique que Victor se donne passe par le duc d'Orléans. Que n'a-t-il pensé à son propre poème sur le roi de Rome : *Sire, l'avenir est à Dieu* ! Le 13 juillet 1842, le duc d'Orléans se rend au château de Neuilly où résident le roi et la reine. Il conduit lui-même les chevaux de son phaéton. Tout à coup, l'attelage s'emballe. Ne parvenant pas à le maîtriser, il tente de sauter à terre. Il tombe lourdement sur le pavé et se brise le crâne. La nouvelle de sa

1. André Maurois.

mort va foudroyer Hugo. Il s'était pris d'affection vraie pour
ce prince au cœur excellent, sincère ami de la liberté. La jeunesse mettait ses espoirs en lui. Qu'adviendra-t-il maintenant
de l'avenir ? Il se rendra quelques jours après sur les lieux où
le prince a trouvé la mort. Sa réelle affliction ne l'empêche
pas de *voir* comme il a su toujours voir : « Le roi a fait enlever
les deux pavés tachés de sang, et l'on distinguait encore
aujourd'hui, malgré la boue d'une journée pluvieuse, les deux
pavés nouveaux fraîchement posés. » Il notera encore que la
maison où le prince a expiré « porte le numéro 4 bis et est
située entre une fabrique de savon et un gargotier-marchand
de vins. La boutique du rez-de-chaussée est fermée ». Vers 6
heures du soir, Hugo s'en est revenu vers Paris, le cœur lourd
et l'âme triste. Il remarque cette affiche en grosses lettres
collée partout sur les murailles : *Fête de Neuilly le 3 juillet*.
Même dans la peine, Hugo découvre des antithèses. On peut
penser aussi qu'il les cherche.

Directeur de l'Académie, il va devoir présenter au roi les
condoléances de l'Institut. Il le fera en termes d'une dignité
mesurée mais avec une émotion que chacun sentira sincère :

Votre royal fils est mort. C'est une perte pour la France et pour
l'Europe ; c'est un vide parmi les intelligences. La nation pleure le
prince ; l'armée pleure le soldat ; l'Institut regrette le penseur.

Le couplet final va, pour la première fois, marquer le ralliement sans réticence de Hugo à la dynastie :

C'est avec une inexprimable sympathie que le peuple français fixe
en ce moment ses regards sur votre famille, sur vous, Sire, qui vivrez
longtemps encore, car Dieu et la France ont besoin de vous ; sur
cette Reine, mère auguste et éprouvée entre toutes les mères ; sur
cette Princesse, enfin, si française par son cœur et par notre adoption, qui a donné à la patrie deux Français, à la dynastie deux
princes, à l'avenir deux espérances.

Pour Hugo, l'affliction universelle qui a accompagné la
mort du duc d'Orléans doit être prise comme « une acclamation » : « La mort fatale du Prince a pu ébranler le trône, ce
deuil public et national consolide la dynastie. La France qui
vous consacrait, il y a douze ans, par l'unanimité de son adhésion, vous consacre aujourd'hui une seconde fois par l'unanimité de sa douleur. »

Ces mots, peut-être parce qu'il ne les attendait pas de cette bouche-là, ont profondément frappé Louis-Philippe. Dès le lendemain, il va prier le ministre Salvandy — oui, Salvandy — d'en écrire à Hugo : « Il m'a expressément chargé hier soir de vous faire savoir combien les seules paroles de l'Institut l'ont *profondément touché. Il les a beaucoup admirées.* Il en a été *bien ému*, vous avez parlé, *dans une bien belle langue, de son pauvre cher fils qui méritait bien tout cela. C'est une grande consolation pour son cœur qu'on lui rende justice*, et il vous remercie bien de l'avoir fait *avec tant d'effusion et de talent.* Je vous répète ses propres termes. Je voudrais me les rappeler tous. »

Bientôt, Louis-Philippe souhaitera expressément que Hugo vînt aux Tuileries converser avec lui. Hugo obéira. Sans doute n'aura-t-il pas eu à se faire trop violence. A la duchesse d'Orléans, il conserve un respect mélancolique et tendre. Craignant qu'elle jugeât importune une hâte trop grande, il a attendu un mois pour lui faire sa visite de condoléances. Ce jour-là, il est passé prendre Juliette chez elle et l'a conduite en cabriolet jusqu'à la porte du pavillon de Marsan : habitude héritée des visites académiques. Comme toujours, elle a patienté. Elle n'ignore rien des pensées les plus secrètes de Victor. Peut-être un jour la princesse Hélène sera-t-elle régente. Peut-être alors un grand destin politique s'ouvrira-t-il pour Victor. En ce qui la concerne, cet avenir n'est pas enviable. Blottie au fond du cabriolet, ce n'est pas cependant au destin du royaume qu'elle songe. Une fois de plus, elle est jalouse.

Juliette à Victor, 20 août 1842 : « Tout m'est un sujet de crainte et, partant, de désespoir. Ainsi cette visite à la duchesse d'Orléans, pour laquelle, je le reconnais, tu avais eu l'attention charmante de m'emmener, me devenait un supplice à cause de l'heure et des circonstances : moi en déshabillé et à peine barbouillée, et cette femme dans le prestige d'une grande infortune, c'est-à-dire, après la beauté physique, ce qui peut te séduire davantage. Je t'avoue que, quelque courageux que soit mon amour, quelque confiance que j'aie en ta loyauté, je ne suis pas tranquille quand il faut que je lutte et que je combatte sans arme... »

Jalousie mal venue. La duchesse pleure sincèrement un époux aimé. Elle ne s'en montrera pas moins touchée par cette fidélité qu'elle juge plus vraie que d'autres. Elle pressera Hugo de revenir et parlera de lui à son beau-père en des termes tels qu'ils attireront derechef son attention sur le poète.

Lentement — mais sûrement — Hugo se rapproche du trône de Juillet. Mais, insaisissable comme toujours, alors que nous le croyons tout entier occupé par le *pouvoir* et le *paraître*, il note :

> « *Nuit du 9 mars.* — Il faisait nuit, une nuit d'hiver. Un grand vent soufflait. Un vent qui ébranlait le logis du haut en bas. L'intérieur des chambres vivait de je ne sais quelle vie étrange. Les portes s'ouvraient et se fermaient. Les armoires battaient. Les meubles criaient comme si quelqu'un s'asseyait dessus ; il semblait qu'on entendît des habitants invisibles aller et venir dans la maison.
>
> « Ce vent nocturne nous faisait peur. Les enfants, à demi éveillés, tremblaient dans leurs berceaux. Les hommes, à moitié endormis, frissonnaient dans leurs lits. »

Unique rencontre, peut-être, du coq gaulois et de l'invisible.

Au moment où Hugo, en habit d'académicien, prononçait devant le roi un discours qui préparait l'avenir, il était traversé d'inquiétudes profondes, mais bien contradictoires. Dans la première quinzaine du mois de février, le petit Victor est tombé malade. Les médecins ont diagnostiqué une grave maladie pulmonaire sans pouvoir préciser s'il s'agissait ou non de phtisie. L'enfant était secoué de quintes de toux qui le laissaient brisé. Des sueurs froides l'éveillaient la nuit. Il n'était pas alors de maladie plus redoutée que la tuberculose. Devant elle, les plus grands praticiens se sentaient impuissants. Adèle et son mari se relayaient au chevet de l'enfant, partageant la même angoisse et le même amour. Or cet hiver-là, Juliette, elle aussi, était souffrante. Hugo courait d'un valétudinaire à un autre. C'en était trop : sa propre santé s'était altérée. Il était à peine rétabli que l'on constatait une aggravation de l'état du petit Victor. Angoisses et désespoir. Il faudra attendre le 11 août pour que Louis Boulanger puisse annoncer à Victor Pavie : « Le pauvre Toto (II) va beaucoup mieux et la joie a reparu dans la maison de notre cher Victor. » Quand, à la fin du mois, Adèle et ses enfants s'installeront à Saint-Prix pour l'été, Victor II sera définitivement entré en convalescence.

C'est Léopoldine qui passe alors au premier plan des soucis de Hugo. Elle va avoir dix-huit ans, la ravissante enfant. On la voit souvent dans le monde et on commence à la regarder beaucoup. Un des proches de Hugo, Victor Hennequin, va, en mai 1842, sans que rien, semble-t-il, ne l'ait laissé prévoir, adresser à Victor une demande en mariage en bonne et due forme : « Vous la croyez encore une enfant peut-être ; vous vous croyez entouré toujours de ces *oiseaux envolés* que vous rappeliez avec tant de poésie ; mais parmi ces oiseaux, il en est dont l'aile a grandi et qui sont devenus des anges... » Hugo est tombé des nues. Pour lui, Léopoldine est toujours une enfant, *sa* petite fille. Il sait bien qu'elle se mariera fatalement un jour, mais son inconscient a jusque-là repoussé loin l'odieuse perspective. L'idée que Didine, la jeune aînée, grave et pensive, cette fille préférée en qui il se retrouve si entièrement, cette « petite princesse » au profil de médaille qui règne sur son cœur, pourrait quitter son toit, s'éloigner de lui, appartenir à un autre, il la rejette de toutes ses forces. Un *non* sans appel est adressé à l'infortuné Hennequin. L'entourage — à commencer par Adèle — comprend qu'il est grand temps de révéler à Hugo l'idylle secrète que Didine poursuit — en tout bien tout honneur — avec Charles Vacquerie. Auguste s'est résigné à servir de son mieux les intérêts de son frère Charles. Avec les ménagements que l'on met à apprendre à quelqu'un la maladie d'un proche, il va tout dire au poète. Voilà derechef Hugo stupéfait. Après quoi il fronce le sourcil. Il éprouve pour ces Vacquerie beaucoup de sympathie, mais guère plus. En exil, lorsqu'il accumulera d'autres obstacles devant les amours de sa seconde fille, Adèle lui rappellera : « Autrefois tu résistais à un autre mariage et ton gendre a apporté à ta première fille la dot splendide d'un grand amour ; tu avais dit pourtant : " Triste mariage, pauvre mariage ", tu as dédaigné ce pauvre jeune homme et puis un jour tu as avoué au monde entier que tu en étais fier... Défie-toi de ta défiance : ces gendres mal venus, incomplets, indignes, inférieurs cachent, sous leur obscurité, quelque lumière éclatante... » Voilà, place Royale, le combat engagé. Hugo se défend mal. Face à lui-même, il se débat. Est-ce pour cela que, près d'Enghien, un soir de juin, il compose ce poème qu'il intitule justement *Mes deux filles* ?

Dans le frais clair-obscur du soir charmant qui tombe,
L'une pareille au cygne et l'autre à la colombe,
Belles, et toutes deux joyeuses, ô douceur !
Voyez, la grande sœur et la petite sœur
Sont assises au seuil du jardin, et sur elles
Un bouquet d'œillets blancs aux longues tiges frêles,
Dans une urne de marbre agité par le vent,
Se penche, et les regarde, immobile et vivant,
Et frissonne dans l'ombre, et semble, au bord du vase
Un vol de papillons arrêté dans l'extase.

De beaux vers ne sont pas une réponse. Chaque jour, les
grands yeux noirs de Didine se mouillent de pleurs. Le plus
possessif des pères cède. Le 14 juillet, Charles Vacquerie
informe sa famille que si Hugo — enfin ! — consent au
mariage, il y met deux conditions essentielles : une demande
officielle de la famille Vacquerie, la promesse de l'oncle Lefèvre, l'armateur, de l'intéresser à ses affaires. En août, Charles
discute toujours avec son futur beau-père des questions
financières. Le jeune Normand n'aurait jamais cru qu'un
poète pût se montrer sur le plan matériel aussi redoutable ! Il
lutte pied à pied pour que soit arrêtée au moins la date du
mariage et n'obtient que de vagues promesses. Une consolation : « Je dîne tous les jours chez lui et j'y passe presque tout
mon temps. » On a fini par fixer le mariage pour le début de
l'année suivante. Pourquoi le bonheur qui a aussitôt irradié
Léopoldine a-t-il rendu son père si sombre ?

Ce n'est plus que par extraordinaire que Victor et Juliette
se retrouvent amants. Le 29 mars, elle lui a écrit : « J'ai faim
et soif d'amour et de bonheur. Quand me donneras-tu de tout
à indiscrétion ? Hélas ! Voilà près de deux ans que je te fais
cette question et que tu n'y réponds que par des *grognements*
sourds et inarticulés, qui ne me satisfont pas du tout. » Quelques jours plus tard, le 4 avril, décidément de mauvaise
humeur, elle revient sur l'avarice du poète en matière
d'amour physique : « Taisez-vous, vieux *ladre*. Vous devriez
être honteux... Je te ferai voir les Tuileries, sois tranquille,
amour, et les Champs-Élysées par-dessus le marché, mais je
ne te ferai pas voir ma lettre de l'alphabet que tu ne mérites
pas [1]... »

---

1. Il s'agit de la dix-septième lettre...

Pour comble, quand il vient partager son lit, il préfère maintenant ce que nous appellerions des à-côtés. Même, d'après certaines lettres très claires, il les préfère très égoïstement. Voilà qui arrange encore moins Juliette : « Les plus belles et les meilleures choses ont leur inconvénient. Le vôtre est d'être *trop douillet*, et de vous laisser caresser à bouche que veux-tu, avec les lèvres et les dents... » Elle y insiste le 13 juillet : « Vous ne savez rien faire en entier. Vous êtes une bête... » Mais vite elle revient à l'essentiel, l'amour qu'elle lui a voué, désormais fait surtout de compréhension. La mort du duc d'Orléans l'a bouleversée parce qu'elle lui a fait envisager l'accident qui pourrait frapper son Victor.

« Dès que tu as tourné le coin de ma rue, dès que je t'ai perdu de vue, je me sens prise d'une inquiétude et d'une tristesse dont je ne suis pas maîtresse. Mon adoré, mon noble et généreux homme, je t'en prie à genoux, ne dédaigne pas toutes les précautions qui peuvent éloigner de toi tous les malheurs qui sont en ton pouvoir. Pour ceux qui dépendent uniquement du bon Dieu, je le prie jour et nuit de les éloigner de toi et je lui offre ma vie, si peu qu'elle soit, pour ta santé, ton bonheur et la santé et le bonheur de tous les tiens. Sois prudent, mon bien-aimé, garde bien ta précieuse vie si nécessaire au monde entier et qui est ma vie et mon souffle à moi. »

Toutes les amours sont difficiles. Celles-ci l'ont été plus que d'autres. Qu'une femme, après tant d'obstacles et de tourments et après neuf années, soit capable d'écrire une telle lettre démontre que rien n'a pu les atteindre ni les séparer. Leurs dissentiments eux-mêmes les ont rapprochés. Hugo, le jour de sa fête — 21 mai 1842 — lui a écrit :

« Te dire que depuis neuf ans je t'aime chaque jour davantage, que mon amour est comme un arbre qui tous les ans a une racine de plus dans la terre, et une branche de plus dans le ciel ; te dire que je rêve de toi quand je ne pense pas à toi ; qu'il m'est impossible, même en idée, de séparer ma vie de l'amour et l'amour de ton nom ; te dire que tu es ma joie, mon espérance, mon but, ma récompense, mon orgueil ; te dire tout cela, ma bien-aimée, c'est te dire tout ce que tu sais déjà, tout ce que je t'ai dit cent fois ; mais c'est un bonheur pour moi de le répéter toujours comme ce sera un bonheur pour toi (n'est-ce pas ?) de l'entendre encore... Surtout n'oublie jamais ceci. Je t'aime plus que jamais. Je ne pourrais pas plus comprendre la vie sans toi que le ciel sans Dieu. »

Il était temps qu'il se remît au travail. Tout au long de cette année 1842, il n'avait écrit que quelques rares poèmes. Depuis cinq ans, on n'avait représenté aucune pièce nouvelle de lui. L'année de ses quarante ans, il sent la nécessité de revenir à la composition dramatique. Peu à peu, naît dans son esprit le bizarre sujet des *Burgraves*, la seule pièce sans doute du répertoire français dont les héros soient presque tous des vieillards. A Paul Meurice qui l'interrogeait sur les raisons ayant présidé à cette orientation singulière, Hugo a expliqué que, « lors de son voyage au Rhin, errant à travers les burgs en ruine et rêvant de prendre l'un de ces burgs pour théâtre de quelque tragédie, il avait aussitôt songé au grand ennemi des Burgraves, à Frédéric Barberousse, figure épique et lointaine, plus réelle peut-être pour la poésie que pour l'histoire. Tout de suite alors la légende de la mystérieuse apparition de Barberousse après sa mort s'était présentée à son esprit : ne serait-il pas beau de faire revivre dans son œuvre le revenant impérial ? Seulement, Barberousse, à cette époque, était nécessairement un vieillard et, nécessairement aussi, il avait fallu, en le plaçant dans un milieu plus récent, lui faire retrouver des survivants de son âge, rattachés à lui par des sentiments anciens d'amour ou de haine ». Tout est étrange dans *les Burgraves*, à commencer par le cadre, ces héros mi-chevaliers mi-bandits s'affrontant sur quatre générations. Hugo reconstitue son face-à-face familier, ici plus colossal que jamais, celui de la Providence et de la Fatalité. Mais il retrouve le thème qu'il avait traité avec les *Jumeaux*, pièce avortée : celui des frères ennemis. Hugo est revenu à son obsession. Au fond de son inconscient retentissent toujours les gémissements lugubres — et peut-être les reproches — du pensionnaire de Charenton.

C'est en septembre-octobre 1842 que Hugo va écrire *les Burgraves*, drame grâce auquel il revient aux vers. Pour la première fois, il laisse sa vie privée prendre le pas sur son art. Il est tout à « ce désolant bonheur de marier sa fille ». Le prouvent ces lettres qui interrompent si souvent la composition de son drame. Elles sont toutes adressées à ses enfants — et d'abord à Didine.

Le 7 septembre : « Voici, mon enfant chérie, un petit mot pour Toto. J'ai bien peur que mon travail ne m'empêche de vous aller voir avant les premiers jours de la semaine qui vient. Cela me fait plus de peine encore qu'à vous. Tu sais, vous savez tous, que mon bonheur est d'être au milieu de vous, mes enfants. Il me faut bien du courage pour rester ici quand vous êtes là-bas. »

Le 11 septembre : « Demain lundi, ma fille chérie, je vous embrasserai tous... Je travaille beaucoup, et j'en serais content, si cela ne me privait pas de vous voir, mes bien-aimés. Voici un dessin pour toi et un autre pour Toto... »

Fin septembre : « Je suis dans mon deuxième acte jusqu'aux genoux, jusqu'au cou, jusqu'aux yeux, jusque par-dessus la tête. Embrasse ta bonne mère pour moi, et puis voici trois gribouillis. Tirez-les au sort entre vous quatre. Quand je viendrai, je donnerai un baiser à celui ou à celle qui n'aura rien eu. Ton petit papa. »

A la fin d'octobre, Adèle et les enfants regagnent Paris. Le 19, Victor achève *les Burgraves*. Au Théâtre-Français, l'ouvrage sera reçu par treize voix contre une. Chacun convient qu'il renferme des vers admirables, mais que certaines scènes passeront difficilement la rampe. Est-on à la veille d'une nouvelle bataille, comme Victor en a connu tant ?

En cet automne de 1842, la famille, les amis de Hugo lui voient le regard préoccupé, le visage sévère. Il rit rarement. Dans la nuit du 13 au 14 novembre, un rêve étrange va transpercer son sommeil. Si précis qu'il sera capable de se souvenir de tous ses détails et de le dicter à Juliette. Le texte que nous avons conservé est de l'écriture de celle-ci :

« J'étais chez moi, mais dans un chez moi qui n'est pas le mien, et que je ne connais pas. Il y avait plusieurs vastes salons, très beaux et très éclairés. C'était le soir. Une soirée d'été. J'étais dans l'un de ces salons près d'une table avec quelques amis qui étaient mes amis en rêve, mais dont je ne connais pas un. On causait gaiement et l'on riait aux éclats. Les fenêtres étaient toutes grandes ouvertes. Tout à coup j'entends une rumeur derrière moi, je me retourne et je vois venir à moi, au milieu d'un groupe de personnes que je ne connaissais pas, M. le duc d'Orléans. »

Prenez garde à ceci : le duc d'Orléans s'est tué le 13 juillet. Le 13 novembre a expiré le deuil officiel décrété pour la mort du prince héritier. Et c'est cette nuit-là que, précisément, Hugo voit en rêve, comme s'il était vivant, ce prince qu'il avait aimé :

« J'allais au prince avec un mouvement de joie, et sans aucune surprise d'ailleurs. Le prince paraissait fort gai et en belle humeur. Je

ne me souviens plus du vêtement qu'il portait. Je lui tendis la main
en le remerciant d'être ainsi venu chez moi cordialement et sans
s'être fait annoncer. Je me rappelle lui avoir dit très distinctement :
— Merci, Prince. Il me répondit par un serrement de main. »

Le duc entraîne Hugo vers l'une des fenêtres du salon ;
celles-ci donnent sur une perspective que Victor juge admirable :

« Au-dessous de la fenêtre s'étendait et se prolongeait, entre deux
masses noires d'édifices, un large fleuve que le clair de lune faisait
éclatant par endroit. Au fond, dans la brume, s'élevaient les deux
clochers aigus et gigantesques d'une espèce de cathédrale extraordinaire ; à gauche, tout près de la fenêtre, l'œil se perdait dans une
petite ruelle sombre. Je ne me rappelle pas qu'il y eût dans cette ville
des lumières aux fenêtres et des habitants dans les rues... Le ciel
était d'un bleu tendre et d'une mollesse charmante. Un vent tiède
agitait dans un coin des arbres à peine distincts. Le fleuve bruissait
doucement. Tout cet ensemble avait je ne sais quelle sérénité inexprimable. Il semblait qu'on y sentît l'âme des choses. J'invitais le
prince à contempler cette belle nuit, et je me souviens que je lui
disais distinctement ces paroles : — Vous êtes prince ; on vous
apprendra à admirer la politique humaine ; apprenez aussi à admirer la nature. »

C'est alors que le rêve se change en cauchemar. Hugo se
sent pris d'un saignement de nez dont la force augmente
d'instant en instant : « Le sang que je sentais couler sur ma
bouche et sur mes joues était très noir et très épais. Le prince
le regardait couler et continuait de me parler sans témoigner
d'étonnement. » Longtemps, l'hémorragie va persister. Hugo
note qu'au bout d'un long moment il a cessé, sans savoir
pourquoi, de se soucier de ce sang qui lui inondait le visage.
Que sa préoccupation s'est tournée vers une nouvelle apparition : celle de La Fayette. En 1842, La Fayette est mort depuis
huit ans. Dès qu'on a annoncé sa présence, Hugo s'est levé
pour s'élancer à sa rencontre : « Je le reconnus parfaitement
et je trouvai sa visite toute simple et toute naturelle... Le
général était très pâle. Beaucoup de personnes inconnues
l'entouraient. Il m'est impossible de me rappeler ce que je
dis au général et ce qu'il me répondit. Au bout de très peu
d'instants, il me dit : — Je suis pressé, il faut que je parte,
donnez-moi le bras jusqu'à votre porte. » La Fayette appuie

son coude gauche sur l'épaule droite de Hugo et il se dirige à pas lents vers la porte. Victor se retourne : « Mon regard évidemment perçait à ce moment-là les épaisseurs de toutes les murailles, car je vis en entier plusieurs grands salons. Il n'y avait plus personne ; tout était toujours éclairé, mais tout était désert. Seulement, je vis, seul et toujours assis à la même place dans l'embrasure de la même fenêtre, M. le duc d'Orléans qui me regardait tristement. En ce moment, je m'éveillai. »

L'explication rationnelle d'un tel rêve s'impose d'elle-même. La veille, les journaux ont annoncé la fin du deuil du duc d'Orléans. Hugo traverse de profondes angoisses : le climat psychologique a rejoint ici l'information ponctuelle. Pourquoi faut-il que cette explication, claire et logique, ne nous satisfasse nullement ? Nous ne pouvons empêcher que, dans notre mémoire, ce rêve ne se mêle à d'autres rêves — tel celui du _Dernier Jour d'un condamné_ — qui ont tant frappé Hugo. Et nous avec lui.

La première représentation des _Burgraves_ est prévue pour le début du mois de mars 1843. Au Français, chacun sait que la partie sera rude. Insensiblement, les temps ont changé. Nul ne songe plus à se battre pour le romantisme qui a acquis droit de cité. Cette jeune Rachel, considérée naguère par Auguste Vacquerie avec tant de dédain, a redonné à son temps le goût de la tragédie. Qu'elle joue Racine, et la Comédie-Française refuse du monde. La loi du pendule ne s'applique pas seulement à la politique. Au moment même où Hugo achève _les Burgraves_, un jeune homme nommé Ponsard est arrivé de province, portant sous le bras le gros manuscrit d'une tragédie intitulée _Lucrèce_. On a bien lu : une tragédie ! Dans quelques semaines, on la jouera et elle ira aux nues. On répétera dans les salons qu'après Mlle Rachel et M. Ponsard, la tragédie est ressuscitée.

Proposé au milieu d'une ambiance si totalement modifiée, le drame des _Burgraves_, ces « figures épiques et plus grandes que nature », tient de la provocation. Mais depuis quand Hugo redoutait-il les défis ?

Du reste, au début de 1843, ce n'est guère aux _Burgraves_ qu'il pense. Il compte les jours qui le séparent du mariage de sa fille. En écrivant son drame, il a montré Job déchiré par la bénédiction qu'il doit donner à Régina quand celle-ci le quitte pour épouser Otbert :

JOB

Mes amoureux,
Dites-moi seulement que vous êtes heureux,
Moi, je vais rester seul.

REGINA

Mon père !

JOB

Il faut me dire
Un dernier mot d'amour dans un dernier sourire.
Que deviendrai-je, hélas ! quand vous serez partis ?
Quand mon passé, mes maux, toujours appesantis,
Vont retomber sur moi ?

à Régina

Car, vois-tu, ma colombe,
Je soulève un moment ce poids, puis il retombe !

Lorsque la pièce paraîtra en librairie, le mariage sera accompli. *A Léopoldine* : « Quand tu recevras *les Burgraves*, tu liras des vers que je ne pouvais plus entendre aux répétitions dans les jours qui ont suivi ton départ. Je m'en allais pleurer dans un coin comme une bête et comme un père que je suis. »

Alarmée, Juliette a suivi les progrès du combat que ce père trop aimant livre contre lui-même. Quand il est venu la voir, la nuit du 1er au 2 janvier, elle l'a trouvé plus triste que jamais :

« Ta chère petite figure paraissait toute grippée et toute rembrunie. Qu'est-ce que tu as, mon pauvre ange ? Tu ne me caches rien, n'est-ce pas, mon adoré ? Hier, quand je te disais que j'avais confiance en cette année, qu'elle me semblait déjà meilleure que l'autre, tu n'as pas paru partager ma confiance et mes espérances. » Elle a voulu le rassurer : « Ne crains rien pour ta Didine, mon adoré, elle sera la plus heureuse des femmes, c'est moi qui te le prédis et tu sais bien que mes prédictions sont toujours justes surtout quand il s'agit de toi et de ceux que tu aimes. »

Toujours justes ? Le 22 janvier, on publie les bans. Charles Vacquerie ayant tout récemment perdu son beau-frère, les convenances exigent que seuls les intimes soient invités. Hugo, ici, aura béni les convenances. Seul Auguste Vacquerie représentera la famille du marié. Outre Abel et sa femme, M. Foucher et ses enfants, on n'a convié du côté Hugo que les amis les plus avérés. Suffisamment pourtant pour que Adèle se voie à court de vaisselle. Au dernier moment, elle doit emprunter de l'argenterie à l'architecte Robelin qui probablement n'a figuré parmi les convives que pour cette seule raison. Le 14 février, c'est le mariage civil. Le lendemain, à 9 heures du matin, dans la chapelle du catéchisme de l'église Saint-Paul-Saint-Louis, Léopoldine Hugo épouse Charles Vacquerie. Les témoins de Didine : Abel Hugo et Louis Boulanger. Adèle s'est souvenue :

« Léopoldine eut près d'elle à son mariage le groupe intime qui l'entourait à sa première communion. La chapelle nuptiale avait l'apparence rustique de l'église de Fourqueux. La mariée, sous sa couronne de fleurs d'oranger, avait la même auréole de chasteté que la communiante et apportait dans l'acte qui la faisait épouse une égale sérénité. Calme, elle s'unissait à son mari, comme elle s'était unie à Dieu. »

Le soir, à 7 heures, le dîner de famille sera offert place Royale. Pour la petite mariée, Hugo, le jour même, allait composer un court poème :

Aime celui qui t'aime et sois heureuse en lui.
Adieu ! sois son trésor, ô toi qui fus le nôtre !
Va, mon enfant béni, d'une famille à l'autre.
Emporte le bonheur et laisse-nous l'ennui.

Ici l'on te retient, là-bas on te désire.
Fille, épouse, ange, enfant, fais ton double devoir.
Donne-nous un regret, donne-leur un espoir.
Sors avec une larme, entre avec un sourire !

Ce jour-là, à l'heure exacte où Léopoldine et Charles pénétraient dans l'église Saint-Paul-Saint-Louis, Juliette, qui s'était exclue elle-même de la cérémonie, s'est mise en prière : « Voici une heure que je prie le bon Dieu pour toi, pour ta famille et pour ta chère petite bien-aimée fille, mon Toto. J'espère que mes prières se seront unies aux vôtres dans ce moment si solennel et si décisif de la vie de votre chère enfant. » Juliette n'a pas dormi deux heures la nuit précédente tant la pensée de Didine et de son Toto de père l'a agitée : « Je pensais combien tu allais être triste après cette journée de fête et je regrettais de n'être pas assez *tout* pour toi pour combler le vide que l'absence de ta fille va faire dans ta vie. »

Quelques jours plus tôt, elle a demandé à Victor qu'il obtînt de Didine « un de ces petits brimborions de jeune fille qui n'ont aucune valeur pour elle devenant *Madame* et qui sera une petite relique pour moi ». Il y avait longtemps que Léopoldine, si fine, si intuitive, savait tout de la liaison de son père. Nul pourtant ne lui en avait parlé. Jamais. Sur ce sujet, Adèle était un tombeau. Hugo justifiait ses sorties et ses voyages par mille motifs dont nous pouvons faire crédit à son imagination. On les écoutait place Royale avec une gravité extrême, les petits étaient dupes, mais pas Léopoldine. Elle avait détesté Juliette. Elle l'avait même disputée de son mieux à son père, le suppliant de rentrer à Paris chaque fois qu'il partait avec sa maîtresse. Juliette lisait les lettres et à son tour se montrait jalouse. Peu à peu, en grandissant, Léopoldine avait compris l'essentiel : que cette liaison était nécessaire à son père. Elle adorait ce père, elle avait fini par accepter la liaison.

Ce jour-là, encore environnée de ses voiles de mariée, elle est allée dans sa chambre chercher, parmi ce qui lui était précieux, son livre de messe. Sans mot dire, elle l'a tendu à Victor. Ils se sont regardés. En silence. Jamais peut-être ils n'avaient été si proches. Quand Juliette recevra le missel des mains de son amant, elle pleurera.

Impossible pour Victor de se délivrer d'une tristesse qui le mine. Juliette, le 17 février, tente de son mieux de l'en sortir :

« Mon bien-aimé, mon cher bien-aimé, ne sois pas triste ; tu n'en as pas le droit... Quoi que tu en dises, je ne crois pas à ton *égoïsme*, et si tu étais bien sûr que ton enfant sera heureuse, parfaitement heureuse avec son mari comme tu es sûr du bonheur que tu lui as donné depuis qu'elle est au monde, ton chagrin serait bien adouci. Eh bien ! mon Toto bien-aimé, cette conviction je l'ai, moi, je voudrais te la donner et la faire entrer dans ton âme aussi entière et aussi consolante qu'elle l'est dans la mienne. »

Peine perdue.

Le 20, — ô surprise ! — les mariés se sont envolés ! Larmes d'Adèle, colère de Victor. Un billet laissé par Didine tarit les unes et calme l'autre :

« Ma mère bien-aimée, pardonne-moi de t'avoir trompée et de t'avoir quittée sans recevoir tes adieux. Tâche d'obtenir aussi le pardon de papa. J'ai voulu vous éviter à tous une scène pénible, j'ai craint d'être moi-même bien faible devant votre douleur à tous, et je remets à la représentation des *Burgraves* les baisers que je voulais vous donner.

« Je ne vous quitte que pour quelques jours. Dans une quinzaine nous nous reverrons. Écrivez-moi souvent durant cette séparation. Toi, ma mère chérie, et toi aussi, mon père adoré. Vous recevrez de mes nouvelles jeudi matin. J'en attends de vous vendredi au plus tard. Embrassez pour moi Dédé, Charles et Toto et dites à ces petits anges de prier Dieu pour moi. J'emporte votre amour à tous et votre bénédiction, n'est-ce pas ? Laissez-moi vous dire combien je vous aime, je vous respecte, et je suis à vous. Promettez-moi que vous viendrez près de moi tous les étés. Oh ! promettez-le-moi.

« C'est mon espoir et mon bonheur que cette pensée-là.

« Votre fille qui vous adore. L. [1]. »

Quels parents ne rêveraient de recevoir de leur fille une pareille lettre ? On a lu et relu le billet, on s'est attendri. Place Royale, le désespoir n'en règne pas moins. Adèle se souviendra encore : « Dès que Léopoldine fut partie, la mère s'enferma et pleura. Sa petite Adèle, trop enfant pour s'expliquer son propre chagrin, s'écriait : " Quel mal ai-je donc fait pour souffrir ainsi ! " » Quant à Victor, toujours prostré, il n'en a pas moins envoyé son pardon à Léopoldine qui, dans une lettre à sa mère envoyée par retour, l'a remercié : « Je craignais qu'il ne m'en voulût, et Dieu sait cependant si je l'aime ! » Cette lettre-là déborde de bonheur : « Je suis heureuse, entends-tu, maman, bien heureuse. » Déjà elle prépare l'été, s'est mise en quête d'un logement pour sa mère, sa sœur et ses frères : « Quel bonheur, chère petite maman, de vous avoir tous ! J'y pense sans cesse. » Elle ajoute, preuve que le don du missel n'a pas mis fin à une rivalité ouverte : « Oh ! dis à papa que je le prie à genoux de venir un mois ou deux au moins. Il le pourra s'il le veut, j'en ai la conviction. » Elle embrasse sa mère « sur les yeux, sur le front, sur les deux mains ». Elle lui demande d'embrasser pour elle son père chéri : « Dis-lui que je ne peux pas encore relire les admirables vers qu'il m'a adressés sans pleurer. Dis-lui de penser à nous envoyer ses œuvres. Charles n'en a que quelques volumes dépareillés. Je veux tout bien vite. » Une dernière

1. Maison Vacquerie, Musée Victor-Hugo, Villequier. Inv. n° 895.

pensée pour son plus jeune frère et cette pensée lui ressemble tout entière : « Sois tranquille pour Toto. Tu sais bien qu'il est remis. Adieu ! »

Il avait été convenu que le jeune couple reviendrait à Paris pour la première des *Burgraves*. Ils vont y renoncer. Ce n'est pas rien, en 1843, qu'un voyage du Havre à Paris : deux jours de diligence ou de « coche d'eau ». Mais sans cesse, Didine — digne fille d'auteur — demandera des nouvelles des répétitions. Elles vont leur train. Les comédiens s'y livrent avec fougue mais non sans une inquiétude grandissante. La première représentation, le 7 mars, leur donne raison : malgré la présence de nombreux amis, elle est glaciale. On applaudit poliment de beaux vers, mais on trouve la pièce « solennelle et ennuyeuse ». Même les hugoliens les plus fanatiques ne peuvent s'empêcher de rire quand ils entendent le cacochyme Job ordonner au sexagénaire Magnus : *Jeune homme, taisez-vous !*

Dès la seconde représentation, on en est aux cris hostiles. Bientôt on se déchaîne. A la cinquième, c'est à peine si les acteurs peuvent se faire entendre. Toujours vaillante, Juliette écrit à son amant qu'elle a envie de faire taire les manifestants à « coups de pied dans le ventre ». A la dixième représentation, les recettes ne se montent qu'à 1 666 francs. Rachel, en interprétant génialement Racine, obtient pour la Comédie-Française 5 500 francs tous les soirs. On ne jouera que trente-trois fois. Parmi une quasi-unanimité de critiques sévères ou injurieuses, le fidèle Gautier, presque seul, a donné à *la Presse* deux feuilletons dont l'enthousiasme a paru un peu forcé. Dans ses carnets, Sainte-Beuve a inscrit ces lignes cruelles : « *Les Burgraves*, c'est puéril et gros, vraies marionnettes de l'Ile des Cyclopes. Lire la pièce de Victor Hugo dans les premières *Odes*, qui a pour titre *la Jeune Géante*. C'est cette pièce qui a grandi en lui et qui donne la clé de ce qu'il est devenu. »

Le Charivari apportera le mot de la fin. Une comète venait de traverser le ciel de Paris. D'où ce quatrain :

> Hugo, lorgnant les voûtes bleues,
> Au seigneur demande tout bas
> Pourquoi les astres ont des queues
> Quand *les Burgraves* n'en ont pas.

Pour quelle raison Hugo a-t-il si mal reçu cette nouvelle volée de bois vert ? Il aurait dû y être accoutumé : hormis *Lucrèce Borgia*, il en a souffert de pareilles pour toutes ses autres pièces. Naguère, il s'en amusait, constatait que plus on le sifflait, plus les recettes montaient. Le *témoin* nous explique cette fois qu'il ne lui convenait plus de « livrer sa pensée à ces insultes faciles et à ces sifflets anonymes que quinze ans n'avaient pas désarmés. Il avait, d'ailleurs, moins besoin du théâtre : il allait avoir la tribune ». On n'a pas assez pris garde, me semble-t-il, à la dernière ligne de ce bref paragraphe.

Les manuels scolaires répètent à qui mieux mieux que l'échec des *Burgraves*, mal supporté par Hugo, l'a définitivement éloigné du théâtre. Ce serait à la suite d'une blessure d'amour-propre que l'auteur d'*Hernani* et *Ruy Blas* aurait délibérément renoncé à la scène. De cette analyse, on ne doit retenir qu'une vérité : Hugo a quarante et un ans quand on joue *les Burgraves*, il vivra jusqu'à quatre-vingt-trois ans et aucune pièce nouvelle de lui ne sera représentée. Seulement, le rapport de cause à effet n'est qu'apparent.

Si l'on scrute tout ce que Hugo nous a laissé de lettres, de confidences, de notes, de textes publiés ou non, on en vient à une conclusion que le biographe lui-même hésite à formuler tant elle paraît extraordinaire : au moment de la chute des *Burgraves*, Hugo a cru un moment — mais il l'a cru fortement — que sa carrière littéraire était achevée. Il s'était battu, non seulement pour réussir, mais pour être le premier. Il considère qu'il a gagné son pari. Si quelque doute lui était resté, l'élection à l'Académie aurait suffi pour tout balayer à ses yeux. Les reprises régulières de ses anciennes pièces, ses contrats d'édition, les revenus que lui rapportent ses placements, tout cela le met à l'abri du besoin. Il n'est pas riche, mais fort à l'aise.

Avec *les Chants du crépuscule*, avec *les Rayons et les Ombres*, il estime, en poésie, avoir atteint la maîtrise de son art. Par voie de conséquence, il pense qu'il ne pourra plus se dépasser lui-même. Croit-on que ce soit par hasard que, depuis le début de 1841, il ait si peu écrit de vers ? Il savait avoir donné, avec *Ruy Blas*, sa meilleure pièce. Souvenons-nous qu'abandonnant la composition des *Jumeaux* pour partir en voyage avec Juliette, il n'a pas repris la pièce à son retour : événement sans précédent dans la carrière du plus opiniâtre des auteurs. On ne veut pas comprendre ses *Bur-graves* ? On les rejette ? Il hausse les épaules. C'est ailleurs qu'il regarde.

D'où l'importance de ces quelques mots déjà cités du *témoin* : « Il avait, d'ailleurs, moins besoin du théâtre : il allait avoir la tribune. » Il en est venu à considérer l'inutilité de la fiction en tant que truchement des idées. Il va plus loin : sera-t-il nécessaire d'écrire encore dès lors qu'il pourra parler ? Après la lettre que lui a, au nom de Louis-Philippe, adressée Salvandy, il peut légitimement espérer cette nomination à la Chambre des pairs qu'il convoite depuis si longtemps.

Il a mis des années à se rallier, mais il s'est rallié. Certes, il n'a rien abandonné de ses idées forces : l'accession de tous, à commencer par les plus humbles, à l'éducation, clé de toute démocratie ; une fois ce but atteint, le rêve d'une république, dont parfois il se prend à penser qu'elle pourrait être universelle, quoiqu'il ne croie pas voir cela de son vivant — il l'a écrit ; le rêve aussi d'une société qui donne à la femme les moyens d'échapper à l'abjection, à l'enfant les moyens de se soustraire à ceux qui exploitent l'enfance. Tout cela est beau, noble — mais vague. Tout cela peut être dit à une tribune — Lamartine l'a fait — sans alarmer Louis-Philippe. Le vieux roi des Français connaît bien les hommes. S'il tend la main à Victor Hugo, il sait ce qu'il fait. Quand, en sa personne, il nommera un nouveau pair, il n'éprouvera aucune crainte. Parmi les membres respectueux et compassés de sa majorité, il est sûr de ne pas glisser un trublion.

Entre l'ambition et l'idéal, toutes les apparences sont là pour nous convaincre que, chez Hugo, la première l'emporte. Il est si difficile pourtant de scruter la vérité de l'âme de cet homme-là que nous n'en sommes pas sûrs. Lui-même, à cette époque, est-il certain de quelque chose ? Hugo en 1843 : un voyageur qui marche sans dévier vers son but mais qui, tout à coup désemparé, s'interroge s'il ne s'est pas perdu en chemin.

« Un mois ou deux au moins », c'est ce que Léopoldine suppliait son père de lui accorder cet été-là. Elle n'aura eu droit qu'à une journée. Une seule. Il était hors de question que Hugo refusât une fois encore à Juliette son « pauvre petit bonheur annuel ». A la fin du mois de mai, quand les deux

Adèle et le petit Victor — Charles est resté à Paris pour travailler — viennent s'installer à Graville, à deux pas d'elle et de Charles Vacquerie, Léopoldine espère encore, sans trop y croire, que son père chéri rejoindra le reste de la famille. Ce père qui lui mande, le 22 mai :

« Ta mère m'a écrit mille détails doux et charmants sur ton intérieur. J'en avais déjà eu par toi. Elle me les a complétés. Je vois d'ici ta petite chambre, tes meubles bien choisis et bien arrangés, les dessins, les chinoiseries, les portraits et ma jolie Didine fraîche et heureuse au milieu de toutes ces choses gracieuses et douces. Je t'embrasse et je t'aime, mon enfant. Quelle joie le jour où je te reverrai ! »

Le plus aimant des pères est aussi un père rusé. Connaissant l'extrême brièveté du séjour qu'il pourra accorder à sa fille, il prépare déjà le terrain :

« Je t'écris, mon enfant chérie, avec des yeux bien malades. Je travaille, il le faut, et mes yeux empirent. Ta douce lettre m'a charmé. Mon rêve et ma récompense, après cette laborieuse année, c'est de vous aller retrouver là-bas. Cependant, je ne puis dire encore quand. J'ai un voyage à faire d'abord, soit aux Pyrénées, soit à la Moselle ; voyage de santé qui me remettra un peu les yeux ; voyage de travail aussi, tu sais, comme tous mes voyages. Après, mon butin fait, ma gerbe liée, j'irai vous embrasser tous, mes bien-aimés. Le bon Dieu me doit bien cela. »

Dans l'ombre, Juliette piaffe et Victor le sait. Comment concilier l'inconciliable ? Il redoute les scènes de Juliette mais pleure à la seule idée des larmes de Léopoldine. Entre la Moselle et les Pyrénées, il a choisi : car les Pyrénées, cela veut dire aussi sa chère Espagne. Le 6 juillet, il se fait délivrer un passeport pour voyager à l'étranger avec « Mme son épouse et Mlle sa fille ». Sa fille ? Bien sûr, il ne s'agit pas de Léopoldine ni d'Adèle mais de Claire. Sans doute les amants ont-ils cru quelque temps pouvoir l'emmener avec eux. Quand, pour une raison que nous ignorons, ils y ont renoncé, Claire n'a même pas dû s'offusquer. Elle connaissait son lot en ce monde et se savait éternelle sacrifiée. La décision prise, Victor saute dans la diligence et, le 9, arrive au Havre. Ah ! l'ivresse de Léopoldine quand elle se jette dans les bras de son père ! Son regard s'embrume quand elle l'entend, d'une voix certainement mal assurée, avouer qu'il repartira à l'aube, le lendemain matin. Elle se récrie, lance l'argument suprême qui à la fois l'émerveille et le foudroie : elle est enceinte. De combien ? De trois mois.

Pourquoi n'est-il pas resté ? Bien sûr, il y a Juliette qui l'attend. Tremble-t-il tant devant Juliette ? À première vue, nous sommes tentés de le croire puisque, malgré les supplications de Didine, il repartira à l'heure prévue. Or, une lettre *inédite* nous indique, de façon incontestable, que Juliette croyait au contraire que Victor allait demeurer plusieurs jours auprès des siens. Qu'on en juge.

Juliette à Victor, 10 juillet 1843 : « Je suis bien triste, mon Toto, je lis et je relis ta lettre pour me donner de la confiance et du courage mais je suis triste au-delà de toute expression. Je prévois que le bonheur d'être réuni à ta fille va te retenir bien des jours encore loin de moi et il m'est impossible de n'être pas au désespoir en pensant que je serai tout ce temps-là sans te voir. Il me semble, au découragement que j'éprouve, que ce voyage n'arrivera jamais, j'ai le cœur plein d'amertume contre tout le monde [1]... »

Juliette s'attendait donc que Victor demeurât *bien des jours* au Havre. Et Hugo n'a accordé à sa fille chérie qu'une journée. Une seule. Pourquoi ?

Une explication saute à l'esprit : parce qu'il voulait, entre Le Havre et Paris, se ménager quelques jours de liberté, pour une raison dont Léopoldine ni Juliette ne devaient rien savoir. Une raison qui était — et ne pouvait être — qu'une femme.

J'imagine ici la surprise — et peut-être le désarroi — du lecteur. Il n'a rencontré jusqu'alors, dans la vie amoureuse de Hugo, que deux femmes : Adèle et Juliette. Aucune autre. Alors ?

Rien de plus certain : lorsqu'il choisit de brusquer son départ du Havre, Hugo aime une troisième femme. Nous connaissons son nom : Léonie Biard. Nous la rencontrerons — longuement — au chapitre suivant. Hugo éprouve pour elle, au printemps et à l'été 1843, une passion qui confine à la folie. Or, à cause du « bonheur annuel » de Juliette, il va être séparé de cette Léonie durant des semaines. Perspective qui

1. Bibliothèque nationale, NAF, 16352, cotée 107.

leur est intolérable à tous les deux. Alors — en compensation — il lui a promis quelques jours de solitude, d'ivresses, d'absolu. J'ai beau tourner et retourner ce mystère, je ne vois pas d'autre explication.

Elle seule nous fait comprendre pourquoi, ayant quitté Léopoldine le 1er juillet, il ne lui écrit que... le 18 du même mois :

« Cette journée passée au Havre est un rayon dans ma pensée ; je ne l'oublierai de ma vie. Qu'il m'en a coûté de vous résister à tous ! mais c'était nécessaire. Je suis parti avec un serrement de cœur. Et le matin, en passant près du bassin, j'ai regardé les fenêtres de ma pauvre chère Didine endormie. Je t'ai bénie et j'ai appelé Dieu sur toi du plus profond de mon cœur. Sois heureuse, ma fille, toujours heureuse, et je serai heureux. Dans deux mois, je t'embrasserai. En attendant, écris-moi, ta mère te dira où. Je t'embrasse encore et encore. »

Un ménage double conduit à de quotidiens exercices d'équilibre. Un ménage triple oblige à côtoyer l'acrobatie.

Le même jour, Juliette et lui vont quitter Paris. Avant de fermer la porte de l'appartement de la place Royale, Hugo est entré dans son cabinet, en a décroché un portrait de Léopoldine peint l'hiver précédent par le peintre Dubufe. Il l'a emporté dans l'ancienne chambre de Didine. Là, tendrement, il l'a étendu sur ce même lit où autrefois il couchait lui-même sa petite fille. Ainsi qu'il le faisait en ce temps-là, il a refermé la porte sans faire de bruit.

Comme toujours, Juliette va trouver le voyage « trop rapide et trop court ». Il est vrai que M. et Mme Georget — le nom sous lequel Victor et Juliette voyagent — semblent avoir dévoré les étapes. Ils sont partis le 18 juillet en malle-poste. Ils ont traversé Étampes, Orléans, Blois, Tours, Poitiers, Angoulême. Le 21, Hugo découvre à Bordeaux, avec un sentiment qui ressemble à de la fascination, le « charnier de l'église Saint-Michel » : soixante-dix cadavres momifiés et alignés. Il voit cela comme « un comité de spectres ». Non sans impatience, il attend Bayonne, oasis privilégiée de sa mémoire. Comment oublierait-il « le plus ancien souvenir de son cœur » ? Malgré la déception de ne pas retrouver la fillette d'autrefois, il grimpera le cœur gonflé de joie dans la

lourde et grinçante charrette à bœufs que lui proposent les
Espagnols : « Il me semblait qu'entre ce passé et aujourd'hui
il n'y avait rien. C'était hier. Oh ! le beau temps ! les douces et
rayonnantes années ! J'étais enfant, j'étais petit, j'étais aimé.
Je n'avais pas l'expérience et j'avais ma mère ! Les voyageurs,
autour de moi, se bouchaient les oreilles ; moi, j'avais le
ravissement dans le cœur... »

De l'enchantement éprouvé à Biarritz, il fait part à Léopoldine :

> « Je vois d'ici la mer comme au Havre mais je la vois sans toi, ma
> fille bien-aimée. Je me promène sur des grèves, j'admire de magnifi-
> ques rochers, mais je me promène sans toi, j'admire sans toi. Je ne
> sens pas ton bras doucement posé sur le mien. La nature est tou-
> jours bien belle, mon enfant, mais elle est vide quand ceux qu'on
> aime sont absents... Je passerais ici ma vie si je vous avais tous, c'est
> un lieu ravissant ; l'océan avec un beau ciel, une plage admirable-
> ment déchirée, ce qui donne à la marée tout l'aspect d'une tempête.
> Mais vous n'y êtes pas, et tout me manque... »

Est-il si malheureux ? Ne l'a-t-il pas choisie, cette séparation ? Il l'a choisie — et pourtant il est malheureux. Il manque
toujours quelque chose à ceux dont les amours sont multiples.

Il sera déçu par Irún, par Fontarabie : tout à coup, il se
sent vieux, puisqu'il juge que les paysages eux-mêmes ont
vieilli. Chaque occasion lui est bonne pour écrire à Didine. De
Saint-Sébastien, le 31 juillet : « Je suis en Espagne, si la Biscaye peut s'appeler Espagne. Le pays est admirable mais il y
a énormément de puces. Quand on va se baigner, on en rapporte de l'océan... » De Tolosa, le 9 août : « Je continue mon
voyage dans ce pays inconnu et admirable. J'ai dit le premier
que l'Espagne était une Chine. Personne ne sait ce que
contient cette Espagne. Moi-même je suis honteux d'y entrer
si peu et d'en sortir si vite. Il faudrait ici, non des jours, mais
des semaines, non des semaines, mais des mois, non des
mois, mais des années. Je n'ai visité que quelques montagnes,
et je suis dans l'éblouissement. » Il rejoindra enfin ses souvenirs d'enfance quand, près de Saint-Sébastien, il trouvera un
village, Pasages, où, sur les hautes façades des maisons, le
blanc s'oppose au safran. Une lumière l'éblouit qui est celle
de ses dix ans. Il ne se lasse pas de regarder ce qui pend aux

balcons : les draps, les chemises, les étoffes de toutes sortes, le bleu, le jaune, le rouge. Il observe avec un intérêt si vif les *bateleras* — les femmes batelières —, il s'extasie à si haute voix devant les cheveux d'ébène et les grands yeux noirs de Maria Juana que Juliette pousse les hauts cris. Son « printemps vermeil » à elle, elle l'a senti s'éloigner à grands pas. Elle déteste que Toto pose des regards « lubriques » sur ces « jeunesses ». Quand elle le voit sauter dans le bateau de la jolie Pepa, quand il admire le jupon court, la jambe galbée et les « plus belles dents du monde » de Manuela, elle crie qu'il ressemble à un coq de village. Il hausse les épaules et rit. A chaque étape — elle y est habituée — il occupe une partie de la nuit à retranscrire ses impressions. Il les double de dessins que nous tenons aujourd'hui pour des chefs-d'œuvre. C'est pendant ces six semaines qu'il engrange ces couleurs éclatantes, tout cet hispanisme que plus tard il restituera dans les poèmes espagnols de *la Légende des siècles*. Il y a longtemps qu'elle ne songe plus à se plaindre, Juliette. Elle admire tant cet amant difficile mais qu'elle sait — aucun doute, jamais, ne l'effleurera — génial. Geste touchant : lors de ce voyage, pour la première fois, elle décide de se mettre à l'unisson. Elle aussi prend des notes pour un journal qu'elle médite de composer et que d'ailleurs elle rédigera à son retour : quarante-quatre feuillets soigneusement paginés par elle-même [1]. Ils vont pousser jusqu'à Pampelune, et songent alors au retour. Du 15 au 30 août, ils s'arrêtent à Cauterets, lieu de cure alors fort à la mode, pour y prendre les eaux.

A Léopoldine, 17 août : « Je vais boire un peu de soufre pour mes rhumatismes de l'an dernier. Du reste je passe ma vie à admirer. Que la création est belle ! On ne peut pas se déplacer sans s'extasier à chaque pas... Admirons, ma fille chérie, mais n'oublions pas qu'admirer ne vaut pas aimer. Aimons surtout. On n'a pas besoin de te dire cela à toi qui as tous les amours à la fois... Je t'embrasse du fond de mon cœur. Dans un mois ! »

Septembre est commencé quand décidément ils repartent vers le nord. Paris pour Juliette, Le Havre pour Victor.

Dans la nuit du 4 au 5 septembre, la diligence roule vers

---

1. Bibliothèque nationale, manuscrits, n° 24794. Les pages sont écrites sur doubles feuillets de vingt-deux centimètres sur vingt-quatre, tantôt blancs, tantôt bleus.

Agen. Sur sa banquette, Hugo s'éveille « d'un sommeil profond ». La voiture, au milieu d'un épais brouillard, roule au bord d'un précipice. Victor se penche vers la vitre pour mieux voir « le ciel marbré de nuages noirs et de brumes blanches » dont il pense aussitôt qu'il ressemble « à une immense montagne dont l'escarpement se perdrait dans l'infini ». L'aube efface peu à peu les astres, la Grande Ourse devient « d'une grandeur monstrueuse ». Il se souviendra que sept étoiles brillaient comme « sept petites lunes », et ainsi « donnaient au ciel tout entier une figure extraordinaire ». Comme il en est toujours lors d'une impression très forte, des vers s'imposent à lui : « Ô mort ! Mystère obscur ! sombre nécessité. » Pourquoi, à ce moment précis, est-ce la mort qui l'inspire ?

On a conservé les esquisses d'autres vers tracés par lui lors de la même étape d'Agen. Le cœur se serre en les lisant :

> La barque...
> Le vent...
> ... Les barques sur le fleuve
> Voguent le mât couché pour passer sous les ponts.

Une autre feuille collée à la première par des pains à cacheter. Trois lignes encore :

> ... Voici la bise âpre et méchante.
> Oh ! comme tout s'enchaîne et comme tout s'envole !
> Adieu la feuille, adieu le nid, adieu l'oiseau !

Il a noté : « *Nuit du 4 au 5 septembre. En allant d'Auch à Agen.* »

C'est le 4 septembre, à 2 heures de l'après-midi que le bateau à bord duquel avaient pris place Léopoldine et son mari a chaviré. C'est le 4 septembre que Léopoldine est morte.

Hors le mystérieux message venu jusqu'à lui, et qu'il n'a fait que recevoir sans le comprendre, Hugo ne sait rien de la tragédie. En ce temps, il n'existe aucun moyen de prévenir un voyageur. Comment le pourrait-on ? On est reparti vers le nord. Voici Périgueux, Angoulême, Cognac, Saintes. Le 8 septembre, on visite l'île d'Oléron. Victor se sent comme écrasé de tristesse. L'île est désolée : « Aucune voile. Aucun oiseau. Au bas du ciel, au couchant, apparaissait une lune énorme et ronde qui semblait, dans ces brumes livides, l'empreinte rougie et dédorée de la lune. J'avais la mort dans l'âme. Ce soir-là tout était pour moi funèbre et mélancolique. Il me semblait que cette île était un grand cercueil couché dans la mer et que cette lune en était le flambeau. » Pourquoi cet immense abattement ? On n'en passe pas moins la nuit à Oléron. Le lendemain, on revient à Rochefort par Marennes, Brouage, où plane le souvenir de Marie Mancini, et Soubise où l'on prend le bac. Peu à peu, Victor a chassé de son esprit le malaise qui l'accablait. Cette mer qu'il vient de voir et de traverser lui rappelle Le Havre. Il n'en est plus bien loin. Bientôt il serrera dans ses bras sa chère Didine. Soulagée, Juliette le voit revenir à sa gaieté habituelle. Il plaisante.

A 2 heures et demie, on est à Rochefort. Il faut attendre la diligence qui doit les conduire à La Rochelle. Il fait chaud. Victor et Juliette ont soif.

Journal de Juliette, 9 septembre 1843 : « Sur une espèce de grande place, nous voyons écrit en grosses lettres : CAFÉ DE L'EUROPE. Nous y entrons. Le café est désert à cette heure de la journée. Il n'y a qu'un jeune homme, à la première table à droite, qui lit un journal et qui fume, vis-à-vis de la dame de comptoir, à gauche. Nous allons nous placer tout à fait dans le fond, presque sous un petit escalier en colimaçon décoré d'une rampe en calicot rouge. Le garçon apporte une bouteille de bière et se retire. Sur une table, en face de nous, il y a plusieurs journaux. Toto en prend un, au hasard, et moi je prends *le Charivari*. J'avais eu à peine le temps d'en regarder le titre que mon pauvre bien-aimé se penche brusquement sur moi et me dit d'une voix étranglée, en me montrant le journal qu'il tient à la main : " Voilà qui est horrible ! " Je lève les yeux sur lui : jamais, tant que je vivrai, je n'oublierai l'expression de désespoir sans nom de sa noble figure. Je venais de le voir souriant et heureux et, en moins d'une seconde, sans transition, je le retrouvais foudroyé. Ses pauvres lèvres étaient blanches ; ses beaux yeux regardaient sans voir. Son visage et ses cheveux étaient mouillés de pleurs. Sa pauvre main était serrée contre son cœur, comme pour l'empêcher de sortir de sa poitrine. Je prends l'affreux journal et je lis... »

C'est *le Siècle* que Hugo a trouvé sur la table. Le numéro paru le 5 et daté du 6 septembre contient un extrait du *Journal du Havre* qui expose les circonstances d'un drame affreux.

Le 2 septembre, Léopoldine et son mari, ayant prévu de passer la fin de la semaine dans la jolie maison de Villequier, avaient quitté Le Havre. L'oncle de Charles, Pierre Vacquerie, ancien capitaine de navire, et le fils de celui-ci, Arthus, âgé de dix ans, les attendaient. Le dimanche après-midi, sur le quai situé au bas de la propriété, était venu s'amarrer un canot de course construit sur des plans de son oncle. Aux régates de Honfleur, Charles avait, avec ce bateau, gagné un premier prix. C'était une élégante embarcation porteuse de deux grandes voiles auriques qui pouvaient lui donner sous le vent une vitesse exceptionnelle. Parfait en mer, ce canot n'était-il pas trop léger pour la navigation dans l'estuaire de la Seine où les courants et les vents se contrarient sans cesse ? Cette question, nul ne semble se l'être posée. Charles avait annoncé qu'il essaierait le canot pour aller à Caudebec, chez Me Bazire, son notaire, où l'appelaient des affaires, le lendemain matin, lundi.

Ce matin-là, quand on s'éveille, on voit s'annoncer l'une de ces belles journées comme en ménage quelquefois l'arrière-été. Idéal pour une promenade en bateau. Juste ce qu'il faut de vent, l'eau du fleuve si calme que l'on n'y discerne pas une ride. Entre Villequier et Caudebec, il n'y a guère plus d'une lieue. On a prévu le départ pour 9 heures, mais Léopoldine n'est pas prête. Tant pis, on partira sans elle. En compagnie de l'oncle Pierre et de son cousin Arthus, Charles s'embarque, pousse le canot jusqu'au milieu du fleuve et s'inquiète de le sentir trop léger. L'oncle désigne deux grosses pierres sur le quai de Villequier. On vire de bord et revient s'amarrer pour s'en lester. Léopoldine est sur la rive, « un peu repentante et honteuse de sa paresse ». Elle monte dans sa chambre, passe une robe légère, de « mousseline rouge, et quadrillée de blanc », elle descend en courant la pelouse et saute dans le canot. On cingle vers Caudebec. Toujours le même beau temps, pas de vent, aucun nuage.

Pour atteindre le but, on va mettre plus de temps que prévu. Charles a décidé de revenir déjeuner à Villequier et d'y ramener le notaire Bazire. Si l'on revient par la Seine, on risque de prendre un nouveau retard. Me Bazire offre sa voiture : le retour serait plus rapide. Charles, décidément amoureux du canot, refuse. Quelques vieux boulets abandonnés traînent sur le petit port. On les embarque en guise de lest supplémentaire. On vogue vers Villequier. Vraiment le canot manque d'assiette, il danse à ce point sur le fleuve que, peu rassuré, Me Bazire prétexte d'un malaise pour être mis à terre. Il déclare qu'il achèvera le voyage à pied. Ce que Hugo a lu dans *le Siècle*, c'est ceci :

« Parti de Villequier avec le jusant, le canot fut rencontré vers midi trois quarts, louvoyant avec faible brise de N.-O., par le bateau à vapeur la petite *Emma*, capitaine Derosan, qui en le perdant de vue vint toucher à Villequier pour prendre un pilote et y mouilla faute d'eau. Une demi-heure à peine s'était écoulée que l'on fut informé à terre qu'un canot avait chaviré sur le bord opposé de la rivière, par le travers d'un banc de sable appelé Dos-d'âne... Le canot était coiffé, ayant ses voiles bordées, dont les écoutes étaient imprudemment tournées à demeure. En le redressant, on trouva dans l'intérieur un boulet et une grosse pierre servant de lest, et le cadavre de M. Pierre Vacquerie incliné et la tête penchée sur le bord.

« Les trois autres personnes avaient disparu. On supposa d'abord que M. Ch. Vacquerie, nageur très exercé, avait pu, en cherchant à sauver sa femme et ses parents, être entraîné plus loin, mais rien n'apparaissant à la surface de l'eau, au moyen d'une seine on dragua les environs du lieu du sinistre et, du premier coup, le filet ramena le corps inanimé de l'infortunée jeune femme. Au moment où le capitaine Derosan, qui nous communique ces détails, quittait cette scène lamentable, la seine venait d'être une seconde fois jetée, et à la manœuvre des embarcations, on présumait que les cadavres des deux dernières victimes avaient été retrouvés.

« Mme Victor Hugo a appris ce matin au Havre, qu'elle habite depuis quelque temps avec ses deux autres enfants, le terrible coup qui la frappe dans ses affections de mère. Elle est repartie immédiatement pour Paris. M. Victor Hugo est actuellement en voyage. On le croit à La Rochelle. »

C'est Auguste Vacquerie qui, dans la nuit, a fait irruption dans l'appartement d'Adèle, à Graville. La veille au soir, celle-ci avait attendu le retour de Léopoldine et Charles qui devaient revenir par le bateau de 8 heures. Ne les voyant pas, elle avait pensé que, fatigués, ils avaient ajourné leur retour. « Le temps était superbe, écrira la pauvre femme, la mer paisible et toute crainte était chimérique. » La sonnette la réveille en sursaut. Dans l'escalier, elle entend la voix d'Auguste Vacquerie. Elle s'élance. Il crie :
— Charles est mort !
— Et ma fille ?
— Morte aussi.

Le journaliste Alphonse Karr, l'ex-amant de Juliette, se trouve à ce moment à Sainte-Adresse. Il court à Villequier, recueille le témoignage de paysans qui ont vu l'accident. Dans sa revue *les Guêpes*, il va donner ces détails bouleversants :

« Des paysans, sur la rive opposée, ont vu Charles Vacquerie — reparaître sur l'eau — et crier, puis plonger et reparaître, — puis plonger et disparaître, — puis monter et crier encore, — et replonger et disparaître... six fois ! Ils ont cru qu'il *s'amusait* ! Il plongeait et tâchait d'arracher sa femme, qui sous l'eau se tenait au canot renversé, mais qui se tenait comme se tiennent les noyés ; — ses pauvres petites mains étaient plus fortes que des crampons de fer. Les efforts de Charles, — ses efforts désespérés, — ont été sans succès. Alors il a plongé une dernière fois et il est resté avec elle. »

Le 6 septembre, au cimetière de Villequier, aura lieu la quadruple inhumation. Auguste Vacquerie a supplié Adèle et ses enfants de n'y pas assister. Il valait mieux qu'ils partissent sur-le-champ pour Paris afin d'accueillir Hugo et, si faire se pouvait, lui adoucir le choc. Au-delà du désespoir, Adèle a consenti à tout.

Il n'a pas changé, le cimetière de Villequier, blotti autour et en contrebas de l'église. J'y ai retrouvé les stèles identiques, à demi ovales, qui marquent les tombes des victimes de la catastrophe. Près d'elles, une pierre semblable sur laquelle on lit : *Adèle, femme de Victor Hugo*. Tout au long de ce qui lui resterait à vivre, celle-ci allait exister dans cette unique pensée : rejoindre un jour sa fille bien-aimée.

Une seule tombe pour Léopoldine et Charles. Et un seul cercueil : ainsi l'avaient voulu ceux qui les aimaient, sûrs d'avoir obéi à ce qui eût été leur propre vœu.

Durant quelques minutes, sur la banquette du café de l'Europe, Victor Hugo est demeuré immobile, hagard, incapable d'émettre un seul son. Terrifiée, Juliette l'a vu enfin se lever. Elle a esquissé le geste de le suivre. De la tête, il a fait non. Il racontera lui-même à Jules Simon qu'il s'est avancé dans la campagne, « pareil à un automate ». Il lui semblait ne rien voir. Tout à coup, un chant de jeunes filles l'a tiré de son inconscience. Jamais il n'aura su combien de temps il est ainsi demeuré prostré. Il s'aperçoit qu'il est sur les remparts de Rochefort, au bord d'une pelouse « où tourne une ronde enfantine ». Alors, les larmes viennent en flots pressés. En pleurant, il s'effondre sur l'herbe.

Juliette, partie à sa recherche, le rejoint un instant plus tard. Il se lève, chancelle comme un homme ivre et brusquement s'élance vers la ville. Juliette court derrière lui. Il n'a plus qu'une seule idée : rejoindre les siens dont il sait, à travers ce qu'il éprouve, l'insupportable martyre. La diligence de La Rochelle ne doit partir qu'à 6 heures. Juliette et lui regagnent le café de l'Europe. Il demande du papier, une plume, de l'encre.

A Adèle : « Chère amie, ma femme bien-aimée, pauvre mère éprouvée, que te dire ? Je viens de lire un journal par hasard. Ô mon Dieu, que vous ai-je fait ? J'ai le cœur brisé. Je n'irai pas jusqu'à La Rochelle, je vais partir tout de suite pour Paris où j'arriverai presque en même temps que cette lettre. Pauvre femme, ne pleure pas. Résignons-nous. C'était un ange. Rendons-le à Dieu. Hélas ! Elle était trop heureuse. Oh ! Je souffre bien. Il me tarde de pleurer, avec toi et avec mes trois pauvres enfants bien-aimés. Ma Dédé chérie, aie du courage, et vous trois. Je vais arriver. Nous allons pleurer ensemble, mes pauvres bien-aimés. A bientôt. A tout à l'heure, mon Adèle chérie. Que ces affreux coups du moins resserrent et rapprochent nos cœurs qui s'aiment. »

Il lui faut écrire à ses amis les plus chers. *A Louis Boulanger* : « Vous savez. Je vous écris dans le désespoir. Vous êtes mon ami. Il faut bien que je partage cette douleur avec vous. Dieu nous a repris l'âme de notre vie et de notre maison. » *A Louise Bertin* : « J'ai lu. C'est ainsi que j'ai appris que la moitié de ma vie et de mon cœur était morte... Elle était trop heureuse, elle avait tout, la beauté, l'esprit, la jeunesse, l'amour. Ce bonheur complet me faisait trembler. J'acceptais l'éloignement où j'étais d'elle afin qu'il lui manquât quelque chose. Il faut toujours un nuage. Celui-là n'a pas suffi. Dieu ne veut pas qu'on ait le paradis sur la terre. Il l'a reprise. Oh ! mon pauvre ange, dire que je ne la verrai plus ! »

Sa première pensée, dans la diligence qui roule enfin vers Paris : s'en prendre à Dieu.

Ô Dieu ! je vous accuse !...
Dès que vous nous savez absents, vous nous guettez ;

> Vous pénétrez chez nous comme un voleur qui rôde,
> Vous prenez nos trésors et vous les emportez...

Le poème ne sera jamais terminé. Quand il composera ses vers célèbres intitulés *A Villequier*, c'est à cette esquisse en forme d'invective qu'il fera allusion :

> Qu'une âme ainsi frappée à se plaindre est sujette,
> Que j'ai pu blasphémer,
> Et vous jeter mes cris comme un enfant qui jette
> Une pierre à la mer !

Ce n'est que le 12 septembre, à 8 heures du soir, que Hugo rejoint enfin Paris. Ah ! leurs cris ! Ah ! leurs larmes !

Quelques jours plus tard, David d'Angers notera dans son journal : « La maison est triste, silencieuse. La nuit, cependant, on doit entendre les éclats de voix de la pauvre mère qui a continuellement entre ses mains la chevelure de la noyée ; dans le jour, Hugo tient embrassés ses enfants assis sur ses genoux... »

Des lettres parviennent en foule qui disent l'émotion de tous. L'ancien ami devenu rival, puis ennemi, Alfred de Vigny, a lui-même déposé la sienne chez le concierge de la place Royale : « Si vos larmes vous ont permis de lire les noms de vos anciens amis, Victor, vous avez vu le mien à votre porte, en revenant à Paris. Devant de telles infortunes, toute parole est faible ou cruelle... Si je vous avais vu, je ne vous aurais pas parlé ; mais ma main qui signa votre contrat de mariage aurait serré la vôtre, comme lorsque nous avions dix-huit ans, quand nous allions ensemble regarder le jardin de celle qui devait être votre compagne, et dont vous seul pouvez à présent apaiser la douleur... »

Parmi les proches, anciens et présents, un seul ne fera pas entendre sa voix : Sainte-Beuve. Victor Pavie l'a supplié pourtant de se réconcilier, de rentrer dans l'amitié de Victor et d'Adèle « par cette large blessure ». Drapé dans son vain orgueil et ses rancœurs — ses « poisons » — il a refusé : « Pour que j'y retournasse, même après cet affreux malheur, il eût fallu qu'*elle* m'en eût exprimé le désir formel ; c'eût été un ordre. Elle ne l'a pas fait. En voilà pour l'éternité ! C'est horrible à penser, mais vrai. »

Une phrase se retrouve dans nombre des lettres que Hugo a reçues. On prie pour que le temps fasse son œuvre, qu'il lui apporte consolation et apaisement. C'est mal le connaître. De la mort de Léopoldine, jamais Hugo ne se consolera. Celle qu'il appelait « l'ange qui a charmé ma jeunesse » l'a accompagné, avec son doux regard, jusqu'au bord du tombeau.

Plus tard, il lui consacrera les grands poèmes que l'on sait, mais, dans ses Carnets, on retrouve sans cesse des vers ébauchés où le poursuit l'ombre légère. Parmi les plus étranges, cette note intitulée : *Voix entends-tu la nuit.* Suit ceci :

> Père, Dieu par qui tout persiste et tout change
> Nous donne, pour sortir des terrestres rumeurs,
> Des ailes à tous deux ; mais quel mystère étrange !
> A toi des ailes d'aigle, à moi des ailes d'ange !
> Tu deviens grand, illustre et puissant ; moi, je meurs.

Et encore :

> ... Et pourquoi ce vent qui m'oublie et l'emporte,
> Elle, la feuille verte, et moi la feuille morte.

L'homme d'après Villequier est un homme *modifié.* Chacun le verra frappé aussi douloureusement qu'un père puisse l'être. Nul ne comprendra que cette blessure avec laquelle il est condamné à vivre désormais est une redoutable césure. En apparence il est le même, mais il ne se ressemble plus. Inconsciemment, il aspire à la terre glacée où gît Léopoldine. Un jour il la croira surgie de cette tombe pour répondre à l'appel que quotidiennement il n'a cessé de lui adresser.

Étreignant cette ombre, c'est dans un nouveau chemin qu'il s'engouffrera.

II

LÉONIE

> Ô toi d'où me vient ma pensée,
> Sois fière devant le Seigneur,
> Relève la tête baissée,
> Ô toi d'où me vient mon bonheur !
>
> Victor HUGO.

LE pis, dans une telle crise dont il sent déjà qu'elle sera éternelle, c'est qu'au désespoir les remords se sont mêlés. Comment Hugo ne repenserait-il pas sans cesse au dernier désir exprimé par Didine : un été où l'auraient rejointe tous les siens, avant tout son père. Et il ne lui avait accordé qu'une journée ! Comment n'entendrait-il pas à chaque instant retentir à ses oreilles l'ultime supplication : « Reste, papa, je t'en prie ! » Et il n'était pas resté.

Nul doute qu'au cours des semaines qui ont suivi la tragédie de Villequier, Juliette n'ait couru un grand péril. C'est pour voyager avec elle qu'il avait abandonné sa fille. Inconsciemment, il la rendait coupable de sa propre faiblesse. Fine et perspicace comme elle l'était, elle l'a senti dès le premier instant. Elle s'est appliquée à ne pas aviver la blessure. Elle a compris qu'un geste mal interprété, une parole maladroite auraient pu la perdre — à jamais. Éloignée de son intimité, elle saisissait tout, elle imaginait toute chose comme si elle se fût trouvée place Royale. *13 septembre* : « Je vois tout ce qui s'est passé : les cris de désespoir de ta famille, l'explosion de ton affreux désespoir, si longtemps et si cruellement retenu. Toutes ces larmes, toutes ces douleurs retombent sur mon cœur et le brisent. Je n'en puis plus. J'ai ma pauvre tête en feu et mes mains me brûlent comme des charbons ardents. »

Toute la journée du 13 septembre, toute la journée du 14, elle l'a attendu. Claire est auprès d'elle et partage son chagrin. Dans la nuit du 14 au 15, Victor paraît rue Saint-Anastase. Un instant seulement. Il pleure. C'est plus qu'elle n'en peut supporter : « Pauvre adoré, pauvre père, pauvre ange, ne souffre pas, je t'en prie. Je ferai ce que tu voudras, mais que je ne voie plus tes pauvres beaux yeux pleins de larmes comme cette nuit... Je voudrais t'envelopper de mon amour pour que la douleur ne puisse pas passer à travers. Je voudrais mourir pour t'épargner un chagrin. Je t'aime, je t'aime. Je t'aime. »

Il va reprendre les mêmes visites, aux mêmes heures insensées du jour et de la nuit. Mais si triste, si sombre. Elle persiste à espérer des étreintes qui s'espacent davantage encore et qu'elle devine de plus en plus rituelles. Elle continue à lui écrire ses lettres innombrables, en se disant que, peut-être, il ne les lit même pas. Elle est lucide, elle se sait, à trente-sept ans, fanée, vieillie avant l'âge. Depuis plusieurs années déjà, ses cheveux sont devenus gris. Elle a depuis longtemps oublié le chemin des coiffeurs. Par économie, mais aussi par lassitude, elle se vêt sans recherche. Curieusement, malgré sa jalousie proclamée, elle ne se croit pas trompée par Victor. Les insuffisances sexuelles de son amant la rassurent. Pourtant, en femme qui a « vécu », comme on disait alors, elle devrait savoir que la nouveauté avive des ardeurs ailleurs éteintes.

Hugo avait-il des maîtresses ? Le problème n'est nullement tranché. Entre un Raymond Escholier qui voudrait que chaque jeune personne entrevue par Hugo, fût-ce dans un escalier, ait dû fatalement entrer le lendemain dans son lit et un Jean Savant qui aurait plutôt tendance à faire de Victor, à trente-cinq ans, un retraité de l'amour, il est difficile d'y voir clair.

On ne l'a pas assez souligné : entre le moment où Adèle a interdit sa couche à son mari et celui où Juliette est entrée dans sa vie, il s'est écoulé dix-neuf mois. Pendant dix-neuf mois, il se serait donc passé de femme ? On observera qu'il a su se garder vierge pour Adèle. Mais l'ignorance le préservait. Depuis, il a pris goût au plaisir — trop selon Adèle. Une lettre délibérément gardée sous le boisseau par les hugolâtres nous fournit là-dessus une information d'importance. En septembre 1832, Victor écrit à Adèle : « Tu doutes souvent de moi, et tu as bien tort. Je suis capable de tout, excepté de cesser de t'aimer... Je te le répète, je ne me crois pas meilleur que d'autres ; je puis faillir ou errer, mais je t'aime et je t'aimerai toujours. » Question : avec qui a-t-il *erré* ou *failli* ? La réponse, Hugo la donnera lui-même : « Les hommes qui travaillent sont obligés, faute de temps, de prendre les premières femmes venues, celles qu'on appelle impures, folles, courtisanes, femmes compromises, femmes décriées, femmes perdues. Ils reconnaissent vite qu'elles valent exactement autant que les autres. La femme est dans ces femmes. Il se rencontre là de la probité, de la délicatesse, du désintéressement, de la générosité, du courage, de la solidité, de l'amour vrai, de la vertu vraie. Elles ont autant de cœur, d'âme et d'esprit que les femmes du monde, la franchise en plus, la pruderie en moins. »

Les érudits se sont penchés avec tant d'acharnement sur le moindre épisode de sa vie qu'une liaison, à cette époque, avec une femme sur qui l'on aurait pu mettre un nom, n'aurait pu rester inconnue. Ne doutons pas que « les premières venues » en question n'aient été des prostituées. Lui, qui stigmatisera si bien et si fort les riches responsables de la chute de ces femmes qu'il faut plaindre parce qu'elles « tombent » ? Oui, le même. Il ressentira toujours, pour celles qui exercent le plus vieux métier du monde, une curiosité qui est une attirance. Les Carnets de son âge mûr, où l'impudeur se dissimule sous un code qu'il croyait indéchiffrable et que naturellement nous avons percé à jour, ne nous cachent rien de cette prédilection, comme des services qu'il demandait à ces dames et des tarifs dont il rémunérait ceux-ci. Rien de pareil pour les années 1830 et 1840. Ces frasques vénales ont trop alors à ses yeux le goût du péché pour qu'il ose en conserver la moindre trace écrite.

Ce n'est pas avec les femmes dont Juliette a été le plus jalouse — Mlle George, Mme Dorval — qu'il l'a trompée, mais avec d'autres qui passaient. Il semble avoir appartenu au nombre de ces hommes dont l'habitude épuise rapidement les élans amoureux. Toute la correspondance avec Juliette le prouve. Qu'une autre se présente et tout change. On ne peut mettre en doute une virilité surabondante et demeurée intacte jusqu'au-delà de quatre-vingts ans. Chaque fois, le même phénomène se reproduira : aux froideurs essuyées par les « anciennes » succéderont de flamboyantes résurrections avec les « nouvelles ». Ce qui fera dire à certains qu'après tout le comportement amoureux de Hugo n'a rien que de banal.

Les trahisons qu'il inflige à Juliette, elle les soupçonne sans trop y croire. *Le 17 janvier 1843* : « Je sens bien que tu as des curiosités et des désirs de voir et de connaître, très en détail, les femmes qui s'occupent de toi d'une façon si flatteuse pour ton amour-propre d'homme et de poète. Je ne veux pas t'en empêcher. Je sens seulement qu'à la première infidélité, j'en mourrai, voilà tout. »

Rien de mieux que la célébrité pour aider aux conquêtes. Volontiers les femmes se donnent aux rois et aux poètes. Lui se contente de cueillir celles qui s'offrent ou que du moins il n'a pas eu à supplier trop longtemps. Une note dans l'un de ses Carnets : « Je pense des femmes comme Vauban des citadelles. Toutes sont faites pour être prises. Toute la question est dans le nombre de jours de tranchée. » La seule idylle parallèle dont nous soyons sûrs, nous lui en devons l'aveu involontaire. Et c'est la plus imprévue. Dans un Carnet de 1862 — Hugo a soixante ans, il est en exil — il note à propos de sa belle-sœur Julie Foucher, devenue Mme Paul Chenay : « Julie. Pas depuis Fourqueux 1836. » Qui l'aurait pu croire ? Julie était cette fille tardive de Mme Foucher, la jeune tante de Léopoldine, pensionnaire de la maison de la Légion d'honneur. En 1836, Léopoldine avait douze ans et Julie quatorze. On se souvient de cette belle maison de Fourqueux où la famille Hugo avait cette année-là passé l'été. Qu'est-ce donc que cet homme de trente-quatre ans a pu obtenir de sa très jeune belle-sœur ? Peu de chose sans doute. Tout de même : *pas depuis Fourqueux 1836*. Le nom de Julie reparaîtra en 1871 dans les Carnets : *Nuit du 10 au 11 février. Rêve. Julie Chenay. Spont. Arrêté à temps* [1].

Bienheureuse ignorance de Juliette. Elle n'aura eu qu'un temps. La plus dangereuse des rivales occupait déjà la place.

Il n'était bruit à Paris, l'été 1839, que d'une jeune femme

---

1. Pour tout ce qui concerne les Carnets de Hugo et leur déchiffrement, il faut toujours se référer aux travaux de M. Henri Guillemin.

qu'appelait un étonnant destin : première de son sexe, elle devait se rendre au Spitzberg ! L'été précédent, Henriette d'Angeville avait réussi l'ascension du mont Blanc. La même année, une demoiselle Vespuce avait à grand bruit parcouru ces contrées d'Amérique auxquelles son ancêtre avait autrefois donné son nom. Léonie Biard se campait tout à coup comme la rivale de ces audacieuses.

Elle n'avait pas vingt ans et Paris ne s'occupait que d'elle. Pour longtemps elle allait être « la seule femme qui ait osé affronter jusque-là les dangers et les horribles fatigues d'une expédition devant laquelle auraient reculé bien des hommes ». Cette conquérante, à laquelle Henriette d'Angeville écrivait comme à une égale, était une petite personne fragile aux longs cheveux blonds, avec d'immenses yeux limpides, où le rayonnement — Hugo parlera de « l'éclat du diamant » — le disputait à la douceur. On lui voyait un air de « craintive colombe » qui ajoutait au contraste de l'attendu et du réel.

Elle avait été autorisée à accompagner son mari, François Biard, peintre officiel mais non sans talent, lui-même chargé de dessiner et de peindre les rivages explorés. L'expédition avait duré près d'une année entière. On était revenu par la Finlande, la Suède, la Prusse. A Berlin, celui que Léonie appelait « notre maître à tous en fait de voyage », le baron Alexandre de Humboldt, avait accueilli la jeune femme avec empressement et hautement célébré son mérite. Le couple avait été invité à l'ambassade de France. Léonie avait été autorisée à conserver sa toilette de voyage.

Qu'auraient dit tous ces grands personnages, marins, savants, ambassadeurs s'ils avaient su que la jolie Mme Biard n'était pas mariée ? En fait, c'est l'année précédente — à la fin de 1837 ou au début de 1838 — qu'on l'avait vue paraître place Vendôme où Biard avait à la fois appartement et atelier. On lui donnait de seize à dix-sept ans. Lyonnais d'origine modeste, après des débuts difficiles dans sa ville natale, Biard s'était fait connaître au Salon de 1828 où sa toile *la Diseuse de bonne aventure* avait obtenu une médaille d'or. Dès lors, sa carrière s'était déployée vers une incontestable réussite. Au moment où Léonie était devenue sa compagne, on disait communément que Biard était « riche et célèbre ». Certes, entre un Delacroix et un Biard, nul n'hésiterait, mais on reste libre d'apprécier la technique, le savoir-faire et l'art des ensembles qui caractérisent assez bien l'œuvre de l'amant de Léonie. Pour avoir peint une « grande machine » intitulée : *le Prince de Joinville en train de visiter, au Liban, un village maronite,* il avait été, en 1837, désigné par Louis-Philippe en personne comme l'un des peintres à qui devraient s'adresser les commandes royales. La faveur s'était confirmée : chevalier de la Légion d'honneur en 1838, l'année suivante il prenait rang — juste avant de partir pour le Spitzberg — parmi les « artistes officiellement chargés de décorer les galeries historiques de Versailles ».

Comment une si jolie personne — et si jeune — était-elle venue jouer chez Biard le rôle de maîtresse de maison ? On l'a jusqu'ici présentée comme une jeune fille de noble famille — elle se disait Léonie d'Aunet — échappée de son couvent, accourue place Vendôme pour l'amour de l'art, et y étant restée pour l'amour du peintre. Épisode charmant — mais faux. Léonie était la fille naturelle d'une dame Thévenot. Quand elle se targuait de nobles aïeux, elle endossait les prétentions du père de sa mère qui, sans y avoir aucun droit, s'était fait comte d'Orémieulx, marquis de Belleville, seigneur de Dugny. Pourquoi pas ? Le simple Thévenot qu'avait épousé sa mère s'était transformé lui aussi — de sa seule autorité — en Thévenot d'Aunet. Pourquoi pas ? Léonie se croyait logiquement la fille du mari de sa mère. Elle avait tort, les dates contredisent une telle filiation, mais elle le pensait. Pourquoi dans ce cas ne serait-elle pas devenue Léonie d'Aunet, petite-fille du marquis d'Orémieulx [1] ?

On ne sait où elle a grandi, qui a subvenu aux besoins de sa mère, veuve de Thévenot, concubine puis épouse d'un Claude Boynest changé à son tour en *de* Boynest — une manie ! Ce Boynest, fort impécunieux, n'a pas dû offrir à la petite Léonie une enfance bien agréable. Elle avait eu faim plus souvent qu'à son tour. Nous comprenons mieux : son entrée dans la vie du peintre Biard, sa reconnaissance comme maîtresse de maison, la présentation qui était communément faite d'elle comme Mme Biard, tout cela a certainement pris l'aspect d'une promotion sociale comme d'autres jeunes personnes de ce temps-là — souvent comme Léonie de naissance irrégulière — en ont traversé, en concevant plutôt de la fierté que du remords.

---

1. En ce qui concerne les origines de Léonie Biard, les recherches récentes de M. Jean Savant modifient tout ce que l'on croyait savoir jusqu'ici.

Léonie dira plus tard qu'elle n'a jamais aimé Biard. Elle l'affirmera alors qu'elle sera amoureuse d'un autre, ce qui nous laisse sceptiques sur une telle déclaration de principe. A tous, elle et Biard présentaient l'image d'un couple aimant et uni. Léonie ne cessait de répéter que François était « bon ». D'ailleurs, le retour du Spitzberg allait porter des fruits éloquents : la fausse Mme Biard était enceinte. Le peintre ne songea pas — comme naguère son ami Pradier — à renier ses responsabilités. Tout bonnement il épousa Léonie. A la mairie comme à l'église.

Hugo dans tout cela ?

Voguant vers le Spitzberg, François Biard écrivait de Kongswald, le 10 juin 1839, une lettre qui nous apprend que Léonie et lui avaient emporté dans leurs bagages le roman *Han d'Islande*. Le peintre ajoutait : « Nous le lirons sur les lieux mêmes où le poète a placé la scène de son roman. »

On n'a cessé d'affirmer que Hugo aurait pour la première fois rencontré Léonie, au printemps de 1843, chez Fortunée Hamelin. Or, en 1842, il envoyait à Léonie les deux volumes du *Rhin*, avec une dédicace qui prouve déjà de l'intimité :

> On voit en vous, pur rayon,
> la grâce à la force unie.
> Votre nom, traduction
> de votre double génie,
> commence comme *Lion*
> et finit comme *Harmonie*...

Hugo lui-même a très exactement fixé l'époque de leur rencontre et témoigné que, tout aussitôt, il avait ressenti une impression profonde. Dans ses papiers, on a retrouvé ces vers inachevés :

> J'avais trente-neuf ans quand je vis cette femme
> De son regard plein d'ombre il sortit une flamme
> Et je l'aimai...

C'est en 1841 que Hugo a eu trente-neuf ans.

Depuis le printemps de 1841, justement, chaque année à la belle saison, les Biard se rendaient à Samois où ils louaient à l'année une maison de campagne, un jardin aux allures de parc, doté d'une pièce d'eau et, sur celle-ci, d'un bateau fort romantique. Tout près de là, une curieuse femme prenait, elle aussi, ses quartiers d'été : Mme Hamelin, ex-muscadine, ancienne « merveilleuse » du Directoire qui avait fait quelque bruit en son temps par ses intrigues et ses amours. Parvenue à l'âge où les passions se changent en souvenirs, elle aimait recevoir. Comme elle était pétrie d'esprit, c'est volontiers que l'on venait à cette vieille dame, devenue fort laide, mais restée gracieuse et de bon ton. Souvent Hugo avait aimé entendre de sa bouche les savoureuses — et innombrables — histoires qu'elle égrenait avec une surprenante jeunesse. Comment l'auteur de *Choses vues* ne se fût-il pas réjoui à l'écouter par exemple évoquer son retour de Berlin ? « Napoléon me demanda : *" Comment nous aime-t-on là-bas ? "* Je lui répondis : *Sire, comme les vieilles femmes aiment les jeunes.* » Aussitôt sa mémoire enregistrait.

Mme Hamelin ne nous a pas dissimulé ses relations étroites avec les Biard : « Le temps, écrit-elle le 26 août 1842, nous comble de ses faveurs. La chaleur un peu diminuée nous donne des soirées et des nuits magnifiques. Biard ne vit que d'extases... L'autre jour, lui et sa femme ont dîné avec nous, et après, il a fait venir son bateau et nous sommes restés sur la rivière jusqu'à onze heures. Ils sont bons, polis et contents d'être au monde. » A l'automne de la même année, écrivant à un de leurs jeunes voisins communs, la vieille dame a hasardé cependant un conseil qui ne laisse pas de nous intéresser : « Ne faites pas de bêtises par là. Tout est grave pour elle, par la frénétique jalousie de son mari. » Ainsi, Biard était jaloux. Léonie lui donnait-elle des motifs de l'être ?

Voilà ce que nous savons de précis. Tout ce que nous avons pu lire d'autre sur cette aventure est le fruit, soit de la pure imagination des biographes, soit d'une négligence coupable de la chronologie.

L'un nous dit que les amours de Victor et de Léonie auraient commencé au mois de mai 1844, mais ne nous en donne aucune preuve. Un autre voudrait que la liaison soit antérieure au voyage au Spitzberg, ce qui est absurde. Un autre encore voudrait la retarder jusqu'à l'automne de 1844.

Seuls les poèmes de Hugo consacrés à Léonie peuvent nous apporter des précisions. Tous, ils ont été datés par lui.

Le 5 juillet 1844, il écrira pour elle un véritable chant, quatrains alternant les vers de huit et quatre pieds.

> Garde à jamais dans ta mémoire,
> Garde toujours
> Le beau roman, la belle histoire
> De nos amours!
>
> Moi, je veux que rien ne s'émousse.
> Pourquoi finir?
> J'aime la joie amère et douce
> Du souvenir [1].

Nous apprenons que ce roman a commencé « au fond des bois ». Ils se promenaient et ils rêvaient. Lui se rappellera éternellement leurs « bois tranquilles », l'herbe épaisse, la « roche austère », « l'antre ignoré »

> Où du refus tendre et farouche
> J'étais vainqueur
> Où ma bouche cherchait ta bouche,
> Ton cœur mon cœur!
>
> Rappelle-toi, ma bien-aimée,
> Nos doux combats,
> Et les mots que la voix pâmée
> N'achevait pas!

Mais quatre vers doivent retenir toute notre attention :

> Viens! la saison n'est pas finie.
> L'été renaît.
> Cherchons la grotte rajeunie
> Qui nous connaît!

Ce que Hugo propose à Léonie, c'est de célébrer ensemble un anniversaire : l'été *renaît* — donc succède à un autre qui, dans cette grotte, a vu leurs corps s'unir pour la première fois. Nous progressons. Puisque nous savons que Hugo a aimé Léonie dès 1841, cet été peut donc être aussi bien celui de 1842 ou celui de 1843. C'est le temps de la grave maladie de Victor II. On voit mal Hugo délaisser la chambre d'un fils mourant pour courir les bois et les grottes avec une jeune personne. En juin 1843, en revanche, les deux Adèle se trouvent au Havre, chez les Vacquerie. Hugo est totalement libre

1. *Toute la lyre*, VI, 49.

de son temps. Nous le voyons même, le 18 juin, passer la journée avec son fils Charles dans une île sur la Marne.

Peu à peu, sous nos yeux, la chronologie se recompose. Au printemps ou à l'été de 1841, Hugo fait à Samois la connaissance de Léonie. Il est frappé par tout ce charme étrange qui émane de la ravissante personne. N'oublions pas qu'il attache le plus haut prix à la beauté féminine. Adèle jeune fille était belle, Juliette l'était aussi, Léonie l'est plus encore. Il est ému : quelque chose qui ressemble à un coup de foudre. Au début de l'année 1842, il lui envoie *le Rhin* qui vient de paraître. Dans les premiers jours de l'été 1843, elle se donne à lui.

Aurait-il donc laissé passer toute l'année 1842, tout le début de 1843 sans se déclarer, sans chercher à passer au concret ? Ceux qui en ont douté se sont appuyés sur le dogme traditionnellement admis d'un Hugo vorace en amour, voire boulimique. L'exploration systématique de la correspondance de Juliette, la mise au jour de tant de lettres volontairement cachées nous ont prouvé la fausseté de l'image. Quand bien même il se fût montré entreprenant, il aurait trouvé devant lui une résistance dont Léonie elle-même a voulu garder la trace dans un fragment de journal — qui a appartenu à Jean Hugo — auquel elle a délibérément conféré une forme romanesque. Elle évoque tout ce temps où, « perdue dans ses bras, je reçus ses caresses, ses embrassements et sans me donner à lui... » Elle montre ces longues conversations auxquelles elle s'abandonnait si délicieusement : « A demi couchée près de lui, la tête posée sur sa poitrine brûlante, j'écoutais avec avidité et bonheur, je goûtais une joie si immense que je désirais m'endormir sur ce sein et d'y mourir. » Hugo l'entoure de ses bras, l'étreint. Elle tremble, frémit, perd la tête : « Je veux éviter ses baisers et mes lèvres involontairement cherchent ses lèvres. Je veux fuir, mais je n'en ai pas la force. Bientôt, nos baisers se confondent. Mon bonheur s'augmente, car j'éprouve, sous ces brûlantes caresses, des transports inconnus. Je les savoure, m'en enivre et toute confuse, je veux, mais ne puis, dissimuler ce qui est en moi. »

Sûr des avantages qu'il croit s'être assurés, Hugo veut aller plus loin : « Soudain, je sens que mes vêtements se soulèvent. Bientôt ses mains se promènent sur les chairs qui palpitent sous leurs fortes pressions... » Elle tente de le repousser, lutte pour écarter ces caresses qui l'enivrent. Elle le supplie d'avoir pitié d'elle, « mais cette résistance ne peut durer longtemps, vu que la passion m'a tout à fait égarée. Je suis plus qu'heureuse... ».

Elle va s'abandonner lorsque soudain son cœur se glace. Elle vient de songer à son mari, « cet être bon et généreux que je vais offenser, à cet être qui a placé en moi toute sa confiance. Et je le trahirais, je deviendrais infidèle et parjure épouse ? ».

Derechef, elle veut s'éloigner de lui, lutte pour lui faire lâcher prise. Mais lui refuse de rien entendre. Il veut l'emporter. Elle l'implore avec des larmes, « mais il les éteint avec ses baisers. Ses lèvres se collent sur ma bouche... Je redeviens faible. Je délire de nouveau ». Elle va lui crier : « Je suis à toi ! » Elle trouve la force de lui échapper. Anéantie, elle ferme les yeux. Quand elle les rouvre, elle le voit « pâle », l'air d'un homme qui « a souffert ». Alors, d'une « douce voix », « tendrement » :

— Tu peux venir maintenant avec confiance près de moi, lui dit-il.

Ce récit, plus près de la manière larmoyante et exclamative des romancières du début du XIXe siècle que d'une inspiration romantique, s'achève par une phrase bien définitive : « Oh ! toi à qui je ne dois jamais appartenir, aie pitié d'une pauvre femme qui n'a d'espoir qu'en toi seul. Songe que c'est une mère qui te prie... » Mais est-il rien de définitif en amour ?

Si Léonie Biard avait été une femme heureuse, comblée, peut-être Hugo, malgré le choc ressenti, n'aurait-il pas franchi le pas. Mais il l'aura vue angoissée, profondément atteinte par la jalousie de plus en plus violente de son mari. N'oublions jamais le côté paladin de Hugo. Ce qui l'avait attiré auprès de Juliette, c'était bien sûr le désir, puis l'amour ; ce qui l'avait retenu, c'était la *noble* mission qu'il avait cru devoir se confier à lui-même : relever une femme déchue, sauver une âme perdue. Quelle belle et éclatante tâche que de voler au secours de la frêle Mme Biard, si jolie et si abandonnée !

Dès lors, les poèmes nous les montrent se cherchant, se trouvant — s'aimant. Une entente de plus en plus intime s'établit entre eux.

> Tendre extase ! saint mystère !
> Entre le ciel et la terre
> Nos deux esprits se parlaient.
> A travers l'ombre et ses voiles,

> Tu regardais les étoiles,
> Les astres te contemplaient.
>
> Et sentant jusqu'à ton âme
> Pénétrer la douce flamme
> De tous ces mondes vermeils,
> Tu disais : Dieu de l'abîme !
> Seigneur ! vous êtes sublime.
> Vous avez fait les soleils.
>
> Et les astres à voix basse
> Disaient au Dieu de l'espace,
> Au Dieu de l'éternité :
> Seigneur, c'est par vous qu'on aime.
> Vous êtes grand, Dieu suprême.
> Vous avez fait la beauté [1] !

Dans un poème devenu célèbre, il évoque la nuit du 1er avril 1843 :

> C'était la première soirée
>   Du mois d'avril.
> Je m'en souviens, mon adorée.
>   T'en souvient-il ?
>
> Nous errions dans la ville immense,
>   Tous deux, sans bruit,
> A l'heure où le repos commence
>   Avec la nuit [2] !

Ainsi parviennent-ils à cet été fatal de 1843. Pour la rejoindre, Hugo vole à Léopoldine ces quelques jours de bonheur — les derniers — qu'elle lui avait tant réclamés ! Après le drame, il l'a retrouvée comme on court vers un refuge. Il a pleuré dans ses bras. Elle est devenue l'asile privilégié de sa douleur.

Il faudrait citer tous les vers inspirés par Léonie. Ils marquent un amour d'une plénitude peut-être jamais atteinte encore jusqu'ici par Hugo. Les lettres qu'il lui écrit ne ressemblent à aucune de celles qu'il a pu adresser à Adèle ni même à Juliette. Pour la première fois, l'amant Hugo écrit comme un homme totalement libéré. Ces lettres ne sont malheureusement pas datées. Mais la flamme que l'on y décou-

1. *Toute la lyre*, VI, 56.
2. *Dernière Gerbe*, 70.

vre invite à les situer dans les premiers temps de leur liaison :

« Tu es un ange : je baise tes pieds, je baise tes larmes ! Je reçois ton
adorable lettre, j'ai à peine le temps de t'écrire ce mot, moi pauvre galérien travaillant nuit et jour, mais toute mon âme est pleine de toi, mais
je t'adore, mais tu es la lumière de mes yeux, mais tu es la vie même de
mon cœur. Je t'aime, vois-tu, je t'aime au-delà des paroles, au-delà
même des regards et des baisers ! La caresse la plus passionnée et la
plus tendre est encore au-dessous de l'amour que j'ai pour toi et qui me
déborde ! Oh oui, tu as raison, ce que je te disais hier était bien profond
et venait de tout ce qu'il y a de meilleur et de plus vrai dans l'amour, tu
le sens, mon ange, tu me le dis en mots adorables, je te remercie, je me
mets à genoux devant toi. Je baise chaque mot de ta douce lettre si
exquise, et si passionnée. Oh ! que je t'aime. Prends ma vie ; prends
mon avenir, prends ma liberté, prends toutes mes actions, prends
toutes mes pensées, prends le souffle de ma bouche, le sang de mes
veines, les heures de mes jours et de mes nuits ; prends mes rêves, mes
espérances, mes joies et mes peines, prends tout de moi, prends mon
âme et garde à jamais mon cœur !

« Il est midi, j'ai à peine le temps de déjeuner, de m'habiller et de
courir vers toi. Je t'aime, je t'aime ! Entends-tu, ma vie ! Oh ! Sois
heureuse, tu es si aimée ! »

Quand j'ai lu ces lignes pour la première fois, j'ai marqué
d'abord quelque réticence. J'y retrouvais comme une sorte de
pastiche, celui des lettres à Juliette. Les mots sont les
mêmes, le rythme est le même, les idées sont les mêmes. Dès
le milieu de la lettre, mon impression s'est modifiée. La
plume d'oie semble changer de vitesse. On la dirait prise de
frénésie. Jamais, nous qui sommes familiers de la correspondance amoureuse de Hugo, nous n'avons rencontré de prose
aussi enfiévrée. Quel frémissement quand il envisage la première nuit où il pourra demeurer avec elle :

« Oh ! mon cœur bondit de joie à cette pensée ! Je pourrai, mon
ange, passer une nuit entière avec toi ! Comprends-tu cela ? Sens-tu
tout ce que contient ce mot ? Une nuit ! Je te sentirai dormir dans
mes bras ! Je veillerai pour la première fois, heureux et enivré, sur
cet adorable mystère de ton sommeil. Oh ! les anges doivent t'entourer quand tu dors ! Mon âme entendra le doux battement d'ailes de
ces rêves ineffables qui viennent la nuit s'abattre sur ton beau front.
Je te tiendrai endormie et confiante sur ce cœur qui est à toi ! Vois-
tu, cette pensée me transporte et me bouleverse. Cette nuit-là, ma
bien-aimée, sera la consécration de notre mariage. Il nous manquait

notre nuit de noces. Dieu va nous la donner. Je tremble presque devant de pareils bonheurs, car c'est mieux que le paradis, et dans de semblables instants, le ciel doit être jaloux de la terre ! Prie pour nous, ma bien-aimée, ma Léonie, tu dois être écoutée là-haut, car tu en viens ! Car tu en parles encore la langue ! Tout ce que tu dis pourrait être dit par les anges, tout ce que tu penses pourrait être pensé dans le ciel. A demain, mon amour ! *Deux heures.* Sois exacte. Aujourd'hui pense à moi ! Aime-moi ! Vis en moi ! Ô mon âme, je suis en adoration devant toi ! »

Elle est avec lui totalement à l'unisson. Un jour sur deux elle le rejoint :

« Je te vois tous les deux jours, et cela ne me suffit plus ! Cette semaine je compte mes heures écourtées comme un avare ses écus rognés. J'en veux à toutes ces choses qui nous séparent dans les mauvais jours et qui nous taquinent dans les jours heureux. Je me plains au bon Dieu de lui-même. Il est bon pourtant, puisqu'il t'a donnée à moi. Mais pourquoi te donne-t-il si peu ? Pourquoi te reprend-il à chaque instant ? Pourquoi me mesure-t-il les raisons de tes doux yeux, à moi qui ai besoin de ton regard pour être joyeux comme la terre a besoin de soleil pour être verte et vivante ? »

Parfois les rencontres se rapprochent, deviennent plus fréquentes : « Demain lundi à deux heures, je serai près de toi... Et puis à mardi *deux heures*, et puis à mercredi, et puis à jeudi et puis à toujours. Oh ! La douce semaine, et que l'éternité devrait bien lui ressembler ! Je t'aime. »

Cet accord absolu se retrouve jusque dans les lettres qui se croisent. Elle lui écrit : « Je me dédouble : le corps est ici, le reste te cherche et te trouve parfois. » Sans l'avoir lue, il trace ces lignes le même jour : « Je vis comme brisé en deux, le corps ici, l'âme là-bas. »

Les rares lettres d'elle que nous connaissons sont aussi charmantes que passionnées : « Tu t'étonnes de ne me voir jamais triste ; c'est que je ne puis être triste quand tu es là. S'il prenait fantaisie au soleil de voir un effet de nuit, est-ce qu'il y parviendrait [1] ? »

---

1. Il n'existe que très peu de lettres de la main de Léonie. Mais Hugo en a transcrit certains passages dans une liasse de feuillets que Henri Guillemin a retrouvée. Avec la même excessive prudence qui lui fait dans ses propres lettres éviter toute précision qui autoriserait à les identifier, elle et lui, Hugo use d'une convention qui lui permettrait, le cas échéant, de jurer qu'il s'agit de lettres imaginaires, matériau d'un éventuel roman : « Une femme écrivait l'autre jour à son amant... »

Où se rencontrent-ils ? Les lettres sont fort imprécises — volontairement. Aucune allusion à quelque événement que ce soit. C'est la correspondance d'un homme qui — si ces lettres tombaient entre des mains étrangères — ne veut à aucun prix être identifié. Non seulement il peut craindre la double jalousie d'Adèle et de Juliette, mais il poursuit toujours le même but : la pairie. Il y touche. Alors, prudence ! Cependant, les termes mêmes de plusieurs missives nous conduisent peu à peu à une certitude surprenante : c'est chez lui, place Royale, qu'elle le rejoint ! Sans cela, lui répéterait-il toujours : « Sois exacte » ou, cependant qu'il est à son cabinet de travail en train d'écrire : « Je voudrais t'avoir là en ce moment. » Et encore : « Viens de bonne heure, viens à l'heure. » La précision s'accuse :

« Je m'enferme avec ton souvenir, je vais vivre avec ta pensée. Je regarde autour de moi toutes les adorables traces de ton passage, le lit défait, la chambre en désordre, le tabouret où ton pied s'est appuyé, l'oreiller où ta ravissante tête a laissé son empreinte, tout cela me transporte et me ravit ; je respecte avec religion tout ce charmant petit remue-ménage que tu as fait et dont chaque détail me parle de toi. D'ici à demain, je ne veux rien déranger de ce dérangement. »

Le lecteur doute comme j'ai douté. Comment Léonie aurait-elle osé, si souvent, à 2 heures après midi, gravir l'escalier de l'immeuble, sonner, affronter le regard des domestiques, prendre le risque, pour se rendre jusqu'au cabinet de travail ou à la chambre de Hugo, de rencontrer l'épouse, sa jeune fille, les fils devenus grands ? Invraisemblable, en vérité. J'oubliais le petit escalier discret qui donnait directement accès au cabinet de Victor. Nous savons que d'autres visiteuses l'ont emprunté, nombreuses. C'est par là — nullement par la grande entrée — que Léonie courait se jeter dans les bras de l'amant. Bien mieux, nous connaissons une lettre d'elle qui la montre, un soir, à une heure non prévue, ayant la tentation de jouer le tout pour le tout.

« Arrivée, je vis une lumière. Je la vis enlever aussitôt. N'osant plus regarder, je regardai vers les magasins. J'étais sur des épines. Je tremblais. Il me semblait commettre un crime. N'y tenant plus, je partis... Vers 6 heures, je fus chez Mme Hamelin. Je lui dis qu'ayant besoin d'entrer chez vous, et ne voyant pas de lumière, je n'étais pas montée. »

Voilà établie la réalité des visites de Léonie Biard place Royale. Nouveau sujet d'étonnement, nouvelle interrogation : ne pouvaient-ils être dérangés au milieu de leurs ébats ? Si. Ils l'ont été. Une lettre de Hugo en fait foi. C'est même ce qui l'a amené à chercher un autre abri pour leurs amours : « Hier quand je t'ai quittée, toutes les idées tristes étaient dissipées, n'est-ce pas ? Tu n'avais conservé aucune impression de crainte de tout ce stupide hourvari qui nous a si bêtement enveloppés un moment ? Excès de zèle de portier et de domestiques qui croient qu'une chose est pressée parce qu'elle vient de chez un roi. » Rien de plus clair : on a apporté à Hugo un message frappé des armes royales. Ses gens se sont.cru le devoir d'intervenir, de violer l'intimité interdite du maître. D'où un moment d'affolement bien compréhensible, beaucoup de gêne pour Hugo, de l'humiliation pour l'un et l'autre. Il en tire aussitôt la conséquence : « Je vais m'occuper de toi, de nous, toute la journée. Chercher un *antre*, ne fût-ce qu'une tanière provisoire. Il faut que je trouve cela aujourd'hui. Je ne veux plus que tu aies peur. »

Cependant, si des domestiques ont troublé leur intimité ne pourrait-il en être de même de Mme Hugo et de ses enfants ? Nullement. Il faut que nous prenions conscience que Hugo fait régner place Royale un ordre quasi despotique. Aucun membre de sa famille ne songerait à contrecarrer ses ukases. C'est place Royale que Juliette lui adresse les lettres qu'il ne vient pas chercher à domicile. Parfois elle lui en fait porter. Jamais, au grand jamais, une seule de ces lettres n'a été ouverte avant que d'être remise à Victor. La chambre et le cabinet du maître ont été décrétés asile sacré, selon l'alibi commode — et la plupart du temps réel — du travail. Adèle n'est pas dupe ? Bien sûr que non. Mais, après le timide essai de rébellion, la lettre un jour adressée à Hugo pour lui signifier qu'elle n'accepterait plus de voyage « sans elle », son époux a dû lui faire comprendre, avec toute la fermeté nécessaire, qu'une femme coupable n'avait droit qu'au remords et au silence. Cela avec de graves, nobles et belles paroles. Il avait la manière, Hugo. Depuis, Adèle a choisi d'accepter. Tout.

Léonie a eu peur. Alors, Hugo revient sur l'asile obligé : « Je m'occupe de notre *antre*, cela me tarde comme à toi. Je te verrai moins rarement. Juge si je suis impatient ! »

C'est cet *antre* qui bientôt sera responsable de la plus cruelle mésaventure qu'ait traversée jamais Victor Hugo.

Il semblait pourtant que la nouvelle épreuve dont il était redevable à l'ex-ami Sainte-Beuve ne pouvait guère être dépassée. Le 11 novembre 1843, le critique faisait annoncer dans la *Bibliographie de la France* la publication à deux cents exemplaires d'un ouvrage intitulé *le Livre d'amour*. De quoi s'agissait-il ? De rien d'autre que du récit de ses amours avec Adèle ! Tout y était conté. Les vers inspirés par leur rencontre, la découverte de l'un par l'autre, l'idylle peu à peu changée en passion, la jalousie de Victor, l'exaltation, les hésitations, les craintes, l'appel des âmes et des corps, la chute. Tout. Comment Sainte-Beuve a-t-il osé ? Comment ne s'est-il pas dit que mettre sur la place publique une idylle qu'il considérait comme sacrée était précisément la désacraliser ? Comment n'a-t-il pas entrevu qu'il risquait de porter le tort le plus grave à cette femme qu'il avait tant aimée ? Comment a-t-il pu oublier que tout ce qui touchait à Hugo, homme illustre, susciterait d'ardents commentaires, d'autant plus s'il s'agissait d'indiscrétions concernant sa vie privée ? Autant de questions dont les réponses ne sont pas simples. Pour cette excellente raison que Sainte-Beuve n'est pas un homme simple.

En fait, l'ouvrage imprimé n'a pas été diffusé. Sainte-Beuve n'en a distribué que quatre ou cinq exemplaires. Celui que conserve la Bibliothèque nationale renferme, au dos du faux titre, une note de la main de l'auteur fort éclairante quant à son singulier comportement :

« Ce sont ici des vers d'amour composés autrefois en ce temps où l'on avait le bonheur de la jeunesse, des vrais plaisirs et des vrais tourments. On s'est décidé à en assurer l'existence, puisqu'ils ont été faits de l'aveu des deux êtres intéressés pour consacrer le souvenir de leur lien. Ils portent avec eux d'ailleurs leur explication plus que suffisante et n'en souffrent pas d'autres ici. Fruit rare et mystérieux de plusieurs années d'étude, de contrainte et de tendresse, ils se ressentent par moments de ce manque de grand air et de soleil ; ils ont sans doute des parties difficiles et obscures, mais ils y gagnent du moins pour la vérité, la sincérité. Ceux qui, tôt ou tard, y jetteront les yeux, pourront y remarquer un mélange et comme un conflit de deux inspirations que le poète n'a pas fondues sans doute autant qu'il aurait fallu. L'amour antique, fatal, violent, y perce et revient déjouer par accès l'amour chrétien, mystique, idéal, qui se flattait de régner... »

Dans un projet de préface qu'il n'a pas retenu, Sainte-

Beuve dit très précisément que ses poèmes ont été écrits « en vue d'un *objet unique* ». Souvenir par conséquent inestimable. Mais ce qu'il tient à conserver aussi, ce sont les vers en tant que tels. A l'œuvre, il attache peut-être autant de prix qu'à l'amour qui les a inspirés. Les poètes savent leur génie nourri par leur douleur. La nuance ici, c'est que le poète Sainte-Beuve n'avait pas de génie.

L'affaire de la publication du *Livre d'amour* finit donc en coup fourré. Dans son armoire, le critique a soigneusement empilé les volumes imprimés. Il attend on ne sait quoi. Mais il attend.

En fait, depuis de longs mois, Sainte-Beuve vise l'Académie française. Des dames passaient alors pour exercer sur la compagnie une influence dont bien souvent elles ne disposaient pas. De tout temps, les candidats se sont laissé prendre à ce piège, pour le plus grand bien des salons de ces dames dont l'importance croissait à mesure que s'aiguisaient les ambitions académiques. Mme d'Arbouville, non parce qu'elle était fort laide, mais parce que le comte Molé était son oncle, passait pour faire des académiciens : « elle se croyait un peu de l'Académie », dit Arsène Houssaye. Par voie de conséquence, on a vu Sainte-Beuve fréquenter assidûment son salon et même peu à peu glisser avec elle à une douce intimité. Césarine — tel était son prénom — s'est trouvée l'une des destinataires privilégiées du *Livre d'amour*. Sa réaction : point précisément celle qu'espérait Sainte-Beuve. Il pensait que de le découvrir campé en séducteur la toucherait. Elle a jeté les hauts cris, répétant qu'une telle publication à la veille d'une candidature était le genre de folie à ne pas commettre. Sainte-Beuve se l'est tenu pour dit. Aucun volume n'a plus circulé. Même, il semble qu'il ait tout fait pour récupérer les rares exemplaires envoyés ou remis. De toute cette affaire, Hugo n'a rien su. Et Adèle ? Elle a certainement connu l'existence des vers qui composent *le Livre d'amour* puisque la note écrite de la main de Sainte-Beuve le précise expressément : « De l'aveu des deux êtres intéressés. » Mais probablement n'a-t-elle rien su à ce moment-là du livre qui rassemblait ces vers.

A l'Académie, deux vacances se sont produites en 1844, celles de Campenon et de Casimir Delavigne. Tout bien pesé, Sainte-Beuve va se porter candidat au fauteuil de ce dernier. *Sainte-Beuve à Charles Eynard, 18 janvier 1844* : « Si vous saviez ce que c'est que cette maladie qu'on se donne et à quoi on s'oblige en fait de sollicitations et démarches, vous auriez pitié de moi. » Le 8 février, au fauteuil de Campenon, c'est Saint-Marc Girardin qui passe au premier tour. Pour le fauteuil de Casimir Delavigne auquel se présentent Vatout, Sainte-Beuve, Vigny et Deschamps, aucun des candidats n'ayant obtenu la majorité, on décide de remettre l'élection au 14 mars. « Qu'il vous suffise de savoir, écrit Sainte-Beuve à Juste Olivier, qu'il n'eût fallu qu'une voix de plus pour réussir et que Victor Hugo m'a constamment et hautement refusé la sienne, en annonçant qu'il votait moins *pour* Vigny, que *contre* moi... » Hugo n'a rien dit ni fait de pareil. Obstinément, depuis sa propre élection, il répète qu'il *faut* que Vigny soit de l'Académie. Sainte-Beuve se voit dans un cul-de-sac. Il doit négocier, donc aller à Canossa. Il rencontre Hugo. A Victor Cousin, il explique : « Tout marche, j'ai vu hier à huit heures du soir M. Hugo ; un quart d'heure après est arrivé M. de Vigny. On a causé deux heures durant et Hugo a parlé à Vigny sur son intérêt mieux que je n'aurais pu faire. Hugo, je dois le dire, a été parfait et il a accepté franchement une proposition qui était faite de même. Je les ai laissés causant... »

Résultat, Vigny ne se représente pas et Hugo peut voter au premier tour pour Sainte-Beuve qui est nommé. Or, Hugo se trouve être directeur en exercice de l'Académie. La règle est que le directeur reçoive le nouvel élu sous la coupole. Hugo fera l'éloge de Sainte-Beuve, ce qui ne manque pas de piquant. Sainte-Beuve, devant un public alléché, aura l'habileté d'achever son discours sur Casimir Delavigne par un compliment courtois à Victor Hugo. Quant à celui-ci, il saura s'élever au-dessus des rancœurs et des griefs qu'il peut nourrir et louer avec noblesse le nouvel académicien : « Peu d'hommes ont donné plus de gages que vous aux lettres et aux grands labeurs de l'intelligence. Poète dans ce siècle où la poésie est si haute, si puissante et si féconde, entre la messénienne épique et l'élégie lyrique, entre Casimir Delavigne qui est si noble et Lamartine qui est si grand, vous avez su dans le demi-jour découvrir un sentier qui est le vôtre et créer une élégie qui est vous-même... » Comme Sainte-Beuve prépare un grand ouvrage sur Port-Royal, Hugo s'est tout à coup livré sur ce thème à une digression superbe. Sainte-Beuve l'en remerciera : « Le flot de monde m'a empêché hier de vous atteindre. J'ai couru le soir pour vous chercher. Recevez mes remerciements pour ce que vous avez écrit et proféré sur moi avec l'autorité que j'attache à vos paroles, pour ce que vous avez pour ainsi dire écrit deux fois, puisque vous l'avez maintenu. Quand je m'occuperai de Port-Royal, j'aurai désormais en vue le grand tableau que vous en avez tracé comme fond de perspective, et quant à ma poésie, ce que vous avez bien voulu en dire restera ma gloire. » De la part de Sainte-Beuve, une telle lettre, c'est beaucoup. Admirons la concision de celle qu'il recevra de Hugo : « Monsieur, votre lettre me touche et m'émeut. C'est du fond du cœur que je vous remercie de votre remerciement. Victor Hugo. »

L'affaire du *Livre d'amour* est-elle définitivement close ? Pas du tout. Un peu plus de deux mois après, en ce même mois d'avril où Victor doit accéder à la pairie, Alphonse Karr, s'étant procuré on ne sait comment un exemplaire du livre clandestin, va publier dans ses *Guêpes* un article dont on imagine le bruit qu'il a pu causer. Sous le titre : *Une infamie*, il révèle au public l'existence du *Livre d'amour* :

« Il ne s'agit tout simplement que d'une grande infamie que prépare dans l'ombre un poète béat et confit, un saint homme de poète. Ledit poète est fort laid. Il a rêvé une fois dans sa vie qu'il était l'amant d'une belle et charmante femme. Pour ceux qui connaissent les deux personnages, la chose serait vraie qu'elle n'en resterait pas moins invraisemblable et impossible.

« Cet affreux bonhomme ne s'est pas contenté des joies qu'il a usurpées à la faveur d'un accès de folie ou de désespoir causé par un autre. Il ne trouve pas que ce soit assez d'avoir eu une belle femme, il veut un peu la déshonorer. Sans cela, ce ne serait pas un triomphe suffisant.

« Il a réuni dans un volume de 101 pages toutes sortes de vers au moins médiocres qu'il a faits sur ses amours invraisemblables. Il a eu soin d'en faire un dossier avec preuve à l'appui, pour laisser sur la vie de cette femme la trace luisante et visqueuse que laisse sur une rose le passage d'une limace... »

Suivent un certain nombre de détails sur « ce livre de haine qui est appelé par l'auteur livre d'amour ». Karr cite le sonnet XXX (la promenade en voiture aux Champs-Élysées) et formule l'espoir que son article fera passer l'envie à l'auteur de « *donner suite à sa mauvaise action* ». Dans son *Livre de bord*, Karr expliquera plus tard : « Je m'étais ménagé la ressource d'enfermer le mari, s'il venait me questionner,

dans ma résolution générale et inébranlable, annoncée
d'avance, de ne donner d'explication à personne. Tout le
monde reconnut Sainte-Beuve ; quelques-uns seulement
soupçonnèrent la femme et personne ne dit son nom. Je fus,
comme je devais l'être, inflexible dans ma résolution à son
sujet. » Karr affirme même qu'Adèle serait venue le trouver
pour lui confesser que les vers de Sainte-Beuve ne représentaient que la vérité. Invraisemblable, disent les commentateurs. Mais le vrai peut n'être pas vraisemblable.

Comment croire que Hugo ait pu ignorer l'article de Karr
ou ne pas le comprendre ? On imagine sa colère sourde,
noire, plus violente encore de ne pouvoir être criée. On a dit
que Charles, le fils aîné, qui allait sur ses dix-neuf ans, avait
voulu provoquer le critique en duel. Des amis l'en avaient
dissuadé : le scandale aurait éclaboussé d'autant plus cette
mère qu'il vénérait. Alors, place Royale, entre le père
offensé, la mère mise à nu et le fils blessé, le silence était
retombé.

Le 24 août 1844, Léonie a donné naissance à un petit
Georges. Un peu plus tard, les rencontres avec Hugo ont
repris. Elles vont se poursuivre pendant tout l'hiver
1844-1845.

En avril 1845, quelque chose d'incroyable émerveille
Juliette : elle a retrouvé la liberté d'aller et venir *seule*.
Depuis qu'elle a changé de domicile, Hugo a levé l'interdit
insensé, vieux de douze ans, qui pesait sur elle. Grandes
causes petits effets : cette générosité surgit alors même que
Victor se trouve au plein de sa passion pour Léonie Biard. La
chère Juliette n'abuse pas de la permission. Pour dire le vrai,
elle ne sait d'abord qu'en faire. *1er avril* : « Dès que j'ai été
abandonnée à moi-même, je suis revenue par le même chemin... » *10 avril 1845* : « Je suis sortie, mon bien-aimé, je suis
allée voir ma grande fillette ainsi que nous en étions convenus. Je l'ai trouvée très bien portante et Mme Marre est très
contente d'elle ainsi que de la petite Charlotte qui jusqu'à
présent est très gentille [1]... Cette course m'aura probable-

---

1. Mme Marre est la maîtresse de la pension où se trouve Claire. Charlotte
est une fille légitime de Pradier, plus jeune que Claire, élève dans la même
pension.

ment fait du bien au *corps*, mais ce qui est sûr, c'est qu'elle ne
m'en a pas fait au *cœur*. Il est impossible d'être plus triste
que je ne le suis quand je marche seule dans les rues. Depuis
douze ans, cela ne m'était jamais arrivé. Aussi je me
demande ce que cela veut dire. Est-ce de la confiance ? Est-ce
de l'indifférence ? Peut-être les deux choses à la fois. »

Elle se sent un peu dépassée, la pauvre Juliette. Tous ces
honneurs qui pleuvent sur la tête de son Victor ! Elle avait
beaucoup bataillé contre l'Académie. Mais que faire à
l'encontre d'un amant aussi entreprenant, devant tant de
vitalité et face à cette provocante jeunesse : « Pourquoi le bon
Dieu qui, de tout temps, avait eu en vue de faire de vous un
académicien et un pair de France, et de moi votre amoureuse, pourquoi vous a-t-il prodigué ce luxe de cheveux noirs
et de jeunesse inutiles à des emplois surannés, tandis qu'il
m'a comblée de cheveux gris ?... »

Elle se proclame jalouse de toutes ces femmes qu'elle
devine rôdant autour de Hugo. Elle ne soupçonne pas l'essentiel qui est Léonie, mais va, nous l'avons vu, jusqu'à redouter
Hélène d'Orléans. Jalousie, que d'erreurs on commet en ton
nom !

Il est vrai que la duchesse, point consolée, reçoit toujours
volontiers Victor. Nullement pour échanger de doux propos
mais pour livrer à cet homme en qui elle a mis sa confiance
des confidences qui lui brûlent le cœur. En mère plus qu'en
princesse, elle lui parle des inquiétudes que lui cause son fils,
appelé à devenir roi des Français :

— Il a du cœur, je le sais, il a de l'esprit, je le crois ; mais
personne ne sait et ne croit cela que moi. Il est timide,
farouche, silencieux, effaré aisément. Que sera-t-il ? Je
l'ignore...

Sortant du pavillon de Marsan, Hugo médite : cet enfant
est-il l'avenir de la France ? Le roi maintenant l'invite aux
Tuileries. Après la mort de son fils, le souverain au toupet
blanc l'avait convié d'abord parmi quelques hôtes privilégiés.
On en est aux entrevues seul à seul, dans le silence du cabinet
royal.

Bientôt, ce sont des entrevues presque quotidiennes, c'est
de la familiarité pure et simple.

Journal de Hugo, 15 août 1844 : « Après avoir dîné chez Villemain
qui habite une maison de campagne près Neuilly, je suis allé chez le

roi... J'ai salué la reine qui m'a beaucoup parlé de Mme la princesse
de Joinville, accouchée d'avant-hier, et dont l'enfant est venu le
même jour que la nouvelle du bombardement de Tanger par son
père. C'est une petite fille. Mme la princesse de Joinville passe sa
journée à la baiser en disant : " Comme elle est gentille ! " avec son
doux accent méridional que les plaisanteries de ses beaux-frères
n'ont pu encore lui faire perdre. »

On attend longtemps le roi qui ne paraît qu'à 10 heures. Il
est soucieux, à cause du protocole de Tahiti. La France est en
plein conflit diplomatique avec l'Angleterre : l'affaire Prit-
chard, comme on l'appelle, du nom du consul anglais expulsé
de l'île. Peu à peu, les personnalités présentes au château de
Neuilly ont pris congé. Le roi vient au poète, lui saisit le bras
et le mène dans le grand salon d'attente. Il fait asseoir son
hôte près de lui sur un canapé. « Alors, note Hugo, il s'est mis
à parler vivement, énergiquement, comme si un poids se
levait de dessus sa poitrine. »

Dans le journal de Hugo, les propos du roi occupent des
pages et des pages. « Il avait parlé presque sans interruption
pendant cinq quarts d'heure. Je disais çà et là quelques mots
seulement. Pendant cette espèce de long monologue,
Mme Adélaïde a passé, se retirant dans ses appartements. Le
roi lui a dit : " *Je vais te rejoindre tout à l'heure* ", et a continué. Il était près de onze heures et demi quand j'ai quitté le
roi. »

Si l'on feuillette le journal, on ressent l'impression que
deux Français ne se quittent plus : Louis-Philippe et Victor
Hugo. Ce vieux roi-là — soixante et onze ans — a fait la
conquête de Hugo.

« 16 novembre. Saint-Cloud. Le roi était hier soucieux et paraissait fatigué. Quand il m'a aperçu, il m'a conduit dans le salon qui est
derrière le salon de la reine, et il m'a dit en me montrant un grand
canapé de tapisserie où sont figurés des perroquets dans des médaillons : — Asseyons-nous sur ces oiseaux. Puis il m'a pris la main, et
s'est plaint assez amèrement :
— Monsieur Hugo, on me juge mal. On dit que je suis fin. On dit
que je suis habile. Cela veut dire que je suis traître. Cela me blesse.
Je suis un honnête homme. Tout bonnement. Je vais droit devant
moi. Ceux qui me connaissent savent que j'ai de l'ouverture de cœur.
Thiers, en travaillant avec moi, me dit un jour que nous n'étions pas
d'accord : " Sire, vous êtes fin, mais je suis plus fin que vous. — La
preuve que non, lui répondis-je, c'est que vous me le dites. " Thiers,

du reste a de l'esprit, mais il est trop fier d'être un parvenu. Guizot vaut mieux. C'est un homme solide. Un point d'appui. Espèce rare et que j'estime. Il est supérieur même à Casimir Perier, qui avait l'esprit étroit. C'était une âme de banquier scellée à la terre comme un coffre-fort ! Oh ! que c'est rare, un vrai ministre ! »

Comment ne pas être touché ? Hugo l'est — mais il manœuvre. Le résultat sera à la mesure de l'ambition : une ordonnance du 13 avril 1845 élève à la pairie *le vicomte Hugo (Victor-Marie)*. Achevée, la course aux honneurs.

Commentaire de Juliette : « Je ne peux que me réjouir avec toi et avec ta chère famille d'une position qui te facilitera davantage le moyen de servir ton pays, tes amis et tous ceux qui souffrent et qui ont droit à ta pitié. C'est dans ce sentiment que je te félicite de cette nouvelle dignité et que je te crie du fond du cœur : *quel bonheur !* Le moyen que je le crie encore plus fort serait que tu viennes tout de suite et que tu ne me quittes plus. »

Dire que l'opinion fut unanime serait manquer à la vérité. D'abord, on a fait des mots. Charles Maurice, dans son *Courrier des théâtres* : « Monsieur Victor Hugo est nommé pair de France : le Roi s'amuse. » La presse républicaine s'est gaussée plus méchamment. Armand Marrast dans *le National* : « Victor Hugo est mort, saluez M. le vicomte Hugo, pair lyrique de France ! La démocratie, qu'il a insultée, peut désormais en rire : la voilà bien vengée... »

Hugo, lui, joue le jeu. Il transmet au maréchal Soult, président du conseil, les pièces sur lesquelles jugera la Chambre des pairs pour entériner sa nomination. Au pavillon de Flore, Mme Adélaïde reçoit familièrement Adèle et sa fille. Le 28 avril, Hugo prête serment à la Chambre des pairs. Marrast est là : « Une sorte d'illumination inconnue traversant les vitres est venue colorer d'un rouge vif les pâles tentures de l'enceinte... M. Pasquier, couvert de son mortier, a lu l'ordonnance qui élève à la dignité de pair de France *Monsieur le vicomte* Victor Hugo... Notre poitrine s'est dilatée... Nous avions eu un frisson de poésie ; nous avons été saisis de l'enthousiasme du blason... »

Il était dit que le vieux M. Foucher aurait pu voir sa fille mariée, adultère, trompée, femme d'académicien et de pair de France. En mai 1845, il meurt comme il a vécu, sans faire de bruit. Il était préférable que le cher homme n'eût point attendu deux mois de plus.

L'aube du 5 juillet 1845. Une chambre meublée du passage Saint-Roch. L'antre tant annoncé, tant recherché par Victor. Dans le lit qui est presque l'unique objet de la pièce, les deux amants dorment, serrés l'un contre l'autre. Tout à coup, des coups de poing martèlent le bois de la porte. Victor et Léonie se dressent, elle terrifiée, lui rassurant : sans doute est-ce une erreur. Nul ne connaît cette adresse, cet asile.

Du dehors, une voix sonore le détrompe :

— Au nom du roi, ouvrez !

On ne sait rien des détails. On peut tout juste les imaginer. Léonie en larmes se cachant sous les draps. Hugo se drapant dans sa redingote pour aller ouvrir. Le commissaire, le ventre barré de son écharpe qui, flanqué de ses agents, entre et verbalise. Il agit sur la plainte de M. Biard qui poursuit sa femme en adultère. Le code Napoléon est formel : l'adultère est puni de prison. La dame présente convient-elle qu'elle est Mme Biard ? Elle en convient. Qu'elle s'habille ! On va la conduire à la prison de Saint-Lazare. Que Monsieur se vête aussi d'ailleurs.

Alors Hugo s'est avancé, présenté :

— Je suis pair de France.

Voilà le commissaire de police fort ennuyé, car les pairs de France sont inviolables. S'ils commettent un crime ou un délit, seuls les autres pairs peuvent ordonner leur arrestation pour les juger ensuite. Là encore, on imagine : l'horreur de la jeune femme que l'on emmène, ses sanglots, ses appels, ses cris. Hugo qui regarde cela, impuissant. Hugo resté seul, fou de douleur, d'anxiété et de honte.

Il a descendu l'escalier. S'est retrouvé dans le passage. La rue Saint-Honoré est toute proche. Il marche. Sait-il seulement où ses pas le portent ? Ses biographes ont cru qu'il était directement rentré place Royale. Ils n'ont pas lu la lettre de Juliette qui prouve qu'auparavant il a passé quelques instants chez elle. *Juliette à Victor, 5 juillet, samedi matin, 10 h 30* : « Tu es resté bien peu de temps cette nuit. Cependant, j'étais bien éveillée. C'est que tu n'auras pas pu rester davantage, mon Toto, car tu paraissais bien préoccupé. » Préoccupé est le mot.

Il est parti. Quand il est arrivé place Royale, la maison dor-

mait encore. Adèle a elle-même raconté à son beau-frère, le
graveur Paul Chenay, que ce jour-là, au petit matin, elle avait
vu soudain son mari entrer dans sa chambre, ce qui ne lui
arrivait jamais à pareille heure. Elle l'a regardé, stupéfaite
par l'air de folie qu'elle voyait sur son visage. Il est tombé à
genoux devant elle. Elle s'est mise à trembler convulsivement.
En mots entrecoupés, il lui a tout raconté, « la scène épouvantable qui s'était passée et les suites terribles que menaçait
de lui donner le mari outragé... Le poète, à genoux, priait, suppliait ; il demandait grâce à la victime en faveur des coupables ».

Je crois à la vérité de cette scène. Rien ne pourrait mieux
« coller » à la psychologie hugolienne, on pourrait écrire au
rituel hugolien, qu'une telle entrevue. Dans mélodrame il y a
drame. Hugo, inventeur du drame au théâtre, s'y meut naturellement dans la vie.

Léonie a-t-elle réellement été à la prison de Saint-Lazare
rejoindre les voleuses et les prostituées ? On n'en a pas
trouvé de trace écrite. Plus tard, Alfred Asseline a découvert
le dossier de l'affaire dans les archives de la police, il s'en est
emparé sans vergogne et l'a apporté à Hugo qui, dit-on, ne fit
qu'en rire. Mais il a pris bien soin de s'en saisir et probablement de le détruire. L'allusion à Saint-Lazare est dans une
lettre de Mme Hamelin. Il faut donc admettre un séjour,
même court, au sein de l'horreur.

Comment un homme peut-il supporter un tel coup ? La
femme qu'il aime est en prison parce qu'elle l'a aimé. Lui, il
est libre. Comment n'errerait-il pas, comme une bête enfermée, dans ces deux pièces de l'appartement de la place
Royale — chambre et cabinet — où chaque meuble, chaque
bibelot, chaque recoin lui rappellent la présence de Léonie ?
Il n'a pris, sur l'épisode affreux, aucune note, laissé aucune
confidence. Mais, à mesure que les heures passent, l'anxiété
s'ajoute au chagrin. Hugo est devenu un personnage public.
Sa récente accession à la Chambre des pairs, sa familiarité
connue avec le roi ont ajouté à cette célébrité née de ses succès littéraires. Un pair de France, un académicien pris en flagrant délit, dans une chambre meublée, par un commissaire
de police ! Comment la presse ne l'apprendrait-elle point ?
Tout cet édifice si patiemment construit depuis l'adolescence
risque de s'effondrer en un jour.

Dès le lendemain, il fait chercher les journaux. *La Patrie*
imprime :

« On parle beaucoup à Paris d'un scandale déplorable. Un de nos écrivains les plus célèbres aurait été surpris, hier, en conversation criminelle, par le mari qui se serait fait assister du commissaire de police. L'épouse infidèle aurait été incarcérée et l'amant si malheureusement heureux n'aurait dû le triste avantage de conserver sa liberté qu'au titre politique qui rend sa personne inviolable. Ne pouvant douter de l'exactitude de ces faits, nous faisons des vœux pour que les suites en soient les moins graves possible. »

Quel lecteur de *la Patrie* n'aurait aussitôt reconnu Victor Hugo ? *La Quotidienne* parlera d'un « grand procès devant une juridiction exceptionnelle » auquel on s'attend à propos d'un événement dont on ne peut parler qu'avec la réserve « que commande la pudeur publique ». *Le National* évoquera la « scandaleuse aventure » en s'attardant à la « grave question de droit constitutionnel » qu'elle soulève. Le commissaire de police a-t-il eu raison de ne pas arrêter cet « illustre personnage, qui cumule les lauriers du Parnasse et le manteau d'hermine de la pairie » ? A-t-il eu raison de se laisser impressionner par les arguments du pair de France et de « laisser sortir le galant vicomte » ? Tout-Paris ne parle plus que de cela : à vrai dire, un esclandre sans précédent.

Lui, dans sa cage, subit cette avalanche. Lamartine le plaint qui écrit à l'un de ses correspondants : « L'aventure amoureuse de mon pauvre ami Hugo me désole... Ce qui doit être navrant pour lui, c'est de sentir cette pauvre femme en prison pendant qu'il est libre... » C'est tout le problème, en effet.

Adèle, comme certains l'ont cru, est-elle allée trouver Léonie dans sa prison pour méditer avec elle, dans l'intérêt de « leur » Victor, une stratégie commune ? Ou encore s'est-elle fait recevoir par Biard pour obtenir de lui qu'il retirât sa plainte ? Là-dessus nous sommes réduits à des propos qui ressemblent à des cancans. Dans sa cellule, Léonie pleure et attend. L'instigatrice de sa libération semble avoir été Mme Hamelin qui s'en est targuée en termes piquants dans une lettre du 6 septembre 1845 : « L'autre jour, je voulais arracher à Biard une main levée pour commuer Saint-Lazare en Sacré-Cœur. Il bondissait de rage. Ses cornes se dressaient sur sa tête ! Je lui dis gaiement : " Mon voisin, il n'y a que les rois et les cocus qui aient le droit de faire grâce. Prenez le beau côté de la chose. " Ma foi, il éclata de rire et il envoya le pouvoir à maître Fayol son avocat. »

Si Biard a cédé, c'est aussi que le roi Louis-Philippe, fort marri de l'aventure qui frappait l'un des hommes que l'on pouvait à bon droit désormais considérer comme l'un des piliers du régime, l'a fait appeler auprès de lui à Saint-Cloud. On ne sait rien de la conversation, mais Biard a retiré sa plainte. Se souvenant des peintures murales dont il avait orné les murs du Versailles restauré par Louis-Philippe, les Parisiens vont colporter ce mot : « Ce sont ses fresques qui lui ont fait oublier les frasques de sa femme. »

Ce n'est pas au Sacré-Cœur que Léonie a été transférée, mais au monastère des Augustines, rue Neuve-de-Berri. Biard va demander la séparation de corps et de biens. Le procès doit venir le 14 août 1845, devant le tribunal de la Seine. Nouveau sujet d'alarme pour Hugo. Il faut absolument éviter que la presse rende compte du procès. Alors, il se démène, se multiplie, frappe avec humilité à la porte des salles de rédaction, fait agir ses amis, écrit lui-même à la sœur du rédacteur en chef d'un journal légitimiste pour la supplier d'intervenir auprès de son frère afin que « *la Quotidienne* garde un silence absolu sur le procès de Mme B. ». Il gagne : autour du procès Biard, c'est l'unanimité du silence. Le tribunal a condamné Léonie aux dépens. La garde des deux enfants est dévolue au mari. La mère ne sera autorisée à les voir qu'une heure par semaine. Pauvre Léonie !

L'épouse coupable devrait demeurer six mois dans son couvent. Biard, compatissant, intervient pour qu'elle puisse, le 25 décembre, quitter définitivement les Augustines. Dès le 27 septembre, il lui a fait remettre une somme de 500 francs. Le lendemain de Noël, 200 francs s'y ajoutent. Biard consentira à sa femme une pension de 1 200 francs par an et lui fera verser en espèces et en objets mobiliers choisis par elle le montant de la dot de 2 000 francs qu'il lui avait reconnue, à elle qui ne possédait rien, au moment de leur mariage. Faut-il après cela continuer à accabler, comme l'ont fait trop de biographes, François Biard ? Léonie, elle, ne l'a jamais fait. Elle en est demeurée à ce seul jugement : son mari — il le restait devant Dieu et la loi — était un homme « sage et bon ».

Léonie enfin libre est allée se réfugier chez la seconde épouse de son grand-père maternel, Thérèse Fauquanberque, 16, rue du Roi-de-Sicile. Comment ne pas deviner Victor attendant au sortir du couvent, dans une voiture bien close, ouvrant la portière du fiacre, l'aidant à monter — et elle, éperdue, se jetant dans ses bras ?

Louis-Philippe, décidément fort occupé de l'affaire, avait également souhaité en entretenir Hugo. Il lui avait parlé en père de famille, avait évoqué sa longue expérience des choses et des gens et finalement conseillé de partir pour l'étranger. Au retour tout serait effacé. Ce qui était l'avis de Lamartine : « J'en suis fâché, mais ces choses-là s'oublient vite. La France est élastique ; on se relève même d'un canapé. » Hugo avait promis au roi tout ce que l'on voulait : il quitterait la France dès le lendemain. Rassuré, le roi lui avait tendu la main. *La Quotidienne* allait imprimer le 11 juillet : « Monsieur Hugo a pris hier ses passeports et est parti pour effectuer un voyage de trois mois en Espagne. »

Il est vrai que Victor était *parti*. Chez Juliette.

La recluse de la rue Saint-Anastase — elle y habitait toujours, étant simplement passée, en février 1845, du numéro 14 au numéro 12, avec l'avantage d'un petit jardin — n'avait rien su. Elle ne lisait de journaux que ceux que lui apportait son bien-aimé Victor. Il s'était bien gardé de choisir les feuilles qui évoquaient « l'affaire ». A la fin juillet, son beau-frère Louis Koch — même à Brest le scandale faisait du bruit — lui avait écrit pour lui demander ce qu'il y avait de vrai dans les rumeurs qui circulaient. Hugo avait beaucoup ri quand Juliette l'avait interrogé là-dessus. Rassurée, elle avait répondu à son beau-frère qu'il s'agissait sûrement de « la stupide histoire de Mlle Plessy et que décidément l'on confondait tout en province ». Elle vivait depuis dans une quiète ignorance. Quelle stupeur de le voir tout à coup s'installer auprès d'elle ! Le moment du « pauvre petit bonheur annuel » n'était pourtant pas encore venu ! Elle s'est extasiée, a débordé de gratitude et d'amour. Sûrement, ce séjour impromptu signifie, de la part de Victor, un retour de cette passion qu'elle croyait si loin enfuie. Il restera là plusieurs jours. Après quoi, regagnant la place Royale, il s'y terrera. Vis-à-vis de Juliette, une inflammation du bas-ventre lui servira d'un excellent prétexte. Caton l'Ancien disait déjà : « Il est difficile de parler à un ventre qui n'a pas d'oreilles. »

La mort de Léopoldine avait marqué la plus profonde douleur qui ait étreint son cœur d'homme. Le flagrant délit aura signifié l'humiliation la plus cruelle qu'ait pu lui infliger la vie. L'idée que les Français ne l'aimaient pas, il la traînait avec lui depuis longtemps. Après le passage Saint-Roch, elle s'ancrera davantage au fond de lui-même. Il se savait un objet de critiques virulentes, de calomnies, de dérision. Il avait tant bien que mal tenté de panser ses plaies toujours à vif en endossant l'habit d'académicien et l'uniforme de pair de France. La recherche des honneurs est plus souvent qu'on le croit preuve de modestie, les hommes tentant de compenser par des hochets les inquiétudes qu'ils ressentent quant à leur propre valeur. Mais comment faire face au nouveau déferlement fondé, lui, sur la plus triste des réalités ? L'opinion générale à son égard, c'est Horace de Viel-Castel qui l'exprimera en écrivant : « Cet homme est le plus misérable des drôles ! L'orgueil de savant, le cœur d'un chiffonnier... Il est au plus bas, au plus sale du ruisseau... et c'est justice ! » Après cela, comment faire ses débuts à la Chambre des pairs, comment prononcer ce premier discours, dire enfin publiquement ce qui lui brûle les lèvres depuis si longtemps ?

Le miracle avec Hugo, c'est que cet homme foudroyé, loin de ployer les épaules, va précisément en ce temps-là commencer son œuvre en prose la plus considérable. Une telle force de caractère semble si invraisemblable que notre esprit se refuse à le croire. Les faits sont là. Au plus fort de l'affaire Biard, Sainte-Beuve écrit, le 17 septembre, à Victor Pavie que le mari d'Adèle « travaille enfermé à [l'on ne sait] quelle œuvre dont il espère que l'éclat recouvrera l'aube ». Cette retraite se situe rue Saint-Anastase. L'œuvre n'est autre que *les Misérables.*

Fixer une date exacte aux premiers pas d'une œuvre telle que celle-là est d'évidence impossible. Sur le manuscrit, Hugo indique que, le 17 décembre, il a entamé la rédaction proprement dite du roman. Mais l'intrigue autant que les personnages se sont formés peu à peu, d'abord dans son inconscient, puis dans son imagination. Pourquoi, dès 1824, s'informait-il auprès de Gaspard de Pons des conditions de vie au bagne de Toulon ? Et pourquoi, ce bagne, l'a-t-il visité après celui de Brest ? Pourquoi a-t-il écrit un roman sur Claude Gueux ? Pourquoi, en compagnie de David d'Angers, a-t-il visité Bicêtre et la Conciergerie, assisté au ferrement des forçats, au départ de cette chaîne dont *les Misérables* donneront une vision bouleversante ? Pourquoi a-t-il recherché si longuement des informations sur l'évêque Charles-François-Bienvenue de Miollis, qui devait être à l'origine de Mgr Myriel, évêque de Digne ? Ces châtiments que l'homme inflige à l'homme comme s'il était Dieu ont toujours exercé sur lui une sorte de fascination, composée de « réprobation et de pitié, de complaisance et de répulsion [1] ». En 1832, donnant une préface à la cinquième édition du *Dernier Jour d'un condamné*, il a solennellement réclamé l'abolition de la peine capitale, non seulement pour les ministres de Charles X, « mais à propos du premier voleur de grands chemins venu, à propos d'un de ces *misérables* [2] que vous regardez à peine quand ils passent près de vous dans la rue, auxquels vous ne parlez pas, dont vous évitez instinctivement le coudoiement poudreux ; malheureux dont l'enfance déguenillée a couru pieds nus dans la boue des carrefours, grelottant l'hiver au bord des quais, se chauffant au soupirail des cuisines de M. Véfour chez qui vous dînez, déterrant çà et là une croûte de pain dans un tas d'ordures et l'essuyant avant de la manger, grattant tout le jour le ruisseau avec un clou pour y trouver un liard, n'ayant d'autre amusement que le spectacle gratis de la fête du roi et les exécutions en Grève, cet autre spectacle gratis ; pauvres diables, que la faim pousse au vol, et le vol au reste ; enfants déshérités d'une société marâtre, que la maison de force prend à douze ans, le bagne à dix-huit, l'échafaud à quarante ; infortunés qu'avec une école et un atelier vous auriez pu rendre bons, moraux, utiles, et dont vous ne savez que faire, les versant, comme un fardeau inutile, tantôt dans la rouge fourmilière de Toulon, tantôt dans le muet enclos de Clamart [3], leur retranchant la vie après leur avoir ôté la liberté... » Tous *les Misérables* sont déjà dans un texte comme celui-ci.

Les détails, il les a engrangés. Il a fait recopier un plan par Juliette Drouet et l'on y voit cette mention : *plan de Digne : Jean Tréjean.* En 1837, il est passé par Montreuil-sur-Mer. Au lendemain de son élection à l'Académie française — rappelons-nous — la scène l'a horrifié de ce gandin plantant une grosse poignée de neige dans le dos d'une prostituée en robe décolletée.

Adèle II Hugo, dans le journal qu'elle a tenu en exil, rapporte une confidence de son père. C'est au cours d'une séance de la Chambre des pairs, en 1845, que Hugo a eu l'idée de son

1. Bernard Leuilliot.
2. C'est moi qui souligne.
3. Cimetière où l'on jetait les cadavres des exécutés.

poème *Melancholia*. Celui-ci peint huit tableaux de misère qui posent, comme le feront *les Misérables*, « les trois problèmes du siècle, la dégradation de l'homme par le prolétariat, la déchéance de la femme par la faim, l'atrophie de l'enfant par la nuit ».

C'est aussi probablement à la Chambre des pairs qu'il a noté, au dos de l'enveloppe d'une lettre qui lui avait été adressée à la haute assemblée, le premier plan du roman qui nous ait été conservé :

> *Histoire d'un saint*
> *Histoire d'un homme*
> *Histoire d'une femme*
> *Histoire d'une poupée*

Le saint ? Nous avons reconnu Mgr Myriel. L'homme, c'est Jean Tréjean, premier patronyme qu'il attribue à son héros, avant que celui-ci reçoive son identité définitive. La femme, c'est Fantine. La poupée, celle que Valjean portera à la petite Cosette ; et en même temps toute l'histoire de Cosette.

Dès le début, l'ouvrage avance bien — et vite. Hugo ne mettra qu'une année, jusqu'au 24 novembre 1846, pour achever la première partie, jusqu'à l'épisode du petit Gervais, le jeune Savoyard à qui Valjean vole, sans le comprendre lui-même, une pièce de quarante sous. Au cours de cette période initiale, l'intrigue se précise, les personnages prennent leur épaisseur. Surtout, Hugo s'est trouvé confronté à un épisode qui a pesé lourdement sur toute la suite de son travail. Dans son journal, il note :

« Hier, 22 février, j'allais à la Chambre des pairs. Il faisait beau et très froid, malgré le soleil et midi. Je vis venir rue de Tournon un homme que deux soldats emmenaient. Cet homme était blond, pâle, maigre, hagard ; trente ans à peu près, un pantalon de grosse toile, les pieds nus et écorchés dans des sabots avec des linges sanglants roulés autour des chevilles pour tenir lieu de bas ; une blouse courte, souillée de boue derrière le dos, ce qui indiquait qu'il couchait habituellement sur le pavé ; la tête nue et hérissée. Il avait sous le bras un pain. Le peuple disait autour de lui qu'il avait volé ce pain et que c'était à cause de cela qu'on l'emmenait. En passant devant la caserne de gendarmerie, un des soldats y entra, et l'homme resta à la porte, gardé par l'autre soldat.

« Une voiture était arrêtée devant la porte de la caserne. C'était une berline armoriée portant aux lanternes une couronne ducale, attelée de deux chevaux gris, deux laquais en guêtres derrière. Les glaces étaient levées, mais on distinguait l'intérieur tapissé de damas bouton-d'or. Le regard de l'homme fixé sur cette voiture attira le mien. Il y avait dans la voiture une femme en chapeau rose, en robe de velours noir, fraîche, blanche, belle, éblouissante, qui riait et jouait avec un charmant petit enfant de seize mois enfoui sous les rubans, les dentelles et les fourrures.

« Cette femme ne voyait pas l'homme terrible qui la regardait.

« Je demeurai pensif.

« Cet homme n'était plus pour moi un homme, c'était le spectre de la misère, c'était l'apparition, difforme, lugubre, en plein jour, en plein soleil, d'une révolution encore plongée dans les ténèbres, mais qui vient. Autrefois le pauvre coudoyait le riche, ce spectre rencontrait cette gloire ; mais on ne se regardait pas. On passait. Cela pouvait durer ainsi longtemps. Du moment où cet homme s'aperçoit que cette femme existe, tandis que cette femme ne s'aperçoit pas que cet homme est là, la catastrophe est inévitable. »

Si précisément Hugo a choisi d'inaugurer la composition des *Misérables*, appelés d'abord *les Misères*, au milieu du scandale Biard, c'est peut-être parce que lui-même se sentait devenu comme le paria d'une société qui le méprisait, le rejetait et qui, si elle l'avait pu, l'eût piétiné. *Les Misérables*, c'est l'histoire de tous les parias, de cette écume que la société, telle une immense vague jetée sur une grève, extirpe de son sein plutôt que de tenter de les absorber. Face aux grandes iniquités, les contemporains de Hugo ont choisi de fermer les yeux. D'autres se sont bornés à ressentir quelque gêne : « Il y a une espèce de honte, a dit La Bruyère, d'être heureux à la vue de certaines misères. » Hugo, presque seul, a choisi de dénoncer. Aujourd'hui que tant d'esprits rigoureux n'ont pas manqué de moquer le « simplisme » et le « paternalisme » qui auraient présidé à l'élaboration des *Misérables*, il n'est pas inutile de rappeler que l'acte seul de s'insurger publiquement contre ce que tant d'autres acceptaient était plein de courage.

Nous avons rencontré, à la veille de la mort de Léopoldine, un Hugo à la recherche de lui-même, courant les salons dans l'espoir vain d'y retrouver l'ombre d'un jeune homme qui, au lendemain de 1830, avait pensé l'heure venue de refaire le monde. Avec Lamartine, il avait rêvé sur le problème social, cru à une solution qu'il ne formulait pas encore mais qu'il se sentait fondé à proposer lui-même un jour. Il avait rêvé au frêle exilé de Schoenbrunn, à ce Napoléon II qu'il voyait à la tête d'une république impériale. Il s'était juré de faire la guerre à l'ignorance, génératrice de la misère d'où sortaient toutes les fautes et tous les crimes. Pour cela, il avait voulu être pair de France. Il l'était. Mais, avant d'y parvenir, que de tables n'avait-il pas dû fréquenter, que de salons n'avait-il pas hantés ? Le curieux de l'affaire, c'est que cette stratégie avait débouché sur une osmose. Peu à peu, il s'était senti à l'aise dans ce monde auquel si longtemps il était resté étranger, ne le considérant qu'avec le regard d'un entomologiste. Il avait su y acquérir l'aisance que d'autres avaient trouvé dans leur berceau. Il paraissait à la cour comme en pays conquis, baisait les mains des princesses, saluait les ministres d'un mot d'esprit, la reine d'une parole profonde et le roi d'une sentence philosophique. Peu à peu, ce monde était devenu sa vie. Il ne distinguait plus bien lequel conduisait l'autre, de celui-ci ou de lui-même. Sur la cheminée d'Adèle, place Royale, les invitations prenaient la proportion d'un petit Himalaya. Le tourbillon l'étourdissait tant qu'il ne se sentait plus la force de s'arracher au courant.

En apparence, jusqu'en 1848, rien ne changera. M. Victor Hugo écrit peu. Tout en donnant la première place à l'économie, il est soucieux de sa mise, de ses gilets, de ses jabots, de sa coiffure : le parfait sujet d'un roi comme Louis-Philippe, le bourgeois idéal selon Guizot, avec cette différence qu'il s'enrichit davantage par l'épargne que par le travail. Tout cela est vrai. Mais nous savons, nous, qu'à sa table il édifie un roman qui est l'histoire d'une rédemption. Nous savons que, dans un projet de préface vraisemblablement rédigé en 1847, il écrit : « A ceux qui nous demanderaient si cette histoire est *arrivée*, comme on dit, nous répondrions que peu importe. Si ce livre renferme par hasard une leçon ou un conseil, si dans les faits ou les sentiments il contient des choses qui sont, il aura rempli son but. Il aura toujours sa réalité s'il a quelque utilité. L'important n'est pas qu'une histoire soit véritable, mais qu'elle soit vraie. »

Elle est mieux que vraie : vraisemblable. Le grossissement des effets et des personnages, que tant d'aristarques ont souligné avec une volupté maligne, prend son élan dans ces scènes de la vie quotidienne dessinées par l'âge industriel dans les limbes. Les figures, nées de l'imagination de Hugo, l'époque les a fécondées. Entre le romancier et son héros, au moment où il s'engage dans ce long parcours, se crée une identité si singulière que l'on s'étonne qu'elle n'ait pas frappé davantage les commentateurs. Je lis et relis ce passage d'une première version du roman :

« Jean Tréjean était dans les ténèbres ; il souffrait dans les ténèbres ; il haïssait dans les ténèbres : on eût pu dire qu'il haïssait devant lui. Il vivait habituellement dans cette ombre, tâtonnant comme un aveugle et comme un rêveur. Seulement, par intervalles, il lui venait tout à coup, de lui-même ou du dehors, une secousse de colère, un surcroît de souffrance, un pâle et rapide éclair qui illuminait toute son âme et faisait brusquement apparaître partout autour de lui, en avant et en arrière, aux lueurs d'une lumière affreuse, les hideux précipices et les sombres perspectives de sa destinée. »

Jean Tréjean souffre et hait dans les ténèbres d'un bagne. En ces années 1845 et 1846, c'est un autre bagne que traverse Hugo.

Le problème quotidien qui se pose à lui, depuis que Léonie a été rendue à la liberté, c'est celui de la distribution de son temps. Une Léonie brisée est sortie du couvent et aussi du scandale. Depuis qu'elle a dû se séparer de ses enfants, c'est vers Victor qu'elle appelle au secours : « Que je suis malheureuse de vous aimer comme je vous aime sans aucun espoir d'avenir ! Je n'aurai donc su ce que c'est qu'aimer que pour souffrir et ajouter une douleur de plus aux peines que j'ai eues dans ma vie ! » Il eût fallu pour se dérober à de tels cris que Hugo fût doté d'un cœur de pierre, ce qui n'était pas. Il est assuré d'aimer Léonie comme il n'a jamais aimé, comme il n'aimera jamais plus. Elle lui a « embrasé le cœur » autant qu'elle « incendie sa chair ». Il n'est que de le lire :

« Vois-tu, nous sommes un. Dis-toi cela sans cesse. Je me regarde dans ton beau front comme dans un miroir. La flamme que je vois luire dans tes yeux est la même que je sens brûler dans ma poitrine. Quand tu me parles, il me semble que c'est ma pensée que tu me dis. Je te connais jusqu'au fond comme je me connais ; mieux peut-être. Je te pénètre. Je sais par cœur ton intelligence comme je sais par cœur ta beauté. Ô ravissante contemplation ! Tu es transparente pour moi. A travers tes vêtements, je vois ton corps et à travers ton corps je vois ton âme.

« Aussi tu me tiens le cœur dans tes serres, ô belle victorieuse que
tu es, comme un aigle tient sa proie. Tu m'as saisi par tous les côtés
à la fois. Je t'aime parce que tu es une femme, je t'admire parce que
tu es un esprit, je t'adore parce que tu es un ange. Oh ! quand tu
t'envoleras, emporte-moi ! »

Quant à elle, les épreuves ont à la fois exalté et affiné
l'amour qu'elle lui porte. Pour redire à Victor qu'elle l'aime,
elle trouve comme Juliette de ravissantes formules : « Ton
amour aujourd'hui, c'est ma rougeur ; dans l'avenir ce sera
ma pourpre » ; « Je voudrais mourir pour un de tes sourires,
au risque de ressusciter par un de tes baisers » ; « Je tourne
dans mon amour comme un écureuil dans sa cage » ; « Ma
pensée a des ailes et va d'un souvenir à l'autre comme un
oiseau vole de branche en branche. »

Et lui — qui délire : « Je n'ai qu'un instant. Je t'envoie
l'éternité dans une minute, l'infini dans un mot, tout mon
cœur dans : je t'aime. »

Un amour unique, irremplaçable. Seulement, les heures
accordées à Léonie sont arrachées à d'autres : à la place
Royale, d'abord. La famille compte plus encore pour lui
qu'auparavant. La mort de Léopoldine est passée par là.
Adèle lui est devenue plus proche. Il pense à elle avec une
tendresse immense. C'est qu'elle a pris du poids, Adèle. En
tout. Le buste de Vilain la montre telle que Victor de Bala-
bine l'a vue en février 1846 : « Femme forte, aux grands yeux
flamboyants, aux sourcils noirs et arqués, au nez audacieusement aquilin, aux lèvres d'une éloquente épaisseur, à la gorge
et aux hanches sphériques et proéminentes, aux cheveux
d'ébène, crépus et s'en allant un peu au gré de tout ce que
vous voudrez, le tout constituant une sorte de beauté qui, si
je la rencontrais le soir dans un bois, produirait sur moi
l'effet de me faire détaler. » Hugo a besoin de ses longues discussions chaleureuses avec Charles et François-Victor, beaux
garçons en pleine santé, qui se donnent de plus en plus des
allures d'hommes et laissent pousser leurs moustaches. Il
s'attendrit à chercher — en vain hélas —, sur le sec visage et
dans les sages paroles de la jeune Adèle II, le souvenir de
Léopoldine. Les repas pris en famille, à midi et le soir, lui
sont une telle nécessité que pour rien au monde il ne voudrait s'en priver. Le matin il travaille : *les Misères*, les poèmes
aussi. S'il ne publie rien, il compose beaucoup de vers.

L'après-midi, la Chambre des pairs l'appelle souvent. Il prend ses fonctions très au sérieux, ne manque pas une séance, prépare et prononce des discours : le premier, le 14 février 1846, « sur la propriété des œuvres d'art », le second, un mois plus tard, « sur la Pologne » ; un mois plus tard encore : « sur les marques de fabrique ». S'il n'écrit plus de pièces nouvelles, on reprend les anciennes et il assiste aux répétitions. Le soir, les rencontres avec le roi se multiplient. Alors il lui arrive de ne rejoindre Léonie que tard dans la soirée, de rester avec elle jusqu'à une heure du matin et au-delà. Va-t-il, en toute hâte, rentrer chez lui ? Non. Il dirige ses pas... chez Juliette ! Celle-ci, toujours dans la même bienheureuse ignorance, ne comprend rien à un emploi du temps aussi dément : « Tu as pris l'habitude de ne venir me voir qu'à une heure ou deux du matin. Ce qui me force à me lever à des heures fabuleuses de la journée. »

Chaque fois que la jeune Claire sort de sa pension de Saint-Mandé, elle demande des nouvelles de son cher M. Toto. Si elle passe le dimanche avec sa mère, il faut que Victor s'arrange pour faire un saut rue Saint-Anastase. Sans cela, Claire repartirait triste pour une semaine entière. Chaque fois qu'il le peut, Victor emmène Claire et sa mère en promenade ou au théâtre. Bien sûr, Claire a vu toutes les pièces de Hugo. Lequel suit de très près ses études. *Juliette à Victor, 20 octobre 1844* : « C'est toi qui as fait Claire ce qu'elle est. Sans ta patience, sans ta douceur et sans ton dévouement, jamais elle ne serait arrivée au point où elle est... Que Dieu te rende dans tes enfants tout ce que tu as fait à la mienne... La voilà, elle vient de la messe, elle est charmante ce matin. Le bonheur lui va bien. »

Il est vrai qu'elle est devenue charmante, la petite Claire, avec sa taille élancée et fière, ses longs cheveux dorés, ses grands yeux noirs qui, sur un teint d'une blancheur immaculée, font penser à « deux pruneaux tombés dans une jatte de lait ». Pour Hugo, elle mêle

> A la madone auguste d'Italie
> La Flamande qui rit à travers les houblons [1].

Ses études s'achèvent. Elle sait qu'elle devra travailler

---

1. *Les Contemplations.*

pour vivre. Elle a choisi de devenir institutrice. Elle en a parlé longuement avec ses professeurs ; il a été convenu que, ses examens de fin d'études passés, elle resterait à l'internat Marre, à Saint-Mandé, en qualité de sous-maîtresse. Ainsi pourrait-elle préparer, sans qu'il lui en coûte rien, le diplôme que décerne l'Hôtel de Ville.

Elle est très pieuse. « Claire ne quitte plus les églises », dit Juliette. Au vrai, c'est là seulement qu'elle trouve la paix du cœur, qu'elle oublie un instant son enfance tiraillée, aussi loin d'un père qui la néglige que d'une mère dont elle vit séparée. Chaque fois qu'elle quitte sa mère « sa petite figure se crispe », écrit Juliette à Victor, tout en complétant : « Chaque fois qu'elle revient de chez son père et qu'elle ne l'a pas trouvé, elle est très malheureuse. » On juge de la stupeur de cette enfant si sensible quand elle reçoit une lettre de Pradier lui interdisant de porter son nom — il explique que cela pourrait choquer ses enfants légitimes ! — et souhaitant d'ailleurs qu'elle lui écrive moins souvent. *Juliette à Victor* : « La pauvre enfant en est suffoquée et moi j'étouffe de colère et de mépris. » Pradier, qui n'est pas mauvais bougre et qui a pris conscience de sa vilenie, aura beau envoyer à la pauvre Claire un mot plein de regret et d'affection, Juliette la verra sombrer dans une prostration qui chaque jour va l'inquiéter davantage. Une visite après l'autre, elle la voit plus pâle, avec un regard qui semble avoir renoncé à tout. C'est le temps où l'enfant de dix-huit ans rédige son testament : « Je supplie ma mère bien-aimée de vouloir bien l'exécuter. » Étrange et poignant document :

« Je donne mon âme à Dieu qui m'a créée et que j'ai aimé par-dessus toute chose dans ce monde. Puisse-t-il oublier les fautes dont je me suis rendue coupable, et me recevoir près de lui dans la céleste félicité. Je prie ma mère bien-aimée de porter toujours, en souvenir de sa fille, le bracelet d'argent, avec la médaille espagnole, et ma grosse bague... Je prie qu'on m'habille comme le jour de ma première communion, qu'on ne me porte pas à bras et qu'on m'enterre dans le cimetière de Saint-Mandé. Je demande encore que ce soit M. l'abbé Chaussotte qui dise la messe de mon enterrement et qu'on mette de l'herbe verte sur ma tombe.

« C'est là tout ce que j'attends de l'affection de ma mère bien-aimée. Que Dieu lui rende en consolation et en bonheur tout ce qu'elle m'a donné d'amour et de dévouement. Quand je ne serai plus, je n'en serai pas moins près d'elle. La vie n'est qu'un voyage. Nous nous reverrons tous un jour, dans le port. Claire. »

Ce testament, Juliette ne l'a connu que plus tard. Qu'eût-elle dit si elle l'avait lu dès le début de 1846 ? Claire a encore maigri. Son teint si blanc est devenu blafard. De grands cernes soulignent ses yeux. De fréquentes quintes de toux déchirent sa poitrine.

Cependant l'examen approche. Le 19 février 1846, elle subit la première épreuve avec succès. Mais le 2 mars, elle échoue à la seconde. A la fin du mois, la directrice de l'internat de Saint-Mandé, Mme Marre, transporte elle-même en voiture jusqu'à la rue Saint-Anastase une Claire qu'elle juge trop malade pour pouvoir la garder auprès d'elle. D'après Mme Marre, la jeune fille est atteinte de « crise nerveuse ». *Juliette à Victor* : « Elle *sent* la fièvre. Elle n'a de goût à rien et ne veut rien manger. »

Hugo est accouru. Il se penche sur le lit où s'essouffle Claire, son visage émacié enfoncé dans l'oreiller. Comment ne penserait-il pas à Léopoldine ? Quoi ! Claire aussi ? Non, il ne faut pas ! Il fait aussitôt appeler un médecin, le docteur Triger, qui diagnostique une inflammation de l'estomac et recommande... d'apposer douze sangsues à l'épigastre. Outré devant tant de sottise, Hugo fait appeler son propre médecin, le docteur Louis, qui, lui, ne montre aucune hésitation : il s'agit d'une phtisie parvenue à un état alarmant. Devant un tel mal, qui emporte chaque année des milliers de jeunes gens de l'âge de Claire, la science de l'époque est impuissante. Le docteur Louis devra se borner à prescrire « des côtelettes et un peu de vin ». Hugo revient le lendemain, le surlendemain. Tous les jours. Il apporte des roses. Quand il ne peut s'échapper de la place Royale — ou de chez Léonie — il envoie des mots si affectueux que Juliette les place aussitôt sous les yeux de l'enfant malade : « J'ai lu à ma pauvre fille tout ce que tu lui dis de doux, d'aimable, de tendre et de charmant. Elle a été transportée de reconnaissance et de bonheur et elle a oublié dans ce moment-là tout son mal. »

Hugo s'est même fait violence pour se rendre auprès de Pradier et insister afin que celui-ci manifestât enfin à sa fille quelque tendresse. Le sculpteur annonce qu'il n'épargnera rien qui puisse contribuer au rétablissement de la santé de sa fille. La preuve : il va louer pour elle une belle villa à Auteuil. On y transporte Claire. Ce n'est qu'un simple appartement, jugé par Juliette « un affreux petit taudis de boutiquier ». Elle sait que Claire ne guérira plus.

Claire, qu'inondent d'affreuses sueurs froides, en est à cracher le sang. De ses lèvres s'échappe une plainte continue. Le 18 juin, elle reçoit les derniers sacrements. Le 21, elle rejoint ce ciel auquel elle croyait si fort.

Juliette, elle aussi, aura eu sa Léopoldine. Elle suit le même itinéraire — exactement — que Victor. Son immense douleur se teinte des mêmes remords. Si elle a voulu Claire loin d'elle, n'était-ce pas surtout pour rester libre de recevoir sans entrave l'amant qu'elle adorait ? Plutôt que d'accueillir sa fille lors des vacances, elle a préféré les voyages avec son Victor. Claire a connu le vide lugubre des pensions où ne demeurent l'été que les enfants abandonnés. Elle pleure, Juliette.

On a d'abord inhumé Claire à Auteuil. Quand Juliette découvrira son testament, on la transportera au cimetière de Saint-Mandé. Les élèves du pensionnat suivront le cercueil, portant de pleines brassées de fleurs blanches qui embaument. Derrière elles, Pradier et Hugo mèneront le deuil.

En septembre, c'est l'anniversaire de l'accident de Léopoldine. Adèle part pour Villequier. Ni en 1844 ni en 1845, Hugo n'a pu se résoudre à se rendre sur la tombe de sa fille. *A Adèle* : « Tu sais comme j'ai la religion de la prière. Il me semble impossible que la prière se perde. Nous sommes dans le mystère. La différence entre les vivants et les âmes, c'est que les vivants sont aveugles, les âmes voient. La prière va droit à elles. »

Que fera-t-il en 1846 ? Soudain, il décide de rejoindre Adèle et sa fille à Villequier.

Mais impossible de laisser Juliette que la douleur a brisée. Il l'emmène avec lui à Caudebec. Le 26 septembre, à Villequier, il s'avance dans le petit cimetière vers la tombe plantée de rosiers. Il cherche « le lieu noir — avec l'avidité morne du désespoir... ». Léopoldine !

> Je l'entendais sous ma fenêtre
> Jouer le matin, doucement [1]...

Il pleure. Il prie. Et là, sur cette tombe, ce qu'il sent tout à coup, c'est une présence. L'aurait-elle rejoint, la petite âme ?

---

1. *Les Contemplations* : « Pauca meae ».

Serait-il possible que les êtres que nous avons aimés quittent à certains moments privilégiés le séjour des morts pour venir consoler les vivants ? Il s'étonne, il frémit, il adore l'enfant morte. Il s'apaise. Il s'en va.

Avant de rejoindre Juliette à Caudebec, il demande du papier et une plume. Il écrit à Léonie son impatience de la retrouver. Quel tumulte dans ce cœur !

Il a quarante-cinq ans, Victor Hugo. Un daguerréotype le montre vieilli, grossi, les traits marqués, le regard sombre, la bouche amère. « Avec une lourde mâchoire de consommateur », ajoute Henri Guillemin. « Un homme arrivé... Une espèce d'homme de lettres honoraire, installé dans l'amitié du prince et donnant leur vrai prix aux choses. »

La famille, toujours. Juliette, toujours. Léonie, toujours. Une nouveauté cependant : aux thés que Mme Hugo offre place Royale aux dames du meilleur monde, Léonie est désormais conviée. Adèle présente la conquérante du Spitzberg comme sa chère amie. Nul n'aurait l'audace de s'étonner. Victor II s'est rasé pour la première fois et prend des airs de dandy. Charles engraisse. Il devrait faire son service militaire, mais son père lui a acheté un remplaçant qui lui a coûté 1 100 francs.

Ces années-là, le désir de faire entrer Balzac et Dumas à l'Académie obsède Hugo. Il bataille pour eux, l'Académie n'est pas de son avis ; il a raison, elle a tort. Il soutient devant la Chambre des pairs une pétition tendant à fonder des refuges pour les ouvriers invalides ; il organise une loterie — dont les prix sont des autographes — au profit de crèches pour les enfants pauvres ; il intervient en faveur d'un militaire français en Algérie, qui a été torturé. Il n'a pas tout à fait oublié le jeune Hugo qui rêvait en 1830.

Mais le rêve d'aujourd'hui s'appuie sur un tas d'or. Au moment du flagrant délit, il a établi le bilan de sa fortune :

« Je travaille depuis vingt-huit ans, car j'ai commencé à quinze ans. Dans ces vingt-huit années, j'ai gagné avec ma plume environ cinq cent cinquante mille francs. Je n'ai point hérité de mon père. Ma belle-mère et les gens d'affaires ont gardé l'héritage. J'aurais pu faire un procès, mais à qui ? à une personne qui portait le nom de mon père. J'ai mieux aimé subir la spoliation. Depuis vingt-huit ans, je ne me suis pas encore reposé deux mois de suite. J'ai élevé mes quatre enfants. M. Villemain m'a offert des bourses pour mes fils dans les collèges et la maison de Saint-Denis pour mes filles. J'ai refusé, ayant le moyen de faire élever mes enfants à mes frais et ne voulant pas mettre à la charge de l'État ce que je pouvais payer moi-même.

« Aujourd'hui des cinq cent cinquante mille francs, il m'en reste trois cent mille. Ces trois cent mille, je les ai placés, immobilisés, comme on dit, et je n'y touche pas, car j'ai trop travaillé pour vivre vieux, et je ne veux que ma femme et mes enfants reçoivent des pensions après ma mort. Avec le revenu, je vis, je travaille toujours, ce qui l'accroît un peu, et je fais vivre onze personnes autour de moi, toutes charges et tous devoirs compris. Ajoutez quatre-vingt-trois francs par mois comme membre de l'Institut que j'oubliais. Je ne dois rien à qui que ce soit. Je n'ai jamais fait marchandise de rien, je fais un peu l'aumône, le plus que je puis, personne ne manque de rien dans ce qui m'entoure, cela va ; quant à moi, je porte des pale-tots de vingt-cinq francs, j'use un peu trop mes chapeaux, je travaille sans feu l'hiver, et je vais à la Chambre des pairs à pied, quelquefois avec des bottes qui prennent l'eau. Du reste je remercie Dieu, j'ai toujours eu les deux biens sans lesquels je ne pourrais pas vivre, la conscience tranquille, l'indépendance complète. »

Et c'est vrai qu'il a sué sang et eau pour l'accumuler, cette fortune. Sur ce point, il devrait être heureux, tranquille. Il ne l'est pas. Son entourage a trop souffert de la parcimonie avec laquelle chacun a vécu pour ne pas un peu lui en vouloir. A la même époque, il improvise des vers qui le montrent amère-ment atteint par quelque critique venue de ses fils ou de sa fille :

> Pauvre père inquiet, travaille sans repos,
> Porte de vieux habits, porte de vieux chapeaux,
> Prive-toi pour léguer l'aisance à ta famille ;
> Épargne, sou par sou, pour tes fils, pour ta fille ;
> Garde-leur, scrupuleux, le peu d'or que tu tiens ;
> Fais pendant vingt-cinq ans la fourmi pour les tiens ;
> Les tiens tous les premiers t'appelleront avare.

Pauvre père inquiet. Cependant, quand il travaille, il oublie tout. Hugo ou la contradiction permanente. S'il a pu croire un instant son œuvre achevée, il ressent main-tenant comme en un vertige la tâche qui lui demeure : « Le travail qui me reste à faire apparaît à mon esprit comme une mer. C'est tout un immense horizon d'idées entrevues, d'ouvrages commencés, d'ébauches, de plans, d'épures à demi éclairées, de linéaments vagues, drames, comédies, histoire, poésie, philosophie, socialisme, naturalisme, entassement d'œuvres flottantes où ma pensée s'enfonce sans savoir si elle en reviendra. Si je meurs avant d'avoir fini, mes enfants trouveront dans l'armoire en faux laque qui est dans mon cabinet et qui est toute en tiroirs, une quantité considérable de choses à moitié faites ou tout à fait écrites, vers, prose, etc. Ils publieront tout cela sous ce titre : *Océan*. J'écris cette note le 19 novembre 1846. »

En juin 1847, il a dû quelque temps remettre à plus tard la composition des *Misères*. Il a noté : « *Interrompu pour les travaux de la Chambre : pétition Cubières. Loi sur le travail des enfants. Pétition Jérôme.* » Le nom de Cubières, mêlé à celui de Teste, évoque l'un de ces redoutables scandales qui ont terni la fin du règne de Louis-Philippe. Le spectacle du général Cubières, vieux soldat, ancien ministre de la Guerre, corrompant l'ancien ministre Teste, alors président de la Cour de cassation, a passionné Hugo à la façon dont les tribus de l'Amazonie fascineront M. Lévi-Strauss. Quant à la « pétition Jérôme », il s'agit de celle que le dernier frère de Napoléon, ex-roi de Westphalie, a présentée aux pairs : « Pendant la première partie de sa vie, dira Hugo, il n'a eu qu'un désir, mourir pour la France » et pendant la dernière « qu'une pensée, mourir en France ». Le souhait de ce Bonaparte, général à Waterloo et exilé depuis 1815, Hugo l'a fait sien, retrouvant tout naturellement ces accents et cet enthousiasme que le carcan des collets brodés aurait pu faire croire assoupis : « Je suis du parti des exilés et des proscrits... En voyant les consciences qui se dégradent, l'argent qui règne, la corruption qui s'étend, les positions les plus hautes envahies par les passions les plus basses, en voyant les misères du temps présent, je songe aux grandes choses du temps passé, et je suis, par moments, tenté de dire à la Chambre, à la presse, à la France entière : Tenez, parlons un peu de l'empereur, cela nous fera du bien ! » Hugo n'a pas changé de cibles — ni de grand homme.

A la Chambre des pairs, il siège à gauche avec le prince de Wagram et Montalembert. En face de lui, il aperçoit le chancelier Pasquier qui, vingt-cinq ans avant sa naissance, défendait au Parlement Beaumarchais contre le conseiller Goëzman. A sa gauche, il trouve Pontécoulant qui a été des juges

de Louis XVI. Un jour, son voisin de droite, le maréchal
Soult, chef d'état-major de l'Empereur à Waterloo, lui a
lancé : « Jeune homme, vous êtes en retard. » Il les observe,
tous ces hommes et tout ce passé. Il les ressent comme le
creuset où s'est forgée une seule patrie, la sienne, celle qu'il
aime mieux que violemment : jalousement.

Ni l'Académie ni les Pairs ne l'ont fatigué du calembour.
Quand, après l'élection d'Empis à l'Académie, Ampère se présente, Hugo dit à Ségur : « Je ne sais pas si cela empisse ni si
cela ampère, mais je suis sûr que cela empire. » A Mlle Bro-
han, l'actrice, souhaitant le présenter à l'ambassadeur de
Russie et ajoutant : « J'aime beaucoup M. Kisseleff », il
répond : « J'aime mieux Madame qui se couche. » Il note avec
un évident plaisir que Léonie appelle le tout petit Louis
Blanc « un bonhominet ».

Son Toto — Victor II — étant tombé malade de la fièvre
typhoïde, il confie à son Journal : « Cette nuit j'ai prié ma
Didine et le bon Dieu. » Ce même 28 août 1847 : « Le jour où
personne ne m'aimera plus, ô mon Dieu, j'espère bien que je
mourrai. » Le lendemain : « J'ai repris mon travail. Penser,
c'est prier. » Adèle, la mère, atteinte après Victor II de la
typhoïde, guérira en même temps que lui.

Dans sa vie amoureuse en partie triple, c'est à Léonie, toujours, qu'il donne la préférence. Quand on lit les vers qu'elle
lui inspire, les lettres qu'il lui écrit, on se persuade que cet
amour-là est une *totalité*, où interviennent le cœur, la tête, le
sexe. A-t-il jamais écrit des lignes comme celles-ci :

« Tu es un être ineffable et charmant composé du ciel et de la
terre, fait de chair comme Vénus et d'amour comme Marie ; tu es
l'idée qui me gonfle le cœur, l'image délicate et lumineuse qui
charme mes jours et qui trouble mes rêves ; le corps que je désire,
l'âme que je divinise, la beauté que je contemple dans la sphère
idéale, la femme que je veux dans mon lit. Tu es tout cela et tu es
aussi ce que les couleurs ne peuvent peindre, ce que les mots ne peuvent dire : l'émanation, le magnétisme, le sourire, le regard nécessaire à ma pensée et à ma vie...

« Je baise avec emportement tes yeux, ta bouche... et je ne
m'arrête nulle part, devant aucune résistance. Rougis tant que tu
voudras ! Tu n'en es que plus belle, et moi plus amoureux. »

C'est à Léonie qu'il a écrit la seule de ses lettres où il évoque l'acte physique de l'amour :

« Ô toi que j'aime, mystérieuse épouse de ma nature et de ma destinée, vois-tu, dans les moments où je pénètre en toi, où nous sommes, moralement et physiquement, tellement mêlés l'un à l'autre que nous ne faisons plus en réalité qu'un seul être, qu'un seul corps, qu'une seule âme, dans ces moments-là, je voudrais mourir, car il me semble que c'est le ciel qui commence... »

De ces lectures naît peu à peu une certitude. Au-delà de la jeunesse et de la beauté de Léonie, au-delà de cette passion si charnelle, ce qui a fait de ce désir une passion sans limite, c'est l'admiration. Tout de cette femme lui plaît. Il ne se lasse pas de louer son corps, ses yeux, sa taille, l'extrême petitesse de ses pieds. Quand il s'interrompt, c'est pour s'émerveiller de son esprit. Elle est la seule dont, dans son Journal, il note les mots : *18 décembre 1846* : « Un élégant blond, bête et vêtu d'un paletot couleur paille, sortait de chez Mme Hamelin. Mme d'Aunet lui dit : — Comme il est serin, votre monsieur jaune. » *Mars 1847* : « Mlle Mars était la seule personne vivante qui figurât dans les peintures du porche du Théâtre-Historique. Mme d'A., en entendant dire cela, a dit : — Ceci range Mlle Mars parmi les morts ; elle n'a pas longtemps à vivre. »

Ce qu'il ne fait plus pour Adèle, ce qu'il n'a jamais fait pour Juliette, il sort Léonie, la montre à ses amis.

Elle est belle, elle a de l'esprit, le Spitzberg l'a rendue célèbre : il l'admire. Jamais il n'avait *admiré* Adèle. Et pas davantage Juliette. Dans la vie de Hugo, nous sommes en présence d'une nouveauté essentielle.

Et pourtant, cet amant comblé, l'homme qui aime cette femme comme — j'en suis convaincu — jamais il n'en a aimé aucune autre, va la tromper. Le lecteur ici n'en croit pas ses yeux : tromper Léonie ? Oui.

Les moralistes nous ont au long des siècles accablés d'aphorismes sur la femme et son mystère, ses contradictions, son ambiguïté, la difficulté où nous sommes de la comprendre. On pourrait — et on devrait — en dire autant de l'homme. Pourquoi Hugo se laisse-t-il aller ces années-là à des aventures en compagnie de partenaires dont nous ne connaissons pas toujours l'identité mais dont la réalité ne peut être mise en doute ? La facilité ? Il est vrai que bien des femmes tournent autour de cet homme célèbre. Il est vrai que, sans pudeur, des actrices s'offrent à lui. Et des femmes

de lettres. Et des femmes du monde. Mais faut-il obligatoirement céder à la facilité ?

Le goût de découvrir ? C'est ici probablement que réside
l'explication. La quarantaine aiguise les curiosités. L'homme
en pleine force voit l'âge mûr à sa porte. Ce qui le saisit souvent, c'est une précipitation, la hâte d'accumuler sensations
et souvenirs : un capital à placer en réserve pour la vieillesse
qui va venir. C'est entre quarante et cinquante ans que la
sagesse populaire situe le « démon de midi ». Hugo a quarante-cinq ans.

N'oublions pas que Hugo est l'amant de Léonie depuis près
de quatre ans. N'oublions pas non plus que son désir se lasse
vite. Rien à voir avec l'amour. Mais les plaisirs que Léonie lui
donne l'emmènent moins souvent vers ces paroxysmes qu'il a
atteints. « Car il faut que le corps exulte », dit une chanson de
Jacques Brel. Le sien exultera avec d'autres.

Aventures faciles et éphémères, parfois un peu vulgaires.
Hugo devenu Valmont ? Il adresse à la belle courtisane
Esther Guimont un billet dans l'esprit du boulevard : « A
quand le paradis ? Voulez-vous lundi ? Voulez-vous mardi ?
Voulez-vous mercredi ? Craignez-vous le vendredi ? Moi, je ne
crains que le retard ! » Ses Carnets de ce temps-là sont pleins
de mots d'actrices dont on sent qu'il est devenu le familier —
et davantage. *7 août 1847* : « En entrant dans la loge, Sarah
[Felix, sœur de Rachel] a dit : " *Je viens de becquiller joliment.*
— *Tiens*, a dit Judith, *la Sarabande !* " Toute la conversation
de ces dames était sur ce ton. » Un quatrain du 22 avril 1847
résume un état d'esprit :

> J'ai, près d'une belle,
> L'air humble et vaincu.
> Je lui dis : Mam'zelle
> Et je lui prends le cu.

Alice Ozy, femme légère à la mode, se partagera entre les
deux Hugo, Charles et son père. Charles, maintenant un beau
gaillard de vingt et un ans, un peu gras, un peu mou, en souffre. Il est réellement amoureux, lui. *Charles à Alice Ozy* :
« D'une part le fils avec un cœur pur, un amour profond, un
dévouement sans bornes, d'autre part, le père avec la gloire.
Vous choisissez le père et la gloire. Je ne vous en blâme pas.
Toute femme eût fait comme vous : seulement vous compren-

drez que je ne sois pas assez fort pour supporter toutes les douleurs que me prépare *votre amour ainsi partagé.* » Que cherche Victor Hugo ? Sans doute ne le sait-il pas lui-même.

Il rêve beaucoup : que le roi est mort ; que le président de la Chambre des pairs parle anglais ; qu'il se trouve dans un passage obscur, puis sur une grande place carrée aux murs criblés de balles, avec à l'extrémité « quatre choses obscures qui ressemblaient à des canons braqués ». Il entend crier : « Sauvez-vous ! On va tirer ! » Une femme passe près de lui : « Elle était en haillons et portait un enfant sur son dos. Elle ne courait pas. Elle marchait lentement. Elle était jeune, pâle, froide, terrible. En passant près de moi, elle me dit : — C'est bien malheureux ! Le pain est à trente-quatre sous, et encore les boulangers trompent sur le poids ! » Rêve ou vision ? En juin 1848, il sera témoin de scènes étrangement identiques.

Mme de Chateaubriand est morte. Mlle Mars est morte, « dans son mois », note Hugo. Sur son lit d'agonie, au médecin qui lui demandait d'ouvrir la bouche, elle a dit vivement : « Toutes mes dents sont à moi ! » Frédéric Soulié est mort. Ballanche est mort. L'impératrice Marie-Louise est morte. Que reste-t-il de notre jeunesse ?

Mme Adélaïde, laide et sûre conseillère de son frère Louis-Philippe, va mourir elle aussi et Hugo ira porter ses condoléances au roi qui l'accueillera par ces mots :

— Je remercie monsieur Victor Hugo ; il vient toujours à nous dans les occasions tristes.

« Et les larmes lui ont coupé la parole. »

Le discours sur le travail des enfants, qui lui avait fait interrompre l'histoire de Jean Tréjean, il en a jeté les lignes fortes sur le papier, ayant conscience, alors que toutes les catégories sociales de l'État sont en mesure de revendiquer et ne s'en privent guère, de parler au nom de ceux-là seuls qui se taisent, les enfants qu'il est permis de faire travailler dès l'âge de huit ans dans les mines et les fabriques.

« Et que de choses ils auraient à dire s'ils pouvaient parler ! Ils vous peindraient leur destinée, leur labeur, leurs fatigues avant et après le travail, la privation de soins, d'enseignement, de repos, de sommeil ; ils vous diraient que lorsqu'il s'agit de les accabler de travail, la pauvreté dans la famille parle le même langage âpre et exigeant que la cupidité dans le maître. Ils vous diraient que pour eux le travail qui devrait être un éducateur, n'est qu'une dégradation et un aboutissement. Ils vous diraient tout ce qu'ils souffrent, eux, messieurs, qui sont devant le législateur les seuls êtres absolument ignorants et absolument innocents... »

Le discours ne sera pas prononcé. L'histoire va plus vite que la loi. Il s'est remis à *Jean Tréjean*. Dans son Journal, le 28 octobre : « Je ne dîne plus qu'à neuf heures, afin d'allonger ma journée de travail. Je ferai ainsi, au moins pendant deux mois, pour avancer *Jean Tréjean*. »

Le 9 novembre : « Beaucoup de choses m'attristent. »

Le 29 novembre : « Repris *Jean Tréjean*. Je ne dors plus qu'à une heure du matin. » Le personnage de Gavroche a pris sa forme définitive — et son envol. Et aussi les amis de l'A.B.C. — les étudiants conspirateurs — comme les hors-la-loi de Patron-Minette. Juliette recopie chaque jour le manuscrit : bouleversée. Si quelque événement extérieur interrompt la rédaction du roman, elle proteste : « Est-ce que tu ne m'en donneras pas quelques petits chapitres à copier tout de suite ? » Ce Jean Tréjean a investi la pensée entière de Hugo. Il n'assistera pas à la représentation de l'adaptation de *Hamlet* portée par le cher Paul Meurice à la scène : *30 décembre 1847* : « J'ai dans ce moment tout un échafaudage dans la pensée pour lequel je craignais cette secousse... Je n'aurais pu revoir, sans en rêver longtemps, au préjudice du travail que je fais, ce grand et sombre poème. »

Le duc de Choiseul-Praslin — un pair de France ! — assassine sa femme. Le prince d'Eckmühl assomme à coups de marteau l'une de ses maîtresses. Le peuple accablé de misère se résigne de moins en moins au silence. Hugo observe tout cela : « L'ancienne Europe s'écroule, les jacqueries germent dans les fentes et les lézardes du vieil ordre social ; demain est sombre et les riches sont en question dans ce siècle comme les nobles au siècle dernier. »

La duchesse d'Orléans — sa chère duchesse — s'assombrit et lui confie : « Le mal est profond parce qu'il atteint les populations dans leur moralité. » Pourquoi, puisque les hautes classes faiblissent, ne pas faire appel à « l'aristocratie de l'intelligence » ? Un bruit persistant va courir Paris : bientôt Hugo sera ministre, le pavillon de Marsan le souhaite et y tient.

Mais lui, dans le secret de son cœur et de son Journal, note : « Je ne veux pas être ministre. Un vrai ministre doit dominer et gouverner. Or, dans le moment actuel, le roi prend le gouvernement, la presse prend la domination ; il en résulte qu'avec la presse telle qu'elle est et le roi que nous avons, les ministres ne sont que des commis piloriés. »

Au reste, devenir ministre signifierait l'abandon de *Jean Tréjean*. Il tient à *Jean Tréjean*. Il vient de signer avec Renduel et Gosselin un contrat pour la publication d'un roman en quatre volumes intitulé *les Misères*. Ce qu'il écrit donnerait-il un sens à sa vie ? Quand, se rasant le matin, il se regarde dans la glace, il se trouve épais, blafard. En 1840, déjà, Balzac avait noté qu'il avait « beaucoup perdu de ses qualités, de sa force et de sa valeur ». Qu'est-ce donc que ces années « d'absence à soi-même » qu'il lui semble avoir traversées ? Il sait — il l'a écrit — que l'on peut mourir bien avant de « descendre au tombeau ».

Peut-être *Jean Tréjean* empêchera-t-il cette descente. Au train où il écrit, il est sûr que le livre sera achevé l'année suivante.

En 1848.

III

LES ARBRES DE LA LIBERTÉ

> Toute révolution qui ne s'accompagnera pas d'une
> transfiguration mourra de sa mort.
> Emmanuel MOUNIER.

Il pleut. Un temps doux pour la saison. Depuis le matin, Paris est dans la rue. On renverse des omnibus, on descelle les pavés, les barricades poussent partout. Dans les arrière-boutiques, les Parisiens fondent des balles. Le calendrier indique : 23 février 1848. Hugo, s'en revenant vers le soir de la Chambre des députés où il est allé aux nouvelles, croise, près du pont du Carrousel, Jules Sandeau angoissé :

— Que pensez-vous de ceci ?

— Que l'émeute sera vaincue, mais que la révolution triomphera.

Quatre jours plus tôt, à la Chambre des pairs, Hugo s'était laissé aller à une sorte de rêverie. Une feuille était devant lui, il y avait jeté ces mots : « *La misère amène les peuples aux révolutions et les révolutions ramènent le peuple à la misère.* »

L'autre vérité, Lamartine depuis longtemps l'avait sentie qui s'était écrié un jour du haut de la tribune :

— Messieurs, la France s'ennuie !

Un raz de marée, en quelques heures, va balayer les structures usées de la monarchie de Juillet. A l'origine, on découvre la lassitude et l'impatience de tout un peuple. Le vieux roi n'a su leur opposer que son bon sens et sa sagesse. Pour son malheur, il a dû, en 1847, traverser la pire année du règne : des scandales ; une mauvaise récolte ; une crise industrielle

profonde avec son corollaire : chômage et hausse des prix.
Pour les ouvriers du Nord, de la Normandie, pour ceux des
régions parisienne et lyonnaise, la misère. Une fabrique qui
ferme, une place que l'on perd, cela signifie, dans la vie d'un
travailleur, une catastrophe contre quoi rien ne le protège.
La bourgeoisie absolue, comme toujours, n'a rien voulu voir
d'un tel état de choses. Un jour que, timidement, Hugo tentait d'évoquer ces familles de travailleurs qui avaient faim,
Sainte-Beuve l'avait accusé de « caresser les ouvriers ». Pour
cette parole, les deux hommes, à la sortie de l'Académie,
avaient même failli s'empoigner.

Tout à coup, l'orage attendu a éclaté. Le pouvoir a interdit
un banquet organisé par l'opposition ; le 22 février, les premières barricades se sont dressées. Le 23, c'est la tragédie. Se
croyant provoquée — c'est toujours ainsi — la troupe tire sur
le peuple, boulevard des Capucines. Voici sur le pavé cin-
quante-deux cadavres de Parisiens. Louis-Philippe est perdu.

Le lendemain, à la levée du jour, de son balcon, Hugo voit
une foule — civils et Garde nationale mêlés — s'ameuter
devant la mairie qui, à cette époque, est installée dans l'un
des hôtels de la place Royale, de l'autre côté de la statue
de Louis XIII, en face de ses fenêtres. A grands cris, elle
réclame les armes des gardes municipaux — une trentaine —
qui assurent la protection du bâtiment. Les gardes municipaux ne font pas de manières pour les remettre. On les
acclame.

Hugo ne se ressemblerait plus s'il ne se rendait tout droit à
la source des nouvelles. En compagnie d'Ernest Moreau,
maire du 8e arrondissement qu'il a enlevé à sa mairie, il part
pour la Chambre des députés. Pour pénétrer dans la Chambre, il doit fendre une « cohue bourdonnante de députés, de
pairs et de hauts fonctionnaires ». D'un groupe assez nombreux sort la voix aigrelette de M. Thiers : « Ah ! Voilà Victor
Hugo. » Le petit homme vient vers eux, demande des nouvelles du faubourg Saint-Antoine. Il secoue lugubrement la
tête.

— Et par ici ? questionne Hugo. D'abord êtes-vous toujours
ministre ?

— Moi ! Ah ! je suis bien dépassé, moi ! Bien dépassé ! On en
est à Odilon Barrot, président du Conseil et ministre de
l'Intérieur.

— Et le maréchal Bugeaud ?

— Remplacé aussi par le maréchal Gérard. Mais ce n'est rien. La Chambre est dissoute ; le roi a abdiqué ; il est sur le chemin de Saint-Cloud. Mme la duchesse d'Orléans est régente. Ah ! le flot monte, monte, monte !

Le roi n'est plus roi ! La chère duchesse est régente ! Pour en savoir davantage, Hugo court au ministère de l'Intérieur où Odilon Barrot, accoté à la cheminée de son cabinet, la face rouge, les lèvres serrées, les mains derrière le dos, s'écrie en le voyant :

— Vous êtes au courant, n'est-ce pas ? Le roi abdique, la duchesse d'Orléans est régente...

— Si le peuple consent, dit un homme en blouse qui passe.

Barrot se rembrunit. Tout est là en effet : *si le peuple consent.* Barrot se penche vers Hugo, le supplie de courir aux Tuileries, de voir la duchesse, de la conseiller, de l'éclairer. Réaction saine de Hugo :

— Pourquoi n'y allez-vous pas vous-même ?

Embarras de Barrot :

— J'en arrive. On ne savait où était la duchesse ; je n'ai pu l'aborder. Mais dites-lui, si vous la voyez, que je suis à sa disposition, que j'attends ses ordres. Ah ! M. Victor Hugo, je donnerais ma vie pour cette femme et pour cet enfant !

Dans sa parole et dans son regard, Hugo découvre toute l'indécision du moment. Oubliant l'invite qu'il vient de formuler, Barrot finit par implorer Hugo de rentrer dans son quartier, de faire connaître au peuple l'abdication et la régence, de proclamer celle-ci à la mairie du 8e, « au faubourg, partout où vous pourrez ».

— Je vous le promets, répond simplement Hugo qui, d'un bon pas, et toujours escorté par Moreau, repart pour la place Royale.

A leur retour, une masse compacte a envahi la place. On entoure, on questionne les deux hommes. Impossible de parler dans cette cohue. Hugo pénètre dans la mairie, monte au premier étage et s'avance au balcon en compagnie de quelques officiers de la Garde nationale et de deux élèves de l'École polytechnique. Il lève la main, le silence s'établit à l'instant.

— Mes amis, vous attendez des nouvelles. Voilà ce que nous savons : M. Thiers n'est plus ministre, le maréchal Bugeaud n'a plus le commandement. *(Applaudissements.)* Ils sont remplacés par le maréchal Gérard et par M. Odilon Barrot. *(Applaudissements mais plus clairsemés.)* La Chambre est dissoute. Le roi a abdiqué. *(Acclamation universelle.)* La duchesse d'Orléans est régente. *(Quelques bravos isolés, mêlés à de sourds murmures.)*

Hugo reprend :

— Le nom d'Odilon Barrot vous est garant que le plus large appel sera fait à la nation et que vous aurez le gouvernement représentatif dans toute sa sincérité.

Lucide, Hugo remarque que « la masse est incertaine et non satisfaite ». Il annonce à Ernest Moreau qu'il ira — lui — jusqu'au bout. Il va se rendre sur la place de la Bastille et proclamer la régence. Moreau secoue la tête, découragé :

— Vous voyez bien que c'est inutile, dit-il tristement ; la régence n'est pas acceptée.

— J'irai. Je l'ai promis à Odilon Barrot.

Hugo se souviendra :

« Place de la Bastille, s'agitait une foule ardente, où les ouvriers dominaient. Beaucoup armés de fusils pris aux casernes ou livrés par les soldats. Cris et chant des Girondins, *Mourir pour la patrie !* Groupes nombreux qui discutent et disputent avec passion. On se retourne, on nous regarde, on nous interroge : " Qu'est-ce qu'il y a de nouveau ? Qu'est-ce qu'il se passe ? " Et l'on nous suit. J'entends murmurer mon nom avec des sentiments divers : " Victor Hugo ! C'est Victor Hugo ! " Quelques-uns me saluent. Quand nous arrivons à la colonne de Juillet, une affluence considérable nous entoure. Je monte, pour me faire entendre, sur le soubassement de la colonne. »

Un dialogue va s'engager, « mais le dialogue d'une seule voix, avec dix, vingt, cent voix plus ou moins hostiles ». Hugo commence par faire connaître l'abdication de Louis-Philippe. Applaudissements presque unanimes. Il entend crier cependant : « Non ! Pas d'abdication ! La déchéance ! La déchéance ! » Il va avoir affaire à forte partie.

Quand il annonce la régence de la duchesse d'Orléans : « Non ! Non ! Pas de régence ! A bas les Bourbons ! Ni roi, ni reine ! Pas de maîtres ! » Il répète :

— Pas de maîtres ! Je n'en veux pas plus que vous, j'ai défendu toute ma vie la liberté !

— Alors pourquoi proclamez-vous la régence ?

— Parce qu'une régente n'est pas un maître. D'ailleurs, je n'ai aucun droit de proclamer la régence, je l'annonce.

— Non ! Non ! Pas de régence !

Du sein de la foule, surgit un homme en blouse. Il hurle :

— Silence au pair de France ! A bas le pair de France !

L'homme est armé. Il lève son fusil, épaule en direction de Hugo. La foule se tait soudain. Hugo regarde fixement l'homme. Il élève la voix si haut qu'on l'entend jusqu'au bout de la place :

— Oui, je suis pair de France et je parle comme pair de France ! J'ai juré fidélité, non à une personne royale, mais à la monarchie constitutionnelle. Tant qu'un autre gouvernement ne sera pas établi, c'est mon devoir d'être fidèle à celui-là. Et j'ai toujours pensé que le peuple n'aimait pas que l'on manquât, quel qu'il fût, à son devoir !

Autour de Hugo, se font jour un murmure d'approbation et même, çà et là, quelques applaudissements. Il tente de continuer : « Si la régence... » Les cris hostiles l'interrompent. Il s'entête, tente d'expliquer qu'une femme qui règne au nom d'un enfant est « une garantie contre toute pensée de gouvernement personnel » :

— Voyez la reine Victoria en Angleterre !

— Nous sommes français, nous ! lui crie-t-on. Pas de régence !

— Pas de régence ? Mais alors quoi ? Rien n'est prêt, rien ! C'est le bouleversement total, la ruine, la misère, la guerre civile peut-être ; en tout cas, c'est l'inconnu !

Un cri, un seul : *Vive la République !* Hugo notera : « Pas une autre voix ne lui fit écho. Pauvre grand peuple, inconscient et aveugle ! Il sait ce qu'il ne veut pas, mais il ne sait pas ce qu'il veut. »

Il a fait ce qu'il a pu. Il renonce. La foule s'ouvre devant lui, « curieuse et inoffensive ». Mais, à vingt pas de la colonne, l'homme à la blouse le rejoint et, de nouveau, le couche en joue avec le même cri : « A mort le pair de France ! »

Un jeune ouvrier s'élance, baisse l'arme du forcené et lui répond :

— Non, respect au grand homme !

De la main, Hugo remercie cet ami inconnu.

Le même jour un autre poète va se saisir du pouvoir. Ce n'est pas le Lamartine des *Méditations*, mais celui de l'*Histoire des Girondins*. Quelques instants, il a balancé entre la régence ou la République. Il s'est déclaré en faveur de la République. Avec Ledru-Rollin, Garnier-Pagès, Crémieux, Marie et Dupont de l'Eure, il a proclamé un gouvernement provisoire. C'en est fait.

Après 1830, Hugo avait parlé de république, rêvé sur elle, mais était convenu que les temps d'un tel régime n'étaient pas arrivés, ni même proches. Au fond, il regrette cette régence sous laquelle on eût pu faire de grandes choses — et lui sans doute le premier. Va-t-il pour cela se replier sous sa tente ? Ce n'est pas son genre. Hugo veut savoir, comprendre, *voir* surtout. Toujours le piéton de Paris, le journaliste, l'homme de *Choses vues*. Le 25, il quitte la place Royale en compagnie de son fils Victor. Le temps est couvert et gris, doux et sans pluie. Il voit les rues « toutes frémissantes d'une foule en rumeur et en joie ». Il voit des cortèges défiler, avec drapeaux et tambours, aux cris de « Vive la République ! » On chante *la Marseillaise* et *Mourir pour la Patrie*. Les cafés regorgent, mais nombre de magasins sont fermés, comme les jours de fête ; « et tout avait l'aspect d'une fête, en effet ».

Les voici tous les deux, le père et le fils, à l'Hôtel de Ville. La foule qui entoure le monument ressemble, tant elle est serrée, à un mur. Impossible de le franchir. Hugo va s'éloigner lorsqu'un commandant de la Garde nationale le reconnaît :

— Place ! Place à Victor Hugo !

« Et la muraille s'ouvrit, je ne sais comment, devant ses épaulettes. » Le commandant guide les deux Hugo à travers des escaliers, des corridors, des salons encombrés d'une cohue qui crie et vocifère. Une courte halte dans une petite pièce et on vient dire à Hugo que Lamartine l'attend. Il laisse là son fils, suit son guide dans une salle spacieuse éclairée par de hautes fenêtres, où Lamartine s'entretient avec trois de ses collègues du gouvernement provisoire : Arago, Marie, Armand Marrast. Lamartine, qui porte en sautoir sur sa redingote une ample écharpe tricolore, se lève avec empressement. Il s'avance vers Hugo, lui tend la main :

— Ah ! Vous venez à nous, Victor Hugo ! C'est pour la république une fière recrue !

Un sourire de Hugo arrête net cet élan :

— N'allez pas si vite, mon ami ! Je viens tout simplement à mon ami Lamartine. Vous ne savez peut-être pas qu'hier, tandis que vous combattiez la régence à la Chambre, je la défendais place de la Bastille.

— Hier, bien. Mais aujourd'hui ! Il n'y a plus aujourd'hui ni régence, ni royauté. Il n'est pas possible qu'au fond Victor Hugo ne soit pas républicain.

— En principe, oui, je le suis. La république est, à mon

avis, le seul gouvernement rationnel, le seul digne des
nations. La république universelle sera le dernier mot du
progrès. Mais son heure est-elle venue en France ? C'est parce
que je veux la république que je la veux viable, que je la veux
définitive. Vous allez consulter la nation, n'est-ce pas ? Toute
la nation ?

— Toute la nation, certes. Nous nous sommes tous pronon-
cés, au gouvernement provisoire, pour le suffrage universel.

Arago et Marrast, brandissant un document, les rejoignent.
Ils annoncent à Hugo que, le matin même, il a été nommé maire
de son arrondissement. Hugo refuse. Il n'est pas question qu'il
dépossède de son poste Ernest Moreau. On insiste, il s'entête.
Lamartine l'entraîne dans l'embrasure d'une croisée :

— Ce n'est pas une mairie que je voudrais pour vous, c'est
un ministère. Victor Hugo ministre de l'Instruction publique
de la république !

Hugo secoue la tête. Cette république est venue trop vite :

— J'étais hier pair de France, j'étais hier pour la régence
et, croyant la république prématurée, je serais encore pour la
régence aujourd'hui.

Lamartine se récrie :

— Les nations sont au-dessus des dynasties ; moi aussi, j'ai
été royaliste !

Rien n'y fera. Hugo refusera le ministère comme il a refusé
la mairie. Ce Hugo dont les adversaires à l'envi célébreront
l'opportunisme.

Le lendemain, il se contentera de se promener dans Paris,
d'observer l'extraordinaire changement à vue qui s'est opéré.
On eût dit que la société française tout entière, du faubourg
Saint-Antoine au faubourg Saint-Germain, avait toujours été
républicaine. Dans *l'Éducation sentimentale*, Flaubert a
admirablement évoqué cet étrange climat, ces Français dont
il semblait, pour la première fois de leur histoire, qu'ils
s'aimaient tous. Le légitimiste La Rochejaquelein proclame
que seule la République peut convenir désormais à la France.
A l'appel du comte de Falloux, la Vendée se rallie. Les fils de
Louis-Philippe, le duc d'Aumale, le prince de Joinville s'inclinent, « soumis, écrivent-ils, à la volonté générale ». Les
grandes dames légitimistes ou orléanistes quêtent pour les
blessés de février. « La princesse de Bauffremont, témoigne
l'Autrichien Apponyi, est aussi républicaine que Carnot ou
Ledru-Rollin. » Pour le journal catholique *l'Univers*, « la révo-

lution de 1848 est une notification de la Providence ». Dès le 24 février au soir, Mgr Affre, archevêque de Paris, a ordonné aux curés de son diocèse de chanter désormais aux offices le *Domine salvum fac populum*.

Hugo observe, oui. Avec un mélange de scepticisme et d'émotion. Il est difficile de rester insensible à un mouvement quasi universel. La question que Hugo ne cesse de se poser concerne l'avenir. Où tout cela conduira-t-il la France ? Lorsque, place des Vosges, — ci-devant place Royale — on plante un « arbre de la liberté » et qu'on demande à Hugo de parler, comment se déroberait-il ? Liberté reste le mot le plus cher à son cœur. Et puis, c'est la mode : les arbres de la liberté poussent partout dans Paris au milieu d'une liesse bon enfant. Le 2 mars il prononce l'allocution réclamée. Il affirme que « le premier arbre de la liberté a été planté, il y a dix-huit cents ans, par Dieu même sur le Golgotha ». On l'acclame. Il reprend : « Le premier arbre de la liberté, c'est cette croix sur laquelle Jésus-Christ s'est offert en sacrifice pour la liberté, l'égalité et la fraternité du genre humain. » Derechef, on l'applaudit. Il achève par ces mots : « Unissons-nous dans une pensée commune, et répétez avec moi ce cri : Vive la liberté universelle ! Vive la république universelle ! » La foule crie : « Vive la république ! » et « Vive Victor Hugo ! » Telle est l'ambiance du moment.

Il n'est pas dupe de cette joie dont il perçoit l'artifice. Il vient de recevoir une lettre de la Société du peuple du 8ᵉ arrondissement qui, ayant eu vent du projet gouvernemental de lui confier la mairie, le somme de refuser. On ne croit pas à son républicanisme : « Nous connaissons depuis longtemps vos allures ténébreuses, hautaines et aristocrates. » Sous le couvert de cette embrassade générale, va-t-on à une guerre des classes ? A quelques jours de là, Juliette lui parlera dans une lettre d'une ceinture qu'elle lui fait préparer afin, en cas de besoin ou de fuite, de pouvoir y cacher de l'or. Il est inquiet, désabusé. En avril, il compose son poème *Veni vidi vixi*, que l'on retrouvera dans *les Contemplations*. Il faut bien lire *vixi* : j'ai vécu, et non comme César *vici* : j'ai vaincu.

> J'ai bien assez vécu, puisque dans mes douleurs
> Je marche sans trouver de bras qui me secourent,
> Puisque je ris à peine aux enfants qui m'entourent
> Puisque je ne suis plus réjoui par les fleurs ; ...

Maintenant, mon regard ne souffre qu'à demi ;
Je ne me tourne plus même quand on me nomme ;
Je suis plein de stupeur et d'ennui, comme un homme
Qui se lève avant l'aube et qui n'a pas dormi.

Je ne daigne plus même, en ma sombre paresse,
Répondre à l'envieux dont la bouche me nuit.
Ô Seigneur ! ouvrez-moi les portes de la nuit,
Afin que je m'en aille et que je disparaisse !

Le titre primitif du poème était : « Abattement ». On ne saurait mieux dire.

Il s'est remis au travail, sans trop de hâte, ni d'enthousiasme.
Il a décidé de changer le nom du jeune héros des *Misérables* de
Thomas en Marius. Il établit un plan de travail pour les temps à
venir. Il prévoit d'écrire et publier : « *les Contemplations, les
Petites Épopées, les Quatre Hymnes du Peuple* ». Mais ce qui
prime, pour l'élite intellectuelle de l'époque, c'est la chose
publique. Chacun apparaît obsédé par l'exemple de Lamartine.
Il n'est pas un écrivain qui ne rêve d'être élu député ou de devenir ministre. Alexandre Dumas, Eugène Sue se présentent aux
élections. Hugo hésite. Depuis la Chambre des pairs, la vie politique lui est devenue bien plus qu'une habitude : une seconde
nature. Certains le poussent à faire acte de candidature. Il
reçoit une pétition établie « au nom de la jeunesse parisienne »
qui le *supplie* de se porter candidat à la Constituante. Sa
réponse est ambiguë : il annonce qu'il ne se présentera pas mais
que, s'il est élu, il ne refusera pas le mandat qui lui serait confié.
Dans une lettre, il confirme : « Je ne suis pas candidat mais je ne
suis pas *refusant*. » Après une telle prise de position, il est beau
qu'il ait obtenu à Paris 59 446 voix. Il n'a pas été élu, mais il s'en
est fallu de peu. *Juliette à Victor* : « Bonjour l'*Élu* de mon cœur.
Je vous mets à la tête de mon gouvernement définitif. » Un événement va le convaincre qu'il peut attendre beaucoup d'une
popularité dont il doutait jusque-là. Depuis 1831, on l'a vu fort
assidu aux commissions de la Société des Auteurs dramatiques. Pour la première fois, le 7 mai 1848, il est élu président.
Victor Hugo succède à Beaumarchais [1] !

1. C'est en Assemblée générale qu'il a été élu. Le procès-verbal porte : « Il
est donné connaissance à l'assemblée d'une proposition signée de 41 membres qui proposent de déférer la présidence de la Commission et de la Société
à M. Victor Hugo. Cette proposition est mise aux voix et adoptée à l'unanimité. » *(Archives de la Société des Auteurs et Compositeurs dramatiques.)*

L'émeute du 15 mai et la nomination multiple de plusieurs députés ont rendu nécessaires des élections complémentaires. Cette fois, Hugo ne balance plus. Il se présente. Le 26 mai, il adresse à « ses concitoyens » un appel qui renferme le programme qu'il se propose de défendre. Certes, la première partie de ce texte manifeste la sainte horreur d'un retour à la Terreur. Chez Hugo, ce n'est pas nouveau. A cet égard, il ne changera plus. Jamais, lui qui refuse à la société le droit de mettre à mort un criminel, il n'admettra que l'on ôte la vie à un adversaire politique. Tout juste peut-on lui reprocher de pousser au noir les conséquences de l'établissement d'une telle république qui remettrait « en mouvement ces deux machines fatales qui ne vont pas l'une sans l'autre : la planche aux assignats et la bascule de la guillotine » et ferait « froidement ce que les hommes de 93 ont fait ardemment ». Mais il s'agit d'un programme électoral, genre littéraire pour lequel l'outrance est de règle. Quant à la seconde partie, si nous la lisons avec attention, nous nous convaincrons vite qu'un mouvement social-démocrate pourrait aujourd'hui la faire sienne. La liberté dans la pleine acception du mot ; une égalité qui reconnaît les degrés dus au talent ou au courage ; une fraternité consentie par les hommes libres ; l'enseignement gratuit pour tous ; une loi pénale sans inutiles rigueurs ; une économie de progrès fondée sur la croissance ; le droit l'emportant sur la force ; la guerre mise hors la loi ; le monde s'acheminant vers une communauté pacifique et « le majestueux embrassement du genre humain sous le regard de Dieu satisfait » : tout le rêve hugolien est ici en puissance. Il s'élargira, s'approfondira, acquerra l'audace qui lui manque encore. Plus tard, Hugo n'aurait pas biffé un passage que, par prudence, il a supprimé : « ... reconnaîtra les droits de la femme, distincts des droits de l'homme et non moins sacrés... »

De l'adresse du 26 mai 1848, Lamartine le félicitera chaleureusement.

La campagne lui a rendu quelque confiance en soi. Il semble davantage heureux de vivre. Il n'est que Juliette, une fois de plus, qui rue dans les brancards.

4 mai 1848, jeudi, midi et demi : « Rien ne m'agace plus que ces émeutes parmi lesquelles tu as la manie d'aller te fourrer. Je voudrais que le diable torde le cou aux émeutiers une bonne fois et qu'il n'en soit plus question. Pourvu qu'il n'y ait plus de révolution, ni d'évolution, ni de mystification, je donne mon adhésion à ce gouvernement. Avec tout cela, baisez-moi, vous, et tâchez d'assister régulièrement aux séances de *ma chambre*. Vous êtes mon représentant à mon unanimité et je vous prie de fonctionner régulièrement et de faire honneur à la confiance dont je vous ai investi. Ne laissez pas passer l'heure du pardon si vous ne voulez pas entendre sonner l'heure de la justice. Vous voyez que je suis à la hauteur de la situation et que les républicains de la veille n'ont rien à m'apprendre. J'en remontrerais même à ceux du lendemain, si je voulais, mais je ne veux pas. Je veux que vous me baisiez à mort, voilà. Ça n'est pas bien malin, il me semble. Essayez et vous verrez. »

Avec 86 965 voix, Hugo est élu par les Parisiens en même temps que Proudhon, un certain Lagrange, un certain Boissel... et Louis-Napoléon Bonaparte. L'histoire a de ces cocasseries : Hugo et Louis-Napoléon envoyés, le même jour, par les mêmes électeurs, à la même assemblée ! Du reste, le prince Louis-Napoléon, jugeant prématurée son entrée sur la scène politique, démissionnera quelques jours plus tard. A cette démission, nul ne prend garde. On a tort : elle révèle un profond stratège. Seule peut-être Juliette a perçu quelque chose de différent et de fort significatif.

A Victor, 7 juin : « Suzanne revient du marché des Blancs-Manteaux dans lequel les marchandes battent des mains et dansent en rond en disant que Napoléon a été nommé et qu'elles vont avoir enfin un empereur qui vaut mieux que toute cette canaille de république. Voilà où en est l'opinion des marchandes de persil et de carottes... françaises [1]. »

Quand Victor II a vu son père prêt à se rendre en paletot à l'assemblée, il s'est gendarmé. Il a fallu que le *pèrissime* — comme l'appellent désormais ses grands fils — mît un habit noir. Ce premier contact ne va pas lui laisser une bonne impression : « La salle est d'une laideur rare. Des poutres au lieu de colonnes, des cloisons au lieu de murailles, de la détrempe au lieu de marbre, quelque chose comme la salle de spectacle de Carpentras élevée à des proportions gigantesques. » Hugo reconnaît plusieurs huissiers de la Chambre des pairs : « L'un d'eux me regarde longtemps d'un air mélancolique. »

---

1. Bibliothèque nationale, NAF 16366 cotée 229.

Légitimistes et orléanistes, camouflés en républicains, attendent non sans méfiance les débuts de Hugo à l'assemblée. A contrecœur ils ont accordé leur aval à ce candidat dont le programme leur a paru pour le moins ambigu. Ils ont raison : il faut toujours en politique se méfier des écrivains. Hugo lui-même sait-il de quel parti il est ? Quand il a demandé l'appui des cinq « associations d'art et d'industrie », il a ouvert à l'assistance qui l'accueillait ce qu'il appelait « le fond de son cœur » : « Toute ma pensée, je pourrais la résumer en un seul mot ; ce mot le voici : haine vigoureuse de l'anarchie, tendre et profond amour du peuple. » Bien sûr. Mais un tel programme, si louable qu'il soit, peut être générateur de difficiles contradictions.

Pour parer au chômage, l'Assemblée a créé les Ateliers nationaux. Le but initial avait été de donner du travail à 100 000 chômeurs. Chacun convient que l'expérience a échoué. La plupart du temps, on a convoqué les travailleurs sur des chantiers où aucune tâche ne les attendait. De là est née une profonde irritation. Rue de Bellechasse, Hugo a pu voir une affiche des Ateliers nationaux à laquelle un passant avait ajouté au crayon un R. Cela devenait : RATELIERS NATIONAUX. Signe d'un état d'esprit. C'est sur ce thème que Hugo va faire ses débuts à l'Assemblée. Son opinion sur les Ateliers nationaux, il y a longtemps qu'il se l'est faite. Il a vu aussi devant chez lui, place des Vosges, des hommes en blouse jouer au bouchon sous les arcades. Un autre dormait étendu le long du mur. Un des joueurs est venu à lui, l'a poussé du pied et l'a interrogé : « Qu'est-ce que tu fais là, toi ? » Le dormeur s'est réveillé, s'est frotté les yeux, a levé la tête et répondu : « Eh bien, je gagne mes vingt sous ! » Et il s'est retourné sur le pavé. Commentaire de Hugo : « Voilà ce que c'est que les Ateliers nationaux. »

Retenir un tel sujet pour un premier discours, c'est afficher un évident goût du risque. Depuis quelques jours, on ne parle plus que de la suppression des Ateliers nationaux. Dans Paris, l'angoisse des ouvriers équilibre l'espoir des bourgeois.

Observé avec curiosité, il gravit les sept marches de l'escalier recouvert d'un tapis de velours rouge à fleurs, passe devant le panneau peint en faux granit rouge avec une bordure peinte en faux marbre gris et aborde le pupitre bordé de velours rouge encadré de deux lampes. Il parle, on l'écoute. Il convient que la création des Ateliers nationaux a été une nécessité, mais il affirme que l'on n'en a pas tiré le parti qu'il aurait fallu. Ce qui le frappe, c'est « une énorme force dépensée en pure perte » : « En quatre mois, qu'ont produit les Ateliers nationaux ? Rien. » Toutefois sa sévérité admet ce qu'il appelle des « tempéraments ». Il refuse de suivre ceux qui vont répétant : « La monarchie avait les oisifs, la République aura les fainéants. » Il enchaîne :

Ce langage rude et chagrin, je ne le tiens pas précisément, je ne vais pas jusque-là. Non, le glorieux peuple de Juillet et de Février ne s'abâtardira pas. Cette fainéantise fatale à la civilisation est possible en Turquie ; en Turquie et non pas en France !

Il dira encore — et j'aime qu'il l'ait dit dans sa première intervention à la tribune de l'Assemblée nationale :

La question, depuis de longues années déjà, est dans les détresses du peuple, dans les détresses des campagnes qui n'ont point assez de bras, et des villes qui en ont trop, dans l'ouvrier qui n'a qu'une chambre où il manque d'air, et une industrie où il manque de travail, dans l'enfant qui va pieds nus, dans la malheureuse jeune fille que la misère ronge et que la prostitution dévore, dans le vieillard sans asile, à qui l'absence de la providence sociale fait nier la providence divine ; la question est dans ceux qui souffrent, dans ceux qui ont froid et qui ont faim. La question est là !

Cependant il s'adresse « du plus profond et du plus sincère » de son cœur « aux philosophes initiateurs, aux penseurs démocrates, aux socialistes » et il leur demande de ne pas armer « une misère contre une misère », « un désespoir contre un désespoir ».

Au nom du ciel, aidez-nous !... Puisque le peuple croit en vous, puisque vous avez ce doux et cher bonheur d'être aimés et écoutés de lui, oh ! je vous en conjure, dites-lui de ne point se hâter vers la rupture et la colère, dites-lui de ne rien précipiter, dites-lui de revenir à l'ordre, aux idées de travail et de paix, car l'avenir est pour tous, car l'avenir est pour le peuple ! Il ne faut qu'un peu de patience et de fraternité ; et il serait horrible que, par une révolte d'équipage, la France, ce premier navire des nations, sombrât en vue de ce port magnifique que nous apercevons tous dans la lumière et qui attend le genre humain. *(Très bien ! très bien !)*

Une fois de plus, il a donc mêlé l'idée de l'amour qu'il

éprouve pour le peuple — profondément sincère — et le goût forcené qu'il a de l'ordre. Un tel discours ne pouvait contenter complètement ni la droite ni la gauche. Mais l'a-t-il satisfait lui-même? Ce qu'ont pu en revanche découvrir ses nouveaux collègues, c'est un orateur. Il s'exprime avec aisance, chaleur et sait montrer à l'occasion cet esprit d'à-propos si nécessaire pour réussir dans les assemblées. Pour s'en convaincre, il suffit d'ouvrir le compte rendu de la séance:

MONSIEUR VICTOR HUGO. — Paris est la capitale actuelle du monde civilisé...

UNE VOIX. — C'est connu! *(On rit.)*

MONSIEUR VICTOR HUGO. — Sans doute, c'est connu! J'admire l'interruption! Il serait rare et curieux que Paris fût la capitale du monde et que le monde n'en sût rien. *(Très bien! — On rit.)*

Important cela.

L'adjuration solennelle qu'il a adressée aux « penseurs » qui inspirent le mouvement de la République n'était nullement abstraite. Depuis que la presse a annoncé la probable fermeture des Ateliers nationaux, chacun sait que, dans le prolétariat parisien, la colère gronde. Quand la décision devient officielle, quand on apprend que les chômeurs de dix-sept à vingt-cinq ans devront s'engager dans l'armée et que les autres sont invités à se rendre en Sologne pour y assécher les marais, tout un peuple poussé au désespoir va se soulever. Voilà donc très précisément cette guerre civile que, dans son discours, Hugo avait annoncée afin qu'on l'évitât. On se bat dans Paris: 50 000 ouvriers face à la garde mobile et à 180 000 soldats. Combat inégal, désespéré. Ni en juillet 1830, ni en février 1848, on n'avait constaté une telle âpreté, une telle rage. Ces révolutions-là étaient avant tout politiques. L'émeute de juin est sociale. C'est leur existence même que les ouvriers croient défendre. C'est la société que les troupes jetées dans la capitale par Cavaignac, surtout composées de jeunes ruraux, croiront servir.

Dès le 23 juin, quatre cents barricades se dressent dans Paris. Dans la rue Saint-Jacques, on en dénombre trente-huit. « Les barricades sont contagieuses, constate Ledru-Rollin, c'est la tentation, la passion héréditaire de la population parisienne. » Le soir, malgré des efforts acharnés, la troupe n'est pas parvenue à déloger les insurgés des quartiers qu'ils occupent. A toutes les objurgations, ceux-ci répondent : rétablissez les Ateliers nationaux ! Ils y ajoutent une nouvelle exigence : la dissolution de l'Assemblée. Réponse des députés : ils se déclarent en permanence. Le lendemain, 24, c'est de son banc de l'Assemblée, à 8 heures du matin, que Victor écrit à Adèle :

« Chère amie, j'ai passé la nuit à l'Assemblée, à la disposition des événements. Ce matin, à six heures, j'ai essayé d'aller te retrouver et vous embrasser tous place Royale. J'ai pu parvenir par le quai, à travers quelques fusillades, jusqu'à l'Hôtel de Ville. J'ai parlé au général Duvivier et j'ai poussé jusqu'à l'entrée de la rue Saint-Antoine. Là, place Baudoyer, il y avait des barricades gardées par la ligne. On se tiraillait. Les officiers m'ont supplié de ne pas aller plus loin et un représentant qui est survenu m'a fait remarquer qu'en passant outre, je risquais de tomber au pouvoir des insurgés qui me garderaient peut-être comme otage, ce qui embarrasserait l'Assemblée. Je me suis retiré, le cœur navré, et bien inquiet sur ma pauvre place Royale. Tous les gardes nationaux, et un professeur de Charlemagne qui était dans la barricade, m'ont assuré pourtant que la place Royale était toujours tranquille. J'espère que, d'ici à ce soir, le passage sera libre et que vous me reverrez tous ; ma pensée est avec vous.

« Quelle affreuse chose ! et qu'il est triste de songer que tout ce sang qui coule des deux côtés est du sang brave et généreux. Dis à notre Charles qu'il ne s'expose pas trop. Qu'il fasse son devoir comme je fais le mien, mais qu'il évite les imprudences.

« Nous sommes en permanence, l'Assemblée va rentrer en séance dans quelques minutes. »

Cette barricade de la place Baudoyer, construite par les insurgés mais enlevée par la troupe, Hugo y a vu des soldats couchés, leur fusil braqué entre les pavés comme entre des créneaux. « De temps en temps, des balles sifflaient et venaient frapper les murs des maisons autour de nous, en faisant jaillir des éclats de plâtre et de pierre. Par moments, une blouse, quelquefois une tête coiffée d'une casquette, apparaissait à l'angle d'une rue. Les soldats lâchaient leur coup ! Quand le coup avait porté, ils s'applaudissaient : — Bon. Bien joué ! »

Vers 10 heures du matin, Hugo s'est assis de nouveau à son banc... Pour écrire cette fois à Juliette :

« Ne t'effraie pas, ma bien aimée. Il serait possible que l'Assemblée quittât Paris. Où elle sera je serai. Prends l'argent, et viens m'y retrouver. Sois tranquille, doux ange. Dieu est avec les bons et les justes. Je t'aime. Ma première comme ma dernière pensée pour toi et pour les doux êtres que tu sais. »

A-t-il écrit aussi à Léonie ? Nous ne possédons pas la lettre, mais comment ne l'aurait-il pas fait ?

Il est 11 heures. Un représentant qu'il ne connaît pas — un certain Belley, ingénieur et « républicain rouge » — vient s'asseoir près de lui et lui dit :

— Monsieur Victor Hugo, la place Royale est brûlée ; on a mis le feu à votre maison ; les insurgés sont entrés par la petite porte sur le cul-de-sac Guéméné.

Sursaut de Hugo, impression que tout son sang reflue vers son cœur :

— Et ma famille ?
— En sûreté.

Le doute, tout à coup :

— Comment le savez-vous ?

— J'en arrive. J'ai pu, n'étant pas connu, franchir les barricades pour arriver jusqu'ici. Votre famille s'était réfugiée d'abord à la mairie. J'y étais aussi. Voyant le danger grossir, j'ai engagé Mme Victor Hugo à chercher quelque autre asile. Elle a trouvé abri, avec ses enfants, chez un fumiste appelé Martignoni qui demeure à côté de votre maison, sous les arcades.

Hugo connaît cette famille Martignoni. Un peu rassuré, il interroge :

— Et où en est l'émeute ?

— C'est une révolution. L'insurrection est maîtresse de Paris en ce moment. Nous sommes perdus.

Hugo se lève en hâte, s'élance vers le cabinet où siège la Commission exécutive. Il pousse la porte :

« Je me trouvai brusquement face à face avec tous ces hommes qui étaient le pouvoir. Cela ressemblait plutôt à une cellule où des accusés entendaient leur condamnation qu'à un conseil de gouvernement. M. Ledru-Rollin, très rouge, était assis, une fesse sur la table. M. Garnier-Pagès, très pâle, et à demi couché sur un grand fauteuil, faisait une antithèse avec lui. Le contraste était complet, Garnier-Pagès maigre et chevelu, Ledru-Rollin gras et tondu. Deux ou trois colonels dont était le représentant Charras causaient dans un coin.

Je ne me rappelle Arago que vaguement. Je ne me souviens plus si M. Marie était là. Il faisait le plus beau soleil du monde. M. de Lamartine, debout dans l'embrasure de la fenêtre de gauche, causait avec un général en grand uniforme, que je voyais pour la première et pour la dernière fois, et qui était Négrier. Négrier fut tué le soir du même jour devant une barricade. »

Hugo va tout droit à Lamartine qui, de son côté, fait quelques pas vers lui. Il est « blême, défait, la barbe longue, l'habit non brossé et tout poudreux ». Il lui tend la main :

— Ah ! bonjour Hugo.

Hugo dira que, du dialogue qui s'est engagé, les moindres mots sont restés présents à son souvenir.

— Où en sommes-nous, Lamartine ?

— Nous sommes foutus !

— Qu'est-ce que cela veut dire ?

— Cela veut dire que dans un quart d'heure l'Assemblée sera envahie.

— Comment ! Et les troupes ?

— Il n'y en a pas.

— Mais vous m'avez dit mercredi et répété hier, que vous aviez soixante mille hommes !

— Je le croyais.

— Comment, vous le croyiez ! Vous vous êtes borné à le croire ! Vous ne vous en êtes pas assuré, vous, gouvernement !

La colère de Hugo monte. Sa voix s'enfle pour reprocher à Lamartine son inaction. Pourquoi n'a-t-il pas fait venir les garnisons dans un rayon de quarante lieues ? On disposerait tout de suite de trente mille hommes. Quand Lamartine lui répond que des ordres ont été donnés et qu'ils n'ont pas été exécutés, Hugo — « indigné, hors de moi, injuste » — s'écrie :

— Ah ça ! quelqu'un trahit ici !

On vient annoncer que l'Assemblée a voté l'état de siège. Un peu plus tard, l'Assemblée nommera le général Cavaignac chef du pouvoir exécutif, le chargeant de ramener Paris à la raison.

Le général Négrier paraît, reconnaît Hugo, vient à lui :

— Monsieur Victor Hugo, je viens vous rassurer, j'ai des nouvelles de la place Royale.

— Eh bien, général ?

— Votre famille est sauvée, mais votre maison est brûlée.

Hugo affirme qu'il a répondu : « Qu'est-ce que cela fait ? » Ce qui aurait provoqué cette noble réaction de Négrier :

— Je vous comprends. Ne songeons plus qu'à une chose. Sauvons le pays.

Que s'est-il passé place Royale ? Le représentant Belley comme le général Négrier ont été à la fois bien et mal informés. La vérité est que, par les issues de la mairie et par le cul-de-sac Guéméné, deux colonnes d'insurgés ont occupé la place. Pour pouvoir mieux tirer sur la petite troupe qui y est, les révoltés ont envahi le premier étage de la mairie ainsi que, au numéro 6, l'appartement des Hugo, abandonné quelques instants plus tôt par Adèle et ses enfants. Des cris se sont élevés contre Hugo, cet ennemi du peuple, ce réactionnaire qui a réclamé la fermeture des Ateliers nationaux !

Un homme a crié qu'il fallait brûler la maison. On est allé couper des branches aux arbres de la place. Le 24 juin, c'est la Saint-Jean. Bonne occasion, avec la demeure de l'ancien pair de France, de faire un feu de joie ! On accumule le bois sous les fenêtres, on l'enflamme. C'est là ce qu'a vu le représentant Belley. Mais le bois est vert, il brûle mal. Malgré les efforts réitérés de plusieurs insurgés, le feu s'éteint. On renonce. Belley est déjà loin.

Les troupes de la ligne ont évacué la place. La colère des insurgés est tombée. Maintenant, chez Victor Hugo, ils visitent. Ils sont armés de piques, de haches, de vieux fusils, de sabres. Leur chef, un ancien maître d'école du nom de Gobert, a donné des ordres rigoureux : on ne touche à rien ! En deux mots, il a expliqué aux autres qui était Victor Hugo. Silencieux, un peu gênés, vaguement admiratifs, les hommes vont de pièce en pièce. Pas un meuble n'est effleuré, à l'exception, dans la chambre d'Adèle, d'un berceau conservé comme une relique, celui où l'on a posé Adèle II le jour de sa naissance. Un insurgé le pousse doucement du bout des doigts et le berceau reprend vie. Les hommes pénètrent dans le cabinet du poète. Tout y est épars, « dans le tranquille désordre du travail commencé ». Sur la table, Hugo a laissé des bijoux, un cachet en cristal de roche, deux autres en argent, un encore en or ciselé par Froment-Meurice, et surtout cette boussole qui porte la date 1489 et l'inscription *la Pinta*. Gobert explique non sans solennité : « Cette boussole a découvert l'Amérique. »

Sur le bureau, des feuilles en tas, couvertes de la grande

écriture de Hugo. Gobert le premier, les autres après lui se penchent. Sur l'un des feuillets, un titre : *les Misères.*

Un instant, dans le silence revenu, les hommes ont médité sur ce titre : *les Misères.* Puis ils s'en sont allés sans rien dire. *Hugo à Alphonse Karr* : « Vous avez su par les journaux, mon cher ami, l'invasion de ma maison par les insurgés. Je leur dois cette justice et je la leur rends volontiers, qu'ils ont tout respecté chez moi : ils en sont sortis comme ils y étaient entrés. »

Tout cela, il a fallu plus de trois jours à Hugo pour le savoir. Le 24, dans l'après-midi, il est dans la rue. Pour lui, aucune hésitation possible. Son devoir est du côté du gouvernement légal, c'est-à-dire de l'ordre. L'insurrection jure qu'elle veut établir une république véritable ? Hugo répond que le moyen choisi a pour résultat le meurtre de cette république. L'insurrection tue ce qu'elle veut sauver : « Méprise fatale ». Il ne reviendra pas sur ce jugement. Quatorze ans plus tard, publiant *les Misérables*, il dira encore que, « cette émeute extraordinaire où l'on sentit la sainte anxiété du travail réclamant ses droits », il fallait la combattre, « et c'était le devoir, car elle attaquait la république ». Il définira l'insurrection de juin : « Une révolte du peuple contre lui-même. » Mais quelle compréhension envers ceux qui se sont insurgés ! Accablé de tristesse, il médite devant la barricade qui barre l'entrée du faubourg Saint-Antoine. Il la voit monstrueuse, « ravinée, déchiquetée, dentelée, hachée, crénelée d'une immense déchirure, contrebutée de monceaux qui étaient eux-mêmes des bastions, poussant des caps çà et là, puissamment adossée aux deux grands promontoires de maisons du faubourg ». Il est saisi, meurtri :

« Rien qu'à la voir, on sentait dans le faubourg l'immense souffrance agonisante, arrivée à cette minute extrême où une détresse veut devenir une catastrophe... C'était la collaboration du pavé, du moëllon, de la poudre, de la balle de fer, du chiffon, du carreau défoncé, de la chaise dépaillée, du trognon de chou, de la loque, de la guenille et de la malédiction. C'était grand et c'était petit. C'était l'abîme parodié sur place par le tohu-bohu. La masse près de l'atome ; le pan de mur arraché et l'écuelle cassée ; une fraternisation menaçante de tous les débris ; Sisyphe avait jeté là son rocher et Job son tesson. En somme, terrible. »

Cette architecture gigantesque, au sommet de laquelle flotte un drapeau rouge, il la voit peuplée par les cris du commandement, les chansons d'attaque, « des roulements de tambours, des sanglots de femme et l'éclat de rire ténébreux des meurt-de-faim ». Elle était « démesurée et vivante ; et, comme du dos d'une bête électrique, il en sortait un pétillement de foudres. L'esprit de révolution couvrait de son nuage ce sommet où grondait cette voix du peuple qui ressemble à la voix de Dieu ; une majesté étrange se dégageait de cette titanique hottée de gravats. C'était un tas d'ordures et c'était le Sinaï ».

Admirable, non ? Mais, obstinément, il revient à un verdict qu'il veut sans appel : « Elle attaquait au nom de la Révolution, quoi ? la Révolution. Elle, cette barricade, le hasard, le désordre, l'effarement, le malentendu, l'inconnu, elle avait en face d'elle l'assemblée constituante, la souveraineté du peuple, le suffrage universel, la nation, la république ; et c'était *la Carmagnole* défiant *la Marseillaise*. » Il fallait donc prendre la barricade. Prendre toutes les barricades. Mais convenir que, si le défi qu'elles exprimaient était insensé, il était aussi héroïque, « car ce vieux faubourg est un héros [1] ».

Hugo avait accepté les révolutions de juillet 1830 et de février 1848 parce que le peuple, en ce temps-là, ne votait pas. Maintenant que les Français disposent du suffrage universel, l'insurrection est devenue à ses yeux indéfendable : un crime. Raisonnement qu'il tiendra encore au moment de la Commune.

A la fin de la matinée, la Constituante nomme soixante commissaires chargés de rétablir l'ordre dans les quartiers insurgés. Hugo est l'un de ceux-là. Preuve qu'il n'a pas pris les propos du général Négrier pour des paroles en l'air. Il quitte aussitôt l'Assemblée, gagne la rue Saint-Louis où se dressent trois barricades. Depuis la veille, les 13e et 14e bataillons de la garde mobile et quelques gardes nationaux isolés da la VIe légion ont tenté de leur donner l'assaut. Sans résultat. Il faut lire ici le rapport qui a été adressé, trois jours plus tard, par l'un des officiers, Cahagne de Cey, à Senard, président de l'Assemblée nationale :

« Nous avions perdu un assez grand nombre d'hommes sans

1. *Les Misérables*, 5e partie, livre premier, chapitre I.

avoir obtenu aucun avantage. Le samedi 24, vers deux heures après midi, un homme vêtu d'un paletot gris, et sans aucune espèce d'insignes, s'écria au milieu de nous : — Il faut en finir, mes enfants ! Cette guerre de tirailleurs est meurtrière. On perd moins de monde en marchant bravement vers le danger. En avant ! Cet homme, Monsieur le Président, était M. Victor Hugo, représentant de Paris. Il n'avait pas d'armes et cependant il s'élança à notre tête, et, tandis que nous cherchions l'abri des maisons, il occupait, seul, le milieu de la chaussée. Deux fois je le tirai par le bras en lui disant : — Vous allez vous faire tuer ! — Je suis ici pour cela, répondit-il et il continuait de crier : — En avant ! En avant ! Conduits par un tel homme, nous arrivâmes sur les barricades qui furent successivement enlevées. »

Le courage peut être aussi l'affaire des poètes. Dommage qu'il s'exerce ici contre des ouvriers désespérés.

Le soir, tout le Marais est devenu comme un bastion fortifié dont nul ne peut franchir des défenses redoutables. On devine les alarmes de Hugo : où sont les siens ? Que font-ils ? On ne sait où il passe la nuit. Peut-être encore à l'Assemblée. Le 25, quarante mille insurgés sont cernés entre le clos Saint-Lazare, la barrière Rochechouart, les faubourgs Poissonnière, du Temple et Saint-Jacques. Affreuse et héroïque résistance du désespoir. Vainement, Mgr Affre, archevêque de Paris, un crucifix à la main va-t-il s'élancer au-devant des insurgés pour les exhorter à cesser le feu. Il tombe, mortellement frappé par une balle venue sans doute des rangs de l'armée.

Ni ce jour-là, ni la nuit qui suit, Hugo ne parvient à nouer un contact avec les siens.

A Adèle, 26 juin : « Chère amie, je suis dans d'affreuses anxiétés. Où êtes-vous ? Que devenez-vous ? Depuis deux jours, je rôde jour et nuit autour du quartier sans pouvoir y pénétrer. J'ai le cœur déchiré. Écris-moi un mot, dis-moi que vous êtes tous en sûreté et que vous allez tous bien. Je ne vis pas. Donne-moi des nouvelles détaillées de vous tous.

« Je suis ici depuis vingt-quatre heures, avec un mandat d'ordre, de paix et de conciliation. Dieu nous aide et nous aidera. La France sera sauvée.

« Surtout, sois tranquille sur moi. Je vais bien, quoique épuisé de fatigue. »

Le même jour à 5 heures et demie de l'après-midi, il peut — enfin ! — courir rue Saint-Anastase, chez Juliette. Il y a trois

jours, elle aussi, qu'il ne l'a pas vue. Il entre. Elle, si casa-
nière, est absente ! Il lui laisse un mot griffonné en hâte :
« Sois tranquille, tout est fini, il n'y a plus de danger, absolument rien à craindre. Oh ! Je t'aime ! »

A l'instant de quitter la maison, il voit quatre hommes descendre précautionneusement l'escalier. Il les questionne : qui
sont-ils ? Ils lui confient qu'ils ont défendu les barricades de
la rue Pont-aux-Choux, de la rue Saint-Claude et de la rue
Saint-Louis au Marais. Ils se sont échappés une fois les barricades prises. Mme Drouet a bien voulu les cacher dans le grenier. Ainsi, elle a fait cela, cette Juliette qui grondait contre
les fauteurs de désordre ! Victor la reconnaît bien là. Il
déclare aux quatre hommes qu'il les prend sous sa protection : ils pourront rentrer chez eux sains et saufs.

Tout est fini en effet. On compte les morts : un millier du
côté des forces de l'ordre, plusieurs milliers dans les rangs
des insurgés. Mais ce qui commence est horrible : on fusille à
tour de bras. Hugo est à la mairie de la rue de Vendôme
(aujourd'hui rue Béranger), quand on le prévient :

— Citoyen représentant, on va fusiller un homme.

— Où ça ?

— 93, boulevard Beaumarchais.

Il y court. Au rez-de-chaussée d'une maison en construction, il voit, adossés à la muraille et les yeux bandés, non pas
un, mais trois hommes couchés en joue par les gardes nationaux. Peut-être est-ce en souvenir de cette scène qu'il dira un
jour : « Rien n'est féroce comme un épicier qui ne vend pas. »
Il leur crie : « Que faites-vous là ? » Étonnés, ils relèvent les
canons de leurs fusils, expliquent :

— Citoyen représentant, ces hommes ont tiré sur nous.

— Et vous voulez le tuer comme ça, sans jugement ?

— Oui, nous les avons vus.

— Vous ne fusillerez pas ces hommes.

Il s'adresse aux insurgés, leur demande leur identité. Le
premier est homme de lettres. Malgré les murmures des
gardes nationaux, Hugo l'invite à rentrer chez lui.

— Si vous l'aviez simplement arrêté, je le renverrais
devant les juges ; mais puisque vous avez voulu le tuer sans
jugement, moi, je l'acquitte sans jugement.

Le second est un architecte. Hugo ordonne qu'on l'élar-
gisse. Le troisième donne son nom : « Georges Biscarrat ».
Hugo le regarde :

— J'ai connu jadis un Biscarrat; seriez-vous parent de Félix Biscarrat?

— C'était mon oncle, Monsieur.

Le jeune homme, lui aussi, est rendu à la liberté. Hugo lui a dit seulement: « Retenez bien ceci. Jamais d'insurrection que pour le droit et pour le devoir. »

Les barricades qui interdisaient l'accès du Marais sont tombées comme les autres. Libre, l'accès de la place Royale. C'est un homme harassé, enivré de joie, qui retrouve sa femme et ses enfants. Adèle est à bout de nerfs, à bout de forces. Elle sanglote, crie qu'elle ne rentrera plus dans l'appartement. Hugo tente de l'apaiser: puisque tout est fini! Obstinément, elle secoue la tête: non, plus jamais la place Royale! Charles, Victor II et Adèle II renchérissent: il faut comprendre leur mère; non seulement elle a tremblé pour ses enfants, pour elle-même, mais, pendant de longues heures, elle a cru son mari prisonnier, blessé, mort peut-être. Eux-mêmes se refusent à regagner le logis. Hugo doit céder, se mettre aussitôt en quête d'un autre logis. Il trouve un appartement meublé au 5 de la rue d'Isly, dans le quartier de la Madeleine. *Adèle à Victor Pavie, 26 juillet 1848*: « Mes enfants ont eu une si affreuse impression de ces quatre journées qu'ils n'ont même plus voulu coucher dans cet endroit où ils ont reposé pendant près de dix-sept ans, et dix-sept ans, pour eux, c'est l'existence! » La page est tournée. Jamais plus les Hugo ne retrouveront la place Royale.

Ce qui agite Hugo, profondément, c'est la répression qui s'est abattue sur les insurgés de juin. Les chiffres des exécutions commencent à être connus: 1 500 pour le moins, la plupart sommaires. On a procédé à 25 000 arrestations! En définitive, 11 000 insurgés seront condamnés à des peines de prison ou déportés. Hugo découvre quelque chose qui ressemble à une chasse à l'homme, un affreux règlement de comptes entre des bourgeois qui ont eu peur et des ouvriers vaincus. Il n'est pas le seul que cela écœure. A Renan, George Sand écrit: « J'ai honte aujourd'hui d'être française, moi qui naguère en étais si heureuse... Je ne crois plus à l'existence d'une république qui commence par tuer ses prolétaires. » Et Renan lui-même: « Paris n'est plus reconnaissable. Les autres victoires n'avaient que des chants et des folies; celle-ci n'a que deuil et fureur. Les atrocités commises par les vain-

queurs font frémir... Une véritable terreur a succédé à cette
déplorable guerre... »

Hugo se sent déchiré, recru d'amertume. Ces gens-là que
l'on fusille, que l'on emprisonne, sont des Français comme
les autres. Certes ils ont eu tort de se soulever contre une
légalité qui, issue du suffrage universel, est sainte. Hugo a été
le premier à combattre pour cette légalité-là. Aujourd'hui, il
voudrait plus d'indulgence chez les vainqueurs, moins
d'acharnement, tout simplement un peu de cette fraternité
dont le mot s'inscrit désormais beaucoup plus sur les murs
que dans les cœurs. Cavaignac gouverne davantage en général en chef qu'en responsable démocratique. On n'a pas aboli
l'état de siège. Hugo note : « MM. les généraux qui nous gouvernent — qui nous gouvernent un peu trop — mettent
aujourd'hui leur gloire à faire reculer la liberté... L'état de
siège est le pont où passe la dictature. » Il se méfie de Cavaignac : « Pour qu'une épée puisse, impunément et sans soulever l'indignation de la France, trancher un nœud gordien des
libertés et des complications politiques, il faut que cette épée
revienne de Marengo, d'Arcole et de Lodi. » A Ulric Guttinguer qui, de sa Normandie, accablait les insurgés, il répond :

« Cher poète, cher penseur, ce n'est pas à vous qu'il faut enseigner
la bienveillance, l'amour et la foi. Ce sont vos leçons que je vous renvoie. Oui, les nouveaux doctrinaires du pillage et du vol sont exécrables, mais le peuple est bon. Il y a toujours en lui quelque chose de
Dieu. »

Une liberté essentielle lui semble être en grand danger :
celle de la presse. Onze journaux ont été frappés d'interdit,
notamment *la Presse* dont le directeur, Émile de Girardin, a
été arrêté et, dix jours durant, tenu au secret. Le 1er août, à
l'Assemblée, Hugo monte à la tribune. Quelque modérées que
puissent être ses paroles, elles vont susciter une opposition
violente. Dès les premiers mots, on comprend que Hugo va
s'ériger en censeur d'un conformisme à la mode. Il s'écrie :

Défendre aujourd'hui la société, demain la liberté, les défendre
l'une avec l'autre, les défendre l'une par l'autre, c'est ainsi que je
comprends mon mandat comme représentant, mon droit comme
citoyen et mon devoir comme écrivain !

Sur beaucoup de bancs, on commence à murmurer. Une expression malheureuse suscite un vrai tumulte. Il s'est adressé à Cavaignac :

Dans votre intérêt même, permettez-moi de vous le dire, à vous homme du pouvoir, moi homme de la pensée...

Ici, *le Moniteur* imprime : *interruption prolongée*. Important, le phénomène qui vient de se produire. Il marque le commencement, entre l'Assemblée et Hugo, d'une sorte d'antagonisme très curieux et significatif. La majorité des élus qui siègent là est d'un niveau intellectuel médiocre : le fameux « juste milieu » dont certains, sous Louis-Philippe, s'étaient fait une gloire. Ce poète fameux, cet écrivain illustre inquiète des gens qui — ils ne le sentent que trop — ne se situeront jamais à son niveau. Dans l'anonymat de la masse parlementaire, ils peuvent donner libre cours à cette jalousie sourde qui les taraude. « Homme de pensée », a dit Hugo sans y voir de mal. Ceux qui pensent rarement ne l'ont pas supporté. Comment admettraient-ils qu'un de leurs collègues incarne en effet un monde de l'esprit dont ils se voient exclus ? Alors : *interruption prolongée*. Des mots injurieux, des cris de colère, des protestations véhémentes : debout à la tribune, les mains posées sur la bordure de velours rouge, Hugo a subi tout cela. Pour la première fois.

En reprenant la parole, il tente d'apaiser cette petite émeute par une pirouette verbale :

Quand je dis homme de la pensée, je veux dire homme de la presse, vous l'avez tous compris.

Les médiocres qui ne voulaient pas de la pensée veulent bien accepter la presse : *Oui ! Oui !* Mais le hourvari reprend lorsqu'il déclare :

Que le pouvoir se souvienne que la liberté de la presse est l'arme de cette civilisation que nous défendons ensemble. La liberté de la presse était avant vous, elle sera après vous !

Il a beaucoup de mal à poursuivre. Il s'acharne, il conclut :

Je demande formellement à l'honorable général Cavaignac de

vouloir bien nous dire s'il entend que les journaux interdits peuvent reparaître immédiatement sous l'empire des lois existantes, ou s'ils doivent, en attendant une législation nouvelle, rester dans l'état où ils sont, ni vivants, ni morts, non pas seulement entravés par l'état de siège, mais confisqués par la dictature !

Un nouveau tumulte se déchaîne. Glacial, immensément calme, il quitte la tribune dans ce vacarme et cette hostilité.

Il parle, il écrit — mais aussi il agit. Il prend l'initiative de la création d'un bureau pour venir en aide aux déportés de juin. Le président en sera Mgr Parisis, évêque de Langres, et le vice-président, lui, Victor Hugo. Il se multiplie pour faire libérer des prisonniers. A l'ami de l'un d'eux, il écrit : « L'Assemblée n'est pas encore au point de fraternité où sont plusieurs d'entre nous. »

Il ira plus loin. La Constituante, par 493 voix contre 292, a autorisé des poursuites contre deux hommes de gauche, Louis Blanc et Caussidière. Naturellement la gauche vote contre. Pour la première fois, Hugo vote avec la gauche. Il vote aussi avec la gauche en faveur de la publication des documents trouvés aux Tuileries en février. Il vote avec la gauche contre le renvoi d'une proposition d'aide aux indigents invalides. Il vote avec la gauche pour l'insertion d'une référence aux droits de l'homme dans le préambule de la Constitution. Il vote avec la gauche contre tout amoindrissement éventuel du suffrage universel.

Déroutant Hugo : c'est ainsi qu'on a dû le juger à l'Assemblée. Ses collègues n'oublient pas l'ancien membre de la Chambre des pairs, l'ami dévoué de Louis-Philippe. Il a comblé les vœux des plus exigeants en se jetant lui-même dans la rue pour combattre les insurgés de juin. Le voilà tout à coup qui semble « tourner casaque » : l'expression sera employée par plusieurs. Ceux-là ne parviennent pas à discerner ce qui fait agir leur étrange collègue. Pour qu'ils parviennent à un semblant d'explications, il faudrait qu'ils puissent lire ces feuillets jalousement conservés rue d'Isly et qui sont les pages des *Misères*. Il faudrait qu'ils puissent déchiffrer le Journal qu'il tient depuis tant d'années. Dans ce comportement qui les dérange, ils découvriraient une véritable logique. Doit-on leur en vouloir de n'y être pas parvenus ? Au moment où j'écris, certains s'amusent encore des « palinodies » de Hugo !

Ce dont il faut être sûr, c'est que, du jour au lendemain, il ne s'est pas, de conservateur, mué en révolutionnaire. La république qu'il défend est toujours modérée. Mais il estime qu'un certain nombre de valeurs spirituelles inaliénables doivent soutenir cette république. S'il juge qu'elles sont violées, ou seulement en danger, il se lève pour les défendre. Tant pis s'il se sépare de gens qui le considéraient comme des leurs. Tant pis s'il agit à contre-courant. Il le fait.

M. de Chateaubriand a mal choisi son époque pour mourir. Paris est encore fumant et les prisons sont pleines quand, atteint depuis cinq ou six mois d'une paralysie qui avait obscurci ce grand cerveau, l'auteur du *Génie du christianisme* a, le 4 juillet, écrit la dernière ligne du livre de sa vie. Hugo apprend la nouvelle à l'Assemblée. Il court chez le grand homme, idole de son adolescence. Il se recueille devant le petit lit de fer à rideaux blancs sur lequel René est couché : « Il était coiffé d'un bonnet de coton blanc qui laissait voir les cheveux gris sur les tempes ; une cravate blanche lui montait jusqu'aux oreilles. Son visage basané semblait plus sévère au milieu de toute cette blancheur. Sous le drap on distinguait sa poitrine affaissée et étroite et ses jambes amaigries. » Au coin d'une table placée près du lit, quatre cierges éclairent la chambre dont on a clos les fenêtres. Un prêtre prie à côté. Aux pieds de Chateaubriand, Hugo aperçoit deux caisses de bois blanc posées l'une sur l'autre. La plus grande contient le manuscrit complet des *Mémoires d'outre-tombe*, divisé en quarante-huit cahiers. Hugo note : « M. de Chateaubriand ne disait rien de la République, sinon : — Cela vous fera-t-il plus heureux ? »

Quatre jours plus tard, Hugo sera à la chapelle de l'église des Missions étrangères, rue du Bac, où se célèbrent les obsèques. Il ne cachera pas son mécontentement : « Un peu de peuple sous l'orgue, l'évêque de Quimper dans le chœur, quatre fusiliers auprès de l'autel, une trentaine de soldats du 61e dans l'église, commandés par un capitaine, deux membres de l'Assemblée nationale en écharpe, presque tout l'Institut ; la messe chantée en faux-bourdon, deux séminaristes des Missions regardant à droite de l'autel de derrière une statue, M. Antony Thouret tenant un des quatre coins du poêle. M. Patin faisant un discours ; telle fut cette cérémonie, qui eut tout ensemble je ne sais quoi de pompeux qui excluait la simplicité et je ne sais quoi de bourgeois qui excluait la grandeur. C'était trop ou trop peu. »

Hugo aurait voulu pour Chateaubriand des funérailles royales, Notre-Dame, le manteau de pair, l'habit de l'Institut, l'épée du gentilhomme émigré, le collier de l'ordre, la Toison d'or, tous les corps constitués, la moitié de la garnison sur pied, les tambours drapés, le canon de cinq en cinq minutes — « ou le corbillard du pauvre, dans une église de campagne ». Chateaubriand avait critiqué le sacre de Charles X. Hugo censure les obsèques de Chateaubriand. Il retiendra l'idée du corbillard des pauvres. Pour lui-même.

Le 1er août paraît un journal intitulé *l'Événement*. Un journal de plus ? Celui-ci comporte au moins une originalité : ses directeurs ne sont autres que Charles et Victor II Hugo, ce dernier prenant à cette occasion pour la première fois le prénom de François-Victor. La veille, un spécimen avait expliqué le titre de la nouvelle publication :

« Nous donnerons la place la plus visible à l'événement de la journée, quel qu'il soit. Notre idée est bien simple, et cependant elle n'est encore venue à personne : nous rangerons les faits, non seulement selon l'importance, mais selon l'espèce. Nous mettrons en relief l'incident significatif des vingt-quatre heures. »

L'Événement paraîtra pendant vingt-huit mois et, malgré le vœu pieux des éditorialistes, la politique restera constamment au premier rang de l'actualité retenue. Sous le titre, une formule capte l'attention du lecteur : « *Haine vigoureuse de l'anarchie, tendre et profond amour du peuple.* » Elle est signée Victor Hugo. Ce qui fait que l'on a vu aussitôt dans *l'Événement* le journal de Victor Hugo. Dès le 8 août, celui-ci tiendra à s'en expliquer : il n'est pour rien dans le journal de ses fils. Mise au point qui ne trompera personne. Il est vrai que les animateurs du quotidien soutiendront parfois des opinions différentes de celles de Hugo : *l'Événement* défendra avec force cette Constitution contre laquelle votera le représentant Hugo ; *l'Événement* soutiendra la candidature de Louis Bonaparte avec plus d'enthousiasme que Victor. Pour le reste, rien de plus évident : c'est Hugo qui inspire *l'Événement* « directement et puissamment [1] ». Va-t-il au-

1. Eliette Vasseur.

delà ? Il n'a signé aucun article. En a-t-il revu, a-t-il infléchi leur sens, a-t-il écrit de sa main certains passages ? A-t-il « parlé » devant ses fils ou ses amis des idées que ceux-ci n'ont fait que mettre en forme ? Des éditoriaux anonymes nous semblent écrits dans le style si reconnaissable de Hugo. Mais, à *l'Événement*, chacun est à ce point imprégné de l'œuvre et de la pensée du *pèrissime* que le style de tous s'en ressent fortement.

Le quotidien est véritablement une affaire de famille. Les fils d'abord : l'aîné, Charles, qui, à vingt-deux ans, montre plus de fougue que d'autorité ; le second, François-Victor, qui, avec ses airs de dandy, est plus fin, plus profond. Ils retrouvent au bureau du journal les disciples fidèles : Paul Meurice et Auguste Vacquerie, ce dernier chargé de la critique théâtrale. On ne sort pas de la famille — sens élargi — avec les *Lettres mondaines* — mode, élégance, décoration — qui paraissent sous la signature d'une certaine Thérèse de Blaru ; cette Thérèse n'est autre que Léonie d'Aunet. Adèle elle-même ne dédaignera pas de donner des souvenirs et notamment un joli article sur Nodier que Sainte-Beuve lira et conservera. Au bas de l'article, il écrira : « *Les passages encadrés ne sont pas d'elle.* »

En somme, il ne manque à cette rédaction en circuit fermé que Juliette. Dommage, car nous savons qu'elle écrit bien joliment. Outre un autre inconditionnel, Théophile Gautier, *l'Événement* fera appel aux romanciers et aux conteurs « les plus charmants » ; c'est ce que l'on a lu à la première page. Parmi ceux-ci : Balzac, Banville, Murger, Houssaye, Méry, Esquiros... Après avoir été sollicité, Balzac écrit mélancoliquement à sa chère Mme Hanska : « Nous aurons la politique Hugo, le parti Hugo, etc. Je vais faire quatre feuilles de *la Comédie humaine* pour 400 francs au lieu de 2 800. Toute la révolution de février est là-dedans. » Simple façon de voir. Un parti Hugo ? On n'en est pas là. *L'Événement* n'en reste pas moins une tribune bien utile. En septembre, quand l'Assemblée veut remettre en question le droit au travail, conquête essentielle de février, *l'Événement* prend feu et flamme. Pas question de supprimer un droit qui figure parmi ceux essentiels à l'homme.

Dans les colonnes de *l'Événement*, un nom va apparaître de plus en plus fréquemment : celui de Louis-Napoléon Bonaparte. Le 17 septembre, élu cette fois dans cinq départements, il a remercié ainsi ses électeurs : « La république démocratique sera l'objet de mon culte ; j'en serai le prêtre. » Lamartine s'est inquiété, mais Louis Blanc l'a rassuré : « Laissez le neveu de l'empereur s'approcher du soleil de notre république ; il disparaîtra dans ses rayons. »

Quand le nouvel élu vient, le 26 septembre, prendre séance, Hugo, à son banc du Palais-Bourbon, l'observe attentivement. Il ne sait que penser de ce prince de quarante ans, épais de corps, long de torse, court de jambes, qui n'a avec cet empereur qu'il vénère aucun point de ressemblance. Certains chuchotent que le fils de la reine Hortense est aussi celui d'un Hollandais, l'amiral Verhuell. Erreur dont l'Histoire a fait justice. Ce qui est certain, c'est la volonté sans égale manifestée par ce prétendant improbable pour se rapprocher du pouvoir. Dès la mort de son cousin germain le duc de Reichstadt — l'aiglon — il s'est considéré comme l'héritier du trône impérial de France. A Strasbourg comme à Boulogne il a tenté, en 1836 et 1840, de soulever les garnisons. Ses échecs ne l'ont pas empêché de répéter : « Un jour, je régnerai. » Il est en vérité peu banal, ce prince qui a risqué sa vie dans l'insurrection des Romagnes, publié *l'Extinction du paupérisme*, où domine une préoccupation vive et sincère du sort des déshérités, et qui, dans *les Idées napoléoniennes*, a écrit : « L'esprit napoléonien peut seul concilier la liberté populaire avec l'ordre et l'autorité. Il assurerait d'abord la paix en Europe par les délimitations des groupes ethniques. Les gouvernements s'uniraient pour donner aux peuples un bonheur trop attendu. La gangrène du paupérisme guérirait par l'accès de la classe ouvrière à la propriété. Les terres non cultivées seraient distribuées. L'arbitraire des patrons disparaîtrait. Le libre échange rendrait la vie large, facile. »

Ces idées-là sont celles de Hugo. Il va noter :

« Louis Bonaparte est allé s'asseoir au septième banc de la troisième travée à gauche, entre M. Vieillard et M. Havin. Il paraît jeune, a des moustaches et une royale noires, une raie dans les cheveux, cravate noire, habit noir boutonné, col rabattu, des gants blancs. Perrin et Léon Faucher, assis immédiatement au-dessous de lui, n'ont pas tourné la tête. Au bout de quelques instants l'émotion s'est évanouie ; les tribunes se sont mises à lorgner le prince, et le prince s'est mis à lorgner les tribunes. »

Le 9 octobre, on discute à l'Assemblée d'un amendement qui tend à exclure de toute fonction élective les membres des familles royale ou impériale. Hugo voit Louis-Napoléon écouter en silence, « tantôt s'accoudant, le menton dans la main, tantôt tordant sa moustache », puis tout à coup se lever, se diriger lentement vers la tribune et, « au milieu d'une agitation extraordinaire » demander la parole. On la lui donne : « Il n'a dit que quelques mots insignifiants et est redescendu de la tribune au milieu d'un éclat de rire de stupéfaction. » Ce n'est pas la dernière fois qu'il fait rire. Le minuscule M. Thiers glapira de sa voie suraiguë : « C'est un crétin ! »

Hugo songe.

Rue d'Isly, Adèle s'ennuie. Elle se plaint d'étouffer « parmi le bruit et la fumée ». Hugo n'est pas loin de partager ce sentiment. Il n'a pas ses aises dans cet appartement. Il a posé sa plume depuis février, mais, quand il se remettra à écrire, où, rue d'Isly, trouvera-t-il l'isolement qui lui est indispensable ? Ici intervient Léonie Biard. Léonie ? Ses lettres à Victor, comme celles que Victor lui a adressées, sont perdues pour ce temps-là ; ce hiatus documentaire ne doit pas nous égarer. Léonie reste, pour Hugo, la plus violemment aimée. Disons le mot : la préférée. Au 12, rue Laferrière où elle habite maintenant, Hugo vient la retrouver chaque jour. Elle est toujours aimante, Léonie, mais de plus en plus angoissée quant à son avenir. La société du temps est dure aux femmes déclassées. Elle en est une, elle le sait et en souffre. Jalouse, aussi. Non point d'Adèle, devenue son amie, mais de Juliette, dont elle connaît parfaitement l'existence. Avec cruauté, elle l'appelle *la vieille*. Juliette vient d'avoir quarante-deux ans, âge alors tragique pour une femme. Léonie se sait belle, fraîche, jeune. Elle ne cesse de remettre le sujet sur le tapis : pourquoi Hugo persiste-t-il à s'encombrer de cette *vieille*-là ? En de tels cas, les hommes sont lâches. Hugo lui a juré qu'il n'aimait plus Juliette. Il fallait laisser agir le temps et, peu à peu, amener Juliette à se détacher de lui. Alors il pourrait rompre cette longue chaîne qui lui pèse. Il n'est pas sûr que Léonie ait été dupe. Chaque fois que Hugo développe devant elle cette argumentation, elle cherche à se convaincre de sa sincérité. Et puis le doute reprend le dessus. Ce sont de nouvelles allusions à la *vieille* auxquelles Hugo répond par de nouvelles dérobades.

A deux pas de chez Léonie habite Mme Hamelin, un peu plus laide, un peu plus décrépite, compensant par l'esprit ce que l'âge lui a ôté. Depuis l'arrivée de Louis-Napoléon en France, depuis son élection, l'ancienne familière des Tuileries vibre. Elle est toute bonapartiste et Léonie lui donne la réplique. Pour un peu, les deux femmes se joindraient aux groupes de plus en plus nombreux qui scandent sur le boulevard : *Po-lé-on, nous l'aurons !* Le prince, heureux de retrouver les survivants d'une épopée dont il voudrait tant hériter, est même venu voir la vieille dame chez elle. Elle s'est écriée que c'était là le plus beau jour de sa vie. Elle a écrit à son fils : « Tu peux dire à tous que le prince Louis, sans être très beau, est agréable, gracieux même, sans une apparence d'impertinence ou d'importance princière, qu'il est instruit, parle quatre langues et connaît la littérature, qu'il n'a pas oublié un nom, est bon, généreux, fidèle à ses amis... »

Est-ce Léonie, est-ce Mme Hamelin qui ont conseillé à Victor de se chercher une habitation dans leur propre quartier ? Il trouve : au 37, rue de la Tour-d'Auvergne, il retient un appartement dans une maison sur jardin en rotonde. « Une vaste, calme et solitaire maison, dit Gautier, l'un de ses premiers visiteurs, propice à la rêverie et au travail », avec « des fenêtres desquelles on aperçoit Paris en panorama, espèce d'océan immobile qui a sa grandeur comme l'autre ». Enfin de la lumière, de l'air, « des rues où l'herbe pousse », « de belles pièces », des arbres et des pelouses au soleil. Le 15 octobre, Hugo quitte la rue d'Isly et vient s'installer dans sa nouvelle demeure. Léonie — s'attirant la reconnaissance d'Adèle — a pris une bonne part des soucis du déménagement.

Hugo est venu seul. Rien n'est prêt encore pour accueillir Adèle et les enfants. Il campe dans un grenier d'où il surveille les travaux des menuisiers et des peintres. Souvent il met lui-même la main à la pâte, saisit un marteau, plante des clous, pose un papier, drape une étoffe : son plaisir. Un jour d'octobre, il est là avec un ami, Alexis de Saint-Priest, lorsqu'on sonne à la porte. Il va ouvrir. Devant lui, le seul homme sans doute qu'il n'eût pas songé à trouver là : Louis-Napoléon Bonaparte ! Accueil, présentations. Les trois hommes passent dans l'antichambre où s'entassent des coffres point encore ouverts. Excuses sur ce désordre. Le prince, du ton le plus avenant, se récrie. La conversation s'engage assez mal :

— Je vous ai beaucoup cherché, dit le prince. J'ai été à

votre ancienne maison. Qu'est-ce donc que cette place des Vosges ?

— C'est la place Royale, répond Hugo.

— Ah ! est-ce que c'est une ancienne place ?

Qu'est-il venu faire rue de la Tour-d'Auvergne, le neveu de Napoléon ? Est-ce pour prier Hugo de faire soutenir dans *l'Événement* sa candidature à la présidence de la République ? N'est-ce pas plutôt qu'il a lu ces vers inoubliables que le poète a consacrés à son oncle, et auxquels doit tant la légende napoléonienne ? Lui-même porte un nom magique, mais il sait bien que ce nom, c'est par Hugo que les Français le magnifient. Il semble que Mme Hamelin l'ait poussé à cette démarche non sans allure. Cet homme qui déjà apparaît à beaucoup de Français comme une solution nécessaire et qui, en simple visiteur, vient saluer chez lui un écrivain : l'exception vaut d'être soulignée.

Hugo a fait asseoir Louis-Napoléon sur un coffre. Lui-même s'est assis en face de lui. De sa voix sourde, où l'exil a laissé un accent mi-germanique mi-helvétique, Louis-Napoléon parle :

— Je viens m'expliquer avec vous. On me calomnie. Est-ce que je vous fais l'effet d'un insensé ? On suppose que je voudrais recommencer Napoléon ? Il y a deux hommes qu'une grande ambition peut se proposer pour modèles : Napoléon et Washington. L'un est un homme de génie, l'autre est un homme de vertu. Il est absurde de se dire : je serai un homme de génie ; il est honnête de se dire : je serai un homme de vertu. Qu'est-ce qui dépend de nous ? Qu'est-ce que nous pouvons par notre volonté ? Être un génie ? Non. Être une probité ? Oui. Avoir du génie n'est pas un but possible ; avoir de la probité en est un. Et que pourrais-je recommencer de Napoléon ? Une seule chose. Un crime. La belle ambition ! Pourquoi me supposer fou ? La République étant donnée, je ne suis pas un grand homme, je ne copierai pas Napoléon ; mais je suis un honnête homme, j'imiterai Washington. Mon nom, le nom de Bonaparte, sera sur deux pages de l'Histoire de France : dans la première, il y aura le crime et la gloire, dans la seconde, il y aura la probité et l'honneur. Et la seconde vaudra peut-être la première. Pourquoi ? parce que si Napoléon est plus grand, Washington est meilleur. Entre le héros coupable et le bon citoyen, je choisis le bon citoyen. Telle est mon ambition [1].

1. *Histoire d'un crime*. 1. *Le guet-apens*. La présence d'Alexis de Saint-Priest est attestée par une note de la main de Hugo que l'on trouve sur le manuscrit et qui n'a pas été reportée dans l'ouvrage publié. Hugo précise que Saint-Priest « écrivit immédiatement les paroles qu'il avait entendues ».

Incontestablement, ce jour-là Hugo fut séduit. Ces paroles correspondaient trop à ce qu'il pensait lui-même. Ce qui lui déplaisait, c'était ce regard du prince, voilé, comme embrumé, où nul n'eût été capable de découvrir le secret d'une pensée. Mais il balayait une telle prévention. L'ambition l'avait conduit à Louis-Philippe. Ce qui l'amenait à cet homme-là, c'étaient toutes les strophes vengeresses qu'il avait consacrées à l'Oncle, une passion pour le héros qui, la quarantaine dépassée largement, demeurait adolescente. Pourquoi le grand nom de Napoléon ne viendrait-il pas enrichir la république de la gloire qui lui manquait encore?

Elle bat son plein, la campagne pour les élections présidentielles. L'évolution de Hugo, l'*Événement* va la refléter aussitôt. A l'égard du prince, le journal s'était montré jusque-là réservé. Le 28 octobre, tout change: « Nous lui faisons confiance. Il porte un grand nom. L'Europe ne peut connaître un grand et un petit Napoléon. Ce nom ne peut pas se rapetisser. » A l'Assemblée, Hugo n'a pas voté la Constitution, parce qu'il croit l'institution d'une assemblée unique « périlleuse pour la tranquillité et la prospérité du pays »; il va en revanche approuver l'élection du président de la République au suffrage universel. Ce faisant, il ouvre à Louis-Napoléon les portes du pouvoir. Entre tous ces candidats que l'on annonce, de Cavaignac à Lamartine, de Ledru-Rollin à Raspail, seul Louis-Napoléon peut l'emporter. « Ah! celui-là, je le connais », dit un ouvrier à qui l'on présente la liste des candidats.

On chante dans les rues ces paroles que Hugo s'empresse de noter:

> Veux-tu un' canaille?
> Vote pour Raspail.
> Veux-tu un coquin?
> Prends Ledru-Rollin.
> Veux-tu du mic-mac?
> Vot' pour Cavaignac.
> Mais veux-tu le bon?
> Prends Napoléon!

Aujourd'hui encore, nous sommes confondus par la rapidité avec laquelle l'opinion et le monde politique vont se rallier au « crétin » moqué par M. Thiers. La droite monarchique — légitimiste et orléaniste — attend de Louis-Napoléon qu'il jugule définitivement la menace « rouge » pour ouvrir les voies au retour d'un roi dont malheureusement on ne sait s'il sera le comte de Chambord ou le comte de Paris. Thiers lui-même soutient le prince : « Nous lui donnerons des femmes, et nous le tiendrons. » Les comités bonapartistes répandent dans les faubourgs les écrits « socialistes » du candidat impérial : les ouvriers qui, depuis juin, détestent la république, voteront pour lui. Pour les bourgeois et les paysans, ce Bonaparte est un sauveur. *L'Événement*, dans sa ferveur de néophyte, entonne de véritables chants d'enthousiasme et d'espoir. Le 3 décembre : « Le peuple croit à Louis Bonaparte. Louis Bonaparte croit au génie et au peuple, ces deux voix de Dieu, et nous ne choisissons pas un autre que leur élu. » Le 7 décembre : « Si le général Cavaignac était nommé président de la République, il faudrait arracher du Panthéon Voltaire et Rousseau pour y mettre Alibaud et Fieschi, et changer l'inscription du fronton en celle-ci : *Aux assassins, la Patrie reconnaissante.* » C'est aller un peu loin : à l'Assemblée on somme Hugo de désavouer cet article incendiaire. Il répète qu'il ne participe en aucune façon à la rédaction du journal. Le lendemain, le commissaire de police de l'Assemblée, Yvon, avertit Hugo de veiller à sa sûreté : si Cavaignac procède à un coup de force — ce qui n'est nullement exclu — il sera aussitôt enlevé. Ce jour-là *l'Événement* titre : *Napoléon n'est pas mort.* Quand le vote approche, le journal publie un supplément d'une page où le lecteur ne trouve rien d'autre qu'un nom, imprimé cent fois : LOUIS-NAPOLÉON BONAPARTE.

Résultats de l'élection : Louis-Napoléon Bonaparte est élu avec 5 434 226 voix, contre 1 448 107 voix à Cavaignac et 17 940 à Lamartine, dernier vote qui provoque à travers toute la France bourgeoise un déferlement d'hilarité.

Le 20 décembre, dans l'après-midi, les abords de l'Assemblée se couvrent de troupes. Depuis le matin, malgré le froid, la foule s'est massée. Il est 4 heures. Jamais, dans l'hémicycle dont les lustres sont allumés, on n'a vu tant de monde aux tribunes publiques. A leur banc, les ministres sont au complet. Cavaignac, « calme, vêtu d'une redingote noire, sans décoration » va prendre congé. En quelques paroles « dignes et brèves », que l'on applaudit, il annonce que le ministère se démet et que lui, Cavaignac, dépose le pouvoir. Le président

Marrast proclame alors « le citoyen Louis Bonaparte » président de la République.

Journal de Hugo: « Quelques représentants assis autour du banc où avait siégé Louis Bonaparte applaudirent. Le reste de l'Assemblée garda un silence glacial. On quittait l'amant pour prendre le mari. Armand Marrast appela l'élu du pays à la prestation du serment. Il se fit un mouvement. Louis Bonaparte, vêtu d'un habit noir boutonné, la décoration de représentant et la plaque de Légion d'honneur sur la poitrine, entra par la porte de droite, monta à la tribune, prononça d'une voix calme le serment dont le président Marrast prit Dieu et les hommes à témoin, puis lut avec son accent étranger, qui déplaisait, un discours interrompu par quelques rares murmures d'adhésion. Il fit l'éloge de Cavaignac, ce qui fut remarqué et applaudi. Après quelques minutes, il descendit de la tribune, couvert, non, comme Cavaignac, des acclamations de la Chambre, mais d'un immense cri : " Vive la République ! " Une voix cria : " Vive la Constitution ! " »

Avant de quitter la salle, le nouveau président va serrer la main de son ancien précepteur, M. Vieillard. Le président de l'Assemblée invite le Bureau à accompagner le président de la République et à lui faire rendre jusqu'à son palais les honneurs dus *à son rang*. Le mot fait murmurer la Montagne. Hugo crie de son banc :
— A ses fonctions !

Le 10 décembre, Hugo avait écrit à Paul Lacroix : « Ne voyez pas en moi un ministre... Je veux *l'influence* et non le pouvoir. » L'influence, il l'aura. Pas de la façon qu'il croit.

IV

> Mon fils, le chemin qui convient à l'homme, le che-
> min qui conduit au bonheur, suit le cours du fleuve
> dans les libres détours de la vallée ; il passe le long
> des prairies, des coteaux et des vignobles, et tout en
> respectant les bornes des diverses propriétés, il
> conduit au but par un chemin plus long mais plus
> sûr.
>
> Friedrich VON SCHILLER.

LOUIS-NAPOLÉON est à l'Élysée. Il est grand temps que Victor Hugo fasse venir les siens rue de la Tour-d'Auvergne. Il a définitivement posé son marteau, son rabot, sa boîte à clous. Léonie n'a rien négligé pour que le cadre soit digne de son grand homme et de sa famille. Adieu à la rue d'Isly.

Les deux Adèle, Charles et Victor ne se sentiront pas dépaysés dans le nouvel appartement : ils y retrouvent l'essentiel du mobilier de la place Royale. Ce qui les frappe c'est la disposition de ces objets accumulés, foisonnement hétéroclite dont Hugo a fait une sorte de rêve lyrique. Le bon Théo Gautier, accueilli l'un des premiers, ira d'ébahissement en admiration. Il a traversé une cour déserte, s'est engagé dans un escalier qui l'a conduit au premier étage : c'est là.

Une servante l'a introduit dans l'antichambre où l'a rejoint Hugo, chaleureux, amical, comme il l'est toujours avec ceux qu'il aime : autour d'eux, des fontaines chinoises, des vases en faïence de Rouen, des armoires en laque du Japon. C'est beaucoup pour si peu de place. Ce n'est rien : dans le petit

salon d'attente, où Hugo pousse Gautier et dont les murs
sont recouverts de cuir de Cordoue doré, avec deux panneaux
de tapisserie gothique — Gautier jure aussitôt qu'elle est
« plus ancienne même que la tapisserie de Bayeux ! » — voici,
au-dessus d'une cheminée en chêne sculpté, une glace à cadre
de terre cuite où l'on peut voir se dérouler les principales
scènes de *Notre-Dame de Paris* : bande dessinée avant la lettre. Et puis un nègre en buste — à propos, que sont devenus
Vigny et son *Othello* ? Et des fragments de boiseries antiques,
une grande pendule en marqueterie, en écaille et en cuivre,
une chaise longue, un fauteuil en bambou de Chine, et même
un lutrin mobile, « tournant comme une roue », sur lequel
Victor — coup de pouce de metteur en scène — a posé une
vieille Bible grande ouverte. Gautier admire. Mais le clou de
tant de surabondance, c'est un grand dessin de Hugo représentant les bords du Rhin. Le tout baigne dans une lumière
glauque diffusée par les vitraux qui ont remplacé les carreaux
de la fenêtre.

— Venez, venez !
On imagine Hugo impatient de voir son ami se récrier plus
encore. Du petit salon, il le conduit dans sa chambre à coucher. Gautier n'oubliera pas le lit, « ses amples pentes de
vieux damas des Indes », qui occupe le fond de la pièce. Aux
murs, des tentures de Chine ; au plafond, une peinture allégo-
rique de Châtillon qui représente une femme couchée : elle
sourit à un personnage vêtu comme Pétrarque « et qui étudie
dans un grand livre ». Gautier est fasciné par les énormes
chenets de fer qui envahissent la cheminée ; ils ont été « enlevés sans doute à l'âtre colossal de quelque burg du Rhin ».
Les romantiques ne doutaient pas de ces choses-là ; Gautier
est toujours romantique. Impossible de tout embrasser d'un
seul coup d'œil : sur les étagères, on devine des potiches, des
sculptures, des ivoires, « tout un monde de chimères » ; en
guise de canapé, un banc de chêne, imposant mais atroce-
ment inconfortable. Qu'importe ! Un romantique se doit de
préférer le Moyen Age à la mollesse du style Pompadour.
Gautier marque un temps d'arrêt devant la table de travail de
Hugo. Émotion de rigueur. Réflexion aussi : dans cet appartement, plus exigu que celui de la place Royale, Hugo n'a pas
trouvé la place d'un cabinet de travail. La boussole de Christophe Colomb, rescapée des Journées de juin, est là, et un
encrier, et des cachets, et un coffret de fer ouvragé. Aux

murs, des dessins de Hugo. Des miroirs de Venise aux cadres de cuivre estampé reflètent tout cela.

Le salon, lui, est tendu de damas de soie bleue. Au plafond, Hugo a cloué une grande tapisserie à sujets, tirée du *Télémaque*. Des nègres en bois doré supportent des torchères. Gautier ne sait où donner du regard : vers la cheminée en velours rouge avec des figures de plâtre doré ; vers les glaces anciennes ; vers les tableaux de Saint-Èvre, de Paul Huet, de Célestin Nanteuil, de Louis Boulanger. Les portraits de Hugo, d'Adèle, des enfants sont à la place d'honneur, et aussi le buste monumental de Hugo par David d'Angers.

Quant à la salle à manger — qui précède le salon —, elle est tendue de tapisseries anciennes, garnie de dressoirs en chêne sculpté, de torchères et de lustres hollandais. Gautier — qui délire — a vu là, sur les étagères et les bahuts, « des porcelaines du Japon, des faïences de Rouen et de Vincennes, des verres de Bohême ou de Venise, mille curiosités entassées une à une par la fantaisie patiente du poète en furetant dans les vieux quartiers des villes qu'il a parcourues ». La visite est achevée. Merci, M. Gautier.

Il n'est pas sûr que visitant l'appartement de Victor Hugo, nous ayons été aussi admiratifs que l'auteur du *Capitaine Fracasse*. Trop, c'est trop. Tel est le goût du temps. Il durera autant que le siècle. Les Goncourt comme M. Thiers accumuleront le même genre — et la même quantité — d'objets disparates dont l'antiquité parfois douteuse ne compensera pas toujours la laideur. Ce qui doit retenir notre attention : ces audaces, pour l'époque, fort insolites, d'un tableau plaqué au plafond de la chambre à coucher, d'une tapisserie clouée à celui du salon. Nous qui connaissons Guernesey — et qui y retournerons — découvrons ici comme un brouillon de *Hauteville House*. Nous sommes sûrs que, dans un tel cadre, Hugo se sent chez lui.

Là, l'avant-veille de Noël 1848, un dragon apporte un pli. Il le décachette et lit :

« L'officier d'ordonnance de service a l'honneur d'informer le général Changarnier qu'il est invité à dîner à l'Élysée-National, aujourd'hui samedi, à sept heures. »

Erreur de destination ! Hugo rend le pli au dragon qui

repart au galop. Une heure après, un autre cavalier apporte
une autre invitation, avec une lettre d'excuses de Persigny,
compagnon de toutes les aventures du prince Louis-Napoléon
et désormais son secrétaire intime. Il est tard, Hugo s'habille
en toute hâte, mais quand il arrive à l'Élysée, il est 7 heures et
demie. Nuit noire. Il voit la porte du palais « fermée à un battant ». Deux factionnaires de la ligne la gardent, la cour est à
peine éclairée, un maçon la traverse « dans ses habits de travail, portant une échelle sur son dos », presque toutes les
vitres des fenêtres des communs à droite sont « brisées et rac-
commodées avec du papier ». Trois hommes de service en
habit noir l'accueillent en haut du perron ; on lui prend son
manteau. « Je montai l'escalier d'honneur ; il y avait un tapis
et des fleurs, mais je ne sais quoi de froid et de dérangé qui
sentait l'emménagement. » Au premier, un huissier lui dit :

— Monsieur vient pour dîner ?
— Oui, est-ce qu'on est à table ?
— Oui, Monsieur.
— En ce cas, je m'en vais.

L'huissier se récrie :

— Mais, Monsieur, presque tout le monde est arrivé qu'on
était déjà à table, entrez. On compte sur Monsieur.

Impressionné, Hugo remarque *in petto* « cette exactitude
militaire et impériale qui était l'habitude de Napoléon. Chez
l'Empereur, *sept heures* voulait dire *sept heures* ».

Il entre dans la salle à manger où, autour d'une table longue, une quinzaine de convives sont assis. Le président de la
République préside à l'une des extrémités, celle qui est au
fond de la salle. Il se lève, Hugo va à lui, les deux hommes se
serrent la main.

— J'ai improvisé ce dîner, dit Louis-Napoléon. Je n'ai que
quelques amis chers ; j'ai espéré que vous vous voudriez bien
être du nombre. Je vous remercie d'être venu. Vous êtes venu
à moi, comme je suis allé à vous, simplement. Je vous remercie.

A la droite du président, Hugo va reconnaître la jolie marquise du Hallays, née princesse de Chimay — gorge éclatante,
bras charmants, les plus jolies petites mains du monde —
dont chacun sait qu'elle vit séparée de son mari. Avec elle,
Louis-Napoléon parle beaucoup. Le prince de la Moskova,
fils du maréchal Ney, à côté duquel Hugo s'est assis, lui dit
tout bas :

— Vous savez, elle a été la maîtresse de Napoléon, fils de Jérôme ; elle est maintenant à Louis.

— Eh bien, ne peut s'empêcher de répliquer Hugo, changer un Napoléon pour un Louis, cela se voit tous les jours.

Il écoute. Il observe. Il va noter :

« Une remarque plus sérieuse, c'est que tous les assistants appelaient le président de la République *Monseigneur* et *Votre Altesse*. Moi qui l'appelais *Prince*, j'avais l'air d'un démagogue. »

Ce prince-là lui demande des nouvelles de sa femme et s'excuse fort de la rusticité du service :

— Je ne suis pas encore installé ; avant-hier, quand je suis arrivé, c'est à peine si j'avais un matelas pour me coucher.

Le dîner achevé, on passe dans le grand salon, que Hugo trouve fort laid, « blanc avec des figures dans le goût de Pompéi... tout l'aménagement du style Empire ». Il cause avec le prince de la Moskova lorsqu'il voit Louis Bonaparte venir à lui. Le prince lui saisit le bras — comment ne pas se souvenir de Louis-Philippe ? — et l'entraîne. Il lui demande ce qu'il pense « du moment ». Hugo se montre « réservé ». « Je lui dis que les choses s'annonçaient bien, que la tâche était rude, mais grande, qu'il fallait rassurer la bourgeoisie et satisfaire le peuple, donner aux uns le calme et aux autres le travail, la vie à tous ; qu'après trois petits gouvernements, les Bourbons aînés, Louis-Philippe et la République de Février, il en fallait un grand ; que l'Empereur avait fait un grand gouvernement par la guerre, qu'il devait, lui, faire un grand gouvernement par la paix ; que le peuple français, étant illustre depuis trois siècles, ne voulait pas devenir ignoble ; que c'était cette méconnaissance de la fierté du peuple et de l'orgueil national qui avait surtout perdu Louis-Philippe ; qu'il fallait, en un mot, décorer la paix. »

— Comment ? demande Louis-Napoléon qui a écouté avec infiniment d'attention.

— Par toutes les grandeurs des arts, des lettres, des sciences, par les victoires de l'industrie et du progrès. Le travail populaire peut faire des miracles. Et puis, la France est une nation conquérante. Quand elle ne fait pas de conquête par l'épée, elle veut en faire par l'esprit. Sachez cela et allez. L'ignorer vous perdrait.

Louis-Napoléon hoche la tête, « pensif ». Peut-être a-t-il

pensé que les poètes avaient bien de la chance, pouvant, eux, garder l'apanage des idées générales, cependant que les gouvernants devaient faire face à la médiocrité du quotidien. *Journal de Hugo*: « Nous parlâmes de la presse. Je lui conseillai de la respecter profondément, et de faire à côté une presse d'État. »

Quelques mots encore. Louis-Napoléon lui parle de l'Empereur, de Malmaison qu'il a visitée depuis son retour :

— J'ai retrouvé un petit fauteuil que j'avais quand j'étais enfant.

Réponse de Hugo :

— Voilà. Les trônes tombent, les fauteuils restent.

A 10 heures, Hugo s'en va. Perplexe. « Je songeais à cet emménagement brusque, à cette étiquette essayée, à ce mélange de bourgeois, de républicain et d'impérial, à cette surface d'une chose profonde qu'on appelle aujourd'hui : le président de la République, à l'entourage, à la personne, à tout l'accident. Ce n'est pas une des moindres curiosités et un des faits les moins caractéristiques de la situation, que cet homme auquel on peut dire, et on dit en même temps et de tous les côtés à la fois : prince, altesse, monsieur, monseigneur et citoyen. Tout ce qui se passe en ce moment met pêle-mêle sa marque sur ce personnage à toutes fins. »

En novembre, Juliette a quitté cette rue Saint-Anastase où elle avait passé tant d'années. Impossible d'y demeurer, quand son Victor s'est transporté au diable, sur les pentes de Montmartre ! Elle a quitté son minuscule jardin, ses fraisiers et ses rosiers pour gagner le nouveau domicile que lui a choisi Hugo, cité Rodier. Un logement triste dans une rue noire, mais qui présente un grand avantage : il se trouve à deux pas de celui du bien-aimé. Pour Hugo, c'est le rêve. Il a désormais ses trois femmes à portée de la main. Quand il se rend soit à l'Assemblée soit à l'Académie, Juliette aura désormais l'autorisation de lui faire un « bout de conduite ». Mais la proximité de Léonie n'est pas sans risque. Et si elle allait le rencontrer en donnant le bras à Mme Drouet ? D'où des inquiétudes, des précautions infinies, des changements de trottoir, des galopades auxquelles Juliette, naturellement, ne comprend rien.

11 février 1849: « S'il est vrai que cet itinéraire, que tu n'es pas maître de changer, à ce que tu dis, t'inquiète à ce point, j'aime mieux ne pas te conduire. A tout prendre, je préfère t'aimer chez moi tranquillement et à travers ma foi épaisse comme on aime le bon Dieu, que de subir cette affreuse torture morale et physique d'une course éperdue avec un homme préoccupé et honteux de la crainte d'être rencontré... Je ne m'impose pas à toi, mais je ne veux pas qu'à de certains moments inattendus tu me traites un peu moins bien qu'un chien. Tu es bon et tu comprendras cela. Je resterai chez moi dorénavant. De toute façon je ne te gênerai pas et tu pourras sans remords prendre tes jambes à ton cou et saluer sans rougir les femmes que tu rencontres... »

Est-ce pour calmer cette colère ou apaiser ses propres remords, que Hugo, quelques jours plus tard, adresse à Juliette une lettre qui lui rappelle en termes de flamme et de piété un Mardi gras ancien de seize années, celui de leur première nuit d'amour ? Malheureusement l'enveloppe est adressée à : *Madame Drouet, 35 ou 37 Cité Rodier (prolongement de la rue Neuve-Coquenard).* Il y a trois mois que Juliette a emménagé Cité Rodier. Victor ne connaît pas encore son numéro !

L'élection de Louis-Napoléon n'a pas changé grand-chose. On se plaint de la vie chère. Les rentiers se désespèrent de voir le 5 % à 74. Le vieux Jérôme Bonaparte est gouverneur des Invalides, ce qui ne l'empêche pas d'appeler le neveu qui l'a nommé : *M. Beauharnais.* Cette année 1848 a bouleversé l'Europe. Le pape a perdu Rome et vit à Gaète. Louis-Philippe, pauvre et triste, est en Angleterre. Nul ne sait où l'on va.

Sainte-Beuve, lui, est à Liège. Il écrit à Adèle :

« Ma santé est frêle, mon corps nerveux et mes organes me font faute souvent... J'aimerais mieux *moins* de votre part et que cela durât, que *plus* avec de nouveaux tiraillements et des orages... dussé-je me rabattre là avec vous, je serai encore satisfait, plus que d'une relation plus vive, plus saccadée, impérieuse, comme a droit de l'être un seul genre de relations. Quand je parle toujours de ma vieillesse, cela veut dire uniquement que j'ai renoncé à ce dernier genre de relations. »

Elle lui avait écrit, elle : « Ne découragez pas et ne brisez pas ce qui se donne à vous... » Quel jeu jouait-elle ? Savait-elle seulement si elle jouait un jeu ? Quant à lui, l'amertume lui était devenue une seconde nature.

On attend beaucoup de la nouvelle Assemblée que les Français vont élire, cette Assemblée unique prévue par la Constitution. Le comité de la rue de Poitiers a accepté de soutenir la candidature de Hugo, comme l'un des candidats de la droite. Sans doute ceux qu'on appelle curieusement les « Burgraves », se sont-ils dit qu'il valait mieux l'avoir dedans que dehors. En ce qui le concerne, il note avec une franchise qui s'apparente au cynisme : « L'isolement n'est pas possible en temps d'élections, pas plus que la solitude au milieu d'un champ de bataille. » Il se résigne donc à se mêler à « tout le bric-à-brac de la politique » c'est-à-dire Molé, Broglie, Thiers, Berryer, Rémusat, Duvergier de Hauranne : « Dans le fond de ma pensée je ne marche pas avec ces hommes-là. Je ne suis pas de leur religion, je ne suis pas de leur couleur. Mais quand le navire sombre, tout passager devient matelot, ou court aux pompes. » Nouvelle et assez remarquable franchise : « Le naufrage évité, chacun retournera à son affaire, à sa besogne, à sa caste, à sa coterie, à sa fonction, à sa rêverie, à sa contemplation. » On poursuivra donc sa route, lui tout le premier. Mais laquelle ? « Ce voyage perpétuel et indéfini qui s'appelle le progrès, ce voyage du genre humain vers l'idéal, voyage qui rencontre des ports, mais qui n'a pas de terme, voyage pendant lequel tout se transfigure peu à peu, la sauvagerie en barbarie, la barbarie en civilisation, les déserts en pays, les pays en patries, les tribus en nations, de telle sorte qu'à mesure que les phénomènes de la marche se dégagent, on voit de plus en plus distinctement quelque chose au-dessus des partis et des castes, le peuple, quelque chose au-dessus du peuple, l'homme, quelque chose au-dessus de l'homme, Dieu. »

La vérité est que Hugo, déjà, est insituable. Si l'on rétablissait une monarchie constitutionnelle, et que l'on rappelât la duchesse d'Orléans, sans doute s'y rallierait-il. Il appelle aussi bien de ses vœux une République universelle et attend toujours beaucoup du Bonaparte entré à l'Élysée. Contradiction ? Hésitation plutôt. Si on la lui reprochait, il pourrait répondre que la France entière hésite.

La situation paraît si confuse que d'abord Hugo ne croit pas à sa réélection : « Il n'y a plus que deux partis en ce moment. Je n'ai satisfait pleinement aucun des deux. Je n'ai pas poussé l'amour de l'ordre jusqu'au sacrifice de la liberté ; je n'ai pas poussé l'amour de la liberté jusqu'à l'acceptation de l'anarchie. » Il ne regrette rien. Le parti de l'ordre lui reproche surtout d'avoir défendu la liberté de la presse et soutenu l'amnistie : « Eh bien, je leur dis : de ces deux choses-là, l'avenir me tiendra compte mais autrement que vous. Les deux griefs que vous invoquez contre moi seront les deux titres que j'invoquerai près de lui. » Prophétie qui étonnerait si l'on ne se souvenait que, chez Hugo, il y a toujours du visionnaire. La lucidité l'emporte quand, le 2 mai 1849, il note : « Ce qui fait ma faiblesse dans le présent et ce qui fera ma force dans l'avenir, c'est que je n'accorde à aucun parti son dernier mot. »

Le 13 mai marque le triomphe du parti de l'ordre : 3 310 000 voix et 450 sièges. Les républicains modérés sont écrasés : 834 000 voix et 75 sièges. Les démocrates-socialistes obtiennent 1 955 000 voix et 180 sièges. Hugo, député de Paris, a été élu au dixième rang avec 117 069 voix. Des élections, les extrêmes sortent renforcés. Tocqueville, cette grande intelligence politique, va dire de l'Assemblée : « La majorité y est entre les mains des ennemis de la République. La droite monarchiste d'une part, la gauche révolutionnaire de l'autre n'attendent qu'une occasion pour sortir de la légalité et violer la Constitution. »

Ce qui, dès son installation, va dominer la politique de la nouvelle Assemblée et celle du gouvernement du prince-président, c'est la « Question romaine », épineuse entre toutes. Elle va exaspérer, entre la droite et la gauche, des passions déjà à leur paroxysme. Pour Victor Hugo, elle va se révéler le clivage capital d'où dépendra son destin.

Les habitants de Rome avaient mis fin à la souveraineté temporelle du Pape et proclamé la république. Il était logique qu'une république s'entendît — voire s'alliât — avec une autre république. Mais, en faveur du Saint-Père, l'opinion catholique française avait pris feu et flamme. On réclamait une intervention qui le rétablît sur le trône de saint Pierre. Grave problème pour Louis-Napoléon : décevoir l'énorme masse des électeurs catholiques représentait un risque qu'il ne pouvait courir. Le 24 avril, un corps expéditionnaire français avait débarqué à Civita-Vecchia, théoriquement pour « favoriser une solution de paix et de conciliation ». Le prince-président n'en allait pas moins écrire au général Oudinot : « Notre honneur militaire est engagé : je ne souffrirai pas qu'il reçoive une atteinte. »

Dans les milieux républicains français, on est atterré. Ledru-Rollin interpelle le gouvernement et, le 13 juin, les Montagnards appellent le peuple à une manifestation contre la politique romaine du gouvernement. C'est un échec. Juin 48 a marqué politiquement les ouvriers pour des années. Ils sont restés chez eux. Le général Changarnier, commandant des troupes de Paris, va qualifier la manifestation d'insurrection et la briser avec une rudesse significative. La majorité s'empresse de voter l'état de siège. L'armée envahit les bureaux des journaux déclarés favorables à la « révolte », on pille leurs archives, on arrête des typographes, on brise leurs presses. Pour Hugo c'est trop. A l'Assemblée, il demande la parole, s'écrie que les « actes de violence » commis dans diverses imprimeries constituent « de véritables attentats contre la légalité, la liberté et la propriété ». Le lendemain, le journal *le Siècle*, évoquant l'intervention, ne manquera pas de dire que « M. Victor Hugo a été très vivement blâmé aujourd'hui par un grand nombre de ses collègues ». On rapporte les vertueux propos colportés sur les bancs de la droite, à laquelle — officiellement — appartient Hugo :

— Ce n'était pas le moment de parler de cela, et dans tous les cas ce n'était pas à nous d'appeler sur ces actes l'attention publique ; il fallait laisser ce soin à un membre de l'autre côté, et la chose n'eût pas eu le retentissement que votre parole lui a donné.

Ce n'est qu'un début. Depuis juin 1848, le vicomte Armand de Melun propose vainement la constitution d'une commission parlementaire pour « enquêter sur la condition morale et matérielle des classes laborieuses ». Malgré les entraves que l'on n'a cessé de lui opposer, Melun s'est obstiné. Quelques jours après son intervention sur les imprimeries de presse, Hugo monte une nouvelle fois à la tribune pour protester contre les atermoiements de l'Assemblée quant au projet Melun :

Il faut que l'Assemblée nationale se saisisse immédiatement de la grande question des souffrances du peuple ! Il faut qu'elle cherche le remède, plus : qu'elle le trouve !

Il a remis à plus tard la tâche de poursuivre *les Misères*. Il n'en continue pas moins d'ouvrir tout grands les yeux. Il a traversé, visité, exploré les quartiers où le paupérisme se manifeste dans toute sa désolante horreur. Pour lui, rien ne devrait prévaloir sur le combat à livrer :

> Cette misère, cette immense souffrance publique, est aujourd'hui toute la question sociale, toute la question politique. Elle engendre à la fois le malaise matériel et la dégradation intellectuelle ; elle torture le peuple par la faim et elle l'abrutit par l'ignorance... Il faut la combattre, il faut la dissoudre, il faut la détruire, non seulement parce que cela est humain, mais encore parce que cela est sage. La meilleure habileté aujourd'hui, c'est la fraternité. Le grand homme politique d'à présent serait un grand homme chrétien.

Mais quand il s'est écrié : « Je suis de ceux qui pensent et qui affirment qu'on peut détruire la misère », il a vu avec surprise beaucoup de visages se fermer. Il a entendu le représentant Poujoulat l'interrompre : « C'est une erreur profonde ! ». Le représentant Benoît d'Azy a ajouté — aux applaudissements de la droite et du centre — qu'il était « impossible de faire disparaître la misère ». Les jours suivants, Hugo surprend dans les couloirs des propos feutrés qui le heurtent de front. Scandalisé, furieux, il remonte à la tribune. Cette fois, plus de précautions, plus d'habileté. Il ne veut plus celer à personne ce qu'il a entendu dire, « que, dans les temps d'anarchie, il n'y a de remède souverain que la force, qu'en dehors de la force tout est vain et stérile, et que la proposition de l'honorable M. de Melun et toutes autres propositions analogues doivent être tenues à l'écart, parce qu'elles ne sont, je répète le mot dont on se servait, que du socialisme déguisé ».

On l'interrompt, on proteste.

Voix à droite. — Qui ? Qui ? Nommez qui a dit cela !

M. Victor Hugo. — Que ceux qui ont ainsi parlé se nomment eux-mêmes, c'est leur affaire. Qu'ils aient à la tribune le courage de leurs opinions de couloirs et de commissions. Quant à moi, ce n'est pas mon rôle de révéler des noms qui se cachent. Les idées se montrent, je combats les idées ; quand les hommes se montreront, je combattrai les hommes. *(Agitation.)*

Le reste de son discours sera sans cesse haché par des interruptions, des protestations, des clameurs de colère. Il n'en condamne pas moins les « chimères du socialisme ». Mais il ajoute :

Il y a au fond du socialisme une partie des réalités douloureuses de notre temps et de tous les temps *(chuchotements)*: il y a le malaise propre à l'infirmité humaine; il y a l'aspiration à un sort meilleur, qui n'est pas moins naturelle à l'homme, mais qui se trompe souvent de route en cherchant dans ce monde ce qui ne peut être trouvé que dans l'autre.

Cette fois, il a droit à une *vive et unanime adhésion.* Mais quand il parle non pas de « diminuer, amoindrir, limiter, circonscrire » la misère, mais de la « détruire », s'élèvent de *nouveaux murmures à droite.* Alors, il hausse la voix. Quand on relit la sténographie publiée au *Moniteur,* on le sent véritablement saisi d'une sainte colère. A ces hommes atteints de cécité raisonnée, à ces satisfaits, à ces repus, ce qu'il va assener ce sont les vérités propres à les gêner le plus :

Il y a dans Paris, dans ces faubourgs de Paris que le vent de l'émeute soulevait naguère si aisément, il y a des rues, des maisons, des cloaques, où des familles, des familles entières, vivent pêle-mêle, hommes, femmes, jeunes filles, enfants, n'ayant pour lits, n'ayant pour couvertures, j'ai presque dit pour vêtements, que ces monceaux infects de chiffons en fermentation, ramassés dans la fange du coin des bornes, espèce de fumier des villes, où des créatures humaines s'enfouissent toutes vivantes pour échapper au froid de l'hiver !

Il crie que de tels faits dont il se sent, hélas, « complice et solidaire » *(mouvement)* ne sont pas seulement « des torts envers l'homme », mais « des crimes envers Dieu » ! *(Sensation prolongée.)*

Le tournant est pris. Désormais, Hugo passera aux yeux de la droite pour un dangereux hurluberlu. Il n'en recevra pas pour cela l'approbation de la gauche qui lui pardonne mal sa condamnation, sans cesse réitérée, du socialisme assimilé par lui à l'anarchie. En politique, il a choisi l'inconfort. Il l'a. Sainte-Beuve note : « Conversation avec Thiers. Je n'ai jamais vu d'antipathie égale à celle que lui inspire Hugo. »

En août, on reprend *Marie Tudor.* Ces reprises périodiques de ses pièces constituent maintenant l'essentiel de ses revenus. On comprend qu'il y tienne. Le même mois se tient à Paris un congrès de la Paix. Les principales nations d'Europe se sont fait représenter. Hugo en est élu président, l'Anglais Cobden étant vice-président. Une telle nomination signifie que le prestige de Hugo a de loin dépassé les frontières de la

France. Il prononce le discours d'ouverture et celui de clôture, appelle le monde à la paix, l'Europe à l'union.

Les saintes illusions de Quarante-huit, Hugo veut les nourrir aussi loin qu'elles aillent. Un scepticisme de plus en plus
affiché l'entoure. On en est à arracher les arbres de la liberté.
L'ironie d'aujourd'hui l'emporte sur les élans d'hier. Hugo,
lui, suit un chemin contraire. Désormais sûr de ses vérités, il
se refuse à les garder sous le boisseau. Mais les inimitiés
montent. *L'Univers*, le journal de Louis Veuillot, s'amusera
d'avoir vu ce « doux et ravissant spectacle » du « prêtre
catholique et du pasteur hérétique se pressant fraternellement sur la poitrine du blasphémateur de *l'Aumône*, de
l'auteur de *Notre-Dame de Paris*, du *Roi s'amuse* et de tant
d'autres écrits immondes ».

Comment, parmi tant de fièvre et d'agitation, parvient-il à
conserver l'équilibre entre ses trois domiciles — et ses trois
femmes ? Rue de la Tour-d'Auvergne, Charles et François-Victor reviennent du journal tout échauffés, parlent aux repas
haut et fort. Ils sont loin d'être toujours d'accord avec le
pèrissime. Ah ! non ! Ils l'admirent, le respectent — dogme
chez les Hugo —, ils l'aiment tendrement, mais, du fait de
leur âge, tiennent à avoir le dernier mot. Hugo défend pied à
pied ses opinions et ne sort pas toujours vainqueur de ces
affrontements où souvent les deux Adèle jouent un solo
imprévisible. Au sortir d'une séance de l'Assemblée, au beau
milieu de la composition d'un discours, il se volera à lui-
même une heure, courra de la rue de la Tour-d'Auvergne à la
rue Laferrière, de la rue Laferrière à la cité Rodier. Juliette
s'afflige de le voir trop rarement — mais il y a si longtemps
qu'elle s'afflige ! Léonie, elle, supporte de plus en plus mal ces
baisers volés. Contre la *vieille*, sa colère gronde. Et ce sont de
nouvelles scènes, de nouvelles sommations auxquelles Hugo,
mêlant avec art habileté et hypocrisie, se dérobe toujours. Le
curieux de l'affaire, c'est que, s'il s'agit de temps à accorder,
il donne presque toujours la priorité, plutôt qu'à la jeune
femme si belle et si désirable, à la maîtresse aux cheveux
gris. Après les fatigues du congrès de la Paix et une attaque
de rhumatismes qui l'a cloué au lit pendant quelques jours,
s'il part en voyage, ce n'est pas avec Léonie mais avec
Juliette. Priorité aux souvenirs, peut-être aux habitudes. Il
faut dire que Juliette, arguant que la famille de Victor est à

Villequier, a revendiqué très fort ce qu'elle considère comme
un droit. Juliette et lui partent pour un circuit de neuf jours :
Amiens — où Victor revoit la cathédrale —, Abbeville, Saint-
Valéry-sur-Somme, Le Tréport, Dieppe, Beauvais — « revu
Beauvais, inconnu et admirable » —, Clermont. Le 17, on est
de retour à Paris. Juliette trouve le périple bien court.

Hugo rentre à point pour plonger dans cette fournaise
qu'est devenue l'affaire romaine. Si nul ne peut nier que c'est
finalement l'armée française qui a remis le pape sur son
trône, un républicain français peut légitimement se scandaliser du fait que Pie IX, nonobstant les conseils qui lui ont été
donnés, laisse entendre qu'il va rétablir le pouvoir absolu
dans toute l'acception du mot. Le 12 septembre, il vient de
publier un *Motu proprio* qui promet des réformes administra-
tives, nullement politiques. Hugo en éprouve une gêne dont il
parle sans retenue. Ce Louis-Napoléon, pour qui le journal de
ses fils a mené une campagne si ardente et dont il a lui-même
soutenu l'élection, va-t-il laisser étrangler la liberté à Rome ?
Se serait-il trompé, lui, Hugo ? Il ne veut pas le croire encore.
En fait, c'est cette lettre publique que le prince-président a
adressée à son ami Edgar Ney qui semble lui donner raison :
le rétablissement du pouvoir temporel du pape à Rome,
affirme-t-il sans ambiguïté, doit s'accompagner d'une amnistie générale, de la sécularisation de l'administration, de
l'adoption du code Napoléon et d'un gouvernement libéral.
Toutes choses qu'approuve naturellement Hugo.

Le 10 octobre, le prince-président l'invite à dîner. Le palais
de l'Élysée a bien changé. Profusion de laquais en livrée,
meubles rares, tableaux de bonne facture, bibelots choisis
avec goût. Louis-Napoléon a vécu en Angleterre, il aime le
confort cossu. Cela se sent. A table, Hugo croit retrouver son
visiteur de la rue de la Tour-d'Auvergne : franc, chaleureux,
persuasif. Il jure que sa lettre à Edgar Ney reflète toute sa
pensée. Celle-ci triomphera. On fera entendre raison au pape.
Sur aucun autre point le prince-président n'est disposé à
céder. Quelle belle tâche que d'enseigner la démocratie à
l'héritier de saint Pierre ! Hugo, cette fois encore, est conquis.
Deux jours plus tard à l'Assemblée, il prend la parole pour
approuver hautement la lettre que le prince-président a
écrite à Edgar Ney. Il l'aurait voulue « plus mûrie et plus
méditée » mais, telle qu'elle est, il constate qu'elle se révèle
« un fait décisif et considérable ». Pourquoi ? « Parce que

cette lettre n'était autre qu'une traduction de l'opinion, parce qu'elle donnait une issue au sentiment national, parce qu'elle rendait à tout le monde le service de dire très haut ce que chacun pensait ; parce qu'enfin cette lettre, même dans sa forme incomplète, contenait une politique. » Que la réponse de Pie IX ait osé être le *Motu proprio*, Hugo ne peut l'admettre et il le stigmatise dans une hargne qui imprègne tout son discours.

D'où un choix nécessaire auquel l'Assemblée n'a pas le droit de se dérober :

Vous avez devant vous, d'un côté, le président de la République réclamant la liberté du peuple romain au nom de la grande nation qui, depuis trois siècles, répand à flots la lumière et la pensée sur le monde civilisé ; vous avez, de l'autre, le cardinal Antonelli refusant au nom du gouvernement clérical. Choisissez !

Suit une critique acerbe du gouvernement pontifical :

Pie VII avait créé une commission de vaccine, Léon XII l'a abolie. Que vous dirai-je ? La confiscation loi de l'État, le droit d'asile en vigueur, les juifs parqués et enfermés tous les soirs comme au xvᵉ siècle, une confusion inouïe, le clergé mêlé à tout ! Les curés font des rapports de police. Les comptables des deniers publics, c'est leur règle, ne doivent pas de comptes au trésor, *mais à Dieu seul* ! *(Longs éclats de rire.)*

Tout cela est ponctué de *rumeurs à droite, protestations à droite* et, parallèlement, de *marques d'approbation à gauche*.

Hugo rappelle que l'armée française occupe toujours Rome. Le sang français a coulé pour rétablir le pape. La France se doit de faire comprendre au pape ce qu'on attend de lui :

Ce qui n'est pas possible, c'est d'accepter le *Motu proprio* et l'amnistie du triumvirat des cardinaux, c'est de subir cette ingratitude, cet avortement, cet affront ! c'est se laisser souffleter la France par la main qui devait la bénir ! *(Longs applaudissements.)*

Impossible, quand on lit ce discours, de n'y pas constater un changement de ton. Plus Hugo s'avance et plus il s'enhardit. A Rome, ce que l'on veut bafouer, ce sont les droits de l'homme. Il interdit à quiconque, fût-il pape, de s'en prendre à ces droits-là, qui sont sacrés. Il ne ménage plus rien, ni personne. En tout cas, les seuls applaudissements que cette fois il ait recueillis sont ceux des représentants de la gauche. La droite tout entière l'a hué. Il n'en a pas moins enfermé la majorité dans un dilemme : elle ne peut accepter le *Motu proprio* sans paraître censurer le président de la République. Le malheur, c'est qu'en croyant défendre la position de Louis-Napoléon, Hugo a, comme on dit, mis les pieds dans le plat.

Le président du Conseil, Odilon Barrot — « toujours en noir, bien brossé et bien boutonné », dit Hugo —, est allé démontrer à Louis-Napoléon que sa lettre était trop impériale et du reste inconstitutionnelle. Il convenait de lui substituer un message que lui, Barrot, lirait à l'Assemblée. De toute façon, pour ne pas heurter la majorité, il fallait céder du terrain. Barrot proposait au prince ce qu'il appelait un « compromis ». Sinon, on courait à la catastrophe. Le prince-président s'est plongé dans l'un de ses silences déjà célèbres. Il a fini par accorder à Odilon Barrot le blanc-seing que celui-ci réclamait. Et Barrot va devant l'Assemblée défendre l'incroyable paradoxe selon lequel la bulle *Motu proprio* et la lettre du président expriment au fond des idées similaires ! Dans cette perspective, le discours de Hugo est devenu une insigne maladresse et lui-même un empêcheur de danser en rond. A la tribune, Montalembert, feignant une profonde tristesse, vient déclarer que les applaudissements de la gauche sont le « châtiment » de M. Hugo. Celui-ci bondit :

— Ce châtiment, je l'accepte et je m'en honore. *(Longs applaudissements à gauche.)* Il fut un temps, que M. de Montalembert me permette de le lui dire avec un profond regret pour lui-même, il fut un temps où il employait mieux son beau talent. Il défendait la Pologne comme je défends l'Italie. J'étais avec lui, alors ; il est contre moi aujourd'hui. Cela tient à une raison bien simple : c'est qu'il a passé du côté de ceux qui oppriment et que, moi, je reste du côté de ceux qui sont opprimés...

Hugo a choisi. Définitivement. Adieux aux Burgraves, adieu à la droite. Adieu aussi à l'Élysée. Louis-Napoléon — voilà le comble — ne comprendra pas. Dans son esprit, le « compromis » concédé à Odilon Barrot ne devait pas être le dernier mot de sa position quant à Rome. Il y avait beaucoup de Machiavel chez Louis-Napoléon ; il cédait sur un point pour gagner sur un autre. De ce genre d'habileté, Hugo est à cent lieues. De là l'impossibilité d'un accord. Ce qui est grave, c'est que Hugo s'est senti floué. Il accuse Louis-Napoléon de s'être servi de lui, de l'avoir trahi après lui avoir menti. Mme Hamelin et Léonie ont beau continuer à défendre « leur » prince, il n'affiche plus pour lui que mépris. *L'Événement* du 25 octobre 1849 publie ces lignes qui prennent l'allure d'un communiqué :

« Depuis lundi, jour où il avait dîné chez le président, c'est-à-dire trois jours avant la discussion, M. Victor Hugo n'a pas mis les pieds à l'Élysée, il n'a eu aucun rapport avec M. le président de la République... » Pour la première fois, ce jour-là, le journal des fils Hugo s'en prend au prince-président : « Est-ce que M. Louis-Napoléon ne s'aperçoit pas que ses conseillers sont de mauvais conseillers, qui ont pris à tâche d'étouffer en lui tous les nobles élans ? » D'aucuns diront plus tard que si Hugo s'est séparé avec tant d'éclat de Louis-Napoléon, c'est parce que celui-ci lui a refusé un ministère. La simple chronologie des événements et des positions personnelles de Hugo vient s'inscrire en faux contre l'accusation. Lui-même a laissé dans ses papiers une note pleine de hauteur : « A cela, je n'ai qu'un mot à répondre : jamais, dans mes relations avec M. Louis Bonaparte, il n'a été question entre lui et moi, ni avec qui que ce soit parlant en son nom, de quoi que ce soit pouvant avoir un rapport prochain ou lointain avec une ouverture de ce genre. Je défie qui que ce soit de donner l'ombre d'une preuve du contraire... »

Est-ce parce que ses propres espoirs politiques se voient déçus que la bonapartiste Léonie adresse un véritable ultimatum à Hugo : elle ne peut plus, elle ne veut plus tolérer la présence de Juliette Drouet dans sa vie. Elle s'est encore rapprochée d'Adèle. Le 31 mai 1857, celle-ci lui écrira : « Je pense aux excellents moments de la rue de la Tour-d'Auvergne, à ce logement, hélas ! détruit, dont vous vous êtes si fort occupée, que vous avez animé par votre esprit et charmé par votre affection... » Tolérée — et davantage — par l'épouse, Léonie ne tolère plus Juliette. Une fois de plus, elle met Victor en demeure de rompre. Une fois de plus, il élude. Alors :

« Eh bien ! non. Je ne puis pas, je ne puis supporter ce qui existe. J'ai eu la fièvre toute la nuit, la fièvre de désespoir en m'avouant que j'allais vous écrire cette lettre. Dieu m'est témoin que j'ai bien fait tout au monde pour pouvoir sentir autre chose que ce que j'éprouve, mais on ne peut se tromper soi-même ! Renfermer encore en moi toutes ces idées qui me rongent n'aboutirait à rien, puisque, hélas ! je n'ai rien à attendre du temps. Vous m'avez dit, bien durement, hier, que je commettrais une action mauvaise qui m'enlèverait votre estime, si je faisais une démarche à laquelle quatre années de patience et de supplice [1] me donnent de si légitimes droits ; vous m'avez dit cela, et quelque injustice que ce soit, quelque preuve que j'y voie de votre amour pour une autre, je m'arrête devant cette menace avec plus d'effroi que devant une menace de mort.

« Eh bien ! Je ne ferai pas ce que je voulais faire, j'aurai le courage surhumain de respecter le bonheur et les illusions de ce que je hais le plus au monde, d'une personne que je tuerais avec joie, dussé-je répondre de cette action devant Dieu ! d'une personne à qui tout le bonheur de ma vie est offert en luxe.

« Je me tairai, je renoncerai à la seule chose que je désire ardemment, mais ce que je ne puis, c'est rester dans cet abîme d'humiliation où vous me tenez, c'est continuer ce rôle odieux de courtisane, qui, pour la folie de la présence de l'homme aimé, accepte une liaison dans laquelle l'honneur et la dignité sont également foulés aux pieds ; je ne puis pas être cette femme-là ; il y a des âmes pour lesquelles certaines convictions sont d'horribles poisons. Je suis ainsi faite. Je vous donnerai mon sang et ma vie, mais pas ma conscience ; elle se révolte quand les folies du cœur veulent la faire taire et elle devient la plus forte. »

Le raisonnement de Léonie ne manque pas de logique. Si Juliette n'a plus rien des droits d'une maîtresse, comme Victor l'affirme, à quoi bon redouter de lui apprendre la vérité ? Si elle garde des droits c'est Léonie au contraire qui ne veut plus les admettre. Puisque Hugo veut avec tant d'acharnement épargner à Juliette la révélation de ses autres amours, c'est donc qu'il ment et lui a laissé ces droits que Léonie estime devoir être seulement les siens. Elle enrage quand elle pense à tout cela. Et elle se désespère :

« Quel empire elle a sur vous et quelle passion vous lui gardez, puisque vous avez refusé si absolument de rendre nos positions tolérables ! Il n'eût fallu qu'un peu de franchise et d'amour pour moi ! A qui ferez-vous croire que vous ignorez l'art des ménagements et qu'il

1. Raymond Escholier, qui a le premier découvert cette lettre, explique que Léonie fait allusion aux quatre années qui suivirent sa libération du couvent des Augustines.

est impossible de faire luire la vérité sans dureté? Ne suis-je pas remplie de charité, d'indulgence? Ai-je jamais exigé de mauvais procédés? Combien auraient été plus loin que moi dans leurs exigences? Comment! Je consentirais encore à ce que vous la vissiez comme amie et vous osez me dire que je serais méchante en faisant une démarche qui, elle, nous placerait tous à notre véritable place!

« Enfin, j'y ai renoncé, n'en parlons plus. Une seule chose reste éclatante pour moi : c'est que, puisque tout ce que je vous demandais est impossible aujourd'hui, je joue depuis plus de quatre ans un rôle déshonorant, car elle a le droit de se croire la seule femme que vous aimez; et elle a bien raison, du reste, puisque vous préférez me briser, moi, plutôt qu'à détruire une partie de ses illusions.

« Qu'il soit fait selon votre volonté et que Dieu nous juge!

« Soyez heureux avec ce seul bonheur de votre vie, doublé de mon malheur éternel! Je vivrai désespérée, mais du moins à l'abri des reproches que ma conscience et mon honneur me font tous les jours et dans cette tombe où je vais entrer, si voisine de l'ombre du tombeau, nul n'aura le droit ou le prétexte de m'adresser un reproche. »

A cette lettre véhémente, dont la sincérité déchirée ne peut que nous émouvoir, il y avait deux post-scriptum. Le premier : « Ah! si vous êtes à celle qui vous aura le mieux aimé, je ne vous partagerai plus dans le ciel! » Le second, catégorique : « J'ai réuni tout ce qui est à vous ici. Vous pouvez l'envoyer prendre. »

Une situation de ce genre, Hugo la connaît bien. Juliette lui a adressé des ultimatums presque semblables, a voulu rompre et même s'est enfuie. Toujours, Victor a su se montrer le meilleur avocat de sa propre cause. Cette fois encore, il plaide, trouve les paroles qui consolent, les mots qui convainquent. Peu à peu, Léonie faiblit. Il est si difficile de rompre avec un homme que l'on aime toujours! Elle sait bien au fond d'elle-même, malgré tous ses cris de douleur, que c'est elle qu'il aime le plus. En une telle matière, une femme se trompe rarement.

De ce qui est « à lui » chez Léonie, Hugo n'aura rien à faire chercher.

L'hiver est revenu sans que s'éteigne une autre passion : celle de la politique. Le prince-président, n'ayant plus besoin d'Odilon Barrot, l'a renvoyé. La présidence du Conseil a été supprimée. L'aspect personnel du gouvernement ira toujours s'accentuant. Ce qui n'est pas pour rapprocher Hugo de l'Élysée.

Le comte de Falloux, nouveau ministre de l'Instruction publique, sous prétexte d'organiser la liberté d'enseigner, a préparé un projet de loi qui, de fait, établit un monopole de l'instruction publique en faveur du clergé. La discussion de la loi nouvelle s'ouvre à l'Assemblée le 14 janvier 1850. Le lendemain, à la tribune, Hugo rejette catégoriquement la loi proposée au vote. Ce n'est plus la colère qui soutient son éloquence, mais une réelle violence. Un tel discours devient beaucoup plus qu'un manifeste laïque : une proclamation d'anticléricalisme. Avec cette nuance qui déconcerte — encore une fois ! — les députés : l'anticlérical Hugo proclame qu'il croit profondément en un monde meilleur : « Pour moi bien plus réel que cette misérable chimère que nous dévorons et que nous appelons la vie ; il est sans cesse devant mes yeux ; j'y crois de toutes les puissances de ma conviction, et, après bien des luttes, bien des études et bien des épreuves, il est la suprême certitude de ma raison, comme il est la suprême consolation de mon âme. »

Il veut donc « sincèrement, fermement, ardemment », l'enseignement religieux. A condition que ce soit l'enseignement de l'Église et non celui d'un parti. Hugo le veut « sincère et non hypocrite » :

Je le veux ayant pour but le ciel et non la terre. *(Mouvement.)* Je ne veux pas qu'une chaire envahisse l'autre, je ne veux pas mêler le prêtre au professeur !

Ce que préconise Hugo c'est, en matière d'enseignement, une totale séparation de l'Église et de l'État, c'est l'instruction obligatoire au premier degré, gratuite pour tous les autres. Suit une foudroyante attaque contre le parti clérical :

Ah ! je ne vous confonds pas, vous, parti clérical, avec l'église, pas plus que je ne confonds le gui avec le chêne. Vous êtes les parasites de l'église, vous êtes la maladie de l'église. *(Mouvements en sens divers.)* Ignace est l'ennemi de Jésus. *(Vive approbation à gauche.)* Vous êtes, non les croyants, mais les sectaires d'une religion que vous ne comprenez pas. Vous êtes les metteurs en scène de la sainteté. Ne mêlez pas l'église à vos affaires, à vos combinaisons, à vos stratégies, à vos doctrines, à vos ambitions. Ne l'appelez pas votre mère pour en faire votre servante. *(Profonde sensation.)* Ne la tourmentez pas sous le prétexte de lui apprendre la politique. Surtout ne l'identifiez pas avec vous !

Cela continue sur le même ton. Longuement. Il s'exaspère, sa censure va jusqu'à l'injure. On l'acclame à gauche. A droite on hurle pour le faire taire. Il domine le vacarme :

C'est vrai, le parti clérical est habile ; mais cela ne l'empêche pas d'être naïf. *(Hilarité.)* Quoi ! Il redoute le socialisme ! Quoi ! Il voit monter le flot, à ce qu'il dit, et il lui oppose, à ce flot qui monte, je ne sais quel obstacle à clairevoie ! Il voit monter le flot, et il s'imagine que la société sera sauvée parce qu'il aura combiné, pour la défendre, les hypocrisies sociales avec les résistances matérielles et qu'il aura mis un jésuite partout où il n'y a pas un gendarme ! *(Rires et applaudissements.)* Quelle pitié ! Je le répète, qu'il y prenne garde, le dix-neuvième siècle lui est contraire ; qu'il ne s'obstine pas, qu'il renonce à maîtriser cette grande époque pleine d'instincts profonds et nouveaux, sinon il ne réussira qu'à la courroucer, il développera imprudemment le côté redoutable de notre temps, et il fera surgir des éventualités terribles. Oui, avec ce système qui fait sortir, j'insiste, l'éducation de la sacristie et le gouvernement du confessionnal...

Ici, le vacarme qui s'élève devient tel qu'il ne peut poursuivre. *Le Moniteur* imprime : *Longue interruption. Cris : A l'ordre ! Plusieurs membres de la droite se lèvent. M. le président et M. Victor Hugo échangent un colloque qui ne parvient pas jusqu'à nous. Violent tumulte.* Hugo hurle :

— Vous m'interrompez ! Les cris et les murmures couvrent ma voix ! Messieurs, je vous parle, non en agitateur, mais en honnête homme ! *(Écoutez ! Écoutez !)* Ah ça, Messieurs, est-ce que je vous serais suspect, par hasard ?
Cris à droite. — Oui ! Oui !
M. Victor Hugo. — Quoi ! Je vous suis suspect ? Vous le dites ?
Cris à droite. — Oui ! Oui !
(Tumulte inexprimable. Une partie de la droite se lève et interpelle l'orateur impassible à la tribune.)

Hugo clame qu'il est peut-être, de tous ceux qui l'injurient dans cette enceinte, celui qui, en juin 48, a rendu les plus insignes services à la cause de l'ordre. Il n'en est que plus à l'aise pour dénoncer l'obscurantisme qu'entretient un parti clérical de plus en plus entreprenant, et dont la loi Falloux dévoile admirablement les ambitions :

— Ah ! vous voulez vous arrêter ! Eh bien ! je vous le répète avec une profonde douleur, moi qui hais les catastrophes et les écroulements, je vous avertis la mort dans l'âme *(on rit à droite)*, vous ne voulez pas du progrès ? Vous aurez les révolutions ! *(Profonde agitation.)* Aux hommes assez insensés pour dire : L'humanité ne marchera plus, Dieu répond par la terre qui tremble ! *(Longs applaudissements à gauche. L'orateur, descendant de la tribune, est entouré par une foule de membres qui le félicitent. L'Assemblée se sépare en proie à une vive émotion.)*

Une émotion, après tant d'années, que nous comprenons parce que nous la ressentons encore. Les croyants d'aujourd'hui — dont je suis — ont heureusement dépassé l'amalgame absurde de la foi et du cléricalisme. Il nous faut faire effort pour rejoindre le grand débat de 1849. Nous devons en tout cas nous arrêter à la position de Hugo. Pour la première fois, parlant à une tribune, il est littéralement sorti de lui-même. Il avait montré beaucoup d'émotion dans son discours sur la misère, beaucoup de dureté dans celui sur la question romaine. Cette fois, il condamne, il attaque, il invective, on dirait qu'il a décidé non seulement de piquer au vif ses adversaires, mais de les frapper dans ce qu'ils ont de plus précieux. Le discours sur l'enseignement marque encore un tournant de l'évolution politique de Hugo. Il n'était qu'un gêneur, délibérément il coupe tous les ponts : il s'est fait l'ennemi numéro un de la droite. Les contemporains n'ont pas compris ce qu'ils ont appelé une volte-face. Mais en était-ce une justement ?

Il n'est pas hasardeux de chercher entre 1849 et 1850 l'origine de deux attitudes et de deux positions. C'est en ce temps-là que s'établit une nouvelle majorité parlementaire qui, faute de pouvoir ouvertement s'avouer monarchiste, se proclame *catholique*. Cette majorité a tremblé par deux fois : en février puis en juin 1848. Elle se venge : le mot est le seul qui convienne. Prudemment d'abord, puis avec un acharnement de plus en plus flagrant, elle s'applique à mettre à néant toutes les conquêtes issues de la révolution de février. L'affaire de la proposition Melun est caractéristique. Historiquement, cette stratégie aura comporté des conséquences incalculables. Forcée de s'opposer à un *parti* catholique, la gauche française en viendra à déclarer la guerre à la religion.

Hugo va suivre très exactement le même chemin — avec toutes les différences qui font qu'il est Hugo. Dans le cadre d'un seul discours, son réquisitoire contre le parti clérical devient un pamphlet contre la religion catholique. Tout y passe : l'Italie peuplée d'illettrés, l'Espagne abrutie par les bûchers de l'Inquisition, Galilée bâillonné par le tribunal de Rome, jusqu'à la menace de voir en France « la sacristie souveraine, la liberté trahie, l'intelligence vaincue et liée, les livres déchirés, le prône remplaçant la presse, la nuit faite dans les esprits par l'ombre des soutanes, et les génies matés par les bedeaux ! ». Hugo anticipant Homais ! S'étonnera-t-on que cette période ait déclenché des *acclamations à gauche* et des *dénégations furieuses à droite ?* L'ennui, justement, c'est que l'on n'ait enregistré aucune dénégation à gauche et aucune acclamation à droite. L'anticléricalisme a commencé d'être un argument politique avant de devenir l'arme d'un parti.

La loi Falloux a été votée. Dans le silence de la rue de la Tour-d'Auvergne, dans cette chambre dont la fenêtre donne sur des arbres et l'esquisse d'une pelouse, Hugo rêve. Tant d'efforts dépensés en vain. Tant de mots, tant de cris venus d'une colère qui était celle du cœur. Se dire que peut-être on a dépassé la mesure. L'instant d'après être sûr d'avoir eu raison. Mais garder au fond de la mémoire ces visages convulsés de haine, entendre ces paroles volontairement offensantes. Douter du chemin parcouru. C'est donc cela cette participation aux affaires dont il avait rêvé depuis tant d'années. Le doute. La colère qui renaît sur un mot, un article, un projet de loi. Qui retombe pour renaître encore. Voilà le Hugo du début de 1850.

De janvier à avril, Hugo se tait. Il s'est remis à écrire des vers, signe d'éloignement. Et puis, voici qu'un nouveau projet de loi lui tombe sous les yeux. La Seconde République, dès sa prise de pouvoir, a supprimé la peine de mort en matière politique — Hugo a crié sa joie. Rouher, nouveau ministre de la Justice, propose, dans le même domaine, d'instaurer la déportation.

Le projet contient deux dispositions principales : déportation simple dans l'île de Noukahiva et déportation dans une enceinte fortifiée à la forteresse de Vaïthau, îles Marquises. Sur-le-champ, Hugo songe à ces exils si meurtriers, à Cayenne ou aux îles Seychelles dont on avait eu l'idée sous la Convention thermidorienne et le Directoire ; ce que jadis le déporté Tronçon-Ducrouday avait qualifié de guillotine *sèche*. Impossible de laisser passer une chose pareille ! Le 5 avril 1850, il est à la tribune. Ses premières paroles sont modérées, volontairement lénitives. On l'écoute sans trop l'interrompre. Peu à peu le mouvement oratoire se fait plus rapide. Cette peine théorique que vont infliger des hommes tranquilles, indifférents, bien au chaud sur leur banc, à d'autres qu'ils enverront aux antipodes sous le prétexte que ces hommes-là ne sont pas de l'opinion de la majorité, voilà ce que ne peut *tolérer* Hugo. Ici, l'auteur du *Dernier Jour d'un condamné* va rejoindre le tribun. Il a retrouvé le ton de la catilinaire que lui a inspiré le débat sur l'enseignement. Il pointe un doigt vengeur vers les « catholiques, prêtres, évêques, hommes de la religion qui siégez dans cette Assemblée ». Il leur commande de se lever, de venir à la tribune dire à « ces applaudisseurs de lois barbares à ceux qui poussent la majorité dans cette voie funeste » que ce qu'ils font là « est détestable », que ce qu'ils font là « est impie » ! »

Rappelez-leur que c'est une loi de mansuétude que le Christ est venu apporter au monde, et non une loi de cruauté ; dites-leur que le jour où l'Homme-Dieu a subi la peine de mort, il l'a abolie *(Bravo ! à gauche)* ; car il a montré que la folle justice humaine pouvait frapper plus qu'une tête innocente, qu'elle pouvait frapper une tête divine ! *(Sensation.)*

Il rappelle les exemples d'une histoire récente :

Voyez et réfléchissez. Qui a repris le trône de France en 1814 ? L'exilé de Hartwell. Qui a régné après 1830 ? Le proscrit de Reichenau, redevenu aujourd'hui le banni de Claremont. Qui gouverne en ce moment ? Le prisonnier de Ham. *(Profonde sensation.)* Faites des lois de proscription maintenant !

Le discours est sans cesse interrompu. *Le Moniteur* note qu'une voix crie :
— Quel pathos !
La droite en est maintenant à la dérision. Elle s'amuse.

M. Victor Hugo. — Mais qu'une révolution survienne, les hommes d'affaires, les gens habiles ne sont plus que des nains... *(Sourires à droite.)*
M. Boissié. — Et les imbéciles sont des géants ! *(Hilarité bruyante et prolongée. Très bien ! Très bien ! Assentiment marqué à droite.)*

Lorsqu'il affirme justement que les détenus proscrits si loin dépendront d'un directeur qui sans contrôle pourra tout se permettre, lorsqu'il rappelle le précédent de Jeannet, le bourreau de Sinnamary, une autre voix lance à droite :

— Portez cela à la Porte-Saint-Martin !

On votera la loi sur la déportation.

A l'Ambigu-comique, on a donné la première de *Notre-Dame de Paris*, adaptation par Paul Foucher du roman de Victor. Le Théâtre-Français va reprendre *Angelo, tyran de Padoue*, Rachel admirable dans le rôle de Tisbé : « Je retrouve Mme Dorval avec du style », dit Hugo. Cette Rachel qui suscite — comment nous en étonner ? — la jalousie de la chère Juliette : « J'espère, a-t-elle écrit à Victor après sa première entrevue avec l'actrice, que tu ne te laisseras pas séduire par les coquetteries intéressées de cette juive sans cœur. » Au cours des répétitions, cela n'a fait que croître : « Je souffre tous les tourments de la jalousie ! Je voudrais être morte pour me soustraire à l'affreux ridicule qui couvre une vieille maîtresse abandonnée. » Jalousie fondée ? Musset a affirmé qu'il n'en était rien.

A-t-il d'autres aventures ? On lui en prête. On parle d'une femme du monde, Mme Roger des Genettes, d'une actrice, Joséphine Faville, d'une poétesse, Louise Colet, d'une aventurière, Laure Desprès, d'une autre actrice, Sylvanie Plessy, de la Comédie-Française, celle-là ; d'autres encore. Cette mauvaise langue de Viel-Castel jure qu'il est l'amant d'une fausse vicomtesse du Vallon qui émet « ses trois filles, fort jolies, comme autant d'effets de commerce ». La vérité est que l'on ne prête qu'aux riches et que le personnage exécré qu'il est devenu incite aux médisances, quand ce n'est pas aux calomnies. La vérité est que l'équilibre instable qu'il continue à observer entre ses trois femmes doit lui suffire. Largement.

A l'Assemblée, la majorité ne songe même plus à cacher son jeu. Cependant que la police interdit la vente de *l'Événement* sur la voie publique — coup droit à Hugo — le ministre de l'Intérieur Baroche dépose un projet de loi électorale qui doit restreindre redoutablement le suffrage universel. Outre les citoyens qui, depuis juin 1848, ont subi pour délit politique une condamnation supérieure à un mois de prison — nombre de militants de gauche sont dans ce cas —, la loi prétend priver du droit de vote les citoyens qui ont changé de domicile depuis moins de trois ans. C'est dire que la plupart des ouvriers ne voteront plus, ni les paysans pauvres. On veut revenir au cens pratiqué sous les Bourbons et Louis-Philippe. Le généreux Dumas a bondi en lisant ce projet. Il a aussitôt écrit à son ami Victor pour le supplier de se battre contre lui à l'Assemblée. Hugo n'avait pas besoin d'être exhorté.

Le 21 mai, à la tribune, il est attendu par la majorité comme l'homme à abattre. On commence à rire quand il affirme que « c'est surtout dans son action sur les classes qualifiées jusqu'alors classes inférieures qu'éclatent les beautés du suffrage universel ». On rit quand il s'écrie qu' « il y a dans l'année un jour où celui qui vous obéit se voit votre pareil, où celui qui vous sert se voit votre égal, où chaque citoyen, entrant dans la balance universelle sent et constate la pesanteur spécifique du droit de cité, et où le plus petit fait équilibre au plus grand ». On rit quand il dit que ce jour-là « le plus humble sent en lui l'âme de la patrie ». On rit quand il montre l'ouvrier qui va au scrutin : « Il y entre, avec le front triste du prolétaire accablé, il en sort avec le regard d'un souverain. » On rit quand il proclame que la loi proposée « chasse de la cité légale des classes entières de citoyens » qu'elle « proscrit en masse de certaines professions libérales, les artistes dramatiques, par exemple, que l'exercice de leur art contraint à changer de résidence à peu près tous les ans ». On crie à droite :

— Les comédiens dehors ! Eh bien ! tant mieux !

L'hilarité sera à son comble lorsque M. Taschereau, qui vient de rendre son nom célèbre en publiant à point nommé un document qui met hors du jeu politique le révolutionnaire Auguste Blanqui, ajoutera finement :

— Tous les comédiens ne sont pas au théâtre !

Le lendemain, alors qu'il est absent, — il souffre, ce qui s'explique, d'une extinction de voix — son ex-ami Montalembert vient lui donner le coup de pied de l'âne :

S'il était ici pour m'entendre je lui rappellerais les antécédents de sa vie, toutes les causes qu'il a chantées, toutes les causes qu'il a flattées, toutes les causes qu'il a reniées. Mais il n'est plus ici. C'est une vieille habitude chez lui ! Comme il se dérobe au service des causes vaincues, il se dérobe aussi aux représailles qu'on a le droit d'exercer sur lui *(Rires.)*

Ainsi la haine a tout balayé, y compris une amitié ancienne. Où est l'époque où le jeune Montalembert hantait la rue Notre-Dame-des-Champs, baisait les mains d'Adèle, criait que la petite Didine embellissait tous les jours ? En ce temps-là, l'ami trouvait de beaux accents pour parler à Victor de Jésus-Christ et des sublimes beautés que l'on découvre chez les pères de l'Église. Moments rares et précieux : Hugo l'écoutait et songeait. Ils avaient vieilli tous les deux. Le religieux Montalembert s'était fait clérical. La seule idée que l'on pût toucher au pouvoir temporel du pape le faisait étouffer d'indignation. Il mettait tout dans le même sac : le corps expéditionnaire d'Oudinot, les insurgés de Juin, le suffrage universel, la société en danger ; et ce Hugo qui faisait corps désormais avec l'anarchie.

On est venu apporter, rue de la Tour-d'Auvergne, la sténographie des propos de Montalembert. D'abord, Hugo s'est senti accablé de tristesse. Puis une sainte colère l'a soulevé. Il s'est délivré en jetant sur le papier des vers furieux :

Je briserai tes dents dans ta bouche, ô vipère !
En vain tu te tordras, reptile épouvanté,
En vain tu te tordras, cherchant des yeux la terre,
Tu ne verras plus rien qu'une immense clarté !...

Il rencontrera la même opposition féroce, la même obstruction calculée — rires et injures alternés — quand il prendra la parole, le 9 juillet, sur la liberté de la presse. Depuis la Révolution de février, les journaux sont affranchis de l'impôt du timbre qui était de règle sous le régime précédent. Pour Hugo, la loi qui rétablit le timbre va tuer « cette presse populaire des petits livres, qui est le pain à bon marché des intelligences », elle va ruiner la librairie autant que l'imprimerie. Plus grave, le timbre fait obstacle de toutes parts à la pensée. Comme il s'écrie que le timbre salira toutes les pages illustres et tout le théâtre, Corneille aussi bien que Molière, *Tartuffe* comme *Polyeucte*, M. Léon de Malleville l'interrompt :

— Et Tartuffe ? Il est démagogue aujourd'hui ; quand la religion est à la mode, Tartuffe est dévôt ; mais dans ce moment-ci, il est démagogue. *(Approbation et rires à droite.)*

Tuer un homme sous les rires — même s'il s'appelle Victor Hugo — voilà ce que la majorité a juré de réussir. Toute la presse fait chorus. A *Hernani*, c'est de la pièce que l'on venait rire. Maintenant c'est de l'auteur. Dans Paris, dans les salons, sur les boulevards, dans les cafés, au Bois, il est de bon ton de répéter que ce Hugo est un homme fini et qu'il a tout fait pour le mériter.

« En cherchant la gloire, disait Mme de Staël, j'ai toujours espéré qu'elle me ferait aimer. » La gloire de Hugo, décidément insupportable à la bourgeoisie absolue, le fait haïr.

Le voilà si détesté que le colonel Charras — libéral — lui dit un jour : « Prenez garde à vous. » Il répond : « Bah ! Qu'ils osassent venir jusqu'à moi dans mon trou, où il n'y a que des vers et des bribes de strophes dans tous les coins, je trouverais cela drôle. » Quand on lui parle d'un coup d'État que pourrait tenter la droite, il hausse les épaules : « Un grand sabre brandi par ces petits hommes, du 93 en 1850, Thiers accouchant d'une énormité, cela m'amuserait... » Lorsqu'il pense au petit homme haut comme une botte, à sa voix glapissante, à ses ridicules de parvenu, il s'esclaffe. Il a tort. M. Thiers a déjà ordonné le massacre de la rue Transnonain. Un jour, il écrasera la Commune dans le sang.

L'image que nous donne Hugo de lui-même, pendant ces mois de combat et d'incessante agitation, est celle d'un homme tendu, nerveux, sombre. Rue de la Tour-d'Auvergne, l'air que l'on respire semble plus lourd. Or ce climat n'est pas naturel à Hugo. Il n'a jamais été un homme paisible, mais il est un homme calme. On songe à un grand lac, dont un orage serait venu agiter artificiellement les eaux tranquilles. Juliette comme Léonie subissent le contrecoup des émotions qui le soulèvent, des coups qui le frappent. Il est devenu un homme difficile à vivre, Victor Hugo. Il note : « Voici mon avantage : je suis haï et je ne hais pas. » Et encore : « Je ne suis pas un homme politique, moi, je ne suis qu'un homme libre. » Et encore : « Moi ! Me soucier de ces calomnies d'en bas ! M'émouvoir pour tous ces petits hommes furieux, pour ce Thiers, pour ce Montalembert, pour ce Changarnier ? O flamboiement de colères naines ! O incendie des haines de Lilliput ! Il n'est pas besoin d'être Hercule pour t'éteindre, il suffit d'être Gulliver. »

Sa plus vive émotion de cette année-là n'a cependant pas été politique. Le 18 août 1850 au soir, Adèle rentre en courant rue de la Tour-d'Auvergne : elle vient d'apprendre que Balzac se meurt. Hugo laisse tout, s'élance, court. Un fiacre le mène avenue Fortunée, numéro 14, dans le quartier Beaujon. Là, Balzac, si longtemps impécunieux, depuis peu marié richement avec Mme Hanska, a pu acheter ce qui reste du fameux hôtel Beaujon. Hugo sonne. Une servante lui ouvre. On lui fait monter un escalier couvert d'un tapis rouge et encombré d'objets d'art. Au bout d'un corridor, une porte ouverte. Hugo entend un râle « haut et sinistre ». Il entre.

« Un lit était au milieu de cette chambre. Un lit d'acajou ayant aux pieds et à la tête des traverses et des courroies qui indiquaient un appareil de suspension destiné à mouvoir le malade. M. de Balzac était dans ce lit, la tête appuyée sur un monceau d'oreillers auxquels on avait ajouté des coussins de damas rouge empruntés au canapé de la chambre. Il avait la face violette, presque noire, inclinée à droite, la barbe non faite, les cheveux gris et coupés court, l'œil ouvert et fixe. Je le voyais de profil, et il ressemblait ainsi à l'empereur. »

Ainsi, Balzac va mourir ! Un mois auparavant, Hugo était venu le voir dans cette même chambre. « Il était gai, plein d'espoir, ne doutant pas de sa guérison, montrant son enflure en riant. Nous avions beaucoup causé et discuté politique. Il me reprochait ma "démagogie". Lui était légitimiste. Il me disait : " Comment avez-vous pu renoncer avec tant de sérénité à ce titre de pair de France, le plus beau après le titre de roi de France ! "... »

Balzac va mourir dans la nuit. Il avait cinquante et un ans. Aux obsèques, le hasard fera s'asseoir Baroche près de Hugo. Il lui dira avec la componction digne de son rang :

— C'était un homme distingué.

Hugo lui répondra seulement :

— C'était un génie.

Cette majorité sûre d'elle-même qui croyait « mener » le président se voit débordée par la popularité sans cesse grandissante de Louis-Napoléon. En février 1850, Hugo l'a vu passer, dans sa berline à deux chevaux entourée de cuirassiers, avec des officiers aux portières. Deux laquais, derrière, portaient la livrée de l'Empereur, vert et or. « Le peuple regardait à peine. Des gens en blouse criaient : *Vive la République !* Un enfant criait : *Vive l'Empereur !* Une vieille dame lui dit : " Attends donc qu'il ait fait quelque chose ! " »

Cela a bien changé. Le 10 octobre, le prince-président a passé les troupes en revue à Satory. Selon l'ordre donné par le général Changarnier, l'infanterie a défilé en silence. Mais la cavalerie a crié : « Vive l'empereur ! » Changarnier a aussitôt déclaré à qui voulait l'entendre qu'il n'attendait qu'un ordre pour enfermer le président à Vincennes. Louis-Napoléon se tait. Il sait que le temps travaille pour lui. Il a maintenant sa presse, des sociétés de propagande comme celle du Dix décembre, ses agents que l'on appelle les « décembraillards ». Le but de tout ce mouvement est d'obtenir la réforme de la Constitution qui interdit la réélection du président de la République. En 1852, le mandat de Louis-Napoléon s'achèvera. Dans l'esprit du prince, il n'est pas question de renoncer au pouvoir. Ceux qui l'entourent, hommes aux dents longues, souvent liés aux cercles d'affaires, ne le veulent pas non plus. Lâche-t-on la proie pour l'ombre ? A l'Assemblée, le plus fidèle serviteur du prince, Persigny, a organisé le « groupe de l'Élysée ».

Le prince voyage, se fait connaître. De plus en plus se multiplient autour de lui les cris de : *Vive l'empereur.* De deux choses l'une : ou l'Assemblée accorde la révision constitutionnelle — et l'on verra. Ou elle la refuse et l'on passera à l'action.

Vilipendé, exécré, honni, mais debout, Hugo continue à creuser son sillon. En février 1851, une semaine avant ses quarante-neuf ans, il part pour Lille sous la conduite de l'économiste conservateur Adolphe Blanqui, frère du révolutionnaire, qui veut lui montrer dans quelles conditions affreuses vivent des milliers de prolétaires. Ce qu'il découvre, dans les caves de Lille — devenues, à travers lui, tristement célèbres — dépasse encore ce qu'il appréhendait. Au cours du voyage du retour, il prend des notes pour un discours accusateur qu'il ne pourra prononcer. Mais, dans *les Châtiments*, c'est bien mieux qu'un discours qu'il écrira :

... Un jour je descendis dans les caves de Lille ;
Je vis ce morne enfer.
Des fantômes sont là sous terre dans des chambres ;
Blêmes, courbés, ployés ; le rachis tord leurs membres
Dans son poignet de fer

Sous ces voûtes on souffre, et l'air semble un toxique ;
L'aveugle en tâtonnant donne à boire au phtisique ;

> L'eau coule à longs ruisseaux ;
> Presque enfant à vingt ans, déjà vieillard à trente,
> Le vivant chaque jour sent la mort pénétrante
>   S'infiltrer dans ses os...
>
> Là, frissonnent, plus bas que les égouts des rues,
> Familles de la vie et du jour disparues,
>   Des groupes grelottants ;
> Là, quand j'entrai, farouche, aux méduses pareille,
> Une petite fille à figure de vieille
>   Me dit : j'ai dix-huit ans !...
>
> Caves de Lille ! on meurt sous vos plafonds de pierre !
> J'ai vu, vu de ces yeux pleurant sous ma paupière,
>   Râler l'aïeul flétri,
> La fille aux yeux hagards de ses cheveux vêtue,
> Et l'enfant spectre au sein de la mère statue !
>   O Dante Alighieri !

La vieille Fortunée Hamelin meurt en avril d'une attaque d'apoplexie. Hugo aimait son esprit et surtout sa liberté d'esprit. Une catastrophe, cette mort, pour Léonie. Mme Hamelin était sa confidente, sa demeure lui était un asile. Elle y passait presque toutes ses soirées. Ensemble elles fréquentaient les mêmes salons amis, ou parfois allaient à l'Opéra. L'angoisse de la jeune femme s'exacerbe ; elle a perdu son mari, on lui a arraché ses enfants, sa vieille amie n'est plus. Que lui reste-t-il, sinon Hugo ? Un Hugo toujours aimant, certes, mais courant après les heures et lui accordant de plus en plus rarement l'aumône de sa présence. Ce n'est pas contre Victor que l'exaspération de Léonie monte, mais contre l'ennemie éternelle : la *vieille*. Elle pleure, elle se plaint, elle adjure. Comme toujours, Hugo élude.

Comment attacherait-il quelque importance à ces réclamations de femme — qui ressemblent tant à celles qu'il a si souvent entendues de la bouche de Juliette ! — alors que, soudain, le pouvoir s'en prend à son fils, à son Charles ? Plus de ménagements pour l'ennemi de l'Élysée, pour l'homme honni de l'Assemblée. Charles Hugo a, dans l'*Événement*, narré les circonstances terrifiantes de l'exécution capitale d'un braconnier, et montré, épouvanté, qu'elle était digne des romans d'horreur à la mode trente ans plus tôt. On le poursuit : il est inculpé d'avoir manqué au respect dû à la loi et traduit devant la cour d'assises. Il n'aura point d'avocat. Face à l'avocat général, c'est son père qui assurera sa défense.

Qui mieux que Hugo pourrait une nouvelle fois pourfendre la peine de mort ? Qui mieux que lui pourrait montrer l'abomination de la guillotine ? Qui mieux que lui pourrait évoquer le long combat que, depuis tant d'années, il livre pour plus d'humanité ? Il parle. Il redit ce qu'il a si souvent écrit, mais que d'émotion dans son débit, dans la forme de son discours !

Charles n'en sera pas moins condamné à six mois de prison ferme. Rue de la Tour-d'Auvergne, les larmes se mêlent aux reproches. Adèle n'admet pas : son fils en prison ! Qu'ont-ils donc, tous ses hommes, à se vautrer ainsi dans la politique, à se faire Don Quichotte pour attaquer des moulins hélas plus redoutables que ceux du gentilhomme à la triste figure ? Mais le coup droit semble avoir stimulé Hugo. La question de la révision de la Constitution est posée devant l'Assemblée. Toujours le problème crucial : permettra-t-on la réélection de Louis-Napoléon ? Hugo parle, Hugo se déchaîne. On dirait que cette question-là est devenue une affaire personnelle entre le prince-président et lui. Il demande la parole, monte à la tribune. Il va plus loin encore que dans ses discours précédents, plus loin que nul — ni lui peut-être — n'eût osé l'imaginer. Mais l'Assemblée se déchaîne aussi. Ce n'est pas un discours, mais un dialogue, coupé presque à chaque phrase par les interruptions, les cris de haine, les accusations, les rappels de la pension de Louis XVIII touchée par Hugo, de la nomination de pair qu'il doit à Louis-Philippe — tous prétextes devenus les armes favorites de la majorité contre lui. Il doit hurler pour se faire entendre, sa voix se brise, nul n'en a cure, le vacarme redouble. Et pourtant quel éloge de la république en tant que telle, quel éloge de la Seconde République ! Quel regard sur l'avenir !

Le peuple français a taillé dans un granit indestructible et posé au milieu même du Vieux Continent monarchique la première assise de cet immense édifice de l'avenir qui s'appellera un jour les États-Unis d'Europe.

Les États-Unis d'Europe. La phrase suscite un *long éclat de rire à droite*. C'est la première fois que la formule aura été prononcée. Jamais peut-être assemblée parlementaire n'aura tant ri. On entend :

M. DE MONTALEMBERT. — Les États-Unis d'Europe ! C'est trop fort. Hugo est fou.
M. MOLÉ. — Les États-Unis d'Europe ! Voilà une idée ! Quelle extravagance !
M. QUENTIN-BAUCHART. — Ces poètes !

Dans sa bouche, la révolution de février devient sainte :

— C'est l'ère entrevue par Socrate, et pour laquelle il a bu la ciguë ; c'est l'œuvre faite par Jésus-Christ, et pour laquelle il a été mis en croix ! *(Vives réclamations à droite. Cris : A l'ordre ! Applaudissements répétés à gauche. Longue et générale agitation.)*
M. DE FONTAINE et plusieurs autres. — C'est un blasphème !
M. DE HEECKEREN. — On devrait avoir le droit de siffler, si on applaudit des choses comme celles-là !

Hugo règle d'abord leur compte aux royalistes divisés entre deux prétendants. Il en vient à Louis-Napoléon — et il semble soudain que tout ce qu'il avait prononcé jusque-là n'était que marivaudage ou berquinade. Il n'attaque plus, il dénonce :

Allons ! le grand jour sur tout cela ! Il ne faut pas que la France soit prise par surprise et se trouve, un beau matin, avoir un empereur sans savoir pourquoi !

Un empereur ? Encore faut-il étudier les prétentions de celui qui se voudrait tel :

Quoi ! parce qu'il y a eu un homme qui a gagné la bataille de Marengo, et qui a régné, vous voulez régner vous qui n'avez gagné que la bataille de Satory !... Quoi ! parce que, après dix ans d'une gloire immense, d'une gloire presque fabuleuse à force de grandeur, il a, à son tour, laissé tomber d'épuisement ce sceptre et ce glaive qui avaient accompli tant de choses colossales, vous venez, vous, vous voulez, vous, les ramasser après lui, comme il les a ramassés, lui, Napoléon, après Charlemagne, et prendre dans vos petites mains ce sceptre des titans, cette épée des géants ! Pour quoi faire ? *(Longs applaudissements.)* Quoi ! Après Auguste, Augustule ! Quoi ! Parce que nous avons eu Napoléon-le-Grand, il faut que nous ayons Napoléon-le-Petit !

Napoléon-le-Petit.

La formule inspirée, il vient de la trouver. Il l'a criée pour la première fois. Il la reprendra sans cesse, la répétera tellement, avec tant d'éclat, tant de génie, que l'homme qu'elle atteint — et qui d'ailleurs ne méritait pas un tel opprobre — en restera pour jamais accablé devant l'Histoire.

Toute cette force déployée, ce combat quotidien livré, cette vigilance accrue, tout cela devrait nécessiter une parfaite maîtrise de soi, la tête la plus froide que l'on pût concevoir. Or il se bat au milieu de tourments infinis. Il vit le drame intime le plus cruel qu'il ait traversé depuis l'emprisonnement de Léonie.

Le samedi 28 juin à 3 heures de l'après-midi, la poste a apporté à Juliette un paquet auquel était jointe une lettre scellée à la cire noire et marquée de cette devise qu'elle connaissait bien : *Ego Hugo*. L'écriture de l'enveloppe n'était pourtant pas celle de Victor. Étonnée, comprenant mal, c'est d'abord la lettre que Juliette a ouverte. Elle était signée Léonie d'Aunet.

L'épouse séparée du peintre Biard expliquait à Juliette qu'elle était depuis sept années la maîtresse de Victor Hugo, que la liaison durait encore et qu'elle n'avait aucune raison de prendre fin, puisque M. Victor Hugo et elle-même s'aimaient comme au premier jour ; que d'ailleurs cette liaison était respectable puisqu'on la respectait jusque dans la maison de Victor Hugo ; que si le poète n'avait pas rompu avec Mme Drouet, c'était par pitié et parce qu'il ne savait comment rompre une chaîne aussi longue que lourde. Puisque Mme Drouet affirmait aimer M. Hugo, elle ferait bien de lui rendre sa liberté et de briser la première des liens dont il ne voulait plus et « qu'il traînait plutôt qu'il ne les portait... ».

Étourdie, bouleversée, Juliette a reposé la lettre. C'est maintenant le paquet qu'elle ouvre fébrilement. Il s'en échappe un grand nombre de lettres nouées d'un ruban et scellées aux armes de Hugo. Dans l'instant, elle reconnaît l'écriture : ce sont des lettres de son Victor. Elle commence à les parcourir. Horrifiée, elle reconnaît ce style et surtout ces formules amoureuses qu'elle croyait n'avoir été écrites qu'une seule fois par la main bien-aimée — et pour elle seule : « *Tu es un ange, je baise tes pieds, je baise tes larmes... Toute mon âme est pleine de toi, mais je t'adore, mais tu es la lumière de mes yeux, mais tu es la vie même de mon cœur... A l'amour que j'ai pour toi, il me semble que j'ai seul en ce monde la révélation de ta nature angélique et divine...* » Des fragments de phrases, des lignes entières semblables à ce que Victor lui écrivait à elle-même. Fût-on Victor Hugo, l'inspiration épistolaire amoureuse comporte ses limites.

Sans chapeau, la gorge nouée par les sanglots, elle quitte la cité Rodier, descend les pentes de Montmartre, erre toute la journée dans Paris et sur les quais de la Seine. Elle ne rentre chez elle que le soir, anéantie mais ayant pris une résolution qu'elle veut, cette fois, définitive. Cette Léonie d'Aunet, elle va la prendre au mot. Elle va rendre sa liberté à Victor. Elle va se retirer en Bretagne, chez sa sœur.

Les lettres s'étalent encore, là, sur la table, lorsque la clef de Victor tourne dans la serrure. Il entre, comprend tout d'un seul regard. Nous ne savons rien de l'entrevue. Le ton a dû être celui que l'on retrouve dans une lettre de Juliette du surlendemain : « Mon bonheur a été tué samedi 28 juin 1851, à trois heures de l'après-midi. Je le mets dans la tombe aujourd'hui... » Une ligne encore qui reprend l'interrogation désespérée qu'elle a dû lui adresser dix fois : « *Car tu l'as bien adorée, n'est-ce pas ?* ». Tel que nous connaissons Hugo, nous pouvons croire qu'il a dû plaider sa cause avec ferveur, avec éloquence ; et pourquoi pas ? avec sincérité. C'est vrai, il a aimé Léonie. Mais, dans cette liaison, il a cherché surtout une satisfaction des sens. Juliette seule possède son âme.

Des plaidoiries de ce style, Juliette en a entendu des centaines. Toujours elle s'est laissé convaincre. Pas cette fois. C'est qu'un homme véritablement amoureux ne sait pas feindre. Hugo a dû, pour se défendre, évoquer le charme de Léonie, sa beauté, sa distinction. Sans doute aussi sa jeunesse : le pire pour une femme qui l'a perdue. Plus il jurait à Juliette qu'il ne la quitterait jamais — elle — plus Juliette comprenait qu'en lui sacrifiant Léonie, Victor se sacrifiait le premier. A peine a-t-il pris congé — des baisers, des étreintes, des larmes — qu'elle s'est mise à lui écrire :

« Au nom de tout ce que tu as de plus sacré, au nom de ma suprême douleur, mon bien-aimé, ne fais pas de fausse générosité avec moi, ne déchire pas ton propre cœur en voulant épargner le mien. Ce sacrifice, quelque entier que tu le fasses, ne me ferait pas une longue illusion et je sens que je ne me pardonnerais pas d'en avoir été la dupe aux dépens de ton propre bonheur. J'aime mieux pleurer mon amour mort pour moi que de te voir commettre le hideux sacrilège de faire faire à son cadavre le simulacre de la vie. Je ne t'en voudrai pas, mon pauvre adoré, pas plus que je n'en veux à mon enfant d'être morte, elle aussi... »

Le lendemain, Hugo la trouve dans les mêmes fermes dispositions que la veille : décidément, elle part. Cette fois, il la croit. Affolé, il prie, supplie. Vivre sans elle ? L'idée seule lui en est intolérable. Il met en avant de pauvres arguments, ceux dont usent les hommes en pareil cas : sa santé est si mauvaise ! Tant d'insomnies troublent ses nuits ! Et ses fils que l'on persécute, dont l'un est en prison ! Aucune logique dans cette défense. Il aime Léonie, rêve sans cesse de son beau visage, de son regard clair et triste qui contraste si bien avec la petite bouche aux lèvres si rouges et rieuses. Il sait très bien que si Léonie s'est résolue à un tel acte — le plus odieux qu'une femme puisse concevoir à l'égard d'une autre femme — c'est qu'elle n'en peut plus de ce partage, qu'elle-même est à bout. En suppliant Juliette de ne pas le quitter, il court le risque qu'elle le prenne au pied de la lettre. Si elle reste, Léonie le quittera. Il le supporterait encore moins. Pourtant, pied à pied, il se bat. Au vrai, ces deux femmes, à des titres divers, lui sont nécessaires, parce qu'il les aime toutes les deux.

Comment sortir de l'inextricable ? C'est Juliette qui va l'y aider. Elle formule une bien étrange proposition : tous les trois — elle, Léonie, Victor — se fixeront un « temps d'épreuve ». Il sera de quatre mois. A chacune des deux femmes s'affrontant cette fois à armes égales, de se manifester, à l'égard de l'amant promu juge suprême, dans toute la vérité, dans toute la force de son amour. A Victor d'écouter, de voir, de peser. Le délai achevé, ayant entre les mains toutes les pièces du procès, il choisira. En son âme et conscience.

Léonie — « jolie et ambitieuse » et de « très mauvaise tête », dit Sainte-Beuve — s'est cabrée, a protesté, pleuré. Puis s'est résignée. Elle aussi, parce qu'elle aime vraiment, accepte le « temps d'épreuve ». Mais elle écrit à Victor qu'il ne faut pas qu'il oublie les *droits* qu'elle possède sur lui. Maladroitement Hugo parle de ces « droits »-là à Juliette. *Juliette à Victor, 9 septembre* : « Plus heureuse que la personne qui t'a écrit hier, mon bien-aimé, je ne me reconnais aucun *droit* sur toi et les dix-neuf années que tu as *prises au plus vif de ma vie* ne pèsent pas un atome dans la balance de ton repos, de ta considération et de ton bonheur... » Avantage à Juliette.

Il faut se souvenir que cette crise aiguë se déroule alors que Hugo écrit, prépare et prononce son discours sur la révision de la Constitution, qu'il porte les coups les plus douloureux aussi bien aux députés de la majorité qu'à Napoléon-le-Petit — qu'il se bat face à une meute qui a juré sa perte. Qui pourrait croire, parmi ces députés qui le honnissent ou l'acclament, que l'orateur épuisé aura le soir même un long débat avec Juliette, un autre avec Léonie, chacune se hissant au meilleur d'elle-même pour mieux écraser l'autre. Intolérable attente, insupportable usure. *Juliette à Victor, 22 juillet* : « J'aimerais mieux mille fois la mort que la prolongation de cette cruelle épreuve. » Le 28 : « Mon Dieu, qu'est-ce que je vais devenir seule, ici, enfermée avec cette affreuse date : *28 juin 1851* ? Comment me défendre pour me sauver de son abominable étreinte qui me donne le vertige ? Quels moyens employer pour me soustraire à l'enivrement du suicide, à la volupté désespérée de la mort ? » Mais le 2 août : « Je suis enivrée de ces trois baisers de flamme que tu m'as donnés tout à l'heure. » Trois baisers, vraiment ? De flamme qui plus est ? Ce conflit exacerbé aura donc comporté un résultat positif : il a ressuscité chez Hugo pour Juliette un désir depuis longtemps assoupi. Probablement, Léonie, de son côté, n'a-t-elle pas eu à se plaindre non plus. Ainsi sont les hommes.

François-Victor, dans *l'Événement*, vient de publier un article dans lequel il réclame avec fougue le droit d'asile en France pour les proscrits étrangers. Cela suffit pour que le journal soit saisi, qu'un procès soit intenté à l'auteur de l'article. Autour des Hugo, le filet se resserre. *Juliette à Victor* : « Tu peux laisser chez moi et à ma discrétion tous tes papiers sans crainte que ma curiosité et même ma jalousie en entrouvrent un seul. » Le parquet a des ordres : il faut faire vite. C'est le 9 septembre que l'on a inculpé François-Victor et Paul Meurice — ce dernier en tant que gérant du journal ; c'est le 15 que le procès se plaide. Hugo n'a pas voulu cette fois défendre son fils et son ami : il sait parfaitement que sa seule apparition à la barre aurait aussitôt prévenu les jurés contre eux. François-Victor et Paul Meurice sont tous deux condamnés à neuf mois de prison, le premier à 2 000, le second à 3 000 francs d'amende. Voilà donc les deux fils Hugo en prison ! Le 18, paraît le dernier numéro de *l'Événement* suspendu pour un mois. Le 19, est mis en vente le premier numéro de *l'Avènement du peuple* qui ressemble comme un frère à son prédécesseur. On y lit une lettre de Hugo à Vacquerie. Le journal est aussitôt saisi. Le député Hugo étant inviolable, on inculpe Vacquerie qui, cinq jours plus tard, sera condamné à six mois de prison et 1 000 francs d'amende. En ce temps-là, il n'est pas bon d'être parent ou ami intime de Victor Hugo.

Léonie vient de perdre à Hyères, dans le Var, son frère Léon, emporté brutalement à vingt-quatre ans. Au mois d'août 1851, il lui faut partir pour le Midi, s'occuper de la succession. De cette séparation Hugo souffre violemment. Est-ce Léonie qu'il va choisir ?

> Colombe, c'est l'amour qu'il faut que tu rapportes !
> Après ce dur voyage, obscur, long, hasardeux,
> Le ciel d'où nous venons peut nous rouvrir ses portes
> On en est sorti seul, il faut y rentrer deux.

Elle est revenue et Hugo — qui n'a jamais été un parangon de délicatesse — ne peut se retenir de chanter ses louanges devant Juliette. Ce qui lui vaut une bien remarquable épître :

Juliette à Victor, 22 septembre 1851 : « Jusqu'à présent, je n'ai pas compris celui [le mystère] qui te fait renoncer à une femme que tu trouves *belle, jeune, spirituelle, supérieure*, dont *l'amour, la fidélité* et *le dévouement* ne font aucun doute pour toi, pour une pauvre femme si ironiquement démunie de plus de la moitié de ses avantages... Pour cela, pour si peu de chose, toi, l'homme juste par excellence, l'homme bon par nature, le grand cœur et le sublime esprit, tu vas sacrifier inutilement une *pauvre jeune femme qui t'aime jusqu'à en mourir*, qui a sept ans de droit sur toi, qui a le présent et l'avenir, pour une misérable créature dévastée, qui pleure son passé avec des larmes de sang, qui n'a de présent et d'avenir que le désespoir !... »

Ici le biographe doit bien constater un déséquilibre. Autant, par l'abondance épistolaire de Juliette nous connaissons tout de ses états d'âme, autant, par l'absence totale de lettres de Léonie, nous en sommes réduits à imaginer ceux de cette dernière. Avouons-le : cela nous est facile. D'autant plus que Juliette ne se prive pas de nous parler de Léonie. Dans la lettre du 22 septembre, déjà citée, elle montre la jeune femme angoissée comme elle-même par les périls qui montent vers Victor : « Quant à mon dévouement, je n'avais jamais pensé que je fusse la seule capable d'en ressentir un à l'épreuve de tous les dangers et de la mort même, mais je croyais que tu n'avais confiance que dans le mien. Cette dernière illusion, tu me l'as ôtée tantôt, en me parlant de cette femme avec une vivacité et un enthousiasme justifié sans aucun doute, et qui rend le mien parfaitement inutile, grâce à Dieu. Je n'avais absolument que le sang de mes veines, l'amour de mon cœur et la probité de mon âme pour auxiliaire. Tandis que cette personne a l'appui de tout un entourage intelligent et sous son influence. »

Le délai de quatre mois est dépassé et Hugo balance toujours. Juliette supplie : « Par pitié, par grâce, mon Victor, prends un parti qui me rende la tranquillité. Quel qu'il soit, je m'y résignerai, pourvu que je sorte de cet horrible provisoire. »

Hugo s'en tire en proposant un voyage. C'est, avec Juliette, l'argument suprême, infaillible. Elle défaille de bonheur. Elle s'enchante à voir ses « espérances de villégiature qui verdoient ». A regarder à l'horizon « si le petit cheval, le petit cabriolet, le petit cocher et le petit immense bonheur d'être ensemble ne fût-ce que vingt-quatre heures, n'arrivent pas à toutes brides »... Elle n'aura droit qu'à deux jours entiers et l'on n'ira qu'à Melun et Fontainebleau. Au retour, ce qui recommence, c'est l'enfer. *Juliette à Victor* : « Je te supplie de ne me rien cacher, non seulement de tes visites, mais des idées que vous échangez dans ces entrevues. » Pour la récompenser de sa tolérance, elle aura droit à deux nouveaux jours de voyage.

L'étonnant, c'est que Hugo, peut-être fustigé par la situation inouïe où il s'est jeté — et aussi parce que les vacances de l'Assemblée lui laissent du répit —, va se remettre à la composition de son roman *les Misères*. Il note que son travail a subi « trois ans et six mois d'interruption pour cause de révolution ». A Louis Boulanger qui l'encourageait sans cesse à se remettre à son grand livre, il a adressé des vers désabusés :

Ami, pour achever ce vaste manuscrit,
Il me faut avant tout ma liberté d'esprit.
Quand un monde se meut dans le cerveau d'un homme,
Il ne peut pas songer aux affaires de Rome
A monsieur Bonaparte, à Faucher, à Molé,
Rends-moi l'espace immense et le ciel étoilé !
Rends-moi la solitude et la forêt muette !
Hélas, on ne peut être en même temps poète
Qui s'envole, et tribun coudoyant Changarnier,
Aigle dans l'idéal et vautour au charnier.

Le prince-président, lui, suit son chemin. Coup de théâtre et coup de génie : il propose à l'Assemblée le rétablissement du suffrage universel. Les trois millions de prolétaires privés, depuis le 31 mai 1850, du droit de vote verront désormais, dans le « neveu de l'empereur », leur meilleur défenseur. Quant à l'Assemblée, elle se trouve tout entière plongée dans un nouveau dilemme. La gauche va-t-elle soutenir la proposition de Louis-Napoléon et, dans ce cas, renforcer sa popularité ? La majorité, en la repoussant, va-t-elle courir le risque de perdre définitivement la confiance d'une partie non négligeable de l'opinion ? A ces questions difficiles parce que ambiguës répond le vote du 13 novembre : l'Assemblée législative refuse, par 355 voix contre 348, d'abroger la loi du 31 mai.

Louis-Napoléon, grand gagnant devant l'opinion, a nommé un nouveau ministère. Le général de Saint-Arnaud a reçu le ministère de la Guerre. Il n'a rien à perdre ; ancien acteur, soldat non sans courage, il a délibérément attaché sa fortune à celle du prince-président. A la préfecture de police, Maupas — homme sûr — remplace Carlier. Dans la coulisse, se tient prêt le futur ministre de l'Intérieur, le comte de Morny, demi-frère de Louis-Napoléon, qui cache, sous une élégance raffinée et une infinie courtoisie, la volonté impitoyable de briser tous ceux qui lui barreraient la route du pouvoir — et de la fortune. Dès le 27 novembre, le général Magnan a convoqué les vingt généraux présents à Paris et leur a tenu ce langage :

— Messieurs, il peut se faire que d'ici peu de temps votre général en chef juge à propos de s'associer à une détermination de la plus haute importance. Vous obéirez passivement à ses ordres... Quoi qu'il arrive, ma responsabilité vous couvrira.

A la fin de novembre, le prince Louis-Napoléon dispose de 60 000 soldats dont il sait qu'ils lui obéiront aveuglément.

Il y a bientôt deux mois que l'épreuve proposée par Juliette est parvenue à son terme. Déchiré, Victor n'a pas pris de décision. Quitter la *vieille* à laquelle le rattachent tant de liens de l'esprit et tant de souvenirs brûlants ? Ce serait pour lui se trancher un bras. Quitter la *jeune*, si belle, si touchante, si désirable ? Ce serait se trancher l'autre bras. Juliette attend. Elle observe, cherche à comprendre, à deviner. Le 16 novembre, *elle sait* : jamais Victor ne se séparera de Léonie. « Mon pauvre cœur ne se fait aucune illusion sur le résultat fatal et inévitable de cette liaison que rien ne peut rompre et qui a des racines jusque dans ta famille. »

Au reste, ce qui inquiète aussi Juliette, ce sont des déploiements de troupes de plus en plus visibles dans Paris. Qu'est-ce que cela veut dire ?

A Victor, 30 novembre 1851 : « Depuis trois ans que je demeure dans ce quartier et depuis trois mois que je sors avec toi à toutes les heures de la nuit, je n'avais jamais remarqué ni rencontré ces formidables patrouilles. Cela doit avoir un motif autre que de faire promener ces pauvres soldats au clair de lune ? Pourvu que ce ne soit pas pour un coup d'État violent et absurde. Cela m'est égal pourvu que l'on ne tire pas un coup de fusil et que l'on respecte ta liberté. On peut doubler et multiplier le nombre des patrouilles dans tous les sens, mais il n'est guère probable que ces évolutions nocturnes soient faites sans intention ou à bonne intention. Voilà ce qui me tourmente aussi. J'ai très peur et très mal dormi cette nuit [1]. »

Elle voit clair, Juliette. Plus clair que le colonel Charras. Celui-ci, un ancien de la campagne d'Algérie, sous-secrétaire d'État à la Guerre en 1848, député républicain à la Législative en 1849, s'est longtemps tenu sur ses gardes. Le 1er décembre, il déclare à Hugo que le coup d'État n'est plus possible. Il conservait près de lui des pistolets chargés à balles. Il les décharge. Pour lui, comme pour la plupart des membres de l'Assemblée, la sécurité reste complète et unanime.

« Nous étions bien, dans l'Assemblée, se souviendra Hugo, quelques-uns qui gardaient un certain doute et qui hochaient parfois la tête ; mais nous passions pour imbéciles... »

1. *Bibliothèque nationale*, NAF 16367, cotée 464.

V

LE CRIME

> Eh bien, oui ! Je donnerai un coup de pied dans la
> porte de ce palais et j'y entrerai avec toi, histoire !
> Victor HUGO.

LE 2 décembre 1851, à 8 heures du matin, Hugo, adossé
aux oreillers de son lit à colonnes, travaille. Son
domestique Isidore pousse la porte. Sur son visage, de
l'effroi :

— Il y a là un représentant du peuple qui veut parler à
Monsieur.

— Qui ?

— Monsieur Versigny.

— Faites entrer.

Un jeune homme de trente-deux ans, à la figure « douce et
blonde », pénètre dans la chambre. Il représente la Haute-
Saône à l'Assemblée. En quelques paroles hachées, il dit tout
à Hugo : le coup d'État est fait. Dans la nuit, dix-huit députés
ainsi qu'une soixantaine de personnalités — dont Thiers,
Changarnier, Lamoricière, Cavaignac, Le Flô et ce Charras
qui ne croyait plus au coup d'État — ont été enlevés de leur
domicile et jetés en prison. A l'heure présente, ajoute Versigny, les Parisiens s'attroupent devant des affiches apposées
au nom du président de la République annonçant que : 1o/
l'Assemblée nationale est dissoute ; 2o/ le suffrage universel
est rétabli ; 3o/ le peuple français votera du 14 au 21 décembre ; 4o/ l'état de siège est décrété dans l'étendue de la première division militaire.

La réaction du peuple ?

Versigny s'assombrit : les affiches présidentielles ne sont pas mal accueillies. Çà et là, on voit des groupes d'ouvriers s'attrouper et saluer le rétablissement du suffrage universel par cette exclamation : « C'est crânement joué ! » Au vrai, comment ne pas les comprendre ?

Une grosse ride lui plissant le front — celle que dorénavant on verra sur ses photographies — Hugo écoute sans mot dire. Pour qui le connaît bien, ce silence est lourd d'un bouillonnement intérieur qui n'augure rien de bon. Quand Versigny lui explique qu'au petit jour, à 7 heures du matin, plusieurs représentants sont accourus chez lui et qu'ils sont convenus de réunir en hâte les représentants républicains, il écoute plus attentivement encore. Et quand Versigny précise que le rendez-vous est 4, cité Gaillard, chez l'ancien constituant Laissac, il dit aussitôt qu'il y sera.

Versigny s'en est allé prévenir d'autres. Hugo achève de s'habiller. Un nommé Girard, ouvrier ébéniste en chômage, qui loge dans l'une des chambres de la maison, demande à lui parler. Il vient de parcourir le quartier et n'est guère optimiste :

— C'est ma conviction, le peuple adhère.

— Soit, dit Hugo.

— Mais que ferez-vous, M. Victor Hugo ?

Pour toute réponse, Hugo tire son écharpe de représentant d'une armoire et la lui montre. Les deux hommes, gravement, se serrent la main. Un ami italien de Hugo, un certain Carini, succède à Girard. Plus sombre encore :

— Le coup est fait d'une manière formidable. L'Assemblée est investie. J'en viens. La place de la Révolution, les quais, les Tuileries, les boulevards sont encombrés de troupes. Les soldats ont le sac au dos. Les batteries sont attelées. Si l'on se bat, ce sera terrible.

Hugo le regarde :

— On se battra.

Hugo passe dans la chambre d'Adèle qui ignore tout. Elle lit paisiblement le journal dans son lit. Quand il explique la situation, elle pâlit et demande :

— Que vas-tu faire ?

— Mon devoir.

Il expédie son petit déjeuner en deux bouchées : une côtelette, ce qui prouve que les petits déjeuners dits continentaux ne lui eussent pas suffi. Il va embrasser sa fille et part.

Dans le quartier neuf qui sépare la rue des Martyrs de la rue Blanche, Hugo aura beaucoup de mal à découvrir la cité Gaillard. Il y parvient enfin. Un homme accourt au-devant de lui :

— Je suis là pour vous prévenir. La police a l'éveil sur cette maison. On vous attend rue Blanche, numéro 70, à quelques pas d'ici.

Là, au premier étage, c'est la baronne Coppens, propriétaire des lieux — « une quarantaine d'années, belle, avec des cheveux gris » —, qui l'accueille et l'introduit dans son salon. Il y trouve Michel (de Bourges) et d'autres représentants parmi lesquels il reconnaît Baudin et Edgar Quinet. Tous appartenant à la gauche. Bientôt le salon est plein. Les uns sont assis, la plupart debout, sans particulière effervescence. On ne fait guère qu'échanger des informations. Hugo s'impatiente. Est-ce bien le moment ? Il élève la voix, demande la parole ou plutôt la prend, puisque, dans cette assemblée informelle, aucun président n'est là pour la lui donner. On fait silence, on l'écoute. Il parle d'un ton bref, tranchant, qui ne lui est pas habituel. Il est catégorique : il faut entamer la lutte sur-le-champ. Rendre coup pour coup. Les cent cinquante représentants de la gauche doivent se revêtir de leur écharpe, descendre par les rues et les boulevards jusqu'à la Madeleine en criant : Vive la République ! Vive la Constitution ! Ils doivent se présenter sur le front des troupes, « seuls, calmes et désarmés, et sommer la force d'obéir au droit ». Si les troupes cèdent, les représentants se mettront à leur tête, se rendront à l'Assemblée et en finiront avec Louis Bonaparte. Si les soldats ouvrent le feu, on se dispersera, on criera aux armes et l'on courra aux barricades :

— Chaque minute qui passe est complice et donne sa signature au crime. Redoutez cette affreuse chose qu'on appelle le fait accompli. Aux armes !

Il se tait. Plusieurs voix s'élèvent, frémissantes, chaleureuses : il a raison ! il a raison ! D'autres paraissent moins assurés que la vérité se situe de ce côté-là. Marcher sur les troupes ? Un beau geste, soit. Mais il risque de se retourner contre les représentants eux-mêmes. A quoi bon risquer d'être faits prisonniers, tués, peut-être ? Michel (de Bourges) intervient : on n'est pas en 1830.

— Les 221 étaient populaires, l'Assemblée actuelle ne l'est pas !

On s'est séparé sans avoir rien décidé, sinon de se retrouver. C'est là surtout, dans les trois jours qui viennent, ce que feront ces politiques. Plus de courage que de détermination, plus de foi dans leur cause que d'esprit de décision : voilà ce qui les caractérisera. Ils sont sincères, convaincus, ardents. Ils parleront plus qu'ils n'agiront.

Hugo, lui, a voulu *voir*. Il ne se fie jamais aux rapports de seconde main. Le meilleur enseignement à ses yeux, c'est la rue. Il s'en va donc prendre le pouls de Paris. L'accompagne un colonel Forestier, venu mettre son épée au service du Droit. A ces gestes-là, Hugo sera toujours sensible.

On gagne les boulevards où s'est rassemblée une foule inquiète. Des gens s'abordent sans se connaître, « grand signe d'anxiété publique ». On ferme les boutiques. Au passage d'une longue colonne d'infanterie, la foule crie : Vive la République ! Et Hugo se demande si c'est là un cri de désespoir ou bien une acclamation. A la hauteur du Château-d'Eau, on le reconnaît. Plusieurs jeunes gens viennent à lui :

— Citoyen Victor Hugo, que faut-il faire ?

— Déchirez les affiches factieuses du coup d'État et criez : Vive la Constitution !

— Et si l'on tire sur nous ?

— Vous courrez aux armes.

La foule applaudit. Hugo élève la voix, retrouve ses accents d'orateur de l'Assemblée :

— Louis Bonaparte est un rebelle. Il se couvre aujourd'hui de tous les crimes. Nous, représentants du peuple, nous le mettons hors la loi ; mais sans même qu'il soit besoin de notre déclaration, il est hors la loi par le fait seul de sa trahison. Citoyens ! Vous avez deux mains ; prenez dans l'une votre droit, dans l'autre votre fusil, et courez sus à Bonaparte !

Un cri d'approbation lui répond — il le dira « formidable », ce qui n'est pas sûr. En tout cas, le cri n'est pas unanime. Un bourgeois terrorisé le supplie de parler moins fort :

— Si l'on vous entendait parler comme cela, on vous fusillerait.

— Eh bien ! reprend Hugo, vous promèneriez mon cadavre, et ce serait une bonne chose que ma mort si la justice de Dieu en sortait !

Décidément, face au coup d'État, Hugo devient de plus en plus un personnage de Hugo. Pour un peu, il enlèverait cette foule et commencerait le combat. Forestier le retient :

— Vous causerez une mitraillade inutile. Tout le monde est désarmé. L'infanterie est à deux pas de nous, et voici l'artillerie qui arrive.

Un fiacre passe. Hugo et son ami s'y jettent. Un quart d'heure plus tard, ils sont rue Blanche.

Quand ils entrent, le salon et une petite antichambre voisine sont remplis de représentants auxquels se sont mêlés des journalistes. Le groupe du matin s'est gonflé : environ soixante membres de la gauche sont là, très agités, tous debout. Assis entre les croisées à une petite table, Jules Favre et Baudin écrivent. Quand Hugo entre, un grand silence se fait. Il raconte ce qu'il a vu sur le boulevard. Les questions fusent : que peut-on, que faut-il faire ?

— Allons au fait et au but, dit Hugo. Louis Bonaparte gagne du terrain et nous en perdons, ou pour mieux dire il a encore tout, et nous n'avons encore rien... Il faut sortir de l'ombre. Il faut qu'on nous sente là... Il faut faire une proclamation et que cela soit imprimé par n'importe qui, et que cela soit placardé n'importe comment, mais il le faut ! et tout de suite. Quelque chose de bref, de rapide et d'énergique. Pas de phrases. Dix lignes, un appel aux armes ! Nous sommes la loi, et il y a des jours où la loi doit jeter un cri de guerre. La loi mettant hors d'elle le traître, c'est une chose grande et terrible. Faisons-la.

On l'interrompt : « Oui, c'est cela, une proclamation ! » De toutes parts, on lui demande de la rédiger lui-même.

— Dictez, dit Baudin. J'écris.

Hugo improvise ce texte :

— *Au peuple. Louis Napoléon Bonaparte est un traître. Il a violé la Constitution. Il s'est parjuré. Il est hors la loi.*

Les cris l'interrompent : « C'est cela ! C'est cela ! La mise hors la loi ! » Il poursuit :

— *Les représentants républicains rappellent au peuple et à l'armée l'article 68 et l'article 110 ainsi conçu : — « L'Assemblée constituante confie la présente Constitution et les droits qu'elle consacre à la garde et au patriotisme de tous les Français. » Le peuple, désormais, qui est à jamais en possession du suffrage universel, et qui n'a besoin d'aucun prince pour le lui rendre, saura châtier le rebelle. Que le peuple fasse son devoir. Les représentants républicains marchent à sa tête. Vive la République ! Aux armes !*

On l'applaudit. A l'instant on recopie la proclamation. En quelques minutes on en a douze exemplaires. Schœlcher, Rey, le journaliste Xavier Durieu, Millière s'emparent chacun de l'un d'eux et partent à la recherche d'une imprimerie.

Le prochain rendez-vous ? Le local de l'association des Ébénistes, rue de Charonne. L'heure ? 8 heures du soir.

Hugo a cinq heures devant lui. Cinq heures. Le temps d'aller rassurer Adèle. Et si possible Juliette. Et si faire se peut Léonie. Pas de fiacre en vue. Miracle : l'omnibus de la Bastille circule. En compagnie d'un autre représentant, Arnaud (de l'Ariège) et de deux proscrits italiens — que viennent-ils faire dans cette galère ? — Hugo monte dans le véhicule. La grosse voiture jaune s'engage sur le boulevard, passe devant la Porte-Saint-Martin au moment précis où un régiment de cavalerie arrive en sens inverse. Des cuirassiers dont la poitrine rutilante évoque aux yeux de Hugo l'image de la force imbécile. C'en est trop. Il faut qu'il se libère de la sainte fureur qui littéralement le soulève de son siège. Il abaisse la vitre qui est derrière lui, passe la tête dehors et, à l'adresse des militaires, hurle :

— A bas Louis Bonaparte ! Ceux qui servent les traîtres sont des traîtres !

Comment ne pas admirer ce qui reste d'enfance chez cet homme de presque cinquante ans ? Il est ainsi, Hugo. Il croit ce qu'il dit — et il crie ce qu'il croit. Tant pis si cela fera rire aux larmes Anatole France et sourire André Gide.

Il regarde fixement cette ligne épaisse de soldats qui évidemment n'en peuvent mais. Il se souviendra : « Les plus proches tournèrent la face de mon côté et me regardèrent d'un air ivre ; les autres ne bougèrent pas et restèrent au port d'armes, la visière du casque sur les yeux, les yeux fixés sur les oreilles de leurs chevaux. »

Le courage est communicatif. Arnaud baisse sa vitre, lui aussi, sort à mi-corps de l'omnibus et, le bras tendu vers les soldats, hurle :

— A bas les traîtres !

Là-dessus, les deux proscrits italiens font chorus. Moment bien curieux que celui de ces deux accents étrangers conjugués pour crier : « A bas les traîtres ! » Même cet insolite n'ébranle pas l'impassibilité des cuirassiers. Dans l'omnibus, un jeune homme inconnu crie à son tour :

— A bas le dictateur! A bas les traîtres.

Il est bien le seul. L'omnibus tout entier semble saisi de terreur. Les voyageurs supplient:

— Taisez-vous! Vous allez nous faire tous massacrer!

Pour faire bonne mesure, l'un d'eux baisse à son tour la vitre et se met à vociférer:

— Vive le prince Napoléon! Vive l'empereur!

Récit de Hugo: « Je me figurais vaguement qu'un choc quelconque allait se faire, et que, soit de la foule, soit de l'armée, l'étincelle jaillirait. J'espérais un coup de sabre des soldats, ou un cri de colère du peuple. En somme j'avais plutôt obéi à un instinct qu'à une idée. Mais rien ne vint, ni le coup de sabre, ni le cri de colère. La troupe ne remua pas, et le peuple garda le silence. Était-ce trop tard? Était-ce trop tôt? »

Ni l'un ni l'autre, hélas!

L'omnibus a repris sa marche. Hugo descend à l'arrêt de la rue Laffitte. D'un pas pressé, il monte vers la rue de la Tour-d'Auvergne. La nuit vient. A l'angle d'une rue, un homme s'approche de lui, un ouvrier d'une tannerie voisine. Il lui dit bas et vite:

— Ne rentrez pas chez vous. La police cerne votre maison.

Ce soir-là, il ne verra donc ni sa femme ni sa fille. Le cœur serré, il s'éloigne dans la nuit. Au moins, la cité Rodier n'est pas loin. Il sonne chez Juliette. Soulagement, bonheur de la pauvre femme, qui tremblait depuis l'aube. Brève évocation par Hugo de sa journée. Il revient toujours à cette question lancinante: le peuple se soulèvera-t-il? Qui de lui ou de Juliette a pensé alors à l'un de ces insurgés de juin qui s'était abrité dans le grenier de la rue Saint-Anastase et à qui Hugo avait sauvé la vie? Le chef de ces hommes s'appelait Auguste. Il était, il est toujours, marchand de vin à la Roquette. Mieux que personne, il pourra livrer des informations sur le climat du faubourg Saint-Antoine et — qui sait? — aider à soulever le quartier. Rendons-nous chez Auguste! Juliette ne sera pas de trop, elle possède de quoi rafraîchir les souvenirs d'Auguste si sa mémoire défaillait.

On trouve le quartier du Marais tranquille. Les théâtres sont ouverts. Ironie du sort, on joue *Hernani* au Théâtre-Italien. Devant un public attentif, un escamoteur manie ses gobelets. Quelques pas encore dans la nuit: le café d'Auguste est ouvert. Hugo pousse la porte, se trouve nez à nez avec le propriétaire stupéfait.

— Ah! monsieur! C'est vous!

— Vous savez ce qui se passe?

C'est avec un embarras certain qu'Auguste répond : « Oui, monsieur. » Aussitôt Hugo comprend. Le faubourg Saint-Antoine ne bougera pas. Auguste confirme : « Le peuple est ahuri, il semble à tous que le suffrage universel est restitué. La loi du 31 mai à bas, c'est une bonne chose. »

Un ouvrier est entré pour consommer. Un autre boit un verre d'eau-de-vie, paye et s'en va.

— Vous voyez, dit Auguste, ça boit, ça mange, ça dort et ça ne pense à rien.

Un autre consommateur, jusqu'ici silencieux, l'interrompt :

— Un homme n'est pas le peuple. Citoyen Victor Hugo, on marchera. Si tous ne marchent pas, il y en a qui marcheront. A vrai dire, ce n'est peut-être pas ici qu'il faut commencer, c'est de l'autre côté de l'eau.

De tels propos enchantent Hugo. Il est tout prêt à voir dans cet homme-là *le peuple* tout entier. Juliette, moins naïve, plus futée, reste beaucoup plus réservée. Elle notera : « C'est une espèce d'ancien ouvrier, un monsieur qui tient le milieu entre le travailleur et le pilier d'estaminet. Il parle, il est sûr de son fait... Il a vu les meneurs. Il en est un lui-même. Auguste l'écoute avec une sorte d'impatience concentrée [1]. »

L'homme va à la porte de la rue, s'assure qu'elle est bien fermée, revient, baisse la voix :

— J'espère un mouvement pour cette nuit.

— Où?

— Au faubourg Saint-Marceau.

— A quelle heure?

— A une heure.

— Comment le savez-vous?

— Parce que j'en serai.

Il reprend :

— Maintenant, citoyen Victor Hugo, s'il y a un mouvement cette nuit dans le faubourg Saint-Marceau, voulez-vous le diriger? Y consentez-vous?

---

1. Récit de Juliette Drouet, rédigé aux premiers jours de l'exil à la demande de Hugo pour servir de matériau à l'*Histoire d'un crime*.

— Oui.

— Avez-vous votre écharpe ?

Hugo la tire à demi de sa poche.

Juliette écoute tout cela sans trop y croire. Hugo, lui, y croit. Il a hâte de communiquer cette grande nouvelle à ses collègues. L'heure de la réunion des représentants approche. Il prend congé. Auguste le reconduit jusqu'à la porte :

— Vous allez peut-être être poursuivi et cherché comme je l'ai été. Ce sera peut-être votre tour d'être fusillé et ce sera mon tour de vous sauver. Vous savez, on peut avoir besoin des petits. M. Victor Hugo, s'il vous fallait un asile, cette maison-ci est à vous. Venez-y. Vous y trouverez un lit où vous pourrez dormir et un homme qui se fera tuer pour vous.

Hugo le remercie par un serrement de main. 8 heures sonnent. Juliette et lui se hâtent vers la rue de Charonne. A l'angle de la rue du Faubourg-Saint-Antoine, ils voient une petite foule attroupée devant les affiches de « Bonaparte ». Une vieille femme ricane :

— Les vingt-cinq francs sont à bas. Tant mieux !

Les représentants à l'Assemblée touchent en effet vingt-cinq francs par jour et c'est par le chiffre de leur indemnité que le public populaire a pris l'habitude de les désigner. Quelques pas plus loin, Hugo est rejoint par Jules Favre, Michel (de Bourges), Lafon, Bourzat et Madier de Montjau. Rue de Charonne, les ébénistes terrorisés les ont chassés. « Le groupe est assez nombreux, note Juliette, et attire les regards des rares ouvriers qui vont et viennent. L'un d'eux en blouse blanche me serre le bras en passant en me montrant V. H. d'un air d'intelligence qui a l'air de dire : *" Quel bonheur ! le voilà, il peut aussi compter sur nous. "* » Le nouveau rendez-vous est chez Lafon, 2, quai de Jemmapes.

Un fiacre passe à point nommé. Hugo y fait monter Juliette. Elle l'attendra un long moment. Elle tremblera en apercevant une patrouille — cent à cent cinquante soldats — marcher en silence le long du quai et se diriger vers la maison où siègent les représentants. « A la hauteur de la porte, une halte silencieuse se fait. Une inexprimable angoisse s'empare de moi. Je sors de la voiture et j'attends avec terreur ce qui va se passer. Mais au moment où je crois tout perdu, la patrouille s'en va et je vois reparaître les fusils sur le pont du canal. » Un instant plus tard, Hugo viendra lui dire de rentrer chez elle ; il ne sait ce qui l'attend. Elle obéira.

Dans le petit appartement enfumé, la réunion du quai de Jemmapes n'a pas duré longtemps. Quand on ne sait quelle décision prendre, on nomme un comité. C'est très exactement ce que l'on a fait. Ont été élus : Carnot, Flotte, Jules Favre, Madier de Montjau, Michel (de Bourges) — et Hugo. Une voix s'est élevée pour qu'on l'appelât comité d'Insurrection.

— Non, a dit Hugo, comité de Résistance. L'insurgé, c'est Louis Bonaparte.

Surprise : on est venu dire à Victor que Proudhon l'attendait place de la Bastille et tenait à lui parler. Proudhon ? Hugo n'a jamais ressenti de grande sympathie pour l'homme, ni pour ses idées qu'il trouve plutôt confuses. Mais Proudhon a la confiance des prolétaires. S'il fait entrer en jeu toute sa puissance de conviction, le peuple bougera peut-être. Hugo court le long du quai vers cet espoir. L'eau noire du canal clapote à côté de lui. La nuit n'est qu'ombres et silence. Place de la Bastille, le philosophe socialiste l'attend, coiffé de son habituel chapeau à large bord, face au canal, les deux coudes appuyés sur le parapet. Hugo : « Nous avions à gauche la place de la Bastille, profonde et obscure ; on n'y voyait rien et l'on y sentait une foule. Des régiments y étaient en bataille ; ils ne bivouaquaient pas ; ils étaient prêts à marcher ; on entendait la rumeur sourde des haleines ; la place était pleine de ce fourmillement d'étincelles pâles que font les bayonnettes dans la nuit. Au-dessus de ce gouffre de ténèbres se dressait droite et noire la colonne de Juillet. »

De toute son espérance tendue, Hugo écoute ce que Proudhon a à lui dire. Ô déception !

— Je viens vous avertir en ami, lui dit l'homme au grand chapeau. Vous vous faites des illusions. Le peuple est mis dedans. Il ne bougera pas. Bonaparte l'emportera. Cette bêtise, la restitution du suffrage universel, attrape les niais. Bonaparte passe pour socialiste. Il a dit : *Je serai l'empereur de la canaille.* C'est une insolence, mais les insolences ont chance de réussir quand elles ont à leur service ceci.

Et Proudhon montre du doigt la lueur des baïonnettes. Hugo se tait. Proudhon le regarde. On dirait qu'il veut le percer à jour.

— Qu'espérez-vous ? demande-t-il.
— Rien, répond Hugo.
— Et que ferez-vous ?

— Tout.

Hugo — égal à lui-même — s'est enfoncé dans la nuit pour rejoindre ses collègues.

Juliette s'est fait conduire chez une dame de sa connaissance, une certaine Mme Castanet. Elle est sans illusion, Juliette. L'image entrevue quai de Jemmapes a achevé de la convaincre : d'une part ces soldats en armes qui s'avançaient, impavides, image de la force écrasante ; de l'autre ces quelques hommes en redingote qui s'engouffraient chez Lafon en rasant les murs : elle a dans l'instant senti ce que l'affrontement pouvait comporter de dérisoire. En même temps, la vérité s'est imposée à elle : son Victor était en grand danger et bientôt il le serait plus encore. D'où la visite à Mme Castanet.

Étonnée, la femme a vu paraître Juliette chez elle en pleine nuit. Plus étonnée encore, elle a entendu la visiteuse demander si, le cas échéant, elle accepterait de donner asile à Victor Hugo. Aussitôt, le visage de « l'amie » s'est fermé. Il n'en est pas question. « Cette femme, qui doit tout à V. H., repousse ma demande. »

Est-il nécessaire de suivre Hugo de réunion en réunion ? Ce sont les lieux qui changent, point l'ambiance. On apprend peu à peu le détail des arrestations à domicile, la réunion des 220 représentants de la majorité rue de Bourgogne, leur vaine tentative de résistance, leur « empoignade » par la force publique qui les a menés de force au quai d'Orsay, avant de les répartir entre la prison de Mazas, Vincennes et le Mont-Valérien. On apprend la platitude du président Dupin, l'évanouissement de la Haute-Cour, la nullité du Conseil d'État.

Où qu'il soit, Hugo revient au même thème. Il faut passer à l'offensive ce soir-là :

— Nous sommes 120 représentants républicains à rester libres. Installons-nous salle Roysin, au faubourg Saint-Antoine. Installons-nous-y dans la plénitude et dans la majesté du pouvoir législatif. Nous sommes désormais l'Assemblée, toute l'Assemblée ! Siégeons là, délibérons là, en écharpes, au milieu du peuple. Mettons le faubourg Saint-Antoine en demeure, réfugions-y la représentation nationale, réfugions-y la souveraineté populaire, donnons le peuple à garder au peuple, adjurons-le de se défendre. Au besoin, ordonnons-le-lui !

Cette fois, il semble avoir sorti ses collègues de leur accablement et de leur indécision. On convient de se retrouver le lendemain mercredi 3 décembre, entre 9 et 10 heures du matin à la salle Roysin. On y arrivera isolément ou par petits groupes et l'on avertira de ce rendez-vous les absents. Il peut être environ minuit. Hugo cause devant la porte avec Baudin quand un jeune homme à barbe châtain, « mis comme un homme du monde et en ayant toutes les manières », s'approche de lui :

— M. Victor Hugo, où allez-vous coucher ?

— Ma foi, je n'en sais rien.

— Voulez-vous venir chez moi ?

— Je veux bien.

Il se présente : M. de la Roëllerie. Il connaît Abel Hugo, il a été préfet sous le gouvernement provisoire, il a une voiture. A 1 heure du matin il fait entrer Hugo chez lui, rue Caumartin, réveille son épouse, « ravissante femme blanche et blonde, en robe de chambre, note Hugo, les cheveux dénoués, belle, fraîche, stupéfaite, douce pourtant ». Malgré la trahison de Bonaparte, voilà un représentant du peuple toujours sensible au charme féminin ! Mme de la Roëllerie improvise pour cet hôte inattendu un lit sur un canapé. Dans la même pièce, un enfant de deux ans dort dans son berceau. Hugo s'allonge tout habillé. Il ne parvient pas à trouver le sommeil :

« On peut dormir la veille d'une bataille entre armées, la veille d'une bataille entre citoyens on ne dort pas. Je comptai toutes les heures qui sonnaient à une église peu éloignée ; toute la nuit passèrent dans la rue, qui était sous les fenêtres du salon où j'étais couché, des voitures qui s'enfuyaient de Paris ; elles se succédaient rapides et pressées ; on eût dit la sortie d'un bal. Ne pouvant dormir, je m'étais levé. J'avais un peu écarté les rideaux de mousseline d'une fenêtre et je cherchais à voir dehors ; l'obscurité était complète. Pas d'étoiles, les nuages passaient avec la violence diffuse d'une nuit d'hiver. Un vent sinistre soufflait. Ce vent des nuées ressemblait au vent des éléments. Je regardais l'enfant endormi. »

Le petit jour. Un baiser sur le front de l'enfant. Hugo se retrouve dans la rue déserte. Les boutiques sont encore fermées ; une laitière, son âne à côté d'elle, dispose tranquillement ses pots sur le trottoir. Hugo s'est engagé dans la rue

Saint-Lazare. A mesure que le jour naît, Paris s'anime. Sur un mur, une affiche toute fraîche annonce la composition du ministère. Une nouvelle bouffée de colère secoue Hugo, il se précipite, arrache l'affiche et la jette dans le ruisseau. Des soldats le regardent faire et, en silence, passent leur chemin. Place Bréda, des fiacres attendent. Hugo en prend un et se fait conduire chez lui. Tant pis pour les risques. Il a *besoin* de voir les siens. Il sonne. Isidore vient ouvrir et jette un grand cri :

— Ah ! c'est vous, monsieur ! On est venu cette nuit pour vous arrêter !

Il entre dans la chambre d'Adèle. Elle est couchée mais ne dort pas. Qui, d'elle ou de lui, est le plus ému ? Elle lui raconte la visite du commissaire de police, un nommé Yver, venu en effet avec sept ou huit argousins pour l'arrêter dans la nuit. La police peut revenir d'un moment à l'autre. Vite, il faut qu'il parte ! Hugo n'a que le temps d'embrasser sa femme et de redescendre. Quelques voisins effrayés attendent dans la cour. Il leur crie en riant :

— Pas encore pris !

Toute la police de Paris serait-elle à ses trousses qu'il ne quitterait pas son quartier sans passer rue Laferrière, d'abord, cité Rodier ensuite . Il s'arrache des bras de Léonie pour courir chez Juliette. Quand il annonce à la « princesse Négroni » que, fidèle à sa promesse, il va se faire conduire salle Roysin, elle se récrie : la salle est en plein faubourg Saint-Antoine et on vient de lui dire qu'on se bat dans le faubourg. Ne connaîtrait-elle pas encore son Victor ? Impossible de l'en faire démordre : il ira. Souriante, tranquille, elle annonce que, dans ce cas, elle l'accompagnera. Il proteste, refuse. Ne connaîtrait-il pas sa Juliette ? Elle ira. En un tournemain elle est prête. *Récit de Juliette* : « Pendant que je passe une robe, il prend un morceau de pain et deux poires à cuire en guise de déjeuner. » Elle monte avec lui dans le fiacre qui l'attend.

Place de la Bastille, le génie baigné de brume contemple du haut de sa colonne quatre batteries attelées rangées à ses pieds. Tout autour, trois régiments en bataille campent sur le pavé. Sans compter des officiers qui, dans l'air glacé du matin, vont et viennent pour se réchauffer.

---

1. Pour des raisons de défaillance documentaire, nous n'avons pas la preuve de la visite à Léonie. Comment douter qu'elle n'ait pas eu lieu ?

Un regard mauvais vers cette soldatesque et Hugo ordonne au cocher de s'engager dans le faubourg :

— Mais, monsieur, on va nous empêcher !

— Nous verrons.

On ne les empêche pas. Le fiacre passe devant un groupe d'officiers à épaulettes. L'immédiate réaction de Hugo ne nous étonne plus : il fait arrêter le fiacre, abaisse la vitre, brandit son écharpe de représentant et harangue ces beaux uniformes qui lui font voir rouge. Les officiers l'écoutent, comme pétrifiés. « J'ai beau lui mettre la main devant la bouche, note Juliette, et essayer de cacher sa figure dans mon mantelet, je n'y parviens pas. Dieu semble avoir frappé tous ces hommes de surdité et de cécité. » Il avise un général :

— Vous qui êtes là, habillé comme un général, c'est à vous que je parle, monsieur. Vous savez qui je suis ; je suis un représentant du peuple, et je sais qui vous êtes, et je vous l'ai dit, vous êtes un malfaiteur. Maintenant voulez-vous savoir mon nom ? Le voici : je m'appelle Victor Hugo. A présent, vous, dites-moi le vôtre !

Pas de réponse. Hugo reprend :

— Soit, je n'ai pas besoin de savoir votre nom de général, mais je saurai votre numéro de galérien.

Le général baisse la tête. Du moins, c'est Hugo qui le dit. Le fiacre reprend sa marche. 2 heures sonnent à l'église Saint-Paul. On avance jusqu'à ce que l'on trouve la rue barrée d'un trottoir à l'autre par une compagnie d'infanterie, rangée sur trois lignes. Hugo avise une petite rue à droite.

— Prenez par là, dit-il au cocher.

Il faut convenir que ce cocher ne manque pas de caractère. On s'enfonce dans un labyrinthe de rues et de ruelles. Tout à coup, une détonation.

— Où est le café Roysin ? demande Hugo.

— Droit devant nous.

— Allez-y.

Le cocher pousse son cheval qui avance au pas. Une nouvelle détonation et l'extrémité de la rue se remplit de fumée. Un ordre donné d'une voix forte :

— Arrêtez !

Le cocher obtempère. A travers la vitre baissée, Hugo reconnaît Alexandre Rey, livide.

— N'allez pas plus loin, dit-il, c'est fini.

— Comment, fini ?

— Oui, on a dû avancer l'heure ; la barricade est prise, j'en arrive. Elle est à quelques pas d'ici, devant nous.

Il ajoute, baissant la voix :

— Baudin est tué.

A l'extrémité de la rue, la fumée se dissipe. A cent pas devant lui, Hugo aperçoit, « au point de jonction de la rue Cotte et de la rue Sainte-Marguerite, une barricade très basse que les soldats défaisaient. On emportait un cadavre. C'était Baudin ».

Brisé, Rey conte l'affaire à Hugo. Plusieurs représentants sont arrivés salle Roysin à l'heure dite. Sept d'entre eux ont décidé de s'avancer à pied dans le faubourg Saint-Antoine, ceints de leur écharpe, pour appeler le peuple à l'insurrection. Ils ont cru deviner de la sympathie sur les visages. Rien de plus. Ils ont désarmé un poste — qui y a mis beaucoup de bonne volonté —, se sont emparés de fusils et de munitions. Peu à peu, une quinzaine d'hommes armés les ont rejoints. On a renversé une charrette et un omnibus pour barrer la rue du Faubourg-Saint-Antoine. On s'est posté sur cette barricade qui, comparée à celle — formidable — de juin, semblait un jouet d'enfant. Une compagnie du 19e de ligne, venant de la Bastille, est accourue. Victor Schoelcher a longuement parlementé avec le capitaine. Des hommes en blouse se sont approchés, moquant les représentants :

— Croyez-vous que nous allons nous faire tuer pour vous conserver vos vingt-cinq francs par jour ?

Baudin, debout sur la barricade, les a regardés fixement et leur a dit :

— Vous allez voir comment on meurt pour vingt-cinq francs.

On a entendu le capitaine ordonner :

— A la baïonnette !

— Vive la République ! ont crié les représentants.

Les soldats ont chargé. Devant ces hommes impassibles, qui, les bras croisés, les attendaient debout, la troupe s'est arrêtée d'elle-même. Face à face insolite, attente insupportable. Énervé, un fourrier a déchargé son arme en l'air. Un ou deux hommes de la barricade ont cru que la troupe s'était mise à tirer. Ils ont ouvert le feu. Cette troupe saisie de respect est devenue une troupe furieuse. Criblant la barricade, elle s'est ruée à l'assaut. C'est alors que Baudin a été tué.

Hugo voudrait rester là, renouer des contacts avec d'autres

groupes populaires. Les autres représentants lui remontrent que ce serait là inutile courage. « Ils disent que le faubourg ne vaut rien, note Juliette. Ils supplient V.H. de retourner dans Paris. Ils suffisent, disent-ils, aux besoins du moment. » Il est 10 heures du matin. Hugo exige de Juliette qu'elle rentre chez elle. Elle obtempère, mais elle suit son idée. Tout maintenant lui démontre qu'elle a raison de croire à l'échec. C'est à Victor qu'elle songe — comme toujours. Où lui trouver un abri ? Qui voudra le cacher ? La voilà dans son quartier : « Pour ne pas attirer l'attention de mon voisinage, je quitte le fiacre à la place Bréda, et songe à aller voir Mme de Montferrier qui demeure sur mon passage. Elle me paraît froide et réservée et ne me dit pas un mot sur les événements. Je la quitte, le cœur serré, en songeant que le moment est venu de faire l'expérience des vrais dévouements. »

Cette dame Sarrazin de Montferrier, Juliette l'a connue naguère lors d'un de ses séjours aux Metz. M. de Montferrier dirige un journal très favorable à l'Élysée.

Soixante représentants, dont Hugo, se réunissent l'après-midi, rue des Moulins. On discute, on rédige de nouvelles proclamations. Mais le cœur n'y est plus. Elles sont encore moins réjouissantes que la veille, les nouvelles que l'on reçoit de partout. Rue Beaubourg, une centaine d'émeutiers ont, du haut d'une barricade, tiré sur un peloton de chasseurs. Les soldats ont aussitôt contourné l'obstacle et ont fusillé sur place tous les insurgés. Ce sont les ordres du ministère de la Guerre.

Au cours de la réunion, un représentant s'est approché de Hugo qui, stupéfait, a reconnu le prince Napoléon Bonaparte, fils de Jérôme, connu pour ses opinions de gauche. Il lui a demandé s'il savait où coucher. Hugo ne le savait point :

— Eh bien, venez chez moi. Il n'y a peut-être qu'une maison dans Paris où vous soyez en sûreté, c'est la mienne. On ne viendra pas vous chercher là. Venez-y le jour, la nuit, à quelque heure qu'il vous plaira ; je vous attendrai, et c'est moi qui vous ouvrirai. Je demeure rue d'Alger, n° 5.

Hugo trouve la proposition généreuse — elle l'est — mais tout compte fait, il préfère rentrer chez lui. Il trouve sa femme et sa fille dans le salon se chauffant au coin du feu en compagnie de Mme Paul Meurice. En le voyant, Adèle II pousse un cri, Adèle I lui saute au cou, le supplie de partir à l'instant :

— Tu es perdu si tu restes une minute. Tu vas être pris ici !

Mme Paul Meurice confirme : la police était là un quart d'heure plus tôt. Impossible de rester. Quelques minutes de grâce et Victor prend congé. Quand il passe devant la loge du portier, il aperçoit « deux ou trois petits enfants, assis autour d'une lampe, qui riaient et regardaient des estampes dans un livre ».

Juliette, qui n'a pu se retenir d'aller l'après-midi aux nouvelles rue des Moulins et qui y a trouvé un Hugo dont le calme, la présence d'esprit « et une sorte de gaieté douce » l'avaient un peu rassurée, est rentrée chez elle. Elle a vu paraître sa vieille amie, Mme Lanvin, qui lui a dit qu'une partie des habitants de sa rue était décidée à marcher contre l'Élysée mais que l'autre avait « peur de la république rouge ». Sa filleule Julie est venue lui dire ensuite que toutes les mesures étaient prises « pour écraser toute résistance ». Du coup, les alarmes de Juliette se sont accrues. Elle envoie même Julie — quelle audace ! — rue de la Tour-d'Auvergne interroger Mme Hugo : « Elle revient. Elle a parlé à Mme Hugo et à sa fille. Ces dames ne paraissent pas tourmentées. Elles savent où est M. Hugo ; elles ajoutent que tout va bien. Pendant que j'essaie de dîner, V.H. arrive. Il est épuisé de fatigue ; il n'a pas dîné et cependant, il n'a que le temps de prendre un petit morceau de pain qu'il mange à la hâte. » Ils sortent de la maison tous les deux. Elle l'accompagne rue Croix-des-Petits-Champs où il doit retrouver ses collègues. A la porte, elle le quitte et revient vers les boulevards.

A la tombée de la nuit, des groupes se sont formés qui peu à peu deviennent des attroupements et bientôt se changent en foule houleuse. Boulevard Saint-Martin et boulevard du Temple, Juliette voit soudain une masse d'hommes et de femmes s'avancer derrière des torches. A pleine voix, ils chantent *la Marseillaise*. Juliette s'approche, découvre que ces gens à l'air farouche portent sur leurs épaules une planche où l'on a étendu un vieillard à barbe blanche, le front troué d'une balle. Derrière, d'autres manifestants s'avancent, portant sur une civière un jeune homme, la poitrine ensanglantée. Ce cortège vient de la rue Aumaire où l'infanterie a pris d'assaut une barricade, laissant derrière elle ces deux cadavres, l'un étant le père, l'autre le fils !

Sans rien savoir de tout cela, les représentants siègent toujours rue Croix-des-Petits-Champs. Le plus vite qu'elle peut, Juliette y retourne, fait appeler Hugo, l'informe de cette « effroyable chose » dont elle vient d'être témoin. « Je supplie V.H. de souffrir que je l'attende sur l'escalier mais il n'y consent pas et me fait entrer dans l'office où se trouvent réunis les domestiques de la maison. » Elle attend là au milieu de femmes occupées de travaux d'aiguille, presque toutes allemandes ou alsaciennes. En coup de vent, Victor vient la rejoindre. La maison risque d'être cernée. Il faut partir ! Autour d'eux, les représentants passent en courant. Ils s'égaillent dans la nuit. Hugo a pris le bras de Juliette, ils pressent le pas. Il était temps : on entend dans l'ombre le pas cadencé des soldats.

Le nouveau ministre de l'Intérieur, Morny, vient d'envoyer cette dépêche au préfet de police Maupas : « *Si vous prenez Victor Hugo, faites-en ce que vous voudrez.* » La dépêche a été publiée dans ses Mémoires par le docteur Véron qui ajoute : « M. de Maupas fit chercher Victor Hugo chez son beau-frère, M. Victor Foucher, conseiller à la Cour de cassation. On ne l'y trouva pas. » A-t-on été beaucoup plus loin que les intentions ambiguës affichées par cette dépêche ? A-t-on mis à prix la tête de Hugo ? Il le semble bien, si l'on en croit une lettre d'Alexandre Dumas au comédien Bocage, datée du 3 décembre 1851 et ainsi conçue : « Mon cher Bocage. Aujourd'hui, à 6 heures, 25 000 francs ont été promis à celui qui arrêterait ou tuerait Hugo. Vous savez où il est. Que sous aucun prétexte il ne sorte. A vous. ALEX. DUMAS. »

Dans une note tracée à la première page des épreuves de *la Légende des siècles* dont il fera don à Juliette, Hugo écrira : « L'ordre de me fusiller, si j'étais pris, avait été donné dans les journées de décembre 1851. Si je n'ai pas été pris, et, par conséquent, fusillé, si je suis vivant à cette heure, je le dois à Mme Juliette Drouet qui, au péril de sa propre liberté et de sa propre vie, m'a préservé de tous pièges, a veillé sur moi sans relâche, m'a trouvé des asiles sûrs et m'a sauvé, avec quelle admirable intelligence, avec quel zèle, avec quelle héroïque bravoure, Dieu le sait et l'en récompensera ! Elle était sur pied la nuit comme le jour, errait seule à travers les ténèbres dans les rues de Paris, trompait les sentinelles, dépistait les espions, passait intrépidement au milieu de la mitraille, devinait toujours où j'étais et, quand il s'agissait de me sauver, me rejoignait toujours. » En 1862, lors d'un

voyage en Belgique, Hugo écrira encore, dans un album :
« J. J. m'a aimé, puis m'a sauvé au 2 décembre. Elle m'a
donné d'abord sa vie, ensuite la mienne [1]. »

Ce soir-là, elle l'a conduit jusqu'à la porte de l'immeuble de
la rue de Richelieu où un ancien ami de Victor, Henry Descamps, lui a offert asile. Elle voudrait rester près de lui.
Hugo exige absolument qu'elle rentre chez elle pour le rejoindre le lendemain matin, 8 heures et demie. Les convenances.
La plus dévouée des amantes obéit — elle obéit toujours :

« Mais, auparavant, je veux voir si la rue et les environs ne sont
pas espionnés. Je vais rue de Richelieu. J'en fais le tour par la rue
Fontaine-Molière. Je m'assure bien qu'aucune porte, qu'aucun
recoin n'abrite d'agents de police. Tout est parfaitement calme,
silencieux et désert. Il est évident que les soupçons de la police sont
dirigés vers d'autres points. Je reviens à la maison sans rencontrer
autre chose que des patrouilles nombreuses et fortes. Il est une
heure du matin. »

Avant de gagner son lit, Hugo a tenu à noter des souvenirs
et impressions de la journée. Il ne pose sa plume qu'après
cette dernière phrase : « Demain sera une journée terrible. »

Le lendemain matin, 4 décembre, Juliette se lève à
6 heures. Il fait nuit noire. Elle s'habille, elle sort. Tout est
calme. « Les passants vont à leurs affaires, sans paraître rien
redouter. On dirait qu'il ne s'est rien passé. » Rue de Richelieu, elle monte en courant l'escalier. La clé est sur la porte.
Elle entre, trouve Victor couché :

« Il est pâle et fatigué, mais non découragé. Je lui prépare ses
affaires. Je lui allume du feu. Il s'habille. Il faut qu'il aille au rendez-
vous dans la même rue, deux numéros plus bas. Il me dit de l'attendre dans la chambre. Il ne sait pas combien de temps il sera absent
et me commande de l'attendre au moins jusqu'à deux heures et, si je
sors, d'être rentrée, dans tous les cas, à quatre heures. Son calme, la
tranquillité que j'ai observée en chemin, tout cela me rassure et je le
vois partir sans trop d'inquiétude. Je m'installe sur son grand fauteuil, les pieds devant le feu, un livre à la main, lisant sans comprendre, tant j'ai l'esprit tendu par les événements du dehors. »

Les représentants encore libres se réunissent ce matin-là

1. Bibliothèque nationale. NAF, 13 455, album de 1862, f 30.

chez un de leurs collègues prisonniers, Jules Grévy. On décide de lancer une nouvelle proclamation annonçant l'élection d'une Assemblée nationale au suffrage universel. Mais qui l'imprimera ? Cependant, entre 9 et 10 heures, Hugo apprend que, dans le quartier qui s'étend du boulevard et de la rue Montmartre à la rue du Temple, soixante-dix-sept barricades ont été édifiées. Plutôt que de poursuivre de sempiternelles palabres, il décide d'aller les visiter. Peut-être la présence d'un représentant encouragera-t-elle les combattants. Il saute dans un fiacre qui le dépose à la pointe Saint-Eustache. Il notera :

« Barricades visitées par moi : Une à la pointe Saint-Eustache. Une à la Halle aux huîtres. Une rue Mauconseil. Une rue Tiquetonne. Une rue Mandar (Rocher de Cancale), une barrant la rue du Cadran et la rue Montorgueil. Quatre fermant le Petit-Carreau. Commencement d'une entre la rue des Deux-Portes et la rue Saint-Sauveur. Une au bout de la rue Saint-Sauveur, barrant la rue Saint-Denis. Une, la plus grande, barrant la rue Saint-Denis à la hauteur de la rue Guérin-Boisseau. Une barrant la rue Grenéta. Une plus avant dans la rue Grenéta, barrant la rue Bourg-l'Abbé (au centre une voiture de farine renversée ; bonne barricade). Rue Saint-Denis, une barrant la rue du Petit-Lion-Saint-Sauveur. Une barrant la rue du Grand-Hurleur, avec les quatre coins barricadés. »

Il note encore :

« Je vais rue Pagevin. Il y a là, à l'angle de la place des Victoires, une barricade très bien faite. Dans la barricade d'à côté, rue Jean-Jacques-Rousseau, la troupe ce matin n'a pas fait de prisonniers. Les soldats ont tout tué. Il y a des cadavres jusque sur la place des Victoires. La barricade Pagevin s'est maintenue. Ils sont là cinquante, bien armés. J'y entre. — Tout va bien ? — Oui. — Courage ! — Je serre toutes ces mains vaillantes. On me fait un rapport. On a vu un garde municipal écraser la tête d'un mourant à coups de crosse. Une jeune fille, jolie, voulant rentrer chez elle, s'est réfugiée dans la barricade. Elle y est restée une heure, " épouvantée ". Quand le danger a été passé, le chef de la barricade l'a fait reconduire chez elle " par le plus âgé de ses hommes ". Comme j'allais sortir de la barricade Pagevin, on m'a amené un prisonnier, " un mouchard ", disait-on. Il s'attendait à être fusillé. Je l'ai fait mettre en liberté. »

Sur la première barricade, il a rencontré de Flotte qui lui a servi de guide et ne voudra le quitter que lorsqu'il l'aura vu remonter dans son fiacre. Le cocher, qui l'a attendu rue de la Vrillière, le ramène rue de Richelieu. Le cœur plein de désespoir et de colère. Un peu plus tard, la grande barricade du boulevard de Bonne-Nouvelle est prise. L'une après l'autre, les barricades qui se défendent encore sont enlevées par la troupe. Sur l'une d'elles se trouve ce Georges Biscarrat sauvé par Hugo en juin 1848. Il s'est souvenu de la règle de conduite que lui avait fixée le poète : *Jamais d'insurrection que pour le devoir et pour le droit.* Il a jugé cette fois que nul ne pouvait hésiter sur le camp qui abritait le droit et le devoir. Ce matin-là, avec une centaine d'hommes, il avait dépavé la rue Thévenot. Il était 10 heures et demie. Biscarrat se réjouissait :

— La barricade de mes rêves !

De toutes, elle était l'une des plus hautes et des plus redoutables. A 11 heures, avec la satisfaction que l'on met au travail bien fait, Georges Biscarrat a pu voir *sa* barricade achevée. A midi, il y était tué.

C'est fini. Tout le quartier insurgé est parcouru par des colonnes infernales qui ne font pas de prisonniers. Tout homme pris armé ou les mains noires est fusillé sur place. Le pire est à venir.

L'après-midi, on éteint les derniers foyers de révolte. Sur le boulevard — du Gymnase à la Madeleine — des badauds regardent, comme au spectacle, les troupes qui, en bataillons serrés, occupent la chaussée. Un coup de feu claque. Nul n'a jamais su d'où il était venu. La troupe se croit agressée. Follement, elle ouvre le feu sur cette foule sans défense : sur l'asphalte du boulevard, voilà au moins quatre cents tués, des hommes de tout âge, des femmes, des enfants. Une fois de plus, l'horreur. Il est sûr que Louis-Napoléon n'a pas voulu cela. Il en a toute sa vie avoué un regret qui ressemblait à du remords. Le résultat est là : Paris est dompté. « Le coup fut monstrueux et terrassa Paris, écrira Hugo. Le 2 décembre était perdu ; le 4 décembre sauva le 2 décembre... Paris se rendit ; la nouveauté du forfait en fit l'efficacité ; Paris cessa presque d'être Paris ; le lendemain on put entendre dans l'ombre le claquement de dents de ce titan terrifié. »

Au moment où l'on a commencé à tirer, Hugo se trouvait rue de Richelieu au siège du comité. On a vu entrer Versigny, blême, annonçant qu'il se passait sur le boulevard « quelque chose d'horrible », que l'on « fouillait les maisons à quelques pas ». On tuait tout. « Les massacreurs allaient de porte en porte et approchaient. » Il fallait fuir — encore ! — et se rendre au nouvel asile qu'un ami offrait chez lui, rue du Mont-Thabor, 11. Hugo a pris le bras de Jules Favre et y est allé. Pour rien : on ne fait que parler, que se lamenter. Hugo — lui — a préféré *voir*. Encore. Il sent que, cette fois, voir pourra lui servir à témoigner. A moins que le destin arrête là sa carrière : autre façon de témoigner. Accompagné de Versigny et de Bancel il s'achemine vers le boulevard :

« Dans une telle angoisse, à force de sentir, on ne pense plus, ou, si l'on pense, c'est éperdument. On ne souhaite plus qu'une fin quelconque. La mort des autres vous fait tant d'horreur que votre propre mort vous fait envie. Si du moins, en mourant, on pouvait servir à quelque chose ! On se souvient des morts qui ont déterminé des indignations et des soulèvements. On n'a plus que cette ambition : être un cadavre utile.

« Je marchais, affreusement pensif.

« Je me dirigeais vers le boulevard ; j'y voyais une fournaise, j'y entendais un tonnerre. »

Il voit venir à lui Jules Simon qui l'arrête :

— Où allez-vous ? Vous allez vous faire tuer. Qu'est-ce que vous voulez ?

— Cela.

Ils se serrent la main. Hugo arrive sur le boulevard : « J'ai vu ce crime, cette tuerie, cette tragédie. J'ai vu cette pluie de la mort aveugle, j'ai vu tomber autour de moi en foule les massacrés éperdus. »

Au moment où Hugo traverse la chaussée mitraillée, il croise Xavier Durieu qui lui crie :

— Ah ! vous voilà. Je viens de rencontrer Mme Drouet. Elle vous cherche.

Patiemment, Juliette avait attendu chez M. Descamps le retour de Victor. Au bout de plusieurs heures, de nouveau folle d'angoisse, elle était partie à sa recherche et ne l'avait trouvé nulle part. Vers 3 heures et demie de l'après-midi, au moment où elle gagnait le boulevard par la rue Vivienne, une « décharge formidable » s'était fait entendre : la fusillade commençait. Au milieu d'une foule épouvantée, l'admirable femme a dû courir à toutes jambes pour échapper à la mort. Elle pense à peine à elle-même. Dans cette cohue, au milieu de ces cris, c'est son Victor qu'elle cherche. Cheveux gris, encore belle mais épaissie, elle affronte la fureur de la troupe enragée et demande à tous les échos où est Victor Hugo. Au coin de la rue, devant un amoncellement de cadavres elle s'arrête et s'indigne à voix très haute. Un cavalier furieux s'élance vers elle, pistolet au poing. Devant elle, une porte s'ouvre brusquement. Elle s'y jette. Impossible à Victor, au sein de cette fournaise, de retrouver Juliette. Il fait nuit noire. Hugo quitte le boulevard, mêlé à « un tourbillon de foule terrifiée », ne sachant trop où aller. Il entend derrière lui quelqu'un lui dire à mi-voix :

— Il y a là une chose qu'il faut que vous voyiez.

Il se retourne, reconnaît l'auteur dramatique Édouard Plouvier. D'un signe de tête, il acquiesce. Versigny, Bancel et lui suivent Plouvier qui les entraîne dans une rue obscure : la rue Tiquetonne. On s'arrête devant une maison haute et noire, on pénètre dans une salle basse, paisible, éclairée d'une seule lampe. Au fond, deux lits côte à côte, un grand, un petit. Près de la lampe, sur une chaise, une vieille femme « penchée, courbée, pliée en deux, comme cassée, sur une chose qui était dans l'ombre et qu'elle avait dans les bras ». Hugo s'approche. Ce que la vieille serre contre elle, c'est un enfant mort.

Plouvier s'approche, touche l'épaule de la femme. Elle lève la tête. Hugo voit sur ses genoux « un petit garçon, pâle, à demi déshabillé, joli, avec deux trous rouges au front ». La vieille femme murmure, se parlant à elle seule :

— Et dire qu'il m'appelait bonne maman ce matin !

L'enfant paraît âgé de sept ans. On lui a lavé le visage, deux filets de sang sortent des deux trous. « L'enfant avait les yeux à demi ouverts et cet inexprimable regard des morts où la perception du réel est remplacée par la vision de l'infini. L'aïeule, à travers ses sanglots, parlait par instants : — Si c'est Dieu possible ! — A-t-on idée ! — Des brigands, quoi ! »

Avec des précautions infinies, Hugo, Plouvier, Versigny, Bancel vont achever de déshabiller l'enfant. Dans sa poche, ils trouvent une toupie. Hugo se penche, baise au front la petite victime. On tire un drap de l'armoire. « Alors l'aïeule éclata en pleurs terribles. Elle cria : — Je veux qu'on me le rende. » Son impuissance l'accable. Elle prend sa tête dans ses mains, pose ses bras croisés sur son enfant et se met à sangloter. Une femme que les visiteurs n'avaient pas vue sort alors de l'ombre et, sans dire un mot, essuie la bouche de Hugo avec un mouchoir. Il avait du sang aux lèvres.

Les trois hommes s'en vont, accablés de douleur. Ce « souvenir de la nuit du 4 » inspirera à Hugo l'un des inoubliables poèmes des *Châtiments*.

> L'enfant avait reçu deux balles dans la tête.
> Le logis était propre, humble, paisible, honnête ;
> On voyait un rameau bénit sur un portrait.
> Une vieille grand-mère était là qui pleurait.
> Nous le déshabillions en silence. Sa bouche,
> Pâle, s'ouvrait ; la mort noyait son œil farouche ;
> Ses bras pendants semblaient demander des appuis.
> Il avait dans sa poche une toupie en buis [1].

Pour la troisième fois, Hugo regagne l'appartement de M. Descamps. Il pousse la porte. Juliette est là. Ne l'ayant pas trouvé, sur le boulevard, elle est revenue rue de Richelieu, a décidé de n'en plus bouger jusqu'à ce qu'elle l'ait revu. Il a faim. Elle lui met son couvert : « M. Descamps entre. Il vient savoir s'il n'était rien arrivé à V. H., lui donne des nouvelles de sa famille et lui offre ses services pour toutes choses. Le danger de traverser le boulevard décide V. H. à me faire passer la nuit dans la chambre. »

La tragédie a eu raison des convenances.

Hugo nie les évidences au-delà même de l'évidence. Il espère encore le lendemain matin que l'on continuera le combat. Il exhorte les délégués des associations ouvrières à tenir, visite les dernières barricades qui résistent encore autour des Halles, assiste à une ultime réunion des républicains. Partout l'échec.

En rentrant chez elle, Juliette a croisé d'énormes voitures de déménagement. Chacune d'elles laisse derrière elle un ruisseau de sang. Épouvantée, elle s'enquiert auprès d'un passant qui la renseigne : ce sont les cadavres des victimes de la veille que l'on emporte. Un peu plus loin, elle entend un bourgeois déclarer à un autre : « Je ne les plains pas ; je ne suis ni mort, ni blessé, moi ! » Et aussi : « Les gens raisonnables ne doivent pas aller dans les émeutes. » Et encore : « Bonaparte a bien fait de balayer tous ces conspirateurs de

1. *Les Châtiments*, II, 3.

la Chambre ; ce qu'il leur a fait hier, ils le lui auraient fait demain, ils n'ont que ce qu'ils méritent ! » Elle voit rue Bergère une énorme barricade à moitié défaite ; à l'entrée de la rue des Martyrs, les restes d'une autre barricade. Tout cela abandonné. Chez elle, sachant qu'elle ne pourra retourner auprès de Victor qu'à la nuit tombée, elle fait un peu de ménage, se met à préparer le dîner. Alors, elle voit arriver l'amie de toujours, Mme Lanvin.

Ici, le récit de Juliette permet de rectifier une erreur d'importance. On a toujours cru et écrit que l'idée de faire demander un passeport au nom de l'ouvrier typographe Lanvin venait d'elle-même. Il n'en est rien. Écoutons-la :

> « La mère Lanvin venait m'offrir d'avoir un passeport au nom et au signalement de son mari, lequel n'a aucune ressemblance d'aucune sorte avec V.H., mais les signalements sont faits précisément pour ne rien signaler. Je la remerciai, et je lui dis que j'en parlerais à V.H. Je sortis de chez moi à cinq heures. Je m'assurai que personne ne me suivait. Il pleuvait très fort. V.H. n'était pas encore rentré dans notre chambre. A six heures, V.H. arriva. Je lui racontai l'offre de Mme Lanvin. »

Il faut saisir l'offre inespérée des amis Lanvin. Juliette en convainc Hugo. Ils sortent, trouvent un fiacre qui les conduit au domicile du typographe. Hugo attend dans le fiacre. Juliette met seule au point le plan d'action des jours à venir :

> « Il fut convenu qu'on prendrait le passeport pour la Belgique et qu'on serait censé aller travailler à Bruxelles chez M. Luthereau, imprimeur. Pour plus de précautions, Lanvin devait écrire tout de suite à M. Luthereau pour le prévenir que, sur sa demande, il se rendrait à Bruxelles le surlendemain, laissant à M. Luthereau le soin de deviner quel était ce Lanvin si empressé qui venait augmenter le nombre de ses ouvriers. Le signalement du livret de Lanvin pouvait s'adapter tant bien que mal à celui de V.H. et le livret de typographe, parfaitement en règle, devait éloigner tout soupçon. Aussi, il fut convenu qu'on tâcherait d'avoir le passeport dès le lendemain. »

Lanvin, étant né le 1er avril 1803, a presque le même âge que Hugo. L'affaiblissement de sa vue l'a depuis quelque temps contraint à renoncer à son métier. Il est coursier au journal l'*Assemblée nationale*. A la vérité, ce Lanvin est un pauvre hère. Sa femme a été plus ou moins au service de Pra-

dier. Il est probable que c'est chez le sculpteur que Juliette l'a
connue. Depuis des années, une réelle amitié s'était établie
entre elle et le couple Lanvin. Quand Hugo l'avait conduite
aux Metz, Antoinette Lanvin l'avait accompagnée. Lanvin,
pour les rejoindre, accomplissait le parcours — vingt kilomètres — à pied. La recluse de la rue Saint-Anastase recevait
avec reconnaissance les visites de l'excellente femme qui la
délivrait, pour deux heures, de sa solitude et de son silence.
C'était alors « une journée de dévergondage de langue » qui
compensait « bien des jours de mutisme forcé... ». « J'ai
retenu la mère Lanvin à dîner *presque de force*, écrit-elle un
jour. Ainsi tu penses si ma pauvre *claquette* avait besoin
d'aller [1]... » Quant à Lanvin, trop pauvre pour s'acheter des
vêtements, il bénéficiait des « vieilles défroques » — comme
disait Juliette — de Hugo. Amitié, admiration, dévouement :
les braves Lanvin en étaient prodigues. Malgré leur misère,
n'apportaient-ils pas des fleurs à Hugo pour sa fête ?

Le même soir, vers 11 heures, Alexandre Dumas et Bocage
viennent trouver Adèle pour la mettre en garde : un officier a
averti l'acteur que l'on avait recruté des hommes de main
pour assassiner Hugo. Ignorant de tout cela, Victor est allé
dormir pour la troisième nuit consécutive rue de Richelieu.
Le 6 au matin, Juliette le rejoint : « Je le trouvai toujours
calme et tranquille. On n'eût jamais pu croire, en le voyant
ainsi, que sa liberté et sa vie couraient le plus grand danger. »
Elle lui prépare son déjeuner. Il veut sortir, Juliette se récrie,
rien n'y fait. Il tient à se rendre chez les Lanvin, puis au Chemin de fer du Nord, afin de se renseigner sur les heures de
départ. Ce qui préoccupe le plus Hugo, c'est la malle aux
manuscrits, toujours abritée chez Juliette. Comment faire
sortir la caisse de chez elle sans être remarqué ? Où la déposer jusqu'au moment du départ ? Il y a là-dedans ce qui est
écrit des *Misères*, il y a un grand nombre de poèmes inédits.
Et aussi ces notes, ces brouillons, ces ébauches qui ont valeur
de trésor car tout Hugo s'y révèle.

Autre certitude : il est impossible pour Juliette de retourner chez elle. La police peut revenir et l'on découvrira alors
fatalement ses communications avec Victor. Elle pense de
nouveau à ses amis Montferrier, quoique le précédent accueil
n'ait guère été encourageant. Ils s'y font conduire. Hugo

1. Lettre à Victor, 25 mars 1845.

attend dans la voiture. Juliette monte seule. Quand
Mme de Montferrier voit paraître Juliette, elle jette « un cri
de surprise et d'effroi ». En quelques mots, la demande est
formulée : Mme de Montferrier accepte-t-elle d'abriter
Juliette chez elle dès le lendemain soir ? Il y va peut-être de la
liberté et de la vie de Victor Hugo. La réponse, quoique
empreinte de cette « même froideur réservée » qui avait tant
blessé Juliette la première fois, ne se fait pas attendre :

— Tu peux venir quand tu voudras.

— Personne, à l'exception de ton mari, ajoute Juliette, ne
doit savoir que je couche chez toi. Je sortirai le matin au
point du jour, pour ne rentrer qu'à 10 ou 11 heures du soir.

— Tu feras ce que tu voudras.

Hugo ira encore assister, rue de la Madeleine, à l'ultime
réunion du comité de Résistance. Conscient enfin d'une
défaite irrémédiable, il parle d'aller se faire tuer. Pour
l'exemple. Pour l'honneur. Les autres ont beaucoup de mal à
l'en dissuader. On se dit adieu, on se sépare.

Chez elle, Juliette attend.

« Une heure se passa. Il ne revenait pas. J'étais au supplice.
J'entends enfin un fiacre rouler au bout de ma rue. Je saisis d'une
main la poignée de la malle aux manuscrits, la bonne prit l'autre poignée. De mon autre main, je tenais le sac de nuit. Nous passâmes la
malle au cocher qui la hissa sur son siège, puis je me jetai à côté de
V.H. Suzanne, profitant du moment, monta sur le marchepied, saisit
la main de V.H. sans rien dire, la serra et la baisa, puis referma la
portière. »

Quelques instants plus tard, Juliette est chez les Montferrier avec sa malle. Le fiacre est reparti, emmenant Hugo rue
de Richelieu.

Juliette s'est installée dans la chambre que lui a préparée
Mme de Montferrier. Surprise : elle est accueillie « avec le
plus tendre empressement ». Mieux, M. de Montferrier se
récrie : pourquoi Hugo ne l'a-t-il pas accompagnée ? Il faut
absolument qu'elle aille le chercher. Qu'elle y aille à l'instant ! « J'étais déjà descendue au premier étage, lorsque la
réflexion me vint que cette démarche, à onze heures et demie
du soir, pouvait attirer l'attention des deux portiers. Je
remontai donc et fis part de mes scrupules à M. de Montferrier. Il les approuva mais il fut décidé que le matin, au point
du jour, j'irais trouver V.H. et le ramènerais en voiture. »

Le 7, Juliette se lève avant l'aube.

« Pour ne pas attirer les regards des voisins ou des passants, je n'allumai pas ma bougie. Je fis à tâtons ma toilette. Quand l'aube parut, je sortis, mais je m'abstins de passer rue des Martyrs. Je pris la rue de Navarin, la rue Saint-Lazare. Je descendis jusqu'au boulevard en m'assurant que je n'étais pas suivie. J'arrivai rue Fontaine-Molière, puis, enfin, devant la porte de V.H. Je le trouvai couché. Je lui racontai ce qui s'était passé la veille entre les Montferrier et moi et que nous avions reconnu la nécessité de lui faire quitter au plus vite ce gîte que son isolement même pouvait rendre plus suspect. A tout cela, V.H. répondait avec une sorte d'hésitation. Tout ce que je pus obtenir de lui serait qu'il viendrait, dans la soirée, s'installer chez les Montferrier. »

Juliette prépare le feu et le déjeuner de Toto. Au moment où ils vont avaler la première bouchée, on frappe violemment à la porte. Juliette pousse Victor derrière un vieux paravent. Elle ouvre. « Un jeune homme à l'air commun et équivoque me demanda M. Descamps, tout en faisant effort pour voir V.H. que le paravent dissimulait. Sans paraître étonné de l'absence du maître de la chambre, sans demander aucune explication, il redescendit avec précipitation. Cet incident, qui pouvait être très naturel, inspira pourtant à V.H. assez de défiance pour le convaincre d'accepter tout de suite le refuge des Montferrier. » Il descend lui-même chercher un fiacre, pendant que Juliette rassemble le peu d'effets qui lui appartiennent. On parvient chez les amis de Juliette. « Mme de Montferrier accueillit V.H. en souriant et les larmes aux yeux. Le mari revint le soir de son journal. Il courut à V.H. et lui serra les mains. » On a enfermé la précieuse malle aux manuscrits dans un débarras et on l'a recouverte de vieux habits.

Le lendemain, Hugo parvient à faire passer une lettre à Adèle. Elle est signée d'un certain Albert Durand et adressée à « Mon cher ami ». « M. Rivière a été obligé de partir sans avoir eu le temps de vous faire ses adieux. Il me charge de vous en faire part. Du reste, il se propose de vous écrire lui-même dès qu'il aura un instant à lui, et ce sera un bonheur pour lui de vous dire tout ce dont son cœur est rempli pour vous. »

Au cours des journées du dimanche 7 et du lundi 8, pas d'autres nouvelles que celles apportées par M. de Montferrier. Ainsi apprend-on qu'un commissaire et huit agents de police — pas un de moins ! — se sont présentés au domicile de Juliette pour l'arrêter ; ils ont fouillé tout l'appartement. D'autres agents de police ont fait irruption chez Lanvin et lui ont demandé, « d'un air menaçant », pour quel motif il voulait se rendre à Bruxelles. Lanvin a répondu que c'était pour exercer son état de typographe : chacun savait que le travail manquait à Paris. On lui a demandé quand il comptait partir. Il a répondu qu'il attendait quelque rentrée d'argent. Les agents ont déclaré qu'ils reviendraient pour « savoir l'usage qu'on avait fait du passeport ». Hugo, Juliette, les Montferrier sont bien d'accord : il faut renoncer à se servir du passeport de Lanvin et tenter de s'en procurer un autre. En tout cas, attendre un jour ou deux.

Le mercredi 10 décembre au soir, M. de Montferrier revient de son journal, très préoccupé. Devant douze ou quinze personnes, un membre de la rédaction lui a dit très haut : « On dit, M. de Montferrier, que vous cachez chez vous Victor Hugo depuis trois jours. » Montferrier a éclaté de rire et s'est mis à plaisanter. Pas de doute : le danger se rapproche. Impossible de rester plus longtemps chez les Montferrier. Il faut partir tout de suite. Quel que soit le risque, on se servira du passeport de Lanvin. On fixe le départ au lendemain jeudi 11 décembre, par le train de 8 heures du soir. On décide que Juliette ira rejoindre Victor aussitôt après son arrivée. Un voyage à deux multiplierait les risques. A l'heure dite, un fiacre les attend. Il les conduit à la gare du Nord. Impossible pour Juliette d'accompagner Hugo jusqu'au train de Bruxelles. Il descend seul, elle reste dans le fiacre. Elle le voit s'éloigner vers la gare. S'est-il retourné ? Leurs regards se sont-ils croisés une dernière fois ? A ce moment-là où un grand péril s'achève cependant qu'un autre commence — pourra-t-il sortir de France ? — je suis sûr qu'elle prie, Juliette.

CINQUIÈME PARTIE

IL Y A DES HOMMES-OCÉAN

I

LA GRAND-PLACE

> Je l'aime votre Belgique, elle a pour moi cette
> beauté suprême : la liberté.
>
> Victor HUGO.

Un train qui roule dans la nuit. Un homme, adossé dans son coin, qui se tait et scrute les zébrures lumineuses qui marquent les gares où l'on ne s'arrête pas, les villages dont on ne voit rien.

Il fait froid, « horriblement froid », dira Hugo qui recommandera à Juliette de « partir les pieds très chauds » et de « prendre ses précautions pour cela », ce qui semble indiquer que lui-même ne les a pas prises.

Comme ce parcours lui paraît long ! « Le voyage va lentement, écrira-t-il. Dix minutes d'arrêt à Amiens, dix à Arras, un quart d'heure à Valenciennes. On s'arrête une demi-heure à Quiévrain. *On est en Belgique.* »

Quiévrain, c'est la frontière. Pour parler de la Belgique, les journalistes qui se piquent d'élégance disent : outre-Quiévrain. Pour la première fois, on lui demande son passeport. Le préposé n'y jette qu'un coup d'œil distrait. Il omet de demander le sien à une voyageuse qui, après son passage, s'en plaint hautement à ses voisins :

— C'est bien la peine de se donner tant de mal pour en avoir un !

Si, dans le compartiment, quelqu'un est bien de cet avis, c'est l'ouvrier typographe Lanvin, alias Victor Hugo. Le train est reparti. Une aube pâle et triste se lève sur le plat pays.

Des lambeaux de brume traînent sur la terre grasse des champs déserts. Des maisons, un faubourg, une ville, une gare : c'est Bruxelles. Le train se vide. On pousse les voyageurs vers le bureau de la douane : *Victor à Juliette* : « On demande le passeport à tout le monde, hommes et femmes, c'est là que se fait la visite des gros bagages. On ne s'en va qu'après quand elle est terminée. »

On n'a fait nulle attention à M. Lanvin. Il a franchi la barrière. Il est sauvé. Libre.

Une femme l'attend. Ils se cherchent un instant, se reconnaissent, hâtent le pas l'un vers l'autre. Les Luthereau ont bien reçu la lettre de Lanvin — et surtout l'ont comprise. Mme Luthereau, venue accueillir Hugo, n'est autre que cette Laure Krafft, grande amie de Juliette au temps de sa libre jeunesse. Laure avait eu deux enfants d'un personnage dont on ne sait rien, sinon qu'il était riche, qu'il avait su faire donner à sa progéniture une éducation de qualité et entretenir dignement la mère. Les lettres de Juliette parlent très souvent de Laure Krafft, amie sur qui elle sait pouvoir toujours compter. En 1844, Laure a épousé un peintre spécialisé — comme Biard ! — dans les grandes machines historiques et de dix ans plus jeune qu'elle. Les Luthereau sont allés s'installer à Bruxelles. De leur conduite envers lui, Hugo dira : « Noble accueil, généreuse hospitalité. »

On sort de la gare, on prend une voiture. Destination : l'hôtel de la Porte Verte, 31 rue de la Violette, qui est, selon un contemporain apparemment bien informé, « de réputation douteuse ». On donne à Hugo la chambre n° 9. A peine arrivé — la lettre est datée de 7 heures du matin — Victor écrit à « Madame Rivière », c'est-à-dire Adèle :

« Chère amie, un mot à la hâte. Je suis ici. Ce n'est pas sans peine. Écris-moi à cette adresse : *M. Lanvin, Bruxelles, poste restante.*

« Si tu as des lettres pour moi, garde-les toutes, *et ne les remets à personne.* Je te ferai savoir comment tu pourras me les envoyer plus tard.

« J'espère que tu revois nos chers enfants, envoie-moi des nouvelles détaillées. Aie bien soin de tous mes papiers. Que s'est-il passé à la maison ?

« On te remettra mes clefs. Tu trouveras les titres de rente dans un portefeuille sur le carton rouge qui est dans mon armoire de laque (celle de ton père). Aies-en grand soin.

« Recueille et garde précieusement tout ce qui est dans le coffret

qui est à côté de mon lit. Ce sont des journaux, *exemplaires uniques*.
Dans le coffret de tapisserie près de ma table, il y a des choses précieuses. Je te les recommande.

« Ce que je te recommande surtout, c'est d'avoir bon courage. Je
sais que tu as l'âme grande et forte. Dis à mes enfants bien-aimés
que mon cœur est avec eux. Dis à ma petite Adèle que je ne veux pas
qu'elle pâlisse, ni qu'elle maigrisse. Qu'elle se calme. L'avenir est aux
bons ! »

Fidèle à une notion d'égalité bien comprise, c'est par le
même courrier — la lettre est également datée de 7 heures du
matin ! — qu'il rassure Juliette et l'appelle d'urgence auprès
de lui :

« J'arrive et je t'écris. Doux ange bien aimé, tu peux partir ce soir
même... Car on m'assure que cette lettre sera à Paris *à cinq heures*. »

La lettre est adressée à Mlle Rivière, ce qui ne manque pas
de piquant. Hugo prie également Juliette d'intervenir auprès
de Mme de Montferrier afin que celle-ci porte à Adèle la lettre qu'il lui a adressée pour elle. Juliette, mêlée à la vie familiale des Hugo ? Déjà on l'a vue envoyer sa filleule aux nouvelles et se présenter elle-même chez le portier d'Adèle. Cela
va plus loin maintenant. Dans son récit du coup d'État, Hugo
ne cache rien de cet imprévisible rapprochement : « Mme
Drouet et Mme de la Roëllerie, deux généreuses et vaillantes
femmes, avaient promis à Mme Victor Hugo, malade et au lit,
de lui faire savoir où j'étais et de lui donner de mes nouvelles. » D'ailleurs, l'imbroglio féminin et hugolien va se com-
pliquer encore. Le 13 décembre, Adèle répond à son mari sur
toutes les questions qu'il lui a posées : « Aucune perquisition
n'a été faite chez nous. Il y en a eu une rue Laferrière, ce qui a
mis fort en émoi *cette pauvre vieille*. » Se souvient-on que
c'est rue Laferrière qu'habite Léonie ? Sous la plume d'Adèle,
la *pauvre vieille* c'est elle ! D'ailleurs, Mme Hugo est de plain-
pied avec son exilé de mari :

« Je suivrai ponctuellement tes instructions, mais sois tranquille,
tant que je serai en vie on ne touchera à rien de ta maison. Il faut le
dire d'ailleurs, le nom que je porte impose partout le respect. Nos
amis, nos connaissances n'ont cessé de me visiter, et de s'informer
de toi, tous voulaient se dévouer à toi, et exposer leur existence pour
conserver la tienne... J'attends tes ordres. Repose-toi sur moi, cher

et grand ami, je serai digne de toi quoique ce soit difficile. Tu as été ma seule et unique idée. Je jette vite ce mot à la poste. J'attends une lettre de toi. Tout le monde t'aime et te bénit. »

A l'hôtel de la Porte Verte, Hugo a pour voisin son collègue de l'Assemblée, ce Versigny qui avait fait irruption chez lui au matin du coup d'État. *A Adèle*: « Il a la chambre numéro 4. Nos portes se touchent. Nous vivons beaucoup ensemble. Je mène une vie de religieux. J'ai un lit grand comme la main. Deux chaises de paille. Une chambre sans feu. Ma dépense en bloc est de 3 francs cinq sous par jour, tout compris. Versigny fait comme moi. »

Dès le lendemain de son arrivée, Hugo s'est présenté au ministère de l'Intérieur et a demandé à parler au ministre, Charles Rogier. Vingt ans plus tôt, rue Jean Goujon, celui-ci était venu dire à Hugo son admiration. En entrant dans son cabinet, Hugo ne peut s'empêcher de rire :

— Je viens vous rendre votre visite.

A Rogier qui l'accueille fort cordialement, Hugo déclare qu'il a un devoir, « celui de faire l'histoire immédiate et toute chaude de ce qui vient de se passer ».

— Acteur, témoin, juge, je suis l'historien tout fait.

Catégoriquement, il déclare qu'il ne peut accepter que l'on mette des conditions à son séjour en Belgique. Si on veut le contraindre au silence, il préfère qu'on le renvoie. Rassurant, il ajoute qu'il ne publiera ce récit *historique* qu'autant que cela n'aggravera pas le sort de ses fils en prison, toujours à cette heure « au pouvoir de l'homme ».

Perplexité du ministre. Si Hugo fait paraître l'histoire du Deux-Décembre, évidemment cela fera du bruit : « M. Rogier m'a dit que si je publiais cet écrit maintenant, ma présence pourrait être un grand embarras pour la Belgique, petit État à côté d'un voisin fort et violent. Je lui ai dit : " En ce cas, si je me décide à faire cette publication, j'irai à Londres. " Nous nous sommes séparés bons amis. Il m'a offert des chemises. » Il est vrai que, de son propre aveu, Hugo est « sans vêtements et sans linge ».

Le même jour, à 2 heures et demie de l'après-midi, Juliette a quitté Paris. Elle emporte avec elle l'inestimable malle aux manuscrits. A la gare, Victor l'attend « sous le hangar de la douane ». Elle l'aperçoit, elle court vers lui, se serre dans ses bras, murmure : « Enfin, me voilà délivrée de mon horrible cauchemar ! »

Va-t-elle le rejoindre à l'hôtel de la Porte Verte ? Elle l'a cru peut-être. *A Victor* : « C'est donc bien vrai que je suis une femme heureuse et bénie, et que j'ai le droit de vivre en plein soleil de l'amour et de dévouement ? » Elle se trompe. Hugo a conscience — il l'écrit — que, populaire auprès des uns, impopulaire auprès des autres, tous les yeux sont fixés sur lui. Il a raison : sa stature a grandi incommensurablement. Les journaux parlent sans cesse de lui. On le suit, on le guette, on l'épie. Comment pourrait-il vivre en concubinage proclamé ? Il y a autre chose : quoi qu'il puisse répéter quant à la fragilité du pouvoir de M. Bonaparte, le doute se glisse parfois dans son esprit. Et si cela durait ? Dans ce cas, Adèle le rejoindrait. Et ses enfants ? Que diraient-ils en trouvant Juliette auprès de lui ?

Il n'a fallu que quelques heures à la « princesse Négroni » pour comprendre. Son amant lui répète chaque jour qu'il lui doit la liberté et la vie, mais elle reste condamnée à cette existence parallèle qui, depuis 1834, est son lot amer. Heureusement ses amis Luthereau sont là. C'est chez eux qu'elle ira vivre, galerie des Princes, 11 bis passage Saint-Hubert. Je l'ai visitée, cette galerie. Elle n'a en rien changé. Des fenêtres de l'appartement, les regards de Juliette plongent sur la verrière. Chaque jour elle quitte la galerie pour l'hôtel de la Porte Verte — et chaque jour elle en revient. Humiliée mais résignée — la force de l'habitude — elle en est de nouveau à cette extraordinaire abnégation dont on ne sait toujours pas s'il faut la louer ou la condamner : « Tout ce que tu voudras que je fasse dans l'intérêt de ta dignité, de ta confiance, de ta gloire et de ton bonheur, je le ferai. Je te l'ai déjà dit bien des fois, mon pauvre généreux homme, mais je suis prête à te le prouver quand et comme tu le voudras, quelque difficile ou quelque douloureux que soit le sacrifice que tu me demanderas. »

L'exil. C'est peut-être après l'arrivée de Juliette que Hugo a pris conscience de sa réalité. Cette idée de l'homme banni de sa patrie l'a toujours obsédé. Dans *les Chants du crépuscule* on trouvait déjà le vers fameux :

> Oh ! n'exilons personne ! oh ! l'exil est impie.

Toute sa vie, il a montré l'exil comme la souffrance suprême. Il lui est même advenu d'assimiler le bannissement à cette peine de mort qu'il exècre. L'étonnant est que son propre exil, celui de 1851, il va le ressentir tout différemment. A peine est-il à Bruxelles qu'il nous paraît s'installer dans la proscription avec une aisance qui nous déconcerte. Les contemporains ont même parlé d' « une espèce de contentement et d'allégresse [1] ». Il semble qu'après son long duel oratoire avec l'Assemblée, après le combat de décembre où il s'est livré si furieusement, il retrouve un cadre qui lui soit plus naturel. Dans l'exil, il trouve une satisfaction sombre mais grandiose.

A Victor Pavie, 29 janvier 1852: « Je suis banni, proscrit, exilé, expulsé, chassé, que sais-je ? Tout cela est bon pour moi d'abord, qui sens mieux en moi la grande joie de la conscience contente, pour mon pays ensuite, qui regarde et qui juge. Les choses vont comme il faut qu'elles aillent ; j'ai une foi profonde, vous savez. Je souffre d'être loin de ma femme si noble et si bonne, loin de ma fille, loin de mon fils Victor (Charles m'est revenu), loin de ma maison, loin de ma ville, loin de ma patrie ; mais je me sens près du juste et du vrai. Je bénis le ciel ; tout ce que Dieu fait est bien fait. »

Les correspondances de ce temps-là montrent un homme qui puise dans la certitude de son bon droit une imprévisible joie intérieure. *A Vacquerie*: « Je viens de combattre, et j'ai un peu montré ce que c'est qu'un poète. Ces bourgeois sauront enfin que les intelligences sont aussi vaillantes que les ventres sont lâches. » *A Adèle*: « Jamais je ne me suis senti le cœur plus léger et plus satisfait. Ce qui se passe à Paris me convient. Par l'atroce comme par le grotesque, cela a atteint l'idéal des deux côtés... » Plus les jours passent et plus on le voit sûr de lui. *A André Van Haasselt*: « Moi, je ne souffre pas. Je contemple et j'attends. J'ai combattu, j'ai fait mon devoir, je suis vaincu, mais heureux. La conscience contente, c'est un ciel serein qu'on a en soi. »

Rien ne l'ébranle. Louis-Napoléon a demandé aux Français leur approbation et peut-être leur pardon. Le plébiscite lui a accordé une majorité écrasante : 7 439 216 *oui* contre 640 000 *non*! Alors que d'autres proscrits s'effondrent, se sentant chassés non seulement de leur pays, mais du sein de la communauté française, Hugo se montre sûr de l'avenir. *A Adèle*: « Quelques réfugiés sont abattus (entre autres Schoelcher qui du reste s'est conduit héroïquement) mais je les relève. » *A Pierre Cauwet*, poète ouvrier : « Le peuple se réveillera un

---

1. Pierre Halbwachs.

jour, et ce jour-là chacun se retrouvera à sa place ; moi dans ma maison, M. Louis Bonaparte au pilori. »

Depuis son arrivée à Bruxelles, il ne s'est pas départi de cette idée : « C'est le Bonaparte, le Bonaparte seul qu'il faut maintenant prendre corps à corps. » Le surlendemain de son arrivée, il a annoncé à Adèle qu'il allait se mettre à cette grande histoire du 2 décembre qui définitivement réglerait son compte à M. Bonaparte. Le 23 décembre — la date figure sur le manuscrit — il a commencé à rédiger ce qui sera *Histoire d'un crime*. A *Adèle* : « Cela aura je crois, un immense intérêt. » Une sorte de fureur le cloue à sa table de travail. Les proscrits rencontrés à Bruxelles lui sont précieux. Presque tous, ils ont vécu le coup d'État, ils connaissent des épisodes que Hugo ignore. Il laissera une énorme quantité de notes correspondant à ce que nous appellerions des interviews. Dans une préface non publiée, il parle du « témoignage détaillé, précis, palpitant des contemporains, des acteurs, des témoins, sur tous les points de ce fait considérable ». Il déclare que, devant le bâillon mis sur les journaux, « ces innombrables petits faits d'où l'histoire sortira plus tard vivante » auraient risqué de ne pas être recueillis. Il s'est, lui Hugo, substitué aux journalistes muets. Il s'est fait le juge d'instruction de l'histoire : « L'auteur de ce livre a accepté cette fonction et l'a considérée comme faisant partie de son devoir de représentant. » Il dira encore que ce livre qui raconte, heure par heure, minute par minute, les pulsations de l'agonie suprême de Paris, de la France, de la République « est une pièce d'anatomie ». Il se sent investi d'une mission sacrée. Le plébiscite démontre l'existence d'une France anesthésiée, engourdie dans une lâche acceptation. Hugo excuse cette France. Chaque jour on la trompe, on l'accable de mensonges. Il lui revient à lui — et peut-être à lui seul — d'ouvrir les yeux de ses compatriotes.

Au reste, le sujet lui va comme un gant. Le don épique lui est familier. Il ne traite pas seulement le 2 décembre comme un fait historique mais en tant qu'affrontement grandiose du Bien et du Mal. On le voit quasiment enchanté par l'ampleur de l'attentat commis par Bonaparte et ses complices. Il n'a pas besoin d'en « remettre », tout est dans la réalité : « Ces misérables ont accumulé crime sur crime, férocité sur trahison, lâcheté sur atrocité. »

L'*Histoire d'un crime* dans son esprit ? Une machine infernale dont Louis Bonaparte ne se relèvera pas. Question : ce pamphlet qu'il veut foudroyant, le lui laissera-t-on l'écrire jusqu'au bout ?

Le 5 janvier, il a déménagé. Il s'est installé sur la Grand-Place de Bruxelles, au numéro 16. Cette place, dès qu'il l'a connue, l'a ému jusqu'au tréfonds de lui-même. Qu'un tel trésor architectural soit parvenu intact, jusqu'à lui, le laisse stupéfait, émerveillé. Les pierres, les briques et les ors mêlés des maisons des corporations, il ne se lasse pas de les admirer. « Il n'y a pas là une façade qui ne soit une date, un costume, une strophe, un chef-d'œuvre », écrivait-il dès 1837. Il disait qu'il était « tout ébloui de Bruxelles, ou pour mieux dire, de deux choses que j'ai vues à Bruxelles : l'Hôtel de ville avec sa place, et Sainte-Gudule ». De l'Hôtel de ville du XIVe siècle, il disait que c'était « un bijou comparable à la flèche de Chartres ; une éblouissante fantaisie de poète tombée de la tête d'un architecte ».

Dès le premier jour, il a rêvé — sans y croire — d'habiter sur cette place. Quand on est venu lui parler d'une grande chambre libre, il n'a pas osé y croire. Il y a couru, a signé aussitôt avec le propriétaire. Il s'est installé sous le nom de M. Lanvin, prévenant son hôte que si l'on demandait M. Lanvin, c'était lui, et que si l'on demandait M. Victor Hugo, c'était encore lui : « Ainsi, je vis là sous mes deux espèces. »

A Paris, Charles a été libéré de sa prison. Avec quelle impatience l'a attendu son père ! *A Adèle* : « Quand Charles arrivera, il me trouvera dans cette halle immense, avec trois fenêtres qui ont vue sur cette magnifique place de l'Hôtel de Ville. J'ai loué (pour presque rien) les meubles indispensables, un lit, une table, etc. — et un bon poêle. Je travaille là à l'aise, et je m'y trouve bien. Si je rencontre un vieux tapis pour 15 francs, je serai parfaitement heureux. » C'est là, sur cette Grand-Place, qu'il va apprendre que son bannissement est devenu officiel.

A Adèle, 11 janvier 1852 : « Charras arrive, nous causons tous les trois. Charras était en train de nous raconter son arrestation, sa captivité, son élargissement, et des choses de l'autre monde. Survient Labrousse. Il me dit : — Vous êtes banni, avec 66 représentants de la gauche, comme chefs socialistes. J'ai vu le décret. Votre nom m'a frappé et je vous cherche pour vous le dire. — J'espère bien que j'en suis aussi ! a dit Charras. — Et moi aussi, a dit Schoelcher. — Sur ce, nous avons continué notre conversation. »

Peu après, le bourgmestre de Bruxelles est venu le voir.

— Savez-vous, lui a lancé Hugo, qu'on dit à Paris que le Bonaparte me fera saisir et enlever la nuit chez moi par ses agents de police ?

M. de Brouckère a haussé les épaules et répondu :

— Vous n'aurez qu'à casser un carreau et qu'à pousser un cri, l'Hôtel de ville est sous vos fenêtres. Il y a trois postes, vous serez bien défendu, allez !

Toutes ses lettres font allusion à sa pauvreté. Il vit pour 100 francs par mois, ne fait qu'un repas par jour. Il adjure Adèle de se réduire au plus strict nécessaire : « Nous sommes pauvres et il faut passer dignement un défilé qui peut finir vite, mais qui peut être long. J'use mes vieux souliers, j'use mes vieux habits, c'est tout simple. Toi, tu supportes les privations, les souffrances même, souvent l'extrême gêne ; c'est moins simple puisque tu es femme et mère, mais tu le fais avec bonheur et grandeur... » Loin de protester, d'ailleurs, Adèle renchérit : « Je fais un petit feu de coke seulement dans la cheminée de ta chambre, laquelle enfume plutôt ta chambre qu'elle ne la chauffe ; nous buvons tous du vin de prison, jamais d'autre. Je me passe le plus souvent de gants. Je mets mes mains dans mon manchon... »

Est-ce donc qu'on lui a saisi ce capital, économisé franc à franc, et dont il était si fier ? Pas du tout. Louis-Napoléon ne se montre pas aussi « monstre » que le voudrait Hugo. Adèle a pu toucher les droits de son mari à la Société des Auteurs et même son traitement de membre de l'Institut : 1 000 francs par an. Avant Noël 1851, elle a pu faire passer en Belgique les titres de rente française qui représentent l'essentiel de la fortune de Hugo. A peine reçus, Victor a procédé à leur vente qui a produit 238 894,95 francs, réduits par les commissions de banquiers et agents de change à 237 915,70 francs. Charles de Brouckère lui a signalé, comme un placement particulièrement rémunérateur, l'achat d'actions de la Banque Royale de Belgique [1]. Il en a aussitôt acheté pour 137 000 francs. *A Adèle* : « Cela rapporte un peu plus de 4 pour 100 et c'est plus solide que les fonds publics et presque aussi facile à négo-

---

1. Le bourgmestre confiait à un ami : « Il n'est pas si pauvre qu'il veut le paraître. Je sais, moi, qu'il ne s'est pas embarqué sans biscuit. Il a un certain magot que je connais. »

cier. » Administrateur avisé, Hugo a fait acheter en outre à Londres pour 100 000 francs de 3 % anglais à 97. « Avec le revenu belge, je pense que cela pourra aller à 8 000 francs de rente ; avec les 1 000 francs de l'Institut, cela fera le chiffre fixe et solide de 9 000 francs de rente. Nous travaillerons pour le reste. »

Devant cette disparité entre une fortune véritable et une pauvreté affichée, on a souri, on s'est indigné. Quel hypocrite, ce Hugo ! Au vrai, il reste fidèle à lui-même : ne jamais entamer le capital. Jamais. Ne vivre que des revenus de ce capital ou de l'argent gagné par le travail. Ses alarmes sont réelles : coupé de ses éditeurs, de ses lecteurs, il ne sait quand il pourra de nouveau être joué ou publié en France. Sans droits d'auteur, comment vivra-t-il, comment fera-t-il vivre toute cette famille lourde à porter ? Et Juliette ? Et Léonie ?

Mais que fait-elle, justement, Léonie ? Où en est-elle ? Elle n'a pas compris que le 2 décembre avait tué ses illusions. La grande épreuve proposée par Juliette et à laquelle elle s'était pliée avait tourné à son détriment. Victor devait choisir entre elle et Juliette. Le choix, c'est Louis-Napoléon qui l'avait fait. Comment, après l'extraordinaire dévouement montré par Juliette en décembre, Hugo aurait-il pu choisir une autre qu'elle ? S'exercer au jeu des hypothèses se révèle toujours stérile. Sans le coup d'État, qui Hugo aurait-il choisi ? Il est probable qu'il aurait tenté de perpétuer la double liaison. S'il avait dû trancher, — le couteau sur la gorge ! — je ne suis pas éloigné de croire qu'il aurait gardé Léonie. N'oublions pas qu'aucune des lettres adressées par lui à Juliette n'a reflété le degré de passion que l'on découvre dans celles qu'il écrit à Léonie. La jeune femme aux yeux de ciel l'a touché si violemment que peut-être il lui aurait sacrifié cette vieille maîtresse pourtant si tendrement et si longuement aimée.

Une frontière les sépare. La meilleure des femmes est auprès de lui. Jugeant qu'il ne mange pas à sa faim, elle lui fait porter chaque matin, par la fidèle servante Suzanne, une tasse de chocolat. Entre le dévouement et l'amour, la fidélité et la passion, il a tranché. *Exit* Léonie. Elle est sortie de sa vie, mais pas de son cœur. Des lignes datées de décembre 18.., les derniers chiffres ayant été volontairement rendus illisibles sous une énorme tache d'encre — mais que l'on peut,

sans grand risque d'erreur, croire écrites en décembre 1851 —
montrent un homme que la nostalgie tenaille :

« Il y a deux mois, par un clair de lune pareil, je suis allé
une nuit sous sa fenêtre. Elle était debout à la croisée
ouverte. La lune resplendissait dans la rue et sur les arbres.
Sa chambre était obscure. Oh ! je vois encore sa forme vague
et exquise ; dans cette ombre, elle me paraissait lumineuse.
Nous ne nous parlions pas. Nous échangions des regards pendant que les étoiles échangeaient des rayons... O souvenirs ! »

Il ne se montrera pas ingrat. Quand elle traversera des difficultés d'argent, il viendra à son aide. Longtemps. On
connaît des lettres de lui, sans date, qui sont éloquentes : « Si
amère que vous soyez, vous devez me permettre, quand
j'apprends qu'il y a de la gêne chez vous ou auprès de vous,
de faire le peu que je puis pour alléger votre situation. Voulez-vous accepter les 500 francs que voici ?... Toujours à vos
pieds. » Celle-ci : « Vous malade ! Vous en danger ! Je ne puis
supporter cette idée. Et moi absent ! C... aurait bien dû
m'écrire un mot. Malgré vos 3 000 francs, vous êtes peut-être
gênée. Je puis disposer de ceci. Permettez-moi de vous
l'offrir. La question qui termine votre lettre, si Dieu me prête
vie, j'en sais la réponse. » Celle-ci encore, d'évidence plus tardive : « Voici ce que j'ai de plus sûr : trois traites Hachette faisant ensemble 7 000 francs. Je les passe à votre ordre. Rien
n'est plus facilement escomptable. Quant aux 1 000 francs
que vous désirez en plus, vous pouvez y compter ; seulement,
de vous à moi, ne prononçons pas le mot *prêter*. Je donne et
je vous remercie d'accepter. »

Jamais l'argent n'a compensé un amour déçu. Quand Léonie comprend qu'elle ne reverra plus ce Hugo qu'elle a tant
aimé et qu'elle aime toujours, elle croit mourir. Elle ne se
résigne pas, se rebelle, écrit à Victor qu'elle va le rejoindre à
Bruxelles. Le rejoindre ! Cela, Hugo ne le veut à aucun prix.
Quoi qu'il puisse lui en coûter, il a pris sa décision et entend
s'y tenir. A tout prix, il faut empêcher Léonie de quitter Paris.
Ici, le drame se change en vaudeville. C'est sa propre femme
que Victor va charger de décourager la maîtresse éconduite !
Dans une lettre sur laquelle il a écrit : *à brûler*, il lui explique
sans apparemment montrer de gêne :

« Mme D['Aunet] veut venir me rejoindre ici. *Elle a l'intention de
partir le 24.* Va la voir tout de suite et parle-lui raison. Une démarche

inconsidérée en ce moment peut avoir les plus grands inconvénients. Tous les yeux aujourd'hui sont fixés sur moi. Je vis publiquement et austèrement dans le travail et les privations. De là un respect général qui se manifeste jusque dans les rues. En ce moment donc, il ne faut rien déranger à cette situation. J'ai d'ailleurs dans l'idée qu'avant peu nous serons à Paris. Dis-lui tout cela. Traite-la avec tendresse et ménage ce qui souffre en elle. Elle est imprudente, mais c'est un noble et grand cœur. Ne lui montre pas ceci. *Brûle-le tout de suite*. Dis-lui que j'écrirai à l'adresse qu'elle m'a donnée. Veille aux coups de tête. »

Le plus surprenant est qu'Adèle ne semble pas s'être étonnée de la curieuse mission qui lui a été confiée. Le plus naturellement du monde, elle répond à son mari :

« Sois bien tranquille, je vais me rendre tout à l'heure chez Mme D... Je te *réponds* qu'elle ne partira pas... Je vais tourner Mme D... du côté de l'art. Ce sera une noble et puissante diversion, je l'espère. De ton côté, je crois qu'il serait bon que tu lui écrivisses des lettres qui satisferaient, sinon son cœur, du moins sa fierté. Fais-en une *sœur de ton esprit*. Je sais que tu n'as que peu de loisir, mais quelques mots de temps à autre peut-être suffiraient. Cher grand ami, je veille. Travaille en paix et sois calme. »

Adèle a préjugé de sa force de persuasion. Léonie reste décidée à rejoindre Victor. D'où une nouvelle lettre de celui-ci, en date du 24 janvier, avec la même mention *à brûler* :

« Ce matin, Mme D... m'a encore écrit. Elle veut absolument venir, ne fût-ce, dit-elle, *que pour quelques jours*. Cela suffirait pour amener les plus graves inconvénients. Elle dit qu'elle viendra sans t'en parler. Il faut absolument, chère amie, que tu la voies et que tu la ramènes à la raison. Elle en manque ici complètement. Tu sais tout ce que je pense d'elle et combien c'est une généreuse et noble nature à mes yeux. Mais les coups de tête perdent tout. C'est justement cette violence que je lui sais, qui m'empêche de lui écrire... »

Adèle y met du temps, de la peine, mais enfin obtient gain de cause. Léonie ne viendra pas à Bruxelles. Hugo respire, mais elle pleure.

Elle a subi. Il a voulu. Mais il n'oublie rien. Bien plus tard, en réponse à une lettre, il sera tenté de reprendre une correspondance avec elle. Puis : « Moi, vous écrire, impossible, je le sens. Je reprendrais feu, et ni vous ni moi nous ne le voulons. »

En 1875 encore — le 10 mars pour être précis — il notera dans ses Carnets : « *Cette nuit*, ALNETUS, *rêve persistant, trois fois.* » Que voudrait dire ALNETUS sinon Léonie d'Aunet ? Il aura soixante-douze ans.

Puisque décidément Adèle a été mise en tiers dans les affaires de cœur de son mari, pourquoi n'aborderait-elle pas un chapitre dont elle s'est toujours gardée de se mêler : celui de Juliette. L'argumentation de Victor — impossible que Léonie me rejoigne, il en irait de ma réputation — lui semble tout aussi valable pour Mme Drouet. Il y a beaucoup d'habileté dans ce qu'elle lui écrit :

« Cher, cher bien aimé, je te recommande une grande circonspection pour ce que tu sais. Le parti dont tu es le chef est austère et peu indulgent pour certaines infractions. Il y a des gens heureux, dans ce parti, de te trouver en faute. La présence de la personne que j'aurais voulu assez dévouée pour ne pas te suivre est sue là-bas... »

Elle révèle à Victor qu'elle a vu Abel qui, Meurice faisant chorus, lui a affirmé que « le séjour de cette personne à Bruxelles, dans ces graves circonstances, fait le plus grand tort à Victor ». Elle jure que c'est là « un sujet dont Abel me parlait pour la première fois ». Elle ajoute : « Excuse-moi, cher ami, d'avoir touché encore une fois à ce sujet si délicat, mais je te jure sur ce que j'aime le plus au monde, sur ma Dédé, que c'est dans ton *seul* intérêt que j'aborde cette épineuse question. Il faut que mon devoir d'amie et de femme me le commande impérieusement pour que je la soulève. »

Pauvre Adèle. Son avertissement lui vaut une volée de bois vert :

« Un mot *tout confidentiel*. Ce qu'Abel a dit à Meurice est insensé. La personne dont il parle est ici en effet ; elle m'a sauvé la vie, vous saurez tout cela plus tard, sans elle j'étais pris et perdu au plus fort des journées. C'est un dévouement absolu, complet, de vingt ans, qui ne s'est jamais démenti. De plus, abnégation profonde et résignation à tout. Sans cette personne, je le dis comme je le dirais à Dieu, je serais mort ou déporté à l'heure qu'il est. — Elle est ici dans une solitude complète. *Ne sortant jamais*. Sous un nom inconnu. Je ne la vois qu'à la nuit tombée. Tout le reste de ma vie est en public. Je ne réponds pas de ce qu'on suppose, je réponds de ce qui est... »

Désormais, Adèle se le tiendra pour dit.

Le 1ᵉʳ février, sans quitter sa chère Grand-Place, Hugo est passé du numéro 16 au numéro 27. Il aurait voulu habiter la *Louve* ou la maison des *Brasseurs.* Aucune de ces anciennes résidences des corporations flamandes n'était à louer. Il a fini par découvrir, en face de l'Hôtel de ville, sous l'enseigne d'un marchand de tabac, la demeure de son goût. Je l'ai visitée, cette maison. La boutique d'un marchand d'oiseaux et un magasin où l'on vend de la dentelle ont remplacé le débit de tabac. Accueilli avec une courtoisie que je n'oublierai pas, j'ai pu gravir l'escalier étroit qu'empruntait Hugo et m'arrêter à la vue — magnifique — que le proscrit avait de sa fenêtre. Charles l'a bien décrit, cet appartement : « Deux chambres à coucher l'une au-dessus de l'autre qui, bien que sans cheminée, sont chaudes ; puis un salon qui donne sur l'admirable place de l'Hôtel de Ville et qui est fort gai. Papa l'a déjà orné d'un grand plat flamand de cuivre repoussé, d'une vieille horloge Louis XIV, et de deux fauteuils de cuir anciens. Il y a aussi un excellent poêle de fonte. » Il ajoutera plus tard : « C'était tout juste le nécessaire, mais l'œil allait droit à la haute fenêtre ouverte sur l'Hôtel de ville, et alors ce logis s'éclairait de poésie, d'art et d'histoire. » Rien d'autre n'aurait pu mieux convenir à un homme tel que Hugo.

Là, sur cette place inspirée, Hugo va fêter ses cinquante ans. En le rejoignant à Bruxelles Charles l'a trouvé « engraissé » : « la bière lui a donné de grosses joues ». Son livre avance. *A Adèle* : « J'en suis content... Encrier contre canon. L'encrier brisera les canons. » Un peu plus tard : « Je suis jusqu'au cou dans mon cloaque du Deux Décembre. Cette vidange faite, je laverai les ailes de mon esprit, et je publierai des vers. » Un problème cependant : les renseignements continuent à lui parvenir, de plus en plus abondants, le forçant à refaire des chapitres presque entiers. Lui, l'écrivain de la spontanéité, il enrage. L'éditeur Hetzel a beau lui affirmer qu'on vendra au moins 200 000 exemplaires d'un livre intitulé : *le Deux-Décembre* par Victor Hugo, il se fatigue à remettre son ouvrage sans cesse sur le métier. Cela va si loin que ce travail finit par le rebuter. Il décide de reporter à plus tard le moment de l'achever, ne pouvant deviner que ce *plus tard* ne viendra qu'en 1877.

Cette décision est-elle en rapport avec l'embarras qu'il sait causer au gouvernement belge ? Assurément non. L'ambassadeur de France a informé Paris qu'il préparait un dangereux

pamphlet contre le nouveau régime. Le gouvernement français a riposté en envoyant à Bruxelles, comme chargé d'affaires, le très bonapartiste duc de Bassano. Léopold Ier, qui doit ménager les puissances l'ayant tenu sur les fonts baptismaux, déclare à Bassano qu'il est résolu à « ne pas tolérer que les Français qui ont trouvé un asile dans ses États s'y livrent à des menées hostiles au gouvernement du prince Louis-Napoléon ».

En attendant, afin d'apaiser la colère de Louis-Napoléon, on décide que les proscrits français seront placés sous la surveillance de la police, « tenus de déposer leurs passeports et papiers, de faire connaître leurs domiciles et moyens d'existence ». Les ouvriers, les paysans, les réfugiés sans fortune sont impitoyablement expulsés. Ceux qui ont pu justifier de revenus suffisants sont placés en résidence surveillée, le séjour de Gand, de Liège, de Tournai leur restant interdit. Le préfet de police Maupas ayant signalé à la Sûreté publique la présence en Belgique de trois dangereux « démocrates français », ceux-ci sont conduits à Ostende et embarqués pour l'Angleterre.

Ceci connu, il faut admettre que le permis de séjour de trois mois marque pour Victor Hugo un véritable traitement de faveur. Pour combien de temps ? *Victor à Adèle, 25 avril 1852* : « Moi pourtant, on me respecte encore, mais je m'attends à être poliment prié un de ces matins d'aller voir en Angleterre si la Belgique y est. J'espère qu'elle n'y sera pas. »

Incapable de se délivrer de sa sainte colère, ce n'est pas à des vers qu'il se consacre maintenant. Ayant provisoirement abandonné *Histoire d'un crime*, il s'est mis à la rédaction, non plus d'un récit historique, mais d'un pamphlet dans la grande tradition classique, voire romaine : *Napoléon-le-Petit*. Juvénal à Bruxelles. L'invective et l'humour. La haine et le mépris. L'outrance préférée à la vérité. Une inspiration démesurée, torrentielle, mais superbe :

« Ah ! le malheureux ! il prend tout, il use tout, il salit tout, il déshonore tout. Il choisit pour son guet-apens le mois, le jour d'Austerlitz. Il revient de Satory comme on revient d'Aboukir. Il fait sortir du 2 décembre je ne sais quel oiseau de nuit, et il le perche sur le drapeau de la France, et il dit : Soldats, voilà l'aigle. Il emprunte à Napoléon le chapeau et à Murat le plumet. Il a son étiquette impériale, ses chambellans, ses aides de camp, ses courtisans. Sous l'empereur c'étaient des rois, sous lui ce sont des laquais. Il a sa politique à lui ; il a son treize vendémiaire à lui ; il a son dix-huit brumaire à lui. Il se compare. A l'Élysée, Napoléon-le-Grand a disparu ; on dit : *l'oncle Napoléon.* L'homme du destin est passé Géronte. Le complet, ce n'est pas le premier, c'est celui-ci. Il est évident que le premier n'est venu que pour faire le lit du second. Louis Bonaparte, entouré de valets et de filles, accommode pour les besoins de sa table et de son alcôve le couronnement, le sacre, la Légion d'honneur, le camp de Boulogne, la colonne Vendôme, Lodi, Arcole, Saint-Jean-d'Acre, Eylau, Friedland, Champaubert... — Ah ! Français ! regardez le pourceau couvert de fange qui se vautre sur cette peau de lion ! »

Napoléon-le-Petit regorge de formules magnifiques et vengeresses. La loi sur la presse : « Je permets que tu parles, mais j'exige que tu te taises. » Le Corps législatif : il « marche sur la pointe des pieds, roule son chapeau dans ses mains, sourit humblement, s'assied sur le bord de sa chaise et ne parle que quand on l'interroge ». Les prébendes : « Les évêques et les conseillers à la Cour de cassation ont 50 francs par jour ; les archevêques, les conseillers d'État, les premiers présidents et les procureurs généraux, 69 francs ; les sénateurs, les préfets et les généraux de division, 83 francs... ; les ministres, 252 francs ; Mgr le prince-président, 44 000 francs par jour. » Ce qui n'empêche pas ce dernier de se targuer d'avoir fait « la révolution du 2 décembre contre " les vingt-cinq francs " » ! Et que de sarcasmes pour le clergé qui, selon Hugo, prie en ces termes : « O mon Dieu, faites hausser les actions de Lyon ; doux seigneur Jésus, faites-moi gagner 25 pour cent sur mon Naples-certificats Rothschild ; saints apôtres, vendez mes vins ; bienheureux martyrs, doublez mes loyers ; Sainte Marie, mère de Dieu... daignez jeter un œil favorable sur mon petit commerce. » *Napoléon-le-Petit* marque la rupture irrévocable de Hugo avec le catholicisme. Avec ce contrepoids paradoxal et venu du fond de l'âme d'une approche toujours plus sensible de Dieu :

O Dieu vivant, mon Dieu, prêtez-moi votre force
A moi qui ne suis rien...

A pleines mains, il puise dans le manuscrit de l'*Histoire d'un crime* : des pages entières, des chapitres entiers. Il brasse, il remanie. Il travaille sans relâche.

A Adèle : « Je me lève à huit heures du matin (je vais réveiller Charles qui reste assez habituellement au lit, *malgré mon réveil*) ; puis je me mets au travail. Je travaille jusqu'à midi : déjeuner. Je reçois jusqu'à trois heures. A trois heures, je travaille. A cinq heures, dîner. Je digère (flânerie ou visite quelconque) jusqu'à dix heures. A dix heures, je rentre et je travaille jusqu'à minuit. A minuit, je fais mon lit et je me couche. Je fais mon lit, voici pourquoi : les draps sont grands comme des serviettes et les couvertures comme des tapis de table. J'ai été obligé d'inventer un procédé pour tripoter tout cela de façon à avoir les pieds couverts, et chaque soir je refais mon lit. »

Plus il se montre laborieux, plus il s'afflige de la paresse de Charles. Il semble que l'exil ait aggravé sa mollesse. En vain son père lui procure-t-il des travaux de librairie, lui obtient même des avances. Il écrit un jour ou deux, puis abandonne. Hugo a beau lui répéter que l'exercice du métier d'écrivain suppose autant de régularité que d'inspiration, Charles approuve mais n'en tient aucun compte. *A Adèle* : « Il me promet, il est doux comme une bonne fille, mais il ne commence pas. Je ne me plains pas, car je ne veux pas que tu le grondes. Je travaille pour tous. Seulement je crains que le temps ne se perde. Les années passent et les habitudes viennent. » La vérité est que Charles préfère flâner dans les vieilles rues, hanter les cafés avec de jeunes proscrits, s'attarder chez quelque fille blonde, grasse et rose. Quand, le soir, il ne rentre pas, le *pèrissime* l'attend en bas, dans la boutique du marchand de tabac. Il se sert du comptoir comme d'une écritoire.

C'est le 14 juin qu'il a entamé la rédaction de *Napoléon-le-Petit*. Le 12 juillet, à 11 heures du soir, Hugo en écrit les dernières phrases :

« Dieu marchait, et allait devant lui. Louis Bonaparte, panache en tête, s'est mis en travers et a dit à Dieu : Tu n'iras pas plus loin !
« Dieu s'est arrêté.
« Et vous vous figurez que cela est ! et vous vous imaginez que ce plébiscite existe, que cette Constitution de je ne sais plus quel jour de janvier existe, que ce sénat existe, que ce conseil d'État et ce corps législatif existent ! Vous vous imaginez qu'il y a un laquais qui s'appelle Rouher, un valet qui s'appelle Troplong, un eunuque qui s'appelle Baroche, et un sultan, un pacha, un maître qui se nomme Louis Bonaparte ! Vous ne voyez donc pas que c'est tout cela qui est chimère ! Vous ne voyez donc pas que le Deux-décembre n'est qu'une immense illusion, une pause, un temps d'arrêt, une sorte de toile de

manœuvre derrière laquelle Dieu, ce machiniste merveilleux, prépare et construit le dernier acte, l'acte suprême et triomphal de la Révolution française ! Vous regardez stupidement la toile, les choses peintes sur ce canevas grossier, le nez de celui-ci, les épaulettes de celui-là, le grand sabre de cet autre, ces marchands d'eau de Cologne galonnés que vous appelez des généraux, ces poussahs que vous appelez des magistrats, ces bonshommes que vous appelez des sénateurs, ce mélange de caricatures et de spectres, et vous prenez cela pour des réalités ! Et vous n'entendez pas au-delà, dans l'ombre, ce bruit sourd ! vous n'entendez pas quelqu'un qui va et vient ! vous ne voyez pas trembler cette toile au souffle de ce qui est derrière ! »

Il a fini. Il est soulagé. Cette fois, il n'est plus question qu'il remise le manuscrit dans un tiroir. Quand il écrit, il publie. Cette nécessité qui a accompagné toute sa vie d'écrivain, il la ressent avec plus de violence que jamais. Il s'est entendu avec un éditeur anglais. On décide de mettre sans tarder l'ouvrage sous presse. Il faut être lucide, et Hugo l'est : une telle publication ouvrira l'ère des persécutions. Le gouvernement de Louis-Napoléon annonce une loi contre les délits de presse commis, à l'étranger, par des Français. La sanction : amendes et confiscations. Il est désormais impossible qu'Adèle demeure à Paris. Et les collections ? Et les meubles ? Ils risquent d'être saisis. Faut-il les faire sortir de France ?

Il en est là : il voit autour de lui trop de visages inquiets pour se faire illusion sur la ténacité du gouvernement de Léopold Ier. Au moindre froncement du sourcil de M. Bonaparte, on se hâtera de le chasser. Il s'est demandé où il irait : « Il peut être nécessaire que je m'éloigne le moins possible de la frontière la plus voisine de Paris. Bruxelles ou Londres sont des postes de combat. » Il a pensé au Piémont, où l'invitait un ami italien. Il s'est arrêté à Jersey.

A Adèle, 19 avril 1852 : « Jersey est une ravissante île anglaise, à dix-sept lieues des côtes de France. On y parle français, et on y vit très bien à bon marché. Tous les proscrits disent qu'on y est admirablement. Je tâcherais de trouver et je trouverais probablement à Jersey un appartement, peut-être une maisonnette, ayant vue sur la mer et fenêtres au midi, et, pourquoi pas ? un jardin. Je louerais cela non meublé, si c'était possible. Alors tu ferais emballer à Paris nos meubles les plus précieux et les plus dignes du voyage, nos tentures, nos tapis, etc. ; on mettrait notre appartement à louer, et vous viendriez tous me rejoindre par la voie du Havre. Nous nous installerions à Jersey le plus confortablement possible, et que le Bonaparte dure ce qu'il voudra, cela nous serait égal. L'hiver nous pourrions aller à Londres et l'été nous serions à Jersey. »

Faire passer le mobilier à Jersey ? A juste titre, Adèle s'est rebellée contre la bizarre idée. Certes elle sait le prix que son mari attache à ses cuivres, à ses faïences, à ses verres de Venise. Mais a-t-il songé que les événements pourraient les chasser de Jersey ? « Il faut que nous puissions lever le pied d'une heure à l'autre... Voilà deux fois que les événements nous chassent de notre gîte. Les événements peuvent bien nous en chasser une troisième fois... » En femme qui a appris à garder les pieds sur terre — en l'occurrence c'est son mari qui ne les a plus — elle signale que les frais de déménagement seraient immenses : « Rappelle-toi que nous avions eu *dix-huit voitures de déménagement*; notre mobilier, depuis, a plutôt augmenté... » Elle conseille plutôt de mettre le mobilier en vente. Hugo, non sans mal, s'incline. Un commissaire-priseur vient estimer tout cela. Examinant et soupesant chaque objet, il fait souvent la grimace. D'où la sévère admonestation d'Adèle à son mari : « Tu as une mauvaise entente du mobilier parce que tu n'achètes en général que des étoffes usées, des porcelaines écornées, fêlées, cassées... Il n'y a pas de plus mauvaise spéculation que le bric-à-brac. »

A Paris, quand les journaux annoncent la vente c'est une véritable sensation. « Il est venu une foule immense le jour de l'exposition, écrit Adèle à son mari. Les voitures allaient jusque dans la rue Rochechouart, et des gens de toutes classes. » Du coup, Hugo, que ce sacrifice navrait, se juge comblé. Par le marteau du commissaire-priseur, son personnage de proscrit reçoit une touche ultime.

Parmi les innombrables visiteurs attirés par l'exposition de son mobilier, il saura qu'il y a eu beaucoup de gens modestes. Chacun a voulu s'asseoir dans son fauteuil jaune, celui dans lequel il travaillait. On a entendu : « Je veux pouvoir dire que je me suis assis dans le fauteuil de Victor Hugo, c'est le fauteuil d'un grand homme. » Le jour de la vente — 9 juin 1852 — une femme du peuple restera jusqu'au bout dans la cour à entendre annoncer à la criée « les paillasses, vieux meubles et mauvais ustensiles ». Elle dira en secouant la tête : « Ce brave Monsieur Hugo, en voilà un qui aime le peuple, il s'est ruiné pour défendre sa cause. On vend ses meubles parce qu'il n'a plus d'argent. On devrait faire une souscription pour lui. Je donnerais bien 20 sous, moi. » De telles paroles, de telles réactions n'eussent pas eu lieu avant le 2 décembre. Ce qui s'édifie peu à peu, c'est la nouvelle image de Hugo. C'est, entre un homme et un peuple, le début d'une rencontre sans exemple qui, grandissant sans cesse au cours des années d'exil, fera de lui l'écrivain le plus populaire que l'on ait jamais vu en France.

Le jour de la vente, tous les amis étaient là. Beaucoup ont poussé des meubles et des objets au-delà de ce qu'ils valaient. Le bilan : une recette de 15 000 francs. Le soir, Janin n'a pu s'empêcher de retourner errer autour de la maison désormais vide de la rue de la Tour-d'Auvergne :

A Hugo : « Il s'était fait autour de votre maison un grand silence ! L'étoile, une étoile qui est à vous, jetait sa profonde clarté sur le petit jardin où vous descendiez le soir... A la fenêtre ouverte, une ombre, une blancheur, une image attentive et calme contemplait en silence la ville qu'il faudra quitter demain ! Je crois bien que c'était votre fille qui rêvait ainsi. A la fenêtre fermée, il y avait votre femme et votre fils qui causaient tout bas ; la parole était calme et triste ; on n'entendait pas ce qu'ils disaient, c'était facile à comprendre. Ils disaient adieu à ce nid charmant, où s'abritait la gloire paternelle... »

C'est François-Victor, rendu prématurément à sa mère, que Janin a reconnu. Un jour, à l'Élysée, le vieux roi Jérôme a dit devant le prince-président qu'il restait au jeune Hugo quatre mois de prison à faire. Louis-Napoléon a montré de la surprise :

— Est-ce que Victor Hugo a encore un fils en prison ? Je l'ignorais. Je vais donner l'ordre qu'on le remette immédiatement en liberté.

Ce qui a été fait. Dans cet acte, Hugo a vu naturellement la plus lâche des perfidies. Tristesse des a priori politiques. De même l'exilé de la Grand-Place a ricané quand on lui a annoncé que Louis-Napoléon s'était rendu à une représentation de *Marion de Lorme* — toujours représentée à la Comédie-Française. Au moment où Nangis demande grâce et parle de clémence, la salle tout entière s'est tournée vers Louis-Napoléon en applaudissant. On a vu alors le prince-président lever ostensiblement les mains et applaudir plus fort que les autres. Il s'est penché vers le chevalier d'Orsay qui se trouvait dans sa loge et il a dit : « Victor Hugo est vraiment un bien grand talent. »

Victor Hugo photographié à Jersey.

L'hôtel de ville de Bruxelles, tel que le voyait Hugo de sa fenêtre de la Grand-Place.

Adèle Hugo à Jersey.

Hugo photographié par son fils Charles sur le rocher des exilés à Jersey.

Marine Terrace *photographiée par Charles Hugo.*

Victor Hugo avec Auguste Vacquerie,
photographiés par Charles.

Paul Meurice.

AU TEMPS DE L'EXIL

Juliette Drouet, par Larrieux.

Adèle II Hugo.

De gauche à droite, Charles, François-Victor et Victor Hugo.

La maison vue du côté du jardin.

HAUTEVILLE HOUSE

Le look-out *où travaillait Hugo.*

La salle à manger.

La « chambre de Garibaldi ».

Le salon rouge.

En 1856 à Guernesey.

Ce dessin de Victor Hugo est intitulé : « Exil ».

En 1860 à Bruxelles.

L'une des dernières photographies d'Adèle Hugo.

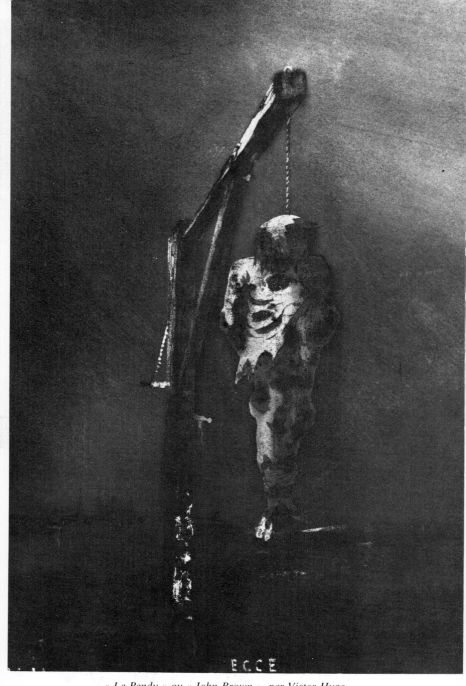

« Le Pendu » ou « John Brown », par Victor Hugo.

L'un des thèmes favoris de Hugo dessinateur : le château dans l'orage.

A Guernesey sur son balcon.

Avec ses petits-enfants Jeanne et Georges.

La dernière image de Juliette Drouet. Portrait par Bastien-Lepage.

La maison de l'avenue d'Eylau, devenue avenue Victor Hugo.

Dessiné par Rodin.

Vu par Bastien-Lepage en 1882.

Sur son lit de mort.

Les obsèques.

Cette Adèle II que Janin a vue à la fenêtre, ombre et blancheur, a vingt-deux ans maintenant. Elle a ressenti plus amèrement que ses frères la mise au ban de son père par cette société qui naguère le fêtait. Depuis lors elle cultive une étrange tristesse. De longues heures, on la voit silencieuse, plongée dans une rêverie amère et douloureuse. Sa mère, dans ses lettres à Victor, s'inquiète. Elle a commencé à tenir un Journal, Adèle II. Que dirait Hugo s'il pouvait y lire ceci : « M. de Sainte-Beuve revient chez nous. Il cause longuement » ?

Napoléon-le-Petit doit paraître à Londres, le 25 juillet. Le 9, Charles de Brouckère rend visite à Hugo. Il lui dit « que son livre créerait au gouvernement belge de tels embarras qu'il ne croyait pas qu'il fût possible que, malgré toute sa sympathie pour lui personnellement, le gouvernement ne vît pas son départ avec plaisir. En cas de non-départ, le bourgmestre a laissé entrevoir l'éventualité de l'expulsion ». Le 21, le duc de Bassano envoie au marquis de Turgot une dépêche chiffrée annonçant l'imminente mise en vente de *Napoléon-le-Petit* : « Je crois qu'il serait important de donner, dès à présent, des ordres à toutes les frontières pour qu'un redoublement de surveillance soit exercé même à l'égard des voyageurs. Les exemplaires destinés à être introduits en France sont de très petit format, facile à dérober aux investigations de la douane. » Le 25 juillet, Turgot donne l'ordre à Bassano de préparer une plainte auprès du gouvernement belge, tendant à faire poursuivre M. Hugo aussitôt que son ouvrage aurait paru. Le même jour, Victor écrit à Adèle : « L'imprimeur sort d'ici, chère amie. Le livre paraîtra mercredi ou jeudi au plus tard. Il faut donc que tu partes sitôt cette lettre reçue. Rends-toi directement à Jersey... Les incidents se sont multipliés et se multiplient encore et un violent orage bonapartiste gronde autour du livre. » Le même jour encore, Hugo écrit à François-Victor de le rejoindre « sans aucun retard » et annonce son départ à Vacquerie : « Je fais mes malles et je corrige des épreuves. Je mets mes chaussettes sous cadenas et je donne la volée à mes idées ; je suis ahuri, bourré, pressé, poussé par le gouvernement belge qui veut que je m'en aille, tiraillé par les proscrits qui veulent que je reste. »

Janin, décidément mué en disciple, a voulu faire ses adieux à Hugo. Le voilà à Bruxelles. Il se dirige tout droit vers la Grand-Place, entre dans la boutique du marchand de tabac, grimpe l'escalier : « La porte était ouverte. On entrait chez le proscrit comme on entrait jadis chez le poète. L'homme était étendu sur un tapis à terre et dormait. Il dormait si profondément qu'il ne m'entendit pas venir et je pus admirer tout à l'aise ces membres solides ; cette vaste poitrine où la vie et le souffle occupent tant d'espace ; ce front découvert ; ces mains dignes de tenir la baguette de la Fée ; en un mot, je le vis tout entier, ce vaillant capitaine des grandes journées... On eût dit le sommeil d'un enfant, dont le souffle était calme et régulier. »

Ainsi *Napoléon-le-Petit* va comporter ce résultat de rassembler la famille Hugo dispersée. Toute la famille ? Ce n'est pas sûr. Malgré de multiples appels du *pèrissime*, François-Victor s'est refusé jusque-là à le rejoindre : « Viens tout de suite, je t'en prie, cher enfant, au besoin *je te le commande... On* pourra te rejoindre à Jersey. » *On* est une jeune actrice, Anaïs Liévenne, dont, depuis des mois, le jeune homme est littéralement fou. A peine libéré de prison, il a couru vivre auprès d'elle, au désespoir de sa mère qui le voyait à peine et contrariant son père qui comptait l'accueillir à Bruxelles comme Charles.

L'heure a sonné. Le 29 juillet, Adèle, sa fille et Auguste Vacquerie s'embarquent au Havre pour Jersey. Sans François-Victor qui n'a pu s'arracher des bras d'Anaïs. Le même jour, les proscrits de Bruxelles offrent un dîner d'adieu à Victor Hugo. Le 31, accompagné de Charles, il quitte Bruxelles pour Anvers où on lui offre un nouveau banquet d'adieu. A tous il apparaît au meilleur de sa forme, plus virulent que jamais, Jupiter tonnant pour exalter la République dont il jure qu'elle n'a jamais été plus vivante : « Elle est dans les catacombes, ce qui est bon. Ceux-là seuls la croient morte qui prennent les catacombes pour le tombeau. Amis, les catacombes ne sont pas le sépulcre, les catacombes sont le berceau. Le christianisme en est sorti la tiare en tête ; la République en sortira l'auréole au front ! » Pour lui, désormais, « la démocratie, c'est la grande patrie. République universelle, c'est patrie universelle... La fin des nations c'est l'unité, comme la fin des racines, c'est l'arbre, comme la fin des vents, c'est le ciel, comme la fin des fleuves, c'est la mer ». Quelle acclamation quand il s'écrie pour finir :

— Peuples ! Il n'y a qu'un peuple. Vive la république universelle !

Le même jour, les deux Adèle et Vacquerie arrivent à Jersey. Ils vont se loger à l'hôtel de la Pomme d'Or.

Sur le bateau à vapeur où Victor et Charles ont pris place et qui vogue vers l'Angleterre, une femme voyage aussi. Pour les Hugo, une étrangère. Cette femme, c'est Juliette. Victor lui a mis le marché en main : bien sûr, elle l'accompagnera à Jersey. Il ne saurait se séparer d'elle. Mais les *convenances* exigent, soit qu'elle le rejoigne par un autre bateau ; soit, si elle choisit le même voyage, que nul ne sache qu'elle l'accompagne. Nouvelle humiliation. Bref sursaut qu'elle surmonte par la force d'une longue habitude :

« Bonjour, mon Victor, bonjour.

« Je ferai tout ce que tu voudras. Du moment où mon cœur est tout à fait désintéressé dans la question, peu m'importe quand et comment mon corps changera de place et se transportera de Bruxelles à Jersey.

« Ainsi, mon Victor, je ne fais aucune difficulté de partir en même temps que toi, car, entre le chagrin d'une séparation de vingt-quatre heures et l'amertume d'être près de toi comme et moins qu'une étrangère, mon pauvre cœur ne saurait choisir.

« Il est tout simple que je me sacrifie aux préjugés et que je respecte la présence de tes fils dans cet incognito douloureux. Mais il y a quelque chose de bien cruellement injuste et d'affreusement dérisoire pour moi à penser que ces sacrifices, ces respects qu'on impose à mon dévouement, à ma fidélité, à mon amour, on n'y songeait pas et on en faisait bon marché quand il s'agissait d'une autre femme dont l'affaire dût consister à n'en avoir aucune.

« Pour celle-là, le foyer de la famille était hospitalier, la courtoisie protectrice et déférencieuse des fils était un devoir. Pour celle-là, la femme légitime lui faisait un manteau de sa considération et l'acceptait comme une amie, comme une sœur et plus encore. Pour celle-là, l'indulgence, la sympathie, l'affection.

« Pour moi, l'application rigoureuse et sans pitié de toutes les peines contenues dans le code des préjugés, de l'hypocrisie et de l'immortalité.

« Honneur aux vices éhontés des femmes du monde, infamie sur les pauvres créatures coupables de crimes d'honnêteté, de dévouement et d'amour. C'est tout simple : il faut bien sauvegarder la société dans ce qu'elle a de plus respectable et de plus cher.

« Je partirai pour Jersey quand et comme tu voudras... »

Quand, le dimanche 1er août 1852, vers 3 heures de l'après-midi, le *Ravensbourne* s'éloigne des quais d'Anvers, les nombreux proscrits, accourus pour saluer Hugo, l'acclament longuement. Du pont, Hugo leur adresse de grands gestes amicaux et crie : « Vive la République ! » Perdue parmi les passagers anonymes, Juliette écoute et regarde la scène. Le 2 août,

on est à Londres que l'on a rejoint par le chemin de fer.
L'immense ville noire terrorise Hugo. Au sortir de la gare, il
regarde autour de lui et demande à son fils :
— Par où s'en va-t-on ?

On gagne Southampton où l'on arrive le 4 août. Le 5, on
aborde le port de Saint-Hélier, capitale de Jersey. Une petite
foule l'attend sur le quai : une soixantaine de réfugiés français,
mais surtout les deux Adèle, et le presque fils Auguste Vacquerie. Le vice-consul français adresse aussitôt son rapport à son
gouvernement. Il estime que Hugo « paraissait très abattu ».
Il ajoute : « Les principaux réfugiés se sont approchés de lui à
son débarquement pour le féliciter et lui serrer la main. Il n'y
a eu aucune manifestation et les spectateurs se sont dispersés
pendant que M. Hugo se rendait à l'hôtel avec sa famille. »

Et Juliette ? Le vice-consul — ou l'un de ses agents — n'a
pas manqué de l'apercevoir. Mais il a commis à cet égard
la plus cocasse des méprises : « Parmi les voyageurs débar-
qués le 5 de ce mois avec M. Victor Hugo, se trouve une dame
dans laquelle plusieurs personnes ont cru reconnaître
Mme George Sand. Descendue sous un autre nom dans un
des hôtels de Saint-Hélier, la voyageuse n'a pas encore abandonné l'incognito. » Plus perspicace, le ministre des Affaires
étrangères de Louis-Napoléon, Drouyn de Lhuys, a écrit en
marge du document, conservé dans les archives des Affaires
étrangères : « C'est probablement la maîtresse de Victor
Hugo qui était avec lui à Bruxelles. »

Merveilleuse Juliette. Elle est allée jusqu'à écrire, le lendemain, à son Toto : « Hier, en te voyant si près de tous tes
chers êtres si aimés et si regrettés, j'oubliais mon propre isolement pour ne penser qu'à ta joie que je dévorais des yeux,
que je bénissais de l'âme, que je partageais de toute la force
de mon amour pour toi, de mon respect et de mon dévouement pour ta noble et sainte femme. C'est ainsi que je t'ai
suivi de loin jusqu'au moment où j'ai été forcée de m'arrêter
dans le fameux hôtel du Commerce où je te gribouille ces
quelques lignes en attendant que tu puisses venir m'y voir
aujourd'hui. »

Ainsi elle est à l'hôtel du Commerce. Seule. Lui à l'hôtel de
la Pomme d'Or. Avec sa famille. Tout est rentré dans l'ordre.

II

LE LION D'ANDROCLÈS

> Les esprits ne sont pas des chevaux de fiacre qui
> attendent patiemment le bourgeois.
>   Delphine DE GIRARDIN.

O N redoutait des brouillards, un ciel gris, des nuits
froides. Ce qui accueille les Hugo à Jersey, c'est la surprise d'un été à canicule et le ravissement d'un paradis vert. Dès le lendemain, Hugo part à la découverte. Il
s'extasie, compare, sur la côte sud, le site de Gorey à ceux du
Tréport et d'Étretat : « C'est le plus bel endroit que j'aie
jamais vu. » Cette allégresse ressemble à une libération. A
Luthereau : « Nous sommes ici dans un ravissant pays ; tout y
est beau ou charmant. On passe d'un bois à un groupe de
rochers, d'un jardin à un écueil, d'une prairie à la mer. Les
habitants aiment les proscrits. De la côte on voit la France. »
A Charras : « S'il y avait de beaux exils, Jersey serait un exil
charmant. C'est le sauvage et le riant mariés au beau milieu
de la mer, dans un lit de verdure de huit lieues carrées. » Si,
le 6 août, il rencontre des ormes sur son chemin, il y voit un
signe. Adèle II note dans son Journal qu'il a dit : « Quelle
douce chose, je retrouve l'orme, c'est un arbre de la France. »
    Cet homme qui se récrie et s'exclame devant la grève de
Lecq, la baie de Saint-Ouen, les récifs de Rozel, les vallons
boisés, les agaves, les palmiers, les fleurs, les gazons, les bosquets, est apparu d'abord à Adèle — ainsi que son fils
Charles, d'ailleurs — « fort engraissé ». Elle a peu à peu
découvert que le Victor d'août 1852 ne ressemblait plus que

de très loin à ce dandy fringant des années 1840 auquel
Juliette regrettait si fort d'avoir appris la coquetterie. Une
veste de coutil qui pend sur les épaules, une cravate nouée à
la diable, un pantalon de gros drap qui s'arrondit aux
genoux, de lourdes chaussures de travailleur, voilà le nouvel
Hugo. Le plus surprenant n'est pas le négligé de la tenue,
c'est l'expression du visage. Sur toutes les photographies de
son père que Charles va prendre à Jersey — la photo devenue
ici palliatif de l'exil — ce que l'on découvre, c'est le même
masque tourmenté, à la fois ravagé et boursouflé. Aux lèvres,
le même pli amer. Aux yeux, le même regard fixe, sombre,
ardent, parfois exalté.

Impossible de déceler chez ce quinquagénaire empâté le
moindre vestige des traits de « l'enfant sublime ». Morpho-
logiquement, l'évolution apparaît si totale que l'on croirait
avoir affaire à deux êtres différents. L'enfant était beau, le
vieillard sera beau. L'homme intermédiaire est franchement
laid.

On peut regretter que la technique du temps ne nous ait
pas accordé d'instantanés de Hugo. Les photos prises par
Charles ont toutes été posées. Les attitudes sont fatalement
celles qui conviennent au génie : dos à la mer, bras croisés,
méditant ; appuyé sur un rocher, la main soutenant la pensée
profonde autant que le vaste front ; regard porté très loin —
la France — ou très haut : le ciel. Ces poses, le photographe
les a voulues, mais nous ne pouvons douter que Hugo s'y soit
prêté. Au bas de l'une de ses images les plus « inspirées », n'a-
t-il pas écrit — en toute simplicité — : *Victor Hugo écoutant
Dieu* ? L'instantané aurait montré l'autre Hugo, retrouvant
vite sa gaieté, s'esclaffant de ses propres calembours, s'abandonnant au charme d'un paysage ou à la tendresse d'une rencontre.

Le Hugo qui s'attarde à la découverte de Jersey est un
homme apaisé. Les médecins diagnostiqueraient aujour-
d'hui, après la tension exacerbée qui, depuis le Deux-Décembre, ne s'est pas relâchée un instant, un phénomène évident
de « décompression ». Hugo le reconnaîtra lui-même en 1860,
lors d'un bref retour dans l'île :

« Quand je suis arrivé ici, il y a huit ans, au sortir des plus prodigieuses luttes politiques du siècle, moi naufragé encore tout ruisse-
lant de la catastrophe de décembre, tout effaré de cette tempête,

tout échevelé de cet ouragan, savez-vous ce que j'ai trouvé à Jersey ? Une chose sainte, sublime, inattendue : la paix... J'ai trouvé, je le répète, la paix, le repos, un apaisement sévère et profond dans cette douce nature de vos campagnes, dans ce salut affectueux de vos laboureurs, dans ces vallées, dans ces solitudes, dans ces nuits qui sur la mer semblent plus largement étoilées, dans cet océan éternellement ému qui semble palpiter directement sous l'haleine de Dieu. »

Il ajoutera que « tout en gardant la colère sacrée contre le crime », il avait « senti l'immensité mêler à cette colère son élargissement serein ». Alors, tout ce qui grondait en lui s'était « pacifié ». Pour chanter l'île, il allait retrouver tout naturellement le rythme enfui des petits vers, synonyme pour lui de bonheur :

> Jersey, sur l'onde docile,
> Se drape d'un beau ciel pur
> Et prend des airs de Sicile
> Dans un grand haillon d'azur...

Impossible bien sûr de rester à l'hôtel, trop onéreux et où il travaille mal. Où s'installer ? A la table d'hôte, la tribu des Hugo s'est affrontée. Adèle II, qu'épouvante la solitude, veut rester près de Saint-Hélier. Charles voudrait un endroit sauvage, sur une hauteur. Hugo tient à vivre devant la mer. Naturellement, le *pèrissime* l'emporte. Plus ses volontés s'enveloppent de douceur, plus elles sont inflexibles. On trouve et on loue, sur la grève d'Azette, une étrange maison, une « cahute blanche », dit-il sur le moment, un « lourd cube blanc à angles droits, dira-t-il plus tard, qui avait la forme d'un tombeau ». Cela s'appelle Marine Terrace. *Marine* parce que la mer est là, à quelques mètres, que les vagues se brisent sous les fenêtres et que les embruns viennent l'hiver napper les vitres de leurs gouttelettes. *Terrace* parce que la maison a une terrasse pour toit. Ajoutez un jardin d'un quart d'arpent « en pan incliné, entouré de murailles, coupé de degrés de granit et de parapets, sans arbres, nu, où l'on voyait plus de pierres que de feuilles » et abondant en touffes de soucis : voilà la nouvelle demeure de l'exil. La façade sud de la maison donne sur le jardin. Un renflement de terrain masque à ce jardin la plage toute voisine.

« Un corridor pour entrée au rez-de-chaussée, une cuisine, une serre et une basse-cour, plus un petit salon ayant vue sur le chemin sans passants et un assez grand cabinet à peine éclairé ; au premier et au second étage, des chambres propres, froides, meublées sommairement, repeintes à neuf, avec des linceuls blancs aux fenêtres. Tel était ce logis. Le bruit de la mer toujours entendu [1]. »

Là, Hugo a choisi une pièce du deuxième étage pour y dormir et y installer, devant l'immensité grise et verte, sa table de travail. *A Charras* : « De ma fenêtre, je vois la France. Le soleil se lève de ce côté-là. Bon signe. On me dit que mon petit livre s'infiltre en France et y tombe, goutte à goutte, sur le Bonaparte. Il finira peut-être par faire le trou... »

Le petit livre n'est autre que *Napoléon-le-Petit*, introduit clandestinement en France par les moyens les plus ingénieux. Imprimé sur papier pelure, on l'expédie dans la doublure de vêtements, voire dans des bustes en plâtre — creux — du prince-président. Cet impertinent de Rochefort, parlant de Louis-Napoléon, commente gravement : « On ne pourra plus dire qu'il n'a rien dans la tête. » Avoir lu *Napoléon-le-Petit*, c'est prouver en France que l'on est dans le vent. Alexandre Dumas en fait des lectures à ses amis : « Tout le monde a été ravi, transporté. » Partout des traductions : *Napoleon the Little*, 70 000 exemplaires, *Napoleón el Pequeño*, bien d'autres. Un million d'exemplaires dans le monde !

Cet incroyable succès accroît l'euphorie de l'exilé. Il vit dans la tranquille certitude que le Verbe écrasera la Force. Il croit même, en cette fin d'été 1852, que le dénouement est proche. Il traite désormais Louis-Napoléon avec plus de désinvolture que de colère. Il parle de ce « coup de pied au cul à Bonaparte » qu'il sera enchanté de donner. Il est sûr de faire « souffler le vent » qui renversera l'homme du Deux-Décembre. L'illusion dure près de trois mois.

Il est là, devant la mer, curieusement oisif, allant chaque jour retrouver Juliette pour qui il a loué un petit appartement dans un cottage au nom grandiose : *Nelson Hall*. Dans sa nouvelle chambre, Juliette a réappris cet exercice auquel elle est rompue depuis si longtemps : attendre. Attendre la visite quotidienne de son Victor. Attendre la promenade le long des grèves. Attendre un improbable incendie sensuel : « Nous verrons si la vue de l'océan vous inspirera mieux que

1. **William Shakespeare.**

la grande place de Bruxelles et si mon cottage sera plus fêté que la chambre du passage Saint-Hubert. » Il repense à la poésie, ce à quoi il s'était refusé depuis février 1848. *A l'éditeur Hetzel* : « Je puis avoir un volume de vers, *les Contemplations*, prêt dans deux mois... Vous seriez bien aimable de tâter un peu le terrain et de me répondre un mot à ce sujet... » Le 2 septembre, écrivant à Alphonse Karr, il se dit « profondément calme ».

Jersey, le plus tranquille des asiles ? Sur deux points essentiels, il se trompe : la présence de nombreux proscrits français à Jersey, loin de lui faciliter la vie, va peu à peu l'empoisonner ; aussi, il s'apercevra vite qu'une surveillance policière de plus en plus pesante va s'exercer sur lui. *A Charras* : « Depuis que je suis ici, on m'a fait l'honneur de tripler les douaniers, les gendarmes et les mouchards, à Saint-Malo. Cet imbécile hérisse les bayonnettes contre le débarquement d'un livre... » Ce n'est pas seulement contre les livres que le gouvernement de Paris se défend, mais contre l'auteur.

Le jour même de son arrivée, Hugo justifie les craintes des agents français en prenant la parole au siège de la Société fraternelle des Proscrits républicains où il a été entraîné quasi de force. Le thème qu'il traite ce jour-là est celui de l'union :

Amis, je viens de voir en Belgique un touchant spectacle : toutes les divisions oubliées, toutes les nuances républicaines réconciliées ; une concorde profonde, tous les systèmes ralliés au drapeau de l'Idée, le rapprochement des proscrits dans les bras de l'affliction ; chacun cherchant son adversaire pour en faire son ami, et son ennemi, pour en faire son frère ; toutes les rancunes évanouies dans le doux et fier sourire du malheur ; j'ai vu cela, j'en viens, j'en ai le cœur plein, c'est beau.

A-t-il vraiment vu tout cela en Belgique ? Dans l'exil, les différences, loin de s'aplanir, se sont souvent exaspérées. C'était vrai à Bruxelles. Ce l'est plus encore à Jersey où sont réunis des proscrits ouvriers de juin 1848, des réfugiés montagnards de juin 1849, des bannis d'Italie, de Hongrie, de Pologne, sacrifiés ou abandonnés par la Seconde République, cependant que les exilés de décembre 1851 sont en minorité. En Belgique, Hugo a côtoyé surtout des personnalités du monde politique. A Jersey, il va se trouver aux prises avec des « militants de base », socialistes ou démocrates socialistes. Il y a beaucoup d'irritation parmi eux, de rancœur, d'amertume. La plupart sont pauvres. Ils ont la critique aisée, l'injure facile — même à l'égard d'amis de la veille. Les rivalités internes, les querelles de chapelle ne vont-elles pas peu à peu tuer l'opposition ? Voilà la préoccupation essentielle de Hugo.

L'agent vice-consul Laurent à Drouyn de Lhuys : « M. Victor Hugo n'a pas tardé à profiter de la licence que les lois anglaises accordent à la parole comme à la presse, et de la sécurité imaginaire que lui présentait le club démagogique de Saint-Hélier pour fraterniser avec ses membres et proférer non seulement les discours les plus violents contre le gouvernement français, mais aussi contre monseigneur le prince-président, les injures les plus graves que je m'abstiendrai de répéter. »

Sécurité imaginaire ? Parmi les exilés eux-mêmes, Laurent compte des indicateurs. Hugo en prendra vite conscience.

« Ils ont des yeux et ils n'ont pas voulu voir. » Lui non plus n'a pas voulu voir. Le drame des émigrés est d'imaginer leur pays comme ils voudraient qu'il soit. Ils le drapent aux couleurs du rêve qui les habite. La vérité est que le prince-président parcourt la France et que la France l'acclame. Les journaux qui parviennent à Hugo impriment tout cela. C'est à peine s'il les lit. A peine ces feuilles entrouvertes, il les laisse retomber.

Le 9 octobre 1852, Louis-Napoléon est à Bordeaux. Il prononce un discours. Que peut bien faire à Victor Hugo un discours de plus de Bonaparte ? Une phrase, cette fois, lui saute pourtant aux yeux. Le prince-président s'est écrié, formule appelée à devenir fameuse :

— L'Empire, c'est la paix !

Pourquoi est-ce cette phrase-là entre toutes qui retient l'attention du maître de *Marine Terrace* ? Pourquoi s'y attarde-t-il alors qu'il a dédaigné toutes les autres ?

Un mot lui a sauté aux yeux : EMPIRE. Qu'y a-t-il là de surprenant ? N'avait-il pas compris que, dans le coup d'État, l'Empire était en puissance ? Depuis son adolescence, Louis-Napoléon a adopté une ligne inflexible et poursuivi un but unique : restaurer le pouvoir impérial. Pour cela, il a tout risqué, mis par deux fois sa vie en jeu, souffert six années de prison. Tout politologue débutant — le mot n'existe pas encore, mais le fait — aurait pu, dès le 4 décembre 1851, annoncer que l'Empire était créé.

Or c'est cela que ne supporte pas Hugo. Cela qui tout à coup le fait bondir. De quel droit le faquin parle-t-il d'Empire ?

Le 2 décembre, la colère sacrée qui a soulevé Hugo contre le *crime* était née d'une nécessité absolue. Elle n'avait trait qu'à l'attentat en soi. Il aurait pensé et agi de même si le coup d'État avait été le fait d'un Cavaignac, par exemple. Depuis, s'il a personnalisé sa colère, c'est parce qu'il lui est toujours nécessaire de s'en prendre au concret. Et puis, elle était si tentante, l'antithèse entre les deux Napoléon !

Cette fois, c'est trop. Trop ! Chez le républicain Hugo, les rêves de la gloire impériale ne s'éteindront jamais. Rallié au bonnet phrygien, il véhicule avec le même bonheur les stéréotypes du petit chapeau et de la redingote grise. Il s'est révolté parce que l'on s'en prenait à la République : une *idée*. Cette fois, il ne veut pas qu'on lui vole cet Empire, si souvent chanté et magnifié par lui qu'il le tient pour sien : une *image*.

Le 7 novembre, par sénatus-consulte, la dignité impériale est rétablie en France. Le peuple français sera appelé à ratifier, par plébiscite, l'accession de Napoléon III à l'Empire.

Il est bien achevé, l'espoir de Jersey. Soudain l'homme que l'on voyait assoupi se dresse. Il se met à *crier*. De la même façon que Voltaire, pour Calas ou contre les jésuites, *criait*. Le spectacle des vagues et des prairies avait engourdi Hugo. L'annonce de l'Empire le réveille en sursaut.

Victor Hugo est rentré dans l'arène.

Quand on lui dit que le futur empereur a montré son dernier livre à ses courtisans, ajoutant en souriant : « Voici *Napoléon-le-Petit* par Victor Hugo-le-Grand », il ressent des envies de meurtre. Ces jours-là, les siens le voient à toute heure quitter *Marine Terrace*. La nuit, le jour, il va, il vient, à grandes enjambées, devant la mer, le long des dunes et des plages. Sur son visage, ceux qui le croisent lisent une expression qui les laisse inquiets : elle était furieuse, elle est devenue féroce. Il marche aussi pendant des heures. Il a pris sa décision : *Napoléon-le-Petit* n'a pas suffi. Il va asséner sur la tête du double usurpateur — de la République sainte et l'unique Empire — quelque chose de terrible. Des vers qui l'anéantiront.

Quand il rentre à *Marine Terrace,* il lance des phrases de ce genre :

— Le misérable n'était cuit que d'un côté. Je le retourne sur le gril !

De cette indignation, les esprits rassis peuvent sourire. Mais pourquoi vouloir juger Hugo à la mesure de Boileau ? A cette bienheureuse colère nous allons être redevables de vers admirables.

Il n'en est plus à l'intention. Chaque jour, des dizaines de vers de flamme jaillissent de sa plume. Comment appellera-t-il le réquisitoire qu'il médite ? Il hésite : *les Vengeresses? Rimes vengeresses? le Chant du vengeur?* Il en vient — sens infaillible du mot juste — au titre définitif : *les Châtiments.* Tout l'automne, il y travaille. C'est à la veille du vote écrasant — 7 824 189 oui et 253 145 non [1] — qui consacre l'Empire qu'il a écrit ses premiers vers. La France presque entière lui inflige un accablant démenti ? Loin de l'abattre, ce lâche abandon l'aiguillonne. Il imagine un dialogue avec le seul interpellateur digne de lui : l'océan. Cette immensité sage conseille l'apaisement : pourquoi ne pas revenir à la poésie pure ? Infortuné océan ! Hugo lui répond — c'est le cas de le dire — vertement :

> Tu me dis : — Donne-moi ton âme ;
> Proscrit, éteins en moi ta flamme ;
> Marchèur, jette aux flots ton bâton ;
> Tourne vers moi ta vue ingrate —
> Tu me dis : — J'endormirais Socrate ! —
> Tu me dis : — J'ai calmé Caton !
>
> Non ! respecte l'âpre pensée,
> L'âme du juste courroucé,
> L'esprit qui songe aux noirs forfaits !
> Parle aux vieux rochers, tes conquêtes,
> Et laisse en repos mes tempêtes !
> D'ailleurs, mer sombre, je te hais !

Les pièces capitales se succèdent : *Toulon, l'Homme a ri, Aux morts du 4 décembre, Souvenirs de la nuit du 4, Ultima verba, le Manteau impérial.* « Il faut se presser, car le Bonaparte me fait l'effet de se faisander. Il n'en a pas pour long-temps. L'empire l'a devancé, le mariage Montijo l'achève... »

---

1. Avec, il est vrai, 2 millions d'abstentions.

CHÂTIMENTS

la lettre de
Samuel est
dans le
dossier

JERSEY. 1852-1853-

Victor Hugo

Il compose *Nox* du 16 au 22 novembre, *l'Expiation*, du 25 au 30. *Lux* du 16 au 20 décembre. Du sens de l'ouvrage, il a entretenu Jules Hetzel, éditeur de Balzac et de George Sand, homme fin, auteur de charmants livres pour enfants [1], lui aussi républicain exilé et qui d'emblée s'est proposé d'éditer l'ouvrage. Où, il ne le sait pas encore, mais il le publiera. Hugo l'a averti : « Ne vous attendez pas à ce que le livre soit aussi impersonnel que *Napoléon-le-Petit*. Il n'y a pas de poésie lyrique sans le moi. » Dieu sait s'il tient sa promesse !

> Muse Indignation ! viens, dressons maintenant,
> Dressons sur cet empire heureux et rayonnant,
> Et sur cette victoire au tonnerre échappée,
> Assez de piloris pour faire une épopée !

Chaque vers est une imprécation, chaque poème une invective. On le voit brasser avec une joie de carnassier les mots et les images. « Jamais la satire ne fut plus violente, la jubilation plus contagieuse. L'argot, le langage des tripots et des mauvais lieux, chasse les derniers artifices de la langue poétique [2]. » Aujourd'hui, la plupart des hommes qu'il accable sont oubliés et cependant, en relisant cela, nous jubilons à notre tour.

> Que tous les grands bandits, en petit copiés,
> Revivent ; qu'on emplisse un Sénat, de plats-pieds
> Dont la servilité négresse et mamelouque
> Eût révolté Mahmoud et lasserait Soulouque ;
> Que l'or soit le seul culte, et qu'en ce temps vénal,
> Coffre-fort étant Dieu, Gousset soit cardinal ;
> Que la vieille Thémis ne soit plus qu'une gouine ;
> Baisant Mandrin dans l'antre où Mongis baragouine ;
> Que Montalembert bave accoudé sur l'autel ;
> Que Veuillot sur Sibour crève sa poche au fiel ;
> Qu'on voie aux bals de cour s'étaler des guenipes
> Qui le long des trottoirs traînaient hier leurs nippes,
> Beautés de lansquenet avec un profil grec.

Sans cesse revient l'antithèse du premier Napoléon et du second, de l'immortel héros et du brigand de grand chemin. Sans cesse il montre ces cadavres sur lesquels s'est bâti le

1. Sous le pseudonyme de P.-J. Stahl.
2. Jean Gaudon.

nouvel Empire. L'appel aux abeilles du manteau impérial résume tout :

> Oh ! vous dont le travail est joie,
> Vous qui n'avez pas d'autre proie
> Que les parfums, souffles du ciel,
> Vous qui fuyez quand vient décembre,
> Vous qui dérobez aux fleurs l'ambre
> Pour donner aux hommes le miel,
>
> Chastes buveuses de rosée,
> Qui, pareilles à l'épousée,
> Visitez le lys du coteau,
> Ô sœurs des corolles vermeilles,
> Filles de la lumière, abeilles,
> Envolez-vous de ce manteau !...

Une offre d'amnistie a accompagné l'annonce de l'avène-ment du nouvel Empire. Tous les proscrits qui s'engageront à ne plus attaquer la personne du chef de l'État pourront ren-trer. A Jersey, plusieurs — les plus pauvres, les plus faibles, ceux qui ne peuvent se résoudre à vivre plus longtemps loin de leur famille, de leur ville, leur province — se sont glissés, silhouettes honteuses, dans les bureaux du consulat pour contresigner leur allégeance. A Paris, certains journaux annoncent que Victor Hugo va revenir. Quoi ! On le connaî-trait si mal ?

> Si l'on n'est plus que mille, eh bien ! j'en suis. Si même
> Ils ne sont plus que cent, je brave encor Sylla ;
> S'il en demeure dix, je serai le dixième ;
> Et s'il n'en reste qu'un, je serai celui-là !

En octobre 1853, l'ouvrage est achevé. Le 25 novembre 1852, les *Châtiments* vont paraître à Bruxelles, aux frais de l'auteur et d'un petit groupe de proscrits animés par Hetzel. Ils ne rapporteront rien à Hugo qu'un déferlement de haine dans son pays. La haine, il connaît. Mais, cette fois, ce qu'on dit sur lui, ce qu'on écrit sur lui dépasse tout ce qu'il a sup-porté jusque-là, tout ce que l'on pouvait craindre ou imagi-ner. Cette France qui a approuvé hautement le coup d'État, qui a salué le nouvel Empire de ses acclamations réagit comme si elle se sentait tout entière souffletée par le Juvénal de Jersey. Aux Tuileries, on se contente de sourire. Ailleurs,

on se déchaîne, les plus indulgents répètent que Hugo, décidément, est devenu fou. Les autres répandent leur fiel et
leurs injures. Avant même la publication, Louis Veuillot,
dans *l'Univers*, avait donné le ton : « Pauvre glorieux chiffon !
Il avait reçu de Dieu le talent, des rois les honneurs, du peuple la popularité. Rien n'a profité dans ses mains, il a tout
perdu, et lorsqu'un semblant d'infortune lui permettait de
rentrer en lui-même, d'envelopper au moins la ruine de son
sort, il manque à cette dernière grâce, il déchire avec frénésie
ce dernier manteau, il se rend odieux et ridicule jusque dans
le malheur. » Le mot palinodie est le plus indulgent de ceux
dont on l'accable. On le moque, on ricane, on ne lui oppose
pas tant l'opprobre que le ridicule. D'ailleurs, comment a-
t-on pu se laisser prendre à ce verbe qui n'était que verbeux ?
A ce lyrisme qui n'était que bavardage, à cette fécondité qui
n'était que diarrhée ? Comment a-t-il pu donner durant tant
d'années l'illusion de l'intelligence ? La preuve est faite : ce
Victor Hugo de bazar est bête. Incommensurablement bête.
    Lui, de sa fenêtre de *Marine Terrace*, regarde la mer.

    Il a balayé devant sa porte, répudié le temps où, aux deux
sens du mot, il était mondain. A Bruxelles, il a vécu presque
sans femmes : parfois — rarement — une étreinte qui émerveillait Juliette autant qu'elle l'étonnait ; quelques visites aux
rues chaudes où de grosses Flamandes le hélaient en riant.
Besoin et curiosité mêlés, souvenir sans joie de quelque
chose qui ressemblait à un avilissement.
    Mais à Jersey ? Avec une immense confiance — et avec sa
coutumière naïveté — il s'est, devant l'horizon purificateur,
cru délivré de ces pulsions auxquelles jusque-là il ne voulait
pas résister.
    Il a passé la cinquantaine et croit que l'âge l'aidera à tour-
ner la page. Il ne le pense pas seulement, il le veut. Il a écrit :
« *Abstine, venere, senex !* le jeune homme dépense son
revenu. Le vieillard dépense son capital. » Il tient à ce capital.
Il sait tout ce qu'il doit écrire et tient, pour cette grande
tâche, à se réserver. Cinq ans plus tard, il notera : « Que de
choses j'ai encore à faire ! Dépêchons-nous ! Je ne serai jamais
prêt. Il faut que je meure cependant [1]. »
    Il est face à la mer, face à son œuvre. Il se croit — en toute

1. 16 février 1859.

bonne foi — investi d'une double mission : en finir avec le Bonaparte et témoigner pour ce Dieu ressenti d'année en année, avec une force toujours plus violente et qui parfois l'effraie [1]. Primauté à l'esprit. Que la chair se taise !

Ô illusions ! Ô déception ! Elle ne va guère attendre, la chair, pour tenailler ses veilles et ses jours. Sa solitude ne le délivre pas, au contraire elle exaspère ses désirs. Il n'en peut plus, il se sent comme un fauve en cage. Alors ? Adèle ? Il n'en est pas question. Aucun rapprochement possible avec ce corps qui a failli. Et puis, avec son obésité, ses cheveux rares et trop noirs — se teint-elle ? — elle est devenue si laide ! Juliette ? Ce serait la solution, elle ne demande que cela. Le drame est que Juliette le laisse de marbre. Les prostituées ? A Jersey, il y en a comme ailleurs. Mais Saint-Hélier grouille de proscrits. Et si on l'allait voir sortir d'un mauvais lieu ? La République se doit d'être sans tâche. A fortiori celui qui se voit et se campe comme le phare de cette République.

Or il lui faut — impérativement — des femmes. L'image du corps féminin l'obsède. Plus que l'assouvissement, il a besoin de la vision de la nudité : des pieds nus — nécessité de toujours — des jambes nues, des seins nus. De tout cela, ses Carnets, de plus en plus sincères sous leur camouflage extravagant, nous apportent l'étonnant témoignage. Ces mêmes Carnets nous font découvrir la solution à laquelle il a succombé plutôt qu'il ne l'a choisie : ses proies, il les trouvera à domicile. Ce seront ses servantes.

A Jersey, la ronde s'engage qui trouvera son plein accomplissement à Guernesey. Ces filles, presque toutes misérables, illettrées, sans passé et sans avenir, on les engage dans l'île, mais plus souvent on les fait venir de Normandie. Plutôt que les quelques pauvres francs de leur salaire, c'est un toit et la certitude de manger à leur faim qu'elles cherchent. Elles arrivent, armées d'une « expérience » : dès qu'elles sont entrées en service, il s'est trouvé une « ancienne » pour leur faire connaître que le lit du maître était une éventualité à ne pas dédaigner, puisque le maître ne la dédaignait pas lui-même. Quand Hugo s'adresse à l'une de ces filles, plus simplette que naïve, paralysée par le fait justement qu'il est *le maître*, mais aussi par ce qu'on a pu lui dire de ce M. *Hiougo*,

---

1. A Franz Stevens, il confie qu'il voudrait être une sorte de « témoin de Dieu ».

comment résisterait-elle ? Les Carnets portent la trace de
refus ; ils sont rares. D'autant plus qu'à la clé, M. *Hiougo* glissera une pièce d'argent dans la poche du tablier tout juste
remis en place.

Sordide ? Bien sûr. Abuser d'une femme que l'on sait à sa
merci n'a jamais permis à personne de chanter gloire. Celles
qui se sont dérobées n'ont pas perdu leur place, mais elles
pouvaient craindre de la perdre. Hugo se rassure en se réclamant d'exemples illustres :

> Plaute était fou
> De sa servante alors qu'il vivait à Corfou.

Il se rassure encore quand il voit certaines, non seulement
consentantes, mais empressées. Elles ne sont guère accoutumées à tant d'égards, à cette altière gentillesse dont Hugo
use à leur encontre. Il traite les femmes qui sont à son service, les vieilles comme les jeunes, avec une courtoisie qui me
fait évoquer Louis XIV à Versailles, soulevant son chapeau
devant les femmes de chambre. Certaines, ébahies d'abord,
ensuite éblouies, tomberont franchement amoureuses de lui.
L'une d'elles, le croyant endormi, s'approche précautionneusement de son lit et le baise au front en disant : « Dormez
bien, vous êtes un bon maître. Je vous remercie. » Une autre
lui écrit : « Je vous aime passionnément. »

Il a trouvé son équilibre. Même — l'air marin y aidant, et
les vagues où il se plonge, et l'identification à cette terre du
grand large — il en vient à un épanouissement sexuel quasi
dionysiaque. A sa table de travail, c'est un Hugo gaillard qui
écrit :

> Arrive ici, riante et blondasse et vermeille !

C'est un Hugo comblé qui chante :

> Et la vie amoureuse inonde
> Les champs, les rocs, les caps, le monde
> Du monstrueux sperme Océan.

Malgré tous les appels, François-Victor est resté à Paris.
C'est sa passion, plus violente que jamais, pour la jolie Anaïs

Liévenne, qui le retient. Ne recevant de son père, comme
argent de poche, qu'une aumône, le jeune homme, contrairement à la tradition, ne se ruine nullement pour l'actrice.
C'est l'actrice qui entretient l'amant de cœur. Le plus scandalisé ? Le jeune fils de Dumas : « La courtisane amoureuse, on
ne voit cela que dans les drames romantiques ! » Cet écrivain
d'avenir vient pourtant de publier *la Dame aux camélias*.
Janin écrit aux exilés que François-Victor compromet un
grand nom. Hugo décide de brusquer les choses. *A François-
Victor* : « Ta présence ici est absolument nécessaire. »
   Adèle s'embarque pour Paris. Elle supplie Toto II de la suivre à Jersey. Il refuse. Quand Hugo l'apprend, il écrit à sa
femme : « Notre pauvre enfant n'a plus sa raison. Il est absolument nécessaire de l'arracher à Paris, sans quoi il est
perdu. » A l'égard de son fils, il se fait presque suppliant : « Je
n'ai moi-même peut-être que peu de temps devant moi. Viens,
viens tout de suite. » Dans la capitale, les amis des Hugo
fêtent Adèle retrouvée. Mais Janin écrit à Charles de Lacretelle : « Mme Victor Hugo m'a semblé un peu *trop* courageuse, un peu *trop* sereine : on voyait quelque bravade au
fond de cette gaieté. » Celle-ci, désespérant de convaincre son
fils de quitter Anaïs, finit par proposer de les emmener... tous
les deux ! Ce que les jeunes amants acceptent naturellement
d'enthousiasme.
   A Jersey, on retrouve un Hugo physiquement amoindri. Il
ressent dans la région du cœur de vives douleurs qui le per-
suadent que peut-être sa fin est prochaine. Voilà Anaïs
devant lui. Difficile entrevue, mais ce négociateur-né a toujours su parler aux femmes. Il l'entretient de cet exil qu'elle
pourra, si elle le veut, partager avec les proscrits. Mais il le
peint avec des couleurs si sombres, si atroces que la jolie fille
plonge dans l'épouvante. Au troisième entretien, elle capitule
devant l'Apocalypse. Elle va quitter l'île. Hugo lui rend hommage, la console, mais, pour être bien sûr qu'elle ne reviendra pas sur sa décision, demande à Charles de reconduire à
Paris la belle enfant. Jusqu'au départ, on enferme François-
Victor dans sa chambre : le *pèrissime* ne plaisante pas avec la
discipline familiale. Toto II paraît s'être consolé assez vite.
En attendant de s'attaquer à Shakespeare, l'amant d'Anaïs
décide d'écrire une histoire de Jersey. C'est le temps où Adèle
a commencé de recueillir, auprès de son mari, les souvenirs
de son enfance et de sa jeunesse, jetant les premières bases

du *Victor Hugo raconté par un témoin de sa vie.* Charles et Vacquerie photographient sans relâche. Charles se rendra même clandestinement à Caen pour acheter du matériel et, reconnu, subira l'interrogation sévère d'un commissaire de police. Quant à Adèle II, elle a son piano : sa seule joie. Hugo, qui n'aime guère la musique et déteste particulièrement cet instrument — « vous savez que je hais le piano », écrivait-il à Gautier — se résigne, toutes portes fermées, à en subir le bruit parfois pendant des heures. Innovation sans précédent chez les Hugo : on a des chiens, Chougna d'abord, une chienne grise, puis un lévrier baptisé Sénat, sans qu'il soit besoin d'expliquer pourquoi.

Bref, on s'organise peu à peu dans l'exil. Il n'est que Juliette pour ne point s'y habituer. De son Victor, elle n'obtient ni plus ni moins qu'à Paris ou à Bruxelles. Une différence pour elle : à Paris, la famille Hugo était loin ; à Bruxelles, elle était absente. Dans cette île où chacun devient le spectacle de l'autre, elle voit de sa fenêtre passer Mme Victor Hugo au bras de son mari. Elle compare les belles robes de soie de l'épouse à ses « guenilles de pauvresse ». Elle ne dit rien. De temps à autre, Hugo se réunit aux exilés, palabre avec eux, rédige des communiqués, des proclamations. Quand Juliette voit un beau soleil briller sur la mer, quand elle sait que Hugo, entre quatre murs lugubres, aura rejoint ce jour-là ces « proscrits barbus, crochus, moussus, poilus, bossus et obtus », elle se fâche : « A quoi pensent ces affreux démagogues de se réunir aujourd'hui par ce beau temps ? » Mais comment Hugo refuserait-il à ces frères en exil des preuves de sa solidarité ? Il a mis sur pied une caisse de secours. Il aide discrètement les plus pauvres de ses deniers. Lui qui tient si serrés les cordons de la bourse familiale verse aux proscrits — ses comptes le prouvent — près d'un tiers de son revenu annuel. Deux exilés meurent à quelques jours l'un de l'autre. Aux obsèques de Louis Hélin-Destaillis, les premières allocutions paraissent à Hugo si sectaires qu'il refuse de prononcer le discours qu'il a lui-même préparé. En revanche, parlant sur la tombe de Jean Bousquet, il ne manque pas de susciter, en priant pour le mort, quelque irritation chez les nombreux athées réunis au cimetière :

— Oui, Dieu ! Jamais une tombe ne doit se fermer sans que ce grand mot, sans que ce mot vivant y soit tombé !...

Tel est Hugo : imprévisible. Il suffira pourtant d'une rencontre pour qu'il oublie les proscrits, leurs disputes amères, leurs rivalités dérisoires. Eux resteront attachés aux petitesses de la terre. Lui va s'élever dans le firmament.

Quand Delphine de Girardin vient visiter Hugo à Jersey — elle y débarque le mardi 6 septembre 1853 — nul ne peut s'attendre à voir en elle l'initiatrice de pratiques qui vont bouleverser la vie des exilés. En 1831, quand l'ancienne égérie du romantisme avait épousé Émile de Girardin, futur directeur de *la Presse*, Chateaubriand s'était écrié : « Delphine mariée, ô Muses ! » Les muses n'avaient pas eu à en pâtir. La plus spirituelle des femmes de lettres avait, tout au long du règne de Louis-Philippe, régné sur un salon libéral, restant fidèle à ses deux grandes admirations : Lamartine et Victor Hugo. En 1853, elle souffre du cancer qui doit bientôt l'emporter. La mort d'un ami très cher fait d'elle la plus triste des femmes. La visite qu'elle rend à Hugo — « pâle, mélancolique et toute vêtue de noir » — prend le sens d'une approbation au courage. Elle est aussi l'hommage d'un écrivain à un autre écrivain. A ce genre de pèlerinage, Hugo est habitué. Il y puise une consolation, si tant est — ce n'est pas sûr — qu'il ait besoin de consolation.

Hugo a reçu Delphine avec cette courtoisie affable, cette chaleur paisible qu'il réserve à ses hôtes, surtout s'il les estime ou les aime. Le jour même de son arrivée, Delphine a pris place à la grande table de *Marine Terrace*. D'abord on l'a questionnée : que dit-on à Paris, que pense-t-on ? Comment accueille-t-on le nouvel Empire ? La nouvelle impératrice ? C'est cela qui intéresse les proscrits : l'opinion. Sur tous les points, et longuement, Delphine a répondu. Comment en est-on venu à aborder le sujet des tables parlantes ? Au vrai, Mme de Girardin est fort occupée de ce thème, objet à Paris de toutes les conversations. Dans la capitale, c'est l'interrogation à la mode :

— Faites-vous des tables ?

On la pose partout, cette question, sur les boulevards, dans les faubourgs et jusqu'aux Champs-Élysées. A Jersey, Delphine a donc impérativement demandé :

— Faites-vous des tables ?

D'emblée, les exilés ont montré de la suspicion. Cette épidémie de spiritisme — « la fluidomanie » — qui s'est abattue sur la France, n'a-t-elle pas pris son essor à un moment bien opportun ? En d'autres temps, ce désir forcené de faire parler les tables aurait paru bien innocent, même aux esprits forts. Pas l'an 1 du nouvel Empire. Auguste Vacquerie, auditeur de Delphine, se fera l'interprète de la réserve de tous en écrivant : « Je ne suis pas de ceux qui font mauvais visage aux nouveautés, mais celle-là prenait mal son temps et détournait Paris de pensées que je trouvais au moins plus urgentes. »

Delphine explique que l'on use d'un guéridon ou d'une petite table. Les « officiants » se placent autour d'elle et posent leurs mains sur le bois. Il faut faire silence, se recueillir — et attendre. Si les circonstances se révèlent favorables, la table commencera à frémir. L'instant est venu de l'interroger. Elle répond en frappant. On use d'un code : un coup signifie *oui*, deux coups veulent dire *non*. Pour en arriver à une véritable conversation, on convient de suivre l'alphabet : un coup pour A, deux coups pour B, trois coups pour C — et ainsi de suite. Tout cela exige une patience incroyable. Les spirites n'en manquent pas. En général, l'intérêt de la « communication » les y aide. Il est de fait que souvent l'esprit présent révèle sur lui-même, sur les « officiants », la vie, la mort, l'au-delà, le passé, l'avenir, des choses singulièrement troublantes. C'est du moins ce qu'affirment les convaincus.

Hugo et les siens ont écouté Delphine de Girardin avec politesse. Sans plus. Hugo a peut-être montré un peu plus d'intérêt que les autres : il est toujours disposé à bien accueillir ce qui touche à ce surnaturel dans lequel il baigne si facilement. Les autres se sont récriés : les tables parleraient ? On pourrait obtenir d'elles, lettre après lettre, mot après mot, « des phrases et des pages entières » ? Allons donc ! « Nous ne vîmes là, s'est souvenu Vacquerie, qu'un paradoxe de ce charmant esprit. » Chacun s'est allé coucher sans penser que, le lendemain, le sujet serait remis sur le tapis.

Ce lendemain est un mercredi. Delphine, bouillant de convaincre, offre à Hugo — qui accepte aussitôt — de participer à une expérience. Delphine et lui s'enferment dans la salle à manger. Les autres, goguenards, attendent dans le salon.

Récit de Vacquerie : « La table ne parla pas. Mme de Girardin dit que c'était parce que la table était carrée, qu'il en faudrait une ronde. Nous n'en avions pas. Le jeudi, elle apporta une petite table ronde à trois pieds qu'elle avait achetée à Saint-Hélier dans un magasin de jouets d'enfants. Le lendemain, elle essaya encore sans succès. Moi en particulier je croyais si peu aux tables parlantes que j'étais allé me coucher dès qu'on s'était mis à la table. Le samedi, Victor Hugo et Mme de Girardin dînaient chez un Jersiais, M. Godfray. Mme de Girardin essaya encore inutilement. »

Le dimanche, tout allait changer.

Sont présents, autour de la table, Delphine de Girardin, Victor Hugo, les deux Adèle, Charles et François-Victor, le général Le Flô, M. de Tréveneuc, Auguste Vacquerie. Delphine et Vacquerie se « mettent à la table » — ce sera désormais la formule consacrée. Le guéridon est posé sur la grande table carrée de la salle à manger. Au bout de quelques minutes, il tressaille. La « spécialiste », Mme de Girardin, questionne aussitôt :

— Qui es-tu ?

La table lève un pied et ne le baisse plus.

Mme de Girardin. — Quoi ?

Lettre après lettre, la table épelle : losange. Dans le procès-verbal dressé par lui, Vacquerie reconnaît : « En effet, nous étions en losange, nous étions aux deux côtés d'un angle de la grande table. » Coïncidence, sans doute, qui ne convainc nullement Vacquerie : « Je ne me disais pas précisément que Mme de Girardin nous raillait et frappait volontairement les coups. Mais je me disais qu'à force de volonté et de tension d'esprit, elle pouvait donner à sa main une pression involontaire. »

Les participants adoptent, autour de la table, une autre disposition. De nouveau, le guéridon s'agite. Le général Le Flô l'interroge sur ce qu'il pense, lui, dans l'instant. Réponse : « Fidélité. » Vacquerie pense un nom et demande :

— Quel est le nom que je pense ?

— Hugo, répond la table.

« C'est à ce moment que j'ai commencé à croire », écrira Vacquerie. Mais Delphine s'impatiente. Il faut cesser de poser des questions puériles ; on peut s'attendre, croit-elle, à « une grande apparition ». La table ayant annoncé qu'elle était gênée par l'incrédulité de l'un des participants, on lui demande de nommer celui-ci. Elle répond « Blond ». Le plus blond des assistants est en effet le plus incrédule : c'est M. de Tréveneuc.

On interroge l'esprit de la table sur le sexe qui était le sien. Il répond :

— Fille.

Aussitôt après, il ajoute : « Morte ».

Autour de la table, que d'émotion soudain ! Comment ne pas penser à Léopoldine ? Mme de Girardin demande :

— Qui es-tu ?

— *Ame Soror.*

Trois personnes autour de la table ont perdu une sœur : Mme de Girardin, le général Le Flô et les fils Hugo. « De qui es-tu la sœur ? » demande le général Le Flô. La table répond : « Doute. »

« Nous sentons tous la présence de la morte, écrit Vacquerie. Tout le monde pleure. »

VICTOR HUGO. — Es-tu heureuse ?

— Oui.

VICTOR HUGO. — Où es-tu ?

— Lumière.

VICTOR HUGO. — Que faut-il faire pour aller à toi ?

— Aimer.

MME DE GIRARDIN. — Qui t'envoie ?

— Bon Dieu.

MME DE GIRARDIN, *très émue.* — Parle toi-même, as-tu quelque chose à nous dire ?

— Oui.

MME DE GIRARDIN. — Quoi ?

— Souffrez pour l'autre monde.

VICTOR HUGO. — Vois-tu la souffrance de ceux qui t'aiment ?

— Oui.

MME DE GIRARDIN. — Souffriront-ils longtemps ?

— Non.

MME DE GIRARDIN. — Rentreront-ils bientôt en France ?

La table ne répond pas.

VICTOR HUGO. — Es-tu contente quand ils mêlent ton nom à leur prière ?

— Oui.

VICTOR HUGO. — Es-tu toujours auprès d'eux ? Veilles-tu sur eux ?

— Oui.

VICTOR HUGO. — Dépend-il d'eux de te faire revenir ?

— Non.

VICTOR HUGO. — Mais reviendras-tu ?

— Oui.

VICTOR HUGO. — Bientôt ?

— Oui.

Le procès-verbal porte : « Clos à une heure et demie du matin. »

Tout au long de l'entretien — peut-on l'appeler ainsi ? — Adèle n'a pu prononcer un mot. Elle était abîmée dans les pleurs. Hugo lui-même était proche des larmes. Cette fille morte qui affirmait sa présence, il a senti qu'elle était sienne. Hugo, si rebelle, vient de réagir comme Chateaubriand jadis, « il a pleuré et il a cru [1] ».

Une semaine plus tôt, jour pour jour, c'était le dixième anniversaire de la tragédie de Villequier. Depuis dix ans, la pensée de cette fille tant aimée ne l'a point quitté. Les mots tirés de la table, il lui semble maintenant qu'ils répondent à son obsession de chaque année, de chaque mois, de chaque jour. S'est-il souvenu de ces deux vers, isolés de tout poème, écrits par lui peu après la mort de Léopoldine ?

> Est-ce qu'il est vraiment impossible, doux ange,
> De lever cette pierre et de parler un peu ?

Peut-il oublier que, quelques mois plus tôt, il a écrit à Juliette :

« Ce paradis que je rêve et que j'entrevois, nous y avons déjà des anges. Ta fille y resplendit, la mienne y rayonne. Ces doux êtres prient dans l'azur, tandis que nous prions dans les ténèbres ; ils élèvent leurs ailes, tandis que nous joignons nos mains ; ils sont avec Dieu, tandis que nous sommes avec la douleur. Dieu leur sourit, tandis que la douleur nous éprouve. »

Toutes les forces obscures, mais rayonnantes, qui combattent en lui le poussent à cet espoir : resserrer le chaînon brisé de l'amour paternel, retrouver un jour l'ombre légère qui vit dans son cœur et dans sa mémoire. Voici que, par le biais d'une table, il lui a semblé que cette ombre l'avait rejoint sous son toit.

Adèle répète qu'elle est sûre de la présence de Didine parmi eux. Elle l'a sentie : « Depuis longtemps, moi, dira-t-elle, je parle à mes morts. Les tables sont venues me dire que je ne me faisais pas d'illusions... »

Il faut se souvenir que « l'affaire » intervient alors que Victor éprouve toujours ces douleurs cardiaques qui l'ont

---

1. Chateaubriand : « Je n'ai point cédé, j'en conviens, à de grandes lumières surnaturelles : ma conviction est sortie du cœur ; j'ai pleuré et j'ai cru. »

alarmé. Comme il ne souffrira plus jamais du cœur, on peut penser qu'il s'agit d'un phénomène nerveux. De là découlerait une prédisposition accrue à cette « étonnante fantasmagorie mystique [1] ». D'où un désir violent, surgi dans l'instant, d'aller plus loin, de se jeter dans une recherche dont Hugo, très vite, s'est dit qu'elle pouvait déboucher sur la solution de ce grand *tout* qu'il poursuit depuis si longtemps. Cette quête éperdue va durer deux années. Pendant deux ans, presque chaque jour, Hugo et les siens vont s'asseoir autour de la table. Pendant deux ans, Hugo consacrera quotidiennement de longues heures à l'interrogation des esprits.

Nous voici entrés dans l'un des épisodes les plus fameux de la vie de Victor Hugo. Aujourd'hui, aux yeux de beaucoup, son exil, c'est cela : « A Jersey, le poète faisait tourner les tables. Dante, Jésus-Christ et Shakespeare venaient lui rendre visite. » Un sourire d'ironie, un haussement d'épaule. Un vieux fou, décidément, ce Hugo. Les biographes, eux, s'essaient à la compréhension : la réalité des phénomènes n'est pas mise en doute ; cependant les gloires de la littérature et de l'histoire accourues à l'appel de Hugo s'expriment toutes comme lui. Un « cas banal de transmission de pensée ».

Tout cela est bien simple. Trop simple en vérité.

La première expérience s'est donc achevée le lundi 12 septembre 1853, à 1 heure et demie du matin. Le soir même, après dîner, les habitants de *Marine Terrace* se hâtent de faire cercle autour de la table. Mme de Girardin, qui doit repartir le lendemain, préside cette fois encore à l'expérience. Tous sont habités par l'émotion de la veille : la fille morte va-t-elle de nouveau se faire entendre ? Presque aussitôt, la table s'agite. « Qui es-tu ? », lui demande-t-on. La table répond par un seul mot : « Fée » suivi de syllabes incompréhensibles : de l'assyrien, assure-t-elle. Il est visible qu'elle se moque. Elle revient enfin au français et veut bien répondre à Victor Hugo :

— As-tu une communication à nous faire ?
— Lumière.
— Connais-tu l'âme qui est venue hier ?

1. Maurice Levaillant.

— Non.
— Sais-tu qu'il en est venu une ?
— Oui.
— Comment le sais-tu ?
— Tombe.
— Que faut-il faire pour qu'elle revienne ?
— Espérance.

Ainsi Léopoldine ne reviendra pas ce soir. On voit Hugo baisser la tête, plonger en d'amères pensées. Des larmes emplissent les yeux d'Adèle. Mme de Girardin reprend l'interrogatoire :

— Sais-tu que celui qui t'interroge est un grand poète ?
— Oui.
— Connais-tu ses ouvrages ?
— Oui.
— Nommes-en un ?
— *Notre-Dame de Paris.*

Hugo intervient. Il brûle d'être éclairé sur l'au-delà.

— Es-tu heureuse ?
— Oui.
— Étais-tu homme ?
— Non. Femme.
— Ceux que nous avons aimés sont-ils près de nous ?
— Oui.
— Tu as dit que tu étais une fée. Est-ce que fée ou âme c'est la même chose ?
— Oui.
— As-tu un corps ?
— Non.
— Les autres esprits t'apparaissent-ils sous la même forme qu'ils avaient pendant leur vie ?
— Oui.
— Est-ce la forme de la jeunesse ?
— Oui.
— Parle toi-même.
— Tout meurt vers la vie.
— Combien y a-t-il de temps que tu es morte ?
— Trois ans.
— Ton pays ?
— France.
— Ton nom ?

— Amélia.
— A quel âge es-tu morte ?
— Vingt-huit ans.

Quand Vacquerie lui demande si la mort est redoutable pour ceux qui ont fait le mal, *Amélia* répond : *non*. On insiste. Elle répond *oui*.

— Cela ne compte pas, dit Vacquerie.
— Si, répond Hugo.
— Elle radote, réplique Vacquerie.

La table s'agite violemment et va jusqu'à soulever convulsivement les mains de Charles et celles de Hugo. Mme de Girardin s'écrie :

— Tout ceci est singulier. Je gage que l'habitant de la table a changé ! Ce n'est plus Amélia.

Hugo dit à la table :

— Amélia, réponds-moi, est-ce toujours toi qui es là ?

Hugo lui-même note : « Le pied se leva de mon côté et frappa violemment deux coups.

« — Non.

« — Voyez-vous, s'écria Mme de Girardin, j'avais deviné juste. Gageons que c'est le diable ! »

Ce n'est pas le diable. Mais, pour ceux qui se trouvent là, c'est tout comme. Reprenons le procès-verbal rédigé par Hugo lui-même :

« J'élevais la voix et je dis :

« — Toi qui es là, dis-moi ton nom ?

« Le même pied se leva, frappa un coup, puis un second et s'arrêta :

« — Est-ce *B* ? dis-je.

« Le pied frappa :

« — Oui.

« — Continue.

« La table frappa successivement :

« — *o, n, a, p,* ...

« Un frémissement nous gagnait. Elle acheva :

« — *a, r, t, e.*

« Nous ne fîmes qu'un cri : " Bonaparte ! " Ma femme accourut, toute bouleversée.

« — Est-ce Bonaparte ? dis-je.

« Le pied frappe *oui* avec une sorte de fureur.

« — Lequel ? Le grand ?

« — Non.

« — Le petit ?

« — Oui.

« Nous avions tous des frissons. J'insistai :

« — Quoi ! C'est toi qu'on appelle Napoléon III qui es là ?

« Un coup plus irrité encore.

« — Oui !

« — C'est toi, Louis ?

« — Oui.

« La petite table bondissait sous nos mains en glissant sur la table support comme si elle cherchait à s'échapper. Il y avait un silence de stupeur autour de moi.

« — Ah ! scélérat, dis-je, je te tiens !

« La table s'agitait avec les contorsions d'une bête qui se cabre. Je continuais :

« — Qui est-ce qui t'envoie ?

« Le pied devant moi se leva et elle répondit en marquant les coups, et s'arrêtant avec un coup sur chaque lettre désignée :

« — Mon oncle.

« Alors commença un dialogue que voici, qui dura trois heures. »

Ce dialogue, nous en possédons deux relations, l'une rédigée par Vacquerie, l'autre de la main de Juliette. Il est probable que Hugo le lui aura dicté, ou qu'elle l'aura recopié. Nous découvrons — en même temps que le petit groupe stupéfait de *Marine Terrace* — que les esprits des vivants peuvent aussi apparaître à travers la table. Bonaparte révèle qu'au moment où il se trouve là, il est endormi. Il rêve qu'il est à Jersey. Et il souffre de ce rêve. Il semble que nous les entendions tous les deux, Hugo et la table :

— Souffres-tu de ton crime ?

— Oui.

— Sais-tu quand tu mourras ?

— Oui.

— Dans combien d'années ?

— Deux ans.

— Peux-tu dire comment ?

— Par tous.

— Sais-tu qui te remplacera ?

— Oui.

— Peux-tu le dire ?

— Oui.

— Quoi ?

— République universelle.

« Avec la gravité d'un président de Haute Cour », Hugo continue l'interrogatoire du « scélérat ». Celui-ci, humble et plein de « repentir » devant celui qu'il appelle « le juge » plaide coupable. Sans hésitation.

— Penses-tu quelquefois aux proscrits ?
— Oui.
— A moi ?
— Oui.
— Le nom de l'homme auquel tu penses le plus ?
— Olympio.
— Trouves-tu que *Napoléon-le-Petit* soit un bon livre ?
— J'ai peur.
— Désires-tu que je te quitte ?
— Non.
— Tu es donc content avec moi ?
— Non.
— Alors pourquoi veux-tu rester avec moi ?
— Condamné à toi.
— Par qui ?
— Par moi.
— Par tes crimes ?
— Oui.
— Me crains-tu ?
— Oui.
— Est-ce moi que tu crains le plus au monde ?
— Oui.
— Reviendras-tu ?
— Oui.
— Toutes les fois que je t'appellerai ?
— Non.
— Souffres-tu moins ?
— Non.
— Espères-tu de moi quelque chose ?
— Non.
— Crains-tu Ledru-Rollin ?
— Non.
— Cavaignac ?
— Non *(avec force)*.
— Victor Hugo ?
— Oui.

Napoléon III répète qu'il ne restera que deux ans sur le trône. Qu'après lui la République délivrera l'Europe entière et que l'on verra naître les États-Unis d'Europe. Hugo lui demande s'il sera l'un des hommes qui contribueront à leur fondation. Réponse : oui. « M. Bonaparte » déclare qu'il ne fera pas la guerre pour la question d'Orient.

— Pourquoi ?
— J'ai peur.
— Crains-tu la révolution ?
— Oui.
— C'est ce qui t'arrête ?
— Oui.
— Combien de temps durera ma proscription ?
— Deux ans.

Le dialogue continue, haletant, jusqu'au mardi 13, « à deux heures trois quarts du matin », dit le procès-verbal.

Ainsi, les deux premières conversations de Hugo avec la table parlante ont eu trait à ses deux obsessions primordiales : sa fille morte et Louis Bonaparte. Que la table n'ait fait que refléter son propre état d'esprit, comment le nier ? Les répliques échangées entre lui et Napoléon III traitent des thèmes qui, tous, sont traités dans *les Châtiments*. Les illusions elles-mêmes de Hugo se retrouvent : la mort de Napoléon III deux ans plus tard. Son règne se poursuivra pendant dix-sept ans et sa vie pendant vingt années encore ! Autre erreur grossière : non seulement le nouvel Empereur fera la guerre pour la question d'Orient mais, cette guerre-là, il la gagnera.

Qu'il s'agisse, dans le domaine du spiritisme, d'une *première* — jusque-là on n'a évoqué les esprits que des morts, point ceux des vivants — voilà qui ne les alarme pas davantage. Il faut, pour les comprendre, tenir compte du « climat » tout particulier qui règne à *Marine Terrace*. On vit dans la familiarité constante du « gredin », du « brigand » — entendez : Bonaparte. Aux repas, on le vilipende ou bien on le ridiculise comme ailleurs on passe le sel. Il est là, en tiers, continûment. Qu'il surgisse tout à coup de la table ne les étonne qu'à peine. D'où le cocasse, mais parfaitement sérieux :

— Ah ! scélérat, je te tiens !

Tout simplement, le Bonaparte s'est, tête baissée, jeté dans un piège. On le *tient* en effet. Bien plus que la stupeur, Hugo et les siens ressentent une joie féroce. On va pouvoir dire en face, à l'homme du Deux-Décembre, ce qu'on pense de lui. On va lui river son clou !

Loin d'éloigner Hugo de la table, l'entretien avec l'ennemi exécré va l'en rapprocher. Puisqu'elle répond si bien — c'est-à-dire ce qu'il attend d'elle — c'est donc que la table ne se trompe pas. Elle est Vérité.

Le mardi 13 septembre, à 9 heures et demie du soir — il n'est plus question que l'on perde un instant — on court à la table. Prennent place, à la façon déjà d'habitués : Victor Hugo, Adèle, Adèle II, Mme de Girardin, Charles, François-Victor, le général et Mme Le Flô, le comte Téléki, un proscrit hongrois de grand renom. Seuls, Charles et Téléki posent les mains sur le guéridon qui, docile, entre aussitôt en mouvement. Hugo, dont on sent l'impatience, va droit au but :

— Qui es-tu ?
— L'Ombre.
— Peux-tu nous dire ton nom ?
— Non.

L'Ombre : voilà encore du nouveau. Il aura appartenu à Hugo spirite, non seulement d'innover en évoquant des vivants, mais — ce qui va plus loin encore — des entités. Cette Ombre déclare vouloir faire une communication à « l'inconnu ».

— Qu'est-ce que l'inconnu ? Peux-tu le dire ?
— Le vide plein.

L'Ombre, dûment interpellée par Hugo, explique que le « vide plein », c'est le « monde invisible ». Elle ajoute que « la mort est le ballon de l'âme », belle formule hugolienne.

— Le monde auquel tu appartiens est-il la continuation de cette vie ?
— Non.
— Cependant tu as vécu ?
— Non.
— Qui es-tu donc ?
— L'Ombre.
— L'ombre de quelqu'un qui a vécu ?
— Non.
— Dois-tu vivre ?
— Non.
— Es-tu un ange ?

— Oui.
— L'ange de la mort ?
— Oui.
— Pourquoi viens-tu ici ? Peux-tu le dire ?
— Pour causer avec la vie.

Brusquement, l'Ombre s'éclipse. Qui l'a remplacée ?

— Dis ton nom ?
— Comète.
— Es-tu un ange ?
— Astre.
— Les astres sont-ils des êtres ?
— Oui.
— Des intelligences ?
— Oui.
— La terre est-elle une intelligence ?
— Oui.
— A-t-elle son chant dans l'infini ?
— Oui.
— Es-tu la comète que nous avons vue ces jours-ci ?
— La science est ânesse.

On s'étonne. Le ton vient de changer si soudainement ! La comète n'aurait-elle pas, après l'Ombre, cédé la place à un esprit ou une autre entité ?

— Qui es-tu ?
— Chateaubriand.

Chateaubriand ? Voilà de l'inattendu ! Hugo s'épanouit. Il est en terrain de connaissance :

— Tu sais que nous t'aimons et que nous t'admirons ?
— Oui.
— Tu es mon voisin à présent [1]. Réponds.
— La mer me parle de toi.
— Connais-tu celui qui est venu hier ?
— Oui.
— En penses-tu ce que j'en pense ?
— Oui.
— M'approuves-tu ?

---

1. Chateaubriand a, selon ses volontés, été inhumé sur un rocher, devant Saint-Malo.

— Oui.
— Que penses-tu de cet homme ?
— La Mort me parle de lui.

Chateaubriand refuse de parler du monde où il se trouve. Il a lu *Napoléon-le-Petit*.

— Dis-nous ce que tu en penses ?
— Mes os ont remué.
— Que pouvons-nous faire pour la France ?
— Lutter.
— Sais-tu ce qui s'est passé hier ici ?
— Oui.
— Parle. Tu sais que je lutterai jusqu'à la mort pour la liberté.
— République.
— La République, c'est l'avenir, n'est-ce pas ?
— Je ne vois que l'éternité.

Brusquement, Chateaubriand disparaît à son tour. Vulcain le remplace. Il n'a qu'une communication à faire : « Forge », ce qui semble aller de soi. La Gloire le chasse de la table ; puis vient Haynau — bourreau de la Hongrie —, remplacé par Charlet, « le guillotiné de Bonaparte », remplacé lui-même par Dante — qui vaut évidemment la peine que l'on s'y arrête :

— Parle, grand Dante.
— Caro mio.
— Continue, tu sais que je t'aime et t'admire. Je suis heureux que tu sois ici. Parle.
— L'exil vient au bord de la tombe.
— Me dis-tu cela parce que je suis près du tombeau de Chateaubriand ?
— Comprends.
— Parle toi-même.
— L'amour est ; la haine n'est pas.
— Qu'est-ce qui t'amène ici près de moi ?
— La patrie.
— Parle.
— J'ai lu ma vision.
— En es-tu content ?
— Beatrix chante, je l'écoute.
— Tu nous entends toujours ?
(Immobilité de la table.)
— Es-tu toujours là, Dante ?
— Non.

— Qui es-tu ?
— Roothan.

Cesarion va succéder à Roothan. Puis Racine à Cesarion. D'emblée, l'auteur de *Phèdre* déclare qu'il n'est pas venu pour Hugo mais pour Vacquerie qui, à son propos, a maintes fois parlé de fausse gloire. Vacquerie le prend de haut :

— Reconnais-tu que Shakespeare est un arbre et que tu n'es qu'une pierre ?
— Oui.
— Reconnais-tu que tu as eu tort de faire des pièces étriquées ?
— Je suis gêné.
— Est-ce un remords pour toi maintenant d'avoir laissé une réputation supérieure à ton génie ?
— Ma perruque est roussie.
— Qu'est-ce qui l'a roussie ?
— Le feu.
— Le feu de quoi ?
— Du drame.

Admirable, l'humilité de Racine. Tout triste, presque penaud, il se retire. Le lendemain après-midi — on n'a pu patienter jusqu'au soir, mais Hugo n'assiste pas à la séance entière — se succèdent l'Idée, la Comédie, la Prière, le Drame, la Tragédie. Un moment fort : le dialogue de Hugo, survenu juste à temps, avec la Prière.

— N'est-ce pas que tu es toute-puissante ?
— Oui.
— Qu'il est bon de prier tous les soirs ?
— Oui.
— Est-il bon de prier et de s'adresser à Dieu par l'intermédiaire des morts qui nous sont chers ?
— Oui.
— Leur intervention peut-elle nous sauver ?
— Oui.
— Dieu entend-il toutes les prières que nous lui adressons ?
— Oui.
— Parle toute seule.
— Les bras des enfants sont petits, mais ils touchent le ciel.
— Connais-tu ma fille qui est morte ? Peux-tu répondre ?
— Non.
— Parle encore.
— Heureux les morts qui me respirent.

Sait-on comment la Tragédie a pris ce jour-là congé de Hugo ? En toute simplicité.

— As-tu quelque chose à nous dire ? lui a demandé le poète.
— Oui.
— A moi ?
— Oui.
— Parle.
— Tu es immense.

Sur ce, on est allé souper.

De septembre 1853 à juillet 1855, Hugo va s'entretenir avec la Critique, la Mort, le Vent de la Mer, le Lion d'Androclès, l'Anesse de Balaam, mais aussi avec Luther, Socrate, Hannibal, Charlotte Corday, Marat, Rousseau, Moïse, Robespierre, Diderot, Aristote, Marion de Lorme, Cagliostro, Mahomet, Shakespeare, Molière, Byron, Voltaire, Galilée, Jésus-Christ, Eschyle, Jeanne d'Arc, Tyrtée, Isaïe, André Chénier, Platon. J'en passe.

A-t-il cru, *vraiment*, Hugo, que ces entités ou ces grands hommes parlaient par la table ? Saisi par l'impression quasi physique qu'il a ressentie de la présence de Léopoldine, il n'en a pas pour autant perdu son sens critique. Le 21 septembre, il confie à Charles :

— C'est tout simplement ton intelligence quintuplée par le magnétisme qui fait agir la table et qui lui fait dire ce que tu as dans la pensée [1].

La façon dont, les premiers jours, il mène les interrogatoires montre qu'il admet le phénomène — accepterait-il autrement de participer aux séances et d'y perdre, chaque jour, plusieurs heures ? — sans toutefois se l'expliquer entièrement. A la fin de septembre, il déclare à Pierre Leroux :

— Je crois absolument au phénomène des tables, seulement je n'affirme pas que ce soit en effet Jeanne d'Arc, Spartacus, César et Tibère qui y apparaissent. Il est possible que ce soit un esprit qui prenne ces noms pour nous intéresser.

C'est à la table elle-même qu'il demandera de lever ses doutes. Le 29 janvier 1854, Shakespeare vient de se manifester. Hugo s'adresse à lui :

---

1. Rapporté par Adèle II dans le *Journal de l'exil*.

— Tu entends nos paroles, tu vois notre pensée, tu sais que tout en étant profondément et religieusement convaincus du mystère auquel nous assistons, il nous arrive de douter de l'identité absolue et réelle des personnages qui nous parlent. Vous qui êtes lumière, bonheur et bienveillance, possédez-vous dans le monde où vous êtes un moyen de nous convaincre complètement que vous êtes bien les personnages sous les noms desquels vous nous parlez ? Ou devez-vous nous laisser sur ce point dans notre doute ?

Hélas ! Shakespeare a disparu brutalement sans répondre. Les propos vagues et solennels tenus par l'Ombre du Sépulcre qui lui a succédé n'ont apporté aucune lumière au poète angoissé.

A *Marine Terrace*, il y a un sceptique : François-Victor. Au XIXe siècle, temps de la science, du rationnel et du modernisme, peut-on croire à des manifestations entachées de la plus primaire des superstitions ? Hugo chapitre son fils :

— Le phénomène des tables parlantes n'amoindrit pas le XIXe siècle, il l'agrandit. Le phénomène des tables parlantes n'entrave pas la liberté humaine et donne des ailes à la foi humaine. Ces esprits nous parlent. Tu le nies. Pourquoi nier l'évidence ?

Il reconnaît que tout cela est contraire au bon sens.

— Mais malgré le bon sens, la table parle. Elle parle sous les mains de Mme de Girardin, elle parle sous les mains de M. de Saulcy, elle parle sous mes mains ; sans dire de grandes choses, elle dit des choses fort particulières. Sous les mains de Charles, elle dit des choses sublimes. Pourquoi nier ce monde intermédiaire ? Pourquoi trouver *surnaturel* ce qui est *naturel* ? Pour moi, le surnaturel n'existe pas : il n'y a que la nature. Oui, il est naturel que les esprits existent [1].

Par deux fois — et nous ne sommes qu'au début des expériences — Hugo vient de reconnaître le rôle prééminent joué par Charles. Dès la séance du 13 septembre 1853, il a suffi que Charles abandonne sa place à Téléki pour que le dialogue s'interrompît. Il a de nouveau posé ses mains sur le guéridon : la table s'est remise à parler. A la fin d'octobre, Marat propose un rendez-vous pour le lendemain, à la condition expresse que Charles sera présent. Jean-Jacques Rousseau s'éloigne dès qu'il n'est pas là et n'accepte de revenir qu'en sa présence. De ce don de son fils, Hugo n'est pas le seul à être

---

1. *Journal de l'exil*, 27 avril 1854.

frappé. A la fin de l'année 1853, Vacquerie écrit à Meurice :
« Charles est le seul qui ait un torrent de fluide. Et tu sais
comme il se dégoûte de tout. Pendant une semaine nous
n'avons fait que cela nuit et jour. Et puis on a discuté les
explications, et puis on s'est divisé, et puis Charles s'est fatigué. Dans ce moment, il y a morte eau, calme plat, indifférence. » Mais, en janvier, Vacquerie parlera des « résultats
merveilleux qui recommencent » parce que le « goût » de
Charles s'est réveillé. De plus en plus conscient de sa responsabilité, Charles en conçoit un sourd malaise. Il posera la
question à la table :

— Suis-je donc exceptionnel pour aimanter la table ?

La table répond affirmativement.

Tentons de progresser. Nous nous apercevons que finalement, autour de la table, ne se rassemblent que des utilités —
hormis deux personnes. Ce qui saute aux yeux, c'est que la
table n'est en définitive le prétexte que d'un face-à-face entre
Hugo et son fils Charles. Ne doutons pas de tenir ici une des
clés du problème.

« Pas de grandes choses », a jugé Hugo, mais « des choses
fort particulières ». Cela était vrai des premières séances,
réduites à de brèves questions suivies de courtes réponses.
Peu à peu, les entretiens vont prendre de la densité. Il semble
que Hugo s'enhardisse — et tout autant la table. Le poète se
confie, se confesse, aborde délibérément toutes les graves
questions qui l'obsèdent. Les réponses elles-mêmes acquièrent des développements imprévisibles. Les écrivains illustres appelés là y reviennent à l'occasion de rendez-vous fixes.
On assiste à de l'inouï : Eschyle, Molière, Chénier finissent
par dicter des œuvres inédites ; Shakespeare, un drame
entier ! De longs monologues sortiront de la table, certains
d'une saisissante beauté, d'autres tout simplement admirables : ceux de la Mort, de Galilée, de Platon.

Écoutons la Mort. Le 19 septembre 1854, à 1 heure après
midi, elle répond à Hugo qui a soulevé une question qui, au
fil des séances, n'a pas fini de susciter en lui angoisse et terreur. Une « question grave », dit-il lui-même :

— Les êtres qui habitent l'invisible et qui voient la pensée dans
nos cerveaux savent que, depuis vingt-cinq ans environ, je m'occupe
des questions que la table soulève et approfondit. Dans plus d'une
occasion, la table m'a parlé de ce travail : l'Ombre du Sépulcre m'a

engagé à le terminer. Dans ce travail, et il est évident qu'on le connaît là-haut, dans ce travail de vingt-cinq années, j'avais trouvé par la seule méditation plusieurs des résultats qui composent aujourd'hui la révélation de la Table, j'avais vu distinctement et affirmé quelques-uns de ces résultats sublimes, j'en avais entrevu d'autres, qui restaient dans mon esprit à l'état de linéaments confus. Les êtres mystérieux et grands qui m'écoutent regardent quand ils le veulent dans ma pensée comme on regarde dans une cave avec un flambeau ; ils connaissent ma conscience et savent combien tout ce que je viens de dire est rigoureusement exact. Cela est exact au point que j'ai été un moment contrarié dans mon misérable amour-propre humain par la révélation actuelle, venant jeter autour de ma petite lampe de mineur une lumière de foudre et de météore. Aujourd'hui, les choses que j'avais vues en entier, la Table les confirme, et les demi-choses, elle les complète.

Ce que veut savoir Hugo : si les vers qu'il a composés postérieurement aux entretiens avec la table et qui lui doivent au moins deux choses — en fait bien davantage — peuvent être publiés. Rien de plus émouvant que l'angoisse du créateur qui, soudain, n'est plus certain que la création lui appartienne en propre.

A cette interrogation que l'on sent venue du plus profond de l'être Hugo, la Mort répond sans rien esquiver. Nul ne pourra se permettre de discuter du problème des tables s'il ne lit ceci :

— Tout grand esprit fait dans sa vie deux œuvres : son œuvre de vivant et son œuvre de fantôme. Dans l'œuvre du vivant, il jette l'autre monde terrestre ; dans l'œuvre du fantôme il verse l'autre monde céleste ; tandis que le vivant parle à son siècle la langue qu'il comprend, travaille au possible, affirme le visible, réalise le réel, éclaire le jour, justifie le juste, prouve la preuve ; tandis que dans cette œuvre il lutte, il sue, il saigne, tandis que dans ce martyre, lui, le génie, il tient compte de l'imbécillité, lui, le flambeau, il tient compte de l'ombre ; lui, l'élu, tient compte de la foule et meurt, lui, le Christ, lui, la [*un mot illisible*] du monde, entre deux voleurs, si vil, si bafoué et portant une telle couronne qu'un âne brouterait son front ; tandis que le vivant fait ce premier ouvrage, le fantôme pensif, la nuit, pendant le silence universel, s'éveille dans le vivant, ô terreur ! Quoi, dit l'être humain, ce n'est pas tout ? Non, répond le spectre, lève-toi, debout, il fait grand vent, les chiens et les renards aboient, les ténèbres sont partout, la nature frissonne et tremble sous la corde du fouet de Dieu ; les crapauds, les serpents, les vers, les orties, les pierres, les grains de sable nous attendent : debout ! Tu viens de travailler pour l'homme, c'est bien ; mais l'homme n'est rien, l'homme n'est pas le fond de l'abîme, l'homme n'est pas la chute à pic dans l'horreur, c'est l'animal qui est le précipice, c'est la fleur qui est le gouffre, c'est l'oiseau qui donne le vertige, c'est du ver qu'on voit la tombe. Réveille-toi. Viens faire ton autre œuvre. Viens regarder l'inabordable, viens contempler l'invisible, viens trouver l'introuvable, viens franchir l'infranchissable, viens justifier l'injustifiable, viens réaliser le non-réel, viens prouver l'improuvable. Tu as été le jour, viens être la nuit ; viens être l'ombre ; viens être les ténèbres ; viens être l'inconnu ; viens être l'impossible, viens être le mystère ; viens être l'infini. Tu as été le visage, viens être le crâne ; tu as été le corps, viens être l'âme ; tu as été le vivant, viens être le fantôme. Viens mourir, viens ressusciter, viens créer, viens naître. Je veux qu'après avoir vu ton fardeau, l'homme voie ton vol et sente confusément passer tes ailes formidables dans le ciel orageux de ton calvaire. Vivant, viens être le vent de la nuit, le bruit de la forêt, l'écume de la vague, l'ombre de l'autre ; viens être l'ouragan, viens être l'immense épouvante de la farouche obscurité. Si le pâtre frémit, que ce soit ton pas qu'il ait entendu ; si le marin tremble, que ce soit ton souffle qu'il ait senti. Je t'emporte avec moi ; l'éclair, notre pâle cheval, se cabre dans la nuit. Allons, sus ! assez de soleil. Aux étoiles ! Aux étoiles ! Aux étoiles !

Ce fabuleux hommage à la création poétique, ce déferlement foisonnant de mots et d'idées se poursuivront pendant cinq heures et demie, obligeant à la « mi-temps » Charles à prendre cinq minutes de repos. Cinq minutes seulement ! Pendant cet entracte, Hugo relit le procès-verbal de ce qui a été enregistré jusque-là. L'écrivain fronce le sourcil : il vient de constater une répétition. A la « reprise », il se permet de signaler à la Mort cette simple défaillance :

— Il y a deux fois *l'impossible* après *regarder*. Que veux-tu mettre ? Es-tu d'avis de changer ?
— Oui.
— Remplace.
— L'inabordable.

Ce n'est que deux heures plus tard, après d'infinis développements qui prolongent les premiers, que la Mort répondra, en forme de conclusion, à l'interrogation si brûlante de Hugo :

— J'arrive à la question. Elle est délicate. Avant tout, ce que nous voulons, c'est le libre arbitre de l'homme ; ici, je n'ai rien à commander. Publie si tu veux. Voici seulement ce que j'ai à te dire : sois l'Œdipe de ta vie et le Sphinx de ta tombe.

Le procès-verbal porte : *Clos à sept heures.*

Le moment est venu d'aborder le problème en soi : comment un tel *texte*, dans sa quasi-perfection littéraire, a-t-il pu être dicté par la table ? Il faut ici se souvenir de la technique employée. La table frappe des coups qui correspondent aux lettres de l'alphabet : un coup pour *A*, vingt-quatre coups pour *Z*. Lettre après lettre, les mots se forment sur le papier. A l'exception des vocables usuels et évidents, le scripteur ne sait pas, quand il commence à calligraphier un mot, comment celui-ci s'achèvera. Obstinément, la table suit son chemin. Elle ne marque aucune ponctuation, elle ne s'arrête pas entre les mots. On doit a posteriori séparer ceux-ci. Parfois on doute si les coups prolongent un mot commencé ou en inaugurent un nouveau. On juge de l'infinie patience qu'il faut au médium, au scripteur — et même aux simples assistants — pour enregistrer dans son entier un texte comme celui dont on vient de ne lire qu'un extrait. Un tel procédé permet d'éliminer l'éventualité même d'une supercherie de la part du médium. Il eût été nécessaire que celui-ci non seulement écrivît à l'avance un texte de ce genre, non seulement qu'il l'apprît par cœur, mais qu'il le restituât ensuite *lettre par lettre*, sans se tromper, pendant des heures. D'un tel exercice, seul un phénomène de foire pourrait être capable, un monstre de mémoire — ce que n'était en aucun cas ce nonchalant de Charles. Encore aurait-il fallu en l'occurrence que cet exceptionnel intermédiaire se trouvât doté du talent indispensable à la composition préalable de cet écrit, ce qui n'était pas non plus le cas de Charles, bien éloigné de tout ce qui coulait de la table.

J'entends le lecteur : Charles ne possède pas ce talent, mais Hugo, lui, le détient largement. Bien sûr. Tous les commentateurs des tables de Jersey ont souligné la frappante identité des textes recueillis avec le style de Hugo. Les vers — français — d'Eschyle semblent avoir été écrits par Victor Hugo. Aussi bien ceux de Molière. Non seulement la pensée intime de Hugo surgit de tout cet océan — les procès-verbaux remplissent des milliers de pages — mais son style, sa forme s'y découvrent à chaque instant. Lorsque Jésus-Christ se présente, pour condamner d'ailleurs le christianisme — oui — et exalter une religion qui ira au-delà de celui-ci, il ne fait que codifier les idées que Hugo avait depuis longtemps faites siennes. Mais les formules employées par Jésus sont également du pur Hugo : « Les lèvres du christianisme sont de miel et sa langue est de feu ; il commence par le rayon et finit par la flamme ; il fait de la terre un éden et du ciel un enfer ; il fait des fleurs charmantes et des étoiles terribles ; il illumine la femme et il incendie Vénus ;... il est le regard qui pleure sur la terre et le regard qui flamboie dans le ciel ; il est le pleureur sublime et le vengeur formidable ; il panse les blessures de la vie et il ouvre les plaies de l'éternité ; il met de la douceur sur la matière et de la terreur sur l'idéal ; il verse du baume sur les hommes et de l'huile bouillante sur les soleils... » Une prose si éminemment hugolienne ne serait-elle pas tout uniment de notre poète ?

La seule idée d'une tromperie venant de Hugo lui-même fera sourire quiconque a consulté les procès-verbaux de Jersey. Pourquoi s'y serait-il livré ? Pour « épater » son entourage ? Absurde. Nul plus que lui n'est conscient du temps qui s'écoule. Il a noté pour lui seul — ce ne sont pas alors des choses bonnes à publier ! — : « Je trouve de plus en plus l'exil bon... J'aurais à remercier M. Bonaparte qui m'a proscrit, et Dieu qui m'a élu. Je mourrai peut-être dans l'exil, mais je mourrai accru. » A son entourage, il parle sans cesse de l'œuvre qu'il lui reste à écrire. Les heures passées à la table sont arrachées à cette œuvre. Il faut donc qu'il soit convaincu de la valeur de ce que lui apportent les tables, et non de ce qu'il leur apporte.

Il suffit du reste de le voir, de *l'entendre* plutôt dialoguer avec les « esprits », suggérer par exemple une rime plus riche à Chénier ou donner des conseils de prosodie à Shakespeare — lequel manifeste aussitôt une vive gratitude —, pour écarter la moindre tentation de suspicion. N'a-t-il pas refusé de prendre connaissance du drame inédit de Shakespeare, dicté hors de sa présence, pour ne pas risquer d'être influencé plus tard lors de la composition de l'une de ses propres pièces ? A peine Hugo a-t-il déchiffré les premières répliques, qu'il s'arrête aussitôt et note : « L'analogie entre le début de cette scène et l'idée d'une chose faite par moi le 23 novembre 1853 et intitulée *Deux Voix dans le ciel étoilé-Zénith, Nadir,* m'oblige à m'abstenir et j'en éprouve un regret profond, de toute participation au travail pendant ce drame, et pour ce drame seulement. »

Nul dans l'entourage ne peut être davantage suspecté de supercherie. Pour les habitants de *Marine Terrace,* Hugo représente quelque chose de quasi intouchable. L'admiration cohabite avec le respect. Hugo est l'un des rares pères de l'Histoire qui n'aient jamais été contestés par ses enfants. On ne se serait pas permis de plaisanter avec l'inaccessible.

Alors ?

Point de supercherie, mais de la première à la dernière séance, les tables n'ont cessé, s'adressant à Hugo, de lui restituer du Hugo. M. Jean Gaudon, le meilleur commentateur des tables de Jersey, a même repéré des « tics d'écriture » communs à Hugo et à la table. Constatation qui pour autant ne résout pas le problème. Une autre évidence s'impose : la « communication » de Hugo à la table n'est *à aucun moment* consciente. Parfois la table, dans la forme, va plus loin que Hugo : « Il reste tout ce que Hugo, à cette date, n'aurait pas pu écrire volontairement : ces embardées de l'image qui, sans préparation aucune, télescopent les termes les plus éloignés, au mépris des lois ordinaires de l'association. » Hugo *conscient* n'aurait pas écrit : « L'astre à queue rampe dans la tombe céleste », et pas davantage : « Le jour est le miroir des masques, la nuit est le miroir des visages. »

Reprenons les points déjà acquis. Les textes que reçoit Charles, s'ils reflètent la pensée de Hugo — formulée ou à formuler —, n'ont pas été *rédigés préalablement.* Ils ne prennent d'existence qu'au moment où la table en frappe les lettres. Ce que Hugo a éventuellement transmis à son fils, ce sont tout juste des idées. Comment alors Charles peut-il recevoir des textes parfaitement architecturés et littérairement accomplis ? A quel moment — et où — se sont-ils formés puisque Hugo lui-même, en les découvrant, ne cesse de manifester sa surprise, sa curiosité passionnée, ses doutes et parfois ses angoisses ? Ces textes naissent même *hors de la présence de Hugo.* Alors ?

Depuis que j'ai découvert l'affaire des tables parlantes de Jersey — il y a longtemps —, je lui ai en vain cherché une explication. J'ai lu les commentaires qui en ont été proposés, les solutions qui ont été hasardées. Je me suis adressé à des psychiatres, à des spécialistes d'occultisme. J'ai admiré la façon dont, pour me répondre, ils ont esquivé le vrai problème.

Nous nous trouvons ici confrontés à des perspectives vertigineuses. Est-il possible d'envisager que certains hommes portent en eux, *sans le savoir*, des œuvres totalement élaborées et puissent les transmettre *à leur insu* par la pensée à autrui ?

Les expériences d'écriture automatique des surréalistes, auxquelles on se réfère souvent, n'offrent rien de comparable à ce qui s'est passé à Jersey pendant deux ans. Nous devons conclure qu'en l'état actuel de la science *aucune* explication convaincante n'a été proposée des phénomènes de Jersey.

Je pense à Charles, le gros Charles comme on disait à *Marine Terrace*. Indiscutablement, il existe ici, entre son père et lui, une véritable collaboration. Tout un pan de l'œuvre à venir de Hugo est sorti de la table. Les révélations qu'il a recueillies d'elle ont abouti à une évolution profonde du personnage Hugo : rôle immense auquel Charles est mêlé — étroitement. Au-delà de sa nonchalance, de sa mollesse, de cette humilité acceptée où le tient l'écrasante stature de Hugo, Charles existe enfin. Devant la table, il devient le premier des Hugo, celui dont chaque jour le *pèrissime* haletant attend tout, espère tout — et d'abord la Vérité. J'aime, à travers la table, que le père et le fils se soient tenu la main.

Une femme, à Jersey, ne partage guère l'exaltation spirite des habitants de *Marine Terrace*. C'est Juliette. Elle ne l'envoie pas dire à son quinquagénaire de Toto :

« Couchez-vous et dormez, et laissez-moi tranquille, d'autant plus que je n'ai pas de table complaisante qui me donne des sujets tout faits, chapitre par chapitre. Songez que je suis mon Dante à moi-même, mon Ésope et mon Shakespeare. Quant à vous autres, vous pêchez les poissons morts que les esprits de l'autre monde attachent à vos lignes, procédés connus dans la Méditerranée, longtemps avant les tables cancanières. Sur ce, je vous cogne mes plus tendres sentiments... »

Elle supporte de plus en plus mal que ledit Toto, chaque fois qu'il vient, en frôlant les murailles, la visiter à *Nelson Hall*, ne lui parle que des visites à lui rendues par Platon ou Voltaire. Elle garde les pieds solidement attachés à la terre,

Juliette, et combat pour y ramener Victor. Peine perdue — et c'est tant mieux.

Au reste, les tables ne requièrent pas tout de la vie de Victor, loin de là. La France et l'Angleterre ont déclaré la guerre à la Russie et l'on se bat en Crimée. Aux repas, les fils Hugo ne parlent plus que de cela. Et si le Bonaparte, en perdant la guerre, allait perdre son trône ? *Journal de l'exil* : « Pendant que tout le monde est haletant après les nouvelles, mon père n'écoute pas et reste absorbé. Il a remarqué que le plat d'asperges est mal dressé : les grosses sont sous les petites ; les queues et les gros bouts sont mêlés. Cette observation consterne mon père et le rend indifférent aux massacres de Crimée. »

On dirait qu'elle se dessèche à Jersey, Adèle II. Elle n'a que vingt-cinq ans et, avec son teint blême, son regard fixe, nul ne serait en mesure de dire son âge. Quand on lui parle, elle répond à peine. Avant la découverte de son journal, nul n'aurait pu deviner l'indéniable don d'observation — et, souvent, l'esprit — qu'elle y manifeste. Par elle, les conversations de *Marine Terrace* prennent une frappante réalité. Aux repas, on discute ferme. Un jour, Hugo rappelle que Louis Bonaparte lui a autrefois envoyé deux livres sur l'artillerie, avec cette dédicace : *Hommage de haute estime et de profonde considération.* Ce rappel visiblement lui fait plaisir. Il constate :

— Du reste, Louis Bonaparte est un assez bon écrivain ; il a un certain talent.

Charles explose :

— Tu parles de Louis Bonaparte ! Bah ! Il n'a guère plus de talent que son oncle. Il faut en finir avec un tas de préjugés stupides. Homère a fait seulement deux ou trois belles scènes, je le déclare, moi qui ai traduit *l'Iliade.* Quant à Horace, je lui préfère Musset !

Ici, Adèle note que son père « regarde tranquillement à sa droite un brave gros garçon fraîchement débarqué de province » et lui demande :

— Monsieur, qu'avez-vous fait boire à mon fils ?

— Rien, monsieur, rien..., répond le convive épouvanté.

Tant il est vrai que le grand interrogateur de l'invisible conserve un prodigieux équilibre. Où d'autres eussent vacillé, il suit son chemin, mène la plus hygiénique des existences, se lève aux premières lueurs du jour, travaille toute la matinée, s'oblige, après chaque repas, à une marche : ses *mille passus*. Il ne fume pas, condamne l'usage du tabac, ce « sombre endormeur », cet « opium de l'Occident ». Il nage par tous les temps, se baigne beaucoup, même par grosse mer. « En vareuse, avec de grosses bottes », il parcourt sans fatigue dix kilomètres sur les grèves, rentre affamé, dévore. On ne boit plus de vin : c'est trop cher. Chacun s'est mis à la bière. Hugo aime assez cela, mais se plaint que ce breuvage dilate l'estomac. Il a même découvert l'équitation. Un certain Bony, maître de manège, lui loue des chevaux. Avec Charles et François-Victor, ils galopent « comme des diables, le long des marées montantes ».

Ce qui vient de la table, Hugo l'appellera — trouvaille admirable — : la *Bouche d'ombre*. Le Drame lui a dicté ceci : « Lorsque la nuit est tombée, de toutes parts, des antres, des nids, des bois, des flots, des ténèbres, il se lève un immense bruit, c'est la prière des gueules, des becs, des nageoires, des prisons, des cachots, des oubliettes, des paupières qui pleurent toujours et qu'on n'essuie jamais. Dieu dit : je vous entends, et le lion prend patience et l'oiseau dort mieux et le chien jappe sur la robe des anges. Pardon est le seul mot de la langue humaine qui soit épelé par les bêtes. » Voici ce que ce texte — ce grand texte — est devenu dans la *Bouche d'ombre* :

> Tous les hideux orgueils et toutes les fureurs
> Se brisent ; la douceur saisit le plus farouche ;
> Le chat lèche l'oiseau, l'oiseau baise la mouche ;
> Le vautour dit dans l'ombre au passereau : Pardon !
> Une caresse sort du houx et du chardon ;
> Tous les rugissements se fondent en prières ;
> On entend s'accuser de leurs forfaits les pierres ;
> Tous ces sombres cachots qu'on appelle les fleurs
> Tressaillent ; le rocher se met à fondre en pleurs ;
> Des bras se lèvent hors de la tombe dormante ;
> Le vent gémit, la nuit se plaint, l'eau se lamente,
> Et, sous l'œil attendri qui regarde d'en haut,
> Tout l'abîme n'est plus qu'un immense sanglot.

Une création ? Sans doute. Mais aussi une adaptation du message inconnu. Dans la nuit du 1er au 2 mai 1855, à *Marine Terrace*, Hugo va donner lecture d'un très long texte — 1946 vers — qu'il a intitulé « Solitudines Coeli ». Dans son esprit, ce poème doit être l'une des pièces maîtresses du nouveau recueil qu'il médite de faire paraître : *les Contemplations*. En fait, le poème, augmenté jusqu'à 3 710 vers, constituera, sous le titre : « les Voies du gouffre », la seconde partie de *Dieu*. D'emblée, le premier vers situe l'inspiration et la tonalité de l'œuvre :

> Et je vis au-dessus de ma tête un point noir.

Le point noir ressemble à une mouche. Mais le poète qui rêve, s'envolant vers elle, franchit les terres et découvre que cette mouche est une chauve-souris.

> Et ce lugubre oiseau volait seul dans l'espace.

Il contemple l'univers. Il cherche. Il a peur. Il « interroge ce bloc qui n'est qu'une vapeur ».

> J'observe l'infini monstrueux, et je scrute
> La taupe et le soleil, l'homme, l'arbre et la brute.
> Je suis triste. Ô passant, comprends-tu ce mot : Rien !
> Ce qu'on nomme le mal est peut-être le bien.

Ce que cherche le noir volatile, précisément, c'est le contraire de rien. Il espère que le monde et que les hommes le conduiront à ce contraire. En vain.

> Le monde erre au hasard dans la nuit éternelle,
> Et, n'ayant pas d'aurore, il n'a pas de prunelle.
> Le monde est à tâtons dans son propre néant.

La chauve-souris rentre dans la nuit. Le poète l'entend, « disparu, mais terrible »,

> Qui criait : — Dieu n'est pas ! Dieu n'est pas ! désespoir !

Alors dans l'espace, le poète découvre un autre point noir : un hibou. Ce hibou-là, lui aussi, cherche Dieu. Plus heureux que la chauve-souris, il en frôle l'ombre, mais désespère de l'atteindre.

> Et je demeurai là, ne sachant plus que faire
> De mes ailes, n'osant ni chercher, ni vouloir.

Ni le corbeau ni le vautour ne peuvent livrer la réponse qu'attend le poète. L'aigle prend le relais qui — lui — se référant au plus brûlant verset de Job — jure que Dieu existe.

> Je l'ai vu ! Je l'annonce à vous qui vivez peu,
> J'ai vu l'effrayant Dieu de l'éternité sombre !

Il dépeint ce qui précédait le monde immense : l'immensité.

> Avant tout ce qui parle était ce qui se tait ;
> Avant tout ce qui vit le possible existait ;
> L'infini sans figure au fond de tout séjourne.
> Au-dessus du ciel bleu qui remue et qui tourne,
> Où les chars des soleils vont, viennent et s'en vont,
> Est le ciel immobile, éternel et profond.
> Là, vit Dieu.

Le griffon vient expliquer au poète que ce Dieu-là est pardon. Et l'ange annonce que toutes les créatures, à l'image de Dieu, sont éternelles et que c'est l'absolu qui juge les créatures. La clarté intervient qui parachève le cercle accompli. Pour les esprits purs qui meurent et naissent tour à tour,

> Dieu n'a qu'un front : Lumière ! et n'a qu'un nom : Amour !

Extraordinaire lecture que celle de *Solitudines Coeli*. Adèle II nous l'a restituée avec cet art d'évoquer qu'elle maîtrise si bien :

« Trois bougies inégales brûlaient et éclairaient la petite salle à manger, nous étions là, maman sur le canapé, Ch. Guérin, laissant son cigare éteint et Allix essayant de bavarder encore — il était dix heures du soir ; nous écoutions... Il était deux heures et demie lorsque mon père a terminé son poème... Kesler l'Athée commence à croire en Dieu dont ce poème gigantesque est l'échelle de feu et s'en va en disant : c'est aussi beau que l'Apocalypse et nous nous retirons tous, émus, éblouis. »

Depuis ses jeunes années, nous avons vu Hugo obsédé par la recherche de Dieu. Une constante : ce Dieu-là n'a jamais pris aucune des formes commodes dont il se moquera dans un autre passage de son poème :

> Portant couronne, étole, épée et sceptre, espèce
> D'empereur habillé d'un manteau de soleil...

Dieu, très tôt, « il l'a éloigné de l'homme à une distance sans bornes, dans la double pensée, consciente et noble, d'une part, de lui restituer son infinitude, inconsciente, sans doute, d'autre part, et mieux appropriée à sa paix intérieure, de se délivrer d'un surveillant incommode ». Aussi lointain qu'inaccessible, « c'est un Dieu élusif, évasif, gazeux [1] ». Cependant, depuis ces grands conflits de 1850 et 1851, depuis le coup d'État, depuis l'exil, ce Dieu s'est rapproché de lui, proportionnellement, pourrait-on dire, à la violence soudaine qui a soulevé tout son être. Il s'est mis à le chercher cette fois éperdument. Les tables sont venues là-dessus, reflétant cette quête, donnant une forme à son angoisse, esquivant des réponses qui n'étaient autres que des questions. Ah ! qu'est-ce donc qui se cache derrière la « syllabe vertigineuse » ? Derrière ce grand mot ténébreux « tout gonflé de clarté » ?

Dans l'épopée gigantesque qu'il médite, *Solitudines Coeli* n'est nullement un début. En avril et mai 1854, il a travaillé déjà à un *Satan pardonné.* Toujours l'obsession du bien et du mal. Si Satan est le héros, il n'existe que par rapport à celui qui est au-dessus de lui, Dieu. Fulgurant départ : Lucifer, l'archange révolté, vient d'être foudroyé.

> Depuis quatre mille ans, il tombait dans l'abîme.
> Il n'avait pas encore pu saisir une cime
> Ni lever une fois son front démesuré.
> Il s'enfonçait dans l'ombre et la brume, effaré,
> Seul, et, derrière lui, dans les nuits éternelles,
> Tombaient plus lentement les plumes de ses ailes.
> Il tombait foudroyé, morne, silencieux,
> Triste, la bouche ouverte et les pieds vers les cieux...

Mais sera-t-il éternellement puni ? Autre obsession de Hugo, autre dogme du poète, édifice central de cette philosophie cosmique qu'il cherche à élaborer : le pardon.

> Satan est mort ; renais, ô Lucifer céleste !
> Viens, monte hors de l'ombre avec l'aurore au front !

---

1. Henri Guillemin.

En juin 1854, l'œuvre a été abandonnée. Pour un temps. Il avait prévu un second épisode, *le Gibet* qui devait montrer l'immolation du Christ, autre victoire du mal de ce monde, et un troisième épisode, *la Prison* où l'intolérance, mal absolu, s'incarnait dans un cachot. Le second épisode ne sera rédigé qu'en 1859 et 1860 et le troisième seulement esquissé.

Vers amples et formidables que ceux qui décrivent le déluge, l'idole appelé Lilith, fille du démon, le monde alors qu'il n'est pas encore formé.

> L'oiseau, l'être qui va, la bête qui s'abreuve,
> Étaient absents ; l'espace était vide et muet,
> Et le vent dans les cieux lentement remuait
> Les sombres profondeurs par les rayons trouées,
> Dans la fange expiraient les hydres échouées...

Le temps de cette composition est celui où Hugo vit au plein du mystère. Le 24 mars 1854, un « esprit » s'est présenté dans la table comme la Dame blanche. La Dame blanche ! Le barbier qui rasait Hugo lui en avait souvent parlé. Aussi la marchande de lait et de légumes qui s'attardait auprès d'Adèle II et des servantes. Chacun savait à Saint-Hélier que *Marine Terrace* était hanté et que, sur la grève voisine, erraient des « âmes en peine ». On connaissait cinq de ces fantômes : celui d'un décapité, ceux de trois meurtriers, celui de cette Dame blanche qui ne s'élevait des rochers voisins qu'au crépuscule mais s'y réfugiait dès qu'on cherchait à l'approcher. On croyait savoir que la Dame blanche avait jadis tué son enfant. Ce soir-là, par l'intermédiaire de la table, elle a fixé rendez-vous pour la nuit même à l'un des habitants de *Marine Terrace*.

— A quelle heure ? a demandé Vacquerie.

— Trois heures.

— Nous apparaîtrais-tu si nous étions plusieurs ?

— Non.

— Il faut être seul ?

— Oui.

La suite, c'est Hugo lui-même qui nous l'a dite :

« Je suis monté me coucher à onze heures et demie du soir.

« J'avais des motifs d'inquiétude et de tristesse ; en outre un travail que je fais en ce moment (Satan. Les soleils s'éteignent) me préoccupe et m'agite. J'ai mal dormi. Vers une heure du matin, j'ai entendu Victor qui rentrait. C'est Charles qui est allé lui ouvrir. Victor, Charles et ma femme ont causé un moment dans la salle à manger où l'on avait continué à faire parler la table (Molière). Un instant après, chacun est rentré dans sa chambre, et j'ai entendu mes deux fils, qui couchent dans les deux chambres voisines de la mienne, monter l'escalier du second étage que j'habite. Le silence s'est fait. La maison s'est endormie. Je me suis assoupi. Au milieu de cet assoupissement, j'avais une perception exacte des objets environnants, et en réalité je ne dormais pas.

« J'étais dans cet état depuis un temps assez long quand un coup de sonnette m'a brusquement réveillé. C'était la sonnette de la porte qui sonnait dans le calme profond de la nuit de la façon la plus claire et la plus distincte. Je me suis soulevé sur l'oreiller. J'ai écouté. Tout était retombé dans le silence et rien ne bougeait dans la maison. Alors je me suis dit : " Personne de la maison n'est dehors. Ce n'est pas quelqu'un de la maison qui a sonné. S'il était trois heures, par hasard ? " J'ai combattu un moment cette idée, et puis j'avais quelque répugnance à me lever à cause du froid. Cependant je me disais : " Ce coup de sonnette est singulier, et il serait étrange qu'il fût trois heures. "

« Je me suis jeté au bas du lit, et je dois dire, puisque je dis tout, que j'ai eu un mouvement de précaution comme si quelqu'un eût pu être présent. Les volets de mes fenêtres n'étaient pas fermés, la nuit n'était pas très sombre, et il ne faisait pas noir dans ma chambre. J'ai pris la boîte d'allumettes qui est sur ma table, et j'ai frotté plusieurs allumettes successivement contre le mur, la quatrième a pris feu, et j'ai allumé ma bougie. J'ai regardé à ma montre suspendue au dos d'une chaise près de mon chevet. L'aiguille marquait *trois heures cinq minutes*. Il y avait environ cinq minutes que le coup de sonnette m'avait réveillé.

« J'ai éteint ma bougie. J'ai regardé dehors pour voir si je n'apercevrais rien. La mer était calme, la nuit blafarde, la terrasse déserte. Je suis allé me recoucher... Le matin, j'ai raconté la chose en déjeunant. Personne autre que moi n'avait entendu le coup de sonnette. »

Quelques jours plus tard, il confiera aux siens :
« Autrefois, je m'endormais comme un homme tranquille ; maintenant, je ne me couche jamais sans une certaine terreur, et, lorsque je me réveille la nuit, je me réveille avec des frissons, j'entends des esprits frappeurs dans ma chambre, et ce bruit-ci (il cogne sur une table). Il y a deux mois, avant que la Dame blanche n'eût dessiné son portrait, je n'éprouvais pas cette terreur, mais, maintenant, je l'avoue, j'éprouve l'horreur sacrée [1]. »

1. Adèle Hugo : *Journal de l'exil.*

Jusqu'à la fin de ses jours, il entendra ces mêmes bruits. Où qu'il aille, l'accompagneront des craquements, des frottements, des coups frappés sans qu'il soit possible, jamais, de les localiser ni de les expliquer. Une farce de ses fils, de sa femme, de sa fille ? Tous ils seront morts depuis longtemps — ou, en ce qui concerne Adèle, internée — que les phénomènes continueront.

Dans son demi-sommeil, au cours de la nuit du 26 au 27 mars 1854, il compose des vers restés longtemps inconnus :

> L'ombre emplit la maison de ses souffles funèbres.
> Il est nuit. Tout se tait. Les formes des ténèbres
> Vont et viennent autour des endormis géants.
> Pendant que je deviens une chose, je sens
> Les choses près de moi qui deviennent des êtres.
> Mon mur est une face et voit ; mes deux fenêtres,
> Blêmes sur le ciel gris, me regardent dormir.

A la même époque — ceci incontestablement est la conséquence de tout cela — il a avec Vacquerie et leur ami Émile Guérin un bref entretien que relate sa fille Adèle. Il pense que les révélations dues à la table — qu'il se refuse à publier de son vivant — devraient fonder « une nouvelle religion qui englobera le christianisme en l'élargissant, comme le christianisme avait englobé le judaïsme ».

Une religion nouvelle ? Très vite, l'idée fait son chemin. Le 22 octobre 1854, Hugo pose à la table une question révélatrice de sa hantise :

— Que va-t-il y avoir dans mon tombeau, un prophète ou un poète ?

Là-dessus, il ne cessera d'interroger la table. Elle lui répond que trois grandes religions ont gouverné successivement l'humanité : le druidisme a été la première religion de l'homme et « la première explosion de l'âme dans le corps ». Mais les druides ont assassiné l'homme « à coups de Dieu ». Le christianisme, deuxième religion, a monté « un degré sur la terre » et en a descendu un « dans le ciel », car, « il enseigne l'amour sous le nom de charité et la haine sous le nom d'enfer ». La troisième religion sera la vraie : « l'Évangile du passé a dit : " les damnés ", l'Évangile futur dira : " les pardonnés ". » Jésus-Christ lui-même intervient dans la table pour s'écrier :

— L'enfer n'est pas... Ô hommes, tout aime. Ô bêtes, tout aime. Ô plantes, tout aime. Ô pierres, tout aime. Le firmament, ô vivants, est un pardon infranchissable. Et maintenant mourez.

La certitude qu'a maintenant Hugo, c'est que lui seul pourra coordonner les enseignements de la table. Il se sent choisi par Dieu pour annoncer cette vraie religion surgie de l'au-delà par son intermédiaire. Il ne doute plus : il a été élu pour guider l'humanité. Il lui semble naturel que « toutes les âmes larves » aient choisi la table de Jersey pour venir se révéler à lui. Lui seul — il en est convaincu — connaît désormais le secret de l'univers. Bien mieux : sa philosophie a reçu de Dieu même une consécration solennelle [1].

A-t-il le droit de se dérober ?

Il se voyait prophète de la République, il est devenu prophète de Dieu. L'univers, il le voit désormais comme une immense échelle d'êtres qui tous sont dotés d'une âme, celle-ci n'étant pas de même densité : les pierres, les végétaux, les animaux ont une âme. Les âmes criminelles y sont emprisonnées. Car la matière, c'est le mal. Prenons garde ; si nous cédons à la matière, la chute sera au bout. Le coupable prend une forme nouvelle : « Phryné meurt, un crapeau saute hors de la fosse... »

Au milieu de l'échelle, voici l'homme. Tantôt la matière l'attire, tantôt il s'élève à Dieu. Quel qu'il soit, il a droit à l'essentiel : le pardon.

En ce temps-là, au milieu des esprits, des démons et des anges, la chambre de *Marine Terrace* devient une extraordinaire « forgerie de vers ». Là vont se composer non seulement les grands poèmes religieux des *Contemplations*, mais la part la plus considérable de *la Fin de Satan* et de *Dieu*. « Religions, abîmes, empires, espace et temps, il y survolait tout avec une largeur de vision égalée seulement par Dante et Milton [2]. »

Il est tout entier à ce foisonnement fantastique. Il retourne de temps à autre à la table. Mais les procès-verbaux constatent — dans la seconde partie de 1855 — son absence plus souvent que sa présence. Il trouve maintenant qu'elle ressasse, la table. La vérité est qu'il pense avoir tiré d'elle tout ce qu'elle pouvait proposer.

Au mois d'octobre, c'est le drame : l'un des proscrits de

1. Paul Berret.
2. André Maurois.

l'île, Jules Allix, voisin, commensal, ami, souvent admis à la table, est frappé tout à coup de folie homicide. Il faut l'interner. Rien de ce genre ne menace Hugo. Mais il semble qu'il ait vu là comme un avertissement. Peut-être sa pensée s'est-elle arrêtée au souvenir d'Eugène, à sa fille Adèle dont les airs bizarres l'inquiètent de plus en plus. Il ne se cache pas d'avoir ressenti une « panique » — le mot est de lui. Le verdict tombe : on ne fera plus de tables à *Marine Terrace*. Le désespoir d'Adèle I, qui trouvait autour du guéridon un remède contre l'ennui et peut-être une raison de vivre, n'y pourra rien. Le *pèrissime* ne revient jamais sur une décision. D'ailleurs, quelques jours plus tard, c'est un tout autre sujet qui, à *Marine Terrace*, va capter l'attention des exilés.

On le tolérait, mais on ne l'aimait pas. Dès 1854, Sir Robert Peel, à la Chambre des communes, l'avait hautement blâmé : « Cet individu a une sorte de querelle personnelle avec le distingué personnage que le peuple français s'est choisi pour souverain. » On avait espéré qu'il se ferait oublier et, malgré cela, il multipliait les incartades et les éclats. On avait procédé à Guernesey à une exécution capitale et le bourreau, faute d'expérience, avait dû achever le pendu en se pendant lui-même à ses pieds. Encore un crime sous le masque de la peine de mort ! Furieux, Hugo avait écrit à lord Palmerston, lui rappelant que naguère il avait dîné avec lui : « Ce qui me frappa en vous, c'était la façon rare dont votre cravate était mise. On me dit que vous étiez célèbre par l'art de faire votre nœud. Je vois que vous savez aussi faire le nœud d'autrui... » La guerre de Crimée victorieuse a resserré les liens de la France et de l'Angleterre. On en est, entre Napoléon III et la reine Victoria, au flirt politique. Napoléon vient à Londres faire visite à la reine en attendant que celle-ci la lui rende à Paris. Fanfares, embrassades, discours et acclamations. Malheureusement, les murs de Douvres, où Napoléon III doit débarquer, sont couverts d'un grand nombre d'affiches. On ne lui a heureusement pas laissé le temps de les lire. Il s'agit d'une nouvelle philippique de Hugo en forme d'insulte délibérée : « Qu'est-ce que vous venez faire ici ? A qui en voulez-vous ? Qui venez-vous insulter ?... Laissez la liberté en paix. Laissez l'exil tranquille ! »

Tout cela déplaît de plus en plus. Il en a conscience. Il note :

« Pour les Anglais, je suis *shocking, excentric, improper*. Je mets ma cravate sans correction. Je me fais raser chez le barbier du coin, ce qui, au XVIIᵉ siècle, à Valladolid, m'eût donné l'air d'un grand d'Espagne et, au XIXᵉ, en Angleterre, me donne l'air d'un *workman* (travailleur, ce qui est le plus méprisé en Angleterre) ; je heurte le *cant* ; j'attaque la peine de mort, ce qui n'est pas respectable. Je dis " *Monsieur* " à un lord, ce qui est impie ; je ne suis point catholique, point anglican, point luthérien, point calviniste, point juif, point méthodiste, point wesleyen, point mormon : donc athée. De plus, Français, ce qui est odieux ; républicain, ce qui est abominable ; proscrit, ce qui est repoussant ; vaincu, ce qui est infâme ; poète, pour couronner la chose. De là, peu de popularité... »

Le voyage de la reine Victoria à Paris va mettre le feu aux poudres. Félix Pyat, républicain réfugié à Londres, publie une lettre ouverte inutilement insultante pour la reine, l'accusant d'avoir tout sacrifié : « dignité de reine, scrupules de femme, orgueil d'aristocrate, sentiments d'Anglaise, le rang, la race, le sexe, tout jusqu'à la pudeur, pour l'amour de cet allié ». La polémique demeurait jusque-là dans les limites de la bienséance. Mais Pyat a ajouté : « Vous avez été baisée au genou par trente chefs arabes, au-dessous de la jarretière, dit le *Times*. Honni soit... et à la main par l'empereur. God Save the Queen !... Vous avez mis Canrobert au bain, bu le champagne et embrassé Jérôme !... » Le journal des proscrits à Jersey, *l'Homme*, « organe de la Démocratie universelle », va reproduire la lettre, ce que Hugo n'approuve pas. *A Noël Parfait* : « Félix Pyat a fait une grosse maladresse. » *A Paul Meurice* : « Pyat a fait une lettre fort maladroite, vraie au fond, charivarique dans la forme. » Mais, quand il apprend que les trois exilés responsables du journal ont été expulsés de Jersey, il proteste en termes violents : « Le coup d'État vient de faire son entrée dans les libertés anglaises. L'Angleterre en est arrivée à ce point : proscrire des proscrits. Encore un pas et l'Angleterre sera une annexe de l'empire français et Jersey sera un canton de l'arrondissement de Coutances... Le peuple français a pour bourreau et le gouvernement anglais a pour allié le crime-empereur ! » Non, décidément, il n'a pas changé.

Le résultat ne s'est pas fait attendre. Le samedi 27 octobre 1855, vers 10 heures du matin, trois personnes ont sonné à la porte de *Marine Terrace* et demandé à parler « à M. Victor Hugo et ses deux fils ». Hugo les a reçus. Le premier des trois s'est présenté :

— Je suis le connétable de Saint-Clément.

Avec une gravité de commande, ce digne personnage a ajouté :

— Monsieur Victor Hugo, je suis chargé par Son Excellence le gouverneur de Jersey de vous dire qu'en vertu d'une décision de la couronne, vous ne pouvez plus séjourner dans cette île, et que vous aurez à la quitter d'ici au 2 novembre prochain. Le motif de cette mesure prise à votre égard est votre signature au bas de la déclaration, affichée dans les rues de Saint-Hélier et publiée dans le journal *l'Homme*.

De Hugo, une simple réponse :

— C'est bien, monsieur.

Le connétable annonce que Charles et François-Victor sont également expulsés.

Hugo opine, puis :

— M. le connétable, vous pouvez vous retirer. Vous allez rendre compte de l'exécution de votre mandat à votre supérieur, le lieutenant-gouverneur, qui en rendra compte à son supérieur, le gouvernement anglais, qui en rendra compte à son supérieur, M. Bonaparte.

Où aller ? Hugo s'est fait à ces îles anglo-normandes, à leur climat, à leur hospitalité. Il aime que l'on y parle français. Et puis, de là, par beau temps, on voit la France. Chaque île, quoique dépendant de la Couronne, a sa législation et son gouvernement. Pourquoi ne pas aller à Guernesey, toute proche ? La décision est vite prise. *Hugo à Noël Parfait, 30 octobre 1855* : « On nous expulse le 2 novembre... Je ne veux pas attendre la fin du délai. Je pars demain. »

Il s'embarque, le 31 octobre, en compagnie de François-Victor. Grande nouveauté pour Juliette, grande victoire : elle accompagne Victor. Deux jours plus tard, Charles les rejoindra. Adèle à dû rester à Jersey avec sa fille et Vacquerie pour le déménagement.

Carnet de Hugo : « Parti de Jersey à 7 heures et quart du matin. Arrivé à Guernesey à 10 heures. Mer grosse. Pluies. Rafales. Jersey : rocher, puis nuage, puis ombre, puis rien. Abordage difficile. Vagues énormes. Petites barques chargées d'hommes et de bagages. Foule sur le quai. Les proscrits Bachelet, Dessaignes, Thomas, Fruchard, etc. Le consul (le Laurent d'ici) en cravate blanche. Toutes les têtes se sont découvertes quand j'ai traversé la foule. La réception n'est pas de mauvais augure. »

III

LE LOOK-OUT

> Je suis hanté ! L'Azur ! L'Azur ! L'Azur ! L'Azur !
> Stéphane MALLARMÉ.

CE jour-là, à Guernesey, je regardais la mer. Le vent soufflait en tempête, les vagues se gonflaient, déferlaient
sur les rochers, léchaient les quais. J'évoquais l'arrivée
par un temps pareil, au même endroit, des deux Adèle et
d'Auguste Vacquerie. C'était le 9 novembre 1855, dix jours
après que Hugo eut lui-même débarqué. Le bateau n'avait pu
accoster. Un canot avait amené à quai les passagers peu ras-
surés, cependant que les matelots rechignaient en apprenant
que Mme Victor Hugo était escortée par la bagatelle de
trente-cinq colis. Parmi ceux-ci, une malle particulièrement
ventrue. Les hommes l'avaient soulevée, trouvée lourde et
l'avaient balancée au-dessus du canot qui sautait sur la
vague. De justesse, elle s'était abattue dans l'embarcation
légère. Cette malle était lourde parce qu'elle contenait du
papier : les manuscrits du poète, ceux des *Contemplations*,
des *Misérables*, de *la Fin de Satan*, de *Dieu*. Sans compter les
Carnets, les milliers de notes, les milliers de vers achevés ou
inachevés.

Découverte de l'île. Hugo, fier d'avoir ouvert les voies,
montre ses découvertes à ses femmes et à Vacquerie. De
même que pour Jersey, il ne se cache pas d'avoir été séduit
par Guernesey. Malgré pluie et brouillard, il avait jugé l'arrivée sur Saint-Pierre-Port « splendide » et avait annoncé à

Adèle : « Victor était dans l'éblouissement. C'est le vrai vieux port normand à peine anglaisé. »

Visiter Saint-Pierre-Port demande du souffle. De tant grimper donne l'impression de monter à l'assaut. Adèle I se plaint un peu : sa corpulence présente ne la prédispose guère aux escalades. Mais le Normand Vacquerie, lui, se voit à Saint-Pierre comme chez lui :

« Une église gothique ; des rues vieilles, étroites, irrégulières, fantasques, amusantes, coupées d'escaliers grimpant et dégringolant ; les maisons les unes sur les autres, afin que toutes voient la mer. Et un port tout petit où les navires se tassent, où les vergues des goélettes risquent toujours d'éborgner les fenêtres du quai, où ces immenses oiseaux nichent dans les croisées. »

Ces barques de pêche, ces sloops, ces bricks, ces trois-mâts, ces bateaux à vapeur qui se croisent sous ses fenêtres lui rappellent Villequier : « C'est vivant comme la Seine et c'est grand comme la Manche. » A Adèle, la petite ville paraît « française » : « une vieille ville normande avec des circuits, des rues en escalier, des ruelles ».

Hugo a montré l'hôtel de l'Europe où, à leur arrivée, François-Victor et lui sont allés se loger, chambres 16 et 17, 5 francs « par personne et par jour, tout compris ». Il n'a pas montré la pension de famille, tenue par Mme Lebouteiller qui abrite Juliette et sa fidèle Suzanne.

Il garde un souvenir très précis de cet hôtel de l'Europe. Le 2, Charles y a rejoint son père et son frère. Le même jour, lendemain de sa propre venue, Hugo y a écrit les derniers vers du recueil qui devait être *les Contemplations*. Ses bagages point encore défaits, il a fallu qu'il achevât le poème intitulé : *A celle qui est restée en France*. Léopoldine, toujours. Vers bouleversants à la fois de désespoir, de sérénité — et de maîtrise.

C'est bien le moins qu'elle ait mon âme, n'est-ce pas ?
Ô vent noir dont j'entends sur mon plafond le pas !
Tempête, hiver, qui bats ma vitre de ta grêle !
Mers, nuits ! et je l'ai mise en ce livre pour elle !

La tribu s'est engagée dans la rue Hauteville, aujourd'hui *Hauteville Street*. A cette époque, à Guernesey, on parle français. On s'est arrêté devant la petite maison qui porte le numéro 20. C'est cela, la surprise de Hugo. A peine débarqué, il s'est demandé où il logerait les siens. Les illusions premières de l'exil sont bien mortes. Plus les années passent, plus le régime de Napoléon III acquiert de solidité. La guerre de Crimée s'achève victorieusement. L'impératrice Eugénie est grosse : promesse d'avenir. A un empire fait pour durer, doit répondre un exil fait lui aussi pour durer. D'où la nécessité d'une maison. Il n'a fallu qu'une semaine à Hugo pour la trouver.

Le 8 novembre — veille de l'arrivée des deux Adèle, il était temps ! — il a signé avec un certain M. Domaille, propriétaire, un engagement de location. En avance sur le loyer annuel de 768 francs, il a versé 192 francs. Ce que découvrent les Adèle et Vacquerie, c'est une demeure fort simple où trône un mobilier plus simple encore, loué, moyennant 360 francs par an, à un Mr. Master, encanteur — vieux mot qui, selon Littré, signifie « celui qui vend à l'encan ». Plutôt fatigués, ces meubles, à en croire le contrat de location : « ... Plusieurs sont tachés, comme le grand fauteuil rouge, ou usés jusqu'à être troués, comme le dos des chaises d'acajou recouvertes de crin noir ; la paille de plusieurs chaises est usée... » Où sont les trésors de la place Royale, longuement convoités, acquis avec tant de fièvre, conservés avec tant de passion ? Devant cet ameublement hétéroclite, bancal, pas même propre, les cœurs ont dû, ce jour-là, se serrer.

Il ne faudra que quelques jours pour que l'on confie aux nouveaux habitants la « vérité » : la maison est... hantée ! Nul n'a voulu la louer depuis longtemps, hormis un pasteur qui a été forcé de la quitter précipitamment à cause des bruits qui tourmentaient ses nuits. Hugo note :

« Mes domestiques racontent qu'ils entendent presque toutes les nuits des choses étranges. J'écoute et je ne dis rien. »

Un écrivain qui, dès le lendemain de son arrivée, s'est remis au travail dans une chambre d'hôtel ne peut, une fois installé chez lui, rester inactif. Malgré le tapage des ouvriers — il se plaint qu'on l'aveugle de poussière et l'assourdit de coups de marteau — Hugo s'est assis à sa table et a repris son labeur de chaque jour. En débarquant dans l'île, des vers sont venus sous sa plume. Il continue. Les poèmes s'ajoutent aux poèmes. Certains trouveront place dans *la Légende des siècles*, d'autres dans *Toute la lyre*, d'autres encore attendront la mort du poète pour voir le jour. Mais la grande affaire des premiers mois de Guernesey, c'est la publication des *Contemplations*.

Le 11 novembre, Hugo envoie à son éditeur Hetzel le texte définitif de la préface : « Si un auteur pouvait avoir quelque droit d'influer sur la disposition d'esprit des lecteurs qui ouvrent son livre, l'auteur des *Contemplations* se bornerait à dire : ce livre doit être lu comme on lirait le livre d'un mort. » Ce livre, qu'en est-il ? « Est-ce donc la vie d'un homme ? Oui, et la vie des autres hommes aussi. Nul de nous n'a l'honneur d'avoir une vie qui soit à lui. Ma vie est la vôtre, votre vie est la mienne, vous vivez ce que je vis ; la destinée est une. Prenez donc ce miroir, et regardez-vous-y. On se plaint quelquefois des écrivains qui disent *moi*. Parlez-nous de vous, leur crie-t-on. Hélas ! quand je vous parle de moi, je vous parle de vous. Comment ne le sentez-vous pas ? Ah ! insensé, qui crois que je ne suis pas toi ! » La malle aux manuscrits lui a restitué onze mille vers. Il les a relus, triés, choisis. Son souci : ne pas livrer au public quelque chose de disparate. Les poèmes déjà composés s'étalaient sur une longue, très longue période. Il a tenu à diviser le recueil en deux parties : 1831-1843, 1843-1856.

Dans sa volonté de cohérence, il a même antidaté certains vers qui, trop lumineux, n'en avaient pas moins été écrits à Jersey. Ce livre est une confession ; il doit être aussi une œuvre d'art. Juliette a inspiré beaucoup de vers, mais aussi Léonie. De la pure idylle on passe insensiblement — nouveauté chez Hugo — à la sensualité pure : *Elle était déchaussée, elle était décoiffée*. Le sommet de l'ouvrage : les admirables vers qu'il a consacrés à Léopoldine, sa bien-aimée : *Demain dès l'aube. A Villequier*. Le livre en fait, c'est elle. Les poèmes s'orchestrent, *avant* et *après* elle. La première partie, celle du souvenir intitulée *Autrefois*, est pleine d'azur, de liberté. Mais la nostalgie douce-amère qui l'imprègne rejoint des impressions légères, un verbe bondissant ; la fantaisie donne parfois la main à la satire, le bucolique à la gaillardise. L'ombre d'une petite fille passe — tout redevient tendre et grave. Ce qui frappe, c'est la palette du poète, si large déjà et qui semble s'agrandir encore. La seconde partie, *Aujourd'hui*, est — elle — tout imprégnée de nuit. Une réflexion, ample et âpre sur la vie, sur la mort, sur l'homme face à l'éternité : retour aux grandes obsessions de Jersey. Précisément, l'un des poèmes majeurs s'intitule : *Ce que dit la Bouche d'ombre.* De l'abîme où Hugo plonge son lecteur, l'espoir s'élève. « On ne s'étonnera donc pas, annonce Hugo, de voir, nuance à nuance, ces deux volumes s'assombrir pour arriver, cependant, à l'azur d'une vie meilleure. »

Il faut en prendre conscience : au moment où il achève d'écrire les derniers vers, l'homme de Guernesey se sent devenu double : poète et prophète. A ce point qu'il a envisagé d'insérer le grand poème-message de *la Fin de Satan,* dans *les Contemplations.* Les siens se sont récriés. Pour la première fois de sa vie, Vacquerie s'est fâché avec son maître, osant crier que celui-ci n'avait pas le sens commun et qu'il allait déséquilibrer son livre ; *la Fin de Satan,* pour prendre toute sa valeur, *devait* être publiée seule. Il a raison, Vacquerie. Hetzel a renchéri là-dessus, parlé de l'erreur commerciale. Hugo s'est aussi souvenu de la table à Jersey ; n'avait-elle pas mis son grain de sel, conseillé de reporter à des temps meilleurs la publication des grands poèmes philosophiques et religieux ? Conscient que ces avis disparates ne manquaient pas de justesse, Hugo s'y est rangé. Les vers non achevés de *la Fin de Satan* et de *Dieu* sont allés attendre des temps meilleurs dans l'une des armoires bancales louées à Mr. Master.

Début 1856, Adèle, Charles, François-Victor, Vacquerie, Meurice, Hetzel ont lu *les Contemplations.* Tous sont d'accord : aucun des livres de poésie que Hugo a composés jusque-là, pas même *les Feuilles d'automne,* ne peut se comparer aux *Contemplations.* Il a atteint au chef-d'œuvre. Inutile d'ajouter au mot un qualificatif. *Le* chef-d'œuvre.

Si les amis du poète — et Hugo lui-même — s'inquiètent, ce n'est pas quant à la qualité du livre, mais sur le sort qui pourra lui être fait. Cette fois, Hugo *veut* paraître au grand jour. Donc, à Paris. Le régime impérial laissera-t-il éditer une œuvre dont l'auteur l'a depuis quatre ans accablé d'injures et couvert de boue ? Ici intervient Paul Meurice. Il connaît bien le directeur de la Sûreté générale, Collet-Meygret. Une chance : ce haut fonctionnaire de Napoléon III — qui a la censure parmi ses attributions — a naguère collaboré à *l'Événement,* au temps il est vrai où le journal des fils Hugo chantait les louanges du prince Louis-Napoléon. Meurice est allé s'enquérir auprès de cet ami, devenu adversaire : pouvait-on songer à une publication des *Contemplations* en France ? Naturellement, il n'est pas question que Victor Hugo accepte de se soumettre à la censure. Collet-Meygret a simplement demandé s'il se trouvait dans le volume, des « vers contre le régime actuel ». « Pas un seul », a répondu Meurice.

— Vous m'en donnez votre parole d'honneur ?

— Je vous la donne.

— C'est bien. Imprimez *les Contemplations*.

Il a fallu parvenir à un accord entre trois éditeurs : Hetzel à Bruxelles, à qui Hugo veut rester fidèle, Pagnerre et Michel Lévy à Paris. Meurice sue sang et eau sur les épreuves. Plus puriste que Hugo lui-même, il bute sur le nombre de termes qu'il trouve impropres et aussi sur certaines inexactitudes orthographiques. Il en remontre à l'auteur qui proteste : « Si j'étais à Paris, je ne concéderais pas le moins du monde mon orthographe qui est la vraie, j'ai quelque dédain pour le dictionnaire de l'Académie... Je suis augure, ce qui fait que je me fiche d'Isis. Le dictionnaire de l'Académie est une des plus tristes pauvretés qu'on puisse faire à quarante. »

Le 23 avril 1856, *les Contemplations* paraissent à Paris et à Bruxelles : deux volumes tirés à 3 000 exemplaires. Pour les éditeurs, pour l'auteur, pour ses amis, c'est une angoissante interrogation. Il y a tant d'années que Hugo est loin de France ! Depuis 1845, on n'a lu de lui que des pages politiques ou des vers en forme d'imprécations. La presse bourgeoise le traite non seulement en rebelle, mais en demi-fou. Quel accueil le public va-t-il réserver aux *Contemplations* ? Il suffit de quelques heures pour que la réponse soit donnée. Et quelle réponse !

Meurice à Hugo, 24 avril 1856 : « Voilà un succès foudroyant, j'espère ! Hier matin, Pagnerre recevait les 1 000 exemplaires qui lui revenaient. Hier à 5 heures, il n'en avait plus un seul. Michel Lévy qui a, lui, 1 700 exemplaires et qui a plutôt affaire aux libraires en détail, peut encore avoir, à l'heure qu'il est, 4 ou 500 exemplaires, mais il ne lui en restera plus demain. Et les départements sont à peine servis. Des villes comme Lyon et Bordeaux en auront si peu reçu que le livre y pourra passer pour inédit... »

Meurice se déclare sûr, absolument sûr, que l'on sera à 60 000 exemplaires « d'ici à un an » : « Enfin la victoire est éclatante et je ne peux pas vous dire à quel point j'en suis heureux. »

Avant *les Contemplations*, l'argent manquait douloureusement à Guernesey. Le déménagement avait coûté cher, les
petites rentes produites par les obligations belges et
anglaises avaient été absorbées et au-delà. Puisque Hugo se
refusait toujours à entamer son capital, on en était à se
demander comment l'on pourrait finir l'année sans emprunter. Du jour au lendemain, les Hugo se retrouvent presque
riches. Hetzel, en avance sur les droits, envoie 20 000 francs !
Que va-t-on en faire ? Acheter de nouvelles actions ou obligations ? Non. Hugo songe à un autre placement : il veut acheter une maison. Une maison à lui.

Chaque jour, au cours de sa promenade quotidienne,
quand il emprunte la rue de Hauteville, et qu'il en descend
ou remonte la pente abrupte, il passe devant une grande maison cubique, au numéro 38, dont il s'étonne qu'elle reste à
l'abandon. Il se renseigne. On lui dit que la demeure,
construite vers 1800 « par un corsaire anglais » est inhabitée
depuis neuf ans. Pourquoi est-il attiré par celle-ci plutôt que
par une autre ? Parce qu'elle est vide — et parce qu'elle est
vaste.

De jour en jour, l'idée s'impose à lui : pourquoi pas décidément cette maison-là. Il la visite. Il découvre alors la façade
sur le jardin, combien plus attachante, les grandes pièces
d'où l'on voit la mer. Grimpant au troisième étage, la possibilité d'établir là, sur le toit, une sorte de belvédère vitré où il
travaillerait lui apparaît dans l'instant. En imagination, il
abat les murs, tapisse des plafonds, façonne des chambran-
les :

— J'ai manqué ma vocation, dira-t-il à Jules Claretie.
J'étais né pour être décorateur.

C'est dit, il accepte. Depuis son arrivée à Guernesey, il
redoute une nouvelle expulsion : *expioulcheune*, comme il
dit, lui qui ne parle pas anglais. La loi de Guernesey est formelle : s'il devient propriétaire, il devra acquitter une rede-
vance de deux poules par an à la reine ; après quoi, nul ne
pourra plus l'expulser. Le 16 mai 1856, « devant Monsieur le
Lieutenant Baillif et Messieurs les Jurés de la Cour royale de
cette île de Guernesey » comparaissent William Ozanne et
Dame Rosalie Torode, son épouse, lesquels « de leur libre et
franche volonté » reconnaissent et confessent avoir « fieffé et
baillé à rente, d'eux et des hoirs du survivant des deux, en fin
et perpétuité d'héritage, à Monsieur Victor-Marie Hugo, fils

du Lieutenant-Général Comte Joseph Léopold-Sigisbert Hugo » une « Maison, Édifices et Jardin, situés à Hauteville, en ladite Paroisse de Saint-Pierre-Port, sur le Fief du Roi ».

Le voilà propriétaire. *A Meurice* : « La maison est achetée, me voici proscrit français et landlord anglais. »

Ce dont Hugo ne revient pas — et nous, reconnaissons-le, pas davantage — c'est qu'un seul livre de poèmes ait pu payer ce logis. A ses amis, il multiplie les communiqués de victoire.

A George Sand : « Je viens d'acheter une masure avec les deux premières éditions des *Contemplations*. » *A Jules Janin* : « La maison de Guernesey avec ses trois étages, son toit, son jardin, son perron, sa crypte, sa basse-cour, son look-out et sa plate-forme, sort tout entière des *Contemplations*. Depuis la dernière poutre jusqu'à la dernière tuile, *les Contemplations* paieront tout. Ce livre m'a donné un toit. »

A peine a-t-il signé qu'il ne tient plus en place. Il convoque les entrepreneurs, demande des devis, précise ses idées en les dessinant, donne des contours à son rêve et modifie tout. Ses agendas témoignent d'une activité prodigieuse. Sa passion décoratrice ne l'empêche pas de s'attacher aux détails : « Le 7 juillet, convenu avec M. Mauger qu'on fera aux chambres de domestiques, au lieu de tabatières, des fenêtres en mansarde s'ouvrant à la française de quatre à six carreaux chaque. La dépense ne dépassera pas quatre louis pour les deux fenêtres. Convenu que les deux côtés extérieurs du look-out seront vitrés et non pleins. »

Il ne néglige pas les petites économies : « trouvé beaucoup de bon bois en démolissant. Ce bois sera utilisé, ainsi que les planches de mes caisses d'emballage, et comptera en déduction des frais calculés dans le devis ».

Pendant des mois, il préside à cette installation, occupé de tout, soignant le choix d'une peinture, d'un carrelage ou d'une boiserie comme il eût soigné les vers de l'une de ses odes. Au-delà de son bien, *Hauteville House* va devenir si totalement son enfant, qu'il serait juste, quand on établit la liste des œuvres complètes de Victor Hugo, d'y inclure sa maison de Guernesey.

Non content de construire et de décorer, il faut meubler. L'île va lui offrir des trésors qui pour lui seront ceux de Golconde. Longtemps, Guernesey fut un centre de course et de contrebande. L'industrie du meuble y avait connu, au siècle précédent, une prospérité véritable. D'où des ressources insoupçonnées. Outre les brocanteurs et les marchands, Hugo va écumer les demeures bourgeoises et les fermes. Son fils Charles se souviendra de l'avoir vu, le soir, revenir « suivi de voitures chargées de coffres, d'armoires, bahuts... ». Ce que les agendas confirment expressément. Le 18 juin, il note s'être lancé dans une « *chasse aux vieux coffres* » avec Juliette, accompagnée de la servante Suzanne. Ce jour-là, il achète trois vieux coffres pour 9, 10 et 21 francs. Un « *vieux coffre renaissance comme neuf* » pour 30 francs ; « *un vieux coffre à losanges* » dont il fait don à Juliette, pour 10 francs ; un « *vieux coffre renaissance chez la vieille de 80 ans* » pour 24 francs ; un « *Cobourg massif* » pour 192 francs ; un « *vieux coffre chez Robin* » pour 30 francs ; un « *vieux coffre chez Gory pré Li-Hoc* » pour 18 francs. Il note : « *estimé 9 francs, je l'ai payé le double vu leur pauvreté, le mari aveugle, la femme paralytique, deux vieillards* ».

Les jours suivants, la chasse aux coffres continue, mais il achète aussi « un banc de Cobourg » peint en vert, un panneau représentant saint Pierre, un panneau représentant un roi à cheval et des colonnes torses. Le 5 août, il acquiert encore cinq coffres. Et ce n'est pas fini. En fait, nombre de ces coffres seront démantelés et Hugo se servira des vieux bois pour édifier des meubles dont le style n'appartiendra qu'à lui-même. A ceux qui voudraient s'enquérir du style indéfinissable de ses meubles, il pourrait, parodiant Garnier parlant de son Opéra, répondre :

— C'est du Victor Hugo !

Pendant trois ans, il répétera qu'il est dans le « feu de l'installation ». Il continuera à courir les marchands de Saint-Pierre-Port comme les fermes des « paroisses », avec la même avidité de meubles anciens, de tableaux, de bois sculpté, de porcelaines et de tapisseries.

Le 5 novembre 1856, il note triomphalement : « *Couché pour la première fois à Hauteville House et dans une maison à moi.* »

Il va avoir cinquante-cinq ans. Selon son point de vue, les nouvelles de France ne sont pas bonnes. Le Congrès de Paris a été tout entier dominé par Napoléon III. Symboliquement, c'est le fils naturel de Napoléon Ier, le comte Waleski qui a présidé les séances au cours desquelles les traités de 1815 ont été mis à néant. Dans la liesse de tous, l'impératrice a donné naissance à un prince impérial. Hugo, au lieu d'en être abattu, semble avoir acquis une nouvelle jeunesse. Infatigable, c'est son entourage qu'il tue. Quand il parle de son « inextricable emménagement », on devine une allégresse d'ogre. Cette santé retrouvée, ce singulier bonheur ne disent rien qui vaillent à Adèle.

Adèle Hugo à Mme Paul Meurice, 17 octobre 1856 : « Voilà que nous entrons dans notre maison ; c'est pour moi comme la constatation de l'exil. L'espérance de vivre près de vous est comme envolée. J'y mourrai dans cette maison. Hier en traversant le vestibule qui mène à la porte d'entrée, je me disais : " Ma bière passera ici ". »

Déroutant Hugo. Alors qu'on le voit épanoui, devenu architecte, décorateur, ébéniste, il travaille à force, chaque jour de longues heures, à ce grand œuvre qui doit être *Dieu*. Le manuscrit de *l'Esprit humain* doit prendre place dans cet immense ensemble. *Solitudines Coeli* formait une part de cette grande « épopée apocalyptique », *l'Esprit humain* en est une autre, comme le seront *les Voix* et *l'Océan d'en haut*. A quoi s'ajoutent des fragments, des vers épars, des ébauches. Car Hugo n'a jamais achevé ce poème gigantesque. Son éditeur Hetzel doit être considéré comme le principal responsable d'une défaillance que l'on peut à bon droit tenir pour une catastrophe. Hetzel ne croyait pas au succès commercial d'une « épopée de l'âme ». Avec une habileté et une ténacité remarquables, il n'a cessé de prier son auteur de remettre à plus tard cette publication à laquelle celui-ci tenait pourtant plus qu'à tout. Il ne refusait pas *Dieu* mais conseillait de publier, auparavant, autre chose. Souvenons-nous qu'au verso de la couverture des *Contemplations*, Hugo annonçait la publication prochaine de *Dieu*. Hetzel préférait ces *Petites Épopées* dont lui avait parlé Hugo. Si ce dernier se laisse faire, il ne renonce pas. En 1859, il rédige de sa main un projet d'annonce : « La première partie de *la Légende des siècles*, quand elle sera complète, sera intitulée *l'Homme*. La deuxième partie, que voici est intitulée *Dieu*. » D'année en année, d'œuvre en œuvre, c'est Hetzel qui gagnera et rejettera dans les ténèbres ce *Dieu* dont décidément il ne voulait pas. Le regard fixé sur l'immédiat, Hugo s'éloignera peu à peu de son grand poème. Il n'est jamais aisé de reprendre, des années plus tard, une œuvre commencée. Même lorsqu'elle semble à l'auteur primordiale, celui-ci éprouve une sorte de lassitude, ou d'inquiétude — pour Hugo, c'est l'une et l'autre — à l'idée de se remettre à l'ouvrage. Il est difficile de dire à quel moment le poète a définitivement abandonné la partie et perdu l'espoir de publier jamais « ces milliers de vers consacrés au sujet majeur, le sujet des sujets, la plus grande affaire, l'unique affaire réelle, à ses yeux, de l'homme [1] ». Ce sera chose faite en 1880, quand il démantèlera son poème pour en tirer *Religions et Religion*.

Dieu ne verra pas le jour du vivant de Hugo. On lira peu le livre posthume. Hugo était mort accablé d'honneurs, il avait reçu tant d'hommages ! On savait qu'il restait de lui tant et tant de vers à publier ! La critique ignora à peu près ce qui est peut-être — pourquoi peut-être ? sûrement — le plus grand poème hugolien. Ajoutez à cela que l'ouvrage aura le malheur de paraître au temps de l'anticléricalisme officialisé et d'une laïcité aussi combattante que militante. *Dieu* ? Les pères barbus et sévères de la IIIe République fronceront le sourcil et passeront. Il faudra attendre une époque toute récente pour que l'on découvre ce chef-d'œuvre cosmique et qu'en soit proposée une édition définitive [2].

Citer ? Il faut tout lire, découvrir soi-même ces beautés, faire corps avec la certitude éperdue de cet homme qui se déclare « plus sûr de l'existence de Dieu que de la sienne propre [3] » ; l'homme qui, dans son projet de « préface philosophique » des *Misérables*, s'inclinera devant « le prodigieux Être en qui se réalise l'identité inouïe de la nécessité et de la volonté » ; l'homme dont rien ne pourra venir ébranler la foi : « Croyez-vous en Dieu ? — Non. — Pourquoi ? — A cause de la souffrance. — Eh bien, à cause de la souffrance, j'y crois » ; l'homme qui, se refusant au christianisme, a inséré dans *les Contemplations* d'admirables vers sur le Crucifix qui d'ailleurs susciteront l'irritation de Michelet. Le 9 mai 1856, il lui répondra : « Je ne puis oublier que Jésus a été une incarnation saignante du progrès ; je le retire aux prêtres, je détache

1. Henri Guillemin.
2. Il faut saluer à ce propos les travaux de MM. Journet et Robert et se reporter à l'édition récente de *la Fin de Satan* (1984) publiée par Jean Gaudon et Evelyn Blewer.
3. Lettre à George Sand, 8 mai 1862.

le martyr du Crucifix, et je décloue le Christ du christianisme. » L'homme qui au terme de son errance à la recherche de la divinité trouve la Lumière, laquelle proclame l'« *innomé* », « l'X ».

> Cet X a quatre bras pour embrasser le monde
> Et, se dressant visible aux yeux morts ou déçus,
> Il est croix sur la terre et se nomme Jésus.

L'homme qui, à la date du 15 septembre 1858, barre une page de son Carnet d'une inscription énorme :

CREDO IN DEUM PATREM OMNIPOTENTEM.

Il peut donc chaque matin méditer sur le plus grave des problèmes, vivre en cohabitation absolue avec l'éternité, les espaces sidéraux, les abîmes, les anges et les démons, les saints et les pécheurs, Moïse et Bouddha, Job et Mahomet — et, sa plume une fois posée, chercher une plage déserte, la traverser plusieurs fois en courant pour se mettre en sueur, aviser un rocher surplombant la mer, se dépouiller de tous ses vêtements, plonger, « faire deux ou trois brasses, revenir en nageant entre deux eaux, se hisser des mains et des pieds sur sa roche, se sécher au soleil comme on pouvait, et se rhabiller en un clin d'œil [1] » ; passer ensuite à table pour y dévorer un potage, un poisson, un pâté de foie gras, une douzaine de côtelettes presque crues — il les veut non pas roses mais *violettes* — un gâteau ou des fruits ; courir vers la maison qui s'aménage, morigéner les ouvriers, s'emparer d'un marteau, d'une scie, d'un burin, démanteler une armoire, sculpter une porte, graver une inscription. Tout cela peut-il occuper la même journée d'un seul homme ? Oui. Si cet homme s'appelle Victor Hugo.

Chaque jour, à midi, il a fini ses « cent vers ou ses vingt pages de prose, sans rature, quelquefois avec des renvois qui tenaient plus que la page [2] ». Rien ne l'arrête jamais : ni le froid de l'hiver contre lequel il lutte avec un gros poêle ; ni les 50° auxquels, l'été, atteint son *look-out* chauffé à blanc à travers ses vitres. Poêle et soleil ont d'ailleurs le même résultat : à midi, il est trempé de sueur. Alors, il se mettra complète-

1. Témoignage de Paul Stapfer.
2. Alfred Asseline.

ment nu et s'épongera le corps d'une eau très froide laissée toute la nuit à reposer sur le balcon.

« Les personnes qui passaient dans *Hauteville Street*, à ce moment-là, et qui levaient les yeux vers la cage de verre, pouvaient voir la blanche apparition [1]. » La seconde étape d'un programme réglé quasi militairement consiste en une friction énergique avec un gant de crin. Alors, les jambes un peu raidies, il descend lentement l'escalier du belvédère, le tapis amortissant le bruit de son pas. Alfred Asseline, cousin germain d'Adèle, hôte fréquent de Guernesey, ressentira chaque fois la même impression : il lui semblait que Hugo « secouait sa pensée à laquelle il donnait congé pour le restant du jour. Ce n'était plus le poète, le grand inspiré de tout à l'heure ; c'était l'ami qui entrait pour se retrouver avec sa famille, ami bienveillant et cher qui avait toujours un mot aimable pour premier salut, et une tendre caresse de la main pour adieu ».

C'est ici que se situe, s'il fait beau, l'épisode du bain de mer. Suivi par le repas de midi. A table, Adèle admirera la dialectique qui soutiendra le dialogue entre ses fils et son mari. Puis toute la maisonnée se dispersera. *Adèle à Jules Janin* : « Mon mari marche, Toto s'habille, c'est le citadin ; Adèle fait son piano ou étudie l'anglais ; Charles se couche sur un mauvais canapé de cuir et rêve en fumant. Moi, j'embrasse ces grands enfants et tâche que le dîner ne soit pas trop mauvais. »

Le soir, avant de passer à table, Hugo jouera au billard avec ses fils, aura après souper d'interminables conversations au cours desquelles il remuera le monde, soliloquera, dialoguera, méditera à voix haute, s'esclaffera tout à coup d'un de ses calembours, acceptera une partie de cartes *pour de l'argent*, s'effrayera d'avoir perdu quelquefois « jusqu'à 15 sous » et ira se coucher vers les 10 heures.

Cet extraordinaire équilibre — qu'admireront ceux qui ne *savent* pas — n'est qu'apparence. La nuit qui commence sera peuplée — plus à Guernesey encore qu'à Jersey — par d'inquiétantes présences. Dans ses agendas de 1856, il a tenu à enregistrer, avec une précision quasi scientifique, ce qu'il entend, ce qu'il sent, ce qu'il subit. Une nuit — dehors, pas un souffle de vent — il est réveillé par « une espèce de balancement très doux » imprimé à son lit. Outre le balancement, il

1. Paul Stapfer.

perçoit près de lui un bruit singulier, qu'il ne peut comparer à rien de connu.

Le 31 mars 1856, au petit jour, il est réveillé « comme en sursaut » :

> « Au même moment j'ai entendu dans ma chambre, tout près de mon lit, le bruit d'un pas non d'être humain mais d'animal. C'était plus lourd que le pas d'un chat et plus léger que le pas d'un chien. J'ai écouté, j'ai entendu le pas à ma droite dans l'intérieur de mon mur, puis il est sorti de ma chambre dont la porte était fermée et je l'ai entendu descendre l'escalier ; en s'éloignant il se dénaturait et devenait comme un pas d'homme ou de femme. Arrivé au bas, il m'a paru s'évanouir dans une sorte de frémissement qui n'avait d'analogie avec aucun bruit connu. Alors, je me suis mis à prier pour ceux qui sont dans l'épreuve et j'ai dit au fond de ma pensée : " S'il y a ici, près de moi, quelque être qui souffre, quel qu'il soit, qu'il soit béni, et qu'il prie pour moi comme je prie pour lui. " En ce moment-là, j'ai entendu deux coups très distincts dans mon mur. J'ai écouté, priant mentalement l'être quelconque qui pouvait être là de frapper de nouveau ou de se manifester encore à moi, mais je n'ai plus rien entendu, je me suis rendormi [1]. »

Dans la nuit du 9 au 10 avril, autre phénomène, tout différent. Hugo s'est couché à minuit. Dès que sa bougie a été soufflée, un bruit singulier a rempli sa chambre.

> « C'était comme si les papiers jetés dans ma cheminée et ceux entassés sur ma table entraient en mouvement tous à la fois. Il y avait au-dehors quelques souffles de vent, mais quand les fenêtres sont fermées, même un vent très violent n'agite les papiers ni sur ma table ni dans ma cheminée... Vers une heure, Victor est rentré ; le bruit a cessé à son arrivée puis a repris avant même qu'il fût couché. Ce bruit était si vif, si persistant, si compliqué de frémissements étranges, quelques-uns dans l'intérieur même du mur, qu'il m'a tenu éveillé ; en l'écoutant, je priais pour les êtres qui souffrent. »

Dans la même page du Carnet, de l'écriture d'Auguste Vacquerie, on lit : « Je viens d'entrer dans la chambre de Victor Hugo et j'ai constaté l'immobilité des papiers sur sa table et dans sa cheminée par un vent même très fort et ses deux fenêtres ouvertes. Auguste Vacquerie, 10 avril, midi. » Sur le côté du feuillet, de l'écriture de Hugo : « Aujourd'hui, pour la

---

1. Ce fragment de Carnet appartient à la collection Henri Guillemin.

première fois, j'ai communiqué à quelqu'un quelque chose de ce que j'écris dans ce livre. V. H. 10 avril. » Dans la nuit du 11 au 12 avril, c'est une « crépitation singulière », tenant « du pétillement et de l'attouchement » qui éclate dans la chambre. Dans la nuit du 21, Hugo est réveillé au milieu de la nuit « par trois coups vifs, secs et distincts » sur le mur de sa chambre. Dans la nuit du 26 au 27, il note : « Frappements sur mon mur. » Cela dure toute la nuit : « Le soleil se lève, le coup de canon du fort éclate, un coq chante ; tout bruit cesse ; les frappements s'évanouissent. »

Aucune observation jusqu'au 6 décembre. Il explique : « Mon esprit ayant été absorbé (par le poème *Dieu* ; la deuxième partie, *les Voix du gouffre*, était faite dès l'an dernier ; mais j'ai fait la première partie, *les Voix du Seuil*, cet été), ce registre d'observations a été interrompu plus tôt que les observations mêmes... Nous avons quitté le nº 20 de Hauteville Street ; nous sommes dans la maison que j'ai achetée et qui, comme l'autre, passe pour être hantée ; il y a une légende populaire sur cette maison. »

Ce qui va se dérouler cette nuit-là est en rapport très étroit avec une grave maladie qui vient de toucher Adèle II.

Depuis l'exil, Dédé inquiète sa mère ; ses silences de plus en plus profonds, son regard fixe, cette passion de plus en plus frénétique qui la jette à son piano des heures durant, Adèle a tenté souvent d'en parler à Hugo. En vain. A ce qui le gêne, Hugo oppose un torrent verbal. Quand il se tait, il croit le problème résolu.

Adèle à Victor : « Je vois ma fille qui redevient triste, c'est que la vie ici est toujours la même. Pas une diversion, pas un accident, pas un visage nouveau.

« L'existence que cette enfant mène peut aller quelque temps ; mais si l'exil dure longtemps, cette existence est impossible. J'appelle ton attention là-dessus. Je veille sur ma fille et je vois que son état de marasme recommence, et je suis déterminée à faire ce que mon devoir me dictera pour la préserver dans l'avenir.

« Puis je me dis : vous avez tous les trois votre vie occupée, ma fille seule perd sa vie, elle est désarmée, impuissante, je me dois à elle. Un petit jardin à cultiver, de la tapisserie à faire, ne sont pas une suffisante pâture pour une fille de 26 ans. »

Adèle n'a pas tort de nourrir de telles angoisses. A la fin de novembre ou au début de décembre, Adèle sombre dans une maladie à laquelle on a pu reconnaître des caractères psycho-somatiques : « crises de nerfs, délire, fièvre, puis gastro-enté-rite aiguë ». Les symptômes apparaissent si graves que le médecin appelé en toute hâte, le docteur Terrier, ne pourra que prévenir les parents qu'il craint une issue fatale. C'est alors que Hugo traverse cette nuit du 6 au 7 décembre dont il a noté tous les détails :

« Ma fille s'est couchée gravement souffrante, sa mère a disposé un fauteuil au pied de son lit pour passer la nuit près d'elle. Je me suis couché inquiet. J'ai prié ardemment, ou du moins le plus ardem-ment que j'ai pu. J'ai recommandé la sœur à la sœur, puis je me suis endormi. J'habite le look-out, tout en haut de la maison ; c'est une cellule ouvrant sur la mer et séparée seulement par une cloison de la chambre où couchent les deux femmes de chambre, Constance et Marguerite.

« Au plus profond de la nuit, je me suis réveillé, et j'ai songé triste-ment en priant. Comme je songeais depuis quelques minutes dans le silence universel (temps calme, pas de vent, pas de mer), j'ai entendu un chant tout près de moi ; cela me semblait venir de la chambre voisine. J'ai écouté, c'était un chant de voix humaine, doux, léger, vague, faible, aérien. J'ai pensé qu'une des bonnes s'était réveillée et chantait ; mais la douceur de la voix avait quelque chose de surprenant et d'infini qui me fit écarter cette idée. Je supposai que c'était à travers le sommeil ou en rêvant que l'une d'elles chan-tait ainsi, mais la mélodie que la voix chantait, inarticulée et sans paroles, avait un rythme continu parfaitement suivi et lié, absolu-ment inconciliable avec le décousu du sommeil et du rêve. Tout en me disant ces choses, j'ai fini par croire que je rêvais moi-même ; j'ai senti la mélodie flotter confusément à mon oreille et je me suis ren-dormi. »

Un peu plus tard dans la nuit, le chant le réveille encore : « Il était plus distinct encore que la première fois, très défini, à la fois mélancolique et charmant, et je regrettais de n'être pas musicien pour le noter. » Le lendemain matin, il demande aux femmes de chambre si l'une d'elles n'a pas chanté durant la nuit. Fort étonnées, elles répondent qu'elles ont « dormi toute la nuit d'un seul somme ». Hugo descend prendre des nouvelles de sa fille. Son état reste sérieux, ni elle ni Adèle n'ont dormi de la nuit. Hugo ne songe guère à parler du chant qu'il a entendu, quand sa femme lui dit :
— Une chose m'inquiète ; cette nuit vers minuit, j'ai entendu un chant dans la cheminée ; ma fille ne dormait pas ;

je lui ai demandé si elle entendait cela ; elle m'a dit oui, mais je ne t'en parlais pas, de peur que tu ne crusses que j'avais le délire.

Dans son agenda, Hugo a noté très exactement les termes du dialogue. Il a questionné sa femme :

« " A quoi ressemblait ce chant ? " Elle m'a répondu : " C'était très faible, très doux, exquis, cela tenait du grillon et du rossignol. " Ma fille, qui nous écoutait, a repris : " Non, ce n'était pas un cri d'insecte ni un chant d'oiseau. Cela ressemblait à une petite voix humaine. " Puis ma femme m'a conté que sa fille avait eu un peu peur et qu'elle lui avait dit : " Ne crains donc rien, c'est le grillon qui chante, le petit rossignol du foyer. " Ce chant a duré sans interruption plus de quatre heures ; ma femme et ma fille l'ont entendu tout le temps. Vers cinq heures du matin, il a cessé.

« Ce chant était trop faible, m'ont-elles dit toutes deux, pour être entendu d'ailleurs que de leur chambre. Celui qui m'avait réveillé était également trop faible pour être entendu seulement à l'étage inférieur. Or, j'habite sous le toit ; il y a deux étages assez élevés entre l'appartement de ces dames et le mien ; leur appartement est sur le devant, le mien est sur le derrière. En outre, la voix ne pouvait m'arriver par la cheminée, attendu qu'il n'y a pas de cheminée dans ma chambre, ni même à mon étage. J'ajoute que j'entendais le chant à ma droite, et que la bouche de leur cheminée est à l'extrémité du toit, à ma gauche. »

Ces textes plaident, une fois de plus, pour l'immense sincérité de Hugo. Ces phénomènes, il les a vécus, éprouvés. On constate ici une rencontre : un homme qui vient de se livrer, pendant deux années, à des pratiques « spirites », vient habiter une maison dont on affirme — Hugo le note lui-même — qu'elle est hantée. Cette double circonstance a-t-elle multiplié les phénomènes, les a-t-elle exacerbés ? C'est la question que le biographe ne peut que se permettre de poser. Nul, depuis la publication des procès-verbaux de la gendarmerie française, portant sur plusieurs dizaines d'années d'observation, ne peut plus se permettre d'évacuer le phénomène des maisons hantées, réalité indiscutable. Le commandant de gendarmerie Tizané a pu définir les conditions nécessaires au déploiement des phénomènes de hantise. Une constante : la présence d'une jeune fille ou d'un enfant, intermédiaire obligé des phénomènes. Ici nous avons la jeune fille : Adèle II. Sous le même toit réside un médium d'une qualité rare : Charles. Quant à l'homme qui, à son insu, a « dicté » l'œuvre encyclopédique et prodigieuse de la table, qui osera dire qu'il n'était pas, lui aussi, médium ?

L'incroyable, avec Hugo, c'est qu'après l'une de ces nuits hantées par l'invisible, il se lèvera aussi gaillard qu'un champion olympique qui aurait dormi dix heures sans rêver. Le petit jour blanchira à peine la fenêtre de sa chambre qu'il sera debout, avalera deux œufs crus, une tasse de café noir et, sans désemparer, se mettra à l'ouvrage. Toute la matinée, il travaillera debout, proclamant :

— Puisqu'il faut mourir de quelque manière, j'aime mieux que ce soit par les jambes que par la tête !

Après déjeuner, il sort. Chacun sait — Adèle la première — qu'il s'en va rejoindre Juliette.

Quand, quittant la maison, on remonte *Hauteville Street*, on trouve aujourd'hui à deux pas, sur la gauche, un hôtel. La Fallue, la villa que Hugo avait louée pour Juliette, est devenue l'annexe de cet hôtel. Il faut traverser celui-ci pour atteindre la chambre de Juliette dont, chose rare en ce pays de fenêtres à guillotines, on a respecté au moins les petits carreaux à la française. J'ai ouvert cette fenêtre et j'ai, après Juliette, rêvé en observant la haute façade de *Hauteville House*, celle qui donne sur le jardin, et le balcon du Belvédère où surgissait chaque matin le vieil amant vêtu de rouge.

Juliette avait fini par prendre en horreur la pension de famille de Mme Lebouteiller. Elle ne pouvait plus supporter le *confort anglais* avec « ses sommiers durs comme du bois, ses draps trop petits, ses chaises à dos droit, ses canapés banquettes, qui remplacent des fauteuils passés à l'état de mythe, ses commodes semblables à des armoires de perruquiers[1] ». Dès que Hugo a signé l'achat de sa maison de *Hauteville Street*, il a cherché pour elle une demeure qui en soit proche. Un jour, Juliette, à moins de cent mètres de la nouvelle maison des Hugo, a aperçu un écriteau : *House to be let*. Elle s'est précipitée chez la propriétaire, une vieille dame du nom d'Alloz. Celle-ci lui a dit que la demeure s'appelait La Fallue. *A Victor* : « Bénie soit ta persévérance insistante auprès de la vieille et peu facile Alloz ! Béni soit tout qui, de près ou de loin, a contribué à réaliser ce rêve presque chimérique de notre vie côte à côte et de nos lits presque mitoyens ! »

1. *Journal de Juliette*, publié par Jean-Pierre Barbier.

Le 2 juillet 1856, la maison était louée. A peine chez elle, Juliette avait couru à la fenêtre : elle sous les yeux de son Toto et lui sous le regard de sa Juju, que pouvait-elle demander de plus ? *Juliette à Victor* : « Vu la proximité, c'est à bout portant maintenant que je vous décocherai toutes mes tendresses et tous mes baisers. » On a expédié la fidèle Suzanne en France, avec mission de récupérer, cité Rodier, aussi bien le mobilier de Juliette que les objets appartenant à la famille Hugo, déposés là comme en un garde-meuble. La servante au grand cœur est revenue le 9 août. Le 20, les meubles et objets d'art l'ont suivie. Juliette a pu faire son entrée à La Fallue dans les premiers jours de novembre 1856.

Désormais, les règles d'un rite qui durera autant que l'exil se sont trouvées fixées. Après déjeuner, chaque fois qu'il fait beau, elle l'attend. Il sonne à sa porte, lui offre son bras et ils s'en vont, par le sentier de bord de mer, jusqu'à une crique sauvage : Fermain-Bay ou, si l'on a du courage, Moulin Huet Bay. Parfois des vers chantent en lui. Alors, il exige le silence. Elle s'en plaint : « Tâche de ne pas être trop envahi par l'inspiration, afin que je puisse un peu t'approcher et te parler, chemin faisant... » C'est qu'elle voudrait lui parler de tout. Dans l'île, sa solitude est plus grande encore que rue Saint-Anastase ou cité Rodier. A Paris, Hugo lui autorisait quelques amis, Mme Krafft ou la « mère » Lanvin. A Guernesey, Hugo lui-même ne fréquente personne, hormis quelques proscrits. En fait de conversation, Juliette est réduite à Suzanne, ce qui n'est guère. Elle attend en piaffant l'heure où elle pourra tout dire à Victor de ce qui lui traverse la tête. Où lui-même lui parlera de ses enfants. Elle veut tout connaître de ses travaux, de ce qu'il a écrit le matin. Elle continue à copier ses manuscrits, ce qui l'enchante. Elle trouve si bon « de faire courir des pattes de mouche derrière cette pensée ailée, d'écrémer, avant tout le monde, le dessus de ce génie, de boire à même cette poésie, avant que personne y eût goûté ».

Quand Hugo lui a donné son exemplaire des *Contemplations*, il lui a joint ces vers à elle dédiés :

> Ouvrez ce livre comme un voile,
> Et vous y verrez vaguement
> Apparaître au bout d'un moment
> Un front charmant sous une étoile.

Et Juliette, bouleversée, a eu le bonheur de découvrir deux poèmes sur sa fille Claire.

L'hiver est venu, avec ses pluies, ses brouillards, ses tempêtes. Éperdument, Juliette cherche dans le ciel invisible un soleil qui n'apparaît plus. Tant d'humidité cerne choses et gens qu'elle la ressent comme « ouatée de rhumatismes ». Ce n'est pas seulement une image. La cinquantaine venue, presque obèse, elle n'est plus que douleurs. Les Guernesiais dissimulent un sourire quand, appuyée sur une canne, ils la voient peiner au bras du grand homme si droit, si frais, si rose. En mai 1857, Alexandre Dumas, accouru à Guernesey pour embrasser Hugo, suppliera son ami de le conduire chez Juliette. Elle refusera tout net : « Qu'on ne l'amène pas, je serais honteuse de me montrer sous le travestissement que m'ont fait la maladie et l'âge, et qui cache trop bien la jeunesse de mon âme. » L'excellent Dumas s'est quand même présenté à La Fallue, y a déployé toute sa verve et n'a pris congé qu'après avoir, pour l'album de Juliette, improvisé galamment des vers sur son « éternelle jeunesse ».

Ses infirmités la ramènent à ces idées sombres côtoyées depuis si longtemps. A Victor : « Nous faisons tous les deux des efforts surhumains pour nous cacher l'un à l'autre la mort de notre bonheur sans parvenir à nous donner le change... » Elle rêve encore — mais oui — d'étreintes improbables. L'excès même de l'idolâtrie qu'elle voue à son Victor démontre une nécessité de compensation. Sur cet autre rocher, elle lui trouve tant de grandeur qu'elle l'appelle son « sublime Messie », son « Christ bien-aimé ». Ce qui est beaucoup. Elle voit en lui le persécuté par essence, le juste que crucifient les méchants : « Tu ne peux échapper à ta double mission de prophète et de martyr, mon pauvre grand dévoué et il faut te résigner à ton douloureux calvaire, comme ton divin aîné, Jésus, et te laisser adorer par moi pendant ta longue et lamentable passion... »

Elle est totalement revenue, sans en pratiquer les rites, à la religion de son enfance. Elle lit, relit, annote une vie de saints. Elle prie ardemment pour sa fille Claire.

A *Hauteville House*, Adèle veut l'ignorer toujours. Officiellement. Les demeures sont si proches que s'est instaurée une sorte de vie commune. Juliette y met plus que du sien. Elle se sait détestée par *l'autre* et pourtant « on dirait maintenant qu'elle tend l'autre joue [1] ». Manque-t-on de cuisinière à *Hauteville House*? Elle prête Suzanne, sa servante. Hugo lui annonce-t-il que le repas sera un peu juste pour le colossal appétit de Charles et François-Victor? Elle court au jardin, cueille des cerises ou de la rhubarbe et se précipite·à la cuisine pour confectionner des tartes que Suzanne ira porter dans la maison d'à côté.

De l'abnégation, vraiment? Bien sûr. Mais, dans ce comportement déconcertant, il y a probablement beaucoup plus de subtilité que n'en discerne Adèle.

Dédé s'est rétablie. Le jour de Noël 1856, Hugo a pu écrire : « Ma fille est hors de danger. » Adèle persiste à s'inquiéter.

Adèle à Victor : « Tu m'as dit ce matin en déjeunant que ta fille *n'aimait qu'elle*. Je n'ai pas voulu relever ce mot à cause de nos enfants, parce qu'il n'était pas bien. Adèle t'a donné sa jeunesse, sans se plaindre, sans demander de reconnaissance et tu la trouves égoïste. J'appelle ton attention là-dessus, mon ami, pour que tu réfléchisses. Maintenant, qu'Adèle soit froide, ait une espèce de sécheresse apparente, c'est possible, mais a-t-on le droit de lui demander à elle, à qui les joies du cœur sont refusées, à elle qui n'est pas dans son harmonie, qui est incomplète, d'être comme les autres jeunes femmes? Qui sait ce qu'elle a souffert et ce qu'elle souffre quand elle voit son avenir lui échapper, qu'elle additionne ses années et que demain sera comme aujourd'hui?

« Tu me dis, que faire? Puis-je changer ma situation?

« L'exil ne se discute pas. Le choix du lieu où il s'écoule aurait pu peut-être être plus réfléchi. Mais encore j'admets qu'avec ta célébrité, ta mission, ta personnalité, tu aies choisi un rocher où tu es admirablement dans ton cadre. Et je comprends que ta famille, qui n'est quelque chose que par toi, se sacrifie non seulement à ton honneur mais aussi à ta figure. Moi, je suis ta femme, et ce que je fais n'est que mon strict devoir. L'exil a pu être lourd dans ces conditions pour nos fils, mais il y a eu de si bons résultats pour eux qu'il leur est, à mon avis, profitable. Pour Adèle, tout est préjudice, et c'est parce que je sens là ce qu'il y a à réparer, que je me dévoue absolument à cette pauvre enfant, ce n'est pas tant chez moi la mère qui agit que la justice. Un homme aurait eu une maîtresse qui lui aurait donné ses plus belles années, si l'homme est honnête, il indemnisera sa maîtresse, comment ne ferait-on pas pour une fille ce qu'on fait pour une maîtresse? »

1. Jeanine Huas.

Cette lettre admirable de dignité, il n'est pas sûr que Hugo l'ait lue avec l'attention qu'elle méritait. La clairvoyance d'Adèle apparaît d'autant plus grande que Dédé — sa mère le note expressément — « n'a jamais élevé une plainte, ni mis un grief en avant ». Voici que le médecin se demande si la maladie qui a terrassé la jeune fille n'était pas due à toutes ces heures qu'elle passe au piano. Quand on vient dire à Mlle Adèle qu'elle devrait s'épargner ce « travail » auquel elle s'attache avec trop d'attention, elle pousse de hauts cris :

— Si on m'enlève mon piano, que voulez-vous que je devienne ?

Adèle à Victor : « L'ennui et la tristesse deviennent inévitables ; un changement d'air, des voyages, lui seraient à tous les points de vue une chose excellente. Et tu le sens comme moi, mon ami ; malheureusement, et je ne sais pourquoi, tu vois dans mon désir de faire voyager Adèle une espèce de conspiration, une entente pour te laisser ; il faut que je t'aime bien pour te pardonner cette abominable pensée. »

Rien de plus évident : dans l'exil, le *pèrissime* devient de plus en plus tyrannique. Pour édifier son œuvre, il se veut heureux. Et pour être heureux, il lui faut tous les siens autour de lui. Il y a quelque chose d'un peu monstrueux dans ce colossal égoïsme. Mais, dès le moment où lui-même jouit pleinement de cet équilibre qui lui est nécessaire pour créer, il estime que tous et chacun doivent ressentir le même bonheur. Si Adèle annonce qu'elle va faire changer d'air à sa fille, Hugo, furieux, prononce l'incroyable mot de *conspiration.* Qu'Adèle, pour qualifier cette attitude, écrive à son tour le mot *abominable*, nous sommes tentés d'applaudir. Et puis nous pensons aux *Misérables*, à *la Légende des siècles*, aux *Travailleurs de la mer*, à *l'Homme qui rit* nés précisément à Guernesey. Question : un écrivain, pour édifier son œuvre, a-t-il le droit de sacrifier sa famille ?

La tension deviendra si grande qu'à la fin de l'année 1857, Hugo persistant à refuser à Adèle les fonds nécessaires à un voyage sur le continent, celle-ci — Mme Victor Hugo ! — ira jusqu'à écrire secrètement à Émile de Girardin pour solliciter de lui un prêt afin de se rendre à Paris. Si, au cours de ces mois, elle travaille plus que jamais à son livre sur son mari, c'est qu'elle escompte bien pouvoir, en le vendant un bon prix à un éditeur, acquérir une indépendance à laquelle elle tient maintenant farouchement. La petite Adèle de la rue de Vaugirard est devenue une femme qui sait fort bien ce qu'elle veut.

A la famille, s'est identifié, fondu, assimilé, Auguste Vacquerie. Les fils parlaient du *pèrissime*; Vacquerie est devenu le *fidèlissime.* Il s'est voulu le spectateur éperdu et sans défaillance de l'homme qu'il admire le plus au monde : Victor Hugo. Retiré dans sa chambre, il écrit pour lui-même. Il paye sa quote-part des frais de la maison : 240 francs par an. Mais rien ne compte pour lui hors Victor Hugo. Rien ? Les familiers de la maison surprendront parfois d'étranges regards adressés à Adèle I. Ils leur sembleront bien adorateurs, ces regards.

Vacquerie a-t-il reporté sur Mme Victor Hugo l'amour né autrefois de sa rencontre avec Léopoldine et auquel l'avaient arraché son frère d'abord, la mort ensuite ? Plusieurs familiers de *Hauteville House* s'en diront persuadés. Pas une parole n'a sur ce sujet franchi les lèvres d'Auguste Vacquerie. Long, maigre, un peu triste, il est là, toujours, voilà tout.

Quand il est question de l'œuvre de Hugo, il sort de sa réserve, s'anime, s'écrie et se récrie. Il vit cette œuvre comme si elle était sienne. Avec autant de passion que son maître, il va plonger dans l'affaire des *Petites Épopées.* Tel était le titre d'un éventuel recueil que Victor, un jour, avait jeté en pâture à l'insatiable Hetzel.

Les *Petites Épopées* ? Hugo a toujours eu le goût de l'histoire, de la Bible, de la chevalerie et des héros qui, dans son esprit, prenaient valeur de symbole. Pourquoi ne pas délibérément forger une fresque immense qui couvrirait la suite des siècles ? Pourquoi ne pas s'arrêter à des thèmes qui, s'élevant de l'un à l'autre, refléteraient, assemblés, la prodigieuse aventure de l'homme ? Dans la préface de *la Légende des siècles,* Hugo a très précisément indiqué les contours de son ambition :

« Exprimer l'humanité dans une espèce d'œuvre cyclique ; la peindre successivement et simultanément sous tous ses aspects : histoire, fable, philosophie, religion, lesquels se résument en un seul et immense mouvement d'ascension vers la lumière ; faire apparaître, dans une sorte de miroir sombre et clair — que l'interruption natu-

relle des travaux terrestres brisera probablement avant qu'il ait la
dimension rêvée par l'auteur —, cette grande figure une et multiple,
lugubre et rayonnante, fatale et sacrée, l'Homme : voilà de quelle
pensée, de quelle ambition, si l'on veut, est sortie *la Légende des siècles*. »

Il n'est pas seul à avoir nourri la tentation de donner à la
poésie française une épopée qui lui faisait défaut, l'équivalence en vers des *Martyrs*. Lamartine y avait songé. Dans ses
Poèmes antiques et modernes, Vigny s'était avancé dans cette
voie. A l'un et à l'autre, il manquait l'essentiel : le souffle.
Mieux : le souffle épique.

Que Hugo en ait été doté, c'est l'évidence. Au moment
même où il la trempe dans l'encre, sa plume d'oie déjà est
épique. La démesure lui est une seconde nature. Les idées
sublimes et les images grandioses surgissent sans effort de
son imagination, les unes comme les autres soutenues par un
verbe d'une rigueur et d'une richesse inégalées.

De longue date, l'épopée se découvre d'ailleurs en filigrane,
dans son œuvre. Des odes comme « le Chant de l'arène », « le
Chant du cirque », « le Chant du tournoi » auraient pu trouver place dans *la Légende des siècles*. Dans un projet de préface non publié, il montre qu'il en a parfaitement conscience :
« Ce que c'est dans la pensée de l'auteur que les *Petites Épopées ?* — les quelques personnes qui ont bien voulu lire ce
qu'il a écrit peuvent s'en faire une idée en se rappelant
diverses pièces écrites de lui, *le Feu du ciel, l'Expiation, le
Revenant.* » Des poèmes restés inédits comme « le Mariage
de Roland » ou « Aymerillot » vont, sans le moindre décalage
de forme, trouver place dans le nouveau recueil. Comment ne
pas se souvenir du monologue de Don Carlos dans *Hernani*,
« vision de l'Empire et de la Chrétienté en un édifice symbolique : sorte de vision d'où est sorti ce drame, comme il y aura,
pour *la Légende des siècles*, une " vision d'où est sorti ce
livre [1] " ». *Les Burgraves* presque entiers étaient dans le ton
de *la Légende* ; le rapprochement va sauter aux yeux de François-Victor. *A Asseline, 14 février 1859* : « Mon père nous a lu
aujourd'hui dimanche une admirable légende intitulée « Rat-
bert ». C'est la veine des *Burgraves* agrandie et idéalisée
encore ».

1. Pierre Moreau.

Les souvenirs scolaires nous ont affaibli la portée de *la Légende des siècles*. Des vers trop sonores martèlent notre mémoire :

> L'œil était dans la tombe et regardait Caïn.
> ... Tout reposait dans Ur et dans Jerimadeth.
> ... Roncevaux ! Roncevaux ! ô traître Ganelon !
> ... Je vis dans la nuée un clairon monstrueux.
> ... Donne-lui tout de même à boire, dit mon père.

Des titres, aussi, nous poursuivent : « Booz endormi », « l'An neuf de l'Hégire », « le Petit Roi de Galice », « la Rose de l'infante », « le Crapaud », « les Pauvres Gens »... Il ne faut pas que les arbres masquent la forêt. Car cette forêt est vaste comme les siècles eux-mêmes. On dirait que ceux-ci n'ont pas seulement trouvé le chantre qu'ils méritaient, mais qu'ils se sont incorporés à lui. Le plus admirable n'est pas tant cette *résurrection* — Hugo est le Michelet de l'épopée — que la forme prise pour elle, la puissance des visions et des images, le contraste des époques, des lieux, des scènes, et surtout l'extraordinaire langage, chant des rimes, torrent du verbe. Moment unique dans la poésie de notre langue, phénomène imprévisible et sans équivalence. Jules Renard : « Victor Hugo seul a parlé ; le reste des hommes balbutie. Il est une montagne, une mer, ce qu'on voudra, excepté quelque chose à quoi se puissent comparer les autres hommes. »

Gigantesque symphoniste, Hugo orchestre la Genèse, la décadence de Rome, la marche en avant de l'Islam, le cycle héroïque chrétien, les chevaliers errants, les trônes d'Orient, l'Italie médiévale, la Renaissance, l'Inquisition, les aventuriers de la mer, les mercenaires, l'épopée napoléonienne — pour en arriver aux temps modernes et, hors du temps, à la Trompette du Jugement dernier.

Cherche-t-il une leçon dans la succession des générations ? Oui. Celle du progrès. Un jour l'homme se rendra maître de la nature et alors, tout-puissant, il se domptera lui-même :

> Partout une lumière et partout un génie !
> Amour, tout s'entendra, tout étant l'harmonie.
> L'azur du ciel sera l'apaisement des loups.
> Place à Tout. Je suis Pan ; Jupiter ! à Genoux [1] !

1. *Le Satyre.*

Tous ces vers ont été forgés pendant deux années, entre ciel et mer, de matinée en matinée, sous la lumière blanche du *look-out*. Parfois, pour se délasser, Hugo rime l'un de ces poèmes où le chant d'une source donne la main au sourire d'une jeune fille : ils prendront place dans les *Chansons des rues et des bois*.

A mesure qu'il avançait, il se persuadait que le titre de *Petites Épopées*, primitivement arrêté avec Hetzel, ne convenait plus. Le 6 mars 1859, il a confié à Vacquerie : « Ce livre contiendra tout le genre humain. » Il sait aussi qu'un volume ne lui suffira pas. On imprimera donc sur la couverture : *Première Série*. Il hésite sur plusieurs titres, balance un moment entre *la Légende humaine* et *la Légende de l'humanité*, s'arrête finalement, avec sa sûreté de jugement coutumière, au seul qui s'identifie totalement à l'œuvre. *A Hetzel, 3 avril 1859* : « L'idée a porté tous ses fruits dans mon cerveau. J'ai dépassé les *Petites Épopées*. C'était l'œuf. La chose est maintenant plus grande que cela. J'écris tout simplement *l'Humanité*, fresque à fresque, fragment à fragment, époque à époque. Je change donc le titre du livre, le voici : *la Légende des siècles*. »

Hetzel n'aime pas trop ce nouveau titre. Il insiste pour *Petites Épopées*. Hugo tient bon. En éditeur qui connaît l'incidence des événements sur la vente des livres, Hetzel s'inquiète : il sent la guerre approcher. Pour l'Italie, la France s'arme.

Hetzel supplie son auteur : à tout prix, il faut paraître avant que la guerre ne paralyse le commerce. Hugo voudrait prolonger l'œuvre par d'autres poèmes. Hetzel jure qu'ils figureront dans le second volume. *Hugo à Paul Meurice* : « Hetzel m'a tellement tiré par le pan de mon vieux paletot que, pour qu'il ne le déchire pas, je me décide à lui donner la Légende des siècles. » Le 30 avril, le manuscrit est à l'impression. Trop tard. Napoléon III part pour l'Italie : c'est la guerre. Prétextant des difficultés avec les imprimeurs — ils ont toujours bon dos — Hetzel décide de retarder la publication. Elle ne se fera que le 26 septembre. Comme Hugo l'a voulu, *la Légende des siècles* comportera bien son sous-titre : *Première série. Histoire*. Mais comme Hetzel y a tenu, un autre sous-titre se lira sous le premier : *Petites Épopées*. Les auteurs et les éditeurs ressemblent aux gens mariés : la vie commune suppose des transactions.

Une révolte a troublé la composition de *la Légende des siè-cles*. Désespérant de convaincre Hugo, Adèle a brusquement quitté Guernesey après s'être, une fois de plus, expliquée — épistolairement — avec Victor : « Tu as choisi Jersey comme résidence, j'y suis allée. Jersey devenu impossible, tu es venu à Guernesey sans me dire : te convient-il d'y demeurer ? Je n'ai rien dit : je t'ai suivi. Tu t'es fixé définitivement dans Guernesey en achetant ta maison. Tu ne m'as pas consultée, *moi*, pour cet achat. Je t'ai suivi dans cette maison. Je te suis soumise, mais je ne puis être absolument esclave. » Certes, dans la même lettre, elle écrivait aussi : « Je t'aime, mon cher ami et je t'appartiens. Je ne veux pas que tu aies de la peine », mais Hugo, dans ses Carnets, allait résumer toute l'affaire par une phrase amère : « *Ta maison est à toi. On t'y laissera seul.* » Les alexandrins venaient si facilement sous sa plume qu'il en faisait sans s'en rendre compte.

Les deux femmes sont parties pour Paris. Il s'agissait, jurait la mère, de trouver un époux à leur fille. A Hugo, la grande maison a semblé bien vide. Il a noté, le 16 janvier : « Ma femme et ma fille sont parties, à 9 h. 20 minutes du matin, pour Paris par le steamer-post Commandt Babot, elles vont par Southampton et Le Havre. — Tristesse... »

Il s'inquiète. Adèle lui a déclaré clairement que ses fils partageaient la lassitude qu'elle éprouvait de cette île et de l'exil. Ce n'est pas vrai pour François-Victor, car l'immense travail de sa traduction de Shakespeare pallie tout ; il va publier le premier tome en mai chez Pagnerre. C'est vrai pour Charles. *Adèle à Victor* : « Charles me disait avant-hier : j'aime beaucoup papa ; avant tout je crains de l'attrister, mais je voudrais qu'il comprît que j'ai besoin de changer d'air. J'ai travaillé tout l'hiver afin de me donner cette récréation. J'ai de l'argent et puis me payer un voyage, mais il ne me sera pas agréable si mon plaisir n'est pas un plaisir pour mon père... »

Tristesse, oui. Mais, quand Hugo s'installe dans son *look-out*, devant la tablette noire, il oublie tout.

Une note des Carnets : « 11 avril 1858. JJ a visité la maison. » Dix jours plus tard, Catherine Thomas, comtesse Hugo, meurt à Blois. Depuis l'enterrement du général, Victor ne l'avait plus revue. Le père mort, elle était redevenue l'intruse. Délibérément, il l'ignorait. Huit jours encore et c'est Hélène d'Orléans qui, en exil elle aussi, rend son âme à Dieu. Sa chère duchesse !

Après quatre mois d'absence, les deux Adèle sont rentrées à *Hauteville House*. Retour providentiel. Le 19 juin, Hugo lit en famille son poème de *la Pitié suprême*; au milieu de la lecture, une vive douleur au larynx l'arrête. Les jours suivants, il commence à souffrir de furoncles dans le dos. Ce n'est qu'un début. Le 30, il note : « 3e clou. Très douloureux. » Le 3 juillet : « Impossible d'écrire. Le clou est devenu anthrax. » Le 12, les médecins ne cachent pas qu'ils croient la vie de Hugo en danger.

Jusque-là, les seuls maux sérieux qui l'eussent touché concernaient ses yeux. Rien d'autre, hormis quelques douleurs rhumatismales et divers « bobos » — Juliette qui les soignait aimait le mot. Voici donc sa première maladie grave. Pendant dix jours, à *Hauteville House*, on tremble. Le 22 juillet, Charles donne à Hetzel des nouvelles du grand homme : « Il a énormément souffert et commence seulement d'aller mieux. Son clou s'était compliqué de deux abcès. Il a fallu lui donner un coup de bistouri qui a dégagé l'induration. La plaie est si énorme et si mal placée dans le beau milieu du dos qu'elle a rendu et rend encore tout mouvement impossible. » De fait, Hugo doit rester étendu sur le ventre.

La famille est auprès de lui, ne le quitte pas d'un instant. Comme de parler le fatigue, on lui fait la lecture. La plus à plaindre — hors lui-même — est Juliette qui, à cent mètres de lui, sait tout, et que l'angoisse affole. Bravant les interdits, elle envoie plusieurs fois par jour Suzanne chercher des nouvelles à *Hauteville House*. La servante apporte lettres, fleurs, fruits, œufs frais, charpie. On l'accueille sans empressement, mais sans hostilité. La multiplicité des visites finit malgré tout par causer quelque agacement et Juliette en conçoit de l'alarme.

A Victor, 23 juillet 1858 : « Dans ce moment-ci je vois la bruine tomber sur tes couvertures tombées elles-mêmes de la rampe de ton balcon par terre et je n'ose pas envoyer Suzanne avertir tes domestiques car je crois savoir qu'on se méprend chez toi sur les manifestations de ma sollicitude. Et pourtant, quel chagrin et quels remords pour moi si l'humidité te faisait du mal cette nuit. Oh! pourquoi ta sainte femme ne peut-elle pas voir dans le fond de ma conscience et de mon cœur! Au lieu d'être froissée de mon initiative elle en serait touchée et elle m'en remercierait, car elle t'aime et elle est bonne. »

Deux jours plus tard, le médecin, qui soigne Hugo et la tient régulièrement au courant de l'évolution du mal, fait à Juliette la surprise d'une visite. Il lui jure que bientôt « la délivrance sera complète ». Malgré les rhumatismes qui la paralysent, elle bondit : « Dans l'effusion presque délirante que m'a causée cette bonne nouvelle, j'ai baisé les mains bienfaisantes du docteur devenues vénérables pour moi depuis qu'elles ont touché tes plaies ! » Ô Juliette !

François-Victor, écrivant au cousin Asseline, confirme un mieux évident, sans qu'il y ait lieu de trop crier victoire :

> « La plaie immense faite par le furoncle et qui couvrait toute la largeur du dos, n'est pas encore tout à fait fermée. De plus, le gonflement des jambes, attribué à l'engorgement des vaisseaux lymphatiques, n'a pas sensiblement diminué. De là de grandes précautions à prendre. Le docteur interdit à mon père de marcher et de trop manger, et cette demi-diète, nécessaire pour la fermeture de la plaie, retarde beaucoup la convalescence. »

Le 4 août, c'est la première sortie. Naturellement, elle est pour Juliette, chez qui Hugo se rend dîner. Et l'interdiction de marcher ? La maisonnée tout entière, coalisée, a eu beau supplier, s'indigner, rien n'y a fait. Tant de semaines loin de sa compagne ! Il a si fort pensé à elle, s'est si bien affligé des affres qu'elle traversait !

Le 15 septembre, il recommence à prendre des notes sur son Carnet. Comment, après avoir traversé tant d'inquiétudes, cette famille en vient-elle, quinze jours plus tard, à s'affronter, à échanger de ces vérités qui, si elles ne tuent pas, ouvrent des blessures souvent inguérissables ? Charles — paradoxe des mous — s'est enflammé le premier. Il a accusé son père d'être un *tyran*. Des nerfs trop longtemps tendus qui cèdent — tout à coup ? Sûrement. Mais le mal est dit. Ce jour-là, François-Victor, plus réservé, s'est tu, mais quelque temps plus tard, il fera chorus. Tout cela est trop dur et — surtout — trop long. Une chape de tristesse s'est abattue sur *Hauteville House*. François-Victor confie à un ami : « Je crains que le petit groupe si étroitement lié ne se détraque tout de bon, cette fois. En tout cas, nous sommes dans la période sombre de l'exil et je ne vois pas la fin du tunnel. »

En mai 1859, quand les deux Adèle partent pour Londres — encore un peu d'air *différent* — Charles, cette fois, les accompagne. Trois jours après leur départ, Hugo écrit à son fils : « J'irai peut-être passer quelques jours à Serk pour prendre les notes du roman futur. » Ce roman sera *les Travailleurs de la mer*. Étrange force qui émane de l'homme de *Hauteville House* : le fils qui s'affrontait à lui si péniblement et qui s'ennuie déjà à Londres, répond par retour qu'il souhaite fort l'accompagner dans son voyage ! Réponse de Hugo : « Je t'attends et nous ne mettrons à la voile que complets. »

Complets ? Charles a compris : « Madame Drouet » sera du voyage. Retour au « pauvre petit bonheur annuel ». Pour le fils, Juliette n'est qu'une ombre. Terriblement présente, mais une ombre. Le père, qui décide d'imposer sa maîtresse à son fils — Juliette ou pas de voyage ! —, joue gros jeu. Le *pèrissime* gagne. Charles consent à tout. Mais Juliette tremble.

A Victor, 21 mai 1859 : « Il serait bientôt temps que le soleil s'humanisât un peu pour nous permettre d'aller à Serk. Car s'il continue de pleuvoir comme il le fait depuis deux ou trois mois, je ne vois pas que notre villégiature soit possible. Du reste j'en redoute autant le moment que je le désire et je ne suis pas sans une vive appréhension de ma future rencontre avec ton bon Charlot... Hélas, quelles que soient la bonté de ton cœur et l'indulgence de son esprit, je sens que j'ai tout à perdre et rien à gagner à la comparaison involontaire qu'il ne peut manquer de faire. »

Réponse de Victor : « Tu es faite pour tout conquérir. »

La Légende des siècles, dans le Paris qui retentit des victoires de Solferino et de Magenta, a frappé comme une autre canonnade triomphale. Dans son ermitage de Croisset, Gustave Flaubert a déliré. *A Ernest Feydeau* : « Quel homme que le père Hugo ! Sacré nom de Dieu, quel poète ! Je viens, d'un trait, d'avaler les deux volumes... J'ai besoin de gueuler trois mille vers comme on n'en a jamais fait... Le père Hugo m'a mis la boule à l'envers. Quel immense bonhomme !... »

C'est aussi à l'auteur de *la Légende des siècles* qu'un jeune poète éperdu d'admiration envoie ses premiers vers. Il s'appelle Paul Verlaine.

Napoléon III victorieux — l'indulgence est le corollaire de la force — annonce une amnistie générale et sans condition. Pour les exilés qui voudraient rentrer en France, il n'est plus besoin de faire allégeance au régime. A Guernesey, les proscrits vont se consulter ; les deux tiers décident de rentrer. Impavide, Hugo publie la déclaration que l'on pouvait attendre de lui : « Fidèle à l'engagement que j'ai pris vis-à-vis de ma conscience, je partagerai jusqu'au bout l'exil de ma liberté. Quand la liberté rentrera, je rentrerai. » La presse bonapartiste l'accable de ses sarcasmes. Elle n'a pas compris que déjà elle retardait. Ce qui se modifie, c'est l'image que le peuple français se donne de cet exilé hors mesure. Au plus bas après le Deux-Décembre et *Napoléon-le-Petit,* l'homme qui osait crier sa haine à celui que 90 % des Français avaient sacré Empereur, reconquiert peu à peu le terrain abandonné. Après *les Contemplations* et *la Légende des siècles,* le génie a fait oublier le pamphlétaire. On comprend mieux la rigueur de sa détermination. Même ceux qui crient *Vive l'Empereur,* sur le passage du carrosse impérial, accordent maintenant à Victor Hugo un sentiment qui ressemble à du respect. Ceux qui s'étourdissent en cette valse éperdue, où les entraîne l'appétit de jouissance du Second Empire, sentent vaguement tout ce qu'il a de grand dans cette voix venue de l'océan et qui peut-être leur est un remords.

Ailleurs, on va plus loin. Dans les lycées, dans les facultés, circule le texte clandestin de sa *déclaration.* Jeunesse veut dire opposition. Celle-ci admire. Ceux qui, trop jeunes en 1852, ne connaissaient pas encore *les Châtiments,* les découvrent et s'émerveillent. Pour cette génération-là, l'image qui s'impose du fils d'Hortense ne sera plus jamais celle de la réalité, mais celle — injuste mais superbe — traduite par le souffle apocalyptique du père Hugo. Les lycées dirent *père,* comme Flaubert, mais dans ce mot, comme lui, ils mettent de la tendresse.

Arc-bouté au sein de son *look-out,* il sent dans l'exil grandir son horizon. *A Villemain* : « Je passe quelquefois des nuits entières à rêver sur mon sort en présence de l'abîme, et j'en arrive à ne pouvoir plus que m'écrier : des astres ! des astres ! des astres ! » Il fait de son balcon un observatoire aussi bien qu'une tribune et cherche à travers le monde les injustices pour les stigmatiser, les opprimés pour en prendre la défense. Il devient l'avocat tonnant de John Brown qui, aux États-Unis encore soumis à l'esclavage, avait pris les armes pour libérer des Noirs captifs : « Oui, que l'Amérique le sache et y songe, il y a quelque chose de plus effrayant que Caïn tuant Abel, c'est Washington tuant Spartacus ! » On a pendu

John Brown, mais le combat d'un homme seul appelant, de son rocher, à la sauvegarde d'un juste a bouleversé l'opinion. Paul Chenay, qui vient d'épouser Julie Foucher, gravera le dessin halluciné qu'a inspiré à Hugo la silhouette tragique de Brown, se balançant à sa potence [1]. Au défenseur des esclaves, il va trouver une épitaphe : *Pro Christo sicut Christus.*

De ce qu'il est devenu, il a parfaitement conscience : « La solitude, écrit-il, dégage un certain degré d'égarement subtil. C'est la fumée du buisson ardent. » Les Français aussi en ont conscience.

Ce ne sont plus seulement des proscrits ou des opposants qui accomplissent le voyage de Guernesey. Des journalistes franchissent la mer, se font recevoir à *Hauteville House*, décrivent largement l'homme et sa maison, s'attardent à la barbe qu'il s'est laissé pousser en janvier 1861, à la suite d'une grave affection du larynx, pour se protéger la gorge [2]. Il parle, on reproduit ses propos. Il étonne. De cet étonnement naît l'admiration.

Depuis l'exil, il n'avait pas voulu tirer de la malle aux manuscrits les centaines de pages des *Misérables* écrites auparavant. Plusieurs fois, il y avait songé. En 1854, sur la couverture de la lettre publique qu'il adressait à lord Palmerston, il annonçait l'édition prochaine du roman, défini comme « une sorte d'épopée sociale de la misère, sous la forme drame et roman ». Quand Hetzel, en mars 1857, l'a incité — hypocritement — à intercaler « quelque chose » entre *les Contemplations* et le grand œuvre de *Dieu* et *Satan*, il s'est demandé s'il ne reviendrait pas au roman. Pourquoi pas *les Misérables*? « Sera-ce prose, sera-ce vers? » *La Légende des siècles* l'a emporté. *Les Misérables* seront encore annoncés, en 1859, au dos de la couverture de *la Légende*.

Le 25 avril 1860, enfin, il note : « J'ai tiré aujourd'hui *les Misérables* de la malle aux manuscrits. » Et, le lendemain : « J'ai commencé la lecture probable de ce qui est en fait *les Misérables* (interrompu depuis le 28 février 1848 [3]). » Cette

---

1. En fait, c'est un autre condamné, Tapner, pendu à Guernesey malgré les interventions de Hugo, qui a inspiré ce dessin. Il l'a repris pour figurer John Brown, autre pendu.

2. *Carnet de Hugo, 16 janvier 1861* : « JE LAISSE POUSSER MA BARBE pour voir si cela me protégera contre les maux de gorge. »

3. A deux reprises, Hugo va contredire cette date du 21 février. Dans ses Carnets, le 30 décembre 1860, il parle du *14 février* et répète cette dernière date sur le manuscrit lui-même, dans une note en marge écrite le *14 février* 1861 : « Il y a juste aujourd'hui treize ans que je m'étais interrompu. »

lecture va lui prendre près d'un mois. Le 21 mai : « J'ai terminé aujourd'hui la lecture préparatoire du manuscrit des *Misérables* et des notes. » Va-t-il se mettre aussitôt à écrire ? Nullement. Jusqu'au 14 août, il amoncelle des pages où se précisent ses idées sur l'homme dans la société, sur l'homme dans la nature, sur l'homme devant Dieu. Dans son esprit, il s'agit d'une « Préface philosophique » qui précédera le roman pour l'éclairer. Mais une œuvre comme celle-là a-t-elle besoin d'être expliquée ? Réussie, elle doit se suffire à elle-même. Il abandonne cette préface qu'il n'achèvera jamais. Au vrai, ses personnages eux-mêmes l'ont arraché à l'abstrait. On les dirait derrière lui, l'appelant, le pressant. Tout cela éclate dans les notes qu'il prend, revenant sans cesse sur les améliorations ou approfondissements à apporter à l'intrigue.

A cette volonté de perfection, il a usé toute la fin de l'année 1860. Il note, le 30 décembre :

« Aujourd'hui je me suis remis à écrire *les Misérables*... J'ai passé sept mois à pénétrer de méditation et de lumière l'œuvre entière présente à mon *esprit* afin qu'il y ait unité absolue entre ce que j'ai écrit il y a douze ans et ce que je vais écrire aujourd'hui. Je reprends (pour ne plus la quitter j'espère) l'œuvre interrompue le 14 février 1848. »

Il ne s'interrompra plus. C'est la dernière partie qu'il prend à bras-le-corps. Juste avant le chapitre *Buvard, Buvard*, il écrit en marge du manuscrit : « Ici le pair de France s'est arrêté, et le proscrit a continué. » Il ne se donnera plus un instant de répit jusqu'au moment où Marius, sauvé par Valjean de la barricade, reprend vie chez son grand-père. Là seulement, il pose sa plume. Il sait qu'il ne lui faudra que peu de jours pour traiter du mariage de Cosette et de la mort de Valjean. Depuis le début, la bataille de Waterloo le hante. Il en a fait l'épicentre du roman, le point de départ de ses principaux personnages. Le colonel Pontmercy est à Waterloo, la ferveur bonapartiste de son fils Marius découlera de cette présence, comme sa brouille avec son grand-père royaliste, comme son alliance avec les républicains de l'A.B.C. Thénardier, lien entre Valjean, Cosette et Marius, est à Waterloo et cette présence sera cause, de la part de Marius, d'un terrible conflit moral. Hugo veut donc donner à l'épisode une dimension sans égale. Il est pénétré d'une certitude : cette bataille perdue a changé le destin du siècle. Là, l'Europe des rois a triomphé de l'Europe des peuples. Il veut dire tout cela, embrasser d'un gigantesque coup de pinceau le colossal affrontement. Comment le faire sans se pénétrer, sur place, des souvenirs conservés en un lieu devenu sacré ? Son ami Charras a écrit un beau livre sérieux sur la bataille en elle-même. Il lui faut davantage revenir à sa nécessité de toujours : *voir.*

Un soir, à La Fallue, il annonce à Juliette qu'il part pour Waterloo — et qu'il l'emmène. Quelle joie chez la chère dame au cœur d'enfant ! Le 25 mars 1861, à bord de l'*Aquila*, accompagnés par Charles, ils quittent Guernesey. Avec eux, un trésor : le manuscrit des *Misérables*, recopié par Juliette, dans un sac « waterproof » que l'on a spécialement acheté pour l'occasion. Hugo n'est pas remis, loin de là, de son affection du larynx. Il a même cru qu'il s'agissait d'une « phtisie laryngée » qui l'emporterait sans tarder. Il a noté le 24 janvier : « J'aurais voulu achever ce que j'ai commencé. Je prie Dieu d'ordonner à mon corps de patienter et d'attendre que mon esprit ait fini. » Il va donc consulter à Londres le docteur Deville qui lui affirme qu'il n'a rien de sérieux : une névralgie. Il faut simplement qu'il se repose. D'où une halte à Bruxelles. Ce n'est que le 7 mai, à 11 heures du matin, toujours escorté de Juliette, qu'il arrive à Mont-Saint-Jean. Il descend à l'hôtel des Colonnes. Le jour même — on le devine frémissant d'impatience — il visite le champ de bataille de Waterloo, mais aussi Hougomont, le monument du lion, Braine-l'Alleud.

Désormais, l'hôtel des Colonnes sera son port d'attache. Parfois il s'en va voir sa famille à Bruxelles, où les deux Adèle ont rejoint Charles. Juliette l'attend, bien sûr. Elle rayonne quand il revient. Ils explorent ensemble cette terre labourée par les boulets, cherchent la trace des biscayens dans les murs, s'attardent au chemin creux, interrogeant les paysans, entendent des répliques comme celle-ci :

— Monsieur, donnez-moi trois francs ; si vous aimez, je vous expliquerai la chose de Waterloo !

Pendant qu'il prend des notes, la fille adoptive du garde-côte de l'empire cueille des bleuets, des marguerites et des coquelicots et en fait des cocardes. Il sourit.

Il note : « Je reprends mon travail le 22 mars. Ma santé s'est rétablie. Je suis en Belgique, à Mont-Saint-Jean, hôtel

Seulement, voilà de cela bien
des années déjà, une main y a écrit
au crayon ████████████████
████████████ ces quatre vers qui sont
devenus peu à peu illisibles sous la
pluie et la poussière, et qui ~~sont~~ sont
aujourd'hui effacés :

████████████████████████████████
████████████████████████████████
████████████████████████████████
████████████████████████████████

Il dort. quoique le sort fût pour lui bien étrange,
il vivait. il mourut quand il n'eut plus son ange;
la chose simplement d'elle-même arriva,
comme la nuit se fait lorsque le jour s'en va.

fin

Mont St Jean. 30 juin 1861. 8 h. 1/2 du matin

(aujourd'hui 30 juin apparition à 8 h ½
d'une comète. elle est immense.
la queue a dix-sept millions de lieues.)

des Colonnes, chez Mlle Dehaze. Les deux fenêtres de la chambre donnent sur le champ de Waterloo. De mon lit, je vois le lion. » Le 18 juin, pour le quarante-sixième anniversaire de la bataille, ils sont toujours à Waterloo. Enfin, le jour vient où il écrit à Auguste Vacquerie : « Ce matin 30 juin à huit heures et demie, avec un beau soleil dans mes fenêtres, j'ai fini *les Misérables.* » Il veut dire par là que Valjean est mort et que Cosette et Marius, ayant pris conscience de la grandeur de son sacrifice, sont allés répandre des larmes sur sa tombe. Ce n'est pas tout d'avoir fini le livre : « Maintenant, quand paraîtra-t-il ? Ceci est une autre question. Je me réserve de l'examiner à part. Comme vous savez, je n'ai nulle hâte de publier ce que je fais. L'important pour moi, c'est que *les Misérables* soient terminés. A présent je vais achever *la Fin de Satan...* » *A François-Victor :* « Je peux mourir. » *A Charles :* « Le dénouement est écrit, le drame est clos, le reste est arrangement et détail. L'édifice est debout, il y a encore çà et là, quelque partie ou quelque architrave à sculpter et le porche de Waterloo à bâtir. » Ce qu'il appelle *arrangement et détail* lui prendra encore onze bons mois. Il s'effare lui-même du labeur accompli. *A Hetzel :* « C'est mon Léviathan que je vais lancer sur mer. »

Cependant qu'il peaufine les derniers passages, il négocie. Qui éditera *les Misérables* ? Bien sûr, Hetzel est sur les rangs, mais Hugo doute qu'il puisse réunir les capitaux nécessaires. Parce que, de cette œuvre gigantesque, il veut tirer des droits d'auteur exceptionnels. Il veut que les siens, à jamais, soient à l'abri de toute inquiétude financière. Pourquoi s'armerait-il de fausse modestie ? Il se remémore les succès — considérables — des *Contemplations* et de *la Légende des siècles.* Il ne méconnaît rien de la position unique qu'il s'est acquise. Le mot n'existe pas alors : aujourd'hui, on dirait que Hugo est devenu une immense vedette. Il le sait. Il a décidé de ne pas traiter à moins de 300 000 francs. Hetzel baisse les bras. Hugo va signer avec un autre éditeur belge, Albert Lacroix. Celui-ci consent à tout : il achète pour 300 000 francs le droit d'exploiter *les Misérables* pour douze ans, traductions comprises. L'auteur touchera 125 000 francs à la livraison du manuscrit, 55 000 francs deux mois après la publication de la première partie et 120 000 francs deux mois après la mise en vente du dernier volume. Spontanément, Hugo s'est engagé, dans le cas où l'ouvrage — chose nullement impossible — était inter-

dit ou poursuivi en France, à payer personnellement la moitié de l'amende et à prolonger le droit d'exploitation « d'un
nombre d'années égal à la durée de l'interdiction ».

Le comble est que Lacroix ne possède pas le premier sou
de cette montagne d'argent. Confiant dans la valeur « commerciale » de Hugo, le banquier Oppenheimer acceptera de
prêter à l'éditeur entreprenant — « petit homme fluet, très
remuant... avec des yeux malicieux embusqués derrière un
binocle... la figure tout embroussaillée de favoris roux » — les
300 000 francs qui permettront de verser à l'auteur son premier à-valoir et d'engager les frais d'impression.

Hugo attend, confiant, le verdict du public : « Ce livre, c'est
l'histoire mêlée au drame, c'est le siècle, c'est un vaste miroir
reflétant le genre humain pris sur le fait à un jour donné de
sa vie immense. » A Lacroix : « Ma conviction est que ce livre
sera un des principaux sommets, sinon le principal, de mon
œuvre. » Il vient d'avoir soixante ans.

Le 3 avril 1862, la première partie des *Misérables* — Fantine
— paraît à Paris. Les deux derniers volumes — il y en a dix —
paraîtront le 30 juin. Aussitôt, c'est une ruée, un incroyable
engouement, une folie.

Paul Meurice à Hugo, 6 juillet 1862 : « Paris, depuis six jours, lit et
dévore *les Misérables*. Ce qui paraît déjà dans les premières conversations et aussi dans les mots de quelques journaux, présage l'effet
immense qu'il était aisé d'annoncer. On est ravi, on est enlevé ! Il n'y
a plus de petites objections ni d'étroites réserves. Cet ensemble écrasant de grandeur, de justice, de souveraine pitié domine tout et
s'impose irrésistiblement à tous... »

C'est beaucoup plus qu'un grand succès : un triomphe tel
qu'on n'en a jamais vu de semblable. Lacroix, tous frais
payés — y compris l'auteur — gagnera, entre 1862 et 1868,
517 000 francs, bénéfice net. Quant à Hugo, il a acheté, dès le
5 avril 1862, 31 actions de la Banque nationale belge et, le
21 juillet, 29. En 1862, il possède 231 actions et en aura 239 en
1863, 271 en 1865, 289 en 1866. Le 27 septembre 1867, il achè-
tera encore 5 actions, ce qui portera leur nombre à 300. Son
revenu annuel sera alors d'environ 35 000 francs. Hugo est
devenu un homme riche. Très riche. Mais, comme par le
passé, le chantre des pauvres gens reste fidèle au dogme de la
bourgeoisie absolue : il est interdit d'entamer son capital.

Tous n'ont pas aimé *les Misérables*. La presse bonapartiste, en publiant les chiffres des droits encaissés par Hugo, a fait les gorges chaudes, se demandant ce qui l'emportait chez l'auteur, du socialiste ou du millionnaire. Barbey d'Aurevilly ne voudra, au milieu de ce « long sophisme » digne d'un « Paul de Kock amphigourique et sans gaieté », admirer que la bataille de Waterloo qui, à ses yeux, confirmait « ce lyrisme particulier à M. Hugo, le poète olympique des canons, des clairons, des manœuvres, des métiers et des uniformes ». Pour Cuvillier-Fleury, Hugo n'était rien d'autre que « le premier démagogue de France ». Lamartine publiait un long article perfide où les éloges eux-mêmes recouvraient des critiques amères. Hugo, l'ayant lu, nota : « Essai de morsure par un cygne. »

De tout cela d'ailleurs, Hugo n'avait cure. Il lisait les articles enthousiastes de Janin, de Claretie, de Saint-Victor ou de Louis Ulbach. Surtout, il voyait les éditions succéder aux éditions, un immense public bouleversé se jeter sur *les Misérables.* Et applaudir. Et admirer. Lorsque les premières épreuves sortaient des presses, Lacroix l'avait informé que les correcteurs pleuraient.

De même que l'on reconnaît rarement, en France, le génie des auteurs comiques, de même les livres qui tirent des larmes font faire la petite bouche aux puristes. Ceux-ci vont, pour *les Misérables*, répéter les critiques adressées traditionnellement à Hugo : personnages tout d'une pièce, davantage prototypes qu'échantillons d'une humanité vraie ; grossissement des effets, etc. Tout cela est vrai. Mais ces personnages, comme ceux de *Notre-Dame de Paris* — et plus profondément encore que ceux-ci — sont entrés dans le Panthéon de l'esprit humain. Nous aimons Valjean autant que nous le respectons. Il est devenu l'un de nos familiers. Surtout il *vit.* Comme *vivent* Thénardier, Javert, Gavroche, Marius et Cosette. Nul, après avoir lu *les Misérables* ne peut plus oublier Mgr Myriel. De par leur démesure elle-même — spécifiquement hugolienne — ils ont pris valeur de personnages universels.

Les Misérables seront traduits en anglais, en allemand, en espagnol, en russe. Puis dans toutes les langues du globe. Avec la Bible, le Coran, les livres d'Alexandre Dumas, de Jules Verne, de Dickens, le chef-d'œuvre de Victor Hugo deviendra l'une des œuvres les plus lues dans le monde.

Quand j'ai visité le musée de Villequier, on m'a raconté

ceci : la semaine précédente, un car avait déversé là un contingent de touristes soviétiques. On leur avait montré la chambre de Hugo, celle de Léopoldine, celle d'Adèle, celles des Vacquerie. A la fin de la visite, cependant que les touristes regagnaient leur car, l'un d'eux s'était attardé. Il avait une question à poser :

— Pourquoi ne nous a-t-on pas montré la chambre de Jean Valjean ?

Il semble que plus rien ne puisse atteindre Victor Hugo. Pas même l'aventure navrante de sa seconde fille, sur laquelle l'ensemble de la presse — pourtant vigilante à tout ce qui le touche — va faire silence.

A Jersey, au temps des tables, un jeune officier anglais, le lieutenant Pinson, s'était un jour présenté chez les Hugo. Simple désir d'approcher une célébrité. Bien accueilli, il était revenu à *Marine Terrace*. Adèle II, sevrée de toute fréquentation masculine, l'avait trouvé séduisant. Peut-être davantage qu'il ne l'était. On a vu reparaître le lieutenant à Guernesey. Invité à *Hauteville House*, il y a même fêté la Noël 1861 en famille. Le rêve de Dédé soudain prenait les contours d'une réalité. Puis Pinson s'est éloigné, on l'a vu de moins en moins. Avait-il réellement songé à obtenir la main d'Adèle ? Devenir le gendre de Victor Hugo ne présentait rien que de flatteur. Malheureusement la fille, si étrange dans son comportement, pouvait inquiéter n'importe quel homme soucieux d'une vie conjugale équilibrée. Quand, changeant de garnison, il est venu prendre congé des Hugo, il n'a pas prononcé l'aveu qu'attendait tant la pauvre Adèle. *Carnet de Hugo* : « M. P[inson] est reparti ce matin. Son régiment va au Canada pour le cas de guerre avec l'Amérique. »

Elle qui parle si peu s'est mise, après ce départ, à esquisser des confidences. A ses parents étonnés, elle a parlé de promesses, voire d'engagements solennels échangés entre le lieutenant et elle. Pinson va d'un jour à l'autre adresser sa demande officielle. Ses parents accorderont-ils leur consentement ? Ils n'ont guère eu à se concerter : si cet Anglais doit faire le bonheur de leur fille, ils se réjouiront et la doteront comme il convient. Hugo a même précisé le chiffre de la dot : 50 000 francs.

En mars 1863, Adèle et Charles sont partis pour Paris. Adèle a — enfin — terminé le livre sur son mari. Vacquerie, aidé de Charles, a mis au point la version expurgée qui sera livrée au public. Adèle a tenu à surveiller elle-même, à Paris, la sortie du nouvel ouvrage. Réflexe d'auteur néophyte, excellent alibi aussi pour une femme qui saisit désormais tous les prétextes de s'évader de l'île étouffante. Hugo note : « 27 mai. Ma femme a loué près d'Auteuil un appartement meublé pour elle et Charles. 200 frs par mois pour cinq mois. En outre elle a acheté à Charles pour 269 frs de linge plus 300 frs de faux frais. Leur adresse là est : Auteuil, 23, rue de l'embarcadère. »

Dans ce même Carnet, Hugo enregistre, au cours de la nuit du 29 mai : « trois coups secs et nets frappés à mon chevet. Qui ? » ; le 4 juin : « encore trois coups entendus dans ma chambre à 4 h 30 du matin » ; le 8 juin : « Je me suis mis en colère hier soir. Cela m'arrive une ou deux fois par an. C'est trop. Je prends aujourd'hui la résolution de ne plus me mettre en colère. »

Le 16, *Victor Hugo raconté par un témoin de sa vie* paraît chez Lacroix. La légende hugolienne reçoit là un réconfort puissant. On peut dire qu'elle prend son essor du *Victor Hugo raconté* comme la légende napoléonienne avait pris le sien du *Mémorial de Sainte-Hélène*. Hugo reçoit le premier exemplaire sorti des presses et se montre ravi.

A Adèle, 16 juin 1863 : « Je te saute au cou, je t'embrasse et j'embrasse Charles et Vacquerie, je crois que cela enchantera [1]. Il y aura, je suppose quelques petites réclamations pour de petites inexactitudes de peu d'importance que j'eusse rectifiées d'un trait de plume si j'eusse lu les épreuves, mais cela n'est rien, l'ensemble est excellent, et le détail fin, juste et vivant. »

De toutes parts, Adèle reçoit des éloges qu'elle accueille avec bonheur. On l'invite partout et avec des égards qui la flattent. Comme les journaux ont annoncé que peut-être l'Empereur se présenterait à l'Académie française, elle annonce que son mari donnera sûrement sa voix à M. Bonaparte « pour l'Académie et pour le bagne ». On rit beaucoup et le mot court Paris.

Soudain, c'est le drame. Le 18 juin, à *Hauteville House*, Hugo découvre que, sans avertir personne, Adèle II a quitté

---

1. A remarquer que Hugo embrasse en même temps Adèle, Vacquerie et Charles : preuve que l'ouvrage est issu de cette triple collaboration.

non seulement la maison, mais l'île. Elle va écrire à son père qu'elle est à Londres et veut aller rejoindre le lieutenant Pinson. Certes, elle a trente-trois ans et n'a légalement de compte à rendre à personne. Mais Hugo est si fort habitué à ce que son monde gravite autour de lui — Hugo-soleil — qu'il tombe de haut. Affolé, il ne sait à qui se confier, ni à quel saint se vouer. Il écrit à sa femme, lui demande instamment d'aller rejoindre Dédé à Londres, de tout faire pour la ramener. Il faudrait aussi prendre des renseignements sur ce Pinson : « Si l'homme est, comme je l'espère, honorable, la dot est prête et je ne demande qu'une chose : que le mariage se fasse. »

Hugo s'interroge : il soupçonne — il a raison — quelque malentendu tragique.

A sa femme, 23 juin 1863 : « Ce qui serait inadmissible, et tu le sentiras dans ta fierté pour ta fille et dans ton amour pour elle, ce serait qu'elle fît effort pour épouser cet homme malgré lui. Je crains qu'il n'y ait quelque impossibilité latente qui se révélera. Autrement, comment expliquer la conduite inouïe d'Adèle, puisque tout était consenti et accepté de l'autre côté ? La résistance ne serait-elle pas de l'autre ? Alors comment Adèle peut-elle s'abaisser et insister jusqu'à courir après ? »

Pourquoi ? Oui, pourquoi ?

A Charles : « Il est étrange et triste de quitter avec violence et mystère une famille qui vous ouvre à deux battants la porte par laquelle vous voulez passer. C'est là de l'effraction inexplicable, et, hélas, bien inutile... Je suis vieux, ma sortie n'est pas loin. Ma tendresse est sur vous tous, mes bien-aimés. »

Le 24, il note : « Lettre d'A. annonçant son départ de Southampton pour Malte. » Le 30 : « Ce n'est pas à Malte — c'est à Halifax (Canada). » Deux jours plus tard, Adèle I et Charles regagnent Guernesey. Attente, regrets, amertume. Point de lettre. Le 12 août, Adèle et Charles repartent pour Paris. Le 9 septembre, de Halifax, Adèle II écrit à sa mère qu'elle a retrouvé le lieutenant Pinson et que leur mariage a eu lieu ! Dans les jours suivants, plusieurs personnes de ses relations, à Jersey et à Guernesey, recevront d'elle l'annonce de son mariage.

Colère du père qui avait décidé de ne plus se mettre en colère. De Paris, la mère défend la fille.

« Peut-être aurait-elle pu nous montrer plus de confiance, mais, si nous pouvons lui adresser ce reproche, n'a-t-elle pas été sacrifiée aux rigueurs de la politique ?... Pendant que tu remplissais tout ton devoir, remplissions-nous le nôtre vis-à-vis de notre enfant ? »

Le doute continue à hanter Hugo. Pourquoi Pinson ne s'est-il pas manifesté ? La logique voudrait qu'il eût au moins écrit à ses beaux-parents pour leur présenter ses compliments ! Or pas un mot. « Il advient à un mauvais petit soudard anglais le prodigieux honneur d'entrer dans la famille de Victor Hugo, et ce soudard quelconque n'a pas eu l'air de s'en douter... Le premier souci de ce gendre semble être de se rendre impossible. Soit. Est-il, en effet, mon gendre ? J'en suis réduit à me faire cette question. Son silence dit non. »

Le pis, chaque fois que Hugo sort dans l'île, ce sont toutes ces félicitations qu'il reçoit : « On m'aborde dans la rue et on me dit : votre fille est mariée. Pendant que nous nous taisons, Adèle parle. Elle crie ce mariage dont nous n'avons pas la preuve. » Pour ne pas perdre la face, ces parents peu convaincus vont faire insérer dans *la Gazette de Guernesey* l'annonce du mariage, « à Paris » — à Paris ! — de « M. Albert Pinson, du 16e régiment d'infanterie anglaise, avec Mlle Adèle Hugo, fille de M. le vicomte Victor Hugo, officier de la Légion d'honneur, ancien pair de France, ex-représentant du peuple sous la république, membre de l'Académie française et chevalier de l'ordre de Charles III d'Espagne, domicilié à Saint-Pierre-Port, Guernesey ». A son tour, Hugo annonce le mariage à ses amis. Malgré cela, le doute non seulement persiste, mais s'accroît. François-Victor, le seul de la famille, qui manie l'anglais comme le français, écrit à Halifax. Le 11 novembre, il reçoit une lettre de sa sœur. Elle contient l'aveu qui dissipe toute illusion : Adèle II n'a jamais été mariée, mais elle se déclare résolue à tout entreprendre pour obliger le lieutenant Pinson à l'épouser, faudrait-il pour cela qu'elle le fît hypnotiser ! Des lettres des correspondants consultés viennent confirmer cette lamentable histoire. En arrivant au Canada, Adèle a trouvé Pinson marié — et même père. Jamais il n'avait songé à l'épouser, jamais il n'avait été question de mariage entre eux. Toute l'affaire est sortie du cerveau malade d'Adèle. La logeuse de la pauvre fille fait savoir qu'elle mène « une vie claustrale, parlant peu, ne recevant aucune visite ». Elle se rend chaque jour devant la caserne,

attend patiemment la sortie du lieutenant. Quand elle le voit
enfin, lui qui veut l'ignorer, elle se borne à le regarder intensément. Puis elle le suit jusque chez lui.

Sommée de s'expliquer, Adèle va écrire que Pinson l'a
« trahie, déshonorée, abandonnée ». Du coup, le Hugo des
grands jours se retrouve.

A Adèle, 1er décembre 1863 : « Relevez-vous tous et toutes! Cet
homme est un misérable, le plus vil des drôles! Il couronne *un mensonge de dix ans* par un congé hautain et glacé. C'est une âme noire
et bête. Eh bien, félicitons Adèle. C'est un grand bonheur qu'elle
n'ait point épousé cela!... Qu'elle traverse ce moment-ci, qu'elle
s'arrache à ce mauvais gueux, qu'elle revienne, je me charge du
reste. Elle oubliera, elle guérira. La pauvre enfant n'a pas encore été
heureuse. Il est temps qu'elle le soit. Je veux qu'elle le soit. Je donnerai des fêtes à H.-H. J'y appellerai toutes les intelligences. Je dédierai
à Adèle des livres. Je ferai d'elle ma couronne de vieillesse. Je célé-
brerai son exil. Je réparerai tout. Si un imbécile a eu la puissance de
déshonorer, V. H. aura la puissance de glorifier. Plus tard, guérie et
souriante, nous la marierons à un honnête homme... »

Déjà, Hugo a mis au point toute une stratégie. Adèle reviendra. On dira que, le mariage n'ayant pas été célébré devant le
consul de France, il est nul et que, l'infâme Pinson ne conve-
nant pas à M. et Mme Hugo, ceux-ci l'ont fait rompre. Dédé
s'appellera Mme Adèle : « Voilà tout. Elle est d'âge à être
damée et nous n'avons pas de comptes à rendre. »

Affolé par tout ce bruit autour de sa personne, Pinson va
écrire, lui aussi, jurer qu'il n'a jamais encouragé les espérances de Mlle Hugo, jamais manqué à l'honneur. Il n'a pas
revu Mlle Hugo depuis que celle-ci se trouve à Halifax et, par
personne interposée, l'a deux fois suppliée de quitter la ville.
Comme elle ne voulait pas croire à son mariage, le malheureux, afin de l'en convaincre, est allé jusqu'à faire stationner,
sous les fenêtres de Mlle Hugo, une voiture fermée où se
trouvait Mrs Pinson! Assurément, le lieutenant dit vrai.
Jamais il n'a déshonoré ni trahi Adèle. Mais celle-ci n'a pas
menti : elle a fini par croire à ses chimères.

Elle n'avait emporté que ses bijoux. Dès lors, Hugo va lui
compter chaque mois 150 francs. Et chaque mois, fidèlement,
Adèle accusera réception de l'envoi. Ses logeurs n'ont pas
tardé à comprendre qu'elle avait l'esprit dérangé. Mais elle
est calme, tranquille. Elle ne sort que pour se rendre à la
caserne. Elle ne fait de mal à personne — sauf à Pinson dont

elle gâche littéralement l'existence. Un jour, elle annoncera à ses parents son retour. Puis renoncera. Deux fois encore, elle écrira qu'elle revient et, au dernier moment, annulera son voyage. Elle finira par ne plus écrire du tout. Pour Victor, pour Adèle, leur seconde fille est devenue une morte, comme l'autre. Ils l'aiment en désespérés, comme l'autre. Avec cette différence que celle-ci reste vivante.

De cette douloureuse affaire, Hugo est sorti accablé. Comment n'aurait-il pas pensé à Eugène ? Il voit chaque année sa femme quitter l'île pendant de longs mois : Paris, Londres ou Bruxelles. Charles cherche toutes les occasions de fuir. Ce faible est aussi un sensuel ; à Guernesey, l'absence de femmes le rend fou. Et Vacquerie, gêné, a lui-même annoncé qu'il regagnait Paris : des livres à publier, des pièces à faire représenter. Le 25 décembre 1863, Hugo note : « La vieillesse arrive, la mort approche. Un autre monde m'appelle. Quittez-moi tous ; c'est bien. Que chacun aille à ses affaires. Le moment est venu pour tout le monde de se détacher de moi ; même moi, il faut que, moi aussi, j'aille à mes affaires. » Ce qui ne l'empêche pas d'écrire le même jour à Vacquerie : « Je travaille beaucoup. C'est à quoi l'exil est bon. Les jours sont courts, je me lève à l'aube. » Contradiction seulement apparente. Que son âme soit triste — profondément — ne l'empêche pas de travailler. Jamais. La pensée de la mort, quand elle s'impose à lui, agit même comme un stimulant : il lui reste tant d'œuvres à écrire qu'il lui faut mettre les bouchées doubles.

Alors, chaque matin, à l'aube, à peine éveillé, il gagne son *look-out*, s'approche de sa tablette, saisit sa plume et se met à écrire. Auparavant, il n'aura pas oublié le rituel auquel il ne manque jamais : dans sa tenue de nuit rouge, il sera passé sur le balcon, aura attaché à la rampe son « torchon », vu s'ouvrir la fenêtre de la chambre de Juliette, échangé avec elle des signaux adorateurs. Seulement un rite ? Nullement. La chère dame dont il aperçoit de loin les cheveux blancs, il l'aime avec toute la profondeur qu'il donne aux sentiments auxquels il tient. Elle a été malade, Juliette, de violentes douleurs au côté droit qui ont fort inquiété le médecin. Se sentant sombrer, au paroxysme de l'angoisse, les notes qu'il trace alors sont celles d'un homme qui ne supporte pas même l'idée de la perdre. Pour le trentième anniversaire de leur amour — quoi, trente ans déjà ! — il lui a écrit : « Voilà les trente ans révolus... Acceptons religieusement ce que Dieu décide, qu'il fasse de nous Philémon et Baucis sur la terre ou Daphnis et Chloé dans le ciel. » Et elle : « Je peux dire que tout est encore à la même place et dans le même ordre dans mon cœur, depuis la première nuit où je me suis donnée à toi. Ces trente années d'amour ont passé dans ma vie comme un seul jour d'adoration non interrompue. »

Le grand événement de ces dernières années, pour Juliette, ce sont les liens nouveaux noués avec les fils Hugo. Le voyage de Serk qu'elle avait tant redouté avait porté ses fruits : Charles s'était montré touché par l'adoration que vouait à son père cette femme rayonnante de bonté. Elle-même avait été conquise par la gaieté et les foucades du gros Charles. Un mois à peine après le retour à Guernesey, Charles faisait à Juliette la surprise — et la joie immense — de venir chez elle [1]. Quelques jours plus tard, François-Victor l'imitait. Les deux garçons assisteront désormais régulièrement aux réunions que Juliette avait pris l'habitude, le mercredi et le dimanche, d'offrir à La Fallue aux quelques amis qu'elle avait dans l'île : d'ailleurs ceux de Victor.

Les trois mâles de la tribu Hugo chez elle, la « mauvaise femme », celle dont si longtemps nul n'avait eu le droit de parler ! C'est à peine si elle parvenait à le croire ! Souvent, désormais, Victor, Charles, François-Victor viendront lui demander à souper. C'est chez elle que Victor s'accoutumera à convier les amis venus le voir à Guernesey. Un détail : Suzanne était un cordon-bleu. On mangeait beaucoup mieux à La Fallue qu'à *Hauteville House*.

Le couronnement de tout, l'apothéose : le 2 juillet 1863, une servante a porté à La Fallue un paquet soigneusement fermé. Elle l'a ouvert, c'était un livre. Sur la couverture, ce titre : *Victor Hugo raconté par un témoin de sa vie*. A l'intérieur, cette dédicace : « *A Madame Drouet, écrit dans l'exil, donné par l'exil. — ADÈLE VICTOR-HUGO, Hauteville House, 1863*. » Ainsi, après tant d'années, Adèle choisit elle-même de mettre fin à ce combat feutré qui l'a si violemment opposée à *l'autre* ! Elle brandit le drapeau blanc, allume le calumet de la paix ! Pour Juliette, c'est la fin de son propre exil qui s'achève à Guernesey.

1. Le 9 juillet 1859.

Autre changement : elle va quitter son logis. Ses rhuma-tismes ne lui laissent plus guère de répit. Le médecin accuse l'humidité de La Fallue dont parfois les murs, il est vrai, ruis-sellent. Précisément, cette maison que les Hugo ont habitée à leur arrivée dans l'île, celle que Victor avait baptisée *Haute-ville Terrace*, est en vente. Hugo négocie avec M. Domaille, celui-là même qui la leur avait louée. On signe : la nue-pro-priété de la demeure appartiendra à Hugo, mais l'usufruit en sera réservé à Juliette. Hugo, pendant des mois, va prendre le même plaisir à décorer la nouvelle habitation de sa com-pagne qu'il en avait mis à transformer *Hauteville House*. Juliette, qui n'a rien perdu de son don d'émerveillement, déborde une fois de plus de gratitude. Comment la chambre chinoise exécutée pour elle ne la ravirait-elle pas ? Et tous ces meubles, ces ornements insolites imaginés par Hugo et sou-vent sortis de ses mains, comment n'en serait-elle pas éblouie [1] ? Au fait, de quel droit s'approprierait-elle ces tré-sors ? La plus désintéressée des femmes tient à préciser qu'elle ne se considère que comme la dépositaire de tout cela.

Un petit palais, oui, que Hugo et Juliette vont baptiser — nom charmant — *Hauteville Féerie*. Juliette n'a qu'un regret : « Quelle privation pour moi, mon cher adoré, quand je ne pourrai plus te voir le matin aller et venir dans ta maison. Il me semble que je ne pourrai pas m'y habituer et j'y pense avec une tristesse mêlée d'inquiétude, car il y a un proverbe qui dit : *Loin des yeux, loin du cœur.* Si tu allais ne plus m'aimer ou m'aimer moins, ce qui est pire, qu'est-ce que je ferais de la vie, dans cette belle chambre vide de ton amour ? » En fait, si elle ne voit plus le *look-out* ni le jardin, elle aperçoit encore le balcon où il continuera d'apparaître chaque matin.

Le 16 juin 1864, elle emménage à *Hauteville Féerie*. Elle s'éveille le lendemain à 5 h 30 et écrit aussitôt à Victor. Ce qu'elle redoutait est arrivé : « Où es-tu, mon doux adoré ? Mes yeux et mon âme te cherchent en vain. Tu n'es plus là pour me sourire. C'est fini, je ne reverrai plus ce cher petit lucoot d'où tu m'envoyais de si bons baisers et des menaces si ten-dres. » Ce qu'elle ressent, c'est une « tristesse noire ». Elle

---

1. On peut les voir aujourd'hui au Musée Victor Hugo de la place des Vosges.

donnerait « cent mille milliards de maisons et de palais, et l'univers avec, pour le petit coin d'horizon dans lequel mon cœur plongeait jour et nuit ». Elle s'en veut d'avoir eu « la lâcheté de consentir à changer mon bonheur de tous les instants pour un semblant de santé dont je n'ai plus que faire. Je suis punie par où j'ai pêché, mon pauvre adoré. J'ai la mort dans l'âme ».

Malgré tout — et très vite — elle s'y sentira bien, à *Hauteville Féerie*. Elle y verra plus souvent Hugo. Et les fils de Hugo. Et les amis de Hugo. Elle s'apaisera. Elle retrouvera non pas ce bonheur qu'elle n'a jamais connu, mais ce semblant de bonheur qui lui appartient en propre.

Là aussi, lui parviendra, le 22 décembre 1864, une lettre qui va la laisser stupéfaite, sans voix : « Nous célébrons Noël aujourd'hui, madame. Noël est la fête des enfants et, par conséquent, des nôtres. Vous seriez bien gracieuse de venir assister à cette petite solennité, la fête aussi de votre cœur. Agréez, madame, l'expression de mes sentiments aussi distingués qu'affectueux. ADÈLE VICTOR-HUGO. »

Affectueux ! Elle a bien lu, le mot est là, noir sur le bleu du papier. C'est à ne pas croire et pourtant cela est ! Il s'agit en effet de la fête des enfants. Chaque jour, à la porte de *Hauteville House*, on distribue aux indigents des vivres et du pain. Chaque semaine, le mardi, Hugo convie à dîner quinze petits enfants pauvres qui bientôt seront quarante. Lui et les siens les servent eux-mêmes. Le jour de Noël — *Christmus*, s'acharne à dire Hugo qui prétend ne savoir que ce seul mot d'anglais — chaque petit invité reçoit des vêtements et des jouets. C'est à cette fête-là qu'Adèle a convié Juliette.

Ira-t-elle, la dame de *Hauteville Féerie* ? Non. Elle répond : « La fête, madame, c'est vous qui me la donnez. Votre lettre est une douce et généreuse joie ; je m'en pénètre. Vous connaissez mes habitudes solitaires et ne m'en voudrez pas si je me contente aujourd'hui, pour tout bonheur, de votre lettre. Trouvez bon que je reste dans l'ombre, pour vous bénir tous, pendant que vous faites le bien. Tendre et profond dévouement. J. DROUET. »

Chère Juliette.

A Guernesey, la valse des servantes a repris. Avec une ponctualité extravagante, il tient la comptabilité de ses prouesses. Son code secret s'est encore compliqué. Surtout il ne faut pas qu'un indiscret — ou une indiscrète, ô Juliette ! — puisse comprendre quoi que ce soit à tout cela. Donc, s'il parle de Suisse, c'est en évoquant le bon lait que produit ce pays — et à travers le lait, les seins qu'il aime à se faire présenter : « *Anne, nouvelle vue de Suisse*, 9 janvier 1868 ; *Philomène, lever de deux Suisses*, 15 août 1869. » Il a fallu à Henri Guillemin une ingéniosité fabuleuse pour venir à bout de ces cryptogrammes : « S'il évoque souvent le mot *poêle*, c'est par une erreur orthographique délibérée ; et si *cloche* m'est resté longtemps obscur, c'était faute d'avoir relu la scène I de *l'Épée* où l'on voit " secouer (...) la grosse cloche en branle ". »

D'une servante à une autre, c'est tout un itinéraire que l'on parcourt. Ainsi, le 17 octobre 1867, Hugo mentionne pour la première fois le nom d'*Anne Tatton, femme Guibert*, qui souhaite entrer à son service. Dès le 20 octobre, il cite de nouveau son nom, avec cette mention : *Cloche, 1 fr.*

A *Hauteville House*, il exige que l'une au moins des servantes couche à son étage dans une chambre séparée seulement par une cloison de la sienne. Il déclare avec un immense sérieux que, la nuit, il a « quelquefois des suffocations ». Par conséquent sa chambre « doit être contiguë à une autre où quelqu'un couche et dont la porte puisse, au besoin, rester ouverte ». Croit-il abuser personne ? Il le croit. Il est vrai qu'en l'écoutant parler ainsi, chacun — épouse et fils — hoche la tête avec componction.

Dans cette chambre, toutes, peu ou prou, doivent se plier à ses désirs variés. La délurée Élisa Grapillot, qui avait eu des amants à Paris et chantait *la Belle Hélène*, a mérité, quatre jours après son entrée en fonctions : *E. G. Esta mañana. Todo.* (Élisa Grapillot, ce matin. Tout). Et puis : *touché seins de Sophie ; vu ceux de Constance ; touché ceux de Marianne ; Charlotte, cloche ; la jeune Priaulx, quinze ans, cloche, suisse ; Virginie, la cuisinière, cloche ; la femme de chambre, cloche.*

Quand ces exploits, grands et petits, sont achevés, chacun retourne à ses occupations. Celle qui aura commencé sa journée par une *cloche* servira le repas de midi. On imagine, de part et d'autre, un singulier mutisme, un sérieux de pape. Soyons assurés que d'un partenaire à l'autre, le plus à l'aise, c'était lui.

A part Juliette dont il sait qu'elle ne le trahira jamais, il ne croit plus qu'en la fidélité de François-Victor. Lui au moins, vissé à sa table de travail par sa traduction de Shakespeare, ne le quittera pas. D'autant plus que, dans cette entreprise démesurée — il fallait s'appeler Hugo pour avoir osé y entrer — il est depuis quelque temps aidé par une jeune fille de Saint-Pierre-Port, douce et charmante, Émily de Putron. Il en est tombé éperdument amoureux et sait que sa passion est partagée. Le père d'Émily, architecte de l'île, approuve le mariage. Aussi le *pèrissime.* Hélas ! Émily souffre de la maladie du siècle : elle est tuberculeuse. Les médecins jurent qu'avec de la prudence et du repos on peut venir à bout du mal implacable. On a donc fixé la date du mariage. Soudain, l'état d'Émily s'aggrave. Tout s'accomplit avec une terrifiante rapidité : il s'agit de la phtisie galopante. Émily ne ressent pas de peur, seulement le regret de quitter son bien-aimé. Elle lui sourit et répète :

— J'aimerais bien ne pas mourir.

Le 14 janvier 1865, elle ferme les yeux pour la dernière fois. Affreux, le désespoir de François-Victor. Hugo et Adèle — par hasard elle est à Guernesey — s'inquiètent : il ne faut pas laisser leur fils assister à l'enterrement. Dieu sait à quel excès pourrait l'entraîner sa douleur ! Le 18, à 8 h 30 du matin, Adèle quitte l'île avec un fils à bout de souffrance, brisé.

Carnet de Hugo, 18 janvier 1865 : « 8 h 30. De ma chambre de verre, je viens de voir leur voiture qui s'en va. Le paquebot est signalé — 8 h 3/4. Je vois là-bas sur la jetée leur voiture qui arrive à l'embarcadère. — 9 h 1/4. J'aperçois le packet venant de Jersey. — 9 h 1/2. Il est à quai. — 10 heures. Le packet s'éloigne. Ils y sont. Tout à l'heure la fumée s'effacera. Aujourd'hui, le départ, demain l'enterrement. Sombre vie. »

Comme elle doit lui paraître vide, à Hugo, la grande maison désertée ! Où sont ces grandes tablées où l'on discutait si fort de tout et de rien ? Où sont ces parties de billard que l'on disputait avec tant d'acharnement avant dîner ? Ces longues causeries sur les divans bas du fumoir du rez-de-chaussée ou, au premier étage, face aux énormes nègres en bois doré du salon rouge ? Il les avait alors tous autour de lui, le patriarche de *Hauteville House.* Paul Stapfer, jeune professeur français qui enseignait à Guernesey, s'enchantait à les voir réunis. A cette heure-là, Stapfer attendait l'instant — cet âge est sans pitié — où Hugo ne manquerait pas de devenir sublime. Stapfer l'entendait alors poser et résoudre « tous les plus hauts problèmes de la métaphysique » :

— Oh! que l'athéisme est pauvre! qu'il est petit! qu'il est absurde! Dieu est. Je suis plus sûr de son existence que de la mienne... Si Dieu me prête vie, je veux écrire un livre où je démontrerai que la prière est nécessaire à l'âme, qu'elle est utile et efficace. Pour moi, je ne passe pas quatre heures de suite sans prier. Je prie régulièrement chaque matin et chaque soir. Si je me réveille la nuit, je prie. Que demandé-je à Dieu? De me donner sa force. Je sais ce qui est bien et ce qui est mal; mais je suis faible, j'ai conscience de ma faiblesse, et en moi seul je ne trouve pas la force de faire ce que je sais qui est bien... Dieu nous soutient et nous enveloppe. Nous sommes en lui vie, mouvement, être. Il est l'Auteur de tout. Il est le Créateur. Mais il n'est pas vrai de dire qu'il a *créé* le monde. Car il le crée éternellement. Il est l'âme de l'univers. Il est le Moi de l'infini. Il est... Tu dors, Adèle?

Une housse recouvre le billard. Le salon rouge est fermé. Devant le grand H de la salle à manger, Hugo dîne en tête à tête avec sa belle-sœur, Julie Chenay, promue gardienne du foyer, et qui tourne à la souris grise. Une pièce lui reste que ne visite jamais la solitude : son *look-out.* Son vrai monde est là, sous ses vitres, entre ses tablettes noires, son poêle, ses divans, et la mer devant lui. Il s'est remis au travail — comment pourrait-il en être autrement? N'a-t-il pas écrit à Adèle ces phrases inouïes : « J'ai deux grands mois de travail d'arrache-pied aux *Misérables.* Après quoi, *je me reposerai dans un autre ouvrage* » ! Il a longtemps hésité sur l'œuvre à entreprendre. Depuis l'enfance, comme tous ceux de sa génération, la Révolution française le fascine. Quand il est né, Robespierre n'était que de huit ans mort sur l'échafaud. Pourquoi pas un livre dont la Révolution serait la toile de fond? Il s'est fait envoyer de la documentation.

Hugo à Lacroix, 10 janvier 1863 : « Je suis au seuil d'un très grand ouvrage à faire. J'hésite devant l'immensité qui en même temps m'attire. C'est 93. Si je fais ce livre, et mon parti ne sera pris qu'au printemps, je serai absorbé. Impossibilité de publier quoi que ce soit jusqu'à ce que j'aie fini. »

Il a renoncé. Non pas au projet, car il y tient, mais à l'opportunité de le mettre tout de suite en œuvre. Il s'est lancé dans un autre travail, pour le moins aussi ambitieux. Dès le mois de juillet 1863, il commence à travailler à un *William Shakespeare*.

Pourquoi Shakespeare ? A son arrivée à Jersey, il le connaissait mal. Le grand travail de François-Victor a effacé cette lacune. Le fils soumettait au père chacune des œuvres à peine traduites. Et le père s'émerveillait, se persuadait qu'il avait affaire à l'un de ces quelques rares phares qui, à travers les siècles, projettent leur lumière sur l'humanité entière. François-Victor s'était entouré d'une documentation immense. A son tour, Hugo l'avait consultée. C'est alors que l'homme, après l'œuvre, lui était apparu et, en même temps, l'une de ces antithèses qui lui étaient si chères : la vie de l'homme-Shakespeare ne présentait apparemment que de la médiocrité ; l'œuvre était immense comme l'univers. Pourquoi l'homme-Shakespeare, si chétif, figurait-il dans « l'avenue des immobiles géants de l'esprit humain » ?

On approche du tricentenaire de Shakespeare. Hugo ressent comme une nécessité de méditer sur le génie. C'est cela que sera son livre : beaucoup plus une réflexion qu'une biographie. Dans l'ouvrage, celle de l'auteur d'*Hamlet* est à peine esquissée. Quelques touches superbes suffisent à camper l'époque. Très vite, on s'en évade, on passe à ce qui est, pour Hugo, l'essentiel :

« Comme l'eau qui, chauffée à cent degrés, n'est plus capable d'augmentation calorique, la pensée humaine atteint dans certains hommes sa complète intensité. Eschyle, Job, Phidias, Isaïe, saint Paul, Juvénal, Dante, Michel-Ange, Rabelais, Cervantès, Shakespeare, Rembrandt, Beethoven, quelques autres encore, marquent les cent degrés du génie. L'esprit humain a une cime. Cette cime est l'idéal. Dieu y descend, l'homme y monte... Choisir entre ces hommes, impossible. Nul moyen de faire pencher la balance entre Rembrandt et Michel-Ange. »

Pour Hugo, rien dans la nature ne peut se comparer au génie. Les épisodes de l'histoire politique ne signifient que des accidents. Les génies sont le reflet de l'éternité. Question primordiale : qu'est-ce qu'un génie ?

« Ne serait-ce pas une âme cosmique ? ne serait-ce pas une âme pénétrée d'un rayon de l'inconnu ? Dans quelles profondeurs se préparent ces espèces d'âmes ? quels stages font-elles ? quels milieux traversent-elles ? quelle est la germination qui précède l'éclosion ? quel est le mystère de l'avant-naissance ? où était cet atome ? »

Il semble à Hugo que le génie « soit le point d'intersection de toutes les forces ».

« Ces hautes âmes, momentanément propres à la terre, n'ont-elles pas vu autre chose ? est-ce pour cela qu'elles nous arrivent avec tant d'intuitions ? quelques-unes semblent pleines du songe d'un monde antérieur. Est-ce de là que leur vient cet effarement qu'elles ont quelquefois ? est-ce là ce qui leur inspire des paroles surprenantes ? est-ce là ce qui leur donne de certains troubles étranges ? est-ce là ce qui les hallucine jusqu'à leur faire, pour ainsi dire, voir et toucher des choses et des êtres imaginaires ? Moïse avait son buisson ardent, Socrate son démon familier, Mahomet sa colombe, Luther son follet jouant avec sa plume et auquel il disait : paix là ! Pascal son précipice ouvert qu'il cachait avec un paravent. »

Comment ne pas voir, dans ces hommes au-delà de l'homme, une création privilégiée des « sérénités absolues », une émanation du grand tout qu'est Dieu ? « Tel atome, moteur divin appelé âme, n'a-t-il pas pour emploi de faire aller et venir un homme solaire parmi les hommes terrestres ? » Comment dans ce cas ne pas accorder aux génies dans la société une place au-dessus de tout ? Et de tous ? D'où cette partie de l'œuvre intitulée : « L'Histoire réelle. Chacun remis à sa place. » Le génie doit prendre le pas sur le conquérant, le poète sur le roi. La primauté doit être accordée sur l'homme d'État au marchand anglais qui, le premier, est entré en Chine par le nord ; à l'ouvrier verrier qui a, le premier, établi en France une manufacture de cristal ; au pilote qui a découvert les îles Canaries ; au maçon campanien qui a inventé le cadran solaire ; au gardien de chèvres chaldien qui a fondé l'astronomie. Tant il est vrai qu'au premier rang vient le peuple, que le génie a été donné comme guide par l'infini du peuple, à condition que le génie se mette au service du peuple. Parce que le peuple est lui-même l'émanation de l'infini.

L'ouvrage — paru en avril 1864 — sera mal accueilli. Ou plutôt, il sera reçu avec une immense ironie. On soulignera que Hugo a assigné à Homère le rôle primordial dans le monde antique, du fait qu'il a fermé la première porte de la barbarie, l'asiatique. Shakespeare, lui, a fermé la seconde porte : la gothique. La Révolution française a clos la troisième, la monarchique ; mais la « clôture ultime » appartient à un génie non désigné. Quel génie ? La critique s'ébaudira en répondant à l'unisson : HUGO [1]. Dans le numéro du 1er mai 1864 de *la Nouvelle Revue de Paris*, Amédée Rolland résume l'opinion générale : « Ce livre pourrait s'intituler MOI. » La place donnée par Hugo à Eschyle — un Eschyle qui lui ressemble tant ! — confirmait cette explication du livre, point si fausse après tout. Comment la génération du Second Empire ne se serait-elle pas indignée — au spectacle de tant d'orgueil ? Un siècle plus tard, nous sommes frappés par ce qui a précisément échappé aux contemporains : l'incroyable souffle de l'ouvrage, un lyrisme inégalé, les éblouissantes beautés du style. Livre étrange, impossible à situer dans la production de Hugo — pas davantage dans celle de l'époque. A moins qu'il ne soit, après tout, rien d'autre que le testament du romantisme.

Comme s'il s'appliquait lui-même à dérouter ses détracteurs, après ce *William Shakespeare* prométhéen, l'homme du *look-out* va, l'année suivante, revenir à la poésie et publier les *Chansons des rues et des bois*. La malle aux manuscrits débarquée à Guernesey contenait déjà un grand nombre de poèmes légers, charmants, sensuels, *chantant* l'amour et la nature, où dansaient près d'une source des filles aux seins nus, où des faunes rejoignaient des nymphes, où la grande lumière de l'été baignait des corps heureux, enrobait les fleurs sauvages cependant que frémissaient les ruisseaux et que les papillons copulaient. Depuis, Hugo n'a cessé de les compléter. Entre deux imprécations des *Châtiments*, entre deux des grands alexandrins de *la Légende des siècles*, le voici qui revient à des octosyllabes légers comme la brise du printemps :

> L'oiseau chante, l'agneau broute ;
> Mai, poussant des cris railleurs,
> Crible l'hiver en déroute
> D'une mitraille de fleurs.

On le croit figé dans la posture du prophète, dialoguant

1. Pierre Albouy.

seulement avec Dieu, grand-prêtre de la sainte liberté, frère initié de l'invisible, interpellateur de l'océan. Le poète répond en souriant dans sa barbe.

> On chante. L'été nous procure
> Un bois pour nous perdre. Ô buissons !
> L'amour met dans la mousse obscure
> La fin de toutes les chansons.

La mythologie est sans cesse prise à témoin. Et les anciennes chroniques. Et le *Cantique des Cantiques*. Mais d'eux il ne veut retenir que le sourire et les appels au plaisir.

> Ségor, bonze à la peau brûlée
> Nu dans les bois, lascif, bourru,
> Maigre, invitait Penthésilée
> A grignoter un oignon cru.

Lui-même, l'homme du *look-out*, fait un clin d'œil à la mince paroi qui le sépare de la chambre des servantes.

> Le craquement du lit de sangle
> Est un des bruits du paradis.

Avec une allégresse gourmande, il prêche pour sa paroisse :

> Il n'est qu'une chose malsaine,
> Jeanne, c'est d'être sans amant !

Mais c'est dans la « chanson » qu'en fin de compte il excelle :

> Et, jouant sous les treilles,
> Un petit villageois
> A pour pendants d'oreilles
> Deux cerises des bois.

Comment les lecteurs étonnés, enchantés, n'auraient-ils pas fait un succès à ce livre délicieux ? *William Shakespeare* s'est mal vendu. Les *Chansons des rues et des bois* seront une grande réussite de librairie. Mais les habituels censeurs feront bien plus que froncer le sourcil. Veuillot par exemple : « M. Hugo est né en 1802, ce qui le mène aux environs du point de maturité où se trouvaient les deux vieillards qui s'introduisirent auprès de Suzanne... Si les vieillards de Suzanne chantaient, nul doute qu'ils chantassent les *Chansons des rues et des bois*. Nous avons là toute leur âme. C'est abominable. » L'anarchiste Vallès renchérira : « Les *Chansons des rues et des bois* sont un détestable livre. Si un débutant apportait chez un éditeur une œuvre pareille on la lui rendrait en poussant un éclat de rire, sinon un sourire de pitié. »

Pour une fois, les vertueux ne seront pas écoutés. L'allégresse et la virtuosité de Hugo, l'éclatante jeunesse de ce vieil homme apparaîtront si saines qu'elles balaieront tout, y compris la mauvaise humeur. Même Barbey d'Aurevilly — celui qui ne voit en Hugo qu'un « gigantesque trompette-major » — parlera d'un « plaisir divin ». Les amis admireront, comme toujours, mais avec une pointe de jalousie. Celle-là que partageait, quelques années plus tôt, Juliette : était-ce un pacte que le père Hugo avait passé avec la nature pour qu'elle lui eût accordé de tels dons que l'âge, loin de les amenuiser, en élargissait sans cesse la portée ?

Un grand roman suivra, affirmant, confirmant cette maîtrise que rien ne peut abattre. C'est en voyageant à Serk avec Juliette et Charles que Hugo a eu l'idée des *Travailleurs de la mer*. Là, de par les reliefs plus tourmentés, les rochers plus abrupts, de par les abîmes entrevus, s'est vite imposée, plus qu'à Jersey ou à Guernesey, l'idée de ce péril quotidien de la mer dont, pour survivre, les hommes qui habitent là doivent triompher : « Presque jamais de repos dans ce coin de l'océan. De là les cris de mouette jetés à travers les siècles dans cette rafale sans fin par l'antique poète inquiet Lhyouar'h-henn, ce Jérémie de la mer. » L'implacable combat de l'homme et de la nature, voilà le vrai sujet des *Travailleurs de la mer*. Dans *Notre-Dame de Paris*, Hugo avait dénoncé la fatalité — *ananké* — des dogmes ; dans *les Misérables*, il avait signalé l'*ananké* des lois ; dans *les Travailleurs de la mer*, il a voulu indiquer la troisième, celle des choses [1].

Cela dit, avant tout, il s'agit d'un roman — roman situé en un lieu dont il sait tout : l'île même qu'il habite. Il s'agit d'une histoire à raconter — et elle l'est fort bien. Si pour

1. Avant-propos des *Travailleurs de la mer*.

décrire la grandeur des sites sauvages, la fureur des éléments, la guerre des choses et de l'homme, Hugo retrouve
aisément le lyrisme qui lui est familier, il use, pour narrer
l'histoire du marin Gilliatt, d'un art du suspense que pourraient lui envier les maîtres du genre. Le combat de Gilliatt
et de la pieuvre — parfaitement imaginaire, il n'y a jamais eu
dans la Manche de pieuvre capable d'affronter l'homme —
deviendra un morceau d'anthologie. Et l'épisode final, la
mort du héros, coincé entre deux rochers, arrachera des
larmes à mainte lectrice.

« Et Gilliatt, immobile, regardait le *Cashmere* s'évanouir.
« Le flux était presque à son plein. Le soir approchait. Derrière
Gilliatt, dans la rade, quelques bateaux de pêche rentraient.
« L'œil de Gilliatt, attaché au loin sur le sloop, restait fixe.
« Cet œil fixe ne ressemblait à rien de ce qu'on peut voir sur la
terre. Dans cette prunelle tragique et calme il y avait de l'inexprimable. Ce regard contenait toute la quantité d'apaisement que laisse le
rêve non réalisé ; c'était l'acception lugubre d'un autre accomplissement. Une fuite d'étoiles doit être suivie par des regards pareils. De
moment en moment, l'obscurité céleste se faisait sous ce sourcil
dont le rayon visuel demeurait fixé à un point de l'espace. En même
temps que l'eau infinie autour du rocher Gild-Holm-'Ur, l'immense
tranquillité de l'ombre montait dans l'œil profond de Gilliatt.
« Le *Cashmere*, devenu imperceptible, était maintenant une tache
mêlée à la brume. Il fallait pour le distinguer savoir où il était.
« Peu à peu, cette tache, qui n'était plus une forme, pâlit.
« Puis elle s'amoindrit.
« Puis elle se dissipa.
« A l'instant où le navire s'effaça à l'horizon, la tête disparut sous
l'eau. Il n'y eut plus rien que la mer. »

Fort du triomphe des *Misérables*, le petit Lacroix, entre ses
favoris roux et derrière son binocle, attend celui des *Travailleurs de la mer*. Il a gagné une fortune, il tient éventuellement à en gagner une seconde. Avec Hugo, il a affaire à forte
partie. Le génie chez celui-ci n'a jamais obscurci le sens qu'il
a de son exacte valeur. Pour l'exploitation des *Chansons des
rues et des bois* et des *Travailleurs de la mer* — il fait un lot —
Hugo exige 120 000 francs. Lacroix les verse.
Les journaux se mettent sur les rangs. L'empereur de la
presse à grand tirage, Millaud, pour la publication en feuilleton dans *le Petit Journal*, offre 500 000 francs. Jamais écrivain
ne se sera vu proposer pareil pactole. Hugo refuse ! *A Mil-*

laud : « Mes raisons sont toutes puisées dans ma conscience littéraire. C'est elle, quelque regret que j'en puisse avoir, qui me force à baisser pudiquement les yeux devant un demi-million. C'est sous la forme livre que *les Travailleurs de la mer* doivent paraître. » Il ne consentira au feuilleton qu'après la publication de l'ouvrage en librairie. Pour beaucoup moins d'argent.

Ainsi, dans le même temps, il écrit à ses fils : « Je trouve votre marchand de vin un peu cher », il tient plus serrés que jamais les cordons de la bourse d'Adèle comme de Juliette — et il refuse 500 000 francs, somme qui lui donnerait bien plus que la fortune : la richesse [1]. Tel est Hugo.

Lacroix avait raison de considérer son auteur comme une valeur sûre. *François-Victor à son père* : « Ton succès est immense, universel. Jamais je n'ai vu pareille unanimité. Le triomphe des *Misérables* même est dépassé... Ton nom est dans tous les journaux, sur tous les murs, derrière toutes les vitrines, dans toutes les bouches... »

Mais ce triomphateur était un homme abandonné par les siens.

Charles partage son temps entre Paris et Bruxelles. Sa grande idée du moment : le mariage, propre à équilibrer sa vie sexuelle et à résoudre ses problèmes financiers. Il hésitera un certain temps entre une Mlle Pagnesse, « d'une famille honnête et au demeurant assez riche » et une Mlle Foucher — curieux, ce nom ! — qui apporterait 100 000 francs de dot et à qui l'on prête 200 000 francs d'*espérances* — c'est Vacquerie qui l'affirme —, mais qui, à dix-neuf ans, est « un peu forte ». Le candidat au mariage s'est inquiété : « Trop d'embonpoint dans cette extrême jeunesse peut être dangereux pour l'avenir. » Lui, affirme-t-il, a « beaucoup maigri depuis deux mois ». Sa photo peut en faire foi : il la tient prête [2].

Finalement, aucun de ces projets n'aboutira. Charles a rencontré l'oiseau rare : la filleule de Jules Simon, une orpheline de dix-huit ans, « jolie et douce ». Elle se nomme Alice

---

1. Pour savoir ce que représentaient 500 000 francs, il faut se souvenir que le salaire d'un ouvrier est en moyenne à cette époque de 4 francs par jour, celui d'un employé subalterne de 120 francs par mois.
2. *Maison de Victor Hugo.* Nouvelle acquisition (1984).

Lehaene et son tuteur — qui est aussi son oncle — présente ce qu'on appelle alors « du répondant » : il est constructeur de chemins de fer. Le mariage a lieu, le 17 octobre 1865, à Saint-Josse-ten-Noode et les jeunes époux habiteront désormais à Bruxelles.

C'est également à Bruxelles que, après la mort d'Émily de Putron, Adèle a accompagné François-Victor. De janvier 1865 à janvier 1867, elle ne reviendra pas à Guernesey. Délibérément, la tribu Hugo a choisi Bruxelles comme port d'attache. Installée d'abord rue de l'Astronomie — le lieu a disparu dans les dernières rénovations de Bruxelles — elle s'est portée place des Barricades dans une maison qui existe encore, au numéro 14, intacte. Imaginez une place qui est un cercle parfait, avec des façades toutes identiques. Non pas celles de riches hôtels, comme on en voit sur la Grand-Place, mais d'étroites, petites et bourgeoises demeures à trois étages. En bas, une porte et une fenêtre. Deux fenêtres à chacun des deux premiers étages. Trois fenêtres à l'étage mansardé. Au milieu du cercle, la statue d'André Vesale, anatomiste flamand, né à Bruxelles au XVIᵉ siècle.

Cette statue, les Hugo ne la verront jamais que de dos. C'est là qu'habite Adèle. Là qu'habite Charles. Là qu'habite François-Victor. Les uns et les autres voyagent, mais y reviennent. Quand Hugo, chaque année, y paraît, il ressent un peu l'impression d'être reçu en invité.

Chaque année, comme par le passé, il voyage avec Juliette. Il a besoin de reprendre souffle au spectacle d'autres paysages que ceux de l'océan. Il revoit l'Allemagne, les Pays-Bas, le Luxembourg — en 1865, il découvre Vianden, appelé à devenir un de ses séjours de prédilection —, retrouve toujours avec bonheur la Wallonie et la Flandre. A l'aller ou au retour, il s'arrête place des Barricades. Jules Claretie, jeune journaliste, l'y a vu pour la première fois. Il a monté les petites marches de pierre de la porte d'entrée. On l'a introduit à droite dans un salon exigu — tout ému de rencontrer l'homme illustre :

« Je regardais pourtant cette pièce, où la lumière filtrant à travers les persiennes fermées contre le soleil d'août, éclairait des tableaux, des cadres, un portrait de Mme Victor Hugo, des peintures, des dessins que je devinai de Victor Hugo lui-même, avant d'en avoir lu les signatures : marines noirâtres, bouées rouges ballottées par des

vagues d'encre, une tempête, digne des *Travailleurs de la mer* et partout, avec cette dédicace : *A mon fils Charles*, cette inscription : *Ma
vie*. Ce salon était meublé en vieux chêne ; il y avait des albums sur la
table et — je ne sais pourquoi j'en fus surpris — un numéro du *Petit
Journal*. »

Il est seul, il attend : « Ce qu'était Victor Hugo pour nous,
jeunes gens, c'est ce que devait être l'Empereur pour les grenadiers de sa garde. » Tout à coup, au-dessus de sa tête, des
pas, des pas un peu lourds dont « la ferme pesanteur » continue dans l'escalier. La porte s'ouvre, Hugo apparaît, en
vareuse de flanelle rouge, « sans façon, cordial, et en quelque
sorte paternel, tel je le revois encore, avec les yeux petits, qui
me parurent très noirs, profonds, pétillants, une barbe grise
ou plutôt blanchie déjà, les cheveux longs alors, hérissés,
dressés sur le front, sibyllins, très blancs. Il avait une jolie
main grasse et dont le *shakehand*, comme il disait, serrait
très fort ». Claretie est frappé par la voix « caressante, persuasive, un peu criarde dans les notes élevées ».

— Asseyez-vous donc, dit Hugo, et parlons de Paris.

Ce Paris, Adèle pourrait la première lui en donner des nouvelles, car elle y vit presque continuellement. Le ménage
Charles, de temps en temps, vient l'y rejoindre. Il n'est que
François-Victor, farouche, qui persiste à refuser de franchir
la frontière et de quitter la place des Barricades. Adèle vient
y passer l'été. Hugo choisit la même saison pour s'y arrêter.
Juliette l'attend dans un hôtel voisin. Cela a toujours été
ainsi. Elle n'espère plus que cela puisse changer un jour.

Elle ne se porte pas bien, Adèle. Elle ressent des étouffements qui inquiètent son entourage : le cœur. Hugo, médecin
discutable mais sûr de lui, conseille à cette hypertendue de
solides nourritures et du « bon vin ». Une hémorragie réti-
nienne atteint cruellement sa vue. C'est à peine si elle peut
lire encore. A ses fils, elle parle souvent de sa mort. Ils se
récrient ; elle sourit. Elle n'a pas peur. Seulement, elle formule un regret : « Il est triste pour moi d'être à la fin de ma
vie au moment où j'apprécie les grandes œuvres et de mourir
quand l'intelligence me vient. »

Elle veut revoir *Hauteville House*. En janvier 1867, elle s'y
traîne plus qu'elle ne s'y porte. Les servantes terrorisées la
voient chercher son souffle à chaque marche de l'escalier et
tâtonner pour trouver sa porte. Pourquoi a-t-elle voulu, à

peine arrivée, descendre la rue Hauteville, s'arrêter au numéro 20, y sonner ? Juliette, éperdue, l'accueille.

Je les vois, ces deux femmes, assises dans le décor chinois de *Hauteville Féerie*. Je l'imagine, Adèle, reconnaissant, malgré ses yeux à demi morts, le style Hugo, les tapisseries Hugo, l'extravagance Hugo : une *Hauteville House* en double. Après tout, Juliette n'est-elle pas, depuis longtemps, son propre double ? La constance de sa fidélité a vaincu Adèle. Elle qui se sait à la veille du grand départ a voulu peut-être abdiquer ses « droits » d'épouse entre les mains de celle qui a mérité de l'être. Quels mots ont-elles pu échanger, Adèle et Juliette ? Sûrement de très simples — et très peu.

Juliette à Victor, 24 janvier 1867 : « Il est probable que je profiterai de ce beau temps pour rendre ma visite à Hauteville House. Mon empressement à remplir cette formalité de politesse tient à la déférence que je me fais honneur de professer pour ton admirable femme. Cela fait, je rentre dans ma tanière pour n'en plus sortir qu'avec toi les jours de beau temps... »

Après quoi, Adèle a quitté Guernesey. Pour n'y plus revenir.

Le 31 mars 1867, grande joie pour Hugo. Une dépêche de Bruxelles lui annonce la naissance du premier-né d'Alice et de Charles, un garçon : Georges. Un petit-fils ! Lui qui a tant aimé ses enfants, qui s'est enivré de leur fragilité et de leur irremplaçable don d'amour, se sent un cœur tout à coup disponible pour d'autres élans. Il note : « Nous avons bu à la santé du nouveau-né. » Avec quelle impatience il attend la rencontre avec ce fils qui prolonge son propre fils !

Carnet de Hugo, 19 juillet : « J'arrive place des Barricades à 10 heures. Toute ma famille est réunie. Avant de me coucher, je vais regarder Georges dormir. Il me paraît beau, et il a un sommeil charmant. » Il assiste, le 25 juillet, au baptême à Sainte-Gudule : « M. Bois, parrain ; ma femme marraine. » *31 juillet* : « J'ai traîné, sur le boulevard, Georges dans sa petite voiture. » *17 août* : « Je fais cadeau à Georges d'une voiture et je lui donne en outre le cheval qui est moi. »

Adèle tiendra à assister à la reprise d'*Hernani*. L'année 1867 marque l'apogée du Second Empire. L'Exposition universelle attire à Paris tous les souverains d'Europe, l'empereur d'Autriche, la reine d'Angleterre, le roi d'Italie, le roi de Prusse, le roi des Belges, le roi de Bavière, le sultan de Turquie et aussi le tsar de toutes les Russies qui fait arrêter son train spécial à Strasbourg afin de retenir une loge pour *la Grande-duchesse de Gerolstein* d'Offenbach. Puisque la France montre le meilleur d'elle-même, va-t-on se priver de la goire de Hugo ? Par l'intermédiaire du maréchal Vaillant, Camille Doucet, directeur des théâtres au ministère de la Maison de l'Empereur, a fait dire à Napoléon III :

— L'année de l'exposition et, lorsque la France montre au monde son génie industriel, le génie du théâtre ne peut être exilé !

L'Empereur — le *monstre* — a souri, effilé ses moustaches et aussitôt autorisé Édouard Thierry à reprendre *Hernani* à la Comédie-Française.

Quand Adèle a annoncé à ses fils que, le 20 juin 1867, elle assisterait à la représentation, ils se sont alarmés. Ne serait-ce pas trop d'émotion ? Elle a haussé les épaules : « J'ai trop peu à vivre pour ne pas profiter de la reprise d'*Hernani*, pour moi un ressouvenir de mes belles et jeunes années. Et je manquerais cette fête ? » Elle a paru aux répétitions et les acteurs, saisis par l'émotion, ont fait silence. Jupiter est absent, ils saluent Junon. Les étudiants cherchent à l'approcher, à lui parler. L'un d'eux dit à Meurice :

— M. Victor Hugo est notre religion !

Ah ! l'extraordinaire soirée ! Le triomphe de Voltaire en l'absence de Voltaire. Le jeune Claretie y est, bien sûr :

« Depuis bien des années, nous n'avions vu une représentation pareille. Voilà vraiment un triomphe... Dès la scène deuxième, lorsque Delaunay se fut écrié, parlant de Ruy Gomez : Vieillard, va... en donner mesure au fossoyeur, l'étincelle, comme électriquement, embrasa toute cette foule et des bravos redoublés se firent entendre. On applaudissait et l'on criait ; on accueillait par ce tonnerre le revenant sublime... On a dû les entendre de la rue, ces roulements de vivats ; on a dû les entendre de plus loin, de cette fenêtre de *Hauteville House* où, pensif, à cette heure même, le poète, loin de son œuvre, songeait. »

C'est, ce soir-là, au milieu de la « frénésie » — le mot est d'Adèle — comme une revue d'ombres : Dumas, devenu énorme, est là qui acclame et pleure. Et Gautier, et Banville. « On s'embrassait jusque sur la place du théâtre, dit encore Adèle... Je suis heureuse, je suis au ciel. »

Le lendemain, le maréchal Vaillant va dire à Camille Doucet :

— L'impératrice est furieuse. Mon pauvre Doucet, c'est votre démission !

— Mes paquets sont faits, monsieur le maréchal !

La démission ne sera pas demandée. L'Empereur laissera jouer *Hernani*.

L'hiver est revenu assombrir le *look-out*. Hugo s'est mis à un nouveau roman qui sera *l'Homme qui rit*. Profitant du libéralisme tout neuf de l'Empire, les fils Hugo songent à faire paraître un journal. Le *pèrissime* n'y croit guère : « Attendre. Faire des œuvres. En somme cela vaut mieux que de faire des journaux. » *A Meurice* : « Il n'y a de possible (et encore) qu'un journal littéraire. »

En avril 1868, c'est le drame, un de plus dans cette famille qui en a traversé tant : le petit Georges meurt d'une méningite à Bruxelles. Dans son Carnet, Hugo vient, à la date du 29 mars, d'écrire : « J'envoie à Georges, qui aura un an le 31 mars, pour son anniversaire le portrait de mes quarante petits, *ses frères et sœurs du bon Dieu*. » Atterré, comment ne penserait-il pas à ce Léopold qu'autrefois il a lui-même perdu ? « Hélas ! mon pauvre doux Georges est mort avanthier, mardi 14 avril. »

Juliette à Victor, 15 avril 1868 : « Ton deuil est mon deuil, ta foi, ma foi, ton espoir, mon espoir. J'ai le cœur navré et résigné. Je pleure et je te souris. Je souffre et je bénis Dieu qui permet que je t'adore dans le malheur comme dans le bonheur. Je baise pieusement la plaie vive de ton âme jusqu'au jour où la chère petite âme de ton Georges viendra la guérir en y posant son aile. Je t'aime, je t'aime, je t'aime, je t'aime. »

Le 24 avril, Hugo notera : « Frappements fréquents et répétés cette nuit. »

L'enfant sera enterré à Bruxelles. Sur la simple croix de chêne qui marque la petite tombe, Charles fera inscrire : *Georges Victor-Hugo*.

Consolation : Alice est enceinte de cinq mois. Hugo tient à assister à la naissance du nouveau bébé. Le 27 juillet, il quitte Guernesey avec Juliette. Il emporte une copie de *l'Homme*

qui rit. Sur la chemise qui contient le manuscrit, il a noté :
« Le dénouement me reste à faire. »

La place des Barricades. Toute la famille réunie. Adèle
vient d'arriver de Paris pour retrouver les siens. Comme elle
a l'air mal ! Elle écrit à son mari : « C'est la fin de mon rêve
que de mourir dans tes bras. » Le 16 août, merveille, un
second petit Georges voit le jour ! *Carnet de Hugo* : « Petit
Georges est revenu. A quatre heures cinq minutes de l'après-
midi, Alice l'a remis au monde. »

Bonheur. Le 24 août, Victor et Adèle font une promenade
en calèche. Elle montre de la gaieté, lui beaucoup de tendresse. Le lendemain, 25 août, il note : « Petit Georges vient
très bien. Il tette *(sic)* maintenant les deux seins. Il a longtemps voulu ne téter que le sein gauche. Tendance démocratique. » Et plaisanterie d'un Hugo très évidemment heureux.

A 3 heures de l'après-midi, tout change. Brusquement,
Adèle s'abat : attaque d'apoplexie. « Respiration sifflante.
Spasmes. » Les médecins appelés en hâte constatent un état
hémiplégique avec paralysie du côté droit. Toute la nuit,
Hugo et ses fils la veillent. On a appliqué les sangsues : « la
fièvre diminue ; compresses froides sur le front ». Le lendemain : « Nous l'avons changée de lit ; état comateux. » Les
trois principaux médecins de Bruxelles sont appelés en
consultation : « Hélas ! peu d'espoir. » Il note encore : « Ma
femme ouvre les yeux quand je lui parle et me presse la main.
De même à ses fils. » Le docteur Allix, ami dévoué, les a
rejoints. Il est sombre.

Carnet, 27 août : « Morte ce matin, à six heures et demie.

« Je lui ai fermé les yeux. Hélas !

« Dieu recevra cette douce et grande âme. Je la lui rends. Qu'elle
soit bénie !

« Suivant son vœu, nous transporterons son cercueil à Villequier,
près de notre douce fille morte.

« Je l'accompagnerai jusqu'à la frontière. »

Meurice et Vacquerie sont arrivés de Paris pour la mise en
bière. Elle est là, dans son cercueil, le visage resté nu.

Carnet : « J'ai pris des fleurs qui étaient là. J'en ai entouré sa tête.
J'ai mis autour de la tête un cercle de marguerites blanches, sans
cacher le visage ; j'ai ensuite semé des fleurs sur tout le corps et j'en
ai rempli le cercueil. Puis je l'ai baisée au front et je lui ai dit tout

bas : " Sois bénie ! " — Et je suis resté à genoux près d'elle. Charles s'est approché, puis Victor. Ils l'ont embrassée en pleurant et sont restés debout derrière moi. Paul Meurice, Vacquerie et Allix pleuraient. Je priais. Ils se sont penchés, l'un après l'autre, et l'ont embrassée. A cinq heures, on a soudé le cercueil de plomb et vissé le cercueil de chêne. Avant qu'on posât le couvercle du cercueil de chêne, j'ai, avec une petite clef que j'avais dans la poche, gravé sur le plomb, au-dessus de sa tête : V.H. Le cercueil fermé, je l'ai baisé. Il y a *vingt-deux* clous au couvercle. Je l'avais épousée en 1822. J'ai mis, avant de partir, le vêtement noir que je ne quitterai plus. »

Dans les papiers d'Adèle, on trouvera un certain nombre de dispositions testamentaires datant de 1862, et dont la plus curieuse concernait Juliette Drouet :

« Vous agiriez, mes enfants, contre mon désir, si après avoir pris connaissance des papiers qui accompagnent ce mot, vous en abusiez contre Me Drouet. Je veux au contraire que tant qu'elle vivra, elle soit l'objet de vos égards, et que vous respectiez, quel quelles *(sic)* soient, les dispositions de votre père pour elle... Il est juste, dans nos larges idées, que Mme Drouet ait, dans la vie douce que votre père nous fait, sa part de bien-être [1]... »

Le dernier voyage d'Adèle. Hugo, Charles et François-Victor accompagnent la morte jusqu'à Quiévrain. Ils voient le train s'éloigner. Adieu à l'enchantement de Gentilly, au sourire de la rue de Vaugirard, au mystère de l'ami préféré à l'époux, à la connivence de l'exil. Adieu.

Je suis allé rêver sur la tombe d'Adèle à Villequier, voisine de celle de Léopoldine et de Charles. J'y ai lu cette inscription :

ADÈLE
FEMME DE VICTOR HUGO

Ces mots gravés, là, dans la pierre, c'est Hugo qui les a voulus. Et il est bien vrai qu'au-delà de toutes les ruptures, des trahisons, des jalousies, des colères et des larmes, jusqu'au bout elle sera restée sa femme. On a photographié Adèle sur son lit de mort : sur le visage se lit une paix immense. Hugo conservera l'agrandissement de cette photographie comme l'un de ses trésors précieux. De sa grande écriture écrasée, il écrira sur l'épreuve : « *Chère morte pardonnée.* »

1. *Maison de Victor Hugo.* Nouvelle acquisition (1983).

SIXIÈME PARTIE

C'EST ICI LE COMBAT DU JOUR ET DE LA NUIT

I

LE CHÊNE DES ÉTATS-UNIS D'EUROPE

> Oui! Oui! Oui! Oui! L'Humanité qu'il faut réunir, l'œuvre de Dieu qu'il faut achever, cette terre que Dieu t'a donnée comme la pomme dans le paradis pour que tu la prennes entre tes doigts, c'est cela qui est ton père et ta mère.
>
> Paul CLAUDEL.

D E son pas pesant, il a gravi de nouveau le roide escalier du *look-out*. Il s'est remis à son roman, celui qu'il avait intitulé d'abord *Lord Clancharlie*, puis *Pair d'Angleterre*, puis *Par ordre du roi* et que Meurice vient de le convaincre d'appeler *l'Homme qui rit*. A part *les Misérables*, le roman qu'il a mis le plus de temps à écrire : vingt-cinq mois.

Il travaille. Que ferait-il d'autre? Mais comme il se sent seul! Et triste! Et abandonné! A son retour, il a noté : « J'entre dans *Hauteville House* en deuil. » Un peu plus tard, à Jean Aicard : « Je suis ici. On m'a laissé seul. L'abandon, c'est le destin du vieux. Je ne puis bien travailler qu'ici. Ma famille, c'est mon bonheur. Il fallait choisir entre ma famille et mon travail, entre mon bonheur et mon devoir. J'ai choisi le devoir. C'est la loi de ma vie. »

Lui et Juliette ont débarqué du même bateau, mais sont rentrés chacun chez soi, lui à *Hauteville House*, elle à *Hauteville Féerie*. Les convenances, toujours. D'ailleurs elle-même, dans cette grande maison si pleine de la disparue, se fût sentie trop mal à son aise.

Chaque soir, il vient dîner chez elle. Elle dresse le couvert pour deux, lui prépare des petits plats. Il lui laisse le travail de la journée à recopier. Ce qu'elle fera, ponctuellement, le lendemain. Puis il s'en retourne dans la nuit, pour retrouver ses dorures sculptées, ses chaises gothiques, ses assiettes collées au plafond, la chambre aménagée pour le champion de l'unité italienne et que l'on appelle toujours la chambre de Garibaldi quoiqu'il n'y soit jamais venu. Décor onirique sur lequel sa bougie jette des lueurs lugubres.

Qu'a-t-il voulu dire avec *l'Homme qui rit*? Il a fait d'un enfant volé l'incarnation du mal que les hommes peuvent délibérément infliger à l'un des leurs. De Gwynplaine, on s'est appliqué à faire un monstre. Qu'il le veuille ou non, son visage rit, affreusement. Gwynplaine est la souffrance injuste.

Pour *l'Homme qui rit*, Hugo semble avoir laissé volontairement libre cours à ses démons : le flot verbal, le didactisme, le symbolique prennent le pas sur le vraisemblable. Je me souviens, ayant lu le livre pour la première fois, — j'avais quinze ans — d'avoir éclaté de rire en découvrant ce début : « Ursus et Homo étaient liés d'une amitié étroite. Ursus était un homme, Homo était un loup. »

Il est vrai qu'il y a beaucoup de ridicules dans ce livre. Mais les beautés l'emportent — de très loin — sur les extravagances. Impossible de n'être pas saisi jusqu'au fond de soi par les pages qui retracent les amours du monstre Gwynplaine et de la jeune aveugle Dea, enfants élevés ensemble et qui, adultes, s'aiment au-delà de la vie. Impossible de n'être pas saisi par le discours que Gwynplaine, ayant retrouvé son titre de lord et ses droits de pair, prononce à la Chambre haute pour expliquer à ceux de sa caste ce que, par essence, ils ignorent : la misère. Ici Hugo devient lui-même Gwynplaine. Impossible aussi de n'être pas saisi de ce retour à l'obsession de la chair et de la virginité. Gwynplaine, homme vierge, s'épouvante devant le corps offert de Josiane. Impossible enfin de n'être pas saisi par cette conclusion qui s'intitule *la Mer et la Nuit*. Pour retrouver ses droits, Gwynplaine a dû quitter Dea. A la Chambre des pairs, son rictus l'a fait sombrer dans le ridicule. Il revient vers elle. De le revoir — car cette aveugle *voit* Gwynplaine — Dea meurt de bonheur. Gwynplaine, ne pouvant lui survivre, se laisse glisser du pont du navire qui l'emporte et, au sein des flots consolateurs, la rejoint dans l'éternité.

Il suffit de résumer l'intrigue de *l'Homme qui rit* pour juger de sa bizarrerie : « le plus fou des romans de Hugo ». Aujourd'hui, c'est cette étrangeté, justement, qui nous retient. « Incluant l'épopée, l'apocalypse, l'idylle et la fantaisie du *Théâtre en liberté*, *l'Homme qui rit* est, peut-être, après *les Misérables*, le plus *riche* des romans hugoliens [1]. » Publié au moment où le jeune Zola commence à se faire connaître — et quoique Zola, précisément, ait dit son admiration pour *l'Homme qui rit* — il est évident qu'un tel roman vient à contre-courant des goûts nouveaux du public. Hugo a cru au succès. A Vacquerie : « Je pense n'avoir rien fait de mieux que *l'Homme qui rit.* » Lacroix y a cru aussi qui a versé 200 000 francs à Hugo. C'est un échec. Le public boude. Barbey d'Aurevilly écrit dans *le Nain jaune* : « L'homme qui rit, c'est nous ! » Hugo, étonné plus que consterné, note : « Le succès s'en va. Est-ce moi qui ai tort vis-à-vis de mon temps ? Est-ce mon temps qui a tort vis-à-vis de moi ? Question que l'avenir peut seul résoudre. »

Va-t-il poser sa plume, méditer sur son présent, son avenir, juger que peut-être il a suffisamment écrit ? Point du tout. Il s'est mis à écrire une pièce sur ce thème de l'inquisition qui lui va si bien : *Torquemada*. Pour se délasser de ce dialogue véhément, sur fond de sang et de nuit, entre le pouvoir, l'Église et les bûchers, il écrit en même temps d'allègres comédies destinées à prendre place dans son *Théâtre en liberté*. Les poèmes continuent de glisser de sa plume avec la régularité d'une inspiration que rien n'a pu tarir.

A Vacquerie : « Mon corps décline, ma pensée croît ; sous ma vieillesse, il y a une éclosion... Je suis adolescent pour l'infini. » A Meurice : « Faire toute l'œuvre qui est dans ma pensée, c'est impossible vu que j'ai plus de drames et de poèmes à l'état de couvée dans mon cerveau que je n'en ai publié. J'ai trois malles pleines de manuscrits. Quelques-uns achevés, la plupart ébauchés. »

Au vrai, comme Michelet l'avait dit de Dumas, il est l'une des forces de la nature. Rien ne peut atteindre une force de la nature.

Le rêve poursuivi avec opiniâtreté par les fils Hugo a pris

1. Pierre Albouy.

corps. Nonobstant les réserves et le scepticisme du père, ils publient un journal : *le Rappel*, où se retrouvent naturellement Vacquerie et Meurice. Ils avaient raison, Hugo avait tort. Les Français ont adopté d'emblée cette feuille moins virulente que *la Lanterne* de Rochefort, mais dont la verve frondeuse frappe dur et fort. Napoléon III a desserré le carcan de l'Empire autoritaire. La presse et la parole sont redevenues libres. L'Empire libéral, pense l'Empereur vieillissant, marquera la réconciliation des démocrates et de la dynastie. Erreur. Les démocrates — dont les fils Hugo — tirent à boulets rouges sur le régime déconcerté. De loin, Hugo applaudit.

A François-Victor, 14 mai 1869 : « Mon Victor, je veux, comme à Charles, t'envoyer mon cri de joie. Ton premier article est ravissant de force, de hauteur et d'esprit, l'assimilation des époques est admirablement réussie, et tu peins 1869 sous le pseudonyme de 1789 avec une si parfaite exactitude que *Ruy Blas* lui-même s'y trouve [1]... Donc, je t'embrasse. Rassurez-vous du reste, Charles et toi — je ne vais pas me mettre à vous écrire comme cela, en papa très bien, à tous vos articles. Mais je vous envoie un tas d'applaudissements en blanc... »

Cet été de 1869, le voilà, comme chaque année, place des Barricades. La chambre de l'épouse. Son lit. Les souvenirs qui se pressent. Il est ému, profondément. Annonçant, le 23 juillet, son arrivée à ses fils, il n'en a pas moins recommandé : « N'oubliez pas qu'il faut qu'une des servantes couche dans la chambre à côté de la mienne (corps de logis du fond) ; j'ai toujours mes étouffements nocturnes. » Les fils zélés ont obéi à la lettre. L'élue s'appelle Thérèse. *Carnet, 8 août* : « Elle est laide, flamande, blonde, et ne sait pas son âge. Croit avoir trente-trois ans. Je lui ai demandé : " Êtesvous mariée ? " Elle m'a répondu avec un air tout à fait parisien : " Quelle horreur ! " *10 août* : Cinq heures du matin. Thérèse. Suisse. Éphèse. » Suisse, nous savons. Mais Éphèse ? Plus que l'orthographe, la phonétique peut là-dessus nous éclairer.

On lui a proposé la présidence honoraire d'un congrès de la Paix et de la Liberté qui doit se tenir à Lausanne. Il a accepté, croyant qu'il n'aurait pas à se déplacer. Il a adressé

1. François-Victor avait publié la veille un article intitulé : *89, lendemain de 1869.*

de Bruxelles un message aux congressistes que d'emblée il a appelés : *Concitoyens des États-Unis d'Europe*, expliquant : « Permettez-moi de vous donner ce nom, car la république fédérale est fondée en droit, en attendant qu'elle soit fondée en fait. Vous existez, donc elle existe. Vous la constatez par votre union qui ébauche l'unité. Vous êtes le commencement du grand avenir. »

Comme nous lui envions une telle certitude ! Car de telles paroles reflètent sa pensée profonde. Depuis décembre 1851, il est *sûr* que Bonaparte sera un jour chassé de son trône. Le doute ne l'effleure pas davantage quant à l'évidence d'une république universelle qui abolira les frontières et mettra la guerre au ban de l'humanité. Il voit là une logique fatale de l'histoire. Les États-Unis d'Europe représentent le premier jalon de la République universelle de demain.

On est venu lui signifier que des centaines de délégués s'étaient déplacés parce qu'ils avaient cru en sa présence. Résigné plus que satisfait, il quitte Bruxelles en compagnie de Juliette, passe par Cologne et Bâle. A son arrivée à la gare de Lausanne, une foule l'accueille qui crie : « Vive Victor Hugo ! Vive la République ! » Le voilà à la tribune. Oui, il est pour la paix, mais pas n'importe quelle paix :

Nous ne voulons pas de la paix sous le despotisme ; nous ne voulons pas de la paix sous le bâton ; nous ne voulons pas de la paix sous le sceptre ! La première condition de la paix, c'est la délivrance. Pour cette délivrance, il faudra à coup sûr une révolution, qui sera la suprême, et peut-être, hélas ! une guerre, qui sera la dernière. Alors tout sera accompli. La paix, étant inviolable, sera éternelle. Alors, plus d'armées, plus de rois : Évanouissement du passé. Voilà ce que nous voulons !

Prononçant le discours de clôture, il ira beaucoup plus loin, se proclamera socialiste :

République et socialisme, c'est un. *(Bravos répétés.)* Moi qui vous parle, citoyens, je ne suis pas un républicain de la veille, mais je suis un socialiste de l'avant-veille. Mon socialisme date de 1828. J'ai donc le droit d'en parler !

Audacieuse affirmation ! 1828 marque son passage — enregistré par Vigny — du côté droit au côté gauche et son adhésion de plus en plus marquée aux principes du libéralisme.

Assimile-t-il *libéralisme* — tel qu'on entendait le mot sous la Restauration — au *socialisme* tel que lui-même le conçoit présentement ? C'est probable. Un homme qui va vers le peuple s'est appelé d'abord pour lui un libéral, puis un républicain, aujourd'hui un socialiste : aucune de ces notions n'a renfermé pour lui et ne renfermera rien qui soit précis. Hugo s'effarerait à lire les constructions « scientifiques » qu'un Marx — dont il ignore jusqu'au nom — élabore dans le même temps. Il suffit de l'entendre :

Le socialisme est vaste et non étroit. Il s'adresse à tout le problème humain. Il embrasse la conception sociale tout entière. En même temps qu'il pose l'importante question du travail et du salaire, il proclame l'inviolabilité de la vie humaine, l'abolition du meurtre sous toutes ses formes, la résorption de la pénalité par l'éducation, merveilleux problème résolu *(Très bien !)*. Il proclame l'enseignement gratuit et obligatoire. Il proclame le droit de la femme, cette égale de l'homme. *(Bravos !)* Il proclame le droit de l'enfant, cette responsabilité de l'homme. *(Très bien ! — Applaudissements.)* Il proclame enfin la souveraineté de l'individu, qui est identique à la liberté. Qu'est-ce que tout cela ? C'est le socialisme. Oui. C'est aussi la République ! *(Longs applaudissements.)*

Ce socialisme-là, dont les implications économiques sont totalement absentes, nous l'appellerions aujourd'hui du libéralisme avancé. Aucun des partis occidentaux actuellement au pouvoir — de la gauche à la droite — n'en répudierait un seul point, à l'exception peut-être de la peine de mort, réclamée plus souvent par la droite, appliquée à l'occasion par la gauche. Un mot caractérise tout cela : générosité. Celle qu'adresse Hugo à ses contemporains ne provient d'aucun calcul, ne découle d'aucun dogme préétabli. Elle vient du cœur, voilà tout, et ce cœur bat chaleureusement. Une génération entière a senti cette sincérité. D'où la popularité sans exemple qui, malgré les cris de haine de certains, les calomnies, les menaces, enveloppera le vieil homme jusqu'à sa mort.

Juliette et lui s'attarderont quelques jours en Suisse et regagneront Bruxelles juste à temps pour apprendre la naissance, le 30 septembre, d'une petite Jeanne. *Carnet, 1er octobre* : « En arrivant, je trouve Alice accouchée. Une jolie petite fille, née à huit mois... Georges marche tout seul et baise sa petite sœur. » Bonheur. Une nouvelle servante remplace Thérèse dans la chambre voisine de la sienne. *4 octobre* : « Elle s'appelle Élise. Paysanne. Très brune. Peau presque noire. »

Le souvenir d'Adèle, toujours. Pourquoi, tout à coup, à deux pas de la chambre de sa femme, note-t-il : « Il n'y a pas d'autre consolation que celle-ci : on peut être cocu et aimé » ?

Le 6 novembre, il est à Guernesey : « Me revoilà seul, tête-à-tête avec le travail et l'océan. » On poursuit Charles pour un article du *Rappel* jugé injurieux pour le régime : quatre mois de prison. On conçoit que le gros Charlot ait préféré mettre la frontière belge entre la prison et lui.

Beaucoup de vers, ces mois-là. Il engrange. En avril 1870, il arrête le plan d'un nouveau livre qu'il veut intituler *les Quatre Vents de l'esprit*. Il commence à y travailler. On reprend à Paris *Lucrèce Borgia*. Gros succès que saluent George Sand et Théophile Gautier dans des articles qui émeuvent l'homme du *look-out*. *A Gautier* : « Nous revoilà jeunes comme autrefois, et votre main n'a pas quitté ma main. »

Napoléon III a tenu à soumettre à un plébiscite les réformes libérales qui ont modifié l'orientation politique de l'Empire. Manœuvre habile : l'opposition approuve les réformes mais déteste le régime ; comment votera-t-elle ? Hugo n'hésite pas. Le 27 avril 1870, *le Rappel* publie un texte de lui appelant à voter *non*. Du coup, le journal est une nouvelle fois poursuivi.

Les questions ambiguës font les meilleurs plébiscites. Malgré une campagne gigantesque pour le *non*, mobilisant l'opposition entière, des socialistes aux royalistes, le plébiscite se révèle un triomphe pour cet Empire dont les augures juraient qu'il était à l'agonie, lézardé par le désenchantement général : 7 358 000 *oui*, 1 572 000 *non*, 1 900 000 *abstentions*. Quand les résultats sont connus, Napoléon III rayonnant élève son fils, le jeune prince impérial, dans ses bras :

— Louis, c'est un sacre !

A Guernesey, Hugo affiche de la sérénité : « Les commotions violentes faussent le suffrage universel. Le suffrage universel est une boussole, le suffrage universel est un chronomètre. Secouez un instrument de précision et vous verrez le résultat qu'il vous donnera. » Il est difficile de ne pas penser que les Français viennent de signer un nouveau bail avec « Napoléon-le-Petit ». Et — qui sait ? — peut-être avec son fils. Que deviendra dans ce cas le dernier des exilés ? Il mourra dans son île.

Au début de juin, voici dans cette île Charles et Alice, avec Georges et Jeanne. Il y a neuf ans que Charles n'est pas revenu à *Hauteville House*. Alice ne connaît pas Guernesey. Bonheur. Juliette conquiert le droit enivrant de s'occuper de Mlle Jeanne. De son aveu, elle en « rabâche » de bonheur, « comme une bonne vieille grand'mère ». Précaution contre les improvisations ambulatoires de Georges : le bassin du jardin a été entouré d'une barrière.

Qui aurait cru que tout irait si vite ? Le trône d'Espagne est vacant. Coup de tonnerre : on apprend que le prince Léopold de Hohenzollern a posé sa candidature. « La France n'acceptera pas un prince allemand sur le trône d'Espagne », s'écrie le duc de Gramont, ministre des Affaires étrangères. Le prince Léopold renonce. La France exige du gouvernement prussien des garanties pour l'avenir. Le 13 juillet, à Ems, le roi Guillaume Ier reçoit Benedetti, l'envoyé du gouvernement français. Bismarck, depuis longtemps, veut une guerre qui parachèvera l'unité allemande. Il donne un tour délibérément provocant à la dépêche qui rend compte de la façon dont son roi a reçu Benedetti. C'est une gifle que reçoivent tous les Français. Les journaux jettent feu et flamme. Des cortèges parcourent les boulevards — où ne manquent pas les républicains — en criant : A Berlin ! *Le Rappel*, lui, se déclare obstinément contre la guerre.

La guerre ? Hugo est à l'unisson de ses fils. Le 14 juillet, à *Hauteville House*, il plante en terre le gland d'un chêne. Il note :

« Aujourd'hui, 14 juillet 1870, à une heure de l'après-midi, mon jardinier Tourtelle m'assistant, en présence de mon fils Charles, de MM. Duverdier et Busnach, de Mesdames Charles Hugo, Duverdier, Chenay, Joséphine Nicole et Marguerite Duverdier, Petit Georges et Petite Jeanne étant là, j'ai planté dans mon jardin le gland d'où sortira le chêne que je baptise *Chêne des États-Unis d'Europe*. »

Deux jours plus tard, la guerre est déclarée par la France à la Prusse. On vit dans l'attente des nouvelles. *Hugo à Meurice* : « Je crois à l'écrasement de la Prusse ; mais les complications peuvent aller de choc en choc jusqu'à la révolution. » *A d'Alton-Shée* : « Je désire le Rhin pour la France. » Autour de lui, les dames font de la charpie. Mais Hugo regarde du côté de ses petits. *Carnet, 31 juillet* : « Mon petit Georges ne m'appelle ni *Bon Papa* ni *Grand Papa* ; il a trouvé pour moi ce nom : *Papapa*. »

Devenu grand, Georges redira la légende — le mot est de lui — que, tout petit, on lui avait si souvent narrée. Un matin, alors que son grand-père travaillait, il était entré, lui presque encore bébé, dans le *look-out* interdit. Il avait crié :

— Bonjour, Papapa !

Le vieil homme s'était tout à coup senti saisi d'une immense joie :

« Le bégaiement de Georges faisait de lui deux fois son père, beaucoup plus qu'un grand'père. Il descendit auprès des siens pour le repas commun. Et dans cette belle salle d'Hauteville House, aux blanches et bleues faïences de Delft, où courent sur le chêne des murs les paroles mélancoliques qu'il y grava de son couteau, il consacra le babillement de petit Georges :

« — Maintenant, je m'appelle Papapa, dit-il doucement.

« Et jusqu'à sa mort, nous lui donnâmes, ma sœur et moi, ce nom doublement tendre et que toujours il chérit. »

Tout se précipite. On annonce les premières défaites françaises. On manifeste à Paris. Eugénie, régente depuis que Napoléon III commande l'armée, proclame l'état de siège. Le 10 août, Hugo écrit à Meurice qu'il se tient prêt à rentrer en France. L'heure approche-t-elle enfin du grand retour ? Son obsession : ses manuscrits : « Il serait impossible de laisser tout cela épars derrière moi... Ce qu'il y a là de choses est énorme. » Il entasse le tout — vingt-deux titres ou dossiers — dans une grande malle qu'il fait porter en même temps qu'une cassette contenant des valeurs et des espèces, à la *Old Bank*. Le tout est enfermé dans une casemate.

Ce départ, pour Juliette, ressemble à une agonie de l'âme. Hugo répète qu'il fait partie de la garde nationale de Paris, que Paris sera bientôt menacé, et qu'il doit faire son devoir. A soixante-huit ans, le vieil amant croit-il pouvoir encore se montrer un foudre de guerre ?

Le 15 août, par un fort vent de sud-est, on s'embarque sur le *Brittany* : Hugo, Juliette, son neveu Louis Koch qui l'a récemment rejointe, Charles, Alice, les deux petits, les domestiques — y compris la vieille Suzanne qui n'a pas quitté Juliette depuis l'exil. Hugo distribue à tous un remède souverain — un médicament italien — contre le mal de mer. *Carnet* : « On a eu le mal de mer tout de même. »

Le soir on est à Southampton. Par Londres, Douvres et Ostende, on gagne Bruxelles. *Carnet* : « J.J., M. Louis Koch, avec Mariette et Suzanne, descendent à l'*Hôtel de la Poste*. Je m'en vais place des Barricades. » Les journaux belges annoncent que Victor Hugo va s'engager et l'appellent avec une sympathie un peu ironique : le *Pair conscrit* [1]. Problème : le laissera-t-on rentrer en France ?

Le 19, Hugo se rend à l'ambassade de France. Au chargé d'affaires, Antoine de Laboulaye, il dit qu'il ne veut rentrer en France que pour faire son devoir de citoyen mais qu'il persiste à ignorer l'Empire :

— Je ne veux être en France qu'un garde national de plus !

Carnet : « Il a été fort poli et m'a dit : " *Avant tout, je salue le grand poète du siècle* ", m'a demandé d'attendre jusqu'au soir, et qu'il m'enverrait mes passeports chez moi. Le soir, en rentrant, je ne les ai pas trouvés. » Le lendemain matin, à 8 h, Laboulaye les apporte lui-même « avec force excuses du retard ».

Partir ? De Paris, François-Victor télégraphie : « Ajournez absolument départ. » Alors ? Il va, il vient, ne dort plus, mange à peine, tel un prisonnier à qui l'on avait promis la liberté et dont la cellule s'est refermée après s'être entrouverte.

Le 3 septembre, c'est Sedan. Napoléon III rend son épée à Guillaume Ier de Prusse. Le 4, le peuple parisien envahit le Palais-Bourbon et proclame la déchéance de l'Empire. Le même jour, Hugo, à bout de nerfs, invoque l'ombre tant aimée de Léopoldine : « Mon doux ange, veille et prie. Je nous mets sous tes ailes. » Aussitôt après : « La déchéance de l'empereur est proclamée. A une heure, réunion de proscrits chez moi. A trois heures, reçu un télégramme de Paris, ainsi conçu : " *Amenez immédiatement les enfants* " (signé : Émile Allix), ce qui veut dire : " Venez. " »

La voici donc, la fin de l'exil !

Jules Claretie, dont les liens avec Hugo n'ont cessé de se resserrer, est à Bruxelles. Simple hasard ? Non. Ayant quitté désespéré le champ de bataille de Sedan, il a voulu assister à ce spectacle unique : Victor Hugo rentrant en France. Le 4 septembre, il dîne avec lui place des Barricades. Veillée

---

1. Et non le Père Conscrit comme l'a imprimé Gustave Simon après une lecture fallacieuse des Carnets.

d'armes. On se donne rendez-vous pour le lendemain après-midi. Hugo a décidé de prendre le train de 2 h 35. On partira avec les enfants.

A l'heure dite, Claretie est à la gare. Il voit Hugo se présenter au guichet, coiffé d'un chapeau de feutre noir ; une sacoche de cuir, maintenue par une courroie, pend à son côté. Au moment où, pour demander huit billets pour Paris, il s'adresse à l'employé, il regarde instinctivement sa montre ; « il semblait qu'il voulût savoir l'heure exacte où devait finir sa proscription ». A Claretie, il dit, très pâle, très ému :

— Voilà dix-neuf ans que j'attends ce moment-là !

On gagne le wagon. Voici, dans le même compartiment : Hugo, Juliette, Charles et Alice Hugo, Claretie et un autre familier, Antonin Proust.

Carnet de Hugo : « Nous sommes entrés en France à 4 heures. Profond respect du commissaire de police, à la frontière. Dans les gares où s'arrêtait le train, on m'a reconnu presque partout, et l'on criait : " *Vive Victor Hugo.* " A Tergnier, à six heures et demie, nous avons dîné d'un morceau de pain, d'un peu de fromage, d'une poire et d'un verre de vin. Claretie a voulu payer, et m'a dit : " *Je tiens à vous donner à dîner le jour de votre rentrée en France.* " »

A Landrecies, il aperçoit sur la voie les premiers soldats français, de ce corps de Vinoy qui bat en retraite depuis Mézières, « pauvres gens harassés, poudreux, boueux, blêmes, découragés » qui se tiennent assis ou couchés. Ce que Claretie lit dans leurs regards, c'est la défaite. Mais ils portent la capote bleue, le pantalon garance. Claretie voit tout à coup Hugo se dresser, baisser la vitre — ah ! les souvenirs du coup d'État ! —, se pencher et crier, « d'une voix claire, vibrante, éperdue : " *Vive la France ! Vive l'armée ! Vive l'armée française !* " » Hugo, lui, note simplement : « Je leur ai crié : " *Vive l'armée !* " et j'ai pleuré. »

La nuit est venue, avec un magnifique clair de lune. Hugo se demande où il ira ce soir-là. Claretie le voit devenir « pensif, ému, plus pâle ». Il se réjouit d'arriver à Paris « la nuit, solitaire, comme j'en suis parti ».

— Traverser Paris, ma valise à la main, et chercher asile n'importe où ! chez Meurice, sans doute !

Une arrivée solitaire ? Il est 9 h 35 quand le train entre en gare. Elle est investie par une foule immense, cette gare !

Tout est envahi, les quais, les voies. Et cela déborde tout autour de l'édifice, sur la place, dans les rues ! Et sans cesse le même cri qui monte vers le ciel : « Vive Victor Hugo ! Vive la République ! »

Il s'avance, le vieil homme au regard embué. Près de lui, la compagne de trente années de sa vie, la maîtresse de l'ombre pour la première fois montrée à tous. De la cohue, un petit groupe d'amis s'arrache pour courir au-devant de lui. Parmi eux, une ravissante jeune fille. Comme elle le regarde, le plus illustre des Français ! Et comme tout à coup il la regarde aussi ! Et comme à son tour Juliette les regarde tous les deux ! Elle se nomme Judith Gautier, fille de Théophile, venue crier à Victor Hugo l'admiration qu'elle partage avec son père. Sans façon, il lui prend le bras et gagne avec cette beauté un petit café, en face de la gare.

Carnet : « Accueil indescriptible. J'ai parlé quatre fois. Une fois du balcon d'un café, trois fois de ma calèche. En me séparant de cette foule, toujours grossie, qui m'a conduit jusque chez Paul Meurice, 26, rue de Laval, avenue Frochot, j'ai dit au peuple : " Vous me payez en une heure vingt ans d'exil. "

« On chantait *la Marseillaise* et *le Chant du départ*. On criait : " Vive Victor Hugo ! " A chaque instant, on entendait dans la foule des vers des *Châtiments*. J'ai donné plus de dix mille poignées de main. Le trajet de la gare du Nord à la rue de Laval a duré deux heures. On voulait me mener à l'Hôtel de Ville. J'ai crié : " *Non, citoyens ! Je ne suis pas venu ébranler le gouvernement provisoire de la République, mais l'appuyer.* " On voulait dételer ma voiture. Je m'y suis opposé. Une femme a tenu tout le temps la bride de l'un des chevaux. Un homme en blouse m'a dit les vers qui sont dans mon jardin :

> *Venez tous faire vos orges,*
> *Messieurs les petits oiseaux,*
> *Chez Monsieur le Petit Georges.*

« Il a crié : " *Vive le Petit Georges !* " Et la foule a crié : " *Vive le Petit Georges !* "

« Un bataillon de soldats passait sur le boulevard. Les soldats se sont arrêtés et m'ont présenté les armes. Je leur ai dit : " *Vous êtes toujours les premiers soldats du monde. Jamais l'armée française n'a été plus héroïque ; l'Europe, émue, vous admire. Dans cette effroyable guerre, la victoire est pour la Prusse, mais la gloire est pour la France.* "

« Nous sommes arrivés chez Meurice à minuit. J'y ai soupé avec

mes compagnons de route, plus Victor. Mme Meurice m'a loué et
meublé un appartement analogue au sien. Je me suis couché à deux
heures du matin. »

Hors quelques généraux vainqueurs, qui reçut jamais
l'accueil que Paris, ce soir-là, a réservé au poète ? Le croira-
t-on ? Au moment même où il s'arrachait enfin à la foule, un
orage éclata et le tonnerre lui-même vint le saluer.

Quand on feuillette les *Carnets* des semaines suivantes, on
reste stupéfait : il semble y avoir dans la capitale deux pouvoirs, celui de l'Hôtel de Ville où, sous la présidence du général Trochu — participe passé du verbe *trop choir*, dira bientôt
Hugo — siège le gouvernement provisoire ; celui de l'avenue
Frochot, à Montmartre, où réside Victor Hugo. Tout ce qui
compte à Paris tient à se présenter chez Hugo : des généraux
et des femmes du monde, des politiciens et des académiciens,
des écrivains, des avocats, des actrices, des journalistes, des
médecins, des hommes du peuple. Assurément, devant tant
d'assauts, il a pu penser que, s'il le voulait vraiment, ce courant immense le conduirait tout droit au pouvoir. A quoi
bon ? Il note : « Je suis venu pour défendre Paris, et pas pour
autre chose. Je ne veux pas le pouvoir ; je ne veux que le danger. » Il pense toujours que le poète sert mieux sa patrie en la
chantant qu'en voulant se mettre à sa tête. Jules Claretie
vient de lui apporter une abeille d'or qu'il a détachée, aux
Tuileries, du manteau impérial. Sur l'enveloppe, il a écrit :
« Envolez-vous de ce manteau ! » Le vers exaucé des *Châtiments*, c'est la preuve, comme il l'a toujours cru, que la pensée l'emporterait sur la force. N'a-t-il pas lui-même, Hugo,
prouvé qu'un homme seul, sur un rocher, pouvait, par la puissance unique du Verbe, venir à bout d'un dictateur et du pouvoir entier rangé à ses ordres ?
On lui demande des places. Il répond :
— Je ne suis rien.
Les solliciteurs sont légion. Cet avare ouvre largement sa
bourse [1]. Louis Blanc, Gambetta, ministre de l'Intérieur,

---

1. Il notera, le 8 janvier : « Récapitulation de ce que j'ai donné depuis mon
arrivée à Paris, en sommes de 5, 10 et 15 frs. : 4965 frs. En outre, la somme de
mes droits d'auteur sur les lectures des *Châtiments*, etc. sur tous les théâtres
et dans toutes les salles de Paris, sommes dont j'ai fait l'abandon, dépasse
25 000 frs. »

Jules Ferry, membre du gouvernement, viennent le consulter le même jour.

Une puissance, Victor Hugo.

Les Prussiens ont investi Paris. Nul ne peut plus sortir de la capitale. On se bat sur les remparts. Mais ce gouvernement, que paradoxalement on affuble du nom de « la Défense nationale », tient-il réellement à faire la guerre ? Nos armées ont remporté des succès. Veut-on sincèrement les exploiter ? Dans Paris, les républicains n'en sont pas convaincus. On se persuade chaque jour davantage que, moralement du moins, le gouvernement a baissé les bras. Les Carnets de Hugo enregistrent alors, à plusieurs reprises, des démarches qui prennent un sens très précis.

26 décembre : « Louis Blanc vient, puis M. Floquet. On me presse de nouveau de mettre le gouvernement en demeure. De nouveau, je refuse. » *29 décembre* : « On me presse de plus en plus d'entrer dans le gouvernement. Le ministre de la Justice, Em. Arago, est venu me demander à dîner. Nous avons causé. Louis Blanc est venu après le dîner. Je persiste à refuser. » *17 janvier* : « Louis Blanc est venu ce matin. Il me presse de me joindre à lui et à Quinet pour exercer une pression sur le gouvernement. Je lui ai répondu : " Je vois plus de danger à renverser le gouvernement qu'à le maintenir. " »

Bien sûr. Mais Hugo a failli céder. Un passage des Carnets, soigneusement occulté par les premiers éditeurs qui ne voulaient pas ternir l'image de poète des *Châtiments*, et dont nous devons la découverte — une fois de plus — à Henri Guillemin, en apporte la preuve. Voilà la page si longtemps gardée sous le boisseau :

« Dictature. J'en porterai la peine. Si j'échoue, je m'en punirai en m'exilant à jamais.

« Si je réussis, la dictature est un crime. Le bonheur d'un crime ne l'absout pas. Ce crime, je l'aurai commis. Je me ferai justice et, eussé-je sauvé la République, je déclare que je sortirai de France pour n'y plus rentrer. »

Ainsi donc, il a — un instant — songé à la dictature pour lui-même. Il est allé jusqu'à noter, Hugo, les conditions qu'il exigerait pour assumer ce pouvoir exceptionnel : « la dictature sans limite, la dictature sans défense ».

Commentant cette « hypothèse aberrante » d'un pouvoir

discrétionnaire qui aurait été offert à Hugo par Paris, Henri Guillemin a voulu supposer — faute de date sur le fragment — qu'elle ne s'est présentée à l'esprit du poète qu'*avant* son retour en France, « à l'heure des grandes illusions, et lorsqu'il ne devinait point toutes les combinaisons déjà prêtes, chez les réalistes à la Thiers et à la Jules Favre ». Ou bien « le soir du 5 septembre, lorsque sa tête sonnait encore des acclamations qui venaient d'accueillir sa rentrée dans la capitale après dix-huit années d'exil ». Pour une fois — et par exception ! — je ne partagerai pas l'avis d'Henri Guillemin. Tout démontre qu'avant son retour, Hugo n'a pas prévu l'explosion populaire qui l'a accueilli. Dans le train, ne se voyait-il pas traverser Paris, seul, sa valise à la main ? Quand la foule qui l'escortait a voulu le porter à l'Hôtel de Ville, il a refusé. Il n'a pu imaginer une solution aussi extrême — la dictature ! — qu'au moment où chacun, à Paris, s'est mis à douter cruellement de la volonté réelle du gouvernement de faire la guerre — et de la gagner.

L'affaire, à mon sens, devrait tourner autour de deux démarches dont les Carnets gardent la trace. Le 31 octobre, d'abord : « Échauffourées à l'Hôtel de Ville. Blanqui, Flourens et Delescluze veulent renverser le pouvoir provisoire Trochu-Jules Favre. Je refuse de m'associer à eux... A minuit, des gardes nationaux sont venus me chercher pour aller à l'Hôtel de Ville, *présider*, disaient-ils, *le nouveau gouvernement*. J'ai répondu que je blâmais cette tentative, et j'ai refusé d'aller à l'Hôtel de Ville. A trois heures du matin, Flourens et Blanqui ont quitté l'Hôtel de Ville et Trochu y est rentré. » Seconde démarche, rapportée le 22 janvier 1871 : « Manifestation tumultueuse à l'Hôtel de Ville. Trochu se retire. Rostan vient me dire que la mobile bretonne tire sur le peuple... Rostan m'a dit : " Je viens mettre mon bataillon à votre disposition. Nous sommes cinq cents hommes. Où voulez-vous que nous allions ? »

Ce jour-là aussi, Blanqui a suivi de près la manifestation. L'échec de l'insurrection lui coûtera la liberté — ce dont il avait d'ailleurs l'habitude [1]. Même démarche d'esprit, même raisonnement : les membres du gouvernement, faute d'une volonté cohérente, n'arriveront à rien. Il faut — ne fût-ce que pour quelques semaines — rassembler toute l'autorité entre

---

1. Voir Alain Decaux : *Blanqui l'insurgé* (chez le même éditeur).

des mains uniques. Alors, on fera *vraiment* la guerre. Alors, on la gagnera. Mais que pèse un Blanqui face à un Hugo ? D'où le rêve du dernier : s'il faut une dictature, il n'est qu'un homme de qui le peuple l'accepterait. Lui, Hugo.

Le rêve n'a peut-être duré que le temps de l'écrire. Mais il a traversé l'esprit de Victor Hugo. La force des réalités peut ébranler les principes que l'on peut croire les plus solidement assurés.

Il ne songe pas qu'à la patrie. Il est lui-même, se préoccupe beaucoup du ravitaillement, car on a faim dans Paris assiégé. Le don qui lui est fait d'un gros morceau de gruyère prend dans ses Carnets autant de place que la visite d'un ministre. Il goûte de l'éléphant — celui du jardin des Plantes qui a pleuré quand on l'a abattu — et ne trouve pas cela mauvais quoique cette viande soit hors de prix. Il note : « On fait des pâtés de rat. On dit que c'est bon. » Il mange du cheval, ce que son intestin supporte mal. Il improvise deux vers d'un goût douteux :

> Mon dîner m'inquiète et même me harcèle
> J'ai mangé du cheval et je songe à la selle.

Les esprits frappeurs continuent à hanter ses nuits. Il joue passionnément avec ses petits-enfants, note les mines de Jeanne, les mots de Georges, les comble de jouets le jour du 1er janvier. « Stupeur et ébahissement de Petit Georges et de Petite Jeanne devant les hottes de joujoux... Ils touchaient à tous et ne savaient lequel prendre. Georges était presque furieux de bonheur. Charles a dit : *" C'est le désespoir de la joie !"* » Aussi — pauvre Juliette ! — il rencontre une foule de dames et de demoiselles. Les Carnets enregistrent des adresses mystérieuses, sans doute utiles, « 5, rue Frochot, au fond de la cour, au sixième », « 60, rue Saint-Laurent, au troisième, la porte au fond ». Beaucoup de noms de comédiennes, venues le visiter à l'occasion des lectures publiques des *Châtiments*. Parmi celles-ci, une certaine Sarah Bernhardt. D'autres : « A. Piteau, revue après vingt ans, *toda* » ; Mme Ratazzi, née princesse Marie-Laetizia Bonaparte ; Olympe Audouard : « pointes de seins, osc. » ; l'abréviation *osc* n'est autre que celle d'*osculum*, baiser. Le code de Hugo devient de plus en plus hermétique. C'est que Juliette, si elle ne vit toujours pas sous son toit — bien sûr — partage toutes ses journées. Sa vigilance s'accroît proportionnellement à l'accélération de ce tourbillon, ce que, furieuse et amère, elle appelle une « chasse fantastique ». Désormais, deux barres horizontales, quelquefois trois, indiquent les rencontres érotiques. La lettre *n* veut dire nue. Louise Michel a droit au *n*[1]. Et sans cesse, il est question de *poêle, genua, Suisse, entorse*. Ces femmes-là doivent se plier à ce goût qu'il a surtout de voir ou de toucher. Les signes qui marquent une possession totale sont relativement rares, les autres innombrables.

Étrange mixture que celle de ses sentiments. Entre deux jupons soulevés — *poêle* — ou deux corsages déboutonnés — *Suisse* — s'il entend un bataillon défiler dans la rue, il court à sa fenêtre. Que l'on chante *la Marseillaise* ou *le Chant du départ*, et il est bouleversé : « J'entends ce cri immense : *Un Français doit vivre pour elle, — Pour elle un Français doit mourir...* J'écoute et je pleure. Allez, vaillants ! J'irai où vous irez... »

Il a adressé un *Appel aux Allemands* : « Il me convient d'être avec les peuples qui meurent ; je vous plains d'être avec les rois qui tuent ! » Un moment, conscient de sa gloire mondiale, il a imaginé de se rendre seul devant les lignes prussiennes. En apercevant Victor Hugo offrant sa poitrine aux balles, les Prussiens comprendraient toute l'étendue de leur culpabilité. La guerre serait finie.

— Pour vous ! a dit un confrère.

Krupp fait pleuvoir ses obus sur la capitale. On dort et on vit au son de la canonnade. Sur les remparts, on meurt. Les forêts brûlent autour de Paris. Pour communiquer avec l'extérieur, une seule solution : le ballon. Hugo va voir Gambetta s'envoler. Il se promène dans Paris, recherche les habitations de son enfance, ne découvre à leur place que les nouvelles rues d'Haussmann, s'afflige, mais devient furieux quand il voit les ruines nées des bombardements et surtout les longs cortèges des victimes — morts et blessés — des Prussiens. Il retrouve alors la grande voix qui appelait au combat le Deux-Décembre : « Paris se défendra, soyez tran-

---

1. Une controverse s'est établie sur ce point. Édith Thomas, biographe de Louise Michel, sans nier les rencontres de son héroïne avec Hugo, s'est demandé si la lettre *n* ne signifierait pas *non*. Ce qui évidemment diminuerait fort l'importance du bilan érotique de Victor Hugo.

quille. Paris se défendra victorieusement. Tous au feu, citoyens !... Ô Paris ! tu as couronné de fleurs la statue de Strasbourg ; l'histoire te couronnera d'étoiles. »

Il a appris la mort du quarteron au cœur chaleureux, Alexandre Dumas qui, malade, s'est réfugié chez son fils, près de Dieppe, et que la guerre a achevé. Dumas ! Tant de combats communs, tant d'amitié, tant de fraternité !

Naguère, Hugo, exilé stoïque, avait adressé ces vers à son ami :

> Tu rentras dans ton œuvre éclatante, innombrable,
> Multiple, éblouissante, heureuse, où le jour luit,
> Et moi dans l'unité sinistre de la nuit...

Maintenant que le bon géant est mort, spontanément Hugo écrit :

« Aucune popularité en ce siècle n'a dépassé celle d'Alexandre Dumas. Ses succès ont l'éclat de la fanfare. Ce qu'il sème, c'est l'idée française. Alexandre Dumas séduit, fascine, intéresse, amuse, enseigne. De tous ses ouvrages, si multiples, si variés, si vivants, si charmants, si puissants, sort l'espèce de lumière propre à la France. »

Des hommes de 1830, il ne reste plus que Gautier et lui.

Hetzel, éditeur retrouvé, a réédité — au grand jour cette fois — ses livres interdits. Les volumes s'arrachent : 22 000 *Châtiments* en moins de deux mois, 10 000 *Napoléon-le-Petit*. Il est heureux que ses vers soient récités dans tous les théâtres. Heureux que les recettes dont il a fait don aient permis d'acheter trois canons : le *Châteaudun*, les *Châtiments*, le *Victor Hugo*. Quand il passe, enveloppé d'une capote grise de soldat — achetée 19 francs aux magasins du Louvre — et coiffé d'un képi bleu, sa barbe le fait reconnaître, on le salue, on lui sourit, on l'applaudit. Mais lui s'assombrit. Il déteste la pusillanimité des politiciens au pouvoir, soupçonne quelque maquignonnage entre Thiers et Bismarck. Lorsqu'il apprend que l'armistice a été signé, le désespoir le terrasse. Ils ont osé !

Bismarck ne veut signer la paix qu'avec un gouvernement légitime. Il faut donc élire une Assemblée qui, hors de la menace ennemie, siégera à Bordeaux. Le 8 février 1871, on vote. A Paris, les trois premiers députés élus vont être Louis Blanc, Victor Hugo et Garibaldi. Il va donc falloir partir. Le 12, Hugo classe des papiers, remet à Mme Paul Meurice plusieurs dossiers et décide d'emporter avec lui un manuscrit commencé qui sera plus tard *l'Année terrible*. Le 13, à 12 h 10, il quitte Paris en compagnie de Juliette, de François-Victor, de Charles, d'Alice, des enfants et des deux domestiques, Suzanne et Mariette. On a loué un wagon-salon où, en comptant Louis Blanc, on est dix. *Carnet* : « Voyage rude, lent, pénible. Le salon-wagon est mal éclairé et point chauffé. On sent le délabrement de la France dans cette misère des chemins de fer. » Délabrement relatif : « Nous avons acheté à Vierzon un faisan et un poulet et deux bouteilles de vin pour souper. » A Bordeaux envahi par les nouveaux élus, impossible de se loger. Enfin, on trouve un appartement rue Saint-Maur — 300 francs par mois — où vivront le ménage Charles et Juliette avec Suzanne. Hugo va s'installer rue de la Course en compagnie de la servante Mariette : « deux chambres (une pour Mariette)... à raison de 350 frs ».

Dès le premier jour, il comprend : dans la France angoissée, la majorité paysanne a choisi ce qu'elle a cru être la sécurité. La République toute neuve a élu une majorité de monarchistes ! S'ils s'entendent — ils sont divisés entre légitimistes, partisans du petit-fils de Charles X, et orléanistes, fidèles du petit-fils de Louis-Philippe — demain la France aura un roi ! *Hugo à Meurice, 18 février 1871* : « De vous à moi, la situation est épouvantable. L'Assemblée est une *Chambre introuvable*, nous y sommes dans la proportion de 50 contre 700, c'est 1815 combiné avec 1851 (hélas ! les mêmes chiffres un peu intervertis), ils ont débuté par refuser d'entendre Garibaldi qui s'en est allé. Nous pensons, Louis Blanc, Schoelcher et moi, que nous finirons, nous aussi, par là. » Dans de telles conditions, les jeux sont faits. La gauche — qui élit Hugo comme président — ne peut se battre que pour l'honneur. Entre réunions et séances, il promène Georges et Jeanne, ravis, dans les rues de Bordeaux. *Carnet* : « On pourrait me qualifier ainsi : Victor Hugo, représentant du peuple et bonne d'enfants. » Mais il sent, le cœur serré, venir l'ultime abandon, celui de l'Alsace et de la Lorraine. Il monte à la tribune — la première fois depuis 1851 —, refuse de reconnaître la conquête par la rapine, jure que l'Alsace et la Lorraine, même occupées, même annexées, resteront françaises et que le jour de la revanche sonnera :

Nous entendons dès à présent notre triomphant avenir marcher à grands pas dans l'histoire. Oui, dès demain, la France n'aura plus qu'une pensée : se recueillir; se reposer dans la rêverie redoutable du désespoir ; reprendre des forces ; élever ses enfants ; nourrir de saintes colères ces petits qui deviendront grands ; forger des canons et former des citoyens, créer une armée qui soit un peuple ; appeler la science au secours de la guerre ; étudier le procédé prussien, comme Rome a étudié le procédé punique ; se fortifier, s'affermir, se régénérer, redevenir la grande France, la France de 92, la France de l'idée et la France de l'épée !

La revanche ! C'est de ce jour-là, à Bordeaux, qu'elle a pris son essor. Désormais, et pendant quarante ans, tous les instituteurs de France reliront et rediront les paroles de Victor Hugo. Ce jour-là, à l'Assemblée, on l'a applaudi, acclamé. Les députés d'Alsace et de Lorraine, bouleversés, sont venus le remercier et le féliciter. Mais, quelques jours plus tard, quand, à la même tribune, il voudra défendre Garibaldi, que l'Algérie a réélu, il suscitera un tollé inouï. Revivant les pires heures de 1850 et 1851, il devra faire face à une meute qui lui coupe la parole, l'invective, l'injurie. Un certain vicomte de Lorgeril, à bout d'arguments, finit par hurler :

— L'Assemblée refuse la parole à M. Victor Hugo parce qu'il ne parle pas français !

C'en est trop. Le président Jules Grévy tente d'apaiser les fureurs, demande qu'on entende l'orateur Hugo. Que l'on permette à celui-ci de s'expliquer !

— Je vais vous satisfaire, messieurs, répond Hugo, et aller plus loin que vous. Il y a trois semaines, vous avez refusé d'entendre Garibaldi... Aujourd'hui, vous refusez de m'entendre. Cela me suffit. Je donne ma démission !

La gauche — et même le centre droit — le supplieront de reprendre cette démission. Il remerciera, mais la maintiendra. Qu'avait-il d'autre à faire dans une assemblée qui lui ressemblait si peu ? Il décide de quitter Bordeaux, le 13 mars, pour Arcachon.

Carnet, 13 mars : « Cette nuit, je ne dormais pas, je songeais aux nombres, ce qui était la rêverie de Pythagore. Je pensais à tous ces *13* bizarrement accumulés et même à ce que nous faisons depuis le 1er janvier, et je me disais encore que je quitterais cette maison, où je suis, le 13 mars. En ce moment, s'est produit tout près de moi le même frappement nocturne (trois coups comme des coups de marteau sur une planche) que j'ai entendu deux fois dans ma chambre. »

Il a donné rendez-vous à Charles — François-Victor a regagné Paris — pour dîner au restaurant Lanta. A 6 heures et demie. Toujours exact, il y arrive le premier en compagnie d'Alice. D'autres convives les rejoignent. Charles se fait attendre.

A 7 heures, le garçon s'approche de la table et — pourquoi est-il si gêné? — dit à Hugo qu'on le demande. Il se lève, sort, trouve dans l'antichambre le propriétaire de l'appartement de la rue Saint-Maur, M. Porte. A ce moment, Alice, que la curiosité a attirée, rejoint son beau-père. M. Porte, d'un air soucieux, lui demande de bien vouloir se retirer. Elle regagne la salle du restaurant. M. Porte dit alors :

— Monsieur, ayez de la force : M. Charles...

— Eh bien?

— Il est mort.

Sur le visage de Hugo, d'abord, une immense incrédulité. Charles! Il s'appuie au mur. Navré, M. Porte explique que Charles a pris un fiacre pour se rendre au restaurant Lanta. Il a donné ordre au cocher d'aller d'abord au café de Bordeaux. *Carnet* : « Arrivé au café de Bordeaux, le cocher en ouvrant la portière avait trouvé Charles mort. Charles avait été frappé d'apoplexie foudroyante. Quelque vaisseau s'était rompu. Il était baigné de sang. Ce sang lui sortait par le nez et par la bouche. Un médecin appelé a constaté la mort. »

Hugo écoute, le regard vague. Il dit soudain :

— C'est une léthargie!

« J'espérais encore. Je suis rentré dans le salon, j'ai dit à Alice que j'allais revenir et j'ai couru rue Saint-Maur. A peine étais-je arrivé qu'on a rapporté Charles. Hélas! Mon bien-aimé Charles! Il était mort. J'ai été chercher Alice. Quel désespoir! Les deux petits enfants dorment. »

Charles après le petit Léopold, après Léopoldine! Pourquoi? A la mise en bière, il baisera son fils au front : « Ensuite, on a ajouté le couvercle en chêne et serré les écrous du cercueil; et voilà pour l'éternité. Mais l'âme nous reste. Si je ne croyais pas à l'âme, je ne vivrais pas une heure de plus. » Il pleure avec Alice. Pour la première fois, il lui dit *tu*.

Il a décidé que son fils serait inhumé au Père-Lachaise, dans ce tombeau où l'ont précédé le général Hugo, Sophie et Eugène. Le 17 mars, on charge le cercueil dans un fourgon : « Nous louons pour nous un wagon-salon (dix places) : 665 frs. » Le train funèbre s'enfonce dans la nuit.

A l'aube du 18 mars, M. Thiers, chef du pouvoir exécutif, a voulu faire reprendre par la force ces canons parqués à Montmartre — à l'endroit où s'élève aujourd'hui le Sacré-Cœur — que le peuple de Paris considérait un peu comme siens, puisque des souscriptions publiques les avaient payés. En moins d'une heure, tout Montmartre s'est mobilisé : hommes, femmes — les plus nombreuses. On s'est assemblé autour des canons, les corps devenant rempart. Quand les officiers ont ordonné à la troupe de faire feu sur cette foule désarmée, les soldats ont levé la crosse. Quelques heures plus tard, Paris tout entier — qui, à l'encontre du reste de la France, a envoyé à Bordeaux une majorité de gauche — se sera insurgé : c'est la Commune.

Dans cette ville que Thiers, terrorisé, va fuir pour rejoindre Versailles, cette capitale où l'on court aux armes, où les barricades vont s'élever, un convoi funéraire s'avance lentement : derrière le corbillard, François-Victor marche à côté du vieil homme terrassé. A Edmond de Goncourt, Hugo a dit en arrivant à la gare d'Orléans :

— Ce n'est pas ordinaire : deux coups de foudre dans une seule vie !

Goncourt le voit, entouré d'amis et de gens du peuple, très droit comme toujours, marchant d'un pas ferme : « La tête blanche de Hugo, encadrée d'un capuchon, dominait derrière le cercueil ce monde mêlé, semblable à une tête de moine batailleur, au temps de la Ligue... » On traverse la place de la Bastille. A-t-il songé, Hugo, à ce jour de février 1848 où un homme avait voulu l'abattre d'un coup de fusil parce qu'il soutenait la régence ? Ce sont d'autres gardes nationaux qu'il voit là, ameutés pour défendre la Commune en danger. Trois d'entre eux reconnaissent Victor Hugo et, spontanément, viennent se ranger le long du corbillard. D'autres, bientôt, les rejoignent. Maintenant, ils viennent de partout, ces Parisiens prêts au combat. Ils sont plus d'une centaine, fusil sous le bras, qui forment une escorte d'honneur.

Un peu plus loin, un poste de gardes nationaux, très nombreux « à cause des événements de la journée », dira un journal, « apprenant qui l'on enterrait, a pris les fusils, s'est mis en rang et a présenté les armes ; les clairons ont sonné, les tambours ont battu aux champs et le drapeau a salué ». Sur tout le reste du parcours, le long du canal, dans les rues, sur le boulevard, il en sera ainsi. Du même pas pesant mais assuré, le vieil homme à la barbe immaculée marche toujours derrière la dépouille de son fils. « Çà et là, on entrevoyait des barricades. Et ceux qui les gardaient, venaient eux aussi présenter les armes à cette gloire désespérée. »

> Le fils mort et le père aspirant au tombeau
> Passent, l'un hier encor vaillant, robuste et beau
> L'autre vieux et cachant les pleurs de son visage ;
> Et chaque légion les salue au passage [1]...

A la porte du cimetière, autour de la tombe des Hugo, « la foule était tellement compacte qu'il était presque impossible de faire un pas ». Deux discours, celui d'Auguste Vacquerie, au nom de l'amitié, celui de Louis Mie pour la presse.

Carnet : « On a descendu le cercueil. Avant qu'il entrât dans la fosse, je me suis mis à genoux et je l'ai baisé. Le caveau était béant. Une dalle était soulevée... L'ouverture étant trop étroite, il a fallu limer la pierre. Cela a duré une demi-heure. Pendant ce temps-là, je regardais le tombeau de mon père et le cercueil de mon fils. Enfin, on a pu descendre le cercueil... Puis je m'en suis allé. On a jeté des fleurs sur le tombeau. La foule m'entourait. On me prenait les mains. Comme ce peuple m'aime, et comme je l'aime ! Nous sommes revenus en voiture avec Meurice et Vacquerie. Je suis brisé. Mon Charles, sois béni. »

Il n'aura fait que passer par Paris. Il doit penser avant tout aux intérêts de ses petits-enfants. Ce n'est qu'à Bruxelles, où ils sont nés, où ils ont grandi, que la succession peut être ouverte. La tribu Hugo s'est remise en route. A Quiévrain, il retrouve ce Piteau qui l'avait accueilli lorsqu'il était venu jusque-là conduire Adèle morte : « Il m'a vu accompagner le cercueil de ma femme ; il me revoit revenant de l'enterrement de Charles. »

Installé place des Barricades — Juliette étant descendue

1. *L'Année terrible.*

comme toujours à l'hôtel de la Poste — il ne semble pas avoir très bien compris ce que représentait l'insurrection de la Commune. Ce qui le choque, c'est l'insurrection en soi. Au fond, il reconnaît un même mouvement spontané qu'en juin 1848 — et se forme un raisonnement identique : dès lors que le peuple dispose du suffrage universel, il n'a pas le droit de s'insurger. Il comprend l'élan de tous ces gens, la rancœur de combattants qui persistent à penser qu'on leur a dérobé une possible victoire. Il comprend l'immense refus de Paris devant cette Assemblée monarchiste qui, de Bordeaux, s'est transportée à Versailles, en peur — et surtout en haine — de la capitale. Il comprend, parce que rien n'est feint de l'amour qu'il voue à ces hommes et à ces femmes, mais il n'approuve pas.

A Bruxelles, ce qui le préoccupe et l'assombrit, ce sont les dettes que Charles a contractées. Réduit à la pension que lui servait son père et à quelques maigres gains de journaliste, Charles a beaucoup emprunté. Alice et lui ont découvert à Spa les attraits du jeu. Ils ont perdu. Tout cela aboutit à un lourd, très lourd passif. *Carnet, 26 mars* : « Les créanciers commencent à apporter leurs notes. M. Conaes réclame 16 790 frs. » *31 mars* : « Le notaire est venu... Le dossier des sommes réclamées jusqu'à ce jour, sauf d'autres réclamations possibles, donne un total d'un peu plus de 26 000 frs. » *8 avril* : « Nous sommes allés avec Victor chez le notaire. Il nous a communiqué le dossier des dettes de la communauté. Les dettes déclarées à Bruxelles s'élèvent à un peu plus de 30 000 frs. » A quoi vont s'ajouter 41 125 francs dus au *Rappel* et 8 000 francs de billets payables à l'ordre du docteur Allix. Sans oublier les frais de l'enterrement et du notaire. C'est lui, le Vieux, qui paiera. Il ne songe pas un instant à se dérober. Même, il annonce à Alice qu'il lui fera une pension de 12 000 francs par an.

Ernest Lefèvre, membre de la Commune et qui vient de fuir Paris, accourt à Bruxelles lui dire pis que pendre de ses anciens collègues. Hugo ne songe pas qu'il faut toujours se méfier des transfuges. Sa méfiance s'accroît : « Bref, cette Commune est aussi idiote que l'Assemblée est féroce. Des deux côtés, folie. » Il a raison de dire : féroce. Ce qui monte, à Versailles, chez les élus provinciaux — les *ruraux* — c'est, à l'égard de Paris, une exaspération qui ne laisse présager rien de bon. Les aristocrates et les bourgeois qui peuplent l'Assemblée jurent que Paris est gouverné par des condamnés de droit commun échappés des prisons et que les prostituées, aux réunions publiques, conduisent les débats. Pas de doute : la société est menacée dans ses fondements. Il faudra punir cette vermine. Sévèrement.

Le second siège de Paris s'achève dans l'horreur. L'armée versaillaise bouscule les défenses communardes et, quartier par quartier, reprend la capitale. Aux jeunes soldats, on a ordonné : pas de prisonniers ! Alors on tue. Tout combattant de la Commune saisi sur sa barricade est exécuté sommairement. Mais on tue aussi les passants, les étrangers, les pompiers, les membres de la Croix-Rouge — le mot « internationale » ayant été pris à rebours. On fusille trois faux Jules Vallès, le vrai étant loin. Il suffit d'un cri, d'un signe : « Il en est, celui-là ! » et l'homme est abattu. Pour retarder l'avance versaillaise, les communards allument des incendies, fusillent des otages : en tout quatre-vingt-cinq. Les Versaillais, en réponse, laissent trente mille victimes sur le pavé. Trente mille ! Parmi eux, Delescluze que Hugo n'aimait pas et Millière qu'il aimait. Les combats achevés, on arrête des milliers et des milliers de suspects que l'on achemine, à pied, troupeaux sinistres, sur Versailles. L'amie de Hugo, Louise Michel, est de ceux-ci. On improvise des tribunaux qui, impitoyables, envoient au peloton d'exécution jusqu'aux comparses. Une véritable fureur de vengeance qui rappelle à Hugo les lendemains de juin 1848 — en pis, ô combien !

Tant que la bataille ne s'est pas engagée, Hugo, à l'égard de la Commune, est resté fort critique. Quand il a appris que l'on voulait démolir la colonne Vendôme, il a sur-le-champ rimé un poème vengeur, *les Deux Trophées*, qui a paru dans la presse mais n'a rien empêché. Le 15 mai, il a noté : « La Commune fait démolir la maison de Thiers. Odieux et bête. » A l'abbé Michon, il a confié : « Il faut se tenir comme une lame de couteau entre les folies de l'Hôtel de Ville et les folies de Versailles. » Il a publié des vers contre les excès commis de part et d'autre. Intitulés : *Un cri*, ils ont paru dans *le Rappel*.

> Vous recreusez le gouffre au lieu d'y mettre un phare !
> Des deux côtés la même exécrable fanfare.
> Le même cri : Mort ! Guerre ! — A qui ? réponds, Caïn !

Il s'est montré atterré que le peuple ait pu incendier les Tuileries — bien du peuple. Mais, dès que les premiers récits du massacre versaillais, rapportés notamment par des journalistes anglais, donc dignes de foi, parviennent à lui, l'épouvante le saisit. Des Français seraient donc capables de traiter ainsi d'autres Français ! D'abord, il n'y croit pas. Et puis il ne peut plus douter. Tout est affreusement vrai. Mais, alors, il n'est pas possible que cela continue ! Il faut faire quelque chose ! *Carnet, 25 mai* : « J'ai écrit ma protestation contre le déni du droit d'asile du gouvernement belge. » Une protestation, oui. Elle est née d'une déclaration du ministre belge des Affaires étrangères, M. d'Anethan, qui a proclamé que les frontières de la Belgique seraient fermées à « ces gens qui méritent à peine le nom d'hommes et qui devraient être mis au ban de toutes les nations civilisées ». Lisant cela, Hugo a bondi et, d'un jet de plume frémissant, a répondu qu'il condamnait tous les crimes, que ceux de la Commune, notamment les incendies, étaient « sauvages » mais, « étant inconscients », n'étaient point des « actes scélérats ». En revanche, les exécutions sommaires commises à froid au nom de l'Assemblée n'étaient pas excusables.

« Jugez d'abord, puis condamnez, puis exécutez. Je pourrai blâmer, mais je ne flétrirai pas. Vous êtes dans la loi. Si vous tuez sans jugement, vous assassinez.

« Le gouvernement belge refuse l'asile à des hommes qui le lui demandent ? Il a tort.

« L'asile est un vieux droit. C'est le droit sacré des malheureux.

« Au Moyen Age, l'église accordait l'asile même aux parricides. Quant à moi, je déclare ceci :

« " Cet asile que le gouvernement belge refuse aux vaincus, je l'offre.

« — Où ? en Belgique.

« — Je fais à la Belgique cet honneur.

« — J'offre l'asile à Bruxelles.

« — J'offre l'asile place des Barricades, n° 4. "

« Qu'un vaincu de Paris, qu'un homme de la réunion dite commune, que Paris a fort peu élue et que, pour ma part, je n'ai jamais approuvée, qu'un de ces hommes, fût-il mon ennemi personnel, surtout s'il est mon ennemi personnel, frappe à ma porte, j'ouvre. Il est dans ma maison. Il est inviolable. »

Un tel texte, c'est tout Hugo en sa vérité, en sa logique, en sa nature, en sa simplicité naïve et grandiose.

La lettre ouverte paraît, dans *l'Indépendance belge*, le 27 mai au matin. Le soir du même jour, place des Barricades, tout dort. Il est minuit et demi, Hugo vient de se coucher. Il va s'endormir quand on sonne. Il écoute : qui peut venir à cette heure ? On sonne de nouveau. Il se lève, tout ensommeillé, passe son caban, va à la fenêtre, l'ouvre et demande :

— Qui est là ?

Une voix répond :

— Dombrowsky.

Dombrowsky, commandant en chef des armées de la Commune, a été tué sur une barricade le 22 mai. La presse a annoncé sa mort. Hugo se demande s'il est bien éveillé. Peut-être rêve-t-il. « Est-ce qu'il ne serait pas mort, aurait-il lu ma lettre, et vient-il me demander asile ? »

Carnet, 27 mai : « Comme j'allais descendre pour ouvrir, une grosse pierre frappe le mur, et je vois une foule d'hommes dans la place. Je comprends que c'est un guet-apens. Je m'avance à mi-corps de la fenêtre et je crie à ces hommes : " Vous êtes des misérables ! " Puis je referme la fenêtre. En ce moment une pierre énorme brise la vitre-glace au-dessus de ma tête et vient tomber dans la chambre. Le rideau s'envole et s'accroche au lustre de Saxe qui est au plafond. Et j'entends ces cris : " A mort Victor Hugo ! A mort Jean Valjean ! A mort Clancharlie ! A la lanterne ! A la potence ! A mort le brigand ! Tuons Victor Hugo ! " L'assaut de la maison a commencé en règle. La vaillante Mariette a été verrouiller la porte. La porte a résisté. Ils ont tenté l'escalade. Les volets du rez-de-chaussée ont résisté. Une pluie de pierres a lapidé la maison. Ils criaient : " A mort ! " Jeanne, qu'une pierre a effleurée dans ma chambre, me regardait avec ses grands yeux étonnés. Petit Georges disait : " Ce sont les Prussiens. " Louise et Adeline poussaient des cris de terreur. Alice et Mariette, montées sur le châssis de la serre, appelaient éperdument au secours. Je me taisais. J'attendais. Pas une fenêtre ne s'est ouverte. Pas un secours n'est venu. Il paraît que la police était occupée ailleurs. C'était un guet-apens réactionnaire et bonapartiste que le ministre clérical belge tolérait un peu. Cela a duré deux heures. La porte ayant tenu bon, grâce au verrou mis par Mariette, ils s'en sont allés au petit jour. Quant tout a été fini, la police est venue. Le cri " A mort Victor Hugo ! A mort le brigand ! " emplissait la place. Comme je défends le droit d'asile, je suis un brigand, et comme je ne veux pas qu'on tue, il faut me tuer. »

Ces hommes armés de pierres et de bâtons, venus de nuit assiéger un homme de soixante-neuf ans, quatre femmes et deux petits enfants, sont les parents de ceux qui, à Versailles, crachaient sur les communards conduits à bout de force au camp de Satory, cependant que leurs femmes — grands chapeaux et gants de dentelle — tâchaient de crever les yeux des prisonniers du bout de leur ombrelle.

Hugo, cette nuit-là, a-t-il vraiment été en danger de mort ? Il l'a cru. Certes, cette foule était haineuse, furieuse, et on peut tout redouter d'une telle foule. Mais, quand on inspecte de près — je l'ai fait — la maison de la place des Barricades, on se dit que la porte ne pouvait guère résister à un assaut un peu sérieux et que les volets ne représentaient pas davantage, pour des gens déterminés, un obstacle dont on ne pût venir à bout [1]. N'importe, le siège a duré deux heures, et pendant deux heures quatre femmes et deux petits enfants ont tremblé de peur. Un vieux poëte a cru qu'il allait mourir. « J'étais sans armes. Je n'avais pas même une canne. J'ai vu de près cette vilaine mort, l'assassinat. L'assaut a eu trois reprises furieuses. Puis il y avait des silences. Dans les intervalles, j'entendais au fond de la place le chant du rossignol. »

« Il est enjoint au sieur Victor Hugo ; homme de lettres, âgé de soixante-neuf ans, né à Besançon, résidant à Bruxelles, de quitter immédiatement le royaume, avec défense d'y rentrer à l'avenir, sous les peines comminées par l'article 6 de la loi du 7 juillet 1865 prérappelé... Donné à Bruxelles, le 30 mai 1871. »

Voilà donc les suites de la nuit du 27 au 28 mai. Cela n'a pas tardé. Malgré de véhémentes protestations, venues de Belges de toutes origines, la décision du gouvernement va être immédiatement appliquée. La nuit tragique a appris à Hugo que, s'il rentrait en France, il s'exposerait — et il exposerait ceux qu'il aime — à d'autres violences. Le 1er juin, Hugo quitte Bruxelles, à 12 h 30, avec les siens et arrive à 7 heures du soir à Luxembourg.

De ses voyages précédents il avait gardé un souvenir charmé du Grand-Duché et avait aimé — infiniment — cette petite ville de Vianden blottie au fond de la vallée de l'Our.

---

1. Cependant, François-Victor a écrit : « Des mains s'efforcèrent d'arracher les volets du salon du rez-de-chaussée. Ces volets revêtus de fer à l'extérieur, et barrés de fer à l'intérieur, résistèrent. Les traces de cette escalade sont visibles sur la muraille et ont été constatées par la police. »

De la route qui court sur le plateau, on y dévale plutôt qu'on y descend, entre d'antiques maisons sorties tout droit de ses siècles de prédilection. Des berges de la rivière aux eaux rapides et frémissantes, il a découvert les ruines du vieux château de Nassau et les a aimées : idéal sujet pour le dessinateur Hugo — qu'il ne se lassera pas de prendre pour thème. Il va donc choisir de s'installer à Vianden, dans une maison située à l'encoignure du pont qui franchit l'Our — et dont on a fait aujourd'hui un musée. Pour les siens — Juliette, Alice, les enfants, François-Victor — il a loué la maison Dairomond en face de la sienne [1].

Le mot repos n'est pas hugolien. Les impressions des dernières semaines font de lui un homme ébranlé, meurtri. Aux vers déjà écrits de *l'Année terrible,* il ajoute chaque jour des pièces plus brûlantes, plus amères. Des prisons trop pleines, on expédie désormais les communards sur les pontons ancrés dans les ports. On amorce des déportations par millions. Il saigne.

> Eh bien, que voulez-vous que je vous dise, moi !
> Vous avez tort. J'entends les cris, je vois l'effroi,
> L'horreur, le sang, la mer, les fosses, les mitrailles,
> Je blâme. Est-ce ma faute enfin ? J'ai des entrailles.
>
> Éternel Dieu ! c'est donc au mal que nous allons ?
> Ah ! pourquoi déchaîner de si durs aquilons
> Sur tant d'aveuglements et sur tant d'indulgence ?
> Je frémis.

Il se sent lui-même un sujet d'opprobre, non seulement de ses ennemis, mais de ses amis. Louis Blanc et Victor Schoelcher lui reprochent sa lettre sur le droit d'asile : un comble ! Des visiteurs viennent lui dire que les curés du Luxembourg annoncent en chaire que c'est lui qui a « fait brûler Paris et fusiller l'archevêque ». Pourquoi cette haine qui, tout au long de sa vie, l'aura poursuivi, alors qu'il a conscience de n'avoir voulu, toujours, qu'être un homme de bonne volonté ?

Le 15 juin, on lui remet une lettre, d'une écriture malhabile. Une lettre de femme. *Carnet* : « Elle était la femme d'un nommé Garreau, serrurier, directeur de Mazas sous la Commune. Ce malheureux a été fusillé. Sa femme, en fuite,

1. Aujourd'hui l'Hôtel Victor-Hugo.

demande à entrer à mon service. Louise devant partir le 25, j'engage Alice à prendre Marie Mercier (c'est son nom) pour remplacer Louise. La pauvre femme dit que ce serait pour elle le paradis. »

Marie Mercier. On a beaucoup écrit sur la « petite naïade de Vianden ». Ces amours luxembourgeoises de Hugo ont leur légende qui tient quelquefois plus du roman que de l'histoire. On a répété que cette « ondine » — tous les adjectifs ont été employés à son égard — était une ravissante personne de dix-huit ans qui, d'emblée, avait provoqué la passion du septuagénaire. En fait, Marie Mercier, fille d'un scieur de long, était née le 8 janvier 1850 à Issoudun. En 1871, elle avait donc vingt et un ans [1]. Compagne et non épouse de Garreau, elle a eu ou attendu un enfant de lui, comme le prouve la lettre — pleine de noblesse — que lui a adressée son amant avant d'être fusillé [2]. Sa photographie retrouvée, qui date précisément de 1871, nous la montre dotée d'un visage régulier, encadré de deux nattes, avec de beaux yeux noirs un peu tristes : point de beauté, mais du charme.

Au moment où Marie arrive à Vianden, il n'y a guère plus de quinze jours que Garreau est mort. Elle a suivi, « à la trace du sang », jusqu'au cimetière de Bercy, trois fourgons remplis de cadavres parmi lesquels celui de Garreau, son amant. C'est donc une femme désespérée qui rejoint un homme douloureux.

Dans les Carnets, on retrouve Marie Mercier à la date du 28 juin : « Donné à Marie Mercier (Vve Garreau) 5 frs. » Puis, le 2 juillet : « Secours à Marie Mercier (Vve Garreau) 3 frs 75. »

Tout change le 4 juillet : « Marie Mercier a raccommodé mon paletot. Torse. Je lui paie sa journée plus cher, malgré son refus : 4 frs 50. » *Torse* signifie qu'il a demandé à Marie Mercier de montrer ses seins. Elle s'est dérobée. Le 6 juillet, en revanche : « Marie Garreau, *Suisse*, esc. 3 frs 75 [3]. » Donc, cette fois, il l'a embrassée et elle lui a montré ses seins.

Faut-il voir là de l'amour ? Plutôt, je crois, l'abandon d'une

---

1. Jean Savant.
2. Nul ne parlera plus de cet enfant. Il est possible que, enceinte de Garreau, l'annonce de sa mort ait provoqué chez la pauvre femme une fausse couche.
3. Cette cote mal taillée de 3,75 francs correspond à la valeur du thaler local.

femme malheureuse, impressionnée par le grand homme et ne se sentant pas le droit de le contrarier dans un souhait exprimé avec cette infinie courtoisie qui touchait tant les servantes de Guernesey. Marie Mercier confiera : « Il avait une façon à lui de vous plaire... »

Tout au long de ces jours-là, Hugo va beaucoup interroger Marie. Elle arrive de l'enfer et il veut tout savoir sur l'enfer. C'est d'elle — à n'en pas douter — qu'il a tenu tous ces détails sur l'agonie de la Commune, sur la folie et le sadisme de la « semaine sanglante », qui lui ont inspiré les vers les plus poignants de *l'Année terrible*.

Serait-il vrai qu'il ait emmené Marie se promener avec lui dans la campagne ? On a beaucoup brodé là-dessus. On a prétendu qu'il la faisait mettre nue dans la rivière. Simple imagination. De telles choses, dans un si petit pays, seraient fatalement venues aux oreilles de Juliette. Et Juliette veille. Et Hugo craint Juliette. La vérité est qu'après ses longues heures de travail, après ses rencontres avec Marie, il s'en va, seul, s'attarde au Belvédère dont la vue sur la vallée et le château est admirable, revient toujours aux ruines de l'antique burg du Nassau. Dans la chaleur de l'été, il s'assied et médite sur ce qu'il a appris.

> Il songe. Il est assis rêveur sous un érable.
> Entend-il murmurer la forêt vénérable ?
> Regarde-t-il les fleurs ? regarde-t-il les cieux ?
> Il songe. La nature au front mystérieux
> Fait tout ce qu'elle peut pour apaiser les hommes ;
> Du coteau plein de vigne au verger plein de pommes
> Les mouches viennent, vont, reviennent ; les oiseaux
> Jettent leur petite ombre errante sur les eaux,
> Le moulin prend la source et l'arrête au passage ;
> L'étang est un miroir où le frais paysage
> Se renverse et se change en vague vision...

Rien de plus pratique d'ailleurs que cette maison où il vit seul et où Marie le rejoint sous prétexte de ménage ou de ravaudage. *Carnet, 11 juillet* : « Sec. à Marie Garreau. *Toda* 3 frs 75. » Le 12 : « Sec. à Misma [1], (un thaler), 3 frs 75. » Pourquoi le 25 juillet, Marie quitte-t-elle Vianden ? Juliette a-t-elle appris quelque chose ? « Marie Mercier, veuve Garreau, est

---

1. La même.

venue prendre congé de moi. Elle part pour Liège. Je lui donne, pour viatique, 50 frs. Elle part à cinq heures » ?

A Liège, Marie logera 33, rue de la Madeleine, d'où elle donne de ses nouvelles à Hugo : « Mercerie recherchée », note-t-il. Le 5 août : « Metz nouvelle-mercerie ». Elle est donc à Metz, d'où elle va passer à Mondorf, cité thermale. Hugo, toujours escorté des siens, va donc quitter Vianden et s'installer au début de septembre à Altwies. Prétexte : prendre les eaux de Mondorf, toute voisine! Le carnet redevient éloquent. 3 septembre : « *Maria Pierna. Parece amorosa* » (Marie. La jambe. Elle paraît amoureuse.) *5 septembre* : « *Modesta. La misma da ahier.* » Sans doute pour dépister les soupçons, Marie a-t-elle pris le nom de Modeste. (Modeste. La même qu'hier.) *7 septembre* : « *Esta tarde, a las nueve, Maria como Modesta.* » (Ce soir à 9 heures, Marie comme [sous le nom de] Modeste) ; *8 septembre* : « Marie. Les Saints-Poêles. » *9 septembre* : « Même poêle qu'hier. » *10 septembre* : « *Misma pecho y todo* » (La même. Seins et tout). Le même jour : « *Me ha dicho : todo lo que usted quiera, lo hare* (gratification, 5 francs). » (Elle m'a dit : tout ce que vous demanderez, je le ferai.) *11 septembre* : « *Misma. Se dixe tomas, y tomas.* » (La même. Elle m'a dit : prends et je prends.) *12 septembre* : « *Ahora a todos los dias y a toda hora misma Maria* » (Maintenant, tous les jours et à toute heure, la même Marie.) *17 septembre* : « *Misma. Mismas Cosas* » (La même. Mêmes choses.) *22 septembre* : « Misma. Toda. » (La même. Toute.)

On n'assiste pas sans étonnement à cette flambée sensuelle, telle que Hugo n'en a pas connu depuis Léonie Biard. Rien qui ressemble à ces étreintes — ou ces gestes — fugitifs qu'il partageait avec les servantes de Guernesey ou de Bruxelles. Cette fois, son désir est si vif que, pour retrouver Marie, il s'est déplacé — en famille! — de Vianden à Altwies. C'est maintenant une fête de la chair qu'il célèbre quotidiennement. Je retrouve ici la constante déjà soulignée : ainsi que pour Juliette et Léonie, Hugo se donne le rôle de *consolateur*, décidément générateur chez lui de désir et d'amour. Combien me touche cette passion toute neuve que l'on sent chez la pauvre femme! Un seul cri la résume : « Je veux que vous me fassiez un enfant! »

Et pourtant elle est finie, l'éphémère aventure. Un télégramme apprend à Hugo que Rochefort est condamné à la déportation dans une enceinte fortifiée : « Cela me détermine à partir le plus tôt possible pour Paris. » Le 24 septembre, il se mettra en route. Il a noté : « On quitte avec regret tout lieu où on a eu le temps de prendre des habitudes. Les habitudes sont nos racines. »

Elle aurait aimé lire cela, Marie Mercier. Bien plus tard, elle parlera à un journaliste du *Figaro*, Gaston Stiegler, de la rencontre essentielle de sa vie. « Il me vantait tout ce que nous aimions, mon mari et moi, la liberté, la République... Il me disait que les âmes sont immortelles et que nous nous reverrions au ciel. » Elle devait confier encore : « Oh! il m'a bien aimée... et moi, je crois bien que je l'aimerai toujours [1] ! »

On ne sait rien des circonstances de la séparation. Se hasardant à Paris un an après — elle devra fuir de nouveau, la vindicte est loin d'être éteinte — Marie écrira à Hugo qui lui fera envoyer, par Meurice, des places pour *Ruy Blas*. Elle sortira enthousiasmée du théâtre.

A Hugo : « Ah! comme j'étais contente d'entendre comme votre grand esprit explique bien au peuple ce que c'est que l'infamie des rois. Ah! que l'on est heureux de pouvoir s'expliquer ainsi! »

Ceci encore qui sonne bien mélancoliquement :

« Ho! que je voudrais bien vous revoir. Vous me l'avez bien promis en partant de Vianden. Rien de plus à vous dire. Je termine en me permettant de vous embrasser, car je pense que si vous me revoyez vous ne refuserez pas de m'embrasser. Celle qui vous est [et] sera toujours dévouée, MARIE MERCIER. »

Peut-être est-ce de Marie que Hugo voudra parler, quand, dans un poème de la nouvelle série de *la Légende des siècles*, il écrira :

> Par moments, il faisait mettre une femme nue
> Et la regardait, puis il contemplait la nue
> Et disait : « La beauté sur terre, au ciel, le jour... »

Quand elle se déshabillait devant son vieil amant, elle avait au cœur le souvenir de son « homme » fusillé. Elle ne pensait pas mal faire, parce qu'elle faisait plaisir à M. Victor Hugo et

1. A Raymond Escholier.

que M. Victor Hugo plaignait les innocents que l'on avait
tués.

Cependant que le train roule vers Paris, il sait que Xavier
de Montépin, le 22 juin précédent, a écrit à Auguste Maquet,
président de la Société des Auteurs dramatiques, pour
demander son exclusion — ainsi d'ailleurs que celle de
Rochefort, Vacquerie et Meurice. Montépin estimait qu'ils
avaient « soit par leurs actes, soit par leurs écrits, pactisé
avec les doctrines de la Commune ». Catégorique, l'auteur de
la Porteuse de pain avait proclamé : « Entre de tels hommes
et nous, nous creuserons un abîme. »

Tel est le climat qui, le 25 septembre, entoure son retour. Il
s'est logé provisoirement à l'hôtel Byron, rue Laffitte. Dès le
lendemain, il écrit à Thiers qu'il tient essentiellement à le
rencontrer à propos de Rochefort. Thiers vient de se montrer
le bourreau des Parisiens, mais il sait vivre. Le 1er octobre, à
la préfecture de Versailles, dans un salon de soie cramoisie, il
accueille Hugo. « Il m'a tendu la main et je l'ai prise. » Le
petit homme au toupet blanc entraîne Hugo dans un cabinet
où il fait faire un peu de feu. L'entretien est long et — curieusement — plutôt cordial. « Je l'ai félicité pour ce qu'il a fait
pour la libération du territoire et j'ai ajouté : " Du reste, des
abîmes séparent mon opinion de la vôtre. Il y a entre nous
des désaccords auxquels vous tenez, et moi aussi. Mais des
rencontres de consciences sont possibles ". »

Thiers promet que Rochefort ne sera pas embarqué pour la
Nouvelle-Calédonie où l'on envoie de pleins bateaux de déportés. Il subira sa peine en France, dans une forteresse. Hugo se
récrie : une forteresse ! Thiers s'attriste, lève les bras au ciel :

— Je suis comme vous un vaincu qui a l'air d'un vainqueur ; je traverse comme vous des tourbillons d'injures.
Cent journaux me traînent dans la boue. Mais savez-vous
mon procédé ? Je ne les lis pas.

Hugo répond :

— C'est précisément ce que je fais. Votre procédé est le
mien.

Thiers éclate de rire et secoue la main de son confrère de
l'Académie. Hugo plaide avec chaleur pour l'amnistie. Les
Français vont-ils éternellement vouer à l'expiation d'autres
Français ? Seul le pardon peut conduire à la réconciliation
nationale ! Il faut pardonner !

— Muselez donc les gens à épaulettes! lance-t-il.

Thiers redevient sombre :

— Je ne suis qu'un pauvre diable de dictateur en habit noir!

Il autorisera Hugo à voir Rochefort dans sa prison. Le pamphlétaire de *la Lanterne* lui tombera dans les bras : « Sans vous, j'étais mort. »

Meurice lui a loué un appartement au 66, rue de La Roche-foucauld. Juliette s'est installée dans le voisinage, rue Pigalle. Il considère sans joie une époque qu'il juge lugubre. Il ne cesse de se battre — lettres, démarches — pour sauver des communards. Louise Michel risque le peloton d'exécution. Désespérée de la mort de ses camarades de combat, et surtout de celle de son cher Ferré, elle a crié devant ses juges :

— Si vous n'êtes pas des lâches, tuez-moi!

Il se bat, Hugo, pour la Vierge rouge. Comme il l'admire, comme il l'aime!

> Ayant vu le massacre immense, le combat,
> Le peuple sur sa croix, Paris sur son grabat,
> La pitié formidable était dans tes paroles :
> Tu faisais ce que font les grandes âmes folles,
> Et lasse de lutter, de rêver, de souffrir,
> Tu disais : « J'ai tué! » car tu voulais mourir [1].

Elle sauvera sa vie, mais Hugo ne pourra empêcher qu'elle ne parte pour la Nouvelle-Calédonie. Où, malgré la promesse formelle de Thiers, la rejoindra Rochefort. « La commission des grâces est tellement féroce! » avait lui-même dit à Hugo le chef du pouvoir exécutif.

Pour toute une part de l'opinion, celle que la majorité tente de museler, Hugo demeure tel un espoir. Celui d'une république où les Français s'aimeraient plus fraternellement. Revenant de Versailles, Hugo a eu la surprise d'entendre dans son compartiment une jeune femme dire tout bas à son mari : « C'est un héros. » Quand elle a compris qu'il l'avait écoutée, elle lui a dit passionnément :

— Vous avez bien souffert, monsieur! Continuez de défendre les vaincus.

Il lui a baisé les mains.

Une élection partielle est annoncée à Paris. Aucun espoir

---

1. *Toute la lyre.*

pour un candidat de gauche. Sauf peut-être pour Victor
Hugo. On le supplie de se présenter. Il accepte. Le 7 janvier
1872, il est battu par 93 123 voix contre 121 156 à Vautrain,
président du Conseil général. Tristesse. A Versailles
quelqu'un a dit : « Il y a donc encore 93 000 gredins à Paris. »

Le 19 février, pourtant, l'Odéon reprend *Ruy Blas* et c'est
un succès. Sarah Bernhardt, enfant gâtée à la taille souple et
féline, aux yeux immenses et à la voix d'or, est acclamée. *Carnet, 20 février* : « J'ai vu et félicité Sarah Bernhardt. *Bise de
boca* [1]... » Il retrouve non sans bonheur cette vie de coulisses,
si excitante pour tous ceux qui l'ont connue. Les jeunes
actrices l'entourent, le fêtent, le provoquent en riant. Il aime
cela. Au souper de la centième, chez Brébant, Sarah Bernhardt — toujours elle — lui crie :

— Mais embrassez-nous donc, nous, les femmes ! Commen-
cez par moi !

Cela l'amuse. On dirait que, plus il vieillit, plus il les aime,
les femmes ! A Burly, qui le félicite pour un discours, il
confie : « Parler, c'est un effort pour moi ; un discours, ça me
fatigue comme de faire l'amour trois fois. » Et après un instant de réflexion : « Quatre, même ! » Il a soixante-dix ans.
Nous qui connaissons les lettres de Juliette laquelle précisément lui reprochait — il avait trente-cinq ans ! — de n'être pas
homme à se « prodiguer » deux fois dans la même journée,
ne devons-nous pas penser que le grand homme, ici, se vantait !

Ce succès de *Ruy Blas* en février le frappe. Il est né le
26 février 1802, *Hernani* a été représenté le 18 février 1830 ;
Notre-Dame de Paris publié le 26 février 1831 ; *Lucrèce Borgia*,
joué le 16 février 1833. Le même mois, Juliette et lui sont
devenus amants. Il note : « En février 1843, ma douce Léopoldine s'est mariée. En février 1872, ma pauvre Adèle est revenue près de nous. Bonheur et malheur mêlés. »

Adèle est revenue ? Depuis des années, cette séparation lui
demeurait une plaie vive et une obsession. Il faisait passer à
l'infortunée de quoi vivre. Quand elle écrivait, c'était à François-Victor et, secrètement, il s'affligeait qu'elle agît comme
si lui-même, son père, n'existait plus. Depuis quelque temps,
d'ailleurs, elle ne donnait plus de nouvelles et l'angoisse de
Hugo montait. En fait, Pinson avait été envoyé en garnison à
la Barbade — et Adèle l'y avait suivi ! Là, sa folie avait pris

1. Baiser sur la bouche.

des proportions inquiétantes. A bout de ressources, on l'avait arrêtée. On allait l'interner quand les autorités locales l'avaient identifiée. La fille de Victor Hugo! Une dame de la colonie, « noire et puissante », Mme Céline Alvarez· Baâ, s'était donné la tâche de la ramener à son père.

Carnet, 12 février 1872 : « Adèle est arrivée cette nuit à 4 heures chez le docteur Allix. Il vient de me rendre compte de son état. Ma pauvre chère enfant!... La négresse qui l'accompagne, Mme Baâ, est honnête et lui est dévouée. » *13 février* : « A 5 heures, je suis allé chez Allix, 178, rue de Rivoli. C'est là qu'elle est. Je l'ai revue. Elle n'avait pas reconnu Victor. Elle m'a reconnu. Je l'ai embrassée. Je lui ai dit tous les mots de tendresse et d'espérance. Elle est très calme et sem-ble, par instants, endormie. Il y a aujourd'hui 13 février juste un an que je partais pour Bordeaux avec Charles, que je ne devais pas ramener vivant. Aujourd'hui, je revois Adèle. Que de deuils! » *14 février* : « Adèle. Tristesse profonde. » *15 février* : « Le docteur Allix est venu. Il s'est entendu avec le docteur Axenfeld pour le transfèrement de la pauvre enfant dans une maison de santé, la meilleure possible. J'ai vu Adèle. J'ai le cœur brisé. »

Adèle sera internée à Saint-Mandé [1]. Chaque visite que lui rend son père laissera celui-ci anéanti : « Ma pauvre fille Adèle, plus morte que les mortes... Ma visite d'hier à ma pau-vre fille, quel accablement! »

Dans ses Carnets, on découvre aussi cette note, à propos de l'excellente Mme Baâ : « *La primera negra de mi vida* » (la première négresse de ma vie). Il lui remboursera son voyage, ses frais, et y ajoutera une « gratification » de 500 francs. Sans doute pour les soins apportés à toute la famille.

Elles passent, dans les Carnets de cette époque, jeunes et moins jeunes, belles et même laides. Collégien à barbe blanche, il recueille leurs photographies, les colle soigneuse-ment, y ajoute parfois des fleurs séchées. Il en est une que l'on voit, au fil des mois, devenir presque envahissante : cette Judith, fille de Théophile Gautier, qui était venue l'accueillir à la gare du Nord. Épouse de Catulle Mendès, elle lui a rendu visite à Bruxelles et il s'est enflammé. Il faut dire qu'elle en vaut la peine. Edmond de Goncourt, si froid, s'enthousiasme

1. Après la mort de Victor Hugo, elle sera transférée au château de Suresnes, autre maison de santé, où elle mourra, en 1915, âgée de quatre-vingt-cinq ans.

de sa beauté étrange, de ses cheveux d'un noir ardent, de son teint « d'une blancheur à peine rosée », de ses « grands yeux où des cils d'animal, des cils durs et semblables à de petites épingles noires... donnent à la léthargique créature l'indéfinissable et le mystérieux d'une femme-sphinx ».

Chaque fois qu'il parle d'elle, Hugo s'extasie et Juliette s'irrite. Pour détourner ses soupçons, il lui fait lire le sonnet qu'elle vient de lui inspirer et qui s'achève ainsi :

> Et moi, je sens le gouffre étoilé dans mon âme ;
> Nous sommes tous les deux voisins du ciel, madame,
> Puisque vous êtes belle et puisque je suis vieux [1].

Juliette ne peut manquer de féliciter l'auteur des vers, mais sous les éloges perce quelque acrimonie. Que dirait-elle si elle avait accès aux Carnets ? *Le 4 mars* : « Mme Judith Mendès, fille de Th. Gautier, son mari et sa mère, Mme Ernesta Grisi et Robelin, ont dîné avec nous. Après le dîner, je suis allé avec Mme Judith, O (oscula), chercher chez moi des vers de *l'Année terrible* pour les lui lire... » Le 24 mars, Goncourt, que l'on voit souvent chez les Hugo, nous montre le poète échappant à la surveillance de Juliette pour courir chez Judith : « Il disait à Judith ces jours-ci, *dans une visite où il se sauve de chez lui* : " Si nous conspirions un peu pour faire revenir les Napoléon... Alors, n'est-ce pas ? Nous nous retrouverions là-bas... Nous irions à Jersey... Nous travaillerions ensemble... " » *Travailler* à Jersey ? Est-ce le mot qui convient ? Il est vrai que Judith vient de publier un livre — *le Dragon impérial* — dont Théophile Gautier lui-même pense grand bien. Pauvre Gautier, cruellement atteint par la maladie qui bientôt va l'emporter et que ses amis voient « une main sur son cœur douloureux, les yeux vagues, la face blanche comme un masque de Pierrot, absorbé, muet, sourd... ».

Dans les archives conservées par Jean Hugo, a figuré une lettre bien curieuse, datée du 11 juillet 1872 :

« Mon cher Maître,
« Sous vos pieds, dans l'ombre, un homme est là.
« Il attend... J'ai réfléchi et je suis décidée.
« Merci.

« Judith M. »

---

1. « *Ave, Dea, moriturus te salutat* », *Toute la lyre*.

Faut-il, comme l'a cru Raymond Escholier, en conclure que Judith Gautier ait jugé, ce jour-là, à la façon de la pauvre Marie Mercier, que Hugo « avait une façon à lui de vous plaire » ? Je ne le crois pas. Les lettres qu'elle et Victor vont échanger au cours des mois suivants prouvent entre eux beaucoup de tendresse. Rien de plus. C'est plus tard que Judith franchira le pas — car elle le franchira.

D'ailleurs, si, à ce moment précis, il avait ajouté cette « conquête enivrante » à toutes les autres, aurait-il souhaité, quelques jours plus tard, se séparer d'elle ? La vérité est qu'il n'en peut plus de Paris. *L'Année terrible*, malgré tant de beautés, a été accueillie avec indifférence. La presse conservatrice l'accable toujours de ses sarcasmes. Les politiciens de gauche entreprennent chaque jour son siège et de cela aussi il est las. Goncourt, mémorialiste-photographe, l'a montré chez lui, à bout de patience : « Parfois, devant l'envahissement de son salon par les *hommes à feutre mou*, il se laisse retomber avec une lassitude indéfinissable sur son divan, en jetant dans une oreille amie : " Ah ! voilà les hommes politiques ! " »

Soudain, il se décide. Ils partiront pour Guernesey.

II

JE VERRAI DIEU

> Le nom grandit quand l'homme tombe.
> Victor HUGO.

O N peut découvrir quelque paradoxe dans le fait que cet homme, exilé si longtemps à Guernesey et qui avait si longtemps aspiré à retrouver la France, y retourne dès le milieu de l'été 1872. Depuis le 5 septembre 1870, il s'est épuisé à chercher cette France rêvée dans l'exil et idéalisée de la même façon qu'un amant se forge, dans l'absence, une image embellie de la femme aimée. Il se voit, comme il l'a écrit lui-même, « étranger au milieu de la ville ». Surtout, il se sent une telle soif de travail qu'un désir quasi irrésistible l'a pris de fuir ce Paris où il lui semble que tous s'acharnent à dévorer son temps. Depuis 1863, il rêve d'un grand roman sur la Révolution française. Il s'est décidé à l'écrire. Un seul cadre pour ce grand projet — qui deviendra *Quatre-vingt-treize* — : Guernesey.

A son départ, peut-être peut-on chercher une autre raison : les femmes. Son âge l'obsède. Pourquoi se sentir si faible ? Pourquoi cède-t-il si souvent ? Pourquoi la vue d'un jupon continue-t-elle à l'émouvoir à ce point ? Ce qu'il éprouve, c'est une vague impression d'écœurement. Juliette a poussé à la roue. A *Hauteville House*, Hugo idéalisait la France. A Paris, c'est Guernesey qu'idéalise Juliette.

Le 29 juillet, il a noté : « Les journaux publient mon sonnet à Mme Judith Mendès. » Le 7 août, c'est à la chère Judith qu'il rend sa dernière visite. Le même jour, dans la soirée, il quitte Paris en compagnie de Juliette, François-Victor, Alice et les enfants. Il arrive à Granville le lendemain matin à 6 h 30. Sur le port, le vent souffle en tempête, ce qui n'est pas de bon augure pour la traversée. Le petit groupe s'en va déjeuner à l'hôtel des Trois-Couronnes. Il note : « Mon arrivée s'est *ébruitée*. Il y a une certaine foule autour de nous ; les uns saluent, les autres me regardent de travers. »

A table, quelqu'un lui rapporte le mot de Leconte de Lisle sur lui : « Victor Hugo est bête comme l'Himalaya. » Il note : « Je ne trouve pas le mot désagréable et je pardonne à Leconte de Lisle, qui me fait l'effet d'être bête tout court. » A 9 heures on s'embarque pour Jersey où on arrive à midi et demi. On se dirige tout droit vers l'hôtel de la Boule-d'Or. Il ne peut se retenir d'aller prendre un bain dans les rochers, vis-à-vis de *Marine Terrace*, qu'il aperçoit de loin et qui a « plus que jamais son air de tombeau ».

A Guernesey où l'on arrive le 10 août à 9 heures du matin, on trouve au port une foule « tout à fait cordiale », beaucoup d'amis.

A *Hauteville House*, le jardin est plein de fleurs et d'oiseaux. Les petits enfants sont ravis. Ils saisissent dans l'instant les odeurs, les couleurs et ces myriades d'impressions qui font chaque année retrouver avec des cris de joie la maison des vacances. L'homme qui presse le pas et bouscule les portes pour se repaître de ces pièces qu'il a décorées, de ces meubles qu'il a choisis et construits de ses mains, l'homme dont le cœur bat cependant qu'il monte l'escalier étroit qui conduit au *look-out* : celui-là n'est rien d'autre qu'un vieil enfant de soixante-dix ans. Sa première lettre est pour Judith :

« Notre petit Family-Hôtel d'en face subsiste encore et vous attend. Ma chambre du rez-de-chaussée se remplirait de gloire si mon cher Théophile Gautier venait l'habiter. Dites-le-lui, à votre admirable père, et permettez-moi, en vous espérant, de baiser les étoiles que vous avez aux talons. »

Judith répondra que son père, hélas, ne peut se déplacer : « Moi, si je puis quitter Paris, c'est à Guernesey que j'irai, et je n'aurai pas besoin des étoiles dont vous ornez mes talons pour éperonner l'impatience que j'ai de vous revoir. »

On s'interroge : quelle a pu être l'impression de Juliette de se retrouver dans cette maison où plane l'ombre immense d'Adèle et d'y régner en maîtresse ? Erreur. Cette femme, qui n'a pas quitté son compagnon depuis trois années et que tous traitent comme son épouse, n'aura pas le droit de venir habiter sous le même toit que lui ! Ici, la bourgeoisie absolue exagère. Hugo aussi. A moins — essayons d'être juste — que ce ne soit Juliette qui ait préféré se retrouver à *Hauteville Féerie* où tous les meubles, les bibelots, les boiseries — ses *trésors* — lui rappellent tant de doux souvenirs. Les rites d'antan vont même reprendre. Le matin, elle saute de son lit, court à sa fenêtre et, le cœur battant, attend de lui voir attacher sa serviette à la rampe du balcon. La grande nouveauté, c'est cela : à la fin de la matinée, sa tâche accomplie, Hugo s'en va sonner à la porte de *Hauteville Féerie*. Juliette est prête et l'attend. Il va la mener à *Hauteville House*, où, sous le grand H de la salle à manger, elle présidera le repas de famille. Ils passent ensemble l'après-midi, mais, le soir, Victor reconduira cérémonieusement « Madame Drouet » à son domicile. Effarant.

En tout cas, c'est très vite que, par un été accablant de chaleur, elle reprend ses *gribouillis* :

« Guernesey, 17 août 1872, samedi matin, 5 h trois quarts : Feu et flamme, soleil et amour, sur la terre comme au ciel, dans mon cœur et dans mon âme, je t'adore. Il fait si chaud déjà dans ma chambre que je ne sais plus où me fourrer. Je viens de me cacher derrière un volet pour pouvoir te gribouiller à l'ombre, pendant que toutes mes servantes pioncent à qui mieux mieux. J'espère que tu as bien dormi, comme moi, toute la nuit, cher adoré. »

Par cette canicule, le *look-out* serait intenable pour tout autre que lui. A peine éveillé, il s'y rue. Toute la matinée, tandis que le soleil monte et brûle, faisant de cette serre un four, debout et droit — le vieux chêne — il écrit des vers. Cela continue tout au long du mois d'août, du mois de septembre, du mois d'octobre.

Ce qui le rend heureux, pleinement, c'est, dans cette grande maison, la présence de tous les siens : son fils, François-Victor, dont cependant la santé l'inquiète ; sa belle-fille mais surtout les enfants. Il ne se lasse pas de les prendre sur ses genoux, de leur parler, de les embrasser, de solliciter leurs rires et, quand il les lance très haut, leurs cris. Il est si amoureux de Jeanne que, pendant quatre jours, il obtient que la petite fille couche dans sa chambre : « J'ai fait faire à Petite Jeanne un lit à côté du mien. J'ai eu toute la nuit ce sommeil d'ange à côté de moi. » Hélas, Alice — à qui il en veut — reprend Jeanne : « La douce enfant n'a pu coucher près de moi cette nuit. Ce matin, je l'entends crier. J'ai le cœur serré. »

Édouard Lockroy, fils de l'acteur, l'un des journalistes du *Rappel*, l'un des animateurs de la gauche, est venu à Guernesey le supplier de rentrer à Paris. Il a répondu que son action politique se poursuivait dans son île. Que, depuis son départ de Paris, il avait écrit deux manifestes et sauvé, par son intervention, la vie à une femme, Marguerite Prévost, condamnée à mort par le Conseil de guerre. Au militant, il a avoué ses soucis quant à l'avenir de ses petits-enfants. Il n'est pas aveugle : il voit bien que Lockroy n'est pas venu dans l'île pour lui seul et qu'il manifeste pour Alice un intérêt de plus en plus marqué. Et les sourires que lui adresse la jeune femme sont loin d'être hostiles.

L'après-midi, en voiture, on fait le tour de l'île. Promenade charmante au début, mais qui lasse assez vite Alice, si jeune. Elle s'ennuie, Alice, ce qui indigne Juliette : peut-on, quand on a l'honneur de vivre auprès du plus grand homme de la terre, ressentir de l'ennui ? *A Victor, 8 septembre 1872* : « Tout le monde ne goûte pas, comme nous, le charme de cette promenade calme et douce autour de cette île ravissante... » Au bout d'un mois, Alice annonce son départ. François-Victor l'imite. Comment ? la maison va ainsi se vider ? Il n'aura plus près de lui son fils, sa « fille » et surtout ses petits ? Où est le temps où tout cédait devant la volonté de Jupiter ? L'âge lui a appris la prudence. Il ne peut ni ne veut plus rien exiger. Il subit.

L'heure approche : « Le froid vient, et nous allons être seuls, J.J. et moi. Après le dîner, j'ai couché Petite Jeanne moi-même. Elle redouble de tendresse comme si elle sentait qu'elle va me quitter. » *26 septembre* : « On s'est séparé à dix heures. J'ai fait faire la prière à Georges et à Jeanne. J'ai reconduit J.J. et je suis rentré. Je suis allé voir une dernière fois les enfants endormis. J'ai baisé leurs petites mains. J'ai embrassé Victor et Alice. »

Juliette l'observe qui sait, elle. Cette nuit-là, elle n'a pas dormi. Elle est sûre qu'il n'a pas dormi non plus : « J'étais à mon poste d'observation avant six heures, espérant te voir attacher ta serviette, mais ma mauvaise chance fait que, l'instant d'aller de mon cabinet à ma chambre, je t'ai manqué de quelques secondes. »

C'est vrai que Hugo n'a pas dormi. A 4 heures du matin, il est debout : « Je descends chez Victor qui est encore couché. On lève les enfants. Georges rit, Jeanne pleure. A 5 heures et demie le soleil se lève. Il fait très beau. La voiture Norton qui doit les emmener est à la porte. Il est 6 heures un quart, le bateau *Weymouth* est signalé. Ils montent en voiture. J'embrasse Victor, j'embrasse Alice, j'embrasse Georges, j'embrasse Jeanne qui s'étonne et me dit *Papapa, monte donc. —* Je referme la portière. La voiture part. Je les suis jusqu'au tournant de la rue. Tout disparaît. Profond déchirement. »

Il a grimpé dans sa chambre de verre. Avidement il regarde le quai. Il voit la voiture arriver à l'embarcadère, puis le bateau entrer dans le port, accoster à quai. A 8 heures précises, le bateau s'éloigne : « Je le suis des yeux. A 8 heures un quart il tourne la pointe Fermain-Bay. Partis ! » Un peu plus tard il note : « J'ai essayé de me remettre de suite au travail. »

Les passions politiques qui l'avaient suivi de Paris à Bruxelles l'ont rejoint à Guernesey. Quelques jours après son arrivée, un groupe de jeunes gens, en pleine nuit, est venu crier sous ses fenêtres : *A bas la Commune!* L'un des habitants de l'île, un catholique français, a déclaré à Marquand, ami de Hugo :

— Si j'avais Victor Hugo et Garibaldi, là, dans mon champ, au bout de mon fusil, je les tuerais comme des chiens.

Il a repris la tradition du dîner hebdomadaire des enfants pauvres. La première fois, ils sont trente-six. Il n'en reste pas moins profondément mélancolique. Pendant la nuit du 4 novembre, vers 4 heures, un très fort frappement le réveille : « Au point du jour, je ne dormais pas, une voix m'a dit très doucement : *" Ne pleure pas. "* »

Est-ce parce qu'il est malheureux que, le 19 décembre 1872, il va noter : « Minuit. J.J. et moi. Jeunesse. » Et, le 17 février 1873 : « En rentrant, souvenir du 16-17 février 1833. t. n. (toute nue). » Et encore, le 25 : « Avec J.J. comme il y a quarante ans. » Chère Juliette ! Son corps, après tant d'années d'une ascèse si durement supportée, convoité et honoré de nouveau par le vieil amant ! Elle a dû bénir l'année de ses soixante-sept ans, témoin d'un miracle qu'elle n'espérait plus, vraiment.

Entre-temps, le 21 novembre 1872, il a commencé la rédaction de son livre *Quatrevingt-Treize* : « J'ai dans mon cristal-room, sous mes yeux, le portrait de Charles et les deux portraits de Georges et de Jeanne. J'ai pris l'encrier neuf de cristal acheté à Paris, j'ai débouché une bouteille d'encre toute neuve, et j'en ai rempli l'encrier neuf, j'ai pris une rame de papier de fil acheté exprès pour ce livre, j'ai pris une bonne vieille plume et je me suis mis à écrire la première page. » Le 16 décembre, il notera encore : « Je vais maintenant écrire devant moi tous les jours, sans m'arrêter, si Dieu y consent. »

Comme il est à l'aise, dans ce livre ! Les récits de la Révolution ont bercé son enfance. La chouannerie lui a été narrée par sa mère et par son père. Leurs récits se sont complétés. Lui, si avide de fraternité, a tout au long de sa vie cherché à comprendre les vraies raisons du titanesque affrontement. En compagnie de Juliette, tout émue de revoir Fougères, son pays natal, il a parcouru le bocage et ses chemins creux, les forêts où les Bleus poursuivaient les Blancs qui faisaient front et mouraient. Tous ces lieux se sont imprimés dans sa mémoire. Rien ne le satisfait de ce que l'on a écrit sur la « grande guerre ». Pour les royalistes, les Bleus sont des bourreaux. Pour les républicains, les chouans sont des traîtres à leur patrie. Il comprend — vision très neuve à laquelle on revient aujourd'hui — que les uns et les autres ne se sont battus si farouchement que parce que, tous, ils se croyaient dans leur droit. Dans chaque camp, il y a eu des tortionnaires et des héros. C'est là ce qu'il veut dépeindre. Il imagine un chef des Bleus dont les vertus eussent inspiré Plutarque, et il le nomme Gauvain, nom qui est le patronyme de Juliette. Il lui oppose le marquis de Lantenac, aristocrate digne de Corneille qui, pour sauver trois enfants, se sacrifie. Depuis *Littérature et philosophie mêlées*, trois géants le hantent : Robespierre, Danton et Marat. Parallèlement à l'intrigue proprement dite, il va construire autour de leur affrontement l'une des scènes centrales du livre. Tous ces personnages parlent comme Hugo. Les bons sentiments côtoient le sublime. Le livre va être ce que souhaitait Hugo : une résurrection qu'auraient pu approuver les survivants des deux camps, s'il y en avait encore. Les uns comme les autres auraient, en refermant l'ouvrage, prononcé le même mot : équité.

A Vacquerie, 3 janvier 1873 : « Ce qui me cloue ici, c'est la nécessité de ne pas m'en aller de cette vie sans avoir fait tout mon devoir, et complété mon œuvre le plus possible. Un mois de travail ici vaut un an de travail à Paris. C'est pourquoi je me condamne à l'exil. »

Le pauvre Gautier est mort. Il va lui élever un *Tombeau* :

> Ami, poète, esprit, tu fuis notre nuit noire.
> Tu sors de nos rumeurs pour rentrer dans la gloire...
> Tout penche ; et ce grand siècle avec tous ses rayons
> Entre en cette ombre immense où, pâles, nous fuyons.
> Oh ! quel farouche bruit font dans le crépuscule,
> Les chênes qu'on abat pour le bûcher d'Hercule [1] !

Ces vers, il en a envoyé la copie à Judith qui a réclamé l'original. Il lui a répondu en le lui envoyant : « Le grand et cher poète, qui est votre père, revit en vous. A force de contempler l'idéal, il vous a créée, vous, qui, comme femme et comme esprit, êtes la beauté parfaite. Je baise vos ailes. » Au vrai, toutes les femmes qui sont passées dans la vie de Hugo, il leur a donné des ailes, puisque toutes il les a appelées des anges.

Une autre mort : celle de Napoléon III, son vieil ennemi. Il a succombé à l'opération de la pierre, tentée dans son exil de Chislehurst pour lui permettre de remonter à cheval et de partir à la reconquête de la France. Hugo n'est pas frappé. On se demande même s'il lui en veut toujours : « C'eût été un bonheur il y a trois ans, ce n'est même plus un malheur aujourd'hui. »

La mort. Il y pense beaucoup. *Carnet* : « Tu m'aimeras bien quand tu seras grande et que je serai mort, n'est-ce pas, Petite Jeanne ? » Il note aussi : « Lettre d'Alice. Victor est décidément très souffrant. Je suis accablé de tristesse. » En voyant son fils s'embarquer à Guernesey, un pressentiment l'avait traversé. Il l'avait repoussé. Se pourrait-il qu'après avoir perdu le petit Léopold, Léopoldine, Charles, après avoir vu Adèle devenir folle, Dieu lui envoyât ce châtiment de plus ? Alors, il a prié pour que Dieu lui conservât François-Victor.

Il se voulait loin de tout, surtout des femmes. Comment, une seconde fois, a-t-il pu croire qu'il suffisait de traverser la

1. *Toute la lyre.*

mer pour dépouiller le « vieil homme » ? Tout à côté de son *look-out* et de sa chambre, comme par le passé, loge une des servantes. A peine arrivé à *Hauteville House*, il a noté : « Ma jolie voisine du *look-out* près de mon balcon paraît se plaire à mon voisinage, elle se lève le matin sans pruderie et sa petite fenêtre ouverte. Elle peigne ses très beaux cheveux, montre ses bras nus et me sourit. » La correspondance avec Judith montre que ce vieux cœur n'a pas cessé de battre délicieusement pour les yeux noirs. Et voici que Marie Mercier surgit à Guernesey. L'a-t-il appelée ? Est-elle venue de son propre mouvement, souhaitant retrouver ce vieux poète qui l'avait tant émue ? Il l'a accueillie courtoisement, sans plus : « Je l'engage à aller à Londres, et de là à Bruxelles. Je lui paierai son passage... » C'est que, pour lui, Marie Mercier est une page tournée. Désormais, l'aventure est à domicile.

Le 19 mars 1872, alors que l'on était encore à Paris, Juliette écrivait à Victor : « Je suis bien contente que tu approuves l'essai que je vais faire de la jeune Lanvin. J'espère qu'il réussira et dans tous les cas, cela ne peut pas avoir d'inconvénient d'essayer. » De qui s'agit-il ? D'une certaine Blanche qui porte le nom de ces Lanvin, amis de Juliette, en fait sans avoir de nom de famille. Dans son acte de mariage (1879), on lit : *Marie, Zélia, Blanche, de père et mère non dénommés.* On a tout dit quant à l'origine de cette Blanche. Pour les uns, elle est la fille du couple Lanvin qui a aidé Hugo à fuir Paris en 1851. D'autres voient en elle une enfant de l'Assistance publique élevée par les Lanvin. Selon M. Jean Savant, il s'agit d'une fille naturelle d'Augustine-Marie-Élise, elle-même fille des Lanvin. Pour des raisons de convenances, elle n'a pas porté le nom de sa mère, mais les Lanvin, braves gens, l'ont élevée, imposant à leurs amis et connaissances l'habitude de la considérer comme leur propre fille. C'est bien ainsi que Juliette a présenté la jeune Blanche à Hugo : « Je dois voir aujourd'hui la mère Lanvin et sa jeune fille et je compte lui demander d'entrer tout de suite. »

A cette époque, une grave crise de rhumatismes empêche Juliette de remplir son habituel rôle de copiste. D'où une préoccupation qu'elle laisse bien vite percer : Blanche ne pourrait-elle, jusqu'à ce qu'elle soit rétablie, la suppléer ?

A Victor : « J'ai eu l'occasion tout à l'heure de voir l'orthographe et l'écriture de Blanche. Elle est, je crois, tout à fait en état de copier aussi bien que Mme Chenay, c'est à peu près la même écriture et l'orthographe, autant que j'en peux juger, est très suffisante. Quant à sa bonne volonté de nous satisfaire, elle est complète. Sa santé seulement me paraît très délicate, mais j'espère qu'avec une bonne hygiène et un peu de ménagements, nous en viendrons à bout. Je le désire pour toi — surtout — qui a besoin de remplacer ma cinquième roue à ton carrosse. (Moi, je ne suis plus bonne qu'à t'aimer, jusqu'à ce que mort s'ensuive.) »

Dans les Carnets de Hugo, cette simple note : « Henriette est remplacée par une jeune parente des Lanvin, appelée Blanche. »

Aucune mention de Blanche au cours des mois suivants. Tout ce que nous en savons, c'est qu'elle a vingt-deux ans. Mais quand certains affirment qu'elle a « l'élégance de ces charmantes grisettes parisiennes, croquées par Grévin à la suite de Gavarni et de Beaumont » ; lorsqu'on la présente comme « une fort jolie brune, très bien faite, portant à merveille la toilette » ; quand même on la dépeint « dangereusement belle », on se laisse aller à une imagination que dément totalement l'unique photographie que nous possédons de la jeune fille. Certains êtres sont moins photogéniques que d'autres, mais on ne peut mettre en doute l'image qui la montre sans beauté et l'air fort commun. Il faut croire que Blanche était dotée d'un charme que n'a pas enregistré l'objectif, car autrement on s'expliquerait mal le concert de louanges qui l'entoure. Ce qui semble certain, en revanche, c'est que Blanche était sage. Au reste, sa « mère », Mme Lanvin, l'a mise en garde. D'une part, il faut se méfier de M. Hugo, de l'autre il ne faut pas déplaire à Mme Drouet.

Blanche a donc accompagné la tribu Hugo à Guernesey, où elle est demeurée après le départ de François-Victor, d'Alice et des enfants. Est-elle logée dans la chambre voisine du *look-out* ? Est-ce elle dont Hugo a parlé dans sa note du 17 août 1872 sur sa « jolie voisine du *look-out* » ? L'agenda de juin 1872 à juillet 1873 appartenait à Louis Barthou. Vendu après sa mort, on a malheureusement perdu sa trace. Il faut donc s'en référer à l'analyse qu'en a donnée Barthou et que l'on n'a d'ailleurs aucune raison de contester. Il semble que Hugo ait commencé à faire sa cour à Blanche tout aussitôt après l'arrivée à Guernesey. « D'un jour à l'autre, écrit Barthou, il inscrivait sur un carnet le progrès des privautés auxquelles une beauté plus audacieuse que farouche s'abandonnait... Rien n'y manquait, ni l'endroit, ni l'heure, ni même certains autres détails dont un peu de latin et beaucoup d'espagnol servaient à atténuer la précision et à gazer la liberté... Le mot *Alba* qui désignait Blanche dans un espagnol trop transparent [1], revenait à chaque ligne, du mois de septembre 1872 au mois de juillet 1873. Des notations successives indiquaient suffisamment, malgré leur brièveté calculée et aggravée de signes mystérieux, ce que le poète, enhardi par une molle résistance et provoqué par des formes irréprochables, avait demandé à la jeune fille et ce qu'il en avait obtenu. On pouvait mesurer pas à pas les progrès d'une passion partagée et fixer le jour précis de la conquête définitive. D'ailleurs quelques phrases écrites en français étaient par elles-mêmes assez révélatrices pour éclairer Juliette. Celle-ci, par exemple, le 5 janvier 1873 : *" Affliction faite involontairement. Prendre garde de ne pas affliger ce tendre cœur et cette grande âme. "* Il y avait dans cette précaution un hommage rendu à Mme Drouet. »

Le 27 janvier de la même année, une note en espagnol de Hugo prouve que Juliette est en éveil. En voici la traduction : « Blanche. Danger. Être en garde. Je ne veux pas qu'il lui advienne du mal ni à celle qui a mon cœur. »

En fait, à ce stade, Blanche semble bien avoir succombé. A la date du 25 décembre 1873, Hugo notera, toujours en espagnol : « *Hace hoy justo un ano que se ha empezado la cosa ; hoy parece acabarse* », ce qui veut dire : « Il y a aujourd'hui juste un an que la chose a commencé ; aujourd'hui, elle semble finir. »

Si l'on revient en effet au 3 février précédent, on lit : « Cette après-midi Juliette n'est pas tranquille. Je ne veux pas qu'elles souffrent, ni elle, ni l'autre. » Le 4 février : « *Clamavi : " Ardeo cum tibi cogito. " Dixit : " Amo vos ! "* » (J'ai crié : je brûle quand je pense à toi. Elle a dit : je vous aime !) Il faut s'arrêter à cette dernière note : non seulement il aime mais d'évidence il en est à la passion :

— Je brûle quand je pense à toi.

Et elle répond :

— Je vous aime !

---

1. Il semble que Louis Barthou ait cru qu'Alba signifiait Blanche en espagnol. Alba veut dire : aube. C'est un mot latin et nullement espagnol.

A la fin de mars, le Carnet révèle la trace d'une brouille passagère. Mais la pauvrette *(pobrecita)* paraît si malheureuse *(muy desdichosa)* qu'une réconciliation s'en est suivie qui, selon Barthou, conduit à la chute de Blanche, le 1er avril 1873. On pourrait donc, dans l'histoire de cette idylle, relever trois étapes. De septembre à décembre, Hugo, avec une fougue de jeune homme, part à l'attaque d'une place qui n'est pas prête à se livrer. A Noël, la place, sans s'être rendue, témoigne qu'elle y est prête. Le 3 février, Blanche convient de son amour. Le 1er avril, elle se donne à cet homme qui a près de cinquante ans de plus qu'elle. De cette reddition, Hugo nous a laissé un ravissant tableau qui est tout entier — chose rare dans son œuvre — un hymne à la volupté.

> Elle était nue avec un abandon sublime
> Et, couchée en un lit, semblait sur une cime.
> A mesure qu'en elle entrait l'amour vainqueur,
> On eût dit que le ciel lui jaillissait du cœur ;
> Elle vous caressait avec de la lumière ;
> La nudité des pieds fait la marche plus fière
> Chez ces êtres pétris d'idéale beauté.
> Il lui venait dans l'ombre au front une clarté
> Pareille à la nocturne auréole des pôles ;
> A travers les baisers, de ses blanches épaules
> On croyait voir sortir deux ailes lentement ;
> Son regard était bleu, d'un bleu de firmament ;
> Et c'était la grandeur de cette femme étrange
> Qu'en cessant d'être vierge elle devenait ange.

Ces vers encore, si évocateurs :

> Tu grondes. Un baiser ! — Jamais ! — Je le dérobe.
> Tu dis : « C'est mal ! » — Et j'ôte une épingle à ta robe.
> L'amour aime les yeux fâchés de la pudeur ;
> Et rien n'est plus charmant qu'un paradis boudeur...

La pauvre Juliette, clouée par l'arthrite et de douloureux malaises cardiaques, n'est plus en état d'accompagner Toto dans ses promenades au long de la mer. C'est avec Blanche qu'il part désormais. Ils cheminent sur les sentiers dont il semble que tous conduisent à la mer, s'attardent sur les grèves, se cachent derrière les haies où, au printemps, explosent toutes ces couleurs qui enchantent l'île. Elle est jeune, mince, douce, amoureuse. Il est vieux mais toujours aussi solide, tel que Paul Stapfer le voyait en 1867 lorsqu'il écrivait : « Le père Hugo a une jeunesse étonnante de corps et d'esprit. Impossible de voir un homme qui se porte mieux. Il est frais, il est rose, il faudra l'assommer. »

Tout à coup, le scandale éclate. Juliette est malade, mais pas au point de ne pas fouiller dans les cachettes de son vieux faune d'amant. Malédiction ! elle tombe sur l'agenda où celui-ci a consigné ses nouvelles frasques. Cris, larmes, colère. Comme toujours, il se défend mal, tente de répondre aux faits par des mots. Elle le fait taire, exige : il faut que cette fille s'en aille. Tout de suite. Hugo s'incline.

Blanche a été convoquée par la plus jalouse des maîtresses. Elle a pleuré, elle a demandé pardon et, pour tenter de disculper le vieux monsieur qu'elle aime, juré qu'elle est fiancée. Hugo note le 1er juillet 1873 : « Blanche sort de chez J.J. — elle y sera remplacée par Henriette, qui entrera le 15 juillet... Blanche part ce matin pour Paris par Jersey. » Le même jour, Juliette écrit à Victor : « J'assiste aux préparatifs du départ de cette pauvre Blanche, non sans émotion, bien que j'aie, ou que je croie avoir, ce qui est la même chose, beaucoup de raisons de ne pas m'attrister de son départ. Elle-même, au reste, a souhaité de s'en aller et en ce moment sa figure rayonne la joie. Je souhaite sincèrement et de tout mon cœur qu'elle trouve à Paris le bonheur qu'elle espère et auquel elle a droit. Et si même il m'était donné d'y contribuer je le ferais avec empressement et avec plaisir, pourvu que ce ne soit pas au détriment de mon propre bonheur. Cela posé, je prie Dieu de la protéger et de la bénir, comme je le prie de te protéger et de te bénir et de me laisser vivre et mourir à tes côtés. »

Alba s'est embarquée. De son *look-out*, avec quelle intensité Hugo regarde vers le port ! Il note : « *A las 11, se ha disparecido el vapor.* » (A 11 heures, le vapeur a disparu.)

Or Hugo a concerté avec Blanche un plan incroyable, follement imprudent ! Le départ d'*Alba* ne sera que simulé. Elle doit revenir dans l'île secrètement. Hugo a déjà loué pour elle un logement, si clandestin que son Carnet ne contiendra même pas le nom de la rue, tout juste le numéro : *au 21*. Et Blanche a accepté ! Et Blanche revient ! Le 12 : *Llegada esta* (elle est arrivée). Le même jour, Victor lui remet 720 francs, ce qui est une grosse somme. Annonçant à Juliette qu'il va faire sa promenade quotidienne, il se rend tout droit *au 21* où il demeure de 1 heure et demie à 4 heures et demie. Là, il obtient d'elle *todo*, tout. Il en sera de même chaque jour. Il faut, pour que Hugo, toujours si soucieux de sa réputation, en soit arrivé là, que sa passion — ou son désir — lui ait fait perdre jusqu'à son libre arbitre. Dans une si petite ville où chacun le connaît, immense est le danger. Le 16, il note que, dans la maison où il a caché Blanche, il a entendu : Monsieur Hiougo. Il note en espagnol : « Ils savent mon nom, il est nécessaire qu'elle parte. » Alors, le 21 juillet, l'infortunée Blanche doit reprendre le bateau. Cette fois, quand Victor, de son observatoire, suit du regard le navire qui s'en va, son émotion n'est plus feinte : « A 7 h. moins 10 min., effacement de la voile. »

Comment pourrait-il vivre sans elle ? A cette éventualité, il n'ose même pas penser. C'est dit : lui aussi quittera l'île. Pour la rejoindre.

A vrai dire, depuis que *Quatrevingt-Treize* est achevé, aucune raison impérieuse ne le retient plus à Guernesey. Chaque fois qu'il reçoit des nouvelles de France, il fronce le sourcil. Mac-Mahon vient de succéder à Thiers. Il avait écrit à François-Victor qui, dans *le Rappel*, faisait l'éloge du petit homme devenu — tout arrive en politique — l'idole de la gauche : « Modère un peu le fétichisme pour Thiers. Les crimes contre Paris ne sont pas effacés. » Et, un peu plus tard : « Je souhaite que Thiers finisse par mériter tout ce que tu dis de lui en de si nobles termes. » Mais, passer de Thiers à Mac-Mahon, c'était la crainte d'un retour au sabre, d'un étouffement des libertés. A cette seule pensée, il voit rouge. Edmond de Goncourt, qu'il a rencontré lors de son retour à Paris, dit que lorsqu'il parlait de l'Assemblée ou de Mac-Mahon, « une dureté implacable montait à sa figure et allumait de noir ses yeux ». Si la liberté est en danger, il faut que, lui, son défenseur, soit au premier rang pour la défendre. Il y a aussi la santé de François-Victor dont il reçoit des nouvelles qui l'alarment. Il ne peut plus se le dissimuler : c'est de tuberculose que Victor II est atteint.

Le 30 juillet 1873, à 7 h 50 du matin, il quitte Guernesey. Par Aurigny et Cherbourg, il arrive à Paris le lendemain à 4 h 30.

Il va louer à Auteuil, Villa Montmorency, au 5 de l'avenue des Sycomores, une petite maison. François-Victor habite tout près et aussi les enfants. Le changement qui s'est produit chez son fils frappe tous ceux qui le voient. Lui tâche de se rassurer : « Sur le perron du numéro 2, il y avait Alice, qui nous attendait, et Georges et Jeanne. J'ai donné à ces deux anges un chariot et une poupée, et j'ai profité de leur éblouissement pour embrasser Victor qui était dans le salon à côté. Mon bien-aimé Victor a la voix forte et l'œil bon, et j'espère. » Au vrai, les médecins ont diagnostiqué une tuberculose rénale. Le seul espoir qui reste consisterait à procéder à l'ablation du rein malade. Mais la chirurgie de l'époque est-elle capable d'un tel exploit ? Edmond de Goncourt les a vus tous deux : François-Victor effondré dans un fauteuil, « le teint cireux, les bras contractés dans un pelotonnement frileux », Hugo debout « dans la rigidité d'un vieil huguenot de drame ». Goncourt restera dîner, constatera que Hugo boit du vin de Suresnes sans eau et ne dédaigne pas d'évoquer celui que l'on buvait autrefois chez la mère Saguet, pour arroser ses sempiternelles omelettes : « Là, nous avons beaucoup bu de ce petit vin, qui a une si jolie couleur de groseille... » Du fond de son fauteuil, François-Victor, livide, s'efforçait à sourire. Goncourt s'est senti glacé devant tant de santé auprès de tant de faiblesse.

Comment, à peine arrivé, n'aurait-il pas couru chez Blanche ? Elle est installée, elle, 38, avenue de la Motte-Picquet, dans une pension de famille. Lorsqu'elle l'a vu devant lui, elle s'est troublée. Le vieux poète s'est fait inquisiteur. Tout de suite affolée, elle est passée aux aveux : « Elle commence à me tromper avec quelqu'un de sa table [1]. Elle n'a pu dire autre chose. Rompu, cette fois pour la dernière fois. Je ne la laisserai pas sans assistance. » Il rentre chez lui, très agité : « Cette nuit, du 6 au 7, très fort frappement. Après une question faite par moi mentalement, second frappement plus fort, confirmatif du premier. »

Le lendemain, Juliette et lui conduisent Georges et Jeanne déjeuner chez Ledoyen. Après quoi ils partent ensemble pour Saint-Mandé, Juliette pour se rendre sur la tombe de Claire, Victor pour aller retrouver sa fille dans son asile : « J'ai trouvé Ad. presque dans le même état mentalement, mais physiquement mieux, engraissée et embellie, elle a embrassé Georges et Jeanne. » Cette note encore : « Au retour, par les

---

1. De la table d'hôte sans doute.

Champs-Élysées, les petits nous ont demandé à voir Guignol, et nous leur avons montré Guignol. Ainsi est la vie. »

Puisqu'il jurait avoir rompu, pourquoi retourne-t-il chez Blanche ? « Désespoir. Elle s'est jetée à mes pieds. Elle va quitter ce quartier, j'ai pardonné, mais... » Le lendemain : « De 3 h. à 6 h. Maintenant c'est elle qui désire et moi qui ne veux pas. Elle paraît très amoureuse et très repentie, nous verrons. » Le 10 août, la confiance est totalement revenue : « *Todo y toda, como en Guernesey.* Tout et toute, comme à Guernesey. » Le 12, il l'enlève de l'avenue de La Motte-Picquet pour la conduire quai de la Tournelle, où il lui a trouvé un nouveau logement. Dès le 13, il peut noter de nouveau : *Todo y toda.* Le 14 août : *Todo y toda.* Le 15 août : *Toda.* Ce qui prouve que le vieil amant sait faire vibrer sa jeune maîtresse, c'est qu'il note : « *Tocada* (touchée). » Il ajoute : « *Le he dicho : es una lira.* Je lui ai dit : c'est une lyre. »

Inutile désormais de reproduire toutes les notes, purement répétitives, des Carnets qui montrent Hugo littéralement emporté « dans une frénésie de caresses ». Le corps de sa jeune amie lui est devenu tout aussi indispensable que l'air qu'il respire ou l'eau qu'il boit. Son fils se meurt ? Il court chez Blanche. Le jour anniversaire de la mort de Léopoldine, il note : « Il y a aujourd'hui trente ans que tu nous a quittés, ma fille, mon doux ange. » Immédiatement au-dessous, il inscrit que Blanche ce jour-là a dansé devant lui en chemise. Avec elle, il assouvit ses avidités de nu.

> Elle me dit : « Veux-tu que je reste en chemise ?
> Et je lui dis : « Jamais la femme n'est mieux mise
> Que toute nue. » Ô jours du printemps passager !
> On commence par rire, on finit par songer.
> Joie ! Astarté sans masque ! Extase ! Isis sans voile !
> Avez-vous vu parfois se lever une étoile ?
> Ce fut superbe. — « Eh bien, dit-elle, me voici. »

La Porte-Saint-Martin reprend *Marie Tudor*. Chaque jour, il se rend aux répétitions et court ensuite chez Blanche. Le 19 septembre, il note seulement que Blanche est malade. Rien de plus.

Il rentre chez lui à 7 heures et demie du soir. Sur son Carnet, un mot : « *Catastrophe.* » C'en est bien une en effet. Une lettre est posée là, en évidence. Sur l'enveloppe, l'écriture de

Juliette. Fébrilement, il la déchire. Dès les premières lignes, il comprend : Juliette a tout appris. Bien pis : elle part, elle est partie. Aucune indication sur le lieu où elle a fui. Elle a soixante-sept ans, Juliette. Mais son cœur est aussi jeune qu'en 1834 — elle avait vingt-huit ans — quand elle s'enfuyait à Brest en laissant ces mots griffonnés sur un billet : « Adieu pour jamais. Adieu pour toujours. » L'histoire amoureuse n'a pas retenu de geste qui puisse être comparé à celui de cette femme qui, fantôme de ce qu'elle a été — c'est elle qui le dit —, accablée d'infirmités, retrouve, parce qu'elle traverse les mêmes affres de jalousie, les mêmes réflexes, identiquement, que la ravissante « Mademoiselle Juliette » adulée alors à la ville comme à la scène.

Il sombre, le vieil homme. Il raffole du corps juvénile de Blanche. Mais il sait que sans Juliette, c'est sa propre existence qui est remise en question. Vivre sans elle ? Impossible. Il est seul, le vieil homme — et il crie. Rien de plus extraordinaire que ses agendas, pendant ces jours-là. Le 20 septembre : « Toute la journée, recherches désespérées. » Un cri nous bouleverse : « *Mon âme est partie.* »

Il tourne en rond, il adresse un télégramme à Julie Chenay : est-elle à Guernesey ? Une lettre à son ami Berru : est-elle à Bruxelles ? Une lettre au neveu de Juliette, Louis Koch : est-elle à Iéna ?

« Tous les supplices à la fois. Nécessité de secret. Je dois garder le silence et avoir mon air ordinaire. Pas de torture pareille... Je fais bon visage, j'ai le cœur brisé. On meurt pendant ce temps-là, le choléra est dans Paris... Moi, je vais cherchant partout. Je voudrais être mort aussi. J'ai le cœur absolument noir. Elle n'est plus là. Plus de lumière. Trois nuits sans dormir, trois jours à peu près sans boire ni manger. Fièvre. Je vais chez des médiums (Mme Hollis, 11, rue du Colisée). Réponses vagues et obscures. Que devenir ? »

Le mardi 23, une lumière dans ce ciel noir : « 6 heures, enfin. Un télégramme de Berru daté de Bruxelles 4 h. et demie. Il l'a vue. Elle est à Bruxelles. — Voici une lueur. »

Le 24 : « Le télégramme de Berru m'avait un peu calmé. Cependant ma nuit a commencé par être affreuse. Rêve. J'étais dans une forêt, on m'étouffait, je me suis débattu et réveillé avec un cri terrible. — Puis éveillé, j'ai entendu des frappements dans ma chambre, trois par trois, très forts et très étranges, puis comme des passages d'êtres invisibles tout près de mon oreille. Je me suis rendormi pourtant, mais avec une sorte d'horreur. J'ai dormi jusqu'à sept heures. Ce matin je suis calme. J'attends une lettre de Berru. »

Le 25 : « Lettre de C. Berru. Elle refuse de revenir. Je lui écris. L'angoisse recommence. » Le 26 : « Joie immense. — Ce matin à 11 h. 20 m. m'arrive le télégramme de Berru — *Partira de Bruxelles bientôt. Sera à Auteuil dans la soirée.* — Elle revient ! Merci, nos anges de là-haut ! Télégramme à L. Koch, à Iéna : 4 F. »

Mais Blanche, pendant tout ce temps ? Elle est au comble du désespoir. Pourquoi M. Victor ne lui donne-t-il plus de ses nouvelles ? Elle envoie sa mère adoptive auprès de lui. Il la rassure. Il court dire à la Porte-Saint-Martin qu'il n'assistera pas à la répétition générale de *Marie Tudor.*

« De là, à 8 h. moins un quart à la gare du Nord, afin de ne pas manquer l'arrivée du train qui arrive à 9 h. 5 minutes. J'ai attendu cinq quarts d'heure. Je n'avais pas mangé, j'ai acheté un pain d'un sou dont j'ai mangé la moitié. A 9 h 5 arrivée du train. Nous nous sommes revus. Bonheur égal au désespoir. — Je l'ai menée dîner au restaurant du coin de la place, puis nous avons pris une voiture, et à minuit, nous nous sommes couchés avenue des Sycomores, elle est chez elle ! La semaine affreuse est passée. »

A la même date, cette note bouleversante : « Elle avait dans son tiroir pour 120 000 francs d'actions au porteur ; elle n'avait rien emporté ; elle est partie avec 200 francs empruntés à sa couturière. » Éternelle Juliette. Son bonheur prend des sons de triomphe. A ses neveux Koch, elle écrit :

« Ah ! Chers amis, que n'étiez-vous là quand nous nous sommes retrouvés ! Vous qui étiez à notre peine, vous méritiez d'être à notre joie. Nous avions l'air, tous les deux, échappés de l'enfer, se retrouvant en plein paradis. J'ai été bien folle, bien cruelle, bien stupide, mais j'en suis bien récompensée... Nous sommes les plus heureuses gens de la terre et du ciel. Je vais ce soir, ou plutôt *nous* allons à *Marie Tudor.* Que n'êtes-vous là ? »

Ne redoute-t-elle plus Blanche, trop jeune et trop aimée ? Non. A cet égard, elle est pleinement rassurée : elle a exigé de son vieil amant qu'il jure, sur la tête de François-Victor de ne revoir jamais la rivale. Et Hugo a juré ! Il a juré et — deux jours plus tard! — il revoit Blanche. Lui non plus n'a pas changé.

Longtemps, très longtemps, ses Carnets continueront à porter la trace des visites qu'il rend à Blanche. Le latin relaie l'espagnol. A partir de juillet 1874, elle sera *Sartorius*. Et même, pour détourner — croit-il, le vieux naïf — la défiance de Juliette, il note, et l'on devine qu'il s'est appliqué à être lisible : « Il est probable que je vais maintenant travailler tous les jours à *Sartorius*. Je ne marquerai donc, désormais, que les jours où je n'y travaillerai pas. » Comme l'abondance des notations obscures pourrait également intriguer Juliette, il précisera, à la première page de son Carnet de 1877 : « Je note ici que certaines mentions qui semblent énigmatiques, telles que Héberthe, T. 17, Sartorius, Aristote, Turris Alverna, Calida Mons, les 40 Géants, C. R., sont pour moi simplement des points de repère et m'indiquent, sous une forme compréhensible à moi seul, les ouvrages auxquels je travaille au moment où j'écris sur ces carnets. » Attendrissant Hugo : *Turris Alverna* désigne la rue de la Tour-d'Auvergne et *Calida Mons* les Buttes-Chaumont, tandis que *Aristote* concerne les incommodités féminines mensuelles de Blanche. Chaque somme qu'il verse à Blanche — les dons sont nombreux et importants — est notée sous cette forme : *Assistance à Nouméa.* Comment Juliette s'alarmerait-elle ? Les condamnés de la Commune ont été déportés à Nouméa et Hugo les aide. Il faudrait la perspicacité d'un Vidocq — et des yeux meilleurs que ceux de Juliette — pour s'apercevoir que dans Nouméa, la lettre *A* est soulignée. *Alba* est toujours l'un des pseudonymes de Blanche.

Le 26 décembre 1873, François-Victor, après tant de souffrance, entre dans la paix de la mort. « Pendant plus d'un an, allait écrire Vacquerie, son lit a été sa première tombe, la tombe d'un vivant, car il a eu, jusqu'au dernier jour, jusqu'à la dernière heure, toute sa lucidité d'esprit. » Et il est vrai que cet homme qui souffrait cruellement n'avait jamais cessé de s'intéresser à tout. Chaque jour il demandait les journaux. Le seul regret qu'il exprimât était qu'il lui soit devenu impossible d'écrire une ligne : « Ce supplice de l'impuissance intelligente, de la volonté prisonnière, de la vie dans la mort, il l'a subi seize mois. Et puis une pneumonie s'est déclarée et l'a emporté dans l'inconnu. »

Naguère, Hugo avait écrit :

> Seigneur ! préservez-moi, préservez ceux que j'aime
> Frères, parents, amis, et mes ennemis même
>   Dans le mal triomphants,
> De jamais voir, Seigneur, l'été sans fleurs vermeilles,
> La cage sans oiseaux, la ruche sans abeilles,
>   La maison sans enfants [1] !

Qu'en est-il advenu ? *Carnet de Hugo* : « Encore une fracture, et une fracture suprême dans ma vie. Je n'ai plus devant
moi que Georges et Jeanne... » Jusqu'au bout, Alice a soigné
ce frère de Charles qui était devenu sien. Quand on engouffre
le cercueil dans le corbillard, elle est là. La foule nombreuse
la voit « prête à s'évanouir à chaque instant et si faible qu'on
la portait plus qu'on ne la soutenait ». Pour se rendre au
cimetière de l'est, le convoi suit les grands boulevards, puis le
boulevard Voltaire. Derrière le corbillard, marche Hugo. Ses
amis l'ont supplié de s'épargner un tel supplice. Opiniâtre, il
a dit : « J'irai. » Un journaliste va imprimer : « C'était aussi
beau que triste de voir derrière ce corbillard cette tête
blanche que le sort a frappée tant de fois sans parvenir à la
courber. » Flaubert sera au cimetière. *A George Sand* : « Le
pauvre père Hugo, que je n'ai pas pu me retenir d'embrasser,
était bien brisé, mais stoïque... » Louis Blanc parle au nom
des amis, évoque ce fils parti pour l'exil à vingt-quatre ans,
rentré en France à quarante-deux, « si affectueux, si attentif
au bonheur des autres » :
— Et ce qui donnait à sa bonté je ne sais quel charme
attendrissant, c'était le fond de tristesse dont témoignaient
ses habitudes de réserve, ses manières toujours graves, son
sourire toujours pensif. Rien qu'à le voir, on sentait qu'il
avait souffert, et la douceur de son commerce n'en était que
plus·pénétrante.
Il parle de l'immense travail accompli par François-Victor
pour donner enfin à la France une traduction de Shakespeare qui fût digne d'elle. Il évoque l'œuvre de journaliste de
François-Victor, son courage, la force de sa plume pour
condamner « l'impunité des coupables d'en haut » et stigmatiser la rigueur « dont on a coutume de s'armer contre les
coupables d'en bas ». Il plaint le pauvre père, celui qui,

---

1. *Les Feuilles d'automne.*

déchiré, écrivait : « Oh ! Demeurez, vous deux qui me restez ! » Les larmes coulent dans tous les yeux lorsque *Bonhominet*, comme disait Léonie d'Aunet, se demande si la destinée n'a pas voulu, « proportionnant sa part de souffrance à sa gloire, lui faire un malheur égal à son génie ».

Les amis de Hugo l'éloignent de la fosse. C'est à qui se précipitera vers lui, lui tendra la main. Tous, amis connus ou inconnus. On entend les cris : « Vive Victor Hugo ! Vive la république ! » Avec Louis Blanc, il s'est hissé dans sa voiture. Tant la foule est dense, celle-ci ne peut qu'aller au pas. Des centaines de mains continuent à se tendre par la portière pour toucher la sienne. Rentré chez lui, il va écrire : « Ô mes bien-aimés, vous ne serez pas là pour conduire mon deuil, mais vous serez là pour me recevoir plus haut. » Deux jours plus tard, en pleine nuit, il se réveillera. Il regardera sa montre : 2 heures. Il comprendra alors qu'un vers s'est imposé à lui pendant son sommeil et qu'il lui faut s'en délivrer en l'écrivant dans l'instant. Il note :

Et maintenant à quoi suis-je bon ? A mourir.

Il va avoir soixante-douze ans et la publication de *Quatre-vingt-treize* lui apporte aussitôt le plus sûr des démentis. Non pas que l'ensemble de la presse accueille le livre avec la même faveur. Dans *le Journal des débats*, Amédée Achard estime que ce roman doit être pris comme « l'apologie de la Commune ». Mais beaucoup de lecteurs vont s'émerveiller de trouver intacte la puissance d'évocation de l'écrivain, l'admirable richesse de son style, son art de ressusciter les hommes et les lieux. Des dizaines de milliers de lecteurs vont partager l'opinion de Juliette : « Je suis confondue d'admiration devant la table de multiplication de tes chefs-d'œuvre. »

Mourir ? Chaque matin, comme toujours, il aligne prose ou vers. Des vers surtout, en 1874, qui trouveront place dans la nouvelle série de *la Légende des siècles*, dans *Toute la lyre*, ou dans *l'Art d'être grand-père*. Intact, son talent. Pendant des années encore, des vers couleront de lui, ces vers dont Maurice Barrès aimera « le bruissement... quand ils viennent au large s'épandre sur la grève ». Rien n'émouvra tant Barrès que « la puissance d'un vieil homme chargé de trésors, qui veut les montrer, qui dans peu de mois va mourir, et qui ne façonne plus, qui nous donne de l'or vierge ». Même jugement de la part de Paul Valéry : « Quels vers prodigieux, quels vers auxquels aucun vers ne se compare en étendue, en organisation intérieure, en résonance, en plénitude, n'a-t-il pas écrits dans la dernière période de sa vie ? » Mallarmé parlera des « écroulements splendides » du vieil Hugo. Et André Maurois dira son émotion devant « cette vigueur suprême et magistrale ».

Pour la première fois depuis le Deux-Décembre, il va se rendre à l'Académie pour une élection. Alexandre Dumas fils se présente et nourrit quelque inquiétude. Après la Commune, partageant la terreur bourgeoise d'un Flaubert ou d'une George Sand, il a écrit un article peu excusable sur les communards, s'attardant à leurs « femelles » à qui il n'accordait aucune pitié. Ce sont là des choses que le père Hugo admet difficilement.

Tout près de l'Institut, du café où il s'est installé pour attendre les résultats du vote, Dumas fils a vu l'homme à la barbe blanche pénétrer dans le palais Mazarin.

Carnet de Hugo, 29 janvier 1874 : « A midi un quart j'entrais à l'Institut. Une double haie de passants s'était faite dans la seconde cour et attendait. On m'a salué à mon passage. L'Académie a maintenant dans le bâtiment de gauche sa salle de séances, qui était il y a vingt-cinq ans dans le bâtiment de droite. C'est au premier. Il y a des tas de bustes le long des murs et très pêle-mêle dans les antichambres. Je suis arrivé à la porte, elle était fermée et gardée. Un des gardiens m'a dit : — On ne passe pas. Un autre a dit : — C'est M. Victor Hugo. — Je suis entré. La séance commençait. Je me suis assis à la première place venue, la dernière chaise au bout de la table à droite. J'ai signé sur la feuille de présence. J'étais le dernier arrivé. »

En faisant l'appel nominal, le directeur Duvergier de Hauranne l'oublie. On crie :

— Mais vous oubliez M. Victor Hugo !

— Pardon, je ne le voyais pas.

« Telle est ma rentrée à l'Académie », note Hugo. Comme, en remplacement de Lebrun, Vitet et Saint-Marc Girardin, on élit trois nouveaux académiciens : Mezières, Dumas fils — et Caro, Hugo ne peut s'empêcher de noter aussitôt : « Voilà l'Académie encarognée. »

A 1 heure et quart, il est dehors. Derrière la vitre de son café, Dumas fils le guette. Que faire ? Il hésite et finalement ose, s'avance vers le vieil Hugo qui, dans sa redingote noire, marche d'un bon pas. Hugo l'aperçoit, marque un temps d'arrêt, ne lui tend pas la main et lance seulement, de sa voix bourrue :

— J'ai voté pour ton père.

En avril, on est allé habiter rue de Clichy, au numéro 21. Là, Hugo a loué le troisième et le quatrième étage : il habitera le quatrième, avec Alice, Georges et Jeanne. Juliette occupe le troisième étage. La bourgeoisie absolue vient de frapper de nouveau. Dès qu'il a été question de ce nouvel arrangement, Alice a fait connaître ses volontés. Elles n'étaient pas particulièrement favorables à « Madame Drouet ». Juliette qui, dans ses lettres, n'avait toujours exprimé que des éloges pour la famille de Victor, allait cette fois se gendarmer : Pourquoi est-elle exilée ? Pourquoi ne disposerait-elle pas, elle aussi, d'une chambre au quatrième étage ? Aigrement, Alice répond que cette chambre-là lui ferait défaut. Si on la lui enlève, elle partira en compagnie de Georges et de Jeanne. Pour Hugo, menace insupportable. Juliette restera au troisième.

C'est à son étage que se trouvent les appartements de réception. Hugo n'a pas dû manquer de le lui faire valoir. C'est à son étage, aussi, qu'il vient travailler. Au fond, il n'y a que la nuit pour les séparer. Elle trouve que c'est beaucoup. Lui peut-être un peu moins : il a un faible pour Alice.

Cet appartement de la rue de Clichy, le petit Georges s'en souviendra avec cette minutieuse précision que font surgir les souvenirs d'enfance. Pas très gai, cet appartement : « Presque toutes les fenêtres donnaient sur la triste rue de Tivoli, aujourd'hui rue d'Athènes. Un petit vestibule sombre précédait la salle à manger. » Autour de la table de cette pièce mal éclairée, Georges s'est souvenu des « chaises de chêne sculpté, à coussins de velours vert, dont nous faisions les arbres de nos forêts vierges. » Le salon — on disait le salon rouge — ouvre par une porte à deux battants sur la salle à manger. Donne aussi dans la salle à manger la chambre où travaille Papapa et qu'il appelle son *cafarnaüm :* une petite chambre triste, « encombrée de brochures, de piles de livres écroulées, formant tas de pierres contre les murs ; sur une table, les immenses feuilles de " Whatman " couvertes de son écriture et, près de la fenêtre, le bureau très haut où il écrivait debout ».

Chaque matin, Georges et Jeanne descendent l'embrasser.

Dès qu'il ouvre la porte, le petit garçon aperçoit la grande silhouette se découpant sur la fenêtre sans rideau. Hugo lui dit, en levant la tête, « le bras appuyé solidement sur la haute tablette du bureau : " Bonjour, mon petit bonhomme ! " »

Georges va se jeter dans les bras du grand-père qui, le matin, porte une ample robe de drap gris soldat, « long vêtement sans col à larges manches, serré à la taille par une ceinture qu'il nouait ». C'est sa houppelande. Il l'endosse au-dessus des vêtements de laine rouge qui lui couvrent le corps, sur le pantalon rouge qui, à la cheville s'écarte sur des bas également rouges. Il n'aime guère, dans cette tenue, venir à table partager le déjeuner des enfants. Parfois, il n'y tient plus et les rejoint malgré tout. « Il s'en excusait, car il aimait à entourer les repas d'une sorte de cérémonie qui n'excluait pas la familiarité ; il s'asseyait toujours le dernier, après nous, même, attendant, debout devant sa chaise que chacun eût pris place, les dames les premières. » Il mange presque toujours les mêmes mets. « Sa grande gourmandise, et qu'il nous faisait partager, était le *gribouillis*, plat de son invention qu'il exécutait lui-même à table ; mélange de tout ce qu'on avait servi, œufs, viande, légumes, sauces et fritures, sorte de pâtée qu'il découpait, hachait à petits coups de couteau et assaisonnait en y renversant la salière. C'était la chose la plus exquise du monde. » Quand il y a un homard, il en arrache une patte, la broie de ses dents d'acier et avale le tout, « carapace et chair, à notre grande admiration, au grand effroi de ma mère qui craignait que nous ne le voulussions imiter. Ainsi faisait-il des oranges, qu'il mettait tout entières dans sa bouche et qu'il aimait à manger avec leur grosse peau amère. Il ressemblait alors à un bon ogre, souriant de l'étonnement qu'il voyait dans nos yeux écarquillés ».

Rue de Clichy, Papapa exige que Jeanne et Georges soient de tous les dîners. « Il lui fallait ses petits-enfants pour lui tout seul, et devant tout le monde. »

Georges se souviendra de cette salle à manger où il faisait si chaud, avec les douze ou quatorze convives — Hugo a horreur du chiffre treize : « Nous étions, ma sœur et moi, à côté l'un de l'autre, à l'extrémité de la table qui nous venait au menton. Nos pieds, battant le vide, se cognaient aux jambes de nos voisins bienveillants. Nous étions très sages et attentifs au bruit des conversations que, hélas ! nous ne compre-

nions pas. Président, droit assis, Papapa parlait plus clairement que tout autre, nous semblait-il, écouté dans un silence
religieux que, seul, Jeanne osait parfois troubler. Je l'en
admire encore, car les quelques mots qu'elle disait, toute
rose et gaie, mettaient le grand-père dans la joie. » Hugo est
en veston ou dans une redingote à collet de velours, avec parfois un foulard blanc autour du cou. Goncourt, décidément
promu miniaturiste en chef de Victor Hugo, l'écoute : « Il
parle de cette voix douce, lente, peu sonore, et cependant très
distincte, *une voix qui s'amuse autour des mots, et les
caresse.* Il parle, les yeux demi-fermés, avec toutes sortes
d'expression *chatte* passant sur sa physionomie qui fait la
morte, sur cette chair qui a pris le bon et chaud culottage de
la chair d'un syndic de Rembrandt, et quand sa parole
s'anime, il y a sur son front un étrange tressautement de la
ligne de ses cheveux blancs, qui monte et qui redescend. »
Goncourt ne peut s'empêcher de le trouver charmant. « Adorable », dit Flaubert dans ses grosses moustaches qui, à chaque repartie heureuse de Hugo, frappe la nappe de son poing
et réveille les petits-enfants à demi endormis :

— Impayable, ma foi !... Bien rugi, lion !... Du coup je
reprends de la côte de bœuf.

Le même Flaubert, si la conversation traîne, récite une
tirade du maître de maison, voire une scène entière de *Ruy
Blas.*

Le menu est toujours le même : un poisson ou un homard ;
un rôti de bœuf très saignant ; un pâté de foie gras ; une glace.
Juliette, devenue l'administratrice du budget alloué par Victor, se plaint que tout cela coûte cher.

4 juillet 1874 : « Je t'assure que je ne peux pas mieux faire avec la
nécessité de faire face à tes invitations permanentes et improvisées,
avec cinq maîtres et cinq domestiques tous les jours à nourrir... Je
tiens à ce que tu te rendes compte de mes efforts pour faire honneur
à ta maison malgré la cherté croissante de tout, non pas pour me
faire valoir, mais pour dégager ma responsabilité d'intendante de ta
maison. »

Le dîner achevé, Hugo offre son bras à Juliette et l'on
passe dans le salon rouge qui peu à peu va se remplir. On
l'appelle ainsi parce qu'il est tendu d'une tapisserie rouge à
raies jaunes enguirlandées de fleurs. Au milieu du salon, et le

divisant en deux parties, voici sur un piédestal un éléphant au combat, portant sa tour de bronze et levant une trompe en colère. Autour de l'éléphant, l'encerclant en quelque sorte, le « pouf » qui s'arrondit au milieu de la pièce et en quelque sorte la divise. A droite de la cheminée, le canapé de velours vert où Hugo vient s'asseoir après dîner.

Hugo ne s'est jamais si bien porté. Il affirme n'avoir jamais eu une indigestion de sa vie et ne comprend pas que les autres puissent aller mal. Un jour, Émile Augier, invité à dîner, fait savoir qu'il est souffrant.

— Il est malade, dit Victor Hugo ; *il a tort.*

A plus de soixante-seize ans, le docteur Germain Sée l'examinera de pied en cap et dira :

— On ne m'eût pas nommé le sujet et l'on m'eût fait l'ausculter, le palper dans une chambre sans lumière, que j'aurais affirmé : « C'est là le corps d'un homme de quarante ans ! »

Rue de Clichy, il monte ses quatre étages d'un seul élan et ne s'essouffle pas. Pour la première fois, il a mal aux dents. Stupéfait, il demande : « Qu'est-ce cela ? »

Parmi les habitués de la rue de Clichy fréquente naturellement Édouard Lockroy qui, à Guernesey déjà, regardait si tendrement Alice Hugo. Ce fils d'acteur est aussi l'arrière-petit-fils du conventionnel Julien et rappelle volontiers que c'est de la fenêtre de celui-ci que David avait tracé le croquis de Marie-Antoinette conduite à l'échafaud. Nul ne met en doute l'intelligence ni l'esprit de Lockroy, mais la première est surtout négatrice et le second persifleur. Il est « maigre, quasi squelettique, avec des yeux vifs et globuleux, facilement cordial, mais vindicatif [1] ». Il ne faut pas être grand clerc pour comprendre que Lockroy est tombé « éperdument amoureux » d'Alice Hugo, de son charme et de sa grâce.

Ses petits-enfants. Ils ne sont pas ses dernières joies — jusqu'au bout il en aura d'autres — mais les meilleures de ses joies. « Mes bien-aimés », répète-t-il. Parfois, ils ont l'autorisation d'assister à l'une de ces lectures qu'il donne après dîner. Georges n'oubliera jamais. « Enfouis dans les jupes de notre mère, curieux, attentifs et intimidés, nous regardons le grand-père debout devant la cheminée où flotte la flamme du

---

1. Léon Daudet. Il faut se souvenir que Daudet a épousé Jeanne Hugo et que les pages qu'il a écrites sur les dernières années du poète prennent valeur de témoignage.

feu. Et voilà qu'il parle. Tantôt les éclats de sa voix, devenue terrible, me font cacher la tête sous le châle de ma mère, tantôt il dit doucement des mots aussi doux que ceux qu'il dit pour nous. La lecture finie, au milieu de l'émotion silencieuse, je pars en courant, secoué de gros sanglots bruyants. »

La récompense qui, pour Georges et Jeanne, prime toutes les autres, c'est, les jours d'été, la promenade en fiacre. Mme Drouet revêt sa plus belle robe à volants et son mantelet de dentelles, elle enveloppe ses beaux cheveux argentés d'une capote à bride et, pour s'abriter du soleil, prend sa petite ombrelle de Malines à manche de nacre articulé. « Papapa en veston d'alpaga, le panama sur la tête, nous appelait, nous pressait, afin de ne point perdre les heures chaudes et nous nous installions tous quatre dans la voiture. » Naturellement, Jeanne et Georges s'assoient sur les strapontins. Juliette fait bouffer les plis de soie de sa jupe et brandit son ombrelle vers le soleil. D'un coup de pouce, le grand-père baisse le bord de son chapeau. « Et les beaux vieux souriants, les deux petits-enfants enchantés partaient à la découverte, dans Paris. Tout nous amusait, car tout était montré et expliqué par Papapa, avec des mots prestigieux qui frappaient nos jeunes imaginations. »

Dans ses Carnets où gambadent tant de femmes nues, le vieil homme à la barbe blanche enregistre les mots de Petit Georges et de Petite Jeanne comme autrefois il l'avait fait pour ses propres enfants : « Georges ayant enfreint une défense de sa mère, relative à un pot de confiture, m'a dit : " Papapa, veux-tu me donner la permission d'avoir mangé les confitures ce matin ? " Jeanne : " J'ai été un amour chez Papapa, j'ai pas parlé un mot. " »

Pour amuser les petits, Hugo se fait équilibriste : il pose sur une carafe un gobelet, sur le gobelet un porte-couteau, par-dessus une fourchette et un couteau et couronne l'échafaudage d'une cocotte en papier. A chaque fois Jeanne s'émerveille. Pour Georges, avec de la mie de pain, il modèle un cochon de lait et lui fait des jambes avec quatre allumettes. Et les yeux de Georges brillent ! Et il applaudit !

Il ne se lasse pas de les regarder, ses petits. Et déjà lui viennent des vers :

> Enfants, quand vous parlez,
> Je me penche, écoutant ce que dit l'âme pure,

> Et je crois entrevoir une vague ouverture
> Des grands cieux étoilés [1].

Ce qu'il médite, c'est *l'Art d'être grand-père*.

Un grand-père qui court, chaque après-midi, chez Blanche, et trouve le moyen de nouer des amours parallèles avec Judith Gautier. Quand s'est-elle donnée à lui, la magnifique « femme-sphinx » ? A peine rentré de Guernesey, il a reçu d'elle une lettre lui précisant une nouvelle adresse : 50, rue des Martyrs. Il s'y est précipité. Mais il avait mal lu le numéro et l'a en vain cherché du côté impair. D'où un véritable désespoir de la jeune femme : « Je vous attendais. Je vous attends toujours, et je ne suis pas sortie un seul instant ce jour-là. C'est à se casser la tête contre les murs. Je suis au désespoir... » Elle confie qu'elle s'est sauvée « en cachette » pour aller le voir, mais « deux fois de suite, on remarquerait peut-être mon absence ». *On*, c'est Catulle Mendès : n'oublions pas que la divine est mariée !
Les mois passent et l'admiration de Hugo grandit jusqu'à l'exaltation. D'où ces vers frémissants, longtemps ignorés, dédiés à « Madame J. » :

> Ame, statue, esprit, Vénus
> Belle des belles,
> Celui qui verrait vos pieds nus
> Verrait des ailes...
>
> Vous rayonnez sous la beauté ;
> C'est votre voile
> Vous êtes un marbre habité
> Par une étoile [2].

Ces vers sont du 4 avril 1874. Le lendemain, il lui en adresse d'autres, plus encore enflammés et qui ne laissent guère de doute sur la « concrétisation » de la liaison. Il les intitule *Nivea non frigida*. Comment le saurait-il s'il n'y est pas allé voir ?

> Elle prouve que la blancheur
> N'ôte à la femme
> Aucune ivresse, aucun bonheur,
> Aucune flamme ;

1. *L'Art d'être grand-père.*
2. *Toute la lyre*, édition complète.

> Qu'en avril les cœurs sont enclins
> Aux tendres choses
> Et que les bois profonds sont pleins
> D'apothéoses ;
>
> Qu'une femme fait en tout bien
> Son doux manège
> Et que l'on peut être de feu,
> Étant de neige.

Judith, divorcée, redeviendra Gautier. Plus tard, elle inspirera Wagner. Mais, d'elle à Hugo, de Hugo à elle, ce qui demeurera, c'est une tendresse mêlée de volupté, rencontre d'esprit devenue charnelle pour en revenir à l'esprit.

Tout ce personnel politique qui fréquente la rue de Clichy se désole que Hugo reste écarté des assemblées. Lui moins qu'eux. Cependant la même idée continue à le tarauder : il faut pardonner aux communards encore emprisonnés ou déportés. Ses amis lui disent que c'est dans une assemblée qu'il pourra le mieux défendre l'amnistie. Clemenceau emporte sa décision. Le 30 janvier 1876, il est élu sénateur de la Seine, au second scrutin, par 115 voix sur 209. Le 21 mars, il dépose un projet de loi pour l'amnistie totale. Pour défendre cette loi, il retrouve devant le Sénat les accents de 1851 :

Quoi ! dans un moment où l'on attend tout de vous, vous vous annuleriez ! Quoi ! ce suprême droit d'abolition, vous ne l'exerceriez pas contre la guerre civile ! Quoi, 1830 a eu son amnistie, la Convention a eu son amnistie, l'Assemblée constituante de 1789 a eu son amnistie et, de même que Henri IV a amnistié la Ligue, Hoche a amnistié la Vendée ; et ces traditions vénérables, vous les démentiriez ! Et c'est par de la petitesse et de la peur que vous couronneriez toutes ces grandeurs de notre histoire !

On l'écoute avec politesse. On vote par assis et levé. Se lèvent *pour* seulement neuf sénateurs. Le reste de l'assemblée se lève *contre*. *Le Figaro* va imprimer : « L'amnistie est enterrée sous un discours de M. Hugo. »

Qu'importe à Hugo. A la législative de 1848, on voulait le faire taire : il parlait. La France de Napoléon III lui était fermée : ses écrits avaient forcé les frontières. Maintenant, on voudrait le tuer par l'indifférence : il continuera son chemin. Peu à peu, l'opinion s'est faite moins dure pour les hommes de la Commune. On commence à publier sur l'implacable répression des détails et des chiffres qui ébranlent des convictions jusque-là tout d'une pièce. Et puis les années accomplissent leur œuvre qui, presque toujours, est positive. On en vient à se demander si ces politiques, impavides dans leur volonté de vengeance, ne vont pas trop loin. Et si finalement c'était ce vieux père Hugo qui avait raison ? Lui, au moins, il a du cœur, c'est ce que beaucoup répètent. Ainsi lui revient une popularité qu'on avait pu croire enfuie à jamais. Comme naguère, quand le poète, au bras de Juliette, apparaît en public, on l'applaudit. Aux yeux de Juliette, son grand homme est le seul, contre tous, qui ait raison : « Si le public avait pu voter, l'amnistie était proclamée d'emblée et tu aurais été porté en triomphe pour l'avoir si généreusement et si superbement demandée. »

Il continuera à parler, à écrire, Hugo, exprimant toujours, dans sa prose magnifique, les mêmes idées simples, opposant le Droit à la Loi. Le Droit, c'est « l'inviolabilité de la vie humaine, la liberté, la paix, la liberté des échanges économiques, l'abolition des frontières, l'instruction laïque, etc. ». La Loi à ses yeux est l'ennemi du progrès : « L'échafaud, le glaive, le sceptre, tous les jougs, les religions d'État, etc. [1]. »

En 1877, Hugo ne se contente plus de sermons sur la montagne. Mac-Mahon, président fort peu républicain d'une République qui ose à peine dire son nom, n'a pu tolérer d'entendre Gambetta lancer son fameux : « Le cléricalisme, voilà l'ennemi ! » Quand il demande au Sénat de prononcer la dissolution de la Chambre des députés, le vieux poète se dresse, furieux : va-t-on revenir au pouvoir personnel ? Va-t-on tuer la liberté ?

Une nouvelle série de *la Légende des siècles* vient de paraître, prolongeant d'admirable façon les précédentes. Une génération qui se croit acquise au scepticisme vibre à la lecture de ces grands vers. L'édition entière a été enlevée dans une seule journée. Calmann-Lévy est venu annoncer à Hugo que six ateliers de brochure avaient dû être requis pour satisfaire les demandes du public. Le succès rend plus fort. Au Sénat, Hugo se prononce avec énergie contre la dissolution :

1. Pierre Halbwachs.

Vous allez entrer dans une aventure. Eh bien, écoutez celui qui en revient ! Vous allez affronter l'inconnu, écoutez celui qui vous dit : l'inconnu, je le connais. Vous allez vous embarquer sur un navire dont la voile frissonne au vent et qui va bientôt partir pour un grand voyage plein de promesses, écoutez celui qui vous dit : arrêtez, j'ai fait ce naufrage-là !

Comme il s'est retrouvé, le vieil homme ! Comme on l'écoute ! Et il poursuit :

Messieurs, le péril de la dissolution, ce pourrait être, ou de nous jeter avant l'heure, d'un mouvement éperdu et désordonné, dans le progrès sans transition, et dans ces conditions-là le progrès peut être un précipice ; ou de nous ramener à ce gouffre bien autrement redoutable, le passé. Dans le premier cas, on tombe la tête la première ; dans le second cas, on tombe à reculons. (*Applaudissements à gauche, rires à droite.*)

Il achève :

Le peuple, appuyé sur le droit, c'est Hercule appuyé sur la massue. Et maintenant que la France reste en paix. Que le peuple demeure tranquille. Pour rassurer la civilisation, Hercule au repos suffit. Je vote contre la catastrophe. Je refuse la dissolution.

La gauche l'acclame longuement. Les autres ont été émus — sans être convaincus. La dissolution sera votée à une faible majorité : 149 voix contre 130. Un autre combat a commencé : cette Chambre dissoute, il faut la remplacer. Il est impératif qu'une majorité d'opposants à Mac-Mahon s'y retrouve. Dans ce combat, le poète à la barbe blanche est bien décidé à tenir sa partie. Une idée lui vient : ce livre sur le 2 décembre que, d'un jet, il avait écrit à Bruxelles et dont le manuscrit est resté dans ses cartons, pourquoi ne pas le publier ? Au coup d'État qui se dessine, pourquoi ne pas répondre par l'histoire d'un autre coup d'État ? Il lui manque un titre. Il le trouve : *Histoire d'un crime.* Le premier volume — longuement mis au point — va paraître le 7 octobre avec, à la première page, cet avertissement : « *Ce livre est plus qu'actuel ; il est urgent. Je le publie. V.H.* » Avant midi, on en vend vingt-deux mille exemplaires. On va désormais vendre dix mille exemplaires par jour. Le 11 octobre, l'éditeur Calmann-Lévy vient dire à Hugo : « Il y a soixante-dix mille exemplaires vendus à cette heure. » Hugo note : « Le tirage ne peut suffire, on n'a plus le temps de satiner le papier. » On tirera d'emblée le second volume à quatre-vingt-huit mille. L'impression produite est si grande que le président du Sénat informe Hugo que le gouvernement médite des poursuites contre l'*Histoire d'un crime*. Le Sénat « fera son devoir et soutiendra l'inviolabilité des sénateurs ». Hugo note : « Quant à moi, j'accepte le combat. »

Ainsi donc, à son âge, Hugo a pu se trouver au centre d'un événement de cette taille. Il s'en étonne, mais s'en réjouit. Il dit que le bonheur qui lui arrive advient aussi à la France. La Comédie-Française vient de lui reprendre *Hernani* avec une distribution superbe : Sarah Bernhardt, Mounet-Sully, Worms. Le soir de la répétition générale, Hugo doit courir au Sénat où l'a appelé une réunion urgente. Trois jours plus tard, il retourne à *Hernani*. A minuit la foule l'attend à la sortie du théâtre et l'acclame. Le lendemain, rue de Clichy, c'est un afflux de fleurs de toutes sortes. On ne sait plus où les mettre. Hugo distribue les bouquets à « ces dames » — Juliette, Alice — et les couronnes à Petite Jeanne. Le 1er décembre, le Théâtre-Français enregistre avec *Hernani* la plus forte recette de son histoire : 7 639 francs.

Une fois encore, le Vieux de la Montagne a retrouvé Paris.

Aux élections, les républicains obtiennent une énorme majorité : 326 sièges contre 200. La démission de Mac-Mahon consacre plus un échec à la sottise qu'à la tyrannie.

Les Français n'oublieront pas ce nouveau combat de Hugo. Son ultime image vient d'acquérir sa pérennité. Jusqu'à son dernier jour, avec sa brosse de cheveux blancs et sa barbe blanche de docteur en sagesse, il restera le patriarche de la République.

Qui plus est, cette année-là, il publie *l'Art d'être grand-père*. Touche tendre et charmante qui parachève un portrait.

Simplement, Hugo a regardé vivre ses petits-enfants. Il a enregistré leurs mots, leurs attitudes, leurs maladresses, la précipitation qui brusquement les jetait dans ses bras. Il s'est souvenu de son amour pour eux, des élans fous qui lui faisaient tout à coup les serrer jusqu'à ce qu'ils crient, les couvrir de baisers jusqu'à ce qu'ils demandent grâce.

> Moi qu'un petit enfant rend tout à fait stupide
> J'en ai deux ; George et Jeanne ; et je prends l'un pour guide

> Et l'autre pour lumière, et j'accours à leur voix,
> Vu que George a deux ans et que Jeanne a dix mois [1].

Il a médité sur cet étrange gouffre qui s'appelle la vie et qui sépare l'extrême jeunesse de l'extrême vieillesse. Il s'est demandé pourquoi le spectacle de ces petits le consolait de tout. Il regarde Jeanne dormir.

L'amour, oui. Il a beaucoup aimé les femmes, il les aime toujours, mais cet amour-là n'est jamais désintéressé. Aux élans de l'âme se mêle le désir. La femme qui vous aime pourra donner sa vie pour vous; elle n'oubliera pas votre corps ni le sien. L'enfant qui se blottit n'attend rien d'autre que de l'amour en réponse au sien. Il lui a fallu toute une vie, au vieil homme, pour le comprendre : l'amour immaculé de l'enfant engendre chez l'adulte le seul qui soit absolument pur. C'est cette pureté qui émerveille Hugo et lui inspire d'inoubliables vers :

> Jeanne était au pain sec dans le cabinet noir,
> Pour un crime quelconque, et, manquant au devoir,
> J'allai voir la proscrite en pleine forfaiture,
> Et lui glissai dans l'ombre un pot de confiture...

Qui ne se souvient ? La famille entière se récrie. Ce grand-père-là est par trop faible et lâche. Comment assurer l'éducation d'une enfant si le grand-père rit chaque fois qu'on la gronde. Papapa, vous êtes un démolisseur. Et il baisse la tête. Il convient qu'à cela il n'a rien à répondre. Une seule solution :

> Qu'on me mette au pain sec. — Vous le méritez, certe,
> On vous y mettra. — Jeanne alors, dans son coin noir,
> M'a dit tout bas, levant ses yeux si beaux à voir,
> Pleins de l'autorité des douces créatures :
> — Eh bien, moi, je t'irai porter des confitures [2].

Immense succès, encore, que ce livre de poèmes. La France entière découvre Georges et Jeanne. Les petits-enfants de Victor Hugo entrent dans la légende.

1. *L'Art d'être grand-père. Georges et Jeanne.*
2. *L'Art d'être grand-père*, VI, 6.

Dans la vie de ces enfants idolâtrés, un grand changement s'est produit. Édouard Lockroy, depuis longtemps amoureux d'Alice, a demandé sa main. Le maigre, bouillant et acerbe journaliste devenu député des Bouches-du-Rhône n'a pas eu de mal à triompher. Avec quelque embarras, Alice a fait annoncer à son beau-père par Jules Simon son intention de se marier. Son argument : elle a « besoin d'un bras d'homme pour s'appuyer ». Léon Daudet, qui a tout su des arrière-plans de cette histoire, rapporte que Hugo, « avec l'intuition qui lui avait toujours été naturelle », s'est d'abord montré fort hostile à cette union. Il « déconseilla fortement à sa bru d'épouser cet enfant de la balle, dont l'ironie et la gouaille lui déplaisaient ». Vite il comprend qu'Alice passera outre. Il donne son accord. Lockroy a connu cette répugnance : d'où une mortelle blessure d'amour-propre qui lui inspirera pour le vieux poète « une haine sourde, implacable ».

Le 3 avril, Alice épouse Édouard Lockroy. Elle annonce à son ex-beau-père qu'ils vont partir en voyage de noces pour Saint-Jean-de-Luz. *Hugo à Alice* : « Je connais Saint-Jean-de-Luz. Quand je l'ai vu pour la première fois, j'avais neuf ans, un an de plus que Georges. C'était en 1811. Nous allions en Espagne. Allez-y, mais n'y faites pas de châteaux. Contentez-vous d'être aimée, c'est-à-dire heureuse. »

Lui, il sait hélas que d'autres attirances le rattachent à la terre. La liaison avec Blanche continue. On dirait que plus il vieillit et plus il a besoin de ce corps toujours jeune. *Carnet de 1878, 22 juin* : « *Turris nova*. Cloche. » Turris nova veut naturellement dire Tournelle et Blanche habite toujours quai de la Tournelle. *23 juin* : « *Turris nova*. Ève. » Blanche ce jour-là s'est mise nue comme Ève. *26 juin* : « *Turris nova*. Ève. » *27 juin* : « *Turris nova*. Ève. » Donc, depuis la grande crise de 1873, non seulement il n'a pas renoncé, mais il a recommencé de plus belle !

C'est d'elle évidemment qu'il est question dans ces quatre vers :

> Elle est encor couchée, elle songe, elle boude ;
> Sa manche est retroussée et laisse voir son coude,
> Et sa fine chemise, éparse mollement,
> Aux deux bouts de ses seins ébauche un pli charmant [1].

---

1. *Océan*.

Le plus surprenant est que, pendant plusieurs années, Hugo ait pu laisser ignorer à Juliette, pourtant si perspicace, la poursuite de la liaison avec Blanche. La vieille compagne ne souffre que de tous ces regards que, devant elle, Hugo ne peut s'empêcher d'adresser à tant de femmes. Elles tournent autour de lui à la façon des papillons irrésistiblement attirés par la lumière. Les impures jugent piquant d'inscrire dans leurs souvenirs quelques heures de plaisir en compagnie d'une gloire nationale. Les plus sages se disent que rendre heureux, ne fût-ce qu'un instant, un si grand homme, ne leur sera compté que comme péché véniel. Hugo pourrait considérer leur manège, sinon avec indifférence, du moins avec indulgence. Et n'y pas céder. Ne trouve-t-il pas tout ce qu'il peut souhaiter dans le lit de la petite Blanche ? La vérité est que Blanche à son tour est devenue une habitude. Comme les autres de jadis et naguère, celle-ci lui est si chère que s'en passer lui serait intolérable. Refrain connu. La meilleure manière de rompre avec le trop attendu reste de répondre à celles qui passent. Nul mieux que Juliette ne l'a compris : « Mais que faire à cela ? Le remède, s'il y en avait un, serait pour ta généreuse et galante nature pire que le mal. Tu as besoin d'obliger tous ceux qui s'adressent à toi et tu aimes le marivaudage, quel qu'il soit, même de raccroc... » D'autres fois, elle se montre beaucoup moins philosophe : « Je ne veux pas te faire une scie de tes bonnes fortunes, mais je ne peux m'empêcher de sentir que mon vieil amour fait triste figure au milieu de toutes ces cocottes à plumes, et à bec-que-veux-tu. » Plus brutalement encore : « Tu ferais bien de te débarrasser peu à peu de toutes ces coureuses de gousset et de culottes qui rôdent autour de toi comme des chiennes. »

Toutes. Connues et inconnues. A la reprise d'*Hernani*, la jeune et géniale Sarah Bernhardt s'est offerte à lui. Comment aurait-il refusé ? L'imprévu, cette fois, c'est que la brève aventure a tout à coup suscité chez le poète comme chez l'actrice des alarmes assez vives mais peu durables. Hugo note : *No sera el chico hecho*. Ce qui veut dire : « On n'aura pas fait d'enfant ! » Dommage : un enfant de Victor Hugo et de Sarah Bernhardt !

En ce temps, il semble aux amis de Hugo que rien ne pourrait déraciner le vieux chêne. On lui voit un appétit qui ne faiblit pas ; Goncourt note qu'à un seul repas il mange « une gibelotte de lapin, suivie d'un rosbeef, après lequel fait son

entrée un poulet rôti ». Tout cela largement arrosé de ces
vins de France que, si sobre autrefois, il célèbre maintenant à
l'envi.

Devant tant d'activité, on s'étonne, on admire, on ne
s'inquiète pas. Il est vrai que l'on ignore l'avertissement du
30 juin 1875. Ce jour-là, il avait noté : « J'ai eu le phénomène
bizarre d'une brusque éclipse de mémoire. Cela a duré environ deux heures... » Il n'en avait parlé à quiconque et lui-
même avait oublié. Chaque matin, il continue de remplir sans
fatigue sa tâche quotidienne. Vers ou prose, les lignes viennent toujours aussi aisément sous ces plumes d'oie qu'il a de
plus en plus de mal à se procurer. Il accueille tous ceux qui
frappent à sa porte.

Juliette à Victor, 5 février 1878 : « Les coups de sonnette succèdent
aux coups de sonnette sans interruption, et les livres, les brochures
et les lettres s'amoncellent de minute en minute à ne plus savoir où
donner de la tête. Sans compter les déclarations d'amour qui tombent dru comme grêle en mars ! En fin de compte, je suis abasour-
die, abrutie, ahurie et je ne sais plus où j'en ai. Je t'aime, c'est tout ce
qui surnage en moi... »

Parmi ces visites, la plus insolite : celle de l'empereur du
Brésil, Don Pedro. Il s'est présenté à 9 heures du matin, a été
reçu aussitôt. En entrant, il a dit :

— Rassurez-moi. Je suis un peu timide.

Il a demandé à faire la connaissance des jeunes héros de
l'Art d'être grand-père. Quand Jeanne est entrée, il a dit :

— J'ai une ambition. Veuillez me présenter à Mlle Jeanne.

Alors Hugo :

— Jeanne, je te présente l'empereur du Brésil.

Mais Jeanne, déçue, a dit à mi-voix :

— Il n'a pas de costume.

Le tour est venu de Georges :

— Sire, je présente mon petit-fils à Votre Majesté.

L'empereur a protesté :

— Il n'y a qu'une Majesté ici, c'est Victor Hugo.

Il suit assidûment les travaux du Sénat, il préside les cérémonies du centenaire de Voltaire, puis un congrès littéraire
international au cours duquel il traite avec une remarquable
pertinence de la protection du droit d'auteur. Ces interventions prépareront la convention de Berne. Dans Paris, on sait
que le père Hugo est toujours disponible. Il l'est trop.

Le 28 juin 1878, comme chaque jour, il est allé voir Blanche qui s'est mise nue devant lui. Il est rentré pour dîner — copieusement. Le petit Louis Blanc est là. Sur Rousseau et Voltaire, fort à la mode à cause du double centenaire, les deux hommes se querellent. Louis Blanc tient pour Jean-Jacques et Hugo pour l'ermite de Ferney. Après le départ de « Bonhominet », tout à coup la parole de Hugo s'embarrasse, ses gestes s'alourdissent. Juliette considère cela avec épouvante. On l'aide à se coucher. Il s'endort. Le lendemain au réveil, il déclare qu'il se sent très bien. Il suffit de le voir pour penser le contraire. Dans l'après-midi, comme la journée est très belle, Juliette suggère une promenade en voiture. Il accepte. En route, il sombre dans un mutisme total. Elle s'affole. En hâte, elle fait appeler les docteurs Allix et Sée. Les attendant, fidèle à une tradition ancienne de plus de quarante ans, elle lui écrit étant à quelques mètres de lui :

« Cher bien-aimé, tu m'as paru bien préoccupé pendant toute la promenade et même un peu fatigué.

« Vraiment, mon cher adoré, je crains que tu ne te surmènes au-delà du possible et je voudrais pour tout au monde te voir prendre un peu de repos.

« Je ne serai tranquille que lorsque tu seras hors de la portée de tous ceux qui te harcèlent, qui pour le Centenaire de Voltaire, qui pour l'Académie, qui pour le Sénat, qui pour le Congrès littéraire, qui pour Rousseau, qui pour la prise de la Bastille, qui pour l'amnistie, qui pour ceci, qui pour cela et tous ensemble pour le diable et son train, sans souci de ton repos, de ta santé et de ta vie... »

Un coup de sonnette : les médecins. Avant de les introduire auprès de Victor, Juliette les attire dans un coin du salon. Elle baisse la voix pour leur confier que, malgré son âge, le maître se laisse trop souvent aller, avec de jeunes personnes, à des excès qui peuvent être à l'origine du malaise dont il a souffert. Graves comme des papes, les médecins hochent la tête et s'en vont examiner Hugo. Aucun doute : il y a eu attaque et il faudra prendre des précautions. L'un des médecins se penche vers Hugo et, sentencieusement, l'avertit qu'il n'est pas raisonnable de faire à soixante-seize ans ce que l'on pratiquait à vingt ans. L'œil de Hugo s'écarquille. Visiblement, il ne comprend pas. Plus bas encore, le médecin explique : les dames...

Une immense stupéfaction se lit sur le visage de Hugo :

— Mais, docteur, reconnaissez que la nature devrait avertir !

D'évidence, en ce qui le concerne, elle n'a pas averti.

Une seule solution, pour qu'il se condamne lui-même au repos — in petto Juliette ajoute : pour qu'il échappe aux chasseresses éhontées — un séjour à Guernesey. Pied à pied, il lutte pour y échapper. Là-bas, que fera-t-il sans Blanche ? Il faut que tout l'entourage se ligue. On va jusqu'à appeler Petite Jeanne à la rescousse !

Juliette à Victor, 3 juillet 1878 : « Il faut absolument faire tout ton possible pour partir demain soir jeudi. Tout le monde le désire et Petite Jeanne le veut et moi je le désire et je le veux encore plus que tout le monde et plus que Petite Jeanne. Tu vois qu'il n'y a pas moyen de résister à tant de désirs et de douces volontés. »

Il cède et, le 4 juillet, quitte Paris pour Guernesey. Son train est plus digne d'un roi que d'un poète. L'accompagnent : Juliette, bien sûr ; Alice, Georges et Jeanne ; Mme Ménard, fille de Dorian, ministre des Travaux publics pendant le siège de Paris et sa fille Pauline qu'épousera Georges ; Louis Koch, neveu de Juliette, et le fils de celui-ci ; le docteur Allix ; Richard Lesclide, secrétaire de Hugo, et son épouse Juana ; plus quatre domestiques sous les ordres de Mariette.

De nouveau, la grande maison ouverte aux vents. Une photographie représente Hugo dans le jardin, assis auprès de Juliette Drouet — l'un et l'autre aux cheveux immaculés — au milieu d'un groupe où l'on reconnaît Julie Chenay, Alice Lockroy, les deux petits. Comme le regard de Hugo est loin de tout ! Comme il a l'air triste !

Au vrai, il est ailleurs dans le temps. Il a vécu tant d'années dans cette maison ! Georges — il a onze ans maintenant — comprendra cela admirablement : « Tant de souvenirs d'êtres bien-aimés, flottant dans le clair-obscur des chambres, venaient sourire devant ses yeux rêveurs ! *Hauteville House* est restée pour nous un peu comme la " maison des âmes ", car tout y parle des chers disparus... » C'est à ceux-là que pense le vieil Hugo foudroyé. Ici, à la table de la salle à manger, c'est tout à coup le rire tonitruant de Charles qu'il entend. S'il passe devant le billard, il y voit François-Victor peaufiner un dernier coup. S'il monte au premier étage, il lui semble que les portes vont battre, qu'Adèle va paraître devant lui. Georges le verra parcourir, « lentement, cette maison faite par lui avec la patience d'un imagier de cathédrale gothique et la fantaisie extrême-orientale de son pinceau, mystérieuse maison où chaque meuble, chaque bibelot presque, portent l'empreinte de sa griffe ». Il lui suffira de fermer les yeux pour l'entendre encore monter « de son pas cadencé devenu plus lourd, le sombre escalier tapissé, des murs aux marches, de feutres épais à dessins de roses et de feuilles mortes ». Il marchait, « une main dans la poche de son pantalon, l'autre solidement appuyée à la rampe ». Le bois craquait sous ses pieds. « En haut, de la verrière, tombaient les reflets dorés du soleil, qui venaient jouer dans sa barbe blanche. »

Cet été-là, il attendra de longs jours avant de rejoindre son *look-out*. Il s'est installé dans la chambre de Charles et, dès l'aurore, à travers les cheminées des toits de brique, il peut apercevoir de son lit « la mer carminée et les bateaux de pêche qui doublent la jetée ». A peine éveillé, il va ouvrir la fenêtre à guillotine « et tous les bruits du port arrivaient dans sa chambre avec les chants des oiseaux ».

Peu à peu, la paix de ce grand lieu et sans doute l'air marin — « l'air de Guernesey » — vont le rendre à lui-même. Pour la première fois, le 10 août, il se sent capable d'écrire une ligne, une seule. Elle est pour Juliette : « Sois à jamais ma bien-aimée ! » Le 24 août, *la Gazette de Guernesey* pavoise : « Le grand poète reçoit ses amis à *Hauteville House*. Nous avons eu l'occasion de le voir dans les Arcades et nous l'avons trouvé paraissant jouir d'une saine et excellente santé. »

Juliette croyait son lion définitivement changé en agneau. Elle déchante. Il recommence à travailler, écrit des lettres qu'il lui cache. Des femmes, encore ! Sa jalousie se ranime d'autant plus furieusement qu'elle a cru en être définitivement délivrée. Pour la première fois de sa vie, elle habite *Hauteville House*. Elle s'y perd un peu. Cette femme qui s'essouffle à monter un escalier, paralysée par les rhumatismes, n'en va pas moins se muer en exploratrice. Persuadée que les preuves de la trahison de son vieil amant se trouvent dans cette maison, elle va de pièce en pièce, cherche, ouvre les armoires, bouleverse les tiroirs, visite les moindres recoins. En riant, Hugo disait : « Ma maison est machinée comme le palais d'Angelo. » Dans les cloisons de sa chambre, on voit encore aujourd'hui des rainures affectant la forme de carrés, de rectangles ou de triangles. Il s'agit de placards secrets. Juliette ne les découvre pas tous, mais ceux sur lesquels elle met la main déclenchent des tempêtes. Un jour, c'est une sacoche découverte dans une cachette du cabinet de travail. Portant les initiales V. H., elle renferme 5 000 francs en or. Un trésor clandestin ! Juliette, qui sait — oh ! oui, elle le sait ! — avec quel soin Hugo recherche pour ses placements la meilleure rentabilité, se doute que ce trésor de guerre a été accumulé dans un but précis : rémunérer les services des « gueuses » qui tuent Victor à petit feu. Aussi vite que le lui permettent ses deux cannes, elle fait irruption chez Hugo, brandit la sacoche, exige des explications.

Le vieil homme se recueille un instant, cherche — et trouve. Nul mystère : il a trouvé la sacoche rue Drouot à la mort de son fils François-Victor et il a gardé le tout intact « en souvenir de l'enfant bien-aimé [1] ».

« Le calme s'était à peine fait, relate Mme Lesclide, qu'une tempête nouvelle assombrissait l'horizon. » La tempête se change en cyclone le jour où Juliette tombe sur les agendas de 1873, si pleins de noms de femmes et d'inscriptions mystérieuses. Elle ne connaît ni le latin ni l'espagnol, mais elle a vite fait de découvrir la clé de la plupart des naïfs hiéroglyphes hugoliens. Pleurs, cris, adjurations, menaces : tout cela pleut sur le pauvre Hugo qui courbe l'échine mais n'en pense pas moins. Non contente de l'accabler verbalement, elle tient à mettre noir sur blanc ce qu'elle pense de lui.

Juliette à Victor, 20 août 1878, mardi matin, cinq heures et quart : « Les fières prosternations de mon âme devant la tienne s'adressent à l'homme divin que tu es non à la vulgaire et bestiale idole des amours dépravées et cyniques que tu n'es pas. Ta gloire qui éblouit le monde éclaire aussi ta vie. Ton aube est pure, il faut que ton crépuscule soit vénérable et sacré. Je voudrais, au prix de ce qui me reste à vivre, te préserver de certaines fautes indignes de la majesté de ton génie et de ton âge. Tu sais cela autant et plus que moi et surtout tu le dirais mieux, mais ce n'est pas une raison pour me taire, au contraire, et je te supplie à genoux d'avoir pitié de moi qui t'adore. »

De telles lettres, il les reçoit avec toute la gravité qui convient. Ce sont, devant la mer, d'éternels serments. Ce qui ne l'empêche pas, le soir, — le pauvre homme est sevré de son

1. Juana Richard-Lesclide.

harem parisien — d'aller rôder dans la rue des Cornets où folâtrent de « jeunes vendeuses d'amour ». Une bonne âme vient dire à Mme Drouet qu'on a vu par là son vieil amant. *Juana Richard-Lesclide* : « Mme Drouet, après une scène d'une violence inouïe, déclara à son amant impénitent qu'elle était résolue à le quitter, et que son parti était irrévocablement pris. Puis elle se leva et sortit sans qu'on songeât à la retenir au milieu de la consternation générale. »

La scène s'est déroulée après dîner dans le décor somptueux du grand salon tendu de damas, devant les tapisseries de « jais blanc », de soie et d'or éclairées par l'or des torchères de la cheminée. Un silence sidéral paralyse l'assistance. Chacun médite la menace très précise de Juliette : elle ira finir ses jours à Iéna, auprès de son neveu Louis Koch qui, professeur d'allemand au lycée Saint-Louis, a toute sa famille en Prusse. Alice seule ose interroger Papapa :

— Vous avez entendu, père ?

Sous l'avalanche, Hugo n'a pas bougé d'un pouce. Depuis que la porte a claqué, il observe la contenance d'un monolithe. Il répond qu'il a entendu.

— Que ferez-vous alors ?

— J'irai la chercher.

— Même en Prusse, où elle veut aller ?

— Même en Prusse.

Ce qui porte à son comble l'exaspération de Juliette, ce sont toutes ces lettres de femmes qui, chaque matin, arrivent de France. Dès qu'elle entend sonner le facteur, elle se précipite pour saisir, la première, les missives accusatrices. Hélas, elle souffre toujours de ces fichus rhumatismes. Elle se hâte mais ce ne peut être que lentement. Hugo a entendu, lui aussi. Il descend quatre à quatre l'escalier, la rejoint dans l'antichambre, la dépasse, ouvre la porte, se saisit des lettres :

— Merci, facteur !

Son trésor serré sur la poitrine, il court vers l'escalier. Elle veut l'arrêter, n'y parvient pas, pousse des cris. Lui est déjà en train de déchiffrer les billets doux.

Ridicule. Mais adorable.

L'automne s'annonce. Juliette s'apaise. Quand Hugo lui fait part de son désir de rentrer à Paris, elle hasarde un combat d'arrière-garde, murmure que le mieux serait sans doute qu'elle reste à Guernesey, pour garder la maison en compagnie de Julie Chenay. Lui pourrait rentrer seul. Le regard, alors, qu'il lui adresse ! Elle renonce à son projet. Elle l'accompagnera, elle le sait, jusqu'au bout du monde. Elle n'est pas de force, Juliette. Avec lui, elle n'a jamais été de force.

Les quatre étages de la rue de Clichy, c'était trop, désormais. En son absence, Meurice avait trouvé pour son vieux maître un petit hôtel particulier, au numéro 130 de l'avenue d'Eylau. Miracle ! La maison voisine, au numéro 132, était libre également. Les Lockroy et les petits pourraient venir y habiter. Georges et Petite Jeanne à sa porte : Hugo a vu là un signe évident de la Providence. Sans hésiter, il a signé le bail.

Cette dernière demeure, qui fut la sienne, n'existe plus. L'avenue d'Eylau est devenue l'avenue Victor-Hugo. Au numéro 124 s'élève aujourd'hui un immeuble et devant cette façade qui ressemble à toutes celles qui l'entourent ou lui font face, il est bien difficile d'imaginer la maison au milieu des arbres. Car l'essentiel, ici, était le jardin, vaste et profond. Sophie eût rêvé devant tant d'espace, devant ces pelouses, ces bosquets, ces fleurs, ces tilleuls, ces marronniers.

Au rez-de-chaussée, un grand salon où, sur une moquette épaisse qui assourdit les pas, on retrouve les meubles de la rue de Clichy ; un petit salon, la salle à manger, la bibliothèque. Tout cela ouvre, par de hautes portes-fenêtres, sur le jardin. Au premier, le salon bleu, où Juliette se tiendra le plus volontiers. Au second, étage mansardé, la chambre de Hugo. Elle est petite — il n'a jamais aimé les grandes chambres — et tendue d'une soie d'un vieux rouge : il a toujours aimé les pièces rouges. Des rideaux à gros plis cachent les deux portes. Au plafond, une tapisserie qu'encadre une « large bande de velours vert ». Le petit Georges a toujours été frappé par ce lit de style Louis XIII à colonnes torses, planté sur un épais tapis de Smyrne, et qui « venait du fond de la pièce presque jusqu'à la cheminée ». Elle est de marbre blanc, cette cheminée « avec un dessus de soie à festons, une pendule, deux chandeliers ». Ajoutez une commode Louis XV à tiroirs ventrus, un chiffonnier de chêne sculpté surmonté par une Justice de plâtre doré, et, près de la fenêtre, « le haut bureau à écrire debout, avec les feuilles de Whatman, un plat encrier de Rouen à petit goulot, où était fichée une plume d'oie noircie jusqu'à la barbe, une soucoupe pleine de la pou-

dre d'or dont il séchait les lignes fraîchement tracées » : voilà
la chambre de Hugo. Une seule fenêtre donne sur le jardin ;
par elle la lumière entre, « violente, mettant des luisants sur
un grand meuble à deux caps », dans lequel Hugo enferme
ses manuscrits.

La chambre de Juliette ? D'abord, on l'a aménagée au premier étage. Elle n'a cessé de protester auprès du vieux Victor
contre ce nouvel exil où on la contraignait. Il a cédé. Elle est
venue s'installer au second, dans le cabinet de débarras atte-
nant à la chambre de son poète. De là, elle va pouvoir venir le
dorloter tout à son aise.

Depuis son attaque, c'en est fini pour Hugo du travail dès
l'aube. Georges se souviendra de son entrée chez Papapa,
chaque matin un peu avant 9 heures : « Je le trouvais couché,
tout éveillé, les couvertures au menton, la tête reposant de
côté, sur un dur oreiller de crin plié en quatre, sa main à
l'anneau d'or tenant les draps. » Le petit garçon voit parfois,
sur une table placée contre le lit, « des feuillets de papier,
bandes de journaux, versos de lettres, semées d'indéchiffra-
bles hiéroglyphes : les notes que, la nuit, sans lumière, il avait
prises ; vers jetés là, au hasard, dans l'obscurité ». Georges se
penche, Papapa l'embrasse. Alors, tout à coup, le vieil Hugo
saute du lit avec l'agilité d'un jeune homme. Il est — cela ne
change point — tout de rouge vêtu. Sur le chiffonnier, un œuf
cru l'attend. Il en brise la coquille avec un canif à manche
d'ivoire — et le gobe goulûment. Il avale un bol de café noir,
sans sucre. Puis, héritage jamais oublié de Guernesey, il
laisse tomber tous ses vêtements, entre nu dans le bassin
plein d'eau froide qui l'attend. Avec une grosse éponge il
s'inonde le corps tout entier, « et l'eau sautait partout », se
souviendra Georges. « Après, assis sur une petite chaise can-
née, il séchait méticuleusement ses jambes encore nerveuses
et son torse toujours robuste. » Il se lève, va à la commode
où l'attend une cuvette pleine d'eau — froide, c'est un rite ! —
et y plonge la tête avec tant de plaisir que Georges s'en
amuse toujours. Il lave ses « dents de loup » — comme disait
autrefois Juliette — demeurées intactes, les frotte avec une
brosse dure comme du crin, « à s'en faire saigner les gen-
cives ». Il revêt de nouveaux sous-vêtements de laine rouge.
Les pieds nus, il s'avance vers la glace de la cheminée, se
peigne, « lissant mille fois de la brosse ses fins cheveux
blancs, retroussant avec violence sa barbe drue, et délicate-

VICTOR HUGO

ment ses moustaches ». Il passe un foulard de soie blanche
sous le col d'une chemise de toile. Il revêt ses habits de drap
noir « qu'il formait à son corps en quelques gestes secs ». Il
prend sur la cheminée sa montre plate, la range soigneusement dans une petite poche de son gilet. Puis, dans un sourire qui lui plisse les yeux, il lance à l'adresse de son petit-
fils :
— Et voilà.
Il a grandi, Georges. Il va au collège, maintenant. Quand il
en revient, avant le déjeuner, il passe voir Papapa :

« Je le trouvais au travail. De sa haute écriture, il couvrait régulièrement, lentement, les épaisses feuilles de papier d'un blanc de
crème. Il prenait vivement l'encre dans l'encrier, tournait un peu la
plume dans ses doigts avant que d'écrire ; l'ongle long de son petit
doigt faisait sur le papier un léger bruit qui accompagnait celui de la
plume. Tout cela en souriant, le front calme, le corps bien droit.
Quand il avait fini, il laissait la plume dans l'encrier, mettait ses
deux mains dans ses poches, et, sans relire, regardait jouer les
oiseaux sur la véranda. »

C'est vrai : il continue à travailler, le poète. Et il publie. A
vrai dire, ses ouvrages que l'on édite réunissent surtout, grâce
aux soins de Vacquerie et de Meurice, des poèmes antérieurs à
1878. Il en a tant écrits ! En février 1879, c'est *la Pitié suprême*
qui vient renforcer les deux appels pathétiques qu'il lancera
encore, en février 1879 et juillet 1880, à la tribune du Sénat,
pour que soient définitivement amnistiés les communards.
En 1880, c'est *Religions et Religion*, où ont trouvé accueil, au
milieu de beaucoup d'autres, des vers de *Dieu*, et qui, de sa
part, est un acte : il s'afflige de voir partout le matérialisme
triompher et proclame la nécessité pour l'homme de vivre par
et dans l'esprit, à condition que cet esprit soit amour :

> Homme, contente-toi de cette soif béante,
> Mais ne dirige pas vers Dieu ta faculté
> D'inventer de la peur et de l'iniquité...

En 1880, encore, c'est *l'Ane*, raillerie suprême contre le
scientisme triomphant. En 1881, *les Quatre Vents de l'Esprit*
rassemblent des poèmes de tonalités et d'époques si différentes qu'elles font, une fois de plus, éclater l'immense disparité de son inspiration.

Il reste l'homme assiégé par les admirateurs — et les admiratrices —, les solliciteurs de toute sorte. Sa table demeure ouverte à tous. Il a perdu quelque peu de son énergie créatrice, mais le reste n'a en rien été atteint. Au retour de Guernesey, il a couru chez Blanche, de nouveau. Il a retrouvé l'impériale de son cher omnibus. Les employés connaissent bien M. Victor Hugo, l'aident à grimper l'étroite échelle, l'installent le plus confortablement possible. Il y a des années que cela dure ! Le 3 janvier 1878, n'a-t-il pas exprimé à M. Berthier, président du conseil d'administration de la Compagnie Générale des Omnibus, sa particulière gratitude ? « Je fréquente habituellement deux lignes : les tramways de l'Étoile au Trône et les omnibus des Batignolles au Jardin des Plantes. J'ai ma part des excellents services que rendent au public les conducteurs et les cochers de ces deux lignes. Je voudrais à l'occasion du jour de l'an les remercier. Permettez-moi de leur offrir par votre intermédiaire, une somme de cinq cents francs. » Cher Hugo !

Un jour, au cours d'une conversation avec Juliette, Victor va l'appeler :

— Ma chère Blanche...

C'en est trop. Juliette décide qu'il ne doit plus être question de Blanche. Ruth doit sortir — définitivement — de la vie de Booz. Inutile de s'adresser à Victor, vieil enfant inguérissable. C'est chez Blanche que l'on ira frapper. Durant tout un temps, c'est le fils des Lanvin, Bernard-Constant, qui est chargé de surveiller sa nièce et de faire rapport à Juliette sur les visites de Hugo à celle-ci. Au moment de frapper le coup définitif, c'est à Lockroy que la vieille compagne va faire appel. Le faux gendre en veut toujours au beau-père d'Alice. Avançant en âge, son caractère, naturellement emporté, s'est aigri. Il a véritablement pris en haine le vieil homme amoindri. S'il lui advient de le rencontrer en chemise dans le petit escalier, il lance :

— Où allez-vous encore, vieux dégoûtant ? Vous croyez-vous au bordel pour circuler dans une tenue pareille ?

Une autre fois, alors que Hugo se dirige vers l'office :

— En voilà assez de vos frasques, vous m'entendez ! Laissez la cuisinière tranquille et si vous voulez pincer des fesses, allez les pincer hors d'ici. Respectez votre bru et vos petits-enfants.

Si Hugo tente de regimber, Lockroy, le verbe haut et mau-

vais, le menace de le priver de ses petits-enfants. Alors Hugo
implore, pleure. Alice ? Elle est, dit Léon Daudet, « subjuguée
par son mari » et elle le suit « dans toutes ses fantaisies ».
Certaines fois, Lockroy, « perdant toute mesure, comme il
arrive aux persécuteurs, menaça le vieillard de le frapper et
le couvrit d'injures les plus grossières ». Georges Hugo a
assisté à quelques-unes de ces scènes et s'en dira épouvanté.
Parvenu à l'âge d'homme, il écrira très durement à Lockroy
pour lui crier son mépris.

De quelle façon le mari d'Alice a-t-il été mêlé aux tractations qui ont abouti à l'éviction de Blanche ? On est allé trouver Blanche et, plutôt que d'user de la menace, on en a
appelé à cet amour qu'elle n'a jamais cessé de vouer à
« M. Hugo ». Son secrétaire, Richard Lesclide et sa femme
ont tout su de ce lamentable épisode : « On fit comprendre à
la pauvre fille que la plus grande preuve d'affection qu'elle
pût donner au Maître, — celle à laquelle il tenait le plus —
c'était qu'elle se conformât à sa volonté. On lui représenta les
difficultés et les tiraillements de sa vie, combien il s'appartenait peu, lui qui appartenait à tous, combien les crises qui
bouleversaient son intérieur le fatiguaient et lui rendaient
pénible son labeur intellectuel. »

Pauvre Blanche ! On lui a peint l'état de santé de son poète
avec des couleurs terrifiantes. On lui a laissé entendre qu'il
pourrait mourir subitement dans ses bras. Le désespoir au
cœur, elle a dit qu'elle comprenait et qu'elle ne verrait plus
M. Hugo. Hugo, lui, a tout abdiqué entre les mains de
Juliette. *Carnet, 1er octobre 1879* : « Mlle Blanche (par J.J.)
500 francs. » *17 décembre 1879* : « Mariage de B[lanche] ; elle
s'est mariée le 2 décembre, à Belleville ; je l'ai su par la communication d'une lettre de faire-part. »

Le mari, un employé, s'appelle Émile Rochereuil. Il semble
que Blanche, depuis longtemps, l'avait choisi comme confident. Devant la détresse de la jeune femme, il lui a proposé
de l'épouser. Elle était au comble du désarroi, on lui offrait
un peu d'affection, elle a accepté.

Depuis 1873, Hugo avait adressé de nombreuses lettres à la
petite Blanche. Comment ne l'eût-il pas fait, puisqu'il écrivait
à toutes ? Rochereuil, mettant la main sur la correspondance,
a cru pouvoir en tirer de l'argent, beaucoup d'argent. Hugo
tremblait devant Juliette ? On allait le menacer de remettre
ses lettres à Mme Drouet. A lui de se montrer raisonnable.

Raymond Escholier, ancien conservateur de la maison de Victor Hugo et très au fait de toute l'affaire, affirme que Hugo versa une « forte somme ». Juana Richard-Lesclide ajoute que Édouard Lockroy fut contraint d'intervenir et de faire appeler à la Sûreté, quai des Orfèvres, le maître chanteur, « lequel, d'ailleurs, se le tint pour dit ».

Qu'a pu savoir Blanche de ce sordide épisode ? Rien, espérons-le. De ce mariage, elle aura deux enfants, un garçon et une fille. Mais elle n'oubliera jamais M. Hugo. Elle viendra souvent trouver Richard Lesclide, sollicitera anxieusement des nouvelles de son poète. Du témoignage de la fille de Paul Meurice — qui respectait cette fidélité de cœur — on voyait Blanche postée sur le trottoir en face de l'hôtel de Hugo, « guettant sa sortie, cherchant à l'apercevoir ».

D'avoir été aimée de Victor Hugo restait, dans ce morne quotidien que le destin — et Juliette — lui avaient départi, la lumière qui devait jusqu'au bout illuminer sa vie [1].

Il était dit que cette année 1879 serait celle des séparations. Le 28 mars, c'est Léonie d'Aunet qui, après une longue maladie, a quitté ce monde [2].

Léonie. Hugo ne l'a jamais oubliée. Chaque fois qu'il l'a sue gênée financièrement, il l'a aidée de ses deniers. Cette place privilégiée que lui a gardée sa mémoire, c'est par le rêve qu'elle se démontre. Au vrai, au cours de ces nuits où le rejoignaient tant de morts et tant de vivants, il n'a jamais cessé de la rencontrer. Le 23 juin 1860, elle lui est apparue pour lui dire : « Je n'aspire plus qu'au cimetière. Dans deux mois, j'y serai, Victor... » Rêve trompeur. Elle revient le 28 juin 1865 : « Cette nuit, vu en rêve Th. de Blaru [*Léonie*] ce qui ne m'était pas arrivé depuis longtemps. » Le 10 mars 1875, c'est d'elle qu'il rêve encore.

Adieu à ces yeux clairs noyés de brume qu'il avait tant aimés. Adieu à un passé qui s'éloigne si vite qu'il lui semble le

1. Blanche Lanvin deviendra veuve en 1894, se remariera en 1895 et mourra, en 1909, à l'hôpital où elle était employée. L'une des descendantes des Lanvin amis de Juliette, fondatrice de la grande maison de couture Lanvin, se prénommera, comme elle, Marie-Blanche.

2. Pour mieux soigner sa mère, son fils Georges Biard, lieutenant de vaisseau, avait démissionné et était venu habiter près d'elle. Il entrera dans le corps consulaire. Sa fille, Marie, mariée à Jules Peyronny en 1863, s'en était séparée pour épouser le baron Double, doté d'une imposante fortune.

fuir. Compare-t-il avec le présent si prosaïque qui lui est désormais assigné ? Car il ne se résigne pas. Si surveillé qu'il soit par Juliette, par Lockroy, il ne renonce pas à cette *odor di femina* qui, depuis tant d'années, le tourmente si délicieusement. Si Juliette, maintenant, ouvre d'autorité tout le courrier qui parvient avenue d'Eylau, le cher Meurice lui fait encore passer des billets doux. Que deviendrait-il s'il ne correspondait plus avec Jeanne Essler, Adèle Gallois, bien d'autres — et s'il ne les rencontrait secrètement ? Quand les protections dont on l'accable pèsent trop, il lui reste la ressource de promenades au bois de Boulogne, qu'il baptise hygiéniques et qui le sont dans tous les sens du terme. Par deux fois, la police l'arrêtera pour outrage à la pudeur. Naturellement l'ordre viendra aussitôt d'en haut pour que l'affaire soit étouffée [1].

Malgré les précautions qu'il prend — dignes d'un héros de son cher Dumas — il ne parvient pas toujours à passer à travers les mailles de la grande inquisitrice. C'est ainsi que Juliette découvre l'existence d'une certaine Léonie de Vitrac, veuve Lesage, poétesse. Cette fois, elle feint de prendre la chose à la légère et se moque de cette « candidate à ma succession qui ne demande que la table et le lit, aucun émolument ». Mais le naturel reprend le dessus : « J'espère, mon petit grand homme, que tu cesseras d'attirer imprudemment cette dame chez toi... Chat échaudé craint l'eau froide ; cœur déchiré craint les nouvelles blessures. Les miennes sont encore trop saignantes pour y être indifférente et, quel que

1. Je tiens de mon ami Didier Bonnet, éditeur, le témoignage que voici, en date du 21 mai 1984 : « C'est le 17 juin 1965 que Raymond Escholier que je voyais souvent alors, car il préparait pour nous un *Daumier et son monde*, m'offrit son livre *Un amant de génie, Victor Hugo*... Après quelques commentaires, Escholier ajouta qu'il avait eu l'occasion, au cours de ses recherches, de mettre la main sur des rapports de police établissant que Victor Hugo avait été, par deux fois, arrêté dans le bois de Boulogne pour " outrage public à la pudeur ". Vous pensez bien, me lança-t-il, que je n'ai eu qu'un seul souci, celui de les faire disparaître. » Devant ma surprise, il poursuivit : « Je ne pouvais faire autrement. Hugo est un Dieu pour moi. Et puis à quoi bon contrister les hugolâtres. Au surplus, je suis très lié avec la famille du poète, mon livre est dédié à son arrière-petite-fille Marguerite. Un esprit malveillant eût pu faire un sort à ces documents compromettants... Le soir même je les brûlais. Nous n'en reparlâmes jamais. »
J'ajoute que Didier Bonnet m'a précisé qu'il avait noté les propos de Raymond Escholier « à chaud, dans l'escalier du n° 1, rue Bonaparte, tant j'avais été choqué ».

soit l'attrait que cette personne ait pour toi, je te supplie d'épargner l'inquiétude qu'il me cause... »

Si elle se sent toujours maîtresse, il la traite ouvertement en épouse. Il la conduira à Villequier en 1879 et elle sera reçue chez les Vacquerie. Mais elle ne sera pas autorisée à l'accompagner au cimetière, où il se recueillera — longuement. *Carnet, 12 septembre 1879*: « Prière. Amour. Je suis resté là jusqu'à six heures du soir. »

L'approche de ses quatre-vingts ans va prendre les proportions d'un événement national. Peu à peu les vieilles haines se sont éteintes. La génération nouvelle, comme celle qui l'a précédée, se gorge des splendeurs de l'œuvre hugolien. A l'école, les enfants apprennent ses vers. *Les Misérables, les Travailleurs de la mer, Quatrevingt-Treize*, réimprimés sans cesse, sont dans toutes les familles. Les jeunes poètes le lisent pour se sentir meilleurs. Stéphane Mallarmé est devenu l'un des familiers de l'avenue d'Eylau où, éperdu de timidité, il passe en silence des heures à considérer le vieux maître. Il y retrouve Coppée et Mendès, et Leconte de Lisle. La jeunesse lit et relit *la Légende des siècles*. Les bien-pensants préfèrent *l'Art d'être grand-père* — et ils ont tort, car il y a dans ce recueil quelques ferments d'anarchie! Il a déconcerté tous les partis, Hugo et, à quelque moment, tous les partis lui en ont voulu. Ils ont fini par comprendre que cet homme-là n'était pas né pour s'enfermer dans un carcan politique, qu'il s'était édifié son propre credo, celui de toutes les libertés, celui du droit et celui de l'homme — et qu'il lui avait voué une exemplaire fidélité.

Les grands mots d'amour, de bonté, de pardon qu'il n'a jamais cessé de prêcher, ont, après bien des traverses, rejoint les cœurs auxquels ils s'adressaient. Les adversaires qui s'étaient acharnés à le si mal juger viennent à lui. On comprend que ce vieil homme porte en lui-même une incomparable lumière et que, d'en recevoir quelques rayons, tous s'en trouveront grandis. Son portrait se voit partout. On s'attendrit devant ses cheveux blancs, sa barbe blanche.

Il va donc entrer dans sa quatre-vingtième année, Victor Hugo! Un comité s'est réuni, que président Louis Blanc, Anatole de la Forge, Edmond Bazire et Louis Jeannin. Il s'agit de célébrer dignement l'événement. Des appels sont lancés, par la voie des journaux, pour convier le peuple de Paris à crier : « bon anniversaire! » au poète. On fixe la manifestation au

dimanche 27 février. « Des fleurs ! Il nous faut des fleurs ! » a
écrit Paul Arène à ses amis provençaux. De pleins trains vont
arriver de Nice, portant plusieurs tonnes d'œillets, de roses,
de glaïeuls, de bleuets, toutes les sortes de fleurs, toutes les
couleurs, tous les parfums. Au matin du grand jour, malgré le
ciel gris de février, l'avenue d'Eylau est devenue un immense
jardin. Les roses forment à la maison de Hugo le plus inattendu des écrins. La veille au soir, Jules Grévy, président du
Conseil, est venu apporter à l'auteur des *Contemplations* un
vase de Sèvres, de la série que l'on offre aux souverains. A
l'entrée de l'avenue d'Eylau, la ville de Paris a fait dresser
deux mâts vénitiens de vingt mètres de haut. Les relie une
grande banderole rose frangée d'or sur laquelle on lit :

VICTOR HUGO
NÉ LE 26 FÉVRIER 1802
1881

La foule s'est amassée place de l'Étoile. Cinquante mille
enfants marchent en tête : dans toutes les écoles, dans tous
les collèges, dans tous les lycées, on a levé les punitions. La
foule suit. Le vieil Hugo est debout à une fenêtre du premier
étage de sa maison, face à l'avenue. A ses côtés, il n'a voulu
que Georges et Jeanne. Juliette ? Elle est là, dans la chambre,
assise. Elle ne quitte pas des yeux son Toto. Elle est dans
l'ombre, parce que c'est son destin d'être dans l'ombre.

Ce qui se passe alors, c'est quelque chose que nul n'a
jamais vu et que peut-être on ne reverra pas. « Un spectacle
merveilleux, inouï, unique », dit un journaliste : « de midi à la
nuit, sans relâche, comme une mer toujours montante, le flot
de la population n'a pas cessé de défiler devant la maison, en
criant : Vive Victor Hugo ! »

Tous se mêlent, dans l'identique ferveur, dans l'admiration
et l'attendrissement : habits noirs et blouses, casquettes et
chapeaux, soldats de toutes armes, invalides, mères qui élèvent leurs enfants vers le patriarche à sa fenêtre : Épinal avenue d'Eylau ! La préfecture estimera le nombre des participants à 600 000. Ils sont venus là, non point pour manifester,
protester, revendiquer, comme c'est le lot des grands rassem-
blements de foule. Non. A 600 000, ils ont seulement voulu
dire à M. Victor Hugo qu'ils l'aiment bien.

De cette immense cohue, une jeune femme a tenté, devant

la maison du poète, de s'échapper. Elle voulait rester un instant, là, et dévorer des yeux le poète en sa gloire. Pour y parvenir, elle a lutté de son mieux. Le flot a emporté Blanche Lanvin.

Une semaine plus tard, Hugo s'est rendu au Sénat. Dès qu'ils l'ont vu paraître, enveloppé en son paletot qui lui donnait l'air d'un vieil ouvrier, ses collègues — droite comme gauche — se sont levés et l'ont applaudi. Le président Léon Say a annoncé, d'une voix forte :

— Le génie a pris séance et le Sénat l'a salué de ses applaudissements.

En juillet, des employés municipaux sont venus changer toutes les plaques de l'avenue d'Eylau. Les nouvelles plaques portaient ces mots : avenue Victor Hugo. Désormais, ses amis lui ont écrit : *A Monsieur Victor Hugo, en son avenue.*

Juliette, amaigrie, affaiblie, porte de plus en plus fréquemment une main crispée au creux de son estomac. Elle souffre et rien ne vient à bout de ce mal qui la ronge. Les médecins savent : un cancer. Ils n'en ont rien dit, ni à elle, ni à Hugo. La vieille Juju tâche de sourire au vieux Toto mais ce sourire cache mal une grimace de douleur. Victor ne voit rien, ou plutôt ne veut rien voir. Il la conduit, le 22 novembre 1882, à la reprise du *Roi s'amuse.* Elle trône à ses côtés, avec Georges et Jeanne, dans la loge de l'administrateur du Théâtre-Français. Un témoin dira que « la pâleur marmoréenne de ses traits » était saisissante. A peine tenait-elle sur sa chaise. Quand elle a regagné, épuisée, l'avenue Victor Hugo, elle a su qu'elle venait de vivre sa dernière sortie. Mais elle n'en a rien dit à Hugo. Elle va mourir, c'est Victor qu'elle plaint. Il dort mal. Il tousse. Des cauchemars l'éveillent en sursaut et le laissent épuisé. Dans son réduit, Juliette prête l'oreille. Dès qu'elle entend qu'il est éveillé, elle se lève, se traîne jusque chez lui, lui fait une tisane.

Tout aveugle qu'il soit — ou qu'il veuille être — il a fini par s'apercevoir d'un changement chez la pauvre femme. Mais il refuse l'évidence. « Le maître n'a pu conserver ses illusions, écrit Richard Lesclide, mais il ne veut convenir de rien. Pour lui, son amie n'est pas malade, mais très souffrante. »

Elle ne quitte plus son lit. Lui, vers les 6 heures du soir, vient l'exhorter à descendre pour le dîner, lui assurant qu'une tranche de gigot ne peut manquer de lui faire du bien.

Léon Daudet : « Quelquefois elle obéissait et son spectre en dentelles présidait les repas, avec l'affabilité coutumière. Tantôt, accablée de souffrances, elle devait refuser, malgré toute sa bonne volonté, et Victor Hugo bougonnait et boudait. *C'est un insupportable tyran, une vraie brute*, murmurait Lockroy dans les coins. » Un soir, l'auteur dramatique William Busnach, qui avait été l'ami de Charles et admirait tendrement Hugo, ne peut se retenir, en présence de Daudet, de dire au faux gendre ce qu'il pense de lui. Sous la remontrance Lockroy prend « un visage d'assassin ».

Le 1ᵉʳ janvier 1883, les deux vieux, d'une chambre à l'autre, vont échanger leurs messages du début de l'an. Juliette n'est capable d'adresser à Victor que quelques lignes — son dernier « gribouillis » :

« Cher adoré, je ne sais où je serai l'année prochaine à pareille époque, mais je suis heureuse et fière de te signer mon certificat de vie pour celle-ci par ce seul mot : JE T'AIME. »

Lui, ce qu'il écrit pour elle, c'est un nouvel « acte de foi et d'amour » :

Quand je te dis : Sois bénie — c'est le ciel.
Quand je te dis : Dors bien — c'est la terre.
Quand je te dis : Je t'aime — c'est moi.

Elle est devenue, elle naguère si corpulente, une pauvre petite chose diaphane, dont le peintre Bastien-Lepage nous a laissé le bouleversant témoignage. Elle ne peut plus absorber le moindre aliment. Juliette Drouet est en train de mourir de faim.

En février, ce sont leurs noces d'or. Le vieux Victor offre à la vieille Juliette sa photo avec cette dédicace : *Cinquante ans d'amour, c'est le plus beau mariage.* Elle est si faible qu'elle ne peut même plus le remercier. Elle voudrait lui demander pardon d'être si mal. Elle en est incapable.

Le 11 mai 1883, elle ferme les yeux pour la dernière fois.

Le lendemain, à sa fenêtre, le vieil homme, qui n'a pas eu la force de suivre le convoi mortuaire, regarde s'éloigner le cercueil qui emporte ses amours. Lui, toujours si droit, montre un dos tout à coup voûté. Ses yeux sont rouges. Il murmure :

— Les morts ne sont pas absents, ils sont invisibles...

Au cimetière, Auguste Vacquerie prononcera quelques mots, citant des vers de Hugo sur l'exil et ajoutant :

— Quand celui qui a écrit ces vers a été chassé de France, elle l'a suivi à Bruxelles, elle l'a suivi à Jersey, elle l'a suivi à Guernesey. Elle n'est rentrée qu'avec lui. Elle ne l'a quitté que morte...

Elle reposera auprès de sa fille Claire, mère et fille enfin réunies dans la mort, comme Adèle et Léopoldine l'avaient été avant elles. Enfermé dans sa chambre de l'avenue d'Eylau, l'amant, debout devant son pupitre, écrit encore à Juliette des vers qui sont une épitaphe

> Sur ma tombe, on mettra, comme une grande gloire,
> Le souvenir profond, adoré, combattu,
> D'un amour qui fut faute et qui devint vertu [1]...

Rarement amours partagées suscitèrent, chez ceux qui les vécurent, tant de passion, tant de pleurs, tant de drames. Rarement femme souffrit d'un homme tant d'épreuves. Mais ce supplice qui fut le sien, elle l'avait choisi. A de telles amours, pour atteindre au sommet qu'elles rejoignirent, sans doute fallait-il cette exception monstrueuse. Il leur a appartenu à elle et à lui de la dépasser et de se dépasser eux-mêmes. Si Victor Hugo et Juliette Drouet restent — et resteront — ce couple de légende qui nous émeut et sur lesquels notre génération rêve à son tour après d'autres, c'est aussi que tous les deux — elle avec lui — avaient du génie.

Elle est morte et il advient quelque chose d'inouï : Hugo n'écrit plus. Au vrai, il ne fait que se survivre. Il porte toujours beau. L'enveloppe fait illusion. C'est le moteur qui est brisé. On vient le voir, en apparence il est le même. Sa voix reste « ferme et sonore ». Mais cette voix, on ne l'entend plus guère. Pendant de longues heures il se tait. Le dimanche, le salon se remplit des habituels amis et disciples. Il les accueille avec sa courtoisie de toujours, mais ne leur parle plus. Le jeune Barrès, qui l'admire comme on admirerait les Alpes, est venu se faire présenter à lui. Hugo lui a demandé :

— Vous dites ?

— Je ne dis rien, a répondu Barrès.

---

1. *Tas de pierres.*

— Qu'est-ce que vous dites ?

— Je dis que je ne dis rien.

Telle fut la rencontre du poète de *la Légende des siècles* et de Maurice Barrès qui se demandait alors s'il fallait être Bonaparte ou Victor Hugo.

L'été de 1883, Alice Lockroy l'emmène en Suisse. Un autre jeune écrivain l'y voit : Romain Rolland. Précieusement, pieusement, l'adolescent conserve le numéro d'un journal dont la couverture représente Hugo, le chef environné de la couronne de ses cheveux blancs, brandissant une lyre et appelant le monde à voler au secours des opprimés. La légende : *le Vieux Orphée*. C'est bien ainsi que Rolland le dévore des yeux, sur la terrasse de l'Hôtel Byron, face au lac de Genève. Une foule s'agglutine autour de cette terrasse, — des gens par centaines accourus de France et de Suisse. On l'attend. Enfin, il apparaît, escorté, comme on l'espérait, de Georges et de Jeanne. Rolland, dont le cœur bat la chamade, le voit plus âgé qu'il ne pensait : « Qu'il était donc vieux, tout blanc, ridé, sourcils froncés, yeux enfoncés ! Il me paraissait sorti du fond des âges ! » On l'acclame, on crie : « Vive Victor Hugo ! » Il répond, et on s'étonne qu'il le fasse avec encore tant de force : « Vive la République ! »

Il ne se lasse pas de le regarder, Romain Rolland, ce vieillard en forme de monument. Ce qui l'émeut — de même que tant de ses contemporains — ce sont ces appels qu'il trouve encore la force de lancer. Qu'on lui signale en Russie des Juifs persécutés, ou en Amérique des Noirs inhumainement traités, il demande pour eux justice. Qu'on lui parle d'une minorité à qui l'on refuse ses droits, la grande voix s'élève pour parler de liberté. « Il s'était institué le gardien de l'immense troupeau des hommes... Nous, les millions, nous écoutions ses lointains échos avec piété, avec fierté. » L'entend-on ? L'écoute-t-on ? Là n'est pas la question. En *criant*, c'est l'honneur de son siècle que sauve Victor Hugo : « Sa gloire était, de toutes celles des lettres et des arts, la seule qui fût vivante dans le cœur du peuple de France. »

Il a regagné Paris. Il ira voir, conduit par Alice, cette statue de la Liberté que Bartholdi construit dans la plaine Monceau et qui, dans une cour de la rue de Chazelles, dépasse de ses trente-six mètres tous les toits avoisinants. Il trouve l'ouvrage « très beau ». Au sculpteur qui lui remet un fragment de la statue, il répond :

— La mer, cette grande agitée, constate l'union des deux grandes terres apaisées [1]...

Tela Dorian, une jeune poétesse d'origine russe — elle est née princesse — aime errer avec lui dans Paris. Il l'accueille de cette façon qu'il garde avec les femmes et dont Georges se souviendra : « Il baisait toujours leurs mains en les saluant ; quand elles étaient gantées, il relevait un peu le gant et posait ses lèvres sur le poignet. Il disait " Madame " d'un air que je n'ai plus connu, et toutes ses manières étaient celles d'un souverain gentilhomme. »

Un jour, sur le pont d'Iéna, marchant au bras de Tela, il s'arrête pour considérer ce même soleil couchant que, soixante ans plus tôt, du temps de la mère Saguet, il courait admirer en compagnie des jeunes romantiques. Il rêve à voix haute :

— Mon enfant, vous verrez cela longtemps. Mais, moi, j'aurai bientôt un spectacle plus grandiose encore. Je suis vieux, je vais mourir. Je verrai Dieu. Voir Dieu ! Lui parler ! Quelle grande chose ! Que lui dirai-je ? J'y pense souvent. Je m'y prépare !

Georges — qui a quinze ans maintenant — demeure son interlocuteur de prédilection. L'adolescent vient toujours, le matin, assister à la toilette de Papapa. Pendant que celui-ci s'habille, devant la fenêtre grande ouverte sur les hauts tilleuls et les marronniers, il saisit parfois la main de son petit-fils, la serre dans la sienne, touche ses cheveux, et secoue la tête en regardant courir les nuages. Avec une jeunesse tout à coup retrouvée, il dit :

— Aime, mon doux enfant, et sois aimé ! L'amour !... Cherche l'amour ! L'amour rend l'homme meilleur quand il est bon !... Donne la joie, et prends en aimant, tant que tu le pourras... Il faut aimer, mon fils, aimer bien... toute la vie.

Un soir, on le conduit à un bal d'adolescents offert dans leur luxueux hôtel de la rue de la Faisanderie par ses amis Ménard-Dorian. Georges et Jeanne doivent danser le menuet de *Don Juan* avec la fille de la maison, avec une fille de Paul Meurice, avec la fille aînée de Clemenceau et le fils d'Alphonse Daudet, Léon. Une assistance républicaine par excellence : la république élégante. Léon Daudet n'oubliera pas : « Peu avant la danse, Victor Hugo entra, comme dans

1. Communication de M. le duc de Castries.

un rêve, les regards tournés en dedans, sauf quand il aperçut ceux qui étaient maintenant toute sa vie. » Aussitôt, le plafond s'ouvre et une pluie de roses tombe sur sa tête, « une extraordinaire profusion de roses, qui embaumaient les salons et grisaient les témoins de cette magnificence ». On conduit Hugo à son fauteuil. La musique s'élève : place au divin Mozart et à Terpsichore. Regarde-t-il, Hugo ? Entend-il ? On ne sait. « Quand ce fut fini, quand le violon eut lancé son dernier trille, il se leva et partit sans un mot, d'un pas assuré, mais de plomb, comme s'il allait rejoindre son amie Juliette sous les ombres. »

L'hiver finissant, Léon Daudet est venu un après-midi jouer avec Georges dans le jardin. Avec acharnement, ils se renvoient la balle ou le ballon. Ils voient soudain le vieillard venir à eux. Ils se figent. Il avance, comme toujours majestueux et grave. Il leur dit ces simples mots :

— La terre m'appelle.

Et il s'éloigne. Le soir, Léon rapportera le propos à son père. Alphonse Daudet secouera la cendre de sa petite pipe et répondra :

— C'est qu'il le sait.

Au fond de son lit Louis XIII, il râle, le vieux Hugo : un bruit rauque qui, aux oreilles des deux fidèles de toujours, Vacquerie et Meurice, résonne comme celui de la mer sur les galets. Ses yeux clos s'ouvrent de temps en temps sans que l'on puisse savoir si seulement il voit encore la soie rouge de la petite chambre. Puis ils se referment.

Le grand Pan va mourir.

Huit jours plus tôt, le 14 mai, il avait reçu à dîner ses habitués du jeudi, et aussi Ferdinand de Lesseps — Suez et Panama — avec ses enfants. Les jeunes Lesseps avaient joué avec Georges et Jeanne. Il y avait eu des cris, des rires. De la joie. Et il aimait tant la joie. Plusieurs fois, avec une vivacité inaccoutumée, il s'était mêlé à la conversation. Ses amis avaient pris congé, enchantés de cette quasi-résurrection. « Nous n'étions pas plus tôt sortis, raconte Auguste Vacquerie, que la maladie le saisissait. »

Le cœur d'abord. Après quoi, les poumons. Le vieil homme s'est battu. Ou plutôt c'est son vieux corps qui a livré le combat. On la croyait indestructible, cette carcasse. On était sûr que son titulaire, né avec le siècle, accompagnerait le siècle jusqu'à sa limite extrême. Donc, contre l'évidence, les proches ont espéré. Puis voyant Hugo s'affaiblir, ils ont cru soudain qu'il n'avait plus qu'un quart d'heure à vivre. Il leur a souri et derechef ils ont cru à l'espoir.

Le vieil Hugo, lui, savait.

Le premier jour, il a regardé Alice et lui a dit simplement :

— C'est la fin.

Le samedi, il a pris la main de Vacquerie, l'a serrée, a souri. Vacquerie lui a dit :

— Vous vous sentez mieux !

Mais lui :

— Je suis mort.

— Allons donc ! Vous êtes très vivant au contraire !

— Vivant en vous.

Le lundi, à Paul Meurice qui lui jurait qu'il n'était nullement en danger :

— Si ! C'est la mort.

Il a ajouté en espagnol :

— Et elle sera la très bien venue.

Délire-t-il ? Est-ce le cri ultime de ce fleuve qui, depuis son enfance, n'a cessé de couler de lui-même ? On l'entend murmurer un vers — le dernier — qui forme le plus parfait des alexandrins :

C'est ici le combat du jour et de la nuit.

Le dimanche, dans Paris, s'est répandue la nouvelle de la maladie du grand homme. Le lendemain matin les journaux ont publié un premier bulletin : « Victor Hugo, qui souffrait d'une lésion du cœur, a été atteint d'une congestion pulmonaire. GERMAIN SÉE. DR. ÉMILE ALLIX. » Le mardi, second bulletin, cette fois signé des docteurs Vulpian, Germain Sée et Émile Allix : « L'état ne s'est pas modifié d'une manière notable. De temps à autre, accès intense d'oppression. »

« Mardi, dira Vacquerie, il y a eu un semblant de mieux, et nous avions tant besoin d'espérer que nous avons repris courage. Mercredi notre confiance est tombée. »

A plusieurs reprises Hugo a appelé à lui ses petits-enfants. Le jeudi, quelque peu terrorisés, on les a poussés dans la chambre. Il a tourné la tête vers eux :

— Mes enfants, mes bien-aimés...

Toujours Georges se souviendra de cette main « déjà toute maigre » sortie de sous le drap, du « vieil anneau d'or » qui brillait à son doigt sur sa peau morte ». D'eux-mêmes ils sont tombés à genoux : pour être à sa hauteur ? ou par réflexe inconscient devant la vieille idole que, dès leurs premiers pas, on leur avait appris à vénérer ?

Il a chuchoté :

— Tout près de moi... plus près encore...

Il les a embrassés, « un lent baiser avec des larmes aux lèvres », dit Georges. « Ses yeux nous riaient sous son beau front tranquille. Le grand soleil de mai entrait par la fenêtre ouverte : il se blottit dans ses couvertures comme s'il eût très froid. Sa voix devint plus câline que jamais, et plus tendre.

« — Soyez heureux... pensez à moi... aimez-moi...

« Ses yeux souriaient toujours.

« Encore une faible étreinte de ses mains lisses qui tremblent, un baiser de sa bouche brûlante.

« — Mes chers petits !

« Et le dernier regard de Papapa fut sa dernière bonté. »

Les ultimes paroles de Hugo dont Vacquerie se soit souvenu : « Adieu, Jeanne... » Alors il est tombé dans une prostration profonde traversée, au cours de la nuit, par de violentes crises qui le soulevaient et presque l'arrachaient de son lit. Même les piqûres de morphine n'en sont point venues à bout.

Le vendredi matin, l'agonie a commencé. Ce râle, si affreux à entendre. Cette suffocation. Ce combat, le dernier. Depuis le début de la semaine, Paris — et la France, et le monde — s'arrachent les bulletins de santé. On suit littéralement heure par heure la marche et les alternatives de la maladie. Devant la maison de l'avenue Victor Hugo, tout le jour et jusque tard dans la nuit, une foule, grave, muette, attend.

Et puis l'horrible râle s'est affaibli. Tout à coup il a cessé.

Ce vendredi 22 mai 1885, à 1 h 27 de l'après-midi, Victor Hugo est allé rejoindre cet invisible qui, tout au long de sa vie, lui avait fait escorte.

Quelques semaines après le décès de Juliette, Hugo avait remis à Vacquerie, dans une enveloppe non fermée, un codicille à son testament, contenant ses volontés expresses quant à ce qui devrait être accompli au lendemain de sa mort :

« Je donne cinquante mille francs aux pauvres.

« Je désire être porté au cimetière dans leur corbillard.

« Je refuse l'oraison de toutes les églises ; je demande une prière à toutes les âmes.

« Je crois en Dieu. »

A vrai dire, tout cela se trouvait déjà dans son testament — le dernier en date —, celui du 31 août 1881. Déjà il demandait le corbillard des pauvres, mais ne léguait à ceux-ci que 40 000 francs. Il désignait comme exécuteurs testamentaires Jules Grévy, Léon Say, Léon Gambetta. Il faisait don de ses manuscrits et de « tout ce qui serait trouvé écrit ou dessiné par moi à la Bibliothèque nationale de Paris, qui sera un jour la Bibliothèque des États-Unis d'Europe ». Il arrêtait des dispositions financières, dont l'une — concernant Juliette — était devenue caduque :

« Excepté les huit mille francs par an nécessaires à ma fille, tout ce qui m'appartient appartient à mes deux petits-enfants. Je note ici, comme devant être réservées, la rente annuelle et viagère que je donne à leur mère, Alice, et que j'élève à douze mille francs ; et la rente annuelle et viagère que je donne à la courageuse femme qui, lors du coup d'État, a sauvé ma vie au péril de la sienne et qui, ensuite, a sauvé la malle contenant mes manuscrits. »

L'important était ailleurs. C'était le préambule :

« Dieu. L'âme. La responsabilité. Cette triple notion suffit à l'homme. Elle m'a suffi. C'est la religion vraie. J'ai vécu en elle. Je meurs en elle. Vérité, lumière, justice, conscience, c'est Dieu. *Deus, Dies.* »

Le principal était la conclusion :

« Je vais fermer l'œil terrestre ; mais l'œil spirituel reste ouvert, plus grand que jamais. »

— Oui, j'ai assisté aux obsèques de Victor Hugo. Je me souviens de tout.

M. Pierre Dupuy venait d'avoir quatre-vingt-dix ans. J'en avais trente-cinq. Fasciné, je l'écoutais. Il évoquait pour moi le grandiose d'un cérémonial quasi barbare, les accents d'une

fête plus dionysiaque que funèbre. Jean Dupuy, son père, le fondateur du *Petit Parisien*, avait dit à l'enfant qu'il était :
— Tu ne reverras jamais cela.

Indélébiles, les souvenirs du vieux monsieur se sont mués pour moi en images. Dès le lendemain de la mort du poète, le Sénat d'abord, puis la Chambre des députés — par 415 voix sur 418 votants — ont décrété le principe d'obsèques nationales. Le 23, on a embaumé le corps qui dès lors a reposé sous une mer de fleurs blanches. Il a fallu, pour que les préparatifs fussent achevés, attendre une longue semaine, pendant laquelle, canalisée par les gardiens de la paix, une double file de visiteurs — « innombrables », ont dit les journaux, et pour une fois l'adjectif sonne juste — s'est allongée devant la maison.

En haut lieu, on a fixé la date des funérailles au lundi 1er juin, 11 heures du matin. Pas question bien sûr d'aller contre les exigences du défunt. Mais le corbillard des pauvres ne se rendra pas dans un quelconque cimetière. Sur proposition du conseil municipal de Paris, il a été décidé que le Panthéon serait « rendu à sa disposition primitive » et que le corps de Victor Hugo serait exposé sous l'Arc de Triomphe pendant toute la journée du dimanche 31 mai, et toute la nuit du 31 mai au 1er juin. Du corbillard des pauvres aux voûtes impériales !

C'est à cette rencontre inouïe que Pierre Dupuy a assisté. Je l'entends, je le vois encore me la raconter. Comme deux millions d'hommes, de femmes, d'enfants — deux millions ! — il s'avance avec son père sur les Champs-Élysées. A la hauteur de la rue de Tilsitt les gardes républicains dirigent la foule vers l'avenue de Friedland. Là, il faut descendre de voiture. Une cohue piétine sur toute la largeur de l'avenue. Cette progression imperceptible, cette marche presque immobile ont commencé aux premières heures de la matinée, quand on a su, dès 6 heures, que la dépouille mortelle avait été déposée sous l'arche grandiose. Elles vont se poursuivre tout au long de la journée sans que rien ne vienne arrêter l'élan bouleversé ; ni l'attente, ni le soleil, très chaud dès 11 heures, ni la poussière qui de plus en plus se lève et vole. Pierre Dupuy a côtoyé « des femmes, des vieillards qui ne se fatiguaient pas ; des enfants sur les épaules de leur père, d'autres mêlés à la cohue et qu'on retirait par instants à demi étouffés ».

Quand le petit garçon débouche sur la place de l'Étoile, il

reçoit le même choc que deux millions d'autres pèlerins : l'Arc de Triomphe est en deuil. C'est à M. Garnier — l'architecte de l'Opéra — que l'on a confié l'ensemble de la décoration. D'évidence, on n'a pas eu tort. De la corniche située à l'opposé de *la Marseillaise* de Rude, un immense crêpe noir tombe en diagonale.

Sous l'arche qui fait face aux Champs-Élysées — seule ouverture restée libre — on a dressé le catafalque, surélevé de douze marches, si haut qu'il touche presque la voûte. Au sommet les initiales V. H. — immenses. Que n'a-t-il pu les considérer, Hugo ! Elles étaient à sa mesure.

De chaque côté de l'Arc, Pierre Dupuy aperçoit encore deux oriflammes noires aux étoiles d'argent. Tout autour, sur le rond-point, deux cents torchères et lampadaires brûlent en plein jour : ce qui, imprimera *le Rappel*, « jette sous les crêpes noirs une lueur étrange et funèbre ».

A 7 heures du soir, la foule demeure aussi dense qu'aux premiers instants de la journée. Pour qui se campe place de la Concorde — c'est le cas de l'un des innombrables journalistes accourus là — le coup d'œil embrase l'âme : « l'avenue des Champs-Élysées noire et grouillante de foule : au-dessus du rond-point de Courbevoie, les derniers feux du soleil couchant empourprant l'horizon, et l'Arc de Triomphe détachant sa masse sombre sur ce fond d'or et de flamme ».

Pierre Dupuy était trop petit pour assister à ce qui allait suivre. Sagement, son père l'a emmené se coucher. Mais ceux qui ont vécu les heures de la nuit près du catafalque de Victor Hugo oublieront moins encore que l'enfant. A la fin de l'après-midi, après une brève accalmie — Retz remarquait déjà que les Parisiens n'aiment point à se « désheurer » — la foule est revenue, masse plus large, plus épaisse, plus énorme que jamais. Après 9 heures du soir, on a dû renoncer à la déviation obligée par l'avenue Friedland. Les Champs-Élysées et *toutes* les avenues aboutissant à l'Étoile se sont mises à ressembler à des bras de mer dont les vagues eussent été des humains. Ceux qui parviennent à rejoindre la place découvrent un spectacle quasi irréel, comme surgi de quelque poème des *Orientales* : seul le côté droit de l'Arc de Triomphe est éclairé. Des lampadaires émane une clarté verdâtre. Au pied du cénotaphe, rangés en double haie équestre, des cuirassiers brandissent des torches dont la flamme se reflète — à l'infini — sur les cuirasses et les casques. Le vent s'est levé : les draperies, les voiles funèbres, les oriflammes, se gonflent, se tordent, comme les chevelures d'immenses pleureuses.

Qui, de ceux qui l'ont vu passer, pourrait oublier le cortège funèbre de Victor Hugo ? Il s'est ébranlé, le lendemain 1er juin, à 11 heures et demie. Précédé d'un escadron de la garde municipale et suivi d'un régiment de cuirassiers — casques et cuirasses qui rutilent, sabre au clair — le général Saussier, gouverneur militaire de Paris, ouvre la marche avec son état-major à cheval et en grande tenue. Voici les tambours voilés de crêpe qui battent « lugubrement ». Voici onze chars à quatre ou six chevaux, sur lesquels s'entassent les couronnes et les fleurs : « un éblouissement ». La délégation de la ville de Besançon, celle de la presse, celles des auteurs dramatiques, des gens de lettres, de la Comédie-Française, des théâtres parisiens.

Et puis le corbillard des pauvres.

Seul, derrière la fragile et noire voiture, Georges Hugo.

Un peu plus loin, les parents, les amis. La maison militaire du président de la République. Les autorités militaires. Le Conseil d'État. Les membres de l'Institut. D'innombrables délégations où se mêlent les proscrits de 1851, le char de l'Algérie, la ligue des patriotes, les Alsaciens-Lorrains ; cent sept sociétés de tir et de gymnastique — celles qui préparent la revanche —, les écoles, les facultés, les étudiants hellènes, la République de Haïti, les Italiens, les Belges, la Franche-Comté, Polytechnique, Centrale, les instituteurs, les mères de France. Chacun défile en silence, portant bien haut sa couronne. Les journaux annoncent que Paris et la France ont dépensé, ce jour-là, un million de francs en fleurs.

Les boutiques sont closes derrière un écriteau identique : *Fermé pour deuil national.* Dans les rues, pas de voitures. Peu de passants. Paris tout entier s'est porté sur le parcours du cortège.

Il est 2 heures quand le corbillard parvient à la grille du Panthéon. Quinze discours vont permettre à l'interminable cortège de gagner à son tour la place du Panthéon. Le dernier groupe n'y parviendra qu'à 6 heures et demie !

Alors, accompagné seulement par la famille et les amis les plus proches, le corps de l'auteur des *Misérables* sera descendu dans la crypte du Panthéon. Sa dernière demeure.

Il n'est jamais bon de devenir poète officiel. Si deux millions de Français ont pleuré aux obsèques du grand-père de la République, d'autres ont regimbé. Au fil des années, on a commencé d'admirer des vers que l'on jugeait plus parfaits que les siens. On a voulu préférer Mallarmé ou Valéry au faune barbu des *Chansons des rues et des bois*. On oubliait qu'en art, rien jamais ne doit être comparé. La grandeur a cent visages. Mille incarnations conviennent au génie.

Les plus lucides ne niaient pas que le phénomène Hugo eût illuminé son siècle. Mais leur approbation se drapait d'une sorte de dédain. Comme on le lisait toujours — et beaucoup — on jugeait de mauvais aloi cette popularité qui ne voulait pas mourir. « Quel est le plus grand poète français ? » demandait-on un jour à André Gide. La réponse, formulée à l'emporte-pièce, fit les délices d'une génération : « Victor Hugo, hélas ! »

Tout a changé. Pourquoi ?

La jeunesse a choisi. Elle a rencontré Hugo et s'y est retrouvée. Elle s'est émerveillée à le voir, poète unique, également éblouissant quand il fait sonner ses trompettes d'airain que lorsqu'il évoque les murmures d'une source dans un pré. Elle a découvert dans l'auteur des *Choses vues* un journaliste immense. Elle l'a entendu — visionnaire — plaider pour des causes ou soulever des problèmes dont, un siècle après sa mort, nous en sommes toujours à chercher la solution. Elle a constaté que le langage hugolien était son langage — et ses plaidoyers les siens. Elle a décelé chez le poète de *Dieu* et de *la Fin de Satan* l'aveu d'une angoisse et la quête d'une certitude proches de celles d'un siècle qui s'épuise à se chercher lui-même.

La jeunesse a ouvert la voie. Le plus grand nombre s'y est engouffré. « Cet homme étonnant, disait Jean-Paul Sartre, moitié poète et moitié anar, incontestable souverain du siècle. » Pas seulement du sien. « J'avais vu, s'est souvenu Malraux, des piles des *Misérables* entre Bakounine et les écrits théoriques de Tolstoï, sur les Ramblas de Barcelone pendant la guerre civile. » Et René Char : « Hugo est l'archétype de miroir grandiose en forme de cœur (et de résultat) où s'intègre la gloire croissante et assez indécise de quelques contemporains. » « A chaque rencontre, ajoutait Jean Paulhan, je le vois grandir. Je ne suis pas pressé. Lui non plus. Reparlons-en dans une vingtaine d'années. »

N'en doutons pas : Victor Hugo doit être tenu pour un écrivain d'avenir. Le plus grand poète français est devenu le poète de la France.

Je suis retourné à Guernesey. L'île était toute fleurie. Je m'en suis allé vers les rocs rouges, là où il préférait porter ses pas. Lors de son dernier séjour, après que la mort fut venue pour la première fois l'avertir, c'est là qu'il aimait s'attarder, devant les baies à l'eau profonde. A Plainmont, il passait devant cette Maison visionnée dont parlaient à voix basse les paysans parce que l'on y voyait, la nuit, des fantômes. Il ne se moquait pas. Des esprits, il se savait le familier, peut-être l'ami. Dans l'herbe rase et sèche, il s'avançait sur la falaise, jusqu'à cette extrémité qui est à pic.

Il restait là, devant la mer, silencieux, immobile, scrutant l'horizon comme s'il y cherchait une réponse encore refusée et qui peut-être enfin lui serait donnée. Le vent du large caressait ses cheveux blancs et l'environnait de son chant.

Parfois, il remuait les lèvres et souriait.

Je me suis campé après lui sur la même falaise. J'ai regardé ces mêmes vagues et écouté leur fracas. Alors, j'ai senti près de moi l'ombre immense et formidable. Par-delà l'Océan qui était son double, par-delà ce mystère qu'il n'avait jamais cessé de sonder, une fois encore le vieil Orphée parlait avec Dieu.

REMERCIEMENTS

L'élaboration de ce livre s'est poursuivie pendant plusieurs années. Il m'est impossible de nommer ici tous ceux qui m'ont apporté aide et soutien. Au premier rang, je veux inscrire le nom de Jean Massin, serviteur infatigable de Hugo et qui n'a cessé de répondre à mes questions avec une bonne grâce que je n'oublierai jamais. Jean et Sheila Gaudon, qui mettent la dernière main à une monumentale édition de la correspondance générale de Hugo, ont ouvert pour moi leurs dossiers avec une confraternité bien rare. Anne Ubersfeld et Guy Rosa qui, en équipe avec plusieurs chercheurs, préparent l'édition tant souhaitée des manuscrits originaux d'Adèle Hugo, apprenant que j'allais moi-même entreprendre l'étude de ces manuscrits, ont aussitôt mis à ma disposition leurs précieux travaux. A Villequier se trouvent d'importantes archives hugoliennes, qui n'ont été que partiellement utilisées par mes prédécesseurs : Mlle Élisabeth Chirol, conservateur des Musées départementaux de la Seine-Maritime, a bien voulu mettre à ma disposition ces lettres précieuses. Mlle Lafargue, conservateur à la maison de Victor Hugo, m'a non seulement accueilli avec cette courtoisie dont elle a le secret, mais elle m'a donné accès aux dernières archives acquises par le musée, cependant qu'elle ne cessait de résoudre les problèmes qui se posaient à moi. M. Mironneau, conservateur en chef des Bibliothèques de Besançon, a bien voulu me guider dans mes recherches sur la maison natale de Victor Hugo. M. Lyonel Estavoyer, président de l'Association Renaissance du vieux Besançon, m'a donné connaissance des documents en sa possession. M. Sabourin, administrateur de la maison de Guernesey, m'y a reçu de la façon que j'ai dite plus haut. Mme Geneviève Gille, conservateur en chef de la région d'Ile-de-France aux Archives de Paris, a bien voulu faire procéder à des recherches sur Léonie Biard, cependant que M. Joseph Valynselle me fournissait sur le même sujet d'intéressantes indications. M. Yves de Jonghe d'Ardoye a facilité mon enquête sur les séjours de Hugo en Belgique. M. Louis Trébuchet m'a communiqué les états de service de Jean-François Trébuchet. Mlle Dominique Laprée s'est livrée pour moi à des recherches aux archives de la préfecture de police de Paris qui contiennent de nombreux dossiers restés inexplorés sur Victor Hugo, ainsi qu'à la Maison de Victor Hugo où demeurent un grand nombre d'inédits. M. Jean-Pierre Raymond, apprenant que je voulais utiliser le fonds Juliette Drouet de la Bibliothèque nationale et que je déplorais de ne pouvoir prendre moi-même connaissance des vingt mille lettres, dont dix-huit mille inédites, qu'a écrites Juliette à Hugo, s'est offert, avec un enthousiasme que je n'oublierai pas, à se muer en explorateur. Je lui dois les découvertes que l'on trouve relatées dans ce livre. Mme Françoise Dumas, conservateur en chef de la Bibliothèque de l'Institut de France, a bien voulu m'apporter une aide précieuse, ainsi que Mme Laffitte-Larnaudie, conservateur des Archives de l'Institut. Florence Roth, conservateur de la bibliothèque de la Société des Auteurs et Compositeurs dramatiques, m'a ouvert les archives de cette société qui renferment de nombreuses informations inédites sur le rôle qu'y a joué Victor Hugo. Mon éminent confrère Fernand Braudel a, avec une spontanéité égale à sa science, facilité des recherches à la bibliothèque des Sciences humaines. Mes lecteurs auront apprécié à sa valeur le témoignage de Didier Bonnet sur les dernières frasques amoureuses du poète.

Michel Castaing, directeur de la Maison d'autographes Charavay, n'a cessé, comme à l'accoutumée, de me faire bénéficier de ses archives et de ses connaissances. Mes amis, m'entendant depuis cinq ans ne leur parler que de Victor Hugo — qu'ils veuillent bien me le pardonner ! — se sont pris au jeu et m'ont communiqué les informations venues à leur connaissance. Je citerai Michèle Maurois, Micheline Dupuy, Maurice Druon, le duc de Castries, André Castelot, Jean-François Chiappe, Louis Pauwels, Bernard Pierre — et bien d'autres.

Enfin, comment omettrais-je le nom d'Anne-Marie Lethuil-
lier qui, de la première page à la dernière, a veillé sur ce
manuscrit, avec tant de compétence mais aussi de passion?
Sans elle, serais-je arrivé au but? Je n'en suis pas sûr. Et ce
n'est pas parce qu'ils étaient filiaux que j'omettrai les soins
vigilants et tendres de ma fille Isabelle!

PRINCIPAUX OUVRAGES CONSULTÉS

ANGRAND (Pierre), *Victor Hugo raconté par les papiers d'État*, 1961.
ARAGON (Louis), *Avez-vous lu Victor Hugo ?*, 1952.
ARTY (Pierre), *La Belgique selon Victor Hugo*, 1968.
ASSELINE (Alfred), *Victor Hugo intime*, 1885.
BARBEY D'AUREVILLY (Jules), « *Les Misérables* » *de M. Victor Hugo*, 1862.
BARBOU (Alfred), *Victor Hugo et son temps*, 1881.
BARRÈRE (Jean-Bertrand), *Victor Hugo (Les écrivains devant Dieu)*, 1965. — *La Fantaisie de Victor Hugo*, 3 volumes, 1972-1973.
BARTHOU (Louis), *Les Amours d'un poète*, 1919. — *Victor Hugo, élève de Biscarrat*, 1925. — *Le Général Hugo*, 1926.
BAUDOUIN (Charles), *Psychanalyse de Victor Hugo*, 1943.
BENOÎT-LÉVY (Edmond), *La Jeunesse de Victor Hugo*, 1928.
BERTAL (Georges), *Auguste Vacquerie, sa vie et son œuvre*, 1889.
BILLY (André), *Sainte-Beuve*, 2 volumes, 1952.
BIRÉ (Edmond), *Victor Hugo*, 4 volumes, 1891-1894.
BOUSSEL (Patrice) et DUBOIS (Madeleine), *De quoi vivait Victor Hugo*, 1952.
CASTELNAU (Jacques), *Adèle Hugo, l'épouse d'Olympio*, 1941.
CHENAY (Paul), *Victor Hugo à Guernesey*, 1902.
CHIROL (Élisabeth), *Le Musée Victor-Hugo de Villequier*, 1982.
CLARETIE (Jules), *Victor Hugo, Souvenirs intimes*, 1902.
DAUBRAY (Cécile), *Victor Hugo et ses correspondants*, 1947.
DAUDET (Mme Alphonse), *Souvenirs autour d'un groupe littéraire*, 1909.
DAUDET (Léon), *La Tragique Existence de Victor Hugo*, 1937.
DELALANDE (Jean), *Victor Hugo à Hauteville House*, 1947.
DROUET (Juliette), *Mille et une lettres d'amour à Victor Hugo*, choisies et préfacées par Paul Souchon, 1951.
DUFAY (Pierre), *Victor Hugo à vingt ans*, 1909. — *Eugène Hugo*, 1924.
DUMAS (Alexandre), *Mes Mémoires*, 10 volumes, 1863.
DURUY (Albert), *Le Brigadier Muscar*, 1886.

ECALLE (Martine) et LUMBROSO (Violaine), *Album Hugo*, 1964.

ESCHOLIER (Raymond), *Victor Hugo cet inconnu*, 1951. — *Un amant de génie*, 1953.

FLOTTES (Pierre), *L'Éveil de Victor Hugo*, 1957.

FOUCHER (Pierre), *Souvenirs, 1772-1845*. Introduction et notes de Louis Guimbaud, 1929.

GAUDON (Jean), *Ce que disent les tables parlantes. Victor Hugo à Jersey*, 1963. — *Lettres de Victor Hugo à Juliette Drouet*, 1964. — *Le Temps de la Contemplation*, 1969.

GELY (Claude), *Victor Hugo poète de l'intimité*, 1969.

GORSSE (Pierre de), *Journal inédit du voyage de Juliette Drouet aux Pyrénées en 1843*, 1956.

GREGH (Fernand), *L'Œuvre de Victor Hugo*, 1933.

GUILLEMIN (Henri), *Victor Hugo par lui-même*, 1951. — *Hugo et la sexualité*, 1954. — Publication de nombreux textes inédits de Hugo et notamment : *Journal 1830-1848*, 1954. — *Souvenirs personnels 1848-1851*, 1952. — *Carnets intimes 1870-1871*, 1953.

GUIMBAUD (Louis), *Victor Hugo et Juliette Drouet*, 1914. — *Victor Hugo et Madame Biard*, 1927. — *La Mère de Victor Hugo*, 1930.

HUAS (Jeanine), *Juliette Drouet ou la passion romantique*, 1970.

HUGO (Adèle), *Victor Hugo raconté par un témoin de sa vie*, 2 volumes, 1863.

HUGO (Adèle), fille de la précédente, *Journal*, 2 volumes, 1968 et 1971.

HUGO (Charles), *Les Hommes de l'exil*, 1875.

HUGO (Georges), *Mon grand-père*, 1902.

HUGO (Léopold, général), *Mémoires*. Préface et notes de Louis Guimbaud, 1934.

JUIN (Hubert), *Victor Hugo*, tome 1, 1980.

LALANNE (Maxime), *Chez Victor Hugo, par un passant*, 1864.

LARROUMET (Gustave), *La Maison de Victor Hugo. Impressions de Guernesey*, 1885.

LASTER (Arnaud), *Pleins feux sur Victor Hugo*, 1981.

LE BARBIER (Louis), *Le Général de La Horie*, 1904.

LESCLIDE (Juana Richard), *Victor Hugo intime*, 1902.

LESCLIDE (Richard), *Propos de table de Victor Hugo*, 1885.

LEUILLIOT (Bernard), *Victor Hugo publie les Misérables*, 1970.

LEVAILLANT (Maurice), *La Crise mystique de Victor Hugo*, 1954.

LOCKROY (Édouard), *Au hasard de la vie. Souvenirs sur Victor Hugo*, 1913.

LOIDREAU (Simone), *Les Origines vendéennes de Victor Hugo, Légende ou vérité* dans : *Revue du Souvenir vendéen* (juin-juillet 1981).

MASSIN (Jean), *Victor Hugo. Œuvres complètes*. Édition chronologique, 18 volumes, 1967-1969.

MAUROIS (André), *Olympio ou la vie de Victor Hugo*, 1954.

MUTIGNY (Jean de), *Victor Hugo et le spiritisme*, 1981.

NODIER (Charles), *Souvenirs, portraits et épisodes*, 2 volumes, 1831.

PAILLERON (Marie-Louise), *François Buloz et ses amis. La Vie littéraire sous Louis-Philippe*, 1930.

PÉGUY (Charles), *Victor-Marie, comte Hugo*, 1934.

RACINEUX (Alain), *Le Pays de Chateaubriant et la Révolution*, 1980.

RIVET (Gustave), *Victor Hugo chez lui*, 1878.

ROLLAND (Romain), *Le Vieux Orphée* (*Europe*, numéro spécial de février-mars 1952).

ROY (Claude), *La Vie de Victor Hugo racontée par Victor Hugo*, 1952.

SAINTE-BEUVE (Charles Augustin), *Vie, poésies et pensées de Joseph Delorme*, 1829. — *Volupté*, 1834. — *Livre d'amour*, 1843.

SAURAT (Denis), *La Religion de Victor Hugo*, 1929.

SAVANT (Jean), *La Vie sentimentale de Victor Hugo* (5 fascicules parus) 1982-1983.

SIMON (Gustave), *L'Enfance de Victor Hugo*, 1904. — *Le Roman de Sainte-Beuve*, 1906. — *La Vie d'une femme*, 1914. — *Les Tables tournantes de Jersey*, procès-verbaux des séances, 1923.

SOUCHON (Paul), *Olympio et Juliette*, 1940. — *La Plus Aimante ou Victor Hugo entre Juliette et Madame Biard*, 1941. — *La Servitude amoureuse de Juliette Drouet*, 1942. — *Juliette Drouet*, 1942. — *Les Deux Femmes de Victor Hugo*, 1948.

STAPNER (Paul), *Victor Hugo à Guernesey. Souvenirs personnels*, 1905.

VACQUERIE (Auguste), *Profils et grimaces*, 1856. — *Les Miettes de l'histoire (Trois ans à Jersey)*, 1863.

VIEL-CASTEL (Comte Horace de), *Mémoires sur le règne de Napoléon III*, 6 volumes, 1883-1884.

VIENNET, *Journal*, 1955.

ORIGINE DES ILLUSTRATIONS HORS TEXTE

1er CAHIER

Pages 1. 2. 4. 5. 6a. 9. 10. 12b. 14/15. 16 : *Collections de la Maison de Victor Hugo/Bulloz.*
Page 3 : *Micheline Pelletier.*
Pages 6b. 11b. 12a. : *Giraudon.*
Pages 7. 11c : *Roger Viollet.*
Page 8 : *Bibliothèque nationale.*
Pages 11a. 13 : *Bulloz.*

2e CAHIER

Pages 1. 3. 5a. 6. 7. 8. 9. 10. 11a. 13. 15. 16 : *Collections de la Maison de Victor Hugo/Bulloz.*
Pages 2. 14 : *Roger Viollet.*
Pages 4. 12b : *Bulloz.*
Page 5b : *Musées de la Ville de Paris.*
Page 11b et c : *Micheline Pelletier.*
Page 12a : *Bibliothèque municipale de Nice.*

3e CAHIER

Pages 1. 2b. 3. 4. 5. 8b. 9b. 10. 11. 12. 13. 15a. et b : *Collections de la Maison de Victor Hugo/Bulloz.*

1034   *VICTOR HUGO*

Pages 2a. 6. 7c : *Micheline Pelletier.*
Pages 7a. 16 : *Roger Viollet.*
Pages 8a. 15c : *René-Jacques.*
Pages 9a. 14 : *G. Sirot.*

TABLE DES MATIÈRES

L'impression de ce livre
a été réalisée sur les presses
des Imprimeries Aubin
à Poitiers/Ligugé

pour les Éditions Perrin

Achevé d'imprimer en juin 1985
No d'édition, 678 — No d'impression, L 20091
Dépôt légal, février 1985

Imprimé en France